Instructors: Student Success Starts with You

Tools to enhance your unique voice

Want to build your own course? No problem. Prefer to use our turnkey, prebuilt course? Easy. Want to make changes throughout the semester? Sure. And you'll save time with Connect's auto-grading too.

65%
Less Time Grading

Laptop: McGraw Hill Education

Study made personal

Study resources in Connect help your students be better prepared in less time. You can transform your class time from dull definitions to dynamic discussion. Hear from your peers about the benefits of Connect at **www.mheducation.com/highered/connect**

Affordable solutions, added value

Make technology work for you with LMS integration for single sign-on access, mobile access to the digital textbook, and reports to quickly show you how each of your students is doing. And with our Inclusive Access program you can provide all these tools at a discount to your students. Ask your McGraw Hill representative for more information.

Padlock: Jobalou/Getty Images

Solutions for your challenges

A product isn't a solution. Real solutions are affordable, reliable, and come with training and ongoing support when you need it and how you want it. Visit **www.supportateverystep.com** for videos and resources both you and your students can use throughout the semester.

Checkmark: Jobalou/Getty Images

SUPPORT AT every step

Students: Get Learning that Fits You

Effective tools for efficient studying

Connect is designed to make you more productive with simple, flexible, intuitive tools that maximize your study time and meet your individual learning needs. Get learning that works for you with Connect.

Study anytime, anywhere

Download the free ReadAnywhere app and access your online eBook when it's convenient, even if you're offline. And since the app automatically syncs with your eBook in Connect, all of your notes are available every time you open it. Find out more at **www.mheducation.com/readanywhere**

> *"I really liked this app—it made it easy to study when you don't have your textbook in front of you."*
>
> - Jordan Cunningham, Eastern Washington University

Everything you need in one place

Your Connect course has everything you need—whether reading on your digital eBook or completing assignments for class, Connect makes it easy to get your work done.

Learning for everyone

McGraw Hill works directly with Accessibility Services Departments and faculty to meet the learning needs of all students. Please contact your Accessibility Services Office and ask them to email accessibility@mheducation.com, or visit **www.mheducation.com/about/accessibility** for more information.

CONÉCTATE

Introductory Spanish

Third Edition

Grant Goodall
University of California, San Diego

Darcy Lear
University of Chicago

Mc
Graw
Hill

CONÉCTATE: INTRODUCTORY SPANISH, THIRD EDITION

Published by McGraw Hill Education, 2 Penn Plaza, New York, NY 10121. Copyright © 2022 by McGraw Hill Education. All rights reserved. Printed in the United States of America. Previous editions © 2018 and 2016. No part of this publication may be reproduced or distributed in any form or by any means, or stored in a database or retrieval system, without the prior written consent of McGraw Hill Education, including, but not limited to, in any network or other electronic storage or transmission, or broadcast for distance learning.

Some ancillaries, including electronic and print components, may not be available to customers outside the United States.

This book is printed on acid-free paper.

1 2 3 4 5 6 7 8 9 LWI 24 23 22 21

ISBN 978-1-260-01608-6 (bound edition)
MHID 1-260-01608-0 (bound edition)
ISBN 978-1-264-00972-5 (loose-leaf edition)
MHID 1-264-00972-0 (loose-leaf edition)
ISBN 978-1-264-00973-2 (instructor's edition)
MHID 1-264-00973-9 (instructor's edition)

Senior Portfolio Manager: *Sadie Ray*
Product Developer: *Margaryta Bondarenko*
Executive Marketing Manager: *Ann Helgerson*
Lead Content Project Managers: *Sandy Wille; Jodi Banowetz*
Senior Buyer: *Susan K. Culbertson*
Design: *Beth Blech*
Lead Content Licensing Specialist: *Carrie Burger*
Cover Image: *©Shutterstock/Rodrigo Cuel*
Compositor: *Aptara®, Inc.*

All credits appearing on page or at the end of the book are considered to be an extension of the copyright page.

Library of Congress Cataloging-in-Publication Data

Names: Goodall, Grant, author. | Lear, Darcy, author.
Title: Conéctate : introductory Spanish / Grant Goodall, Darcy Lear.
Description: Third edition. | Dubuque : McGraw Hill Education, 2020. |
    Includes index.
Identifiers: LCCN 2020018833 (print) | LCCN 2020018834 (ebook) | ISBN
    9781260016086 (hardcover) | ISBN 9781264009732 (hardcover) | ISBN
    9781264009725 (spiral bound) | ISBN 9781264009701 (ebook)
Subjects: LCSH: Spanish language—Textbooks for foreign speakers—English.
Classification: LCC PC4129.E5 G58 2020 (print) | LCC PC4129.E5 (ebook) |
    DDC 468.2/421—dc23
LC record available at https://lccn.loc.gov/2020018833
LC ebook record available at https://lccn.loc.gov/2020018834

The Internet addresses listed in the text were accurate at the time of publication. The inclusion of a website does not indicate an endorsement by the authors or McGraw Hill Education, and McGraw Hill Education does not guarantee the accuracy of the information presented at these sites.

Dedications

For their patient support and encouragement, I thank el amor de mi vida, Armando Vargas Matus, and my parents, Frank and Lois Goodall. My father did not live to see the book in print, but he felt pride knowing that his son would be published by McGraw Hill, the company that he devoted his professional life to for more than 30 years. This book is for him.
—Grant

To my two Nancys and my two Bills. I am because of them.
—Darcy

CONTENTS

	COMUNICACIÓN	VOCABULARIO

Capítulo 1:
En la clase   1

¡Hola! Greeting people in Spanish   2

¿Cómo te llamas? / ¿Cómo se llama? Asking someone his/her name   4

¿Cómo estás? / ¿Cómo está? Asking people how they are   7

¿De dónde eres? / ¿De dónde es? Asking where someone is from   8

¡Adiós! Saying good-bye   9

¿Cómo se escribe? The Spanish alphabet and campus vocabulary   10

Los meses y las estaciones Months and seasons   14

Los números y las fechas Numbers and dates   15

Capítulo 2:
Mis amigos y yo   37

¿Cuántos años tienes? / ¿Cuántos años tiene Ud.? Finding out someone's age   38

¿Adónde vas? / ¿Adónde va? Finding out where someone is going   39

Me gusta... Expressing likes and dislikes   41

¿Cómo somos? Describing people, places, and things with adjectives   43

Capítulo 3:
¿Qué haces?   66

Disculpa, ¿qué hora es? Getting someone's attention, asking for the time   67

¿A qué hora... ? Asking at what time events occur   69

¿Cómo es tu rutina diaria? Your daily routine and the days of the week   72

ESTRUCTURA

1.1 Singular nouns and articles   18

1.2 Plural nouns and articles   20

1.3 The verbs **ser** and **tener**   23

1.4 Possessive adjectives   27

2.1 Adjectives   49

2.2 The verbs **estar** and **ir**   53

2.3 The verb **gustar**   56

2.4 Infinitives with **gustar** and **ir**   58

3.1 Present indicative: Singular forms   77

3.2 Present indicative: Plural forms   81

3.3 Stem-changing verbs: **o → ue**   86

3.4 Demonstrative adjectives   89

CONÉCTATE

¡Leamos! ¡Conéctate al mundo   30

¡Escuchemos! ¿De dónde son?   32

¡Escribamos! La información de contacto   33

¡Hablemos! Una charla   34

¡Leamos! ¿Cómo son los profesionales?   60

¡Escuchemos! ¿Cómo es tu familia?   61

¡Escribamos! El perfil electrónico   62

¡Hablemos! A conocernos   63

¡Leamos! La rutina de una líder   92

¡Escuchemos! El horario para comer   94

¡Escribamos! Las rutinas diarias   95

¡Hablemos! La rutina de la familia Ramírez   96

PARA SABER MÁS

1.1 Singular nouns and articles   482

- More about gender of nouns   482

2.1 Adjectives   482

- Adjective placement   482

2.2 The verbs *estar* and *ir*   483

- Using **tener** to express states   483

2.3 The verb *gustar*   483

- **Nos gusta(n), os gusta(n), les gusta(n)**   483

3.3 Stem-changing verbs: o → *ue*   484

- Additional **o → ue** verbs   484

3.4 Demonstrative adjectives   484

- The demonstrative adjectives **aquel/aquella/aquellos/aquellas**   484
- Demonstrative pronouns   485

	COMUNICACIÓN	**VOCABULARIO**
Capítulo 4: ¡Qué bonita familia! **99**	**¿A qué te dedicas? / ¿A qué se dedica?** Asking what people do for a living 100 **¡Qué lindo!** Commenting on things and complimenting people 101	**¿Cómo es la familia de Camila?** Describing family members 103
Capítulo 5: Por la ciudad **128**	**Muchas gracias** Expressing gratitude 129 **¿Dónde está...?** Asking for and giving directions 131	**Paisajes urbanos** Urban landscapes 135 **Los números del 100 al 9.999** Numbers from 100 to 9,999 138
Capítulo 6: ¡A comer! **164**	**¡Cómo no!** Responding to requests 165 **—¿Quieres...? —No, gracias.** Inviting and declining politely 167	**A comprar la comida** Food and where to buy it 169 **En la mesa** Eating at home and at restaurants 173

ESTRUCTURA

4.1 Comparatives 108

4.2 Stem-changing verbs:
e → i 112

4.3 Stem-changing verbs:
e → ie 116

4.4 **Ser** and **estar** for identity
and location 119

CONÉCTATE

¡Leamos! La edad dorada:
de 25 a 34 123

¡Escuchemos! ¿De dónde son
sus antepasados? 124

¡Escribamos! Una familia
famosa 125

¡Hablemos! ¡Esta es mi
familia! 125

PARA SABER MÁS

4.1 **Comparatives 485**
- **Más de** with numerals 485
- Comparatives of
  equality 485
- Superlatives 486
- Expressing things
  emphatically 486

4.2 **Stem-changing verbs:
e → i 487**
- Additional **e → i** verbs 487

4.3 **Stem-changing verbs:
e → ie 487**
- Additional **e → ie**
  verbs 487

5.1 Verbs with irregular **yo**
forms 139

5.2 Reflexive verbs 144

5.3 **Ser** and **estar** with
adjectives 149

5.4 Indefinite and negative
expressions 154

¡Leamos! «¿Padre, hijo o caballo?»,
por don Juan Manuel 157

¡Escuchemos! ¿Cómo llego
a...? 158

¡Escribamos! Un lugar que
conozco 160

¡Hablemos! Hagamos un
viaje 161

5.1 **Verbs with irregular *yo*
forms 487**
- More on **saber** and
  conocer 487
- More irregular verbs with
  -zco 488

5.2 **Reflexive verbs 488**
- Additional reflexive
  verbs 488
- The reciprocal meaning of
  reflexive verbs 489
- The infinitive after a
  preposition 489

5.3 ***Ser* and *estar* with
adjectives 489**
- **Ser** and **estar** for
  location 489

6.1 The preterite: Regular
verbs 176

6.2 The preterite: Some common
irregular verbs 180

6.3 Direct objects and direct
object pronouns 184

¡Leamos! El huitlacoche 189

¡Escuchemos! La cocina
tradicional 191

¡Escribamos! Una celebración
memorable 192

¡Hablemos! La fiesta de la
clase 193

6.1 **The preterite: Regular
verbs 490**
- **Leer, creer,** and **oír** in the
  preterite 490
- **Ver** and **dar** in the
  preterite 490

	COMUNICACIÓN	VOCABULARIO

Capítulo 7:

Los recuerdos y la nostalgia   196

Lo pasé bien Expressing *to have a good time*   197

Felicitaciones/Felicidades/Enhorabuena Congratulating someone   200

¿Cómo se celebra? Celebrations in the Spanish-speaking world   201

Capítulo 8:

La ropa y la moda   223

¡Qué padre! Talking about how great something is   224

Disculpe... Using polite expressions in appropriate contexts   226

¿Qué llevas? Describing clothing   228

El cuerpo humano Parts of the body   231

¿Cómo te queda? Expressing how clothing fits   232

Capítulo 9:

¿Adónde te gustaría viajar?   256

¿Te gustaría...? / ¿Le gustaría...? Asking what people would like to do   257

Favor de no fumar Expressing rules with infinitives   258

Los mejores lugares turísticos Travel and tourism   259

¿Qué tiempo hace? Talking about the weather   263

ESTRUCTURA	CONÉCTATE	PARA SABER MÁS

7.1 The imperfect   205

7.2 Indirect objects and indirect object pronouns   210

7.3 Pronouns after prepositions   214

¡Leamos! Los ritos y conjuros de la Nochevieja   217

¡Escuchemos! Nuestros recuerdos   219

¡Escribamos! Una entrada en un blog   220

¡Hablemos! Un regalo terrible   221

7.3 Pronouns after prepositions 490

• Additional prepositions   490

• Stressed possessives   491

8.1 More irregular preterite forms   235

8.2 The preterite and imperfect together   238

8.3 Object pronoun placement with infinitives   246

¡Leamos! Conceptos que cautivan   248

¡Escuchemos! Lo tradicional y lo moderno de los indios kuna   250

¡Escribamos! Ser testigo   252

¡Hablemos! Un pase de modelos   253

8.1 More irregular preterite forms 492

• Additional irregular preterite forms   492

8.2 The preterite and imperfect together 492

• Comparison of meaning in preterite vs. imperfect   492

8.3 Object pronoun placement with infinitives 493

• Double object pronouns   493

• Another use of **lo**: **Lo** + *adjective*   494

9.1 The prepositions **por** and **para**   265

9.2 Impersonal **se**   271

9.3 **Se** for unplanned events   275

¡Leamos! Vacaciones en Tequila   280

¡Escuchemos! Los viajes ideales   282

¡Escribamos! Las mejores y peores vacaciones   284

¡Hablemos! ¿Adónde vamos?   285

9.1 The prepositions *por* and *para* 494

• Additional uses of **por** and **para**   494

9.3 *Se* for unplanned events 495

• Additional verbs with **se** for unplanned events   495

COMUNICACIÓN	VOCABULARIO

Capítulo 10:
La vida profesional 288

A sus órdenes Expressions for professional contexts 289

Quiero presentarle a... Introducing people to each other 293

Las profesiones y los oficios Professions and careers 295

La tecnología en el lugar de trabajo Technology in the workplace 298

Capítulo 11:
¡Estás en tu casa! 320

¡Bienvenido! Welcoming people 321

Pasa Making polite invitations 323

La casa y los cuartos Rooms and other parts of a home 325

Los muebles y los electrodomésticos Furniture and appliances 326

Capítulo 12:
El deporte y el bienestar 350

¡Suerte! Wishing someone good luck 351

Para mantenerse sano/a, hay que... Giving advice on healthy living 353

Los deportes y cómo mantenerse en forma Sports and fitness 354

La salud y el bienestar Health and well-being 358

ESTRUCTURA

CONÉCTATE

PARA SABER MÁS

10.1 The relative pronoun **que** 300

10.2 Informal (**tú**) commands 304

10.3 Formal (**Ud./Uds.**) commands 309

¡Leamos! Puestos y placeres 313

¡Escuchemos! La tecnología en el lugar de trabajo 315

¡Escribamos! La carrera de mis sueños 316

¡Hablemos! ¿Le puedo dar un mensaje? 317

10.1 **The relative pronoun** *que* **495**
- **Que** and additional relative pronouns 495
- **Lo que** 496

11.1 The present perfect 330

11.2 Commands with object and reflexive pronouns 337

11.3 The present progressive 340

¡Leamos! Casas para el siglo XXI: Pequeñas, flexibles y mutables 344

¡Escuchemos! ¿Cuánto cuesta vivir aquí? 346

¡Escribamos! Un día típico en casa 347

¡Hablemos! Andamos buscando un apartamento 348

11.1 **The present perfect** **496**
- Additional irregular past participles 496
- Using the past participle as an adjective 496
- Using the past participle to form the passive 496
- The past perfect 497

11.2 **Commands with object pronouns** **497**
- **Nosotros/as** commands 497

11.3 **The present progressive** **497**
- The past progressive 497

12.1 The present perfect with object pronouns 363

12.2 The present progressive with object pronouns 368

12.3 The subjunctive: Volition with regular verbs 370

¡Leamos! Trancos de gratitud en la 21K 375

¡Escuchemos! El sueño de ser deportista 377

¡Escribamos! Cómo nos mantenemos en forma 379

¡Hablemos! Somos entrenadores 380

12.2 **The present progressive with object pronouns** **498**
- The present progressive with double object pronouns 498

12.3 **The subjunctive: Volition with regular verbs** **498**
- Additional expressions of volition 498

	COMUNICACIÓN	**VOCABULARIO**

Capítulo 13:

La naturaleza y el medio ambiente   383

Debería... Talking about what you think someone should do   384

¿Cuánto tiempo hace que...? Expressing how long you've been doing something   386

La naturaleza y el medio ambiente Nature and the environment   388

Capítulo 14:

La cultura y la diversión   410

Quizás. No sé. Tal vez... Expressing uncertainty   411

Quisiera... Talking about what you would like to do   413

El cine, el teatro, el museo Movies, theater, and museums   414

Capítulo 15:

Si la vida fuera diferente...   434

En mi opinión... Expressing opinions   435

¿Qué sé yo? Expressing what you know and don't know   437

Los problemas sociales, económicos y políticos Social, economic, and political issues   439

ESTRUCTURA

CONÉCTATE

PARA SABER MÁS

13.1 The subjunctive: Irregular verbs 392

13.2 The subjunctive: Disbelief and uncertainty 395

13.3 The subjunctive: Purpose and contingency 399

¡Leamos! La aventura y el ecoturismo en el Perú 403

¡Escuchemos! Algunas amenazas a nuestro planeta 405

¡Escribamos! El problema medioambiental más grave 406

¡Hablemos! ¿A quién le gusta más la naturaleza? 407

13.1 The subjunctive: Irregular verbs 499

- Additional irregular verbs in the subjunctive 499
- Present perfect subjunctive 499

13.2 The subjunctive: Disbelief and uncertainty 500

- The subjunctive in adjective clauses (after nonexistent and indefinite antecedents) 500
- The subjunctive: Emotion 500

13.3 The subjunctive: Purpose and contingency 501

- The subjunctive in time clauses 501
- The subjunctive: Additional expressions of contingency 501

14.1 The past subjunctive 418

14.2 The future 423

¡Leamos! «La princesa azul» por Juan Luis Sánchez 428

¡Escuchemos! La cultura que nos rodea 430

¡Escribamos! Dos lugares famosos 431

¡Hablemos! Nuestros gustos musicales 432

14.1 The past subjunctive 502

- Additional irregular past subjunctive forms 502
- The past perfect subjunctive 502

14.2 The future 503

- Irregular future forms 503
- The future perfect 503

15.1 The conditional 442

15.2 Si clauses 445

¡Leamos! «Malas y buenas noticias» por José Antonio Millán 451

¡Escuchemos! ¿Cómo cambiarían el mundo? 454

¡Escribamos! Si tuviera un millón de dólares… 456

¡Hablemos! ¿Crees que es buena idea o mala idea? 457

15.1 The conditional 503

- Irregular conditional forms 503
- The conditional perfect 503

15.2 *Si* clauses 504

- The past perfect subjunctive in **si** clauses 504

COMUNICACIÓN

VOCABULARIO

Capítulo 16:

La amistad y el amor   459

¿Eres soltero/a, casado/a o...? Describing your relationship status   460

Cuánto lo siento Expressing sympathy and regret   461

La amistad y el amor Personal relationships   462

Para saber más   482

Appendix 1: Verb charts   505

Appendix 2: Answer key   513

Vocabulario   519

Index   550

ESTRUCTURA

CONÉCTATE

16.1 Review: The present indicative and the infinitive   465

16.2 Review: The preterite and imperfect together   467

16.3 Review: Object pronouns   471

16.4 Review: The present subjunctive   474

¡Leamos! Los jóvenes retrasan su emancipación   476

¡Escuchemos! ¿Cómo se conocieron?   478

¡Escribamos! La emancipación de los jóvenes estadounidenses   479

¡Hablemos! Mis primeros días en la universidad   480

PREFACE

The Philosophy

The philosophy behind *Conéctate* is simple: take what we know about second-language learning, combine it with the best practices in second-language teaching, and infuse it throughout with stimulating cultural content that challenges students to see themselves and the world in new ways. The overarching goal is to help instructors teach a highly effective, consistently engaging, and truly inspirational course in Spanish that is based on solid research.

- **Meaning-based activities:** At its core, language is a way of expressing meaning, so all activities in *Conéctate* guide students through the process of using Spanish meaningfully, either by understanding sentences that they hear or see, or by producing sentences that express what they want to communicate. Students are given myriad opportunities to engage in meaningful activities within a rich cultural context in all four skills: listening, speaking, reading, and writing. In the vocabulary activities students are called to connect the word and its associated meaning, regardless of whether the word is written or spoken. In grammar activities as well, students learn to associate a verb ending with its meaning, for instance, and they practice understanding or producing the ending and its meaning in all four skills.

- **Active-learning approach:** Students learn best when they are fully engaged with the material and are actively participating in every stage of the learning process. There is strong evidence that learning improves when students try to anticipate what is about to be learned or when they test themselves on what they have just learned. To this end, *Conéctate* incorporates these techniques in every chapter. Rather than simply presenting students with a vocabulary list, for instance, vocabulary activities in *Conéctate* ask students to figure out which word goes with which meaning, requiring students to engage actively with the material. Grammar activities, similarly, have students use a grammar point in meaningful ways right from the start, allowing them to uncover some basic grammatical properties on their own before these have been explained to them. As the research literature and everyday experience show, this type of challenge leads to better learning outcomes.

- **Input-to-output sequence:** In every section of *Conéctate,* students focus first on comprehension and then transition to production. This sequencing of activities ensures that students are fully prepared to do each activity and follows a fundamental principle of language acquisition: you learn to understand before you learn to produce. Whether focused on input or output, though, all activities are solidly meaning-based. In the initial activities, students see or hear the words and need to understand them, while in later activities, they need to speak or write the words in order to express an idea. As in real life, the goal is always to understand or express meaning.

- **Review:** Students learn best when they revisit topics on a regular basis (what psychologists call "spaced practice"), so *Conéctate* builds in review as an integral part of the program. Each grammar section, for instance, is preceded by a brief active-learning activity that refreshes students' awareness of a related grammatical point that they have already seen. In addition, for certain topics that are known to be challenging, such as object pronouns, students build up their knowledge incrementally over the course of several chapters, always reviewing what they have seen previously before proceeding. The result is that students end up with a strong foundation that has been very carefully laid.

- **Authentic language and culture:** Students will ultimately be using their Spanish in the real world, not in a classroom, so *Conéctate* is infused throughout with videos of Spanish-speakers from all over the world, telling their stories in a spontaneous, unscripted, and natural way. From the very beginning, students learn to understand *buenos días,* for example, the way people really say it, and as they proceed, they learn to understand more extended discourse. The activities are carefully designed so that beginning students can understand and engage with this natural speech, despite the fact that it is "real Spanish," not language artificially created for a textbook. Students can tell the difference, and after working with *Conéctate,* they feel a greater sense of confidence that they can understand Spanish as it is spoken in the real world.

Chapter Walkthrough

The **Chapter Opener** page offers a visual introduction to the chapter theme and regional focus, as well as a list of learning objectives that outline what a student "can do" upon completing the chapter.

Each chapter contains four main sections.

Comunicación

- Every chapter in *Conéctate* opens with the **Comunicación** section, which presents students with fixed expressions through the authentic, unscripted interviews in the *Conéctate* video series.

- In the videos, students see and hear Spanish as it is truly spoken by hundreds of native speakers representing a wide variety of Spanish-speaking countries. Our author team traveled and conducted unscripted person-on-the-street interviews, asking questions and capturing the spontaneous, authentic answers. The result is a collection of unique and varied responses that showcase to students the many different ways to engage appropriately in key social interactions.

■ The activities that follow the video reinforce the high-frequency communicative expressions and allow students to begin communicating effectively in everyday situations. With these language chunks, students are empowered to complete tasks such as inviting and declining politely and responding to requests, even within the first semester.

A. ¿Por qué no?   Empareja la invitación con la justificación más lógica.

1. ____ ¿Tienes ganas de dar un paseo (*take a walk*) después de la cena?
2. ____ ¿Qué te parece ir al nuevo club con nosotros?
3. ____ ¿Te apetece tomar un café?
4. ____ ¿Quieres almorzar con nosotros el domingo?

a. No, gracias. Voy a viajar este fin de semana.
b. Gracias, pero no puedo. No me gusta hacer ejercicio después de comer.
c. No, gracias. No puedo consumir cafeína.
d. Gracias, pero no puedo. No sé bailar.

■ Additional suggestions and notes to students and instructors assist with the effective use of the videos and their activities.

Vocabulario

■ The **Vocabulario** section is where students engage with the words that will become the building blocks of their language development.

■ Vocabulary presentations are embedded within active-learning activities that immediately get students interacting with the new words in a realistic way. Students are not simply memorizing words, but instead are able to develop associations with images or contexts that allow them to do much of their language processing in Spanish.

En la mesa

Eating at home and at restaurants

A. ¡Pongamos la mesa! (*Let's set the table!*)   El cubierto (*place setting*) consiste en varios elementos que se usan para comer. ¿Qué elementos del cubierto usas para cada cosa? **¡Atención!** Las bebidas y la sopa requieren el verbo **tomar.**

el vaso — la taza — la cuchara — el cuchillo — el plato — el bol — el tenedor — la servilleta

MODELO: Como el brócoli con un tenedor y un plato, pero tomo la sopa de brócoli con una cuchara y un bol.

1. la pasta
2. la ensalada
3. el café
4. la sopa
5. una torta de chocolate
6. el yogur
7. el agua
8. la carne

Here are some other words to describe food and its preparation.

al ajillo fried with garlic
a la plancha grilled
la salsa sauce
asado/a roasted

dulce sweet
frito/a fried
picante spicy
saludable healthy

When in a restaurant, you can use **pedir** to order food from the **camarero/a** or **mesero/a** (*server, waiter / waitress*). Ask for **la carta** (*menu*) to decide what you want to eat.

—**¿Sabes qué vas a pedir?**

Do you know what you're going to order?

—**No, es mi primera vez en este restaurante. Tengo que ver la carta.**

No, it's my first time at this restaurant. I have to see the menu.

—**Bueno, yo voy a pedir una hamburguesa.**

OK, well I'm going to order a hamburger.

Estructura

■ The **Estructura** section of each chapter allows students to put words together to express more complex ideas and to understand how the language works. Students learn by doing; they use new structures meaningfully and uncover the rules that underlie them. They do this through supportive activities that are fun and lead them to success.

■ Beginning in **Capítulo 3,** every grammar topic in the **Estructura** section opens with a **Reciclaje** activity to reinforce language learned earlier in the course that will be built upon in the subsequent activities.

↻ Reciclaje   Infinitives

Complete each verb with its infinitive ending: **-ar, -er,** or **-ir.** Then indicate whether you prefer to do the activity **en la biblioteca (B), en la casa (C),** or **en otro lugar (O)** (*in another place*).

	B / C / O			B / C / O
1. almorz____	_____	7. estudi____		_____
2. cen____	_____	8. le____		_____
3. corr____	_____	9. mir____ la televisión		_____
4. desayun____	_____	10. nad____		_____
5. dorm____	_____	11. tom____ café		_____
6. hac____ ejercicio	_____	12. jug____ videojuegos		_____

■ After **Reciclaje,** each grammar topic has three parts. **Para empezar** guides students through an engaging activity where they are introduced to and use the target structure in a meaningful way. The **Actividades analíticas** help students disassemble the target structure and analyze how it works. The **Actividades prácticas** that follow allow students to use the structure to communicate with others and to express their own ideas. Throughout the entire **Estructura** section, the activities are carefully sequenced so that students truly learn the structure. In addition, thanks to the active-learning techniques that *Conéctate* incorporates, students are fully engaged throughout each lesson and see how to use the target structures to communicate with others and learn about the world.

2.1 Una estudiante alta

Adjectives

Para empezar...

Match each picture to the appropriate word or words.

1. ____   2. ____   3. ____

   a. altos
   b. contenta
   c. contentos, jóvenes, guapos
   d. contento, viejo
   e. alta
   f. tristes
   g. triste
   h. alto

4. ____   5. ____   6. ____

7. ____   8. ____

■ Answers to these activities are in Appendix 2 at the back of your book.

Actividades analíticas

1 Words such as **alto, triste,** and **joven** are *adjectives* (**los adjetivos**), and they describe nouns. In Spanish, adjectives often change their form to agree with the noun that they describe. What two other forms of **alto** do you see in **Para empezar?**

¿Por qué?

Spanish has two different plural endings, **-s** and **-es,** in order to make pronunciation smoother and easier. The ending **–s** is used with nouns and adjectives that end in a vowel, and **–es** is used with those that end in a consonant. The **e** of **–es** breaks up what would otherwise be a sequence of two consonants.

ESPAÑOL INCLUSIVO

• Adjectives like **alto/alta** are always marked for grammatical gender. To describe a person (including yourself), use the **-o** form for males and the **-a** form for females (or **-os** for a mixed group). For individuals who do not conform to this binary distinction, you still need to use one form or the other, since

Conéctate

Each chapter closes with the **Conéctate** section, which includes activities that encourage students to "bring it all together." Here you'll find the **¡Leamos!, ¡Escuchemos!, ¡Escribamos!,** and **¡Hablemos!** features. In addition, on Connect, you will find **Conéctate al cine** and **Conéctate a la música** features. Each of these presents a process approach with *before, during,* and *after* activities that maximize students' engagement and learning. Strategies are offered with each task and help students to develop strong communication skills that are transferable to all of their academic and professional activities.

- **¡Leamos!** This feature provides students with authentic readings from the very beginning of their language studies. Activities ensure comprehension by supporting students' language abilities, enabling students to be successful at building their receptive skills.

- **¡Escuchemos!** Another video-based activity, this feature presents authentic language that incorporates many of the chapter's linguistic and cultural topics together into a cohesive activity that builds confidence and further promotes cultural exploration. Follow-up activities put students in the active-communicator role as they deliver similar information in spoken situations.

- **¡Escribamos!** This activity integrates a process approach to writing, in which students focus on real-life and academic writing tasks, such as developing an online profile or writing a descriptive paragraph. The process starts with a unique writing strategy in every chapter, followed by a brainstorming and drafting stage, and ending with a careful editing of student work using a peer-review system.

- **¡Hablemos!** This section pulls together the chapter theme, grammar, vocabulary, and culture, and encourages students to talk extensively in pairs or complete group-based activities. These fun, engaging, oral-based activities can be used for oral exams, in-class culminating conversations, and/or oral presentations.

- **Conéctate a la música / Conéctate al cine** These digital sections, available on Connect, alternate between music and film in each chapter. Students listen to a Spanish-language song or watch a scene from a Spanish-language film that relates to some cultural, thematic, and/or linguistic aspect of the chapter. Information on the artists, background information on the films, and vocabulary support are provided, as well as pre- and post-listening and viewing activities. All songs are readily available through online streaming services, such as iTunes™, Pandora™, or Spotify™. All films are available through online streaming services, such as Amazon™, iTunes™, or Netflix™. For copyright reasons, songs and films are not provided by McGraw Hill Education.

Each chapter closes with an end-of-chapter checklist for students to gauge their progress against the Can Do-oriented chapter goals.

Now that I have completed the chapter, I can . . .

- ☐ greet someone, find out his/her name, how he/she is doing, where he/she is from, and say good-bye
- ☐ pronounce the letters and sounds of the alphabet
- ☐ express the date, months, and seasons of the year
- ☐ say the numbers 0–99
- ☐ identify people and things
- ☐ express possession by talking about the objects people have
- ☐ say the names of the Spanish-speaking countries

What's New?

- Clear presentation of the methodology throughout, including via author videos

- Annotations for every activity to guide instructors and offer considerations and suggestions on ways to carry out or extend activities

- **Estrategias:** This new boxed feature gives students tips on how they can learn best. Some explain general strategies that are useful at any stage of learning, while others help students see how a particular activity fits into their larger trajectory of learning. This is part of the overall philosophy of *Conéctate*, which emphasizes the idea that students are not passive bystanders but should be active and engaged participants in their learning. Students who understand the purpose of an activity will participate more eagerly and ultimately learn more.

- Simplified direction lines

- Updated culture and increased diversity

- Inclusion of the **vos** conjugation for recognition

- New video footage and updated activities to incorporate more Spanish-speaking regions (Colombia, Puerto Rico, and Los Angeles)

- **Accessibility enhancements**
  - ☐ Language-tagged eBook: Our eBook is now encoded to allow screen readers to flip seamlessly from Spanish to English pronunciations, as appropriate.
  - ☐ EBook table summaries allow students to understand the whole of a given table before their reader presents its detailed contents aloud.
  - ☐ WCAG-compliant Word Doc testing program available upon request

- **Digital enhancements**
  - ☐ Vocabulary presentation tool: EBook vocabulary presentations now can toggle to reveal an unlabeled version for convenient review.
  - ☐ New grammar tutorial videos: Engaging, brief videos offer students concise grammar explanations in English.
  - ☐ *Practice Spanish: Study Abroad:* This interactive 3-D game immerses students in a virtual study abroad experience in Colombia. *Practice Spanish* facilitates real-world application that integrates culture, grammar, and vocabulary, and now launches directly from Connect.
  - ☐ New communication tools: Our new Recordable Video Chat and Voice Board powered by GoReact allow for easy synchronous and asynchronous communication in the target language.

- **Remote Proctoring & Browser-Locking Capabilities**
  - ☐ New remote proctoring and browser-locking capabilities, hosted by Proctorio within Connect, provide control of the assessment environment by enabling security options and verifying the identity of the student.
  - ☐ Seamlessly integrated within Connect, these services allow instructors to control students' assessment experience by restricting browser activity, recording students' activity, and verifying students are doing their own work.
  - ☐ Instant and detailed reporting gives instructors an at-a-glance view of potential academic integrity concerns, thereby avoiding personal bias and supporting evidence-based claims.

*Practice Spanish:
Study Abroad*

Practice Spanish: Study Abroad **is a 3-D language game designed for college and university students looking to make the Spanish language come to life in an engaging, motivating, and immersive environment.**

Practice Spanish: Study Abroad

Attend a fictional study abroad program in Colombia and live with a host family, make friends, and experience life in a Spanish-speaking environment.

Choose and customize an avatar and interact with non-player game characters in a variety of real-life quests to earn points and rewards.

Fun, adaptive mini-games are also available to practice the target vocabulary and grammar.

Acknowledgements

We would like to thank the overwhelming number of friends and colleagues who served on boards of advisors or as consultants, completed reviews or surveys, and attended symposia or focus groups. Their feedback was indispensable in creating the *Conéctate* program. The appearance of their names in the following lists does not necessarily constitute their endorsement of the program or its methodology.

Professional Development Workshops

Pablo Arribas Bulnes, *Susquehanna University*

Yuly Asención-Delaney, *Northern Arizona University*

Theresa Baginski, *Jamestown Community College*

Fleming Bell, *Valdosta State University*

Ana Benito, *Indiana University—Purdue University Fort Wayne*

Ashley Bizzell, *Carteret Community College*

JoAnn Buehler, *Central Virginia Community College*

Rachel Butler, *Anderson University*

Esther Castro, *San Diego State University*

Carmelinda Chilelli, *Ohio University*

Kristin Connor, *University of Virginia*

Lilian Contreras-Silva, *Hendrix College*

Darren Crasto, *Houston Community College*

Angela Cresswell, *Holy Family University*

Stephanie Daffer, *Santa Clara University*

Luis Delgado, *Olive-Harvey College*

Agustín Díaz, *New England College*

Andrea DiBernardo, *Perimeter College—Georgia State University*

Conxita Domenech, *University of Wyoming—Laramie*

Jabier Elorrieta, *New York University*

Dulce Estévez, *Arizona State University*

Daniel Figueroa, *University of Dayton*

Williams Flores, *Christian Brothers University*

Frank Freeman, *High Point University*

Amy Fuglestad, *Valley City State University*

Wendy Gallagher, *Metropolitan State University of Denver*

Alicia Gignoux, *University of Montana*

John Gladstein, *Texarkana College*

Nydia Gregory, *University of Maryland—Eastern Shore*

Elizabeth Hayes, *Columbus State University*

Heather Hinds, *University of Arkansas*

Dianne Hobbs, *Texas Christian University*

Bobby Hobgood, *University of North Carolina at Charlotte*

Javier Ibáñez, *Susquehanna University*

Becky Jaimes, *Austin Community College*

Karen Jones, *Santa Fe College*

Melissa Knosp, *Johnson C. Smith University*

Sandra Kornuc, *California State University—Channel Islands*

Susan Lauria, *State University of New York at Purchase*

Kathleen Leonard, *University of Nevada - Reno*

Lisha Duarte, *Cuesta College*

Frauke Loewensen, *California State University—Monterey Bay*

Soumaya Long, *Community College of Baltimore County*

Carmen López, *University of Tennessee at Martin*

Maria Mahaffey, *University of North Carolina at Charlotte*

Francisco Martínez, *Northwestern Oklahoma State University*

Kelley Melvin, *University of Missouri—Kansas City*

Ingrid Mendoza-Batista, *Wake Forest University*

Johnathan Mercer, *Chabot College*

Katherine Mickel, *Louisiana State University*

Donald Mueller, *Pellissippi State Community College*

Sandra Mulryan, *Community College of Baltimore County*

Sandy Oakley, *Palm Beach State College*

Martha Oregel, *Southwestern College*

Angela Palacios, *Oregon State University*

Michelle Petersen, *Arizona State University*

Carol Pettigrew, *Georgia Military College*

María Portal, *Hamilton College*

Alma Ramírez-Trujillo, *Emory & Henry College*

Marilyn Rivera, *Borough of Manhattan Community College*

Silvia Roca-Martínez, *The Citadel—The Military College of South Carolina*

Catherine B. Rossi, *Massachusetts Bay Community College*

Maria Rossi, *University of New Hampshire*

Laura Ruiz-Scott, *Scottsdale Community College*

Rachel Salerno, *Kutztown University of Pennsylvania*

Claudia Silvy, *Bowling Green State University*

Dawn Slack, *Kutztown University of Pennsylvania*

Bryant Smith, *Nicholls State College*

Juan-Manuel Soto, *El Centro College*

Irena Stefanova, *Santa Clara University*

Mariana Stoyanova, *Georgia College & State University*

Kori Swalls, *Indiana State University*

Julio Torres, *University of California—Irvine*

Robert Train, *Sonoma State University*

Amy Uribe, *Winona State University*

Imelda Vásquez, *Ivy Tech Community College*

Vangie Vélez-Cobb, *Palo Alto College*

Nancy Virumbrales, *Waubonsee Community College*

Sarah Vitale, *Loyola University of Maryland*

Kathi Wong, *University of Tennessee—Knoxville*

Claudia Young, *Northwestern Oklahoma State University*

Ekaterina Younger, *College of the Albemarle*

Symposia Attendees

Luz Álvarez, *Johnson County Community College*

Julie Alweheiby, *Coastline Community College*

Manuel Apodaca-Valdez, *University of Southern Indiana*

Maxi Armas, *Triton College*

Julian Arribas, *University of Alabama at Birmingham*

Ashlee Balena, *University of North Carolina—Wilmington*

Tracy Bishop, *University of Arkansas—Fayetteville*

Aymará Boggiano-Barbieri, *University of North Texas*

Óscar Cabrera, *Community College of Philadelphia*

Martin Camps, *University of the Pacific*

Irene Carrion-Upson, *West Valley College*

Sara Casler, *Sierra College*

An Chung Cheng, *University of Toledo*

Tanya Chroman, *California Polytechnic State University*

Chyi Chung, *Northwestern University*

Karina Clarke, *Metro Community College—Fort Omaha*

Christine Cotton, *University of Arkansas—Little Rock*

Laurie de González, *University of Oregon*

Christopher DiCapua, *Community College of Philadelphia*

Dorian Dorado, *Louisiana State University—Baton Rouge*

Mandy Faretta-Stutenberg, *Northern Illinois University*

Erin Finzer, *University of Arkansas—Little Rock*

Stephanie Gaillard, *Louisiana State University—Baton Rouge*

Inés García, *American River College*

Mari Carmen García, *Sacramento City College*

Amy George-Hirons, *Tulane University*

Ronald Gest, *Milwaukee Area Tech—Milwaukee*

Ana Hartig-Ferrer, *California Polytechnic State University*

Luis Hermosilla, *Kent State University—Kent*

Susana Hernández, *Savannah State University*

Ileana Hester, *Grand Canyon University*

Deborah Holmberg, *Azusa Pacific University*

Alfonso Illingworth-Rico, *Eastern Michigan University*

Franklin Inojosa, *Harold Washington College*

Natalia Jacovkis, *Xavier University*

Keith Johnson, *California State University—Fresno*

Anna Kalminskaia, *University of Nevada—Reno*

Alissa Keith, *Liberty University*

Anne Kelly-Glasoe, *South Puget Sound Community College*

Gioia Kerlin, *Rogers State University*

Melanie Kleeschulte, *Missouri State University*

Pedro Koo, *Missouri State University*

David Leavell, *College of Southern Nevada*

Eduardo León, *Columbus State University*

Dolores Lima, *University of Pittsburgh—Pittsburgh*

María Manni, *University of Maryland—Baltimore County*

Mariam Manzur, *University of Southern Florida-Tampa*

Silvia Marijuan, *California Polytechnic State University*

Dora Marin, *University of Delaware*

Melissa Massie, *Bellevue College*

David Migaj, *Wilbur Wright College*

Mónica Millán, *Eastern Michigan University*

Linda Miller, *Tidewater Community College—Virginia Beach*

Gerardo Mireles, *Butte College*

Christine Núñez, *Kutztown University of Pennsylvania*

Eva Núñez, *Portland State University*

Milagros Ojermark, *Diablo Valley College*

Raquel Olivera, *Moorpark College*

Joyce Pauley, *Moberly Area Community College*

Marcelo Paz, *California State University—East Bay*

Carlos Pedroza, *Palomar College*

Elizabeth Petree, *Joliet Junior College*

Sylvain Poosson, *Thomas Nelson Community College*

Sayda Postiglione, *Sierra College*

Herlinda Ramírez-Barradas, *Purdue University Calumet—Hammond*

Norma Rivera-Hernández, *Millersville University*

Beatriz Robinson, *University of Nevada—Reno*

Judy Rodríguez, *California State University—Sacramento*

Teresa Roig-Torres, *University of Cincinnati—Blue Ash*

Norma Rosas Mayen, *University of Southern Indiana*

Brenda Ross, *University of Arkansas—Fort Smith*

Cristobal Sartori, *Indian River State College - Central*

Julie Sellers, *Benedictine College—Atchison*

Leslie Smith, *Missouri Southern State University*

Sam Sommerville, *Johnson County Community College*

Kerri Stephenson, *Johnson County Community College*

Octavian Stinga, *Dominican University*

Irina Tedrick, *Savannah State University*

Lucero Tonkinson, *Olive Harvey College*

Laura Valentín, *Kansas State University*

Alina Vega Franco, *Broward College Central*

Juanita Villena-Álvarez, *University of South Carolina—Beaufort*

Melanie Waters, *University of Illinois - Champaign*

Christina Wolff, *Johnson County Community College*

Jack Yeager, *Louisiana State University—Baton Rouge*

Germán Zárate-Sández, *Western Michigan University—Kalamazoo*

Reviewers & Webinar Participants

Maria Akrabova, *Metropolitan State University of Denver*

Veronica Álvarez, *Mt. San Antonio College*

Bárbara Ávila-Shah, *The State University of New York—The University at Buffalo*

Geoffrey Barrow, *Purdue University Calumet—Hammond*

Sara Beaudrie, *Arizona State University—Tempe*

Stephanie Blankenship, *Liberty University*

Amy Bomke, *Indiana University—Purdue University Indianapolis*

Alicia Bralove, *Bronx Community College*

Ruth Brown, *University of Kentucky*

Krista Chambless, *University of Alabama at Birmingham*

Heather Colburn, *Northwestern University*

Mayra Cortés-Torres, *Pima Community College*

Juliet Falce-Robinson, *University of California—Los Angeles*

Rafael Gómez, *California State University—Monterey Bay*

Yolanda González, *Valencia College—East Campus*

Donna Hodkinson, *Oklahoma City University*

Elias Jureidini, *Lamar State College—Orange*

Kajsa Larson, *Northern Kentucky University*

Juliana Luna-Freire, *Framingham State University*

Rob Martinsen, *Brigham Young University*

Janie McNutt, *Texas Tech University*

Joseph Menig, *Valencia College—West Campus*

Tanesha Parker, *Cape Fear Community College*

John Petrovsky, *College of Marin*

Anne Prucha, *University of Central Florida—Orlando*

Claire Reetz, *Florida State College at Jacksonville*

Sandra Reynolds, *Raritan Valley Community College*

Miguel Rincón, *Bellarmine University*

Eva Rodríguez González, *University of New Mexico—Albuquerque*

Bethany Sanio, *University of Nebraska—Lincoln*

Marcela Squires, *Bellarmine University*

Veronica Tempone, *Indian River State College*

Silvina Trica-Flores, *Nassau Community College*

Marianne Verlinden, *College of Charleston*

Amber Workman, *Arizona State University*

Gabriela C. Zapata, *Texas A & M University*

Maria Balogh, *University of Missouri, St. Louis*

Kristy Britt, *University of South Alabama*

Krista Chambless, *University of Alabama at Birmingham*

Nicole Gomez, *Eastern Florida State College*

Melanie Kleeschulte, *Missouri State University*

Pedro Koo, *Missouri State University*

Nelson Lopez, *Bellarmine University*

Ornella Lepri Mazzuca, *Dutchess Community College*

Alicia Muñoz Sánchez, *University of California, San Diego*

Sandy Oakley, *Indian River State College*

María I Ortiz, *University of Cincinnati*

Gabriel Rico, *Louisiana State University*

Katya Soll, *Baker University*

Craig Stokes, *Dutchess Community College*

Veronica Tempone, *Indian River State College*

Author Acknowledgments

Conéctate would not be possible without the hard work of a hugely talented and creative group of people. I thank the entire editorial team at McGraw Hill Education, especially Margaryta Bondarenko, Sadie Ray, and Shaun Bauer, who guided us through this edition, and Katie Crouch, Kim Sallee, and Misha MacLaird, who made earlier milestones possible; our wonderful video crew led by Hugo Krispyn, David Murray, Lamar Owen, Rocío Barajas, and on this edition, Jennifer Rodes; my co-author, Darcy Lear, who has been a true friend and a great companion along this amazing journey; my own teachers Leonard Newmark and David Perlmutter, from whom I learned so much about education and language; and Alicia Muñoz Sánchez and the many other inspiring instructors and teaching assistants at UC San Diego whose influence is spread throughout these pages. Finally, my deepest gratitude to the hundreds of people in Spain and Latin America who spoke to us on camera for *Conéctate*. Hearing their stories and their perspectives on the world was an immense privilege and an unforgettable experience.

—Grant Goodall

First and foremost, I am grateful to Katie Crouch for bringing me on board this project with Grant Goodall, a terrific lead author for the textbook and its tale. Surely there are many people at McGraw Hill Education who remain anonymous to me to whom I owe my gratitude for their role in *Conéctate,* but it has been a pleasure to know and work with those whose names I've learned over the course of the project: most recently, Margaryta Bondarenko, Sadie Ray, and Shaun Bauer, and previously Kim Sallee, Chris Brown, Susan Blatty, Misha MacLaird, Allen Bernier, and Pennie Nichols. The international travel was truly a thrilling once-in-a-lifetime experience, thanks in a large part to our crews: Jen Rodes at Klic Video Productions and Hugo Krispyn, David Murray, Lamar Owen, and Rocío Barajas at Truth-Function. Armando Vargas Matus was indispensable during our time working on the third edition. I owe my career in language education to some amazing mentors who always gently put me where I belonged, pushed me when I needed it, and told me the truth. They are all textbook authors themselves: the late Graciela Ascarrunz Gilman at UC Santa Barbara, Janice Macián and Donna Reseigh Long at The Ohio State University, and Glynis Cowell and Larry King at the University of North Carolina, Chapel Hill. My work at the University of Illinois brought me close to Diane Musumeci—half of the *Avanti!* author team— who always offered good advice about everything textbook- and work-related.

—Darcy Lear

We would also like to gratefully acknowledge all of the people who worked tirelessly to produce the entire *Conéctate* program.

Contributing Writers

Student Edition: Maria Akrabova, Misha MacLaird

Workbook / Laboratory Manual: Maria Akrabova, Allen Bernier, Dorian Dorado, Gayle Fiedler-Vierma, Eileen Fancher, Kristina Gibby, Misha MacLaird, Nuria López Ortega, Pennie Nichols, Alfonso J. Quiñones-Rodriguez

Product Team: Shaun Bauer, Dani Bennett, Margaryta Bondarenko, Katie Crouch, Dawn Groundwater, Ann Helgerson, Miranda Hency, Ana Vanesa Hidalgo del Rosario, Avi Kotzer, Sadie Ray, Katie Stevens, Juan Sebastián Ospina León, Piper Editorial

Art, Design, and Production: Jodi Banowetz, Beth Blech, Carrie Burger, Sue Culbertson, Kelly Heinrichs, Terri Schiesl, Sandy Wille

Media Partners: Aptara, Eastern Sky Studios, Lumina Datamatics, Klic Video Productions, Truth-Function, SPI Global

ABOUT THE AUTHORS

Grant Goodall is Professor of Linguistics and Director of the Language Program at the University of California, San Diego, where he is also affiliated with the Center for Iberian and Latin American Studies. An internationally recognized scholar of Spanish syntax, he has a long-standing commitment to the development and implementation of highly effective, research-based practices in language teaching. He brings a rich international background to the *Conéctate* project: He was educated in both the United States and Mexico, has spent much of his life along the border between the two, and has taught or lectured in twenty countries.

Darcy Lear holds a Ph.D. in Foreign- and Second-Language Education from the Ohio State University. She has been the director of the Spanish basic-language program at the University of Illinois, Urbana-Champaign and the inaugural coordinator of the minor program in Spanish for the professions at the University of North Carolina at Chapel Hill. Now a lecturer at the University of Chicago, she specializes in Spanish for the professions and her research on evidence-centered course design for specific purposes connects the traditional humanities with professional schools. She devotes much of her professional time to career coaching, which includes workshops for foreign-language faculty and students navigating higher education and college-to-career transitions.

En la clase

Estudiantes en la Universidad Nacional Autónoma de Honduras (UNAH) en Tegucigalpa

Orlando Sierra/AFP/Getty Images

Objetivos

When you finish this chapter, you will be able to:

- greet someone, find out his/her name, how he/she is doing, where he/she is from, and say good-bye
- pronounce the letters and sounds of the alphabet
- express the date, months, and seasons of the year
- say the numbers 0–99
- identify people and things
- express possession by talking about the objects people have
- say the names of the Spanish-speaking countries

¡Hola!

Greeting people in Spanish

A. A ver (*Let's watch*): ¡Hola! Listen as your instructor reads the greetings you will hear in the video, then watch and listen to the video. Indicate which greeting(s) each person uses. **¡Atención!** Some speakers use more than one greeting.

	BUENOS DÍAS / BUEN DÍA	BUENAS TARDES	¿CÓMO ANDA?	¡HOLA!	¿QUÉ TAL?
1. Adolfo, de México	☐	☐	☐	☐	☐
2. Kevin, de Colombia	☐	☐	☐	☐	☐
3. Rodrigo, de Argentina	☐	☐	☐	☐	☐
4. Maritza, de la República Dominicana	☐	☐	☐	☐	☐
5. Manuel, de Cuba	☐	☐	☐	☐	☐
6. Francheska, de la República Dominicana	☐	☐	☐	☐	☐
7. Brayan, de Colombia	☐	☐	☐	☐	☐
8. Keylin, de Costa Rica	☐	☐	☐	☐	☐

Estrategia

Even on the first day of class, you will be able to understand which of the five Spanish expressions is used as a greeting. But in order to complete the activity, you will have to pause between each speaker to mark your answer. Get in the habit of watching the videos in this book at least three times each: once to see the video and hear the Spanish, once with pauses to complete the activity, and a third time to check your work. Your ability to understand will increase quickly!

To say hello to someone before noon, use **buenos días,** which translates as *good morning* (literally, *good days*). In the afternoon, use **buenas tardes,** which means *good afternoon* or *good evening*. After dark, use **buenas noches.** This means *good night*, and may be used to greet people or to wish them well as they turn in for the night.

B. ¡Buenos días!   Decide whether you would use **buenos días, buenas tardes,** or **buenas noches** in each of the following situations.

	BUENOS DÍAS	BUENAS TARDES	BUENAS NOCHES
1. as you walk into your first class of the morning	☐	☐	☐
2. at a 9 P.M. dinner	☐	☐	☐
3. in line for a cup of morning coffee	☐	☐	☐
4. on your way to the library for an all-nighter	☐	☐	☐
5. as you leave your last class of the afternoon	☐	☐	☐
6. just before bedtime	☐	☐	☐

C. Los saludos (*Greetings*)   Turn to the students on either side of you and greet each one with an expression you heard in the video in **Actividad (*Activity*) A.** Offer your hand to shake and smile.

CONÉCTATE (*CONNECT*) AL MUNDO (*WORLD*) PROFESIONAL

In professional contexts, body language matters. Practice in class where the stakes are low so you are comfortable later in high-stakes environments, such as job fairs, networking events, and interviews. When meeting new people, greet them appropriately (with a handshake or some other way), smile, and make eye contact.

Spanish speakers often engage in a formal, physical greeting, such as a handshake combined with a slap on the back, or kisses on one or both cheeks.

GoGo Images Corporation/Alamy Stock Photo

¿Cómo te llamas? / ¿Cómo se llama?

Asking someone his/her name

A. A ver: ¿Cómo te llamas? / ¿Cómo se llama usted?

PASO 1. Watch and listen as Spanish speakers say their names. Then watch again with pauses and match each photo with the correct name.

1. _____   2. _____

                                               a. Bertha Lara
   b. Víctor Rodrigo

3. _____   4. _____

   c. Marlina Rodríguez
   d. Natalia López
   e. Paul Reid
   f. Pedro Alberto Jiménez Mancilla

5. _____   6. _____

Truth-Function/McGraw-Hill

PASO 2. Watch and listen again with pauses. Indicate which expression each person uses to say their name.

	(YO) ME LLAMO	MI NOMBRE ES
1. Marlina Rodríguez	☐	☐
2. Natalia López	☐	☐
3. Pedro Alberto Jiménez Mancilla	☐	☐
4. Paul Reid	☐	☐
5. Víctor Rodrigo	☐	☐
6. Bertha Lara	☐	☐

En español...

The use of **tú** and **usted (Ud.)** can vary from region to region, so when in doubt, use **usted.** The person you are addressing will usually invite you to use **tú** if it is appropriate.

To introduce yourself and ask someone's name, you could use the following expressions.

INFORMAL (**TÚ**)

¡Hola! Me llamo Pablo.

¿Cómo te llamas?

FORMAL (**USTED**)

Buenas tardes. Me llamo Marta Campillos.

¿Cómo se llama?

You can also introduce yourself in the following way.

¡Hola! Mi nombre es Pablo.

Buenas tardes. Mi nombre es Marta Campillos.

To ask _And you?_, simply add the question after you've introduced yourself.

¿Y tú?

¿Y usted?

One way to say _Nice to meet you_ is **Mucho gusto,** to which you could reply **Igualmente** (_Likewise_).

INFORMAL (**TÚ**)

—**¿Cómo te llamas?**
—**Me llamo Elena. ¿Y tú?**
—**Marina.**
—**Mucho gusto.**
—**Igualmente.**

FORMAL (**USTED**)

—**¿Cómo se llama usted?**
—**Raúl Fuentes. ¿Y usted?**
—**Soy** (_I am_) **Ana Freire.**
—**Mucho gusto.**
—**Igualmente.**

En español...

The verb **llamarse** is used to give your name in Spanish. It literally means *to call oneself*. The question **¿Cómo te llamas?** means *What do you call yourself?* and the answer **Me llamo...** means *I call myself . . .*

To literally say *My name is . . .* in Spanish, use **Mi nombre es...**

—Hola, me llamo Jorge.
—Mucho gusto. Mi nombre es Iván.

B. ¿Cómo te llamas? ¿Cómo se llama usted? Read the following questions. Based on the question's level of formality, select the person who is being addressed appropriately.

1. ¿Cómo se llama usted?

a.   b.

2. ¿Cómo te llamas?

a.   b.

3. ¿Cómo te llamas?

a.   b.

4. ¿Cómo se llama usted?

a.   b.

(1a) Hill Street Studios/Blend Images; (1b) Garry Moore/Mike Watson Images Limited/moodboard/ Glow Images; (2a) Purestock/SuperStock; (2b) Garry Moore/Mike Watson Images Limited/ moodboard/Glow Images; (3a) Ollyy/Shutterstock; (3b) BananaStock/Alamy Stock Photo; (4a) Floresco Productions/OJO Images/age fotostock; (4b) Ariel Skelley/Blend Images

CONÉCTATE AL MUNDO PROFESIONAL

Knowing people's names is important. When starting out in professional contexts: find out names, remember names, and use names. People are impressed when you call them by name on a second or third encounter. It's also good to get comfortable saying: **Lo siento. Se me olvidó su nombre. Soy _____. ¿Cómo se llama usted?** (*I'm sorry, I've forgotten your name. I'm _____. What's your name again?*).

C. ¿Cómo se llaman los otros estudiantes?

PASO 1. Walk around the room and greet at least five other students using appropriate expressions. Introduce yourself and find out their names.

PASO 2. Working in groups, see if you can remember and repeat your classmates' names. Follow the model as you point to the desk where each person is seated. **¡Atención!** With the pronouns **él** and **ella** in the **MODELO** below, you're getting a sneak peek at a grammar point that soon we'll present at length. For now, simply follow the

(Continues)

model and see if you can detect the pattern. What might be the difference between the pronouns **él** and **ella**?

> **MODELO:** Él se llama Christopher. Ella se llama Miranda. Ella se llama Gloria. Él se llama Jason.

Christopher

Miranda

Gloria

Jason

(Christopher) Dennis Wise/Photodisc/Getty Images; (Miranda) ESB Professional/ Shutterstock; (Gloria) Glow Images; (Jason) Purestock/SuperStock

Estrategia

In the **Comunicación** sections of each chapter you will learn Spanish expressions that you can use immediately to communicate successfully, but it is best to try to use them as fixed expressions without attempting to translate every nuance to English. Not everything translates literally.

For example, in English you might say *What's up?* to which the literal answer would be *the sky* or *the ceiling,* yet it is understood as a common greeting. Likewise in Spanish, **¿Qué onda?** is sometimes used as a greeting, even though **onda** literally means *wave.*

CONÉCTATE AL MUNDO HISPANO

Chroma Press/Splash News/Corbis

Residents of Spain and most Latin American countries usually have two last names (**dos apellidos**): the first one is usually the father's, and the second one is usually the mother's. The first of these names, the paternal family name, is the one passed on to future generations. For example, when we look at the name of Mexican actor Gael García Bernal, we know that García is his father's family name (that is, inherited from his father), and Bernal is his mother's family name. When Gael García Bernal and Argentine actress Dolores Fonzi had a son, they named him Lázaro García Fonzi. Their daughter is Libertad García Fonzi. What would your last name look like if you were to adopt this custom?

When moving to a country that doesn't practice this custom, some Spanish speakers choose to drop their mother's last name in order to avoid confusion. Others prefer to hyphenate the two last names to maintain this important part of their identity.

D. Los apellidos

PASO 1. Based on what you read in the **Conéctate al mundo hispano** box about dual last names in Spanish, what would the last names be of the following children?

1. Father: Marco Ruiz Cortés   Mother: Josefa Martín González
   Son: Andrés _____ _____
2. Father: Alberto Esquivel Muñoz   Mother: Liliana Andrade Arbujas
   Daughter: Jana _____ _____
3. Mother: Emilia Barajas Bermúdez   Father: Alfonso Silva Arce
   Son: Enrique _____ _____

PASO 2. In groups, use the above pattern to introduce yourselves, saying what your last names would be if you used both your father's and mother's last names.

¿Cómo estás? / ¿Cómo está?

Asking people how they are

Hola, ¿cómo estás?

To find out how someone is doing, you might ask the following questions.

¿Cómo estás? for informal (**tú**)   or   **¿Cómo está usted?** for formal (**usted**)

When addressing someone informally, you can also use the Spanish equivalent of *How is it going?*: **¿Qué tal?** or **¿Cómo anda?**

In English, *How are you?* can be another way to just say *hello,* but in the Spanish-speaking world an answer is expected. Common responses for **¿Cómo está(s)?** include: **(Muy) Bien** ([*Very*] *Good*), **Más o menos** (*Okay*), **(Muy) Mal** ([*Very*] *Bad*).

When someone asks how you are, it is polite to say **gracias** after you answer. Return the question by asking, **¿y tú?** or **¿y usted?**

—Buenos días. ¿Cómo estás?   —Buenas tardes. ¿Cómo está?
—Bien, gracias. ¿Y tú?   —Muy bien, gracias. ¿Y usted?
—Muy bien.   —Bien, gracias.

If someone answers with anything less positive than **bien,** you can inquire further by asking *What's the matter?* using **¿Qué te pasa?** (tú) / **¿Qué le pasa?** (usted)

 A. ¿Formal o informal?

PASO 1. Indicate whether each expression you hear is formal (**usted**) or informal (**tú**).

	INFORMAL	FORMAL	
1.	☐	☐	_____
2.	☐	☐	_____
3.	☐	☐	_____
4.	☐	☐	_____
5.	☐	☐	_____

PASO 2. Listen a second time to the expressions in **Paso 1** and jot down the words that let you know if each expression is informal or formal.

B. ¿Cómo estás? How would you greet the following people and ask how they are? Write the appropriate answers next to the image of each person, then share your responses to check for accuracy.

MODELO: *¡Hola! ¿Cómo estás?*

■ The audio files for in-text listening activities are available in the eBook, within Connect activities, and on the Online Learning Center.

1.   2.   3.   4.   5.

_____   _____   _____   _____   _____

C. La red de contactos (*Networking*) Using everything you've learned so far, greet as many classmates as you can in three minutes. You must use professional body language (shake hands, smile, and so on), ask each other's names, give **los dos apellidos** (*both last names*), and ask and answer how you are doing.

¿De dónde eres? / ¿De dónde es?
Asking where someone is from

A. A ver: ¿De dónde eres? / ¿De dónde es usted? Watch and listen at least three times, pausing as needed, as people from all over the Spanish-speaking world say where they are from. For each speaker, check the name of the country you hear.

1. ____ Honduras   ____ España   7. ____ Ecuador   ____ Venezuela
2. ____ Colombia   ____ Paraguay   8. ____ Colombia   ____ Ecuador
3. ____ Chile   ____ México   9. ____ Honduras   ____ Perú
4. ____ España   ____ Paraguay   10. ____ Chile   ____ México
5. ____ Panamá   ____ Perú   11. ____ Nicaragua   ____ la República
                                                            Dominicana
6. ____ Bolivia   ____ Panamá   12. ____ Bolivia   ____ Venezuela

---

To ask a person where he/she is from, use one of the following questions.

INFORMAL (**TÚ**)		FORMAL (**USTED**)
¿De dónde eres?	or	**¿De dónde es?**

To say *I am from . . .* in Spanish, say: **Soy de...**

—**Elena, ¿de dónde eres?**   —**¿De dónde es usted, señora Gallegos?**

—**Soy de México.**   —**Soy de El Salvador.**

If you want to know where someone currently lives, ask one of the following questions.

—**¿Dónde vives?**   —**¿Dónde vive usted?**
—**Vivo en Village Hall.**   —**Vivo en Puebla.**

B. Los orígenes y la geografía Read the following statements about people's origins. Then, using your knowledge of geography (and the map at the back of your book), select the country that each speaker could be from.

1. «Soy de Centroamérica.»
   a. Venezuela   b. Honduras   c. España

2. «Soy de Europa.»
   a. Ecuador   b. Guatemala   c. España

3. «Soy del Caribe.»
   a. Honduras   b. Argentina   c. Bolivia

4. «Somos de Norteamérica.»
   a. Nicaragua   b. México   c. Paraguay

5. «Somos de Sudamérica.»
   a. Chile   b. Panamá   c. Cuba

C. Soy de...   Circulate around the room asking **¿De dónde eres?** Can you find two classmates from different cities than you? Can you find a classmate from another state? Ask at least five classmates.

MODELOS: ESTUDIANTE 1: Hola, me llamo Gabriela y soy de Miami. ¿De dónde eres?

ESTUDIANTE 2: Hola, Gabriela. Me llamo Jason. Soy de Miami, también (*also*).

ESTUDIANTE 1: Hola, mi nombre es Gabriela y soy de Miami. ¿De dónde eres?

ESTUDIANTE 3: Buenos días, Gabriela. Me llamo Dana y soy de Atlanta.

¡Adiós!
Saying good-bye

There are several ways to say good-bye in Spanish.

Adiós is commonly used throughout the Spanish-speaking world.

Chau/Chao (or **chau chau/chao chao**) is commonly used among people who address each other informally (as **tú**).

Hasta luego literally means *Until later* but conveys the sense of *See you later* or *Until we meet again*. If you know when you will see the person again, you can give a specific time instead of **luego**.

Hasta mañana.	*See you tomorrow.*
Hasta el jueves.	*See you* (on) *Thursday.*
Hasta pronto.	*See you soon.*

Dos amigos (*friends*) vestidos de Supergirl™ y Supermán™ dicen (*say*) «¡Adiós!».

A. A ver: ¡Adiós!   Watch and listen at least three times, with pauses as needed. How many times do you hear each expression? Which isn't used at all?

1. ____ Adiós.
2. ____ Chau chau.
3. ____ Hasta mañana.
4. ____ ¡Bye-bye!
5. ____ Hasta luego.
6. ____ Chau.

Estrategia

Listen for the first sound each speaker makes. Is it "ah," "b," or "ch"?

B. Presentaciones (*Introductions*)

PASO 1.   Make a short list of expressions you would use to do the following. **¡Atención!** Don't forget that there are often several ways to say the same thing!

... say *hello* in Spanish
... say what your name is
... ask another person what their name is
... express that you are pleased to meet someone
... ask someone how he or she is doing
... ask someone where he or she is from
... say where you are from
... say *good-bye* in Spanish

PASO 2.   Find a classmate you haven't yet met or whom you don't know very well, and use your list to have a conversation and get to know one another better.

PASO 3.   Act out your conversation for the class.

COMUN **VOCABULARIO** UCTURA ATE

¿Cómo se escribe?° *How do you spell . . . ?*

The Spanish alphabet and campus vocabulary

(a)
el **a**ula

(be)
el **b**olígrafo

(ce)*
la **c**omputadora /
las **c**iencias

(de)
el **d**iccionario

(e)
el **e**scritorio

(efe)
la **f**ilosofía

(ge)*
la **g**raduación /
el **g**imnasio

(hache)
la **h**oja de papel

(i *or* i latina)
la **i**dea

(jota)
el **j**oven

(ka)
el **k**ilo

(ele)
el **l**ibro

(elle *or* doble ele)†
la **ll**ave

(eme)
la **m**ochila

(ene)
los **n**úmeros

(eñe)
el a**ñ**o

(o)
la **o**ficina

(pe)
la **p**uerta

(cu)
la **q**uímica

(erre)
el **r**eloj‡

(doble erre)†
la piza**rr**a

(ese)
la **s**illa

(te)
la **t**area

(u)
la **u**niversidad

(ve *or* uve)
la **v**entana

(doble ve *or*
doble u)
la página **w**eb

(equis)
el e**x**amen

(i griega *or* ye)
el pro**y**ector

(zeta)
el lápi**z**

---

*The letters **c** and **g** each have two examples because they are pronounced differently depending on which letters follow them. When followed by a consonant or the vowels **a**, **o**, or **u**, these letters make hard **c** and **g** sounds. The soft **c** and **g** sounds are followed by the vowels **e** or **i**.
†The clusters **ll** and **rr** are not actually letters of the Spanish alphabet, but they are included here because of their unique pronunciation.
‡**El reloj** is used for both *clock* and *watch*.

Here is more useful vocabulary for talking about campus life.

el amigo / la amiga *friend*
el baño *bathroom*
la biblioteca *library*
el borrador *eraser*
la clase *class*
**el compañero / la compañera
(de clase)** *classmate*

la cosa *thing*
el cuaderno *notebook*
el/la estudiante *student*
el hombre *man*
la librería *bookstore*
la mesa *table*

la mujer *woman*
la página *page*
el profesor / la profesora *professor*
la residencia *dormitory*

There are about 500 million Spanish speakers in twenty-one Spanish-speaking countries; different regions might use different words for the same thing. For example, these are common synonyms in Spanish that have to do with campus life.

el aula = el salón de clase   **el bolígrafo = la pluma**   **la oficina = el despacho**

A. El alfabeto español y las capitales   Each of the following sequences of letters spells the name of a capital city. Identify the city, then spell out its country's name. The map at the back of your book will help you.

> **MODELO:**   Ele - i - eme - a: Lima.
>   Lima es la capital del Perú: pe - e - erre - u con acento.

1. eme - a - de - erre - i - de
2. ese - a - ene - te - i - a - ge - o
3. be - o - ge - o - te - a con acento

4. ce - a - erre - a - ce - a - ese
5. eme - a - ene - a - ge - u - a

 B. A ver: ¿Cómo se escribe?

PASO 1.   Watch and listen at least three times, with pauses as needed, as the following people spell their names. Match each photo with the correct name.

1. ____   2. ____

3. ____   4. ____

5. ____

a. Duván
b. Iriana
c. Luciana
d. José
e. William

En español...

Watch out for **falsos amigos** (*false cognates*)—words that have similar spellings but different meanings. For example, **el dormitorio** means *bedroom* for most Spanish speakers and a dorm(itory) building is usually **la residencia estudiantil** or **residencia** for short.

PASO 2.   Watch and listen multiple times as the following people spell their names. Write each name beside the corresponding photo.

1. ___ ___ ___ ___ ___ ___ ___   2. ___ ___ ___ ___ ___ ___ ___ ___ ___

3. ___ ___ ___ ___ ___ ___ ___   4. ___ ___ ___ ___ ___ ___

5. ___ ___ ___ ___ ___ ___ ___ ___ ___ ___

(Continues)

PASO 3. Working in small groups, take turns spelling your names out loud while the others write them down. Did everyone spell your name correctly?

> **MODELO:** Mi nombre es Ana: a-ene-a, y mi apellido es Peña: pe-e-eñe-a.

PASO 4. Working in small groups, spell out your email addresses (**direcciones de email**) for each other. (See the box below for spelling tips.) Be sure to write down your classmates' addresses so you can contact each other about homework and other assignments. **¡Atención!** If you need to include numbers, look ahead to their vocabulary presentation in this chapter. Also, note that common domain names such as *com* and *edu* are normally pronounced as words rather than spelled out.

> **MODELO:** Mi dirección de email es hache - o - ele - a - arroba - gmail - punto - com.

Some important words and phrases for sharing your email or web address in Spanish include:

> **arroba** = @
> **punto com** = .com
> **punto edu** = .edu
> **doble ve, doble ve, doble ve** (*or* **triple doble ve**) = www

As in English, many Spanish speakers choose to eliminate the "www" when giving a web address because it is generally understood as part of the address.

While the expression **email** is generally accepted by Spanish speakers (and pronounced mostly the same in Spanish), you will often hear the term **correo electrónico** (*electronic mail*) as well.

C. ¿Cómo se escribe... ? Meet and greet a new partner (*Hello!, How are you?, What is your name?,* and so on). Your instructor will assign each pair one or more letters of the alphabet. Write as many Spanish words as you can that contain the assigned letter(s). Finally, take turns spelling the words aloud in Spanish.

CONÉCTATE AL MUNDO PROFESIONAL

Your ability to get and give accurate contact information—in any language—can be the difference between creating or losing an important professional opportunity. To ensure that you have complete, accurate names and emails, take control of the conversation using specific communication strategies.

Tengo el nombre; repita el apellido, por favor.	*I've got the first name; repeat the last name, please.*
¿Se escribe con *ese* o con *zeta*?	*Is that spelled with an s or a z?*
Le voy a repetir la dirección de email:	*I'm going to repeat that email address back to you:*
[...] **¿Es correcto?**	*[. . .] Is that correct?*

Cognados (*Cognates*) are words that have similar spelling and meaning in Spanish and English. Can you figure out the English equivalents of the following **materias** (*academic subjects*)?

el arte	la física	la literatura
las ciencias	el francés	la psicología
políticas	la historia	las relaciones
el diseño	las humanidades	internacionales
la filosofía	el inglés	el urbanismo

D. ¿Qué estudias?

PASO 1. Based on what you know about cognates, pair each academic subject with the image that best represents it.

1. _____ la arquitectura
2. _____ la biología
3. _____ las comunicaciones
4. _____ la economía
5. _____ la ingeniería
6. _____ las matemáticas
7. _____ la química

a.

b.

c.

d.

e.

f.

g.

(e) Doug Ross/Imagezoo/Getty Images

 PASO 2 Ask at least four different classmates what they study and write the answers in the table below. If you don't know someone's name, be sure to ask in Spanish!

MODELO: ESTUDIANTE 1: ¿Cómo te llamas?
               ESTUDIANTE 2: Me llamo Elena.
               ESTUDIANTE 1: ¿Qué estudias?
               ESTUDIANTE 2: Psicología. ¿Y tú?

¿CÓMO SE LLAMA?	¿QUÉ ESTUDIA?
Elena	*psicología*

Los meses y las estaciones
Months and seasons

A. Los meses y las estaciones Match each month to the appropriate season, based on where you live.

marzo	agosto	mayo	febrero	abril	octubre
septiembre	diciembre	junio	noviembre	julio	enero

la primavera

el verano

el otoño

el invierno

B. Las estaciones en los dos hemisferios

 PASO 1. You will hear the months of the year in Spanish. Write down the month and then add the appropriate season in the northern hemisphere: **primavera, verano, otoño, invierno.**

	MES	ESTACIÓN			MES	ESTACIÓN
1.	_____	_____		5.	_____	_____
2.	_____	_____		6.	_____	_____
3.	_____	_____		7.	_____	_____
4.	_____	_____		8.	_____	_____

PASO 2. Now look at the months in **Paso 1** and say the corresponding season in the southern hemisphere. How would your daily life in those months be different if you lived in the southern hemisphere?

CONÉCTATE AL MUNDO HISPANO

About half of the world's Spanish-speaking countries are in the southern hemisphere (**el hemisferio sur**) and therefore have opposite seasons from the northern hemisphere (**el hemisferio norte**). For example, when it's summer in Mexico, it's winter in Argentina and Chile. This means that in some South American countries, great beach weather is likely to be in December, January and February, deciduous leaves will fall in April and May, and a "white Christmas" is unlikely in most places that aren't at a very high altitude.

C. El hemisferio norte y el hemisferio sur For each of the following countries, indicate whether it is located in the northern (**N**) or southern (**S**) hemisphere. **¡Atención!** Remember that the equator divides the two hemispheres. Then say what season it is now in that country.

1. México (**N / S**)
2. Argentina (**N / S**)
3. Venezuela (**N / S**)
4. Costa Rica (**N / S**)
5. España (**N / S**)
6. Bolivia (**N / S**)

Los números y las fechas
Numbers and dates

A. Los números importantes

Paso 1. You will hear some well-known numbers associated with luck, significant ages, or math. Circle each of the numbers you hear.

0 **cero**

1 **uno**	11 **once**	21 **veintiuno**	31 **treinta y uno**	...
2 **dos**	12 **doce**	22 **veintidós**	32 **treinta y dos**	50 **cincuenta**
3 **tres**	13 **trece**	23 **veintitrés**	33 **treinta y tres**	60 **sesenta**
4 **cuatro**	14 **catorce**	24 **veinticuatro**	34 **treinta y cuatro**	70 **setenta**
5 **cinco**	15 **quince**	25 **veinticinco**	35 **treinta y cinco**	80 **ochenta**
6 **seis**	16 **dieciséis**	26 **veintiséis**	36 **treinta y seis**	90 **noventa**
7 **siete**	17 **diecisiete**	27 **veintisiete**	37 **treinta y siete**	
8 **ocho**	18 **dieciocho**	28 **veintiocho**	38 **treinta y ocho**	
9 **nueve**	19 **diecinueve**	29 **veintinueve**	39 **treinta y nueve**	
10 **diez**	20 **veinte**	30 **treinta**	40 **cuarenta**	

Use **y** (*and*) to build any number between 31 and 99: **cuarenta y uno, setenta y cuatro, noventa y seis.**

PASO 2. Write the numerals as you hear them.

1. _____   3. _____   5. _____   7. _____   9. _____

2. _____   4. _____   6. _____   8. _____   10. _____

The word **hay** is a simple and easy way to express *there is* or *there are* in Spanish.

Hay un escritorio.
There is one desk.

Hay tres sillas.
There are three chairs.

To say that something does not exist, just add **no** before **hay**:

No hay ventanas en el aula.
There are not any windows in the classroom.

To ask how many there are of something, say ¿**Cuántos/as** _____ **hay?**

¿Cuánt**os** libr**os hay**?
How many books are there?

¿Cuánt**as** sill**as hay**?
How many chairs are there?

B. ¿Cuántos? Tell how many of the specified unit there are in each of the following things.

> **MODELO:** los días en septiembre:
> Hay treinta días en septiembre.

1. los días en diciembre
2. los días en junio
3. los días en mayo
4. los segundos en un minuto
5. los minutos en una hora
6. los días en una semana (*week*)
7. las semanas en un año (*year*)
8. las letras en tu nombre (¿y cómo se escribe?)

To ask today's date in Spanish, use:

¿Cuál es la fecha de hoy?

To express the date, use this structure:

el + *date* + **de** + *month*

Hoy es el cinco de noviembre.
Today is November 5.

To express *the first* of the month, use **el primero.**

Hoy es el primero de mayo.
Today is May first.

In Spanish, the day and month are written left to right, as one would say them. For instance, 7/6 in Spanish is the 7th of June (**el siete de junio**). Based on this information, how would you write numerically the 6th of July? _____

C. Las fechas Look at the following images representative of important days and match them with their numerical date.

a. 17/3   b. 25/12   c. 14/2   d. 7/4   e. 4/7

Ingram Publishing

1. _____   2. _____   3. _____   4. _____

 D. Nuestro calendario Working in pairs, take turns consulting the course syllabus and asking about important dates. Write them down and check each other's answers. Be sure to plan your studying, projects, and travel for the semester.

> **MODELO:** ESTUDIANTE 1: ¿Cuál es la fecha del examen final?
> ESTUDIANTE 2: Es el 7 de diciembre.

¿Cuál es la fecha

1. ...del primer (*first*) examen?
2. ...del primer día festivo (*holiday*) del semestre?
3. ...del primer día de vacaciones?
4. ...del último (*last*) día de vacaciones durante el semestre?
5. ...del último día de clase?
6. ...del examen final?

E. Mi número de teléfono

PASO 1. In groups, take turns introducing yourself and dictating your phone number. Write down the numbers of other group members.

MODELO: Buenos días. Me llamo Elena. Mi número de teléfono es el cuatro, cincuenta y seis, noventa y ocho, trece (456-9813).

PASO 2. Your instructor will give one group member a written phone number—this is the only person who can look at the number. The person with the number dictates it to a second person, the second to a third, and so on. The last person writes the number on the board. How many teams ended with the same number they started with?

F. Las tarjetas de presentación

Choose one of the identities shown on the business cards. Your partner will not look at his or her book while you introduce yourself, providing some of the information on your business card. When you've finished, check your partner's notes for accuracy, then switch roles.

MODELO: Me llamo Franklin Soto. Mi número de teléfono es el veinticinco - ochenta y seis - trece - setenta y nueve.

Estructura

In every **Estructura** section, you will first become familiar with how the structure is used, as in **Para empezar** here. You will then analyze this structure in **Actividades analíticas** and get lots of practice using it in meaningful ways in **Actividades prácticas.**

■ Answers to these activities are in Appendix 2 at the back of your book.

En español...

Hola Images/Getty Images

For most nouns, the gender is unrelated to the noun's meaning. That is, some words (such as **libro**) are masculine and others (such as **mesa**) are feminine even though there is nothing inherently masculine or feminine about a book or a table. With many nouns referring to humans, however, the grammatical gender corresponds to that person's gender. For example, **un hombre** is masculine and **una mujer** is feminine. Nouns that refer to any kind of human, though, still have grammatical gender. **Una persona,** for example, is grammatically feminine, even though a person can be of any gender.

1.1 Un lápiz en la mochila
Singular nouns and articles

Para empezar (*To start*)...

Which of the following items might you expect to find in a backpack?

☐ **un** bolígrafo   ☐ **un** escritorio   ☐ **una** puerta

☐ **una** computadora   ☐ **un** libro   ☐ **una** silla

☐ **un** diccionario   ☐ **una** mesa

Actividades analíticas

1 Words such as **computadora, diccionario, libro,** and **mesa** are *nouns* (**sustantivos**). The words **un** and **una,** like the English words *a* and *an,* are *indefinite articles* (**artículos indefinidos**). Based on the pattern that you see in **Para empezar,** choose the appropriate indefinite article for each noun.

UN	UNA	
☐	☐	mochila
☐	☐	gimnasio
☐	☐	año
☐	☐	pizarra

■ For more tips on determining the gender of nouns that end in letters other than **-o** or **-a**, see **Para saber más** (*To find out more*) **1.1** at the back of your book.

2 Nouns in Spanish are classified by *gender* (**género**). Those that use **un** are called *masculine* (**masculino**), and those that use **una** are *feminine* (**femenino**). As a general rule of thumb, nouns that end in **-o** are masculine and those that end in **-a** are feminine. Do all the nouns in **Para empezar** obey this generalization?

Sí (*Yes*) ☐   No ☐

3 More than 90% of the nouns that end in **-o** or **-a** have the gender that you would expect, but you will occasionally run into nouns that don't.

un día   *a day*   **una** mano   *a hand*

With nouns that end in letters other than **-o** or **-a**, some are masculine and some are feminine.

un reloj   *a clock*   **una** universidad   *a university*

The article or other surrounding words can tell you the gender of the noun.

4 Spanish also uses *definite articles* (**artículos definidos**), which function like English *the.* These also have a separate form for each gender.

	masculino	femenino
artículos definidos	el	la
	el libro *the book*	la mesa *the table*
artículos indefinidos	un	una
	un libro *a book*	una mesa *a table*

Autoprueba

Give the indefinite article for each of the following words.

1. ____ escritorio
2. ____ llave
3. ____ oficina

Now give the definite article for the following words.

4. ____ reloj
5. ____ ventana
6. ____ clase

Respuestas (Answers): 1. un 2. una 3. una 4. el 5. la 6. la

Actividades prácticas

A. En la clase   Look at the image of the classroom and respond in complete sentences to the questions that follow.

> **MODELOS:**   ¿Hay una puerta en el salón de clase?
> Sí, hay una puerta.
>
> ¿Hay un proyector en el salón de clase?
> No, no hay un proyector.

1. ¿Hay un reloj en el salón de clase?
2. ¿Hay un profesor en el salón de clase?
3. ¿Hay una pizarra en el salón de clase?
4. ¿Hay una mesa en el salón de clase?
5. ¿Hay una mochila en el salón de clase?
6. ¿Hay una puerta en el salón de clase?
7. ¿Hay un libro en el salón de clase?

Estrategia

Articles usually accompany nouns in Spanish, and the article tells you what the gender is. You should learn the gender the same way that children do: by hearing and producing nouns and their articles in meaningful contexts, as in all of the **Actividades prácticas** here. With practice, **un reloj** and **una universidad** will start to "sound right" to you and you will soon be using the right article without even thinking about it.

B. Categorías

PASO 1.   Write the indefinite article (**un** or **una**) before each noun in column **A.**

A	**B**
1. ____ número ____	a. *Conéctate*
2. ____ bolígrafo ____	b. arquitectura
3. ____ computadora ____	c. enero
4. ____ mes ____	d. dieciséis
5. ____ materia ____	e. Yale
6. ____ universidad ____	f. Mac™
7. ____ libro ____	g. Bic™

PASO 2.   Match each item in column **B** to the correct category in **A.**

C. Más categorías

PASO 1.   Write the definite article (**el** or **la**) for each of the following nouns.

1. ____ otoño
2. ____ economía
3. ____ primavera
4. ____ historia
5. ____ profesor de la clase
6. ____ verano
7. ____ profesora de la clase
8. ____ química

PASO 2.   Using **es** (*is*), say whether each of the above items is **una estación del año, un hombre, una materia,** or **una mujer.**

> **MODELO:**   El otoño es una estación del año.

D. ¡Adivina! (*Guess!*)   Working with a partner, try to guess what is in his/her backpack using the vocabulary you learned in this chapter. How many of your guesses are correct?

> **MODELO:**   ESTUDIANTE 1: ¿Hay un teléfono?
> ESTUDIANTE 2: ¡Sí!

1.2 Los estudiantes y la universidad

Plural nouns and articles

Para empezar...

How many of each of the following can you find in this picture?

■ Answers to these activities are in Appendix 2 at the back of your book.

1. _____ libros
2. _____ mochilas
3. _____ borradores
4. _____ mujeres
5. _____ hombres
6. _____ relojes

Actividades analíticas

1 All of the nouns in **Para empezar** have a *plural ending* (**una terminación plural**): **-s** or **-es.** Place the singular form of each of these nouns into the appropriate column here, depending on which ending it takes.

-s	-es
hombre	_____
_____	_____
_____	reloj

When you're finished, take a look at the two columns. How are the words in these two columns different? What pattern can you detect? See if you can formulate a hypothesis about pluralization before you read the next grammar segment, because you may be on the right track already.

2 There is a simple rule that determines which plural ending a noun takes: If the noun ends in a vowel (**una vocal**), it takes **-s,** and if it ends in any consonant (**una consonante**), it takes **-es.**

Use this rule to create the plural form of these nouns.

singular	plural
estudiante	_____
mes	_____
universidad	_____
bolígrafo	_____

3 For nouns that end in **-z,** change the **-z** to **-c** and add **-es.**

singular	plural
lápiz	_____
luz (*light*)	_____

4 The definite and indefinite articles also come in both singular and plural forms.

	masculino	femenino
artículos definidos		
singular	el	la
plural	los	las
artículos indefinidos		
singular	un	una
plural	unos	unas

Which definite articles would you use for these words?

_____ lápiz   _____ computadoras   _____ escritorios   _____ mochila

Which indefinite articles would you use for these words?

_____ gimnasio   _____ sillas   _____ pizarra   _____ bolígrafos

> **Autoprueba**
>
> Make each of these nouns plural and add the appropriate plural definite article.
>
> 1. año: _____
> 2. mujer: _____
> 3. puerta: _____
> 4. hombre: _____
> 5. reloj: _____

Respuestas: 1. los años, **2.** las mujeres, **3.** las puertas, **4.** los hombres, **5.** los relojes

Actividades prácticas

A. ¡Escucha bien! (*Listen up!*) Listen to the plural nouns and write down how many there are in your classroom. If there is only one, use **un** or **una** and change the noun to singular.

> **MODELOS:** You hear: *estudiantes*
> You write: *Hay veinticinco estudiantes.*
>
> You hear: *escritorios*
> You write: *Hay un escritorio.*

1. _____   5. _____

2. _____   6. _____

3. _____   7. _____

4. _____   8. _____

B. Categorías

PASO 1. Write the appropriate definite article (**los** or **las**) for the items in column **A,** then complete the lists in column **B,** if necessary. Finally, match the items in column **A** with the lists in column **B.**

A	**B**
1. ____ estaciones del año en el hemisferio norte ____	a. uno, dos, tres, _____, _____
2. ____ meses de verano en el hemisferio norte ____	b. el gimnasio, la biblioteca, _____ _____
3. ____ números del uno al (*to*) cinco ____	c. la biología, la física, la química
4. ____ edificios (*buildings*) del campus ____	d. la primavera, el verano, _____, _____
5. ____ materias de ciencias ____	e. junio, _____, _____

PASO 2. Write the appropriate indefinite article (**un, una, unos,** or **unas**) for each category in **A,** then choose the item(s) in **B** that go with each category in **A.**

A	**B**
1. ____ mujeres: ____, ____	a. Salma Hayek
2. ____ año: ____	b. filosofía
3. ____ hombres: ____, ____	c. Mario Vargas Llosa
4. ____ universidad: ____	d. Notre Dame
5. ____ número de teléfono: ____	e. 1492
6. ____ materias: ____, ____, ____	f. literatura
	g. Daniela Vega
	h. química
	i. Diego Luna
	j. 735-394-9065

Diego Luna es un actor mexicano.

C. ¿Cuáles son las diferencias? Working with a partner, create two lists. In one, write sentences saying what image A (**dibujo A**) and image B (**dibujo B**) have in common. In the other, write sentences saying how they are different. Begin your sentences with **hay** (*there is/are*), and mention these people and objects: **puerta(s), ventana(s), escritorio(s), estudiante(s), profesor(es), computadora(s), reloj(es), pizarra(s), hombre(s), mujer(es).**

MODELOS: En el dibujo A y el dibujo B, hay un profesor.

En el dibujo A, hay una pizarra, pero (*but*) en el dibujo B, hay dos pizarras.

Dibujo A   Dibujo B

1.3   Son estudiantes. Tienen mochilas.

The verbs *ser* (to be) and *tener* (to have)

Para empezar...

Find the best ending for each incomplete sentence. The first is done for you.

1. Los estudiantes __e__
2. Un libro ____
3. Juanes y Shakira ____
4. Zoe Saldana y Sonia Sotomayor ____
5. Enero ____
6. Octubre ____
7. Un año ____
8. Los diccionarios ____

a. **es** un mes de otoño.
b. **son** de los Estados Unidos (*United States*).
c. **tiene** doce meses.
d. **tienen** las definiciones de muchas palabras (*words*).
e. **tienen** mochilas, bolígrafos, libros y cuadernos.
f. **tiene** páginas.
g. **es** un mes de invierno en el hemisferio norte.
h. **son** de Colombia.

■ Answers to these activities are in Appendix 2 at the back of your book.

DFree/Shutterstock

Zoe Saldana es de Nueva York.

vos	
ser	sos
tener	tenés

En español...

The informal singular form **tú** (*you*) is understood throughout the Spanish-speaking world. You will be expected to know and use this form in *Conéctate*.
¿De dónde eres (**tú**)?
Where are you (informal, singular) *from?*

In many parts of Latin America (such as Argentina, Paraguay, Uruguay, and much of Central America), the alternative form **vos** is commonly used instead.
¿De dónde sos (**vos**)?
Where are you (informal, singular) *from?*

The **vos** forms appear in *Conéctate* for recognition only.

There is also regional variation in the plural form of *you*. In Latin America, it is always **ustedes,** both for informal and formal uses. In *Conéctate*, you will be expected to know and use this form.

Latin America
¿De dónde son (**ustedes**)?
Where are you (plural) *from?*

Spain
In most of Spain, people use **vosotros/vosotras** for the informal plural and **ustedes** for the formal plural.
¿De dónde sois (**vosotros**)?
Where are you (informal, plural) *from?*
¿De dónde son (**ustedes**)?
Where are you (formal, plural) *from?*

The **vosotros/vosotras** form appears in *Conéctate* for recognition only.

In any Spanish-speaking country, **tú, vos,** and **usted** refer only to a single individual. When addressing more than one person, you must use **ustedes** or **vosotros/vosotras.**

Actividades analíticas

1 In **Para empezar,** you saw some forms of the verbs **ser** (*to be*) and **tener** (*to have*). You may have noticed that the form of the verb changes depending on what the subject is. Use the forms from **Para empezar** to complete this chart.

	ser	tener
yo *I*	soy	tengo
tú *you* (informal, singular)	eres	tienes
él/ella, usted *he/she, you* (formal)	_____	_____
nosotros/nosotras *we* (masculine/feminine)	somos	tenemos
[**vosotros/vosotras** *you* (informal, plural, m./f.)]	[sois]	[tenéis]
ellos/ellas, ustedes *they* (m./f.), *you* (formal, plural)	_____	_____

You will see that the conjugation of **ser** in particular shows many changes from form to form. Keep in mind that this verb has irregularities in English, as well: I *am*, You *are*, He/She *is,* and so on.

2 The conjugations in the chart above list the verb forms according to the pronoun (**el pronombre**) that corresponds to the subject. This pronoun is often not used, however, since the verb form itself frequently makes the subject clear.

Soy de los Estados Unidos.	*I am from the United States.*
¿Eres estudiante?	*Are you a student?*
Somos de Canadá.	*We are from Canada.*
Tengo un amigo de Venezuela.	*I have a friend from Venezuela.*
¿Tienes libros en la mochila?	*Do you have books in the backpack?*
Tenemos una profesora del Perú.	*We have a teacher from Peru.*

3 **Usted** uses the same verb form as do **él** and **ella.** If you were speaking to someone more formally, then, how would you say the following?

(INFORMAL, TÚ)	(FORMAL, USTED)
a. ¿De dónde eres?	b. ¿De dónde _____ usted?
¿Tienes un lápiz?	¿_____ usted un lápiz?

> **Autoprueba**
>
> Here is a typical sentence in Spanish: **Soy de Guatemala.** What subject is implied by the form of the verb **ser** here? _____
> What are the implied subject pronouns in each of the sample sentences in **Actividades analíticas 2**?
>
> **Respuestas:** Yo: Yo, Tú, Nosotros/Nosotras, Yo, Tú, Nosotros/Nosotras

ESPAÑOL INCLUSIVO

In English, it is common to specify what pronouns one prefers. In Spanish, this is less common, because subject pronouns are usually omitted anyway. For example, in English one has to decide whether to say *he, she,* or *they is/are a student,* but in Spanish, this is usually expressed simply as **Es estudiante.**

Actividades prácticas

A. Los estudiantes y los profesores What is a student or teacher likely to say (or ask)? For each item, choose the most likely statement(s) and then complete the statement using one of these verb forms:

somos (2x)   **soy** (2x)   **tenemos**   **tengo**   **tiene**

1. Un estudiante dice (*says*): _____ y _____
2. Dos estudiantes dicen: _____
3. Un estudiante pregunta (*asks*): _____
4. Una profesora dice: _____
5. Dos profesores dicen: _____ y _____

a. «_____ una mochila.»
b. «_____ profesora de matemáticas.»
c. «_____ despachos en la universidad.»
d. «_____ estudiante.»
e. «_____ estudiantes de español.»
f. «_____ profesores de la universidad.»
g. «¿ _____ usted un lápiz?»

B. Preguntas y respuestas For each question, choose the best answer and write its letter in the corresponding space. The first one is done for you. **¡Atención!** Questions with **tú** are always addressed to a single person, while those with **ustedes** are addressed to a group.

1. ¿Tienes amigos en la clase? _b_
2. ¿De dónde eres? _____
3. ¿De dónde son ustedes? _____
4. ¿Tienen un diccionario? _____
5. ¿Tienes una computadora? _____
6. ¿Penélope Cruz es de México? _____
7. ¿Eres de Canadá? _____

a. No, soy de los Estados Unidos.
b. Sí, tengo dos. Son Melissa y Steve.
c. No, es de España.
d. Sí, tengo un Mac.
e. Somos de Paraguay.
f. Sí, tenemos dos.
g. Soy de Costa Rica.

C. ¿De dónde eres?

PASO 1. Ask as many of your classmates as possible where they're from. Keep track of the answers by writing down their names grouped according to the part of your city or country that they are from. If you don't know your classmates' names, you will need to ask them.

MODELO: ESTUDIANTE 1: ¿Cómo te llamas? ¿De dónde eres?
            or   ¿Cómo se llama? ¿De dónde es?
            ESTUDIANTE 2: Me llamo Marisa. Soy de Jacksonville.

PASO 2. Tell the class where your classmates are from.

MODELO: ESTUDIANTE 1: Yo soy de California. Mis compañeros son de Colorado y de Utah.
            ESTUDIANTE 2: Ellos son de Jacksonville. Yo soy de Miami.
            ESTUDIANTE 3: Somos de Missouri.

D. Gente famosa (*Famous people*)

How well do you know these Spanish-speaking celebrities? With a partner, alternate asking each other questions about where they are from. **¡Atención!** When asking about one person, use the singular form **es.** When asking about a group, use **son.** If you don't know the answer, say **no sé** (*I don't know*).

MODELO: ESTUDIANTE 1: ¿De dónde es Rafael Nadal?
            ESTUDIANTE 2: Es de España. (No sé.)

1. Javier Bardem y Penélope Cruz
2. Gael García Bernal y Salma Hayek
3. Lionel Messi
4. Daddy Yankee
5. Sofía Vergara y Nina García
6. Lin-Manuel Miranda y Jennifer López

Lionel Messi juega en la selección nacional. ¿Sabes (*Do you know*) de dónde es?

E. ¿Qué tienes?

PASO 1. Check off those items in the list that you have with you in class today.

	YO	MI COMPAÑERO/A
1. un bolígrafo	☐	☐
2. una computadora	☐	☐
3. un cuaderno	☐	☐
4. un lápiz	☐	☐
5. un reloj	☐	☐
6. un teléfono	☐	☐

PASO 2. Ask a partner whether he or she has each of these items, and complete the chart in **Paso 1.**

> **MODELO:** ESTUDIANTE 1: ¿Tienes un bolígrafo?
> ESTUDIANTE 2: Sí, tengo un bolígrafo. (No, no tengo un bolígrafo.)

F. Cultura: La vida bilingüe en los Estados Unidos y Puerto Rico

PASO 1. Read the following text about the United States and Puerto Rico.

Puerto Rico   **los Estados Unidos**

Puerto Rico... ¿Es un país[a]? ¿O es una parte de los Estados Unidos? En realidad, Puerto Rico se llama «Estado Libre Asociado de Puerto Rico». Es un territorio no incorporado de los Estados Unidos con estatus de autogobierno.[b]

Sin embargo,[c] en los Estados Unidos, las personas hablan[d] inglés y en Puerto Rico hablan español, ¿no? La verdad[e] es que[f] en los dos países hay muchas personas bilingües y cada[g] día hay más. En los dos países, hay personas que hablan un idioma[h] en la casa y toman[i] clases para estudiar otro idioma.

Hay muchas palabras en el español de Puerto Rico que tienen influencia del inglés. Por ejemplo,[j] una persona puede decir[k] «No te paniquees» para *Don't panic.* Otros anglicismos son **parquear** (*to park*), **gufear** (*to goof around*) y **hanguear** (*to hang out*). ¿Sabes[l] algunas palabras en inglés que son del español?

[a]*country*   [b]*estatus... self-governing status* [c]*Sin... However*   [d]*speak* [e]*truth* [f]*that* [g]*each* [h]*language* [i]*take*
[j]*Por... For example*   [k]*puede... can say*   [l]*Do you know*

PASO 2. Indicate whether the following statements are true (**cierto**) or false (**falso**), according to the information presented in the reading.

	CIERTO	FALSO
1. Hay personas en los Estados Unidos que hablan español.	☐	☐
2. Hay muchas personas bilingües en Puerto Rico.	☐	☐
3. Cada día hay menos (*fewer*) personas bilingües en los Estados Unidos.	☐	☐
4. Puerto Rico es un estado de los Estados Unidos.	☐	☐
5. En Puerto Rico, los estudiantes toman clases de inglés.	☐	☐

PASO 3. With a partner, answer the following questions and discuss the ideas behind your responses.

1. ¿Por qué (*Why*) hablan inglés en los Estados Unidos y español en Puerto Rico?
2. ¿Cuáles son los cuatro idiomas europeos que ahora hablan más (*the most*) en el continente americano?
3. ¿Qué otras partes de los Estados Unidos fueron (*were*) colonias españolas? ¿Hay huellas (*traces*) de esto todavía (*still*)?

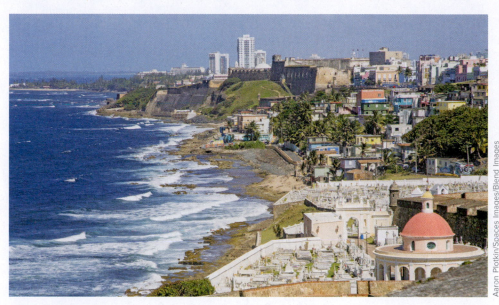

Aaron Plotkin/Spaces Images/Blend Images

San Juan, la capital de Puerto Rico

1.4 Nuestra (*Our*) clase de español

Possessive adjectives

Para empezar...

Choose the appropriate response for each question, then provide the information needed to complete the answer.

Preguntas	Respuestas
1. ____ ¿Cómo se llama **nuestra** (*our*) universidad?	a. **Nuestro** libro de español se llama ____.
2. ____ ¿Cómo se llama **nuestro** profesor / **nuestra** profesora de español?	b. **Nuestro** profesor / **Nuestra** profesora de español se llama ____.
3. ____ ¿Cómo se llama **nuestro** libro de español?	c. **Mis** (*My*) otras clases son ____.
	d. **Nuestra** universidad se llama ____.
4. ____ ¿Cuáles son **tus** (*your*) otras clases?	e. **Mi** clase favorita es ____.
5. ____ ¿Cuál es **tu** clase favorita?	

■ Answers to these activities are in Appendix 2 at the back of your book.

Actividades analíticas

1 Possessive adjectives (**adjetivos posesivos**), such as **mi** and **nuestro,** show who possesses a noun. Using what you saw in **Para empezar,** complete this chart of possessive adjectives.

____(s)	*my*	**nuestro(s)/**_____**(s)**	*our*
____(s)*	*your* (informal, singular)	**vuestro(s)/vuestra(s)**	*your* (informal, plural, Spain)
su(s)	*your* (formal, singular), *his/her*	**su(s)**	*your* (formal, plural), *their*

2 The ending **-s** is added to any possessive adjective when it is used with a plural noun.

mis amigos	*my friends*
tus teléfonos	*your* (informal, singular) *telephones*
sus bolígrafos	*his/her, your* (formal, singular and plural)*, their pens*

You may think of possessive adjectives as consisting of two parts: the beginning agrees with the owner, and the ending agrees with the possession.

When using **nuestro(s)/nuestra(s)** and **vuestro(s)/vuestra(s),** the ending of the possessive must show agreement with the gender (masculine/feminine) and number (singular/plural) of the noun that follows it.

nuestros profesores	*our teachers*
nuestra clase	*our class*
vuestras mochilas	*your* (informal, plural, Spain) *backpacks*

Actividades prácticas

A. Mis cosas

PASO 1. Check off all of the objects in the **yo** column that you have with you. If you have more than one of any item, add **-s** to the possessive and the noun. Then see how many objects your partner has and add **-s** where appropriate in the **mi compañero/a** column.

YO	MI COMPAÑERO/A
☐ mi____ computadora____	☐ su____ computadora____
☐ mi____ libro____	☐ su____ libro____
☐ mi____ llave____	☐ su____ llave____
☐ mi____ teléfono____	☐ su____ teléfono____

*Vos uses the same possessive adjective as **tú.**

PASO 2.   For each item that both you and your partner have, answer the question **¿Cuál pesa más?** (*Which weighs more?*) by comparing both, and then indicating the heavier one.

> **MODELO:** Mi computadora pesa más.

 B. Nuestro salón de clase   Working with a partner, make a list of five objects that are an integral part of your classroom, preceding each with the correct form of **nuestro(s)/nuestra(s).** One item is partially done for you.

1. nuestr____ pizarra(s)

2. _____

3. _____

4. _____

5. _____

 C. ¡Una prueba!   Give your partner a vocabulary quiz! Point to an object or objects in his or her possession and ask **¿Es tu ____?** for something singular or **¿Son tus ____?** for something plural. Use the wrong word sometimes and see if your partner can catch you.

> **MODELOS:**   ESTUDIANTE 1: ¿Es tu lápiz?
> ESTUDIANTE 2: Sí, es mi lápiz.
>
> ESTUDIANTE 1: ¿Son tus libros?
> ESTUDIANTE 2: No, ¡son mis bolígrafos!

D. ¿De quién es?

PASO 1.   Working in groups of five, give something that belongs to you, such as your backpack or your keys, to the person sitting next to you. Tell your neighbor what the object is. Now your neighbor will pass the item to another classmate, telling him/her who it belongs to and what it is.

> **MODELO:**   ESTUDIANTE 1: Es mi mochila. / Son mis llaves.
> ESTUDIANTE 2: Es de Susan. Es su mochila. /
> Son de Susan. Son sus llaves.

PASO 2.   Continue in this manner until your instructor says to stop. You should now be holding someone else's object(s). Go around the group and say who each object belongs to. Did the message get transmitted properly? Don't forget to return the objects to their owners!

¡Leamos!

¡Conéctate al mundo!

Antes de leer°   *Before reading*

The following reading is an advertisement for **Universidad del Cerro - Puebla.** Looking at the visual cues, what do you think the title **Conéctate al mundo** implies?

_____ It's important to be well connected.   _____ College connects you to the world.

_____ Study abroad and connect to the world.

A leer°   *Start reading*

Read the advertisement from **Universidad del Cerro - Puebla** and answer the questions that follow.

■ Have you ever wondered what it would be like to study abroad and live with a host family? *Practice Spanish: Study Abroad* is an immersive, 3-D, virtual game in which you take on the role of a foreign exchange student in Colombia. You will interact in Spanish with your host family, local residents, and students from around the world while you problem-solve, communicate, and navigate through a variety of fun and engaging cultural scenarios and adventures. You might even forget you are practicing Spanish! You can access the Quests and Mini-games on *Connect.*

¡CONÉCTATE AL MUNDO!

La **Universidad del Cerro - Puebla** (UCP) es una universidad global que prepara a sus estudiantes con las herramientas necesarias para avanzar en un mercado de trabajo[a] cada vez más internacional. Aparte de su selección de cursos académicos, ofrece formación profesional a través de un programa de prácticas[b] y estudios en diferentes partes del mundo.
[a]mercado... *job market*   [b]*internships*

Licenciaturas:

Arquitectura	Física
Biología	Historia
Ciencias políticas	Ingeniería
Comunicaciones	Matemáticas
Economía	Psicología
Filosofía	Química
Finanzas	Relaciones internacionales

Maestrías:

Administración de empresas
Turismo sostenible

LA UNIVERSIDAD DEL CERRO - PUEBLA
Oficina de Programación Comunitaria y Profesional

Información detallada: 22-811-6510 o www.ucp.edu
Para programar una visita: 22-811-7349

www.ucp.edu

1. What is one of UCP's selling points for its study abroad programs?

2. What credits would likely *not* transfer to your on-campus degree program at UCP?

   ____ Chemistry   ____ Finance   ____ Philosophy

   ____ Engineering   ____ Law   ____ Physics

   ____ English   ____ Pharmacy   ____ Psychology

3. What graduate studies programs are available abroad through UCP?

4. Based on visual clues, what languages are students likely to study while on a UCP study abroad program?

5. What should interested students do if they want more information about UCP study abroad programs?

En español...

American students often want to know how to say *What's your major?* in Spanish. While you can translate it directly as **¿Cuál es tu carrera?,** it is more common to ask **¿Qué estudias?** (*What do you study?*).

Después de leer°   *After reading*

PASO 1. Make a chart to say what you study, where you study for your classes, and where you would like to study abroad, if given the opportunity.

MODELO:

Nombre	¿Qué estudias?	¿Dónde estudias para tus clases?	Quieres viajar a (*You want to travel to*)...
Gustavo	las ciencias políticas	la biblioteca, la residencia	Bolivia, Ecuador, el Perú

PASO 2. Pass your chart along to a classmate and, in turn, fill in your own information on your fellow students' sheets as they come your way. When your own chart comes back to you, read the information provided by all other students. If you think you have found someone with similar academic interests, study habits, and travel interests, find that person and stand up together. How many students found a match?

CONÉCTATE AL MUNDO HISPANO

(Top) Topseller/Shutterstock; *(bottom)* Tavis Wright/Image Source

Studying a foreign language gives you the chance to think about things from the perspective of other people. Americans often think of the word *immigrant,* for instance, as referring to people coming into the United States, but in the Spanish-speaking world, there have been many immigrants from Japan to Peru, or from Italy to Argentina. More recently, there have been many immigrants from Venezuela to Spain and from Honduras to Mexico. And just like many North American college students go abroad to study, students from all over the world go to countries such as the United States, Canada, Argentina, Mexico, and Brazil for education.

¡Escuchemos!

¿De dónde son?

 ### Antes de escuchar°

listening

Work in pairs to make a list of all the Spanish-speaking countries you know. Then combine your list with that of another group. Together, see if you can sort the countries by the region of the world: **África, Centroamérica, el Caribe, Europa, Norteamérica, Sudamérica.** Finally, listen to the names of the various countries and write down the ones you missed.

 ### A escuchar

Watch and listen at least three times, pausing where necessary. Complete the sentences to tell which country each person is from.

1.
Juan Péndola _____.

2.
Santiago Mariscal _____.

3.
Andrea Suárez _____.

4.
Sabrina Vélez _____.

5.
Hérley Alegría González _____.

6.
Paulina de la Loza _____.

Después de escuchar

Look at the map at the back of the book and name the capital of each country mentioned in **A escuchar.** Then say in which hemisphere (northern or southern) that country is located. What season is it there now?

MODELO: Juan Péndola es de Chile. Santiago es la capital de Chile. Chile está en el hemisferio sur. Ahora en Chile es... (*the season depends on the time of year you respond to this question*).

¡Escribamos!

La información de contacto

On the first day of class, you might have filled out an information card for your instructor. It's also a good idea to get some contact information from classmates so you can communicate outside of class.

Antes de escribir° *writing*

Use the images to help you write the questions you will have to ask to elicit the information needed to complete **A escribir.**

1. ¿_____ ____ _____?

2. ¿Cuál es la _____ de tu cumpleaños (*birthday*)?

3. ¿Cuál es tu dirección de _____?

4. ¿Qué _____ tomas (*do you take*)?

5. ¿Cuál es tu _____ ____ _____?

A escribir

In small groups, ask and answer classmates' questions to complete the contact sheets provided. Don't peek at each other's sheet.

MODELO:

ESTUDIANTE 1: ¿Cómo te llamas?
ESTUDIANTE 2: Me llamo Marcos.

ESTUDIANTE 1: ¿Cómo se escribe?
ESTUDIANTE 2: Eme - a - erre - ce - o - ese.

ESTUDIANTE 1: ¿Eme - a - erre - ce - o - ese?
ESTUDIANTE 2: ¡Sí!

	ESTUDIANTE 1	ESTUDIANTE 2	ESTUDIANTE 3
Nombre			
Número de teléfono			
Email			
Clases			
Cumpleaños			

Después de escribir

In your groups, compare your contact lists and check your own contact information on your classmates' lists for accuracy. Are your first and last names spelled correctly? Are all necessary numbers, including area codes, included for the phone numbers? Is your email address correct and does it include the **arroba** and at least one **punto**?

☐ nombre correcto   ☐ dirección de correo electrónico correcta

☐ número de teléfono correcto

 # ¡Hablemos!

Una charla°   *A chat*

Antes de hablar°   *speaking*

In groups, make a list of all the questions you have learned so far. Use the vocabulary list at the end of the chapter if you need help coming up with more questions.

A hablar

Now, in the same groups, create the longest conversation you can with the expressions you have learned so far. One student should start by asking a question of the person on his or her left. That person should answer the question and then ask another question of the person to his or her left, continuing clockwise around the circle until the group is unable to come up with any more questions. Include as many of the expressions you learned in this chapter as possible. Have someone keep track of how many questions were asked in your group.

Después de hablar

Which group came up with the longest conversation? Try to recreate it for the rest of the class.

VOCABULARIO

Now that I have completed the chapter, I can . . .

- ☐ greet someone, find out his/her name, how he/she is doing, where he/she is from, and say good-bye
- ☐ pronounce the letters and sounds of the alphabet
- ☐ express the date, months, and seasons of the year
- ☐ say the numbers 0–99
- ☐ identify people and things
- ☐ express possession by talking about the objects people have
- ☐ say the names of the Spanish-speaking countries

Comunicación	Communication
¡Hola!	Hello!
Buenos días. / Buen día.	Good morning.
Buenas tardes.	Good afternoon/ evening.
Buenas noches.	Good evening/night.
¿Cómo te llamas? / ¿Cómo se llama?	What is your name? (*informal/formal*)
Me llamo / Mi nombre/apellido es...	My name is . . . / My first/last name is . . .
Soy...	I am . . .
¿Y tú? / ¿Y usted?	And you? (*informal/formal*)
Mucho gusto.	Nice to meet you.
Igualmente.	Likewise.
¿Cómo estás? / ¿Cómo está?	How are you? (*informal/formal*)
¿Qué tal? / ¿Cómo anda?	How's it going?
¿Qué te pasa? / ¿Qué le pasa?	What's happening with you? / What's the matter? (*informal/formal*)
(Muy) Bien.	(Very) Well.
Más o menos.	OK.
(Muy) Mal.	(Very) Bad.
Gracias.	Thank you.
¿De dónde eres? / ¿De dónde es?	Where are you from? (*informal/formal*)
Soy de...	I am from . . .
¿Dónde vives? / ¿Dónde vive?	Where do you live? (*informal/formal*)
Vivo en + *place*	I live in + *place*
¿Cómo se llama él/ella?	What is his/her name?
Se llama...	His/Her name is . . .

¡Adiós!	Good-bye!
Chau (Chao) / Chau chau (Chao chao).	Good-bye.
Hasta luego.	See you later.
Hasta mañana / el jueves.	See you tomorrow / (on) Thursday.
Hasta pronto.	See you soon.

Los meses y las estaciones	The months and the seasons
el año	year
las estaciones	seasons
la primavera	spring
el verano	summer
el otoño	autumn, fall
el invierno	winter

los meses: enero, febrero, marzo, abril, mayo, junio, julio, agosto, septiembre, octubre, noviembre, diciembre

Los números y las fechas	Numbers and dates

cero, uno, dos, tres, cuatro, cinco, seis, siete, ocho, nueve, diez, once, doce, trece, catorce, quince, dieciséis, diecisiete, dieciocho, diecinueve, veinte, veintiuno, veintidós, veintitrés, veinticuatro, veinticinco, veintiséis, veintisiete, veintiocho, veintinueve, treinta, treinta y uno... , cuarenta, cuarenta y dos, cincuenta, sesenta, setenta, ochenta, noventa

¿Cuál es la fecha de hoy?	What is today's date?
el día	day
Hoy es...	Today is . . .
el primero de mayo.	the first of May.
el cinco de noviembre.	November fifth.

En la universidad / At the university

el amigo / la amiga	friend
el aula	classroom
el baño	bathroom
la biblioteca	library
el bolígrafo	pen
el borrador	eraser
el/la compañero/a	classmate
la cosa	thing
el cuaderno	notebook
el despacho	office
el diccionario	dictionary
el escritorio	desk
el examen	exam, test
el gimnasio	gymnasium
la hoja de papel	sheet of paper
el hombre	man
el/la joven	young person
el lápiz (*pl.* lápices)	pencil
la librería	bookstore
el libro	book
la llave	key
la mesa	table
la mochila	backpack
la mujer	woman
la página (web)	(web) page
la pizarra	chalkboard; whiteboard
la pluma	pen
la puerta	door
el reloj	clock; watch
la residencia (estudiantil)	dormitory
el salón de clase	classroom
la silla	chair
la tarea	homework
la ventana	window

Cognados: la clase, la computadora, el/la estudiante, la graduación, la idea, el kilo, la oficina, el profesor / la profesora, el proyector, la universidad

Las materias / Subjects

la arquitectura, el arte, la biología, las ciencias (políticas), las comunicaciones, el diseño, la economía, la filosofía, la física, el francés, la historia, las humanidades, la ingeniería, el inglés, la literatura, las matemáticas, la psicología, la química, las relaciones internacionales, el urbanismo

Para dar y pedir información / Giving and asking for information

arroba	@ (at, *in an email address*)
¿Cómo se escribe... ?	How do you spell . . . ?
¿Cuál es tu... ?	What is your . . . ?
carrera	major
(dirección de) email	email (address)
número de teléfono	phone number
¿Cuántos/as... (hay)?	How many . . . (are there)?
doble ve, doble ve, doble ve / triple doble ve	www (*in a web page address*)
punto com/edu	dot com/edu (*in an email address*)
¿Qué estudias?	What do you study? / What's your major?

Verbos / Verbs

hay	there is, there are
ser (*irreg.*)	to be
soy, eres, sos, es, somos, sois, son	
tener (*irreg.*)	to have
tengo, tienes, tenés, tiene, tenemos, tenéis, tienen	

Otras palabras y expresiones útiles / Other words and useful expressions

antes (de)	before
de	of; from
después (de)	after
diferente	different
el, la, los, las	the
en	in; on; at (a place)
más	more
mi(s)	my
no	no
nuestro/a(s)	our
o (u before o- or ho-)	or
sí	yes
su(s)	your (*form.*); his/her; their
también	also
tu(s)	your
un, una / unos, unas	a, an / some
vuestro/a(s)	your (*plural inform. Sp.*)
y (e before i- or hi-)	and

Mis amigos y yo

A estos jóvenes mexicanos les gusta (*like*) el fútbol (*soccer*). Y a ti, ¿qué te gusta (*do you like*)?

Daniel M Ernst/Shutterstock

Objetivos

When you finish this chapter, you will be able to:

- talk about your age
- say where you are going
- express likes and dislikes
- describe people, places, and things

2

COMUNICACIÓN ~~LARIO~~ ~~JCTURA~~ ~~TE~~

¿Cuántos años tienes? / ¿Cuántos años tiene Ud.*?

Finding out someone's age

A. A ver: ¿Cuántos años tienes? / ¿Cuántos años tiene?   Listen as your instructor models how to say your age. Next, watch and listen at least twice, pausing as needed, as the following people say their age. Then choose the correct answer.

1. Tengo _____ años.
   a. nueve
   b. diecinueve
   c. veintinueve

2. Tengo _____ años.
   a. veinte
   b. veintiséis
   c. treinta

3. Tengo _____ años.
   a. seis
   b. diecisiete
   c. sesenta

4. Tengo _____ años.
   a. dieciocho
   b. diecinueve
   c. veinte

5. Tengo _____ años.
   a. cuatro
   b. catorce
   c. cuarenta

6. Tengo _____ años.
   a. quince
   b. once
   c. nueve

7. Tengo _____ años.
   a. diecisiete
   b. veintisiete
   c. siete

8. Tengo _____ años.
   a. dieciocho
   b. veintiún
   c. veinte

9. Tengo _____ años.
   a. veinte
   b. veintitrés
   c. veintiséis

10. Tengo _____ años.
    a. veinticinco
    b. cuarenta y siete
    c. sesenta y seis

11. Tengo _____ años.
    a. veinte
    b. veintitrés
    c. veintiséis

12. Tengo _____ años.
    a. treinta y tres
    b. cuarenta y tres
    c. cincuenta y tres

Truth-Function/McGraw-Hill

Estrategia

Read over the entire activity before watching the video so that you know what you are listening for. In this case, it's one of three numbers presented as multiple-choice. Visual clues will also help you eliminate some answers—does the first person look like she could be 9 years old?

To ask someone's age in Spanish, you can say the following.

¿Cuántos años tienes? (*informal*)   **¿Cuántos años tiene (Ud.)?** (*formal*)

To answer that question, say: **Tengo _____ años.**

—Alicia, ¿cuántos años tienes?   —Señora Beltrán, ¿cuántos años tiene?
—Tengo 18 años.   —Tengo 40 años.

¡Atención! Before the word **años**, use **un** (instead of **uno**) for any age ending in *one* (*one, twenty-one, thirty-one,* and so on).

Tengo 21 (veintiún) años.
Tengo 61 (sesenta y un) años.

---

*The words **usted** and **ustedes** are abbreviated as **Ud.** and **Uds.,** respectively. You will see them appear with this abbreviation throughout *Conéctate*.

B. ¿Cuántos años tienen (*How old are*) los estudiantes de la clase?

PASO 1. In groups of four, take turns asking each other's ages. Fill in the chart, then calculate the average age (**la edad promedio**) for the group. Did you all get the same average? What is the average age for the whole class?

NOMBRE	EDAD (*AGE*)
yo	
Total:	

MODELO: ESTUDIANTE 1: ¿Cuántos años tienes?
ESTUDIANTE 2: Tengo 20 años.

Total de las edades ÷ por el número de personas en el grupo =
la edad promedio del grupo
La edad promedio de la clase es de _____ años.

PASO 2. Who are the oldest and youngest members of your group? Share this information with the rest of the class. Based on the information provided by each group, who is the oldest in your class? Who is the youngest?

La persona mayor (*oldest*) del grupo / de la clase tiene (*is*) _____ años.
La persona menor (*youngest*) del grupo / de la clase tiene _____ años.

¿Adónde vas? / ¿Adónde va?

Finding out where someone is going

A. A ver: ¿Adónde vas? / ¿Adónde va?

PASO 1. Watch and listen as people say where they go on a typical weekday. Play the video again, pausing between each speaker to check the appropriate boxes.

		LAS CLASES	EL GIMNASIO (*GYM*)	LA OFICINA	EL TRABAJO (*WORK*)	LA UNIVERSIDAD
1.	Elisabeth	☐	☐	☐	☐	☐
2.	Enrique	☐	☐	☐	☐	☐
3.	Nuria	☐	☐	☐	☐	☐
4.	Cinthya	☐	☐	☐	☐	☐
5.	Esteban	☐	☐	☐	☐	☐
6.	Lourdes	☐	☐	☐	☐	☐
7.	Diego	☐	☐	☐	☐	☐

(*Continues*)

PASO 2.   Where do the following people say they go on a typical weekend?

1.   Sabrina: «Voy al ____.»
2.   Benjamín: «Voy al ____.»
3.   María José: «Voy al ____.»
4.   Angélica: «Voy al ____.»

    a. cine (movies)
    b. gimnasio
    c. súper
    d. supermercado

En español...

Just like in English, where *picture* becomes *pic*, *refrigerator* becomes *fridge*, and *biography* becomes *bio*, in Spanish, long words also often get shortened. For example, people might say **el súper** instead of **el supermercado.** Other examples include **la uni** (**la universidad**), **la moto** (**la motocicleta**), **el/la profe** (**el profesor / la profesora**) and **la foto** (**la fotografía**).

To ask where someone is going, use one of the following questions.

¿Adónde vas? (*informal*)   **¿Adónde va?** (*formal*)

To answer, say: **Voy a** + (*article*) + *name of place.*

Note the contraction **al** (**a** + **el**): **Voy a** + **el gimnasio** = **Voy al gimnasio.**

Voy al gimnasio.   I go to the gym.
Voy a la oficina.   I go to the office.

B. ¿Adónde vas en un día típico?

PASO 1.   Check all the places that you go on a typical day (**un día típico**) and all the places that you go on the weekend (**el fin de semana**).

	UN DÍA TÍPICO	EL FIN DE SEMANA
1. el cine	☐	☐
2. la clase	☐	☐
3. el gimnasio	☐	☐
4. la oficina	☐	☐
5. el supermercado	☐	☐
6. el trabajo	☐	☐
7. la universidad	☐	☐

PASO 2.   Now ask a classmate if what he or she does is the same or different from what you do.

MODELO: ESTUDIANTE 1: Yo voy al gimnasio en un día típico. ¿Y tú?
        ESTUDIANTE 2: Yo no. Yo voy al gimnasio solo los (*only on*) fines de semana.

C. ¿Adónde van los otros estudiantes?

PASO 1. Write down one place where you go on a typical weekday and one place you go on the weekend. Then find out where three of your classmates go, and fill out the chart.

MODELO: ESTUDIANTE 1: En un día típico / un fin de semana típico, ¿adónde vas?
ESTUDIANTE 2: Voy al gimnasio.
ESTUDIANTE 1: Gracias.

NOMBRE	EN UN DÍA TÍPICO	EN UN FIN DE SEMANA TÍPICO
yo	voy al / a la...	
	va al / a la...	

PASO 2. If two or more people on your chart have a place in common, write it on the board. Answer the following questions based on the final list created by the class.

1. En un día típico, ¿adónde va la mayoría (*the majority*) de la clase?
2. En un fin de semana típico, ¿adónde va la mayoría de la clase?

Me gusta...
Expressing likes and dislikes

A. A ver: Me gusta...

PASO 1. Watch and listen, pausing and replaying as needed, then decide if each speaker likes or dislikes the academic subject. Write the academic subject each mentions on the blank.

		«ME GUSTA...» (*I LIKE . . .*)	«NO ME GUSTA...» (*I DON'T LIKE . . .*)	MATERIA:
1.	Laura	☐	☐	_____
2.	Iriana	☐	☐	_____
3.	Daritzel	☐	☐	_____
4.	Sebastián	☐	☐	_____
5.	Shayllie	☐	☐	_____
6.	Sebastián	☐	☐	_____

Klic Video Productions/McGraw-Hill

(*Continues*)

PASO 2. Watch and listen, pausing and replaying as needed, then write the subjects each speaker likes and dislikes.

1. «Me gusta _____.»   «No me gusta _____.»
2. «Me gusta _____.»   «No me gusta _____.»
3. «Me gusta _____.»   «No me gusta _____.»

To talk in Spanish about likes, use **me gusta** + *noun / activity.*

Me gusta la química.	I like chemistry.
Me gusta ir al cine.	I like to go to the movies.

To say you don't like something, add **no** to the beginning.

No me gusta la arquitectura.	I don't like architecture.
No me gusta estar en casa.	I don't like to be / hang out at home.

To ask someone about what they like to do, use **te gusta** (*informal*) or **le gusta** (*formal*).

INFORMAL	FORMAL
¿Te gusta + *noun / verb*?	**¿Le gusta** + *noun / verb*?
Do you like . . . ?	Do you like . . . ?
—¿Te gusta la playa?	**—¿Le gusta ir al gimnasio?**
'Do you like the beach?'	'Do you like to go to the gym?'
—Sí, me gusta nadar.	**—No, no me gusta hacer ejercicio / deporte.**
'Yes, I like to swim.'	'No, I don't like to exercise / play sports.'

Estrategia

You'll study the grammar behind the verb **gustar** later (**Estructura 2.3**). Here, just use it as a fixed expression to talk about likes and dislikes.

B. ¿Cuál mes te gusta más?

PASO 1. Answer the questions about the months of the year.

¿Cuál mes te gusta más? _____

¿Cuál mes no te gusta? _____

PASO 2. Add one place you like to go in your favorite month and one thing you don't like about your least favorite month.

> **MODELO:** Me gusta el mes de junio porque (*because*) me gusta ir a la playa. No me gusta el mes de septiembre porque no me gusta ir a clase.

C. ¿Con quién tienes más en común? (*With whom do you have the most in common?*)   Make a list of questions about likes and dislikes related to academic subjects, months, and activities. Then ask and answer questions with at least three classmates to find the person with whom you have the most in common.

CONÉCTATE AL MUNDO PROFESIONAL

Listening is key to successful networking. It is important to find common interests in order to build relationships; you have to give as well as receive in any networking relationship.

Practice this on a small scale in your Spanish course. When talking about yourself, have clear, practiced, polished information, so you neither say too little nor ramble too much. Then ask others about themselves, listen closely to what they say, and ask follow-up questions. Start building your professional network now!

VOCABULARIO

¿Cómo somos?°

What are we like?

Describing people, places, and things with adjectives

A. ¿Cómo somos?

PASO 1. Look at the images of some common adjectives used to describe people, places, and things. Match the pairs of opposites.

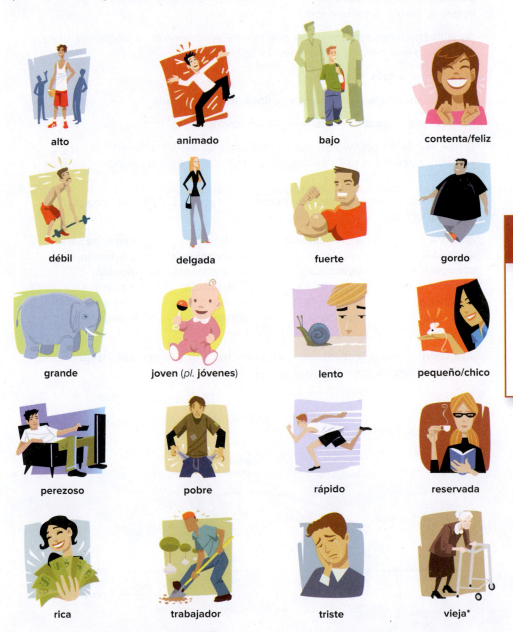

alto   animado   bajo   contenta/feliz

débil   delgada   fuerte   gordo

grande   joven (*pl.* jóvenes)   lento   pequeño/chico

perezoso   pobre   rápido   reservada

rica   trabajador   triste   vieja*

En español...

You may have noticed by now that the endings of adjectives change according to whom or what they describe. We will come back to this and discuss it in detail in **Estructura 2.1.**

(*Continues*)

*Anciano/a and **mayor** are polite ways of saying **viejo/a** when referring to people.

PASO 2.   Select at least three of the adjectives from **Paso 1** and name a well-known person or fictional character who fits each one.

> **MODELO:**   rápido → Usain Bolt es rápido.
>   vieja → Barbara Streisand es vieja.
>   bajo → Bilbo Baggins es bajo.

Here are more opposites.

aburrido/a (*boring*) ≠ **interesante / divertido/a**

antipático/a (*disagreeable*) ≠ **simpático/a** (*nice*)

barato/a (*cheap*) ≠ **caro/a** (*expensive*)

bonito/a (*pretty*) ≠ **feo/a** (*ugly*)

bueno/a (*good*) ≠ **malo/a** (*bad*)

corto/a (*short [length]*) ≠ **largo/a** (*long*)

difícil (*hard*) ≠ **fácil** (*easy*)

limpio/a (*clean*) ≠ **sucio/a** (*dirty*)

nuevo/a (*new*) ≠ viejo/a (*old*)

serio/a ≠ **gracioso/a** (*funny*)

As with any language, there are often many synonyms for a frequently used adjective. Here are a few examples in Spanish.

contento/a = feliz = alegre

bello/a = bonito/a = hermoso/a = lindo/a = precioso/a

simpático/a = amable = cariñoso/a (*affectionate*)

These words for *pretty/beautiful* can be used to describe people or things, whereas **guapo/a** is used commonly to describe people as *good-looking*, or *handsome* for males.

You learned about cognates (**cognados**) in **Capítulo 1.** Can you recognize these adjectives?

activo/a	**espontáneo/a**	**inteligente**	**organizado/a**
ansioso/a	**excelente**	**introvertido/a**	**pesimista**
atlético/a	**famoso/a**	**maravilloso/a**	**popular**
carismático/a	**generoso/a**	**motivado/a**	**sincero/a**
creativo/a	**honesto/a**	**nervioso/a**	**tímido/a**
curioso/a	**horrible**	**optimista**	**tranquilo/a**
directo/a			

¡Atención! Some adjectives are false cognates. For example, **blanco/a** means *white* and **largo/a** means *long*.

Adjectives to describe colors

amarillo *yellow*
anaranjado *orange*
azul *blue*
blanco *white*
gris *gray*
marrón / café *brown*
morado *purple*
negro *black*
rojo *red*
rosado *pink*
verde *green*

B. ¿De qué color es? (*What color is it?*)

PASO 1.   Match each item with the color(s) that best describe it.

1. el amor _____
2. la bandera (*flag*) de este país (*this country*) _____
3. el café (*coffee*) _____
4. el equipo de fútbol americano de tu universidad o ciudad (*university or city football team*) _____
5. el mar (*sea*) _____
6. el otoño _____
7. la pizza _____
8. el sol (*sun*) _____
9. la rosa _____

PASO 2.   In groups of three or four, take turns playing "I Spy" (**Yo veo**) based on colors. Look around the room and select an item, then give a hint, naming the color of the item. Your group will take turns trying to guess what it is.

MODELO: ESTUDIANTE 1: Yo veo algo (*something*) blanco.
ESTUDIANTE 2: ¿Es la pizarra?
ESTUDIANTE 1: No, no es la pizarra.
ESTUDIANTE 3: ¿Es tu libro?
ESTUDIANTE 1: ¡Sí!

To talk about hair (**el pelo / el cabello**) color, use a form of the verb **tener** with the following color adjectives.

castaño	*brown*	**rubio**	*blond*
moreno	*dark brown / black*	**trigueño**	*light brown*
negro	*black*		

Tengo el pelo castaño.   I have brown hair.
La niña tiene el pelo rubio.   The girl has blond hair.

Use these same words with **ser** to describe someone as *blond, dark-haired* (or *dark-skinned*), and so on.

Use **pelirrojo/a** for *redheaded*.

Marcela es rubia, Marcos es moreno y Dolores es pelirroja.   Marcela is (a) blond, Marcos is dark, and Dolores is redheaded / a redhead.

For eye color, use **tener** + **los ojos** + *color* when describing someone or **ser** + *color* to describe or refer to their eye color.

Tengo los ojos azules.   I have blue eyes.
—¿De qué color son los ojos de Ricardo?   What color are Ricardo's eyes?
—Son negros / de color negro.   They are black / dark.

The word for *skin* is **la piel** and *complexion* is **la tez.**

C. ¿Quién es... ? Match each image with the description.

a.   b.   c.   d.

1. ____ Paco tiene el pelo trigueño y los ojos verdes.
2. ____ Anita tiene el pelo negro y los ojos negros.
3. ____ Carmen es rubia: tiene el pelo rubio y largo.
4. ____ Felipe es moreno: tiene los ojos marrones y el pelo moreno y corto.

■ The audio files for in-text listening activities are available in the eBook, within Connect activities, and on the Online Learning Center.

D. Ese tipo (*guy*) Study the picture. Then for each item, indicate if the sentence you hear is describing **Tipo A** or **Tipo Z.**

Tipo A   Tipo Z

	TIPO A	TIPO Z
1.	☐	☐
2.	☐	☐
3.	☐	☐
4.	☐	☐
5.	☐	☐
6.	☐	☐
7.	☐	☐
8.	☐	☐
9.	☐	☐
10.	☐	☐
11.	☐	☐

Estrategia

As you watch this video, you won't understand every word, but you'll understand some of the descriptive adjectives you've learned. Listen for those and know they describe an important person in the speaker's life—that is a lot of meaning to extract from native speech this early in your study of Spanish.

E. A ver: ¿Cómo es?

PASO 1. Watch and listen, pausing and replaying as needed, then write at least two of the adjectives each person uses to describe a close friend or family member. Indicate if each adjective you write describes the person's appearance (**el aspecto físico**) or personality (**la personalidad**).

		EL ASPECTO FÍSICO	LA PERSONALIDAD
1. Paola	_____	☐	☐
	_____	☐	☐
2. Claudia	_____	☐	☐
	_____	☐	☐
3. Luz	_____	☐	☐
	_____	☐	☐
4. Camilo	_____	☐	☐
	_____	☐	☐
5. Angélica	_____	☐	☐
	_____	☐	☐

Klic Video Productions/McGraw-Hill

6. Saleem   _____   ☐   ☐
                _____   ☐   ☐

7. Dennis   _____   ☐   ☐
              _____   ☐   ☐

8. Jonathan   _____   ☐   ☐
              _____   ☐   ☐

9. Gabriela   _____   ☐   ☐
              _____   ☐   ☐

Klic Video Productions/McGraw-Hill

PASO 2. In small groups, take turns describing your friends using at least two adjectives, just as the speakers did in **Paso 1.**

MODELO: Andrea es divertida y amable.

CONÉCTATE AL MUNDO HISPANO

Kevin Sanchez/Cole Group/ PhotoDisc/Getty Images

You know that Spanish (**el español**) used as a noun can refer to the language or, as a plural noun (**los españoles**), to the people of Spain. But remember that when it is used as an adjective (**español[a]**), it refers exclusively to people, things, and traditions of Spain. Spanish people live in or are from the European country of Spain. Spanish food is very different from Mexican food, typical Spanish music is different from typical Argentine music, and traditional Spanish dances are very different from traditional Puerto Rican dances.

F. Los países (countries) y las banderas   Escribe el adjetivo debajo de la bandera correspondiente.

paraguayo/a   guatemalteco/a   dominicano/a

nicaragüense   puertorriqueño/a   estadounidense

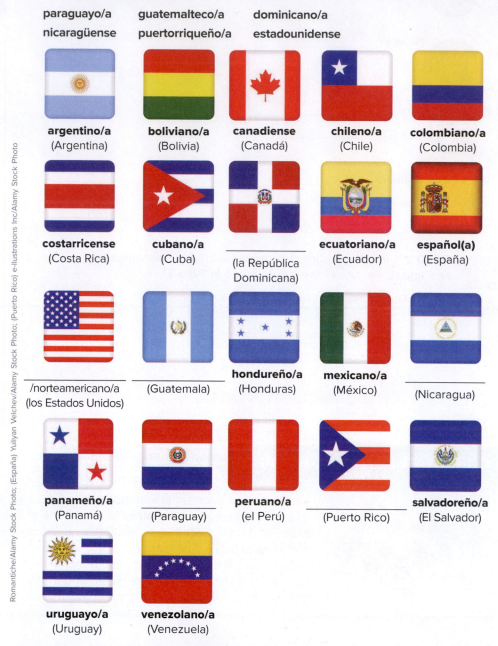

argentino/a
(Argentina)

boliviano/a
(Bolivia)

canadiense
(Canadá)

chileno/a
(Chile)

colombiano/a
(Colombia)

costarricense
(Costa Rica)

cubano/a
(Cuba)

_____
(la República
Dominicana)

ecuatoriano/a
(Ecuador)

español(a)
(España)

_____
/norteamericano/a
(los Estados Unidos)

_____
(Guatemala)

hondureño/a
(Honduras)

mexicano/a
(México)

_____
(Nicaragua)

panameño/a
(Panamá)

_____
(Paraguay)

peruano/a
(el Perú)

_____
(Puerto Rico)

salvadoreño/a
(El Salvador)

uruguayo/a
(Uruguay)

venezolano/a
(Venezuela)

G. Las banderas y las nacionalidades

PASO 1.   Analyze the flags of the American continent by answering the following questions.

1. Los colores que se usan en las banderas americanas son _____, ____, _____, ____, _____.
2. El triángulo en la bandera cubana es de color ____.
3. El triángulo en la bandera puertorriqueña es de color ____.
4. ¿Cuántos (how many) países usan los colores rojo, blanco y azul en sus banderas?
5. ¿Cuántos países usan los colores amarillo, azul y rojo en sus banderas?
6. ¿Cuántos países usan las estrellas (stars) en sus banderas?
7. Las banderas _____ y _____ usan el sol (sun).

PASO 2.   In pairs, talk about the nationalities of some famous Spanish speakers, such as:

Frida Kahlo   Guillermo del Toro   Juan Andrés Maya

Lionel Messi   Sofía Vergara   Shakira

MODELO: ESTUDIANTE 1: ¿José Altuve es de Puerto Rico?

ESTUDIANTE 2: No, no es puertorriqueño; es venezolano.

COMUN VOCABU **ESTRUCTURA** ATE

2.1 Una estudiante alta

Adjectives

Para empezar...

■ Answers to these activities are in Appendix 2 at the back of your book.

Match each picture to the appropriate word or words.

1. ____

2. ____

3. ____

4. ____

5. ____

6. ____

a. altos
b. contenta
c. contentos, jóvenes, guapos
d. contento, viejo
e. alta
f. tristes
g. triste
h. alto

7. ____

8. ____

Actividades analíticas

1 Words such as **alto, triste,** and **joven** are *adjectives* (**los adjetivos**), and they describe nouns. In Spanish, adjectives often change their form to agree with the noun that they describe. What two other forms of **alto** do you see in **Para empezar?**

alto ____ ____

2 Adjectives that end in **-o** or **-a** like **alto/alta** must agree with both the gender (masculine/feminine) and the number (singular/plural) of the noun. Masculine gender is indicated by **-o,** feminine by **-a,** and plural by **-s.** In Spanish, adjectives usually follow the noun that they modify.

	singular	plural
masculine	el hombre alt**o**	los hombres alt**os**
feminine	la mujer alt**a**	las mujeres alt**as**

3 Adjectives that end in **-e,** such as **triste,** or that end in a consonant, like **joven,** agree only with the number of the noun. The ending **-s** or **-es** is added to indicate plural, but the masculine and feminine forms are exactly the same.

	singular	plural
masculine	el hombre triste el hombre joven	los hombres triste**s** los hombres jóven**es***
feminine	la mujer triste la mujer joven	las mujeres triste**s** las mujeres jóven**es***

The rule for choosing between **-s** and **-es** is just like what you saw in **Estructura 1.2** for nouns: add **-s** if it ends in a vowel, and add **-es** if it ends in a consonant.

> **Autoprueba**
>
> For each of the following phrases, adjust the adjective in parentheses as needed so that it agrees with the noun.
>
> 1. los libros _____ (nuevo)
> 2. las profesoras _____ (joven)
> 3. una mochila _____ (viejo)
> 4. la niña _____ (inteligente)

Respuestas: **1.** nuevos **2.** jóvenes **3.** vieja **4.** inteligente

■ For more on the placement of adjectives in Spanish, see **Para saber más 2.1** at the back of your book.

cynoclub/Shutterstock

Típicamente, los perros gran danés son grandes y los perros chihuahua son pequeños.

Actividades prácticas

A. ¿Cómo son? (What are they like?)   Finish each sentence in column **A** with an item from column **B.**

A	B
1. El cálculo y la física son materias ____.	a. famosas de los Estados Unidos
2. Serena Williams y Oprah Winfrey son mujeres ____.	b. difícil (*difficult*)
3. La química avanzada (*advanced*) es una materia ____.	c. pequeños
4. Penélope Cruz y Rafael Nadal son personas ____.	d. grandes
5. En general, un perro chihuahua es ____.	e. famosas de España
6. LeBron James y Brad Pitt son hombres ____.	f. grande
7. La Universidad Nacional Autónoma de México es una universidad muy ____.	g. famosos de los Estados Unidos
8. Los Estados Unidos y Canadá son muy ____.	h. difíciles
9. En general, los teléfonos celulares son ____.	i. pequeño

 B. ¿Quién es?   Listen as your instructor describes various people in your class. Guess who they are and write down their names here.

1. _____   3. _____   5. _____

2. _____   4. _____   6. _____

C. Una comparación   Working in a group, create two lists: one of what everyone in your group has in common, and another of the ways in which you're different from each other. Use adjectives (pp. 43, 44) and colors (p. 44), including hair and eye color (p. 45).

MODELO: Somos inteligentes y jóvenes.
Yo tengo el pelo negro. Kathy y Mark tienen el pelo rubio.

---

*Adding **–es** to make the adjective plural also adds an extra syllable, so a written accent mark is sometimes needed in order to preserve the stress in the right place, as is seen here: **joven jóvenes.**

D. Más listas   In each of the lists below, eliminate the item that doesn't belong. Then say what the remaining items have in common, using the correct form of the following adjectives. **¡Atención!** Make sure the adjective's ending matches the noun that it is describing.

académico/a	azul	electrónico/a	rojo/a
amarillo/a	blanco/a	famoso/a	

> **MODELO:** Shakira, ~~Mary Smith,~~ Lady Gaga, Eva Longoria
> Son mujeres *famosas*.

1. La bandera (*flag*) española, la bandera guatemalteca, la bandera hondureña, la bandera nicaragüense
   Son banderas _____ y _____.

2. Un bolígrafo, una computadora, un teléfono, un iPad™
   Son cosas _____.

3. Antonio Banderas, Javier Bardem, Penélope Cruz, Gael García Bernal
   Son españoles _____.

4. El café, el oso (*bear*) polar, una hoja de papel, la luna (*moon*)
   Son cosas _____.

5. La bandera colombiana, la bandera ecuatoriana, la bandera mexicana, la bandera venezolana
   Son banderas _____, _____ y _____.

6. La biología, la televisión, la literatura, la química
   Son materias _____.

E. Cultura: La diversidad de Panamá

PASO 1.   Read the following text about Panama.

Panamá

Romantiche/Alamy Stock Photo

¿Cómo son los panameños? No es fácil describirlos[a] porque son muy diversos. Las familias panameñas son de diferentes orígenes étnicos y nacionales. Este fenómeno tiene que ver[b] con dos eventos importantes en la historia de Panamá: la conquista de América y la construcción del canal.

En 1501 (mil quinientos uno), los primeros exploradores de España llegan[c] a Panamá. Durante ese siglo,[d] llegan muchos españoles y se mezclan[e] con los habitantes[f] indígenas. Varios siglos después, en 1850 (mil ochocientos cincuenta), empieza[g] la construcción del ferrocarril[h] y luego del canal. En este periodo llegan ingenieros[i] de Francia y trabajadores antillanos,[j] por ejemplo de Jamaica, Barbados y Cuba. Llegan trabajadores chinos, colombianos y finalmente estadounidenses. A Panamá, durante los últimos[k] siglos, han llegado[l] inmigrantes de países árabes, como Líbano y Siria, y también del sur de Asia, como la India y Paquistán.

[a]*to describe them* [b]*tiene… has to do* [c]*arrive* [d]*century* [e]*se… they mix* [f]*inhabitants* [g]*begins* [h]*railroad* [i]*engineers* [j]*West Indian (from the Antilles)* [k]*last* [l]*han… have arrived*

PASO 2.   Using information from the reading, complete the list of nationalities and countries of origin.

1. franceses, de _____
2. jamaicanos, de _____
3. libaneses, de _____
4. sirios, de _____
5. paquistanís, de _____
6. _____, de China
7. _____, de Colombia
8. _____, de España
9. _____, de los Estados Unidos
10. _____, de Panamá

(Continues)

PASO 3. With a partner, answer the following questions and discuss the ideas behind your responses.

1. Los trabajadores que llegan a Panamá durante la construcción del canal enfrentan (*face*) muchos problemas: un viaje costoso (*costly trip*), un idioma (*language*) nuevo, la malaria, etcétera. ¿Por qué crees que lo hacen (*do you think that they do it*)?

2. Los latinoamericanos son de muchas razas (*races*) diferentes, al igual que (*just like*) los norteamericanos. ¿Cómo pasó eso (*how did that happen*)?

3. Llegan muchos trabajadores a Panamá durante la construcción del canal entre 1881 y 1914. En tu país, ¿también hay mucha inmigración en este periodo? ¿Tu familia llega en este periodo?

Una de las esclusas (*locks*) del canal de Panamá.

2.2 ¿Estás triste?

The verbs *estar* (to be) and *ir* (to go)

Para empezar...

Match each problem to the most likely solution. Some solutions can be used more than once since certain problems can have more than one solution.

1. _____ **Estás** (*You're*) cansado/a (*tired*).
2. _____ **Estamos** nerviosos/as.
3. _____ **Estás** solo/a (*alone*).
4. _____ **Estás** ansioso/a.
5. _____ **Estamos** aburridos/as (*bored*).
6. _____ **Estás** enfermo/a (*sick*).
7. _____ **Estás** triste.

a. **Vas** a un consejero (*counselor*).
b. **Vas** a la cama (*bed*).
c. **Vas** a una fiesta (*party*) con amigos.
d. **Vas** a la farmacia.
e. **Vamos** al cine.
f. **Vamos** a una clase de yoga.

Estoy enferma.

Sam Edwards/OJO Images/age fotostock

Actividades analíticas

1 In **Para empezar**, you saw examples of two new verbs: **estar** (*to be*) and **ir** (*to go*). Use these examples to complete the conjugations here.

	estar	ir
SINGULAR		
yo	estoy	voy
tú		
él/ella, Ud.	está	va
PLURAL		
nosotros/as		
[vosotros/as]	[estáis]	[vais]
ellos/ellas, Uds.	están	van

■ Answers to these activities are in Appendix 2 at the back of your book.

	VOS	
estar	estás	

As with other verbs in Spanish, the subject is usually left unexpressed unless it is needed for clarification.

Estoy contenta.	*I'm happy.*
Están aburridos.	*They are bored.*
Vamos a la fiesta.	*We're going to the party.*
¿**Vas** a clase?	*Are you going to class?*

2 As you saw in **Estructura 1.3,** the form of the verb used to address someone formally (with **Ud.**) is different from the form used to address someone informally (with **tú**). Change the following questions from the **tú** form to the **Ud.** form.

¿Cómo estás? → ¿Cómo _____ Ud.?

¿Vas a la fiesta? → ¿ _____ Ud. a la fiesta?

> **Autoprueba**
>
> For each sentence, decide between **estar** or **ir,** then conjugate the verb appropriately.
>
> 1. ¿Adónde _____ tus amigos?
> 2. Carmen _____ muy cansada.
> 3. Nosotros _____ contentos.
> 4. Yo _____ a la universidad hoy.
>
> **Respuestas: 1.** van **2.** está **3.** estamos **4.** voy

En español...

Like **estar,** the verb **tener** can also express states that are not necessarily lasting. For example, **tener hambre** (literally, *to have hunger*) means *to be hungry.*

¡**Tengo hambre!**	*I'm hungry!*
El perro tiene sed.	*The dog is thirsty.*
¿**Tienes calor o frío?**	*Are you hot or cold?*

■ To learn how to use the verb **tener** to express how you're feeling, see **Para saber más 2.2** at the back of your book.

3 Usually, the verb **estar** expresses characteristics that are not necessarily lasting. For example, the state of being tired or being sick could change at any time, so you express this with **estar.**

Estamos cansados.	*We are tired.*
¿**Estás** enferma?	*Are you sick?*

Characteristics that are not likely to change are expressed with the verb **ser,** which you saw in **Estructura 1.3.**

Soy de Guatemala.	*I'm from Guatemala.*
UCLA **es** una universidad.	*UCLA is a university.*

You'll learn more about the differences between **ser** and **estar** in **Estructura 4.4** and **5.3.**

Actividades prácticas

A. En orden   The following sentences form a simple conversation, but they are out of order. Put them in an order that makes sense. The first one is done for you.

____ Porque mañana tengo un examen.
_1_ ¿Cómo estás?
____ Buena idea. Voy. ¿Adónde vas tú?
____ ¿Por qué?
____ Ansioso.
____ ¿Por qué no vas a la biblioteca a estudiar?
____ Voy a la casa (*home*) a dormir (*to sleep*). Tengo sueño (*I'm sleepy*).

B. ¿*Estoy o soy*?   Select the correct form to complete the sentences.

1. (Estoy / Soy) frustrado (*frustrated*).
2. (Estoy / Soy) de Panamá.
3. (Estoy / Soy) una mujer alta.
4. (Estoy / Soy) triste.
5. (Estoy / Soy) profesor.
6. (Estoy / Soy) cansada.

En español...

By now you've seen many ways of asking questions. Here are some useful question words.

Spanish / English		Spanish / English	
¿**Qué?**	What?	¿**Cómo?**	How?
¿**Quién(es)?**	Who?	¿**Cuándo?**	When?
¿**Cuál?**	Which?	¿**Cuánto/a/os/as?**	How many?
¿**Dónde?**	Where?	¿**Por qué?**	Why?
¿**Adónde?**	(To) Where?		

Notice that **dónde** and **adónde** are both translated as *where* in English, but **dónde** is used to ask where you *are* and **adónde** to ask where you're *going.*

Questions with **por qué** are often answered with **porque** (*because*), which is spelled as one word and has no accent mark.

What do all of the above question words have in common?

What do you notice about the punctuation that is different from English?

C. Preguntas y respuestas   Match each question with the appropriate answer.

1. _____ ¿Cómo estás?
2. _____ ¿Dónde estás?
3. _____ ¿Adónde vas?
4. _____ ¿Por qué van al cine?
5. _____ ¿Adónde va Julia?
6. _____ ¿Quién va a la biblioteca?
7. _____ ¿Por qué vas a la farmacia?
8. _____ ¿Por qué estás ansioso?
9. _____ ¿Adónde van?
10. _____ ¿Dónde están?

a. Porque estoy enferma.
b. Voy a una fiesta.
c. Porque voy a un examen.
d. Estamos en el gimnasio.
e. Vamos al cine.
f. Bien, gracias.
g. Estoy en el restaurante.
h. María Elena.
i. Porque estamos aburridos.
j. Va al gimnasio.

D. ¿Adónde vas?

PASO 1.   Where do you go in the following situations? Choose one of the answers provided or think of an alternative and mark your answer with an X.

1. ¿Adónde vas cuando (*when*) estás enfermo/a?
   ☐ al médico (*doctor*)   ☐ a la clínica de la universidad   ☐ a la farmacia
   ☐ otra (*another*) respuesta: _____

2. ¿Adónde vas para estudiar?
   ☐ a la casa   ☐ a la biblioteca   ☐ a la casa de un amigo
   ☐ a un café   ☐ otra respuesta: _____

3. ¿Adónde vas cuando tienes hambre a mediodía (*at midday*)?
   ☐ a la casa   ☐ a un restaurante   ☐ al comedor (*dining area*) de la universidad
   ☐ otra respuesta: _____

4. ¿Adónde vas cuando estás triste?
   ☐ a un parque   ☐ a la casa   ☐ a una iglesia (*church*)
   ☐ otra respuesta: _____

Now, for each of the questions, circle the box next to the answer you think will be the most common among your classmates.

 PASO 2.   Your instructor will assign you one of the four questions. Interview as many of your classmates as you can, and keep a tally of the results (using the area to the left of each answer, if you wish). Some possible answers are given, but keep in mind that there may be others.

MODELO: ESTUDIANTE 1: ¿Adónde vas cuando estás triste?
ESTUDIANTE 2: Voy a la casa de una amiga.

PASO 3.   Report your results to the class. **¡Atención!** If the answer you are reporting applies to you also, use the **nosotros/as** form of the verb: **Vamos a la biblioteca.** If the answer does not necessarily apply to you, use the **ellos/ellas** form of the verb: **Van a la casa.** If you wish to report a split response, use numbers: **Tres van a la biblioteca. Cinco van a la casa.**

Others will report their results, so you should now get a good picture of how the class answered each of the four questions. How good were your predictions from **Paso 1**?

Sam Edwards/OJO Images/age fotostock

Normalmente voy a la biblioteca para estudiar.

E. La clase de actuación

PASO 1. Working in a team of three students, read through this list of adjectives and choose one that you will act out as a team in front of the class.

aburrido/a	cansado/a	enojado/a (*angry*)	serio/a
ansioso/a	contento/a	loco/a (*crazy*)	simpático/a
bueno/a	enfermo/a	malo/a	triste

PASO 2. Act out your adjective as a team, while the other students try to describe your psychological state. **¡Atención!** As you watch other teams act, pay attention to the gender composition of the team in order to know which form of the adjective to use.

> **MODELO:** ESTUDIANTE 1: ¿Están cansadas?
> ESTUDIANTE 2: No, no estamos cansadas.
> ESTUDIANTE 3: ¿Están enojadas?
> ESTUDIANTE 2: ¡Sí! Estamos enojadas.

2.3 ¿Te gusta la clase de español?

The verb *gustar*

Para empezar...

PASO 1. Below you see four people and what they like to do in their free time. Write the name of the person most likely to say each of the quotes that follow. **¡Atención!** One sentence doesn't belong to any of these four. Which is it?

Agustina, de Argentina
En el tiempo libre: música metal progresivo

Javier, de España
En el tiempo libre: el cine (*film*)

Esther, de España
En el tiempo libre: novelas

Pedro, de México
En el tiempo libre: fútbol

Truth-Function/McGraw-Hill

Persona

_____ 1. «Me gustan las películas (*movies*).»
_____ 2. «Me gusta la música.»
_____ 3. «Me gustan los deportes (*sports*).»
_____ 4. «Me gusta la biología.»
_____ 5. «Me gustan los libros.»

PASO 2. Now think about your interests and those of your classmates. Which of the above sentences apply to you? Can anyone in the class say that all of these sentences apply to them?

Actividades analíticas

1 In **Para empezar,** you saw examples of both **me gusta** and **me gustan.** They both mean *I like,* so what is the difference between the two? Read the statements from **Paso 1** again, then complete this chart with the things that follow **me gusta** and those that follow **me gustan.**

me gusta	me gustan
	las películas

What conclusion can you come to? In the table below, write the words **singular** and **plural** in the appropriate places.

| me gusta | con un sustantivo (*noun*) _____ |
| me gustan | con un sustantivo _____ |

2 **Te gusta** and **te gustan** work the same way as **me gusta** and **me gustan.** They both mean *you like,* but which form you use depends on whether the noun is singular or plural. Which would you use to ask if someone likes the following things?

¿_____ los deportes?   ¿_____ la historia?

3 **Le gusta** and **le gustan** mean *he/she likes* or *you* (formal) *like.* If you want to clarify who you are talking about, you may use **a** + *name or pronoun.*

¿A Ud. _____ las novelas gráficas?

A Carolina no _____ el chocolate.

Actividades prácticas

A. Preguntas y respuestas   Match each question with the most logical answer.

1. ____ ¿Te gustan los deportes?
2. ____ ¿A Ud. le gusta el cine español?
3. ____ ¿Te gusta la música hip hop?
4. ____ ¿A Jerónimo le gusta la televisión?
5. ____ ¿A Ana le gusta el jazz?
6. ____ ¿Te gusta la música clásica?
7. ____ ¿A Ud. le gusta el café?
8. ____ ¿Te gusta nadar (*to swim*)?
9. ____ ¿A tu madre le gusta ir al gimnasio en su tiempo libre?

a. Sí, me gusta mucho Bach.
b. Sí, me gusta mucho el fútbol.
c. No, me gusta más el té (*tea*).
d. Sí, le gusta la música de Miles Davis.
e. Sí, me gustan las películas de Almodóvar.
f. No, le gustan más las películas.
g. No, no le gusta hacer ejercicio (*to exercise*).
h. Sí, me gusta Nicki Minaj.
i. No, no me gusta estar en el agua (*water*).

B. Las banderas   Some people like certain flags because of their colors. Using the list of flags in **Actividad F** of the **¿Cómo somos?** vocabulary section, match each description with the appropriate flag(s). **¡Atención!** Notice whether the statements in the first column end in **me gusta** or **me gustan.**

____ 1. Me gusta el color rojo. Me gusta...

____ 2. Me gusta el color blanco. Me gustan...

____ 3. Me gusta el color azul. Me gusta...

____ 4. Me gusta el color verde. Me gustan...

____ 5. Me gusta el color amarillo. Me gustan...

a. las banderas de Bolivia y México.
b. la bandera de Honduras.
c. la bandera del Perú.
d. las banderas de Ecuador y Venezuela.
e. las banderas de Chile y Costa Rica.

C. Tus clases

PASO 1.   What classes are you taking this term and how do you feel about them? Create two sentences: one that lists classes you like, and another that lists any you don't like.

MODELO: Me gustan las clases de español y química. No me gusta la clase de historia.

PASO 2.   Ask a partner which classes he or she has (**¿Qué clases tienes?**). Then find out whether he or she likes each one.

MODELO: ESTUDIANTE 1: ¿Qué clases tienes?
ESTUDIANTE 2: Tengo clases de historia, español y biología.
ESTUDIANTE 1: ¿Te gusta la clase de español?
ESTUDIANTE 2: Sí, mucho.
ESTUDIANTE 1: A mí, también. (*I do, too.*) Es muy buena.

Estrategia

As in all the **Actividades prácticas,** here you need to pay attention both to the structural properties of the sentence (such as whether it is **me gusta** or **te gusta**) and to the reality of life around you (such as the differences between Bach and Nicki Minaj). This is how you'll use Spanish in real life: using the structure of the language to express your ideas about the world and understanding others when they do the same.

■ For more on how to say in Spanish what different people like or don't like, see **Para saber más 2.3** at the back of your book.

Me gusta el chocolate.

Baiba Opule/balbaz/123RF

D. Una encuesta (survey) People often make assumptions about what students like, such as the items in the list below. Is there any truth to these stereotypes?

PASO 1. Circulate throughout the classroom and ask classmates **¿Qué te gusta?** (*What do you like?*). Your classmates should use the items in the list to respond.

> **MODELO:** ESTUDIANTE 1: ¿Qué te gusta?
> ESTUDIANTE 2: Me gustan el café, el chocolate y las películas de terror (*horror*).

____ el café	____ las computadoras	____ la música
____ el té (*tea*)	____ las fiestas	____ las películas de terror
____ el chocolate	____ las hamburguesas	____ la pizza

PASO 2. Now present your results to the class! Who likes each of the items from **Paso 1**?

> **MODELO:** A Sarah le gusta el café. Pero a Jaime le gustan las computadoras y la música.

2.4 ¿Qué te gusta hacer (*to do*)? ¿Qué vas a hacer?

Infinitives with *gustar* and *ir*

Para empezar...

PASO 1. In the following list, write an X for any activity that you do not like (**No me gusta...**). For those that you do like (**Me gusta...**), rank them in order of preference for you (starting with 1 for your favorite activity).

Me gusta...	**No me gusta...**	
____ dormir (*sleep*)	____ estar triste	____ ir al cine
____ estar contento/a	____ hablar (*talk*) por teléfono	____ ir de compras (*shopping*)
____ estar en casa	____ hacer deporte (*do sports*)	____ tener sed

PASO 2. Whether you like them or not, which of these activities are you going to do over the next eight hours? Write those verbs here.

Voy a _____

Actividades analíticas

1 In the examples in **Para empezar, me gusta** is followed by the infinitive (**el infinitivo**), the unconjugated form of the verb. Infinitives in Spanish always end in **-ar, -er,** or **-ir.** Find two examples from **Para empezar** of each of these three types.

Infinitive ending	-ar	-er	-ir
Example			

You'll find out more about these three types of verbs in **Capítulo 3.**

■ Answers to these activities are in Appendix 2 at the back of your book.

2 **Gustar** is always in the singular form when used with one or more infinitives.

Me **gusta ir** al cine.   *I like to go to the movies.*

A José le **gusta estar** en casa y **dormir.**   *José likes to be at home and sleep.*

3 Infinitives are also used after **ir a,** as a way of expressing a future event.

ir a + *infinitive*

Voy a estudiar.	*I am going to study.*
¡Van a tener frío!	*They are going to be cold!*
¿Vas a estar bien?	*Are you going to be OK?*
Ana **va a** hacer ejercicio.	*Ana is going to do exercise.*

Actividades prácticas

A. ¿Dónde estás? ¿Qué vas a hacer?   If you are in the situation in column **A,** which activity in column **B** are you most likely going to do?

A	**B**
1. ____ Estoy en la biblioteca.	a. Voy a hablar español.
2. ____ Estoy en la cama (*bed*).	b. Voy a ir de compras.
3. ____ Tengo hambre.	c. Voy a ir a la playa (*beach*).
4. ____ Estoy en un gimnasio.	d. Voy a hablar inglés.
5. ____ Estoy en la clase de español.	e. Voy a dormir.
6. ____ Tengo calor.	f. Voy a estudiar.
7. ____ Tengo dinero (*money*).	g. Voy a hacer ejercicio.
8. ____ Estoy en una clase de literatura norteamericana.	h. Voy a ir a un restaurante.

 B. ¿Dónde te gusta... ?   Do your classmates like to do things on campus, at home, or somewhere else? Ask a partner where he/she likes to do these three common activities: **dormir, estudiar, hacer ejercicio.**

MODELO: ESTUDIANTE 1: ¿Dónde te gusta estudiar?
ESTUDIANTE 2: Me gusta estudiar en casa.

C. ¡Me gusta!

PASO 1.   Complete each of these sentences with either **gusta** or **gustan.**

1. «Me _____ ir al cine.»
2. «Me _____ ir a las bibliotecas.»
3. «Me _____ las películas norteamericanas.»
4. «Me _____ los gimnasios.»
5. «Me _____ la música de Bad Bunny.»
6. «Me _____ los libros de historia.»
7. «Me _____ ir a conciertos (*concerts*).»
8. «Me _____ hacer ejercicio y hacer deporte.»

PASO 2.   Now look at the sentences in **Paso 1** and find the pairs that relate to the same topic and would likely have been spoken by the same person. Use the sentence numbers to identify the pairs of sentences that go together.

____ y ____   ____ y ____   ____ y ____   ____ y ____

D. ¿Qué vas a hacer?

 PASO 1.   Ask as many classmates as possible what they are going to do this weekend (**este fin de semana**). Keep track of their answers. When another student asks you what you are going to do, name up to three activities.

MODELO: ESTUDIANTE 1: ¿Qué vas a hacer este fin de semana?
ESTUDIANTE 2: Voy a ir a una fiesta, hacer ejercicio y estudiar.

PASO 2.   Now tally up the answers. What were the top three activities in your class?

candy18/123RF

El niño (*boy*) está en la cama.

¡Leamos!

¿Cómo son los profesionales?

Antes de leer

PASO 1. Write down a list of adjectives you might expect to see in an advertisement for the services offered by a group of people working at a small business.

> **MODELO:** Es un grupo *motivado* y *profesional*.

 PASO 2. In groups, take turns describing the individuals pictured in the ad (without using any names). Can the other members of the group name the person being described?

> **MODELO:** ESTUDIANTE 1: Es baja, delgada y tiene el pelo trigueño.
> ESTUDIANTE 2: ¿Es Heather Ramos?

Ortiz & Gutiérrez

Clínica Médica (919) 268-5439

1ERA CONSULTA = $0

HABLAMOS INGLÉS Y ESPAÑOL

Heather Ramos Asistente médica **Carlos Ortiz** Doctor en medicina **Antonia Gutiérrez** Doctora en medicina **Teresa Miller** Asistente médica

18 Sacramento St.
www.ortizgutierrez.com

▶ SE ESPECIALIZA EN INSOMNIO   ▶ LOS ESTUDIANTES SON BIENVENIDOS
▶ SE ESPECIALIZA EN PSICOLOGÍA   ▶ TRATAMIENTOS ECONÓMICOS

UpperCut Images/SuperStock

A leer

Examine the clinic's ad and answer the following questions.

1. ¿Cuántos doctores hay?
2. ¿Cómo se llaman los doctores?
3. ¿Cómo se llama la clínica?
4. ¿Es una compañía (un hospital) grande?
5. ¿Cómo son los doctores?
6. ¿Cuánto cuesta la primera consulta?
7. ¿Qué tipo de asistente es Heather Ramos?
8. ¿Por qué es una clínica buena para estudiantes?

Después de leer

Working in groups, use the nouns and adjectives below—plus any others you want to add—to prepare another ad for Ortiz & Gutiérrez. Take turns presenting your ads to the class. **¡Atención!** Make sure the adjectives agree with the nouns they describe in both gender and number.

En Ortiz & Gutiérrez...

el equipo (*team*)	las asistentes médicas	inteligente	organizado/a
la clínica	animado/a	limpio/a	simpático/a
los doctores	fuerte	motivado/a	trabajador(a)

CONÉCTATE AL MUNDO PROFESIONAL

When sharing with the class, take 30–60 seconds to practice and prepare what you are going to say so that you can stand up and deliver a quick, polished summary of the work you've done. Your audience will appreciate it! You're getting practice for the kind of brief but formal presentations you'll deliver at job fairs, networking events, and interviews. And this is the kind of verbal communication employers will want you to be prepared for when presenting in meetings, interacting with clients or colleagues, and representing the employer outside the workplace.

¡Escuchemos!

¿Cómo es tu familia?

Antes de escuchar

With a partner, use the following adjectives to describe yourself and someone close to you. **¡Atención!** Make sure the endings agree in gender and number.

alto/a	delgado/a	grande	maravilloso/a
bajo/a	gordo/a	hermoso/a	pequeño/a

MODELO: Soy graciosa, activa, motivada y optimista.
Mi amigo Jon es tranquilo, reservado, trabajador y organizado.

(*Continues*)

A escuchar

Watch and listen to the video. Then watch again, pausing as needed, and fill in the adjectives these friends use to describe each other.

Santiago y Andrés

1. Santiago: Andrés «es _____.»

   Andrés: Santiago «es muy _____... _____.»

Alexandra y Laura

2. Laura: Alexandra «tiene el pelo crespo (*curly*), ojos _____, la piel es trigueña, o morena. Y en cuanto a su personalidad, es un poco _____... igual que yo... y muy _____.»

   Alexandra: Laura... «su personalidad es _____, espontánea, y a veces un poco _____. Es _____, es blanca.»

Juan David y Sebastián

3. Juan David: Sebastián «es muy _____ y _____.»

   Sebastián: Juan David es «de carácter carismático, _____... _____.»

Camila y Yesid

4. Camila: «Mi amigo, Yesid, es _____. Tiene trencitas (*braids*) en el pelo. Es _____.»

   Yesid: Camila es «_____ con ojos _____, castaños. Muy _____.»

Después de escuchar

Write sentences using other adjectives you've studied in this chapter. Pick three adjectives that you think best describe you and/or your personality and at least three that describe some of your friends.

MODELO: Soy graciosa, simpática y alta. Michael es bajo y trabajador. Elena y Tom son altos, generosos y muy animados.

Klic Video Productions/McGraw-Hill

Estrategia

Audience is always important to consider, especially before posting content online for many people to see. For example, who is your audience for an online profile? Is it limited to a certain group of friends, family members, colleagues, or potential employers? If it is all of the above, you have to present yourself differently than if your audience is just one segment of your social life. Once you know your audience, be sure to keep your tone and information presented appropriate for them.

¡Escribamos!

El perfil electrónico°   *Online profiles*

Being able to present yourself succinctly in Spanish to others will be an invaluable skill as you get to know more native speakers, study, travel, work, and explore the Spanish-speaking world. An online profile is one way to do this, allowing you to connect with people who share your interests so you can develop personal or professional relationships.

Antes de escribir

PASO 1.   To get started on your online profile (for social media, a blog, a networking site, or an online dating site) in Spanish, answer the following questions.

¿Cómo te llamas?   ¿De dónde eres?   ¿Qué te gusta?

¿Cómo eres? (cinco adjetivos)   ¿Cuántos años tienes?

PASO 2.   Choose the audience for your profile.

☐ mi familia   ☐ todos mis amigos

☐ mis colegas de trabajo (*work*)   ☐ un grupo de amigos: _____

☐ todos (*all*) mis contactos

PASO 3. Look at the information you listed in **Paso 1** and cross off the items you wouldn't want to share with your selected audience.

> **MODELO:** (Audience: *todos mis contactos*)
> Soy ~~pesimista~~, trabajadora, ~~ansiosa~~,...
> Me gusta ir al gimnasio.
> ~~Me gusta ir a las fiestas todas las noches~~.
> Me gustan los videojuegos.

A escribir

Use the information you compiled in **Antes de escribir** to write a clear, simple, compelling profile that is appropriate for your selected audience. Use complete sentences, and add details where appropriate.

 ### Después de escribir

Check your own work, then exchange profiles with a classmate and use the following checklist to edit your classmate's work. (Proofreading your own work and that of your classmates is an important way to improve your language skills!)

☐ hay concordancia (*agreement*) de género (*gender*) entre los adjetivos y los sustantivos (*nouns*)

☐ hay concordancia de número (singular o plural) entre los adjetivos y los sustantivos

☐ ha usado (*he/she has used*) **soy** con adjetivos para describir la personalidad

☐ ha usado **me llamo** o **mi nombre es** para indicar el nombre

☐ ha usado **tengo** _____ **años** para indicar la edad (*age*)

☐ ha usado **me gusta(n)** para hablar de los intereses

When you are finished, make corrections to your own papers based on each other's feedback.

¡Hablemos!

A conocernos°   *Getting to know each other*

Antes de hablar

Prepare a list of seven questions you can use to get to know your classmates better. Be strategic: Ask about personality traits and activities that they do not like as well as ones that they do like.

> **MODELO:** ¿Eres muy activo/a?
> ¿Te gusta + *activity*...? / ¿Te gusta(n) + *noun(s)*...?

 ### A hablar

Use your questions from **Antes de hablar** as a checklist to quickly interview three or more classmates. **¡Atención!** Don't forget to take notes on their responses.

Después de hablar

Use your notes from **A hablar** to find the person in the class with whom you have the most in common. Write a few sentences about that person and what you have in common. Share this with the class.

> **MODELO:** Tengo mucho en común con Alicia. Ella es muy activa y le gusta hacer ejercicio y hacer deporte. Yo también soy activa y me gusta hacer deporte.

VOCABULARIO

Now that I have completed the chapter, I can. . .

☐ talk about my age
☐ say where I am going
☐ express likes and dislikes
☐ describe people, places, and things

Comunicación	Communication
¿Cuántos años tienes? / ¿Cuántos años tiene?	How old are you (informal/formal)?
Tengo + *number* + años.	I'm + *number* + years old.
¿Adónde vas? / ¿Adónde va?	Where are you (informal/formal) going?
Voy al / a la + *place*	I'm going to . . .
Me gusta + *infinitive(s)/noun*	I like + *infinitive(s)/noun*
Me gustan + *nouns*	I like + *nouns*
No me gusta + *infinitive(s)/noun*	I don't like + *infinitive(s)/noun*
No me gustan + *nouns*	I don't like + *nouns*
¿Te gusta + *activity*?/ ¿Le gusta + *activity*?	Do you (informal/formal) like + *infinitive(s)*?
¿Te gustan + *nouns*?/ ¿Le gustan + *nouns*?	Do you (informal/formal) like + *nouns*?

Las descripciones	Descriptions
aburrido/a	(*with* **estar**) bored; (*with* **ser**) boring
alto/a	tall
anciano/a	elderly
animado/a	lively
antipático/a	disagreeable
bajo/a	short
barato/a	cheap
bueno/a	good
cansado/a	tired
caro/a	expensive
corto/a	short (*length*)
débil	weak
difícil	difficult
divertido/a	funny, fun
enfermo/a	sick

enojado/a	angry
fácil	easy
feo/a	ugly
fuerte	strong
gordo/a	fat
gracioso/a	funny
grande	big
guapo/a	good-looking
joven (*pl.* jóvenes)	young
largo/a	long
lento/a	slow
limpio/a	clean
malo/a	bad
mayor	elderly
nuevo/a	new
perezoso/a	lazy
pobre	poor
rico/a	rich
serio/a	serious
solo/a	alone
sucio/a	dirty
trabajador(a)	hard-working
triste	sad
viejo/a	old

Sinónimos

alegre, contento/a, feliz (*pl.* felices)	happy
bello/a, bonito/a, hermoso/a, lindo/a, precioso/a	pretty
chico/a, pequeño/a	small
delgado/a, flaco/a	thin
simpático/a, amable, cariñoso/a	nice affectionate

Cognados: activo/a, ansioso/a, atlético/a, carismático/a, creativo/a, curioso/a, directo/a, espontáneo/a, excelente, famoso/a, generoso/a, honesto/a, horrible, inteligente, interesante, introvertido/a, maravilloso/a, motivado/a, nervioso/a, optimista, organizado/a, pesimista, popular, rápido/a, reservado/a, sincero/a, tímido/a, tranquilo/a

¿De qué color es?	What color is it?

amarillo/a, anaranjado/a, azul, blanco/a, café, gris, marrón, morado/a, negro/a, rojo/a, rosado/a, verde

los colores del pelo y de la piel

castaño/a	brown
moreno/a	dark brown
negro/a	black
rubio/a	blond
trigueño/a	light brown
pelirrojo/a	redhead(ed)

Las nacionalidades

argentino/a, boliviano/a, canadiense, chileno/a, colombiano/a, costarricense, cubano/a, dominicano/a, ecuatoriano/a, español(a), estadounidense / norteamericano/a, guatemalteco/a, hondureño/a, mexicano/a, nicaragüense, panameño/a, paraguayo/a, peruano/a, puertorriqueño/a, salvadoreño/a, uruguayo/a, venezolano/a

Los sustantivos	Nouns
la bandera	flag
el cabello	hair
la casa	house; home
el cine	movies; movie theater; film (*in general*)
el deporte	sport
la fiesta	party
la música	music
el/la niño/a	boy/girl
el país	country
la película	film
el pelo	hair
la piel	skin
la playa	beach
el supermercado (el súper)	supermarket
la tez	complexion
el trabajo	work

Los verbos	Verbs
dormir	to sleep
estar (*irreg.*)	to be
estudiar	to study
hablar (por teléfono)	to talk (on the phone)
hacer (*irreg.*) ...	to do . . .
hacer ejercicio	to exercise
hacer deporte	to play sports
ir (*irreg.*)	to go
ir a + *infinitive*	to be going to (*do something*)
tener...	
calor	to be hot
frío	to be cold
hambre	to be hungry
sed	to be thirsty

Las palabras interrogativas	Interrogative words
¿Adónde?	To where?
¿Cómo?	How?
¿Cuál?	Which?
¿Cuándo?	When?
¿Cuánto/a/os/as?	How much/many?
¿Dónde?	Where?
¿Por qué?	Why?
¿Qué?	What?
¿Quién(es)?	Who?

¿Qué haces°?

do you do

Gente tomando el sol (*People sunbathing*) en la orilla (*shore*) del lago Villarrica en Chile

Richard Nowitz/National Geographic Image Collection/Alamy Stock Photo

Objetivos

3

When you finish this chapter, you will be able to:

- ask and tell time
- say when events occur
- get someone's attention
- say what you do in your free time
- talk about daily schedules in the Spanish-speaking world

COMUNICACIÓN ~~LARIO~~ ~~UCTURA~~ ~~TE~~

Disculpa, ¿qué hora es?
Getting someone's attention, asking for the time

 A. A ver: ¿Qué hora es?   Listen as your instructor reads the following times: 1:00, 2:00, 5:20. Then watch and listen, replaying and pausing as needed, as the following people say the time. Choose the correct answer.

1. ____ Jonathan   a. 2:00   b. 10:00   c. 12:00
2. ____ Victorino   a. 9:00   b. 9:15   c. 9:30
3. ____ Karla   a. 8:50   b. 11:50   c. 12:50
4. ____ Óscar   a. 4:55   b. 5:00   c. 5:05
5. ____ Pedro   a. 3:05   b. 3:15   c. 3:50
6. ____ Kelvin   a. 10:04   b. 10:44   c. 10:54

Truth-Function/McGraw-Hill; Klic Video Productions/McGraw-Hill

Estrategia
Even though you haven't studied how to tell time yet, you do know numbers—and that's what you have to listen for here. Which of the numbers do you hear each person say?

If you want to get someone's attention before asking a question, use a form of the verb **disculpar** (*to excuse, pardon*) or **oír** (*to hear, listen*).

TÚ	UD.
Disculpa or **Oye, ¿...?**	**Disculpe** or **Oiga, ¿...?**

If you address more than one person (**Uds.***), use **Disculpen** or **Oigan, ¿...?**

To ask the time in Spanish, say: **¿Qué hora es?**

> —**¿Qué hora es?**
> —**Son las cinco.**

To tell the time in Spanish, use the verb **ser**.

> **Es + la una.**
> **Son + las dos, las tres, las cuatro...**

INFORMAL (TÚ)	FORMAL (UD.)
—**Disculpa, ¿qué hora es?**	—**Disculpe, ¿qué hora es?**
—**Son las tres.**	—**Es la una.**

You can say *noon* in Spanish in two ways.

> **Es mediodía.** or **Son las doce del día/mediodía.**

You can also say *midnight* in Spanish in two ways.

> **Es medianoche.** or **Son las doce de la noche/medianoche.**

To say *half-past* or *thirty,* use either **y media** or **(y) treinta.**

> **Es la una y media. = Es la una (y) treinta.**

To say *quarter-past* or *fifteen,* use either **y cuarto** or **y quince.**

> **Son las dos y cuarto. = Son las dos (y) quince.**

For times after the half-hour, it is common to use **menos** or **para.**

> **Son las ocho y cincuenta.**
> **Son las nueve menos diez.**
> **Son diez para las nueve.**

En español...

In the Spanish-speaking world, times are often written using the 24-hour clock (or "military clock") instead of the 12-hour clock. For example, at a train station, 1:00 in the afternoon would be posted as 13:00.

B. Son las...   Match each clock with the appropriate time.

1. ____

2. ____

3. ____

4. ____

5. ____

6. ____

a. Son las tres.
b. Son las cuatro y trece.
c. Son las seis y media.
d. Es medianoche.
   (Son las doce.)
e. Son las tres menos diez.
f. Es la una.

You can distinguish between A.M. and P.M. by using one of these expressions.

de la mañana	in the morning
de la noche	at night
de la tarde	in the afternoon/evening
de la madrugada	in the early morning hours

Son las siete y media de la mañana.

C. ¿Día o noche?   In pairs, take turns asking and answering questions about the time. When asked what the time is, pick randomly one of the pictures below, and give your partner the time shown on that picture. Can the student who asked for the time point to the correct clock?

MODELO: E1: ¿Qué hora es?
E2: Son las tres de la tarde.
[*Estudiante 1 points to this image.*]

1.

2.

3.

4.

5.

6.

7.

¿A qué hora... ?

Asking at what time events occur

To ask at what time something happens, say: **¿A qué hora?**

Answer with **a**: *a* **la una**, *a* **las dos y media**, *a* **las tres menos cuarto**, *a* **las cuatro y cinco**...

—**¿A qué hora es la clase de español?**
—**Es a las diez.**

Other words to help you talk about what time and how often you do something include:

| **el horario** | schedule | **una vez / dos veces** | once/twice | **siempre** | always |

A. Preguntas sobre la hora

1. Check all the possible answers to the question **¿Qué hora es?**
   ☐ Es medianoche.
   ☐ A las tres y media.
   ☐ Son las diez menos veinte.
   ☐ A las cinco de la tarde.

2. Check all the possible answers to **¿A qué hora es la clase de español?**
   ☐ Es al mediodía.
   ☐ Es a las cinco de la tarde.
   ☐ Son las dos menos cinco.
   ☐ No sé. No tengo el horario (*schedule*).

3. Now answer each question yourself: **¿Qué hora es? ¿A qué hora es la clase de español?**

 B. A ver: ¿A qué hora se levantan (*get up*)?   Watch and listen, replaying and pausing as needed. Then write the time each person gets up in the morning.

¿A qué hora te levantas?
Me levanto a las...

1. Belén: _____.
2. Diana: _____.
3. Marlén: _____.
4. Abril: _____.

¿A qué hora se levanta Ud.?
Me levanto a las...

5. Pudenciano: _____.
6. Isabel: _____.
7. Víctor: _____.
8. Erick: _____.
9. Sabrina: _____.

C. A ver: ¿A qué hora... ? Watch and listen as various Spanish speakers from around the world describe their daily routines. Watch again, pausing between speakers to choose the correct time.

1. _____ Jorge entra en clase...
   a. a las 7:30 de la mañana.
   b. a las 8:00 de la mañana.
   c. a las 8:30 de la mañana.

2. _____ Javier entra a la escuela (*school*)...
   a. a las 2:00 de la tarde.
   b. a las 3:00 de la tarde.
   c. a las 3:30 de la tarde.

3. _____ Carolina empieza (*starts*) las clases...
   a. a las 11:00 de la mañana.
   b. a mediodía.
   c. a la 1:00 de la tarde.

4. _____ Eduardo sale (*leaves*) de la universidad...
   a. a las 11:00 de la mañana.
   b. a mediodía.
   c. a la 1:00 de la tarde.

5. _____ Abril entra a la escuela...
   a. a las 7:00 de la mañana.
   b. a las 8:00 de la mañana.
   c. a las 9:00 de la mañana.

6. _____ Florencio está en su oficina...
   a. a las 8:00 de la mañana.
   b. a las 8:15 de la mañana.
   c. a las 8:30 de la mañana.

D. ¿A qué hora abre (*does it open*)... / cierra (*does it close*)... ?

PASO 1. In pairs, decide which of you will be **Estudiante 1,** and which will be **Estudiante 2.** Ask and respond to the questions about what time each business opens and closes, based only on your particular image.

MODELO: E1: Oye. ¿A qué hora abre la panadería Los Cielos?
E2: A las seis y media.
E1: ¿A qué hora cierra?
E2: A las cinco.
E1: Gracias.

Estudiante 1 Ask your partner for the hours of operation of the establishments listed here. Then use the following image to answer your partner's questions about the hours of operation of the businesses pictured.

1. la peluquería (*hair salon / barber shop*)
2. el veterinario
3. el museo
4. la agencia de viajes (*travel agency*)

Estudiante 2   Use the following image to answer your partner's questions about the hours of operation of the businesses pictured. Then ask your partner for the hours of operation of the establishments listed here.

1. la papelería
2. el restaurante
3. la farmacia
4. la biblioteca

 PASO 2.   Using the questions you learned in **Paso 1** (**¿A qué hora abre?** / **¿A qué hora cierra?**), take turns formulating and answering questions based on the situations below.

MODELO: You have a headache and need medicine, but it's getting late.
　　　E1: ¿A qué hora cierra la farmacia?
　　　E2: A las doce y media.

1. You want the first appointment to get your hair cut.
2. You have a long drive tomorrow and want to get some coffee and pastries for the trip as early as possible.
3. You would like to study at the library as late as possible this weekend.
4. Your have to pick up your dog from his medical procedure before the office closes.

CONÉCTATE AL MUNDO HISPANO

In parts of the Spanish-speaking world, the **siesta** is scheduled as part of the workday. Where the **siesta** is practiced, actual times may vary, but businesses often operate from 8:00 A.M. to 1:00 P.M. and then again from 4:00 P.M. to 8:00 P.M. This gives people time to go home for lunch, rest, and spend time with their families. While a nap might be part of **siesta,** it is not the definition of the practice.

CONÉCTATE AL MUNDO PROFESIONAL

Cultural knowledge is important to one's professional life in the 21st century globalized workplace. An understanding of the 24-hour clock (page 68) could be vital to setting up an international business meeting. This is just one example, so pay attention to subtle cultural differences that may give you an advantage in your future workplace.

¿Cómo es tu rutina diaria?

Your daily routine and the days of the week

A. ¿Qué haces?

PASO 1. Match each activity pictured with the appropriate description.

1. ____
2. ____
3. ____
4. ____
5. ____
6. ____
7. ____
8. ____
9. ____

a. **mirar / ver la televisión**
b. **asistir a** clase
c. **practicar el fútbol**
d. **leer el periódico** (*newspaper*)
e. hablar por teléfono
f. estudiar en la biblioteca
g. **trabajar** en una oficina
h. **comer** con mi familia
i. **cantar** en el coro (*choir*)

PASO 2. Look at the drawings below and check all the activities you like to do on a regular basis.

PASO 3. Compare the activities you chose in **Paso 2** with your partner.

MODELOS: E1: Solo me gusta desayunar los fines de semana (*on weekends*).
E2: A mí me gusta desayunar todos los días (*every day*).

E1: Me gusta cenar en casa.
E2: A mí me gusta cenar en el comedor o en restaurantes. No me gusta cenar en casa.

_____ **desayunar**   _____ **almorzar / comer**   _____ **cenar**

_____ **bailar**   _____ **ir a la playa**   _____ **ir al cine**   _____ **ir de compras / comprar**

_____ **correr en el parque**   _____ **hacer ejercicio** _____ **practicar yoga**   _____ **montar a caballo** _____ **jugar básquetbol**   _____ **nadar**

_____ **dormir**   _____ **jugar videojuegos***   _____ **leer**   _____ **usar la computadora / escribir un email**

_____
*The use of the preposition **a** and the definite article **los** is also common in this phrase: **jugar a los videojuegos.**

Spanish uses the single verbs **desayunar, almorzar,** and **cenar** where English uses the multi-word expressions *to have breakfast, to have lunch,* and *to have dinner.* **Comer** may be used in a general sense to mean *to eat,* but in some places it is used more specifically to mean *to have lunch.* Meal times vary greatly across the Spanish-speaking world, although lunch and dinner often occur much later than is common in English-speaking countries.

B. Los estilos de vida de dos estudiantes

Tomás Teleadicto   Adela Atleta

PASO 1. Who is more likely to make each of the following statements, **Tomás Teleadicto** or **Adela Atleta**?

	TOMÁS TELEADICTO	ADELA ATLETA
1. Me gusta ir de compras en bicicleta (*bicycle*).	☐	☐
2. Me gusta usar la computadora para comprar.	☐	☐
3. Me gusta comer pizza.	☐	☐
4. Me gusta desayunar, almorzar y cenar comida saludable (*healthy food*).	☐	☐
5. Me gusta jugar videojuegos de básquetbol.	☐	☐
6. Me gusta comer comida chatarra (*junk food*).	☐	☐

PASO 2. Identify each of the following activities and tell who probably likes to do each one, **Tomás Teleadicto** or **Adela Atleta.**

MODELO: A *Adela Atleta* le gusta *jugar fútbol.*

1.

2.

3.

4.

5.

6.

To talk about the morning, afternoon, and evening in general, use:

por la mañana	in the morning
por la tarde	in the afternoon
por la noche	at night
Estudio por la tarde.	I study in the afternoon.

C. A ver: ¿Cómo es tu rutina diaria?

PASO 1. From the list of activities that will be mentioned in the video, indicate which you like to do.

☐ almorzar   ☐ estar en casa   ☐ ir al gimnasio
☐ asistir a clase   ☐ estudiar   ☐ trabajar
☐ cenar en casa   ☐ leer un libro   ☐ ver Netflix
☐ desayunar   ☐ ir a clases

PASO 2. Watch and listen as many times as needed to the descriptions of daily routines. Indicate if each speaker is a student (**estudiante**), professional (**profesional**), or both (**estudiante y profesional**).

	ESTUDIANTE	PROFESIONAL	ESTUDIANTE Y PROFESIONAL
1. Laura	☐	☐	☐
2. Sandra	☐	☐	☐
3. Andrea	☐	☐	☐
4. Nicolás	☐	☐	☐
5. Alexandra	☐	☐	☐
6. Daniela	☐	☐	☐
7. Yaishellie	☐	☐	☐

Kilic Video Productions/McGraw-Hill; Truth-Function/McGraw-Hill

(*Continues*)

PASO 3.   Watch and listen again. For each speaker, check which of the three activities is done first.

1. ☐ Desayunar.   ☐ Ir al gimnasio.   ☐ Trabajar.
2. ☐ Estar en casa.   ☐ Ir al gimnasio.   ☐ Trabajar.
3. ☐ Asistir a clase.   ☐ Cenar en casa.   ☐ Ir al gimnasio.
4. ☐ Dormir.   ☐ Estudiar.   ☐ Trabajar.
5. ☐ Caminar.   ☐ Desayunar.   ☐ Ir a clases.
6. ☐ Almorzar.   ☐ Asistir a clase.   ☐ Trabajar.
7. ☐ Desayunar.   ☐ Leer un libro.   ☐ Trabajar.

D. Tu rutina   With a partner, take turns asking each other the general time of day that you prefer to do the following activities. Say **No lo hago** if you don't do the activity at all.

> **MODELO:** E1: ¿Cuándo prefieres (*do you prefer*) trabajar?
> E2: Prefiero (*I prefer*) trabajar por la mañana. / No lo hago.

1. Asistir a clase.
2. Cenar con mi familia.
3. Comer en el comedor (*dining hall / area*).
4. Correr en el parque.
5. Desayunar.

6. Estudiar en la biblioteca.
7. Escribir emails.
8. Ir a clase.
9. Jugar básquetbol / videojuegos.
10. Leer un libro o ver Netflix.
11. Trabajar.

The calendar week begins on Monday in most of the Spanish-speaking world. Starting with Monday, these are the days for **entre semana** (*weekdays*).

lunes   martes   miércoles   jueves   viernes

Here are the days that make up **el fin de semana.**

sábado   domingo

To express *on* a day, use **el** (no preposition).   This works for plurals, too.

el lunes = on Monday   **los lunes** = on Mondays

Tengo un examen **el** lunes.   Trabajo **los** lunes.

Remember that, like months, days of the week are not capitalized in Spanish.

E. La rutina de Claudia   Listen to the description of Claudia's weekly routine. Then match the days with the appropriate places and activities.

1. _____ Los lunes Claudia…
2. _____ Los miércoles…
3. _____ Los jueves…
4. _____ Los viernes…
5. _____ Los sábados…

a. hace ejercicio.
b. va a casa para pasar tiempo con su familia y comer juntos.
c. va de compras.
d. va a la universidad.
e. trabaja.

F. La rutina diaria de tu compañero/a de clase

PASO 1.   With a partner, choose an activity you'll plan to do together (**ir a bailar, ir al cine, ir de compras, ir al gimnasio, ir a jugar, ir a la playa…**).

> **MODELO:** E1: ¿Vamos a bailar?
> E2: No me gusta bailar. ¿Vamos al cine?
> E1: Sí. Me gusta ir al cine.

PASO 2.   Now use your real schedules to find a day that you're both available. Once you've agreed on a day, find a time that works for the two of you, then report your findings to the class.

> **MODELO:** E1: ¿El viernes?
> E2: No. ¿El jueves? (Sí, el viernes.)
> E1: ¿A las siete?
> E2: No. ¿A las nueve? (Sí, a las siete.)
> E1: Sí, está bien.

COMUN VOCABUL **ESTRUCTURA** ATE

 Reciclaje | Singular forms of **estar, ir, ser,** and **tener**

Complete the sentences in column **A** by choosing the best match in column **B**. Then complete column **B** by choosing one of the verbs given and writing the appropriate form of the verb in the blank.

estar   ir   ser   tener

A	**B**
1. Voy a clases porque __d__	a. _____ una clase de física mañana a las siete y media de la mañana.
2. Ricky Martin _____	b. ¿Tú _____ a la clase de inglés a las tres?
3. Mario se acuesta (*goes to bed*) temprano (*early*) porque _____	c. _____ de Puerto Rico.
4. Son las dos y media. _____	d. _____ estudiante.
5. Paula bailó toda la noche (*danced all night long*). Ahora, ella _____	e. _____ muy cansada.

■ Answers to this activity are in Appendix 2 at the back of your book.

3.1 Vivo en España

Present indicative: Singular forms

Para empezar...

PASO 1. Gael García Bernal and Javier Bardem are international movie stars. Based on the descriptions below, which statement could be uttered by which actor? Which could be uttered by both? **¡Atención!** For languages spoken, the names of some of their films will help you!

GAEL GARCÍA BERNAL

Es de México.

En las películas:

> *Y tu mamá también*
> *Diarios de motocicleta*
> *La science des rêves* (Francia)
> *Coco*
> *Mozart in the Jungle* (televisión)

Andreas Rentz/Getty Images

JAVIER BARDEM

Es de España.

En las películas:

> *Mar adentro*
> *Before Night Falls*
> *No Country for Old Men*
> *Skyfall*

Larry Busacca/WireImage/Getty Images

	GAEL GARCÍA BERNAL	**JAVIER BARDEM**
1. «**Soy** español.»	☐	☐
2. «**Soy** mexicano.»	☐	☐
3. «**Hablo** francés.»	☐	☐
4. «**Hablo** inglés.»	☐	☐
5. «**Vivo** en la Ciudad de México.»	☐	☐
6. «**Vivo** en Madrid.»	☐	☐
7. «**Trabajo** en la industria cinematográfica.»	☐	☐
8. «**Leo** muchos guiones (*screenplays*).»	☐	☐

■ Answers to these activities are in Appendix 2 at the back of your book.

(*Continues*)

Estrategia

In Spanish, small differences in verb endings make a huge difference in the meaning and are often your only clue as to whom is being talked about. By filling out charts like these yourself, you're encouraging your brain to focus on these tiny details. You can then put them to use in meaningful ways in the **Actividades prácticas.**

VOS	
trabajar	trabajás
leer	leés
vivir	vivís

PASO 2. Now answer the following questions about yourself. You can answer **sí** to at least one of them, but can anyone in the class answer **sí** to more than one?

¿Y TÚ?	SÍ	NO
1. ¿**Eres** español?	☐	☐
2. ¿**Eres** mexicano?	☐	☐
3. ¿**Hablas** francés?	☐	☐
4. ¿**Hablas** inglés?	☐	☐
5. ¿**Vives** en la Ciudad de México?	☐	☐
6. ¿**Vives** en Madrid?	☐	☐
7. ¿**Trabajas** en la industria cinematográfica?	☐	☐
8. ¿**Lees** muchos guiones?	☐	☐

Actividades analíticas

1 Using what you saw in **Para empezar,** complete these partial conjugations of **trabajar, leer,** and **vivir.**

	trabajar	leer	vivir
SINGULAR			
yo			
tú			
él/ella, Ud.	trabaja	lee	vive

2 Verbs like these are known as *regular verbs* (**los verbos regulares**), because their conjugations follow a predictable pattern. For example, what ending do all of these regular **yo** forms have in common?

La forma **yo** siempre (*always*) termina en (*ends in*) _____.

The rest of the verb form (the part without this ending) is known as the *root* or *stem* (**la raíz del verbo**). For the three verbs here, the stems are **trabaj-, le-, viv-.**

3 The ending for the **él/ella** and **Ud.** form is always a vowel (**una vocal**). For **-ar** verbs like **trabajar,** this vowel is **-a,** and for **-er** and **-ir** verbs like **leer** and **vivir,** it is **-e.** What single letter can you then add to this to create the **tú** form?

La forma **tú** siempre termina en _____.

Use what you know about the conjugation of regular verbs in the present indicative to conjugate the following verbs.

1. yo _____ (leer)
2. ella _____ (correr)
3. Ud. _____ (comprar)
4. tú _____ (usar)
5. yo _____ (cantar)
6. tú _____ (asistir)

Respuestas: 1. leo **2.** corre **3.** compra **4.** usas **5.** canto **6.** asistes

Actividades prácticas

A. Gael y Javier   Gael García Bernal and Javier Bardem know each other, and in fact, Gael has said that Javier is his favorite actor. Based on this and the information in **Para empezar,** write **G** for each sentence that Gael might say himself or to Javier and **J** for each sentence that Javier might say himself or to Gael. If it is something that they could both say, write **G/J.**

1. _____ Vives en México.
2. _____ Eres mi actor favorito.
3. _____ Trabajo en la industria cinematográfica.
4. _____ Vivo en España.
5. _____ Trabajas en la industria cinematográfica.
6. _____ Vivo en México.
7. _____ Vives en España.

B. Preguntas y respuestas   Match the questions on the left with the most logical answer on the right.

1. ¿Estudias en la biblioteca? _____
2. ¿Escribes muchos mensajes de texto? _____
3. ¿Tomas (*Do you drink*) mucho café? _____
4. ¿Trabajas? _____
5. ¿Corres mucho? _____
6. ¿Cantas? _____
7. ¿Y tu amiga canta? _____
8. ¿Tu amigo corre mucho? _____

a. Sí, canto, pero mal.
b. Sí, corre todos los días (*every day*).
c. Sí, canta, pero mal.
d. Sí, escribo mensajes, pero también hablo por teléfono.
e. Tomo café de vez en cuando (*every once in a while*), pero no mucho.
f. Sí, trabajo en la biblioteca de la universidad.
g. Sí, corro todos los días.
h. No, estudio en casa.

C. Cuatro colombianos

PASO 1.   With a partner, look at the chart about four well-known Colombians and some of the things they're known for. Ask your partner whether he or she does these activities and keep track of the answers in the column on the right.

> **MODELO:**   E1: ¿Cantas?
> E2: Sí, canto. (No, no canto.)

	Juanes	Shakira	James* Rodríguez	Sofía Vergara	Tu compañero/a
	CANTANTE DE MÚSICA ROCK	CANTANTE DE MÚSICA POP	JUGADOR DE FÚTBOL	ACTRIZ	
Canta y escribe canciones.	☑	☑	☐	☐	☐
Baila mucho.	☐	☑	☐	☐	☐
Practica un deporte (*sport*).	☑	☐	☐	☐	☐
Toca (*He/She plays*) la guitarra.	☑	☑	☐	☐	☐
Habla árabe.	☐	☑	☐	☐	☐
Juega fútbol.	☐	☐	☑	☐	☐
Trabaja en la televisión.	☐	☐	☐	☑	☐
Lee mucho.	☑	☑	☐	☑	☐
Vive en Colombia.	☑	☐	☐	☐	☐
Vive en los Estados Unidos.	☐	☐	☐	☑	☐
Vive en Europa.	☐	☑	☑	☐	☐

(Juanes) Michael Kovac/WireImage/Getty Images; (Shakira) Morena Brengola/Getty Images; (James) Quality Sport Images/Getty Images; (Sofía) Jeffrey Mayer/WireImage/Getty Images

PASO 2.   By comparing check marks, with which person does your partner have the most in common? How many things does he or she have in common with this person?

_____ tiene _____ cosas en común con _____.

D. ¿Miras la televisión?

PASO 1.   With a partner, take turns asking each other whether you do the activities listed below. Tell your partner whether you do them **todos los días, a veces** (*sometimes*), or **nunca** (*never*).

> **MODELO:**   E1: ¿Miras la televisión?
> E2: No, nunca miro la televisión.

caminar (*to walk*)	desayunar	ir al gimnasio
cocinar (*to cook*)	estudiar	mirar la televisión
comer comida (*food*) mexicana	hablar por teléfono	practicar un deporte
correr	ir al cine	trabajar

PASO 2.   Create two statements about your partner: one about what he or she does *every day* and another about what he or she *never* does.

> **MODELO:**   Mike cocina todos los días. Nunca baila.

Miro la televisión los fines de semana.

Scanrail/Shutterstock

_____

James is pronounced as in Spanish, not English.

Reciclaje | Plural forms of **ser, tener, estar,** and **ir**

Complete each sentence using a verb from the following list that would make sense in the context. Then indicate whether each statement is **cierto** (*true*) or **falso** (*false*).

estar   ir   ser   tener

	CIERTO	FALSO
1. Los españoles _____ de Asia.	☐	☐
2. Nosotros _____ estudiantes.	☐	☐
3. Los profesores de español _____ a muchas clases de química.	☐	☐
4. Mis amigos _____ muy contentos hoy.	☐	☐
5. Las universidades _____ muchas clases.	☐	☐
6. Nosotros _____ a la clase de español los domingos.	☐	☐

■ Answers to this activity are in Appendix 2 at the back of your book.

3.2 Desayunamos a las siete.

Present indicative: Plural forms

Para empezar...

PASO 1. In many cultures, the daily schedule of activities is organized around the schedule of meals. In Mexico, families typically have breakfast (**desayunar**) at around 7:00, eat their midday meal (**comer**) at around 2:00, and dinner (**cenar**) at around 8:00. Use this information to complete the following sentences about meals in Mexico and about your own personal habits.

En México en general...

1. **desayunan** a las ____.
2. **comen** a las ____.
3. **cenan** a las ____.

Yo en general...

1. **desayuno** a las ____.
2. **como** a las ____.
3. **ceno** a las ____.

■ Answers to these activities are in Appendix 2 at the back of your book.

PASO 2. What is the general schedule for meals for most people in your country?

En nuestro país en general...

1. **desayunamos** a las ____.
2. **comemos / almorzamos** a las ____.
3. **cenamos** a las ____.

Actividades analíticas

1 Use the examples that you saw in **Para empezar,** as well as what you already know about verbs in Spanish, to complete the following conjugations.

	cenar	comer	vivir
SINGULAR			
yo			
tú			
él/ella, Ud.	cena	come	vive
PLURAL			
nosotros/as			vivimos
[vosotros/as]	[cenáis]	[coméis]	[vivís]
ellos/ellas, Uds.			viven

Estrategia

Verb conjugations in Spanish look complicated, but don't fool yourself into thinking you need to memorize them. Focus instead on uncovering and learning the general patterns. Most verb forms are constructed in very simple and regular ways, so learn these ways and you'll be able to handle most verbs that you come across.

VOS	
cenar	cenás
comer	comés
vivir	vivís

2 In **Estructura 3.1** you saw the pattern for the singular forms of regular verbs.

		ENDINGS	EXAMPLES
yo		-**o**	trabaj**o** le**o** viv**o**
tú	-**ar** verbs	-**as**	trabaj**as**
	-**er**, -**ir** verbs	-**es**	le**es** viv**es**
él/ella, Ud.	-**ar** verbs	-**a**	trabaj**a**
	-**er**, -**ir** verbs	-**e**	le**e** viv**e**

In the **tú** and the **él/ella** and **Ud.** forms, the vowel that is added to the stem is -**a** (for -**ar** verbs) or -**e** (for -**er** and -**ir** verbs).

Now complete this chart of endings for *plural* verb forms, basing your answers on the examples given.

		ENDINGS	EXAMPLES
nosotros/as	-**ar** verbs	-**amos**	cen**amos**
	-**er** verbs	____**mos**	com**emos**
	-**ir** verbs	-**imos**	viv**imos**
[vosotros/as]	-**ar** verbs	____**is**	cen**áis**
	-**er** verbs	-**éis**	com**éis**
	-**ir** verbs	-**ís**	viv**ís**
ellos/ellas, Uds.	-**ar** verbs	-**an**	cen**an**
	-**er**, -**ir** verbs	____**n**	com**en**
			viv**en**

3 As you saw in the charts in **2**, verb endings vary slightly depending on whether the verb is of the -**ar**, -**er**, or -**ir** type. Despite these differences, what do the three **nosotros/as** endings all have in common?

La forma **nosotros/as** siempre termina en _____.

What about the **vosotros/as** and **ellos/ellas/Uds.** endings?

La forma **vosotros/as** siempre termina en _____.

La forma **ellos/ellas/Uds.** siempre termina en _____.

4 You can now conjugate any regular verb in Spanish. Practice this by completing the conjugations for these regular verbs.

	bailar	correr	asistir
SINGULAR			
yo	bailo		
tú		corres	
él/ella, Ud.			asiste
PLURAL			
nosotros/as			
[vosotros/as]	[bailáis]		
ellos/ellas, Uds.		corren	asisten

VOS	
bailar	bailás
correr	corrés
asistir	asistís

Autoprueba

Write the correct form for these verbs.

1. Ellos _____ (*cocinar*).
2. Nosotras _____ (*practicar*) muchos deportes.
3. Nosotros _____ (*comer*) a la una.
4. Ellas _____ (*correr*) todos los días.
5. Ellos _____ (*vivir*) en El Salvador.

Respuestas: 1. cocinan **2.** practicamos **3.** comemos **4.** corren **5.** viven

Actividades prácticas

A. La vida (*life*) en nuestro país

PASO 1. When interacting with Spanish speakers, you may be asked what life is like in your country. Which of these statements do you think are true for most people in your country?

	CIERTO	FALSO
En general...		
1. trabajamos de lunes a viernes.	☐	☐
2. hablamos inglés.	☐	☐
3. cenamos muy temprano (*early*).	☐	☐
4. leemos muchos libros.	☐	☐
5. bailamos muy bien.	☐	☐
6. vivimos en casas.	☐	☐
7. practicamos muchos deportes.	☐	☐
8. cocinamos todos los días.	☐	☐
9. caminamos mucho.	☐	☐

En este país, ¿leemos muchos libros?

 PASO 2. Compare your answers with those of two classmates. Do you disagree about any of the statements? Report these disagreements to the class using **según** (*according to*).

MODELO: Según Mary, bailamos muy bien. Según yo, no bailamos muy bien.

B. Una mexicana habla
Given what you saw in **Para empezar** about meal times, which of the following would be reasonable things for a Mexican woman to say when comparing her own country with this country? For each sentence, write **C** for **cierto** or **F** for **falso**. **¡Atención!** Use the verb endings to know whether she's referring to people in her own country (**nosotros**) or to most people in this country (**los estadounidenses/canadienses**).

En general...

1. ____ comemos a las dos.
2. ____ comen a las dos.
3. ____ cenamos a las ocho.
4. ____ cenan a las ocho.
5. ____ comemos a mediodía.
6. ____ comen a mediodía.
7. ____ cenamos a las seis.
8. ____ cenan a las seis.

Nosotros...

Estrategia

Learning how to use verbs and their endings takes time, so don't rush through activities like these. Give your brain the time it needs to get used to the fact that tiny endings (like **-mos** or **-n**) carry a lot of information in Spanish. Doing verb conjugations on paper is no substitute for this. If you want to participate in conversations in Spanish, you need to be able to use verb endings in real time to express what you want to say and to understand what others are saying. These **Actividades prácticas** help you practice doing exactly that.

C. ¿Tomas café? (*Do you drink coffee?*)

PASO 1.   In many parts of the world, coffee is a traditional part of the early morning routine, but does everyone drink it at that time, or at all? Ask as many classmates as possible whether they drink coffee, and if so, at what times. Use the table to keep track of the responses that you get.

MODELO: E1: ¿Tomas café?
 E2: Sí.
 E1: ¿Cuándo?
 E2: A las ocho y media.

¿CUÁNDO?	NÚMERO DE PERSONAS
7:00–8:00	
8:00–10:00	
10:00–12:00	
12:00–15:00	
15:00–19:00	
19:00–	
todo el día	
nunca	

PASO 2.   Now report to the class what you've found. What statements can you make about the habits of the people in your class?

MODELOS: Todos (*Everyone*) tomamos café.
 Catorce personas toman café de las siete a las ocho.
 Nadie (*No one*) toma café.
 Nadie toma café por la noche.

D. ¿Qué hacen todos los estudiantes de la clase?

PASO 1.   Working in groups, take five minutes to create as many sentences as possible using **todos** (*everyone; all of us*) to express what you think everyone in the class does every day (**todos los días**). Use the following list of activities to get you started, but you may think of others as well.

MODELO: Todos desayunamos todos los días.

asistir a clase	correr	hablar por teléfono
caminar	desayunar	leer
cenar	dormir	mirar la televisión
cocinar	escuchar (*to listen to*) música	practicar un deporte
comer	estudiar	trabajar

PASO 2.   Now report your results from **Paso 1** to the class. Can any student in the class contradict your claims?

MODELO: Grupo 1: Todos desayunamos todos los días.
 Grupo 2: ¡No es cierto! Cathy no desayuna.

Nicaragua   **El Salvador**

Romantiche/Alamy Stock Photo

E. Cultura: El café de Nicaragua y El Salvador

PASO 1.   Read the text about coffee production in Nicaragua and El Salvador.

¿Tomas café cuando desayunas? ¿Tomas café antes de ir a tus clases? ¿Cuando estudias? ¿Después de cenar? A muchos de nosotros nos gusta tomar café. Es parte de la rutina diaria. Pero en varios países de Centroamérica, como en Nicaragua y El Salvador, cultivar, producir y exportar el café es la rutina diaria de muchas personas.

   ¿Cómo es la rutina diaria del agricultor de café? Él se levanta muy temprano, desayuna y toma su café. Va a los campos y recolecta[a] las bayas de café rojas. Descansa[b] para almorzar y entonces vuelve a[c] recolectar más bayas de café. Finalmente camina a la planta donde procesan el café y entrega[d] las bayas que tiene.

   En la planta, el café tiene su propia[e] rutina. Los trabajadores lavan[f] el café. Luego, procesan las bayas para separar la pulpa de los granos. Dejan[g] el café en agua por un día y después secan[h] los granos. Procesan el café otra vez para quitarle la cáscara.[i] Entonces tienen que tostar el café y meterlo en costales.[j] Venden[k] el café a un distribuidor y el distribuidor exporta el café a otros países.

[a]*he picks* [b]*He rests* [c]*vuelve... he goes back to* [d]*he delivers* [e]*own* [f]*wash* [g]*They leave* [h]*they dry*
[i]*quitarle... remove the shell* [j]*meterlo... put it into sacks* [k]*They sell*

Vocabulario útil	
el agricultor / la agricultora	farmer
las bayas	coffee berries/ cherries
el campo	field
los granos	coffee beans
tostar (o → ue)	to roast

PASO 2.   Number the first set of sentences from 1–5 to show a coffee farmer's daily routine. Then, number the second set of sentences from 1–8 to show the process for preparing raw coffee beans once they arrive at the processing plant.

La rutina del agricultor

_____ Descansa para almorzar y luego recolecta más café.

_____ Camina a la planta para entregar su café.

_____ Recolecta el café toda la mañana.

_____ Se levanta y desayuna.

_____ Va a los campos de café.

El proceso del café en la planta

_____ Dejan los granos en agua durante un día.

_____ El distribuidor exporta el café a muchos países.

_____ Primero (*First*), lavan las bayas.

_____ Procesan las bayas para separar la pulpa de los granos.

_____ Procesan los granos de café para quitar la cáscara.

_____ Secan el café.

_____ Tienen que tostar el café y lo meten en costales.

_____ Venden el café al distribuidor.

Unas bayas de café

Dinodia/Pixtal/age fotostock

 PASO 3.   With a partner, answer the following questions and discuss the ideas behind your responses.

1. El arbusto (*bush*) del café necesita lluvia (*rain*) todo el año y temperaturas moderadas o altas. Además de (*In addition to*) El Salvador y Nicaragua, ¿en qué países hispanos crees (*do you think*) que cultivan café?
2. En el mundo hispano, hay países relativamente ricos y países relativamente pobres. Muchos de los países donde cultivan café son relativamente pobres. ¿Por qué?
3. Cultivan el café comercialmente en solo dos estados (*states*) de los Estados Unidos. ¿Qué estados son? ¿Por qué crees que es muy caro el café de esos estados?

■ Answers to this activity are in Appendix 2 at the back of your book.

⟳ Reciclaje   Infinitives

Complete each verb with its infinitive ending: **-ar, -er,** or **-ir.** Then indicate whether you prefer to do the activity **en la biblioteca (B), en la casa (C),** or **en otro lugar (O)** (*in another place*).

	B / C / O			B / C / O
1. almorz____	_____	7. estudi____	_____
2. cen____	_____	8. le____	_____
3. corr____	_____	9. mir____ la televisión	_____
4. desayun____	_____	10. nad____	_____
5. dorm____	_____	11. tom____ café	_____
6. hac____ ejercicio	_____	12. jug____ videojuegos	_____

3.3   Podemos nadar.

Stem-changing verbs: *o → ue*

Para empezar...

The daily lives of university students in the Spanish-speaking world are sometimes different than those of students in this country. University students in the Spanish-speaking world typically do not live on campus, and beginning in their first year of studies they typically focus on a specialized area, such as law, pharmacy, or dentistry.

PASO 1.   The following is a list of things that students can do on the campus of the **Universidad de Panamá,** but one item on the list is incorrect. Basing your answer on the information in the paragraph above, select the things that students can most likely do.

EN LA UNIVERSIDAD DE PANAMÁ...

☐ **pueden** (*they can*) tomar café.   ☐ **pueden** leer en la biblioteca.
☐ **pueden** estudiar medicina.   ☐ **pueden** vivir en la universidad.
☐ **pueden** nadar.   ☐ **pueden** aprender (*learn*) idiomas extranjeros (*foreign languages*).

PASO 2.   Now compare what you just saw for the **Universidad de Panamá** with your own university. Which of these things can you do? Can you do all of these things? Some of them?

EN NUESTRA UNIVERSIDAD...

☐ **podemos** (*we can*) tomar café.   ☐ **podemos** leer en la biblioteca.
☐ **podemos** estudiar medicina.   ☐ **podemos** vivir en la universidad.
☐ **podemos** nadar.   ☐ **podemos** aprender idiomas extranjeros.

■ Answers to these activities are in Appendix 2 at the back of your book.

Paul Bradbury/OJO Images/age fotostock

En la universidad, podemos aprender mucho.

Actividades analíticas

1 Use the verb forms that you saw in **Para empezar** to complete the conjugation of **poder** (*can, to be able to*).

poder (o → ue)	
SINGULAR	
yo	p**ue**do
tú	p**ue**des
él/ella, Ud.	p**ue**de
PLURAL	
nosotros/as	
[vosotros/as]	[podéis]
ellos/ellas, Uds.	

Poder is typically followed by a verb in the infinitive form.

A veces **puedo** estudiar en la biblioteca.	*Sometimes I can study in the library.*
¿**Puedes** llegar a las once?	*Can you arrive at 11:00?*
Graciela **puede** correr muy rápido.	*Graciela can run very fast.*

2 The endings that you see in the conjugation of **poder** are exactly what you would expect of an **-er** verb. The *stem*, on the other hand, is sometimes **pod-** and sometimes **pued-**. Complete the following list of the three instances where the stem is **pod-**, and write the conjugated form of **poder** associated with each.

1. el infinitivo: **poder**
2. la forma **vos: podés**
3. la forma _____: _____
4. la forma **vosotros/as**: _____

In all other instances, the stem is **pued-**.

3 **Poder** is a *stem-changing verb* (**un verbo que cambia de raíz**). In this particular type of stem-changing verb, the vowel **o** of the stem changes to **ue** in all forms except **vos, nosotros/as** and **vosotros/as**. Some other verbs of this type in Spanish are **almorzar, dormir,** and **soñar** (*to dream*).

José **almuerza** a la una.	*José has lunch at 1:00.*
¿Cuántas horas **duermes**?	*How many hours do you sleep?*
¿**Sueñas** todas las noches?	*Do you dream every night?*

Following the pattern with **poder,** write the **yo** and the **nosotros/as** forms for these verbs here.

	almorzar (o → ue)	dormir (o → ue)	soñar (o → ue)
yo			
nosotros/as			

Verbs of this type belong to the **o → ue** family of stem-changing verbs; you'll see some other families of stem-changing verbs in **Capítulo 4.**

	VOS
poder	podés

¿Por qué?

The stem vowel in **poder** does not change randomly, but follows a clear pattern. When the syllable containing the stem vowel is stressed, the **o** is pronounced **ue** (as in **PUE-do**), and when it is not stressed, it remains as **o** (as in **po-DE-mos**). This is characteristic of this entire family of verbs; the **o → ue** change occurs when the stem syllable is stressed. In languages around the world, vowels often change their pronunciation when stressed, just as you see here in Spanish.

- For additional **o → ue** stem-changing verbs, see **Para saber más 3.3** at the back of your book.

Autoprueba

Complete these sentences with the correct form of the verb.

1. Ellos _____ (soñar) por la noche.
2. ¿Tú _____ (almorzar) en tu casa?
3. Nosotros _____ (dormir) mucho todas las noches.
4. Ellas _____ (poder) estudiar con nosotros.

Actividades prácticas

A. ¿Qué puedes hacer?   Write the correct form of the verb **poder** next to activities that you're able to do. Then ask others in the class whether they can do the remaining activities (**¿Puedes... ?**). Write the name of the person who can do each activity along with the correct form of **poder**.

> **MODELO:** _____ leer muy rápido.
>
> **Puedo** leer muy rápido. (**Stephanie puede** leer muy rápido.)

¿QUIÉN PUEDE?	¿QUÉ PUEDE HACER?

1. _____ correr cuatro millas (*miles*).

2. _____ cocinar comida china.

3. _____ dormir bien en una silla en la biblioteca.

4. _____ decir (*say*) «¡Hola!» diez veces muy rápido.

5. _____ leer en el autobús (*bus*).

6. _____ mirar la televisión y estudiar al mismo tiempo (*at the same time*).

7. _____ nadar estilo mariposa (*butterfly*).

8. _____ practicar yoga y cantar al mismo tiempo.

B. ¿Durante (*During*) el día o por la noche?   When do you usually do each of the following activities, during the day or at night? Or never? Place each activity in the appropriate category.

> **Actividades:** almuerzo, sueño, duermo, juego videojuegos

DURANTE EL DÍA:	_____	_____	_____	_____
POR LA NOCHE:	_____	_____	_____	_____
NUNCA:	_____	_____	_____	_____

C. ¿Cuántas horas duermes?

PASO 1.   In a group of three or four, find out how many hours each of you sleeps on a normal night and on a night when circumstances are ideal (that is, with a quiet environment, no alarm clock, and so on). Keep track of each person's answer.

> **MODELO:** ¿Cuántas horas duermes en una noche normal?
>
> ¿Cuántas horas duermes en una noche ideal?

PASO 2.   Calculate the average for your group for the normal night and for the ideal night. Report your results in two separate sentences and state whether the situation is good (**bien**) or bad (**mal**).

> **MODELO:** En una noche normal, dormimos 5,6 (cinco coma seis) horas.
>
> En una noche ideal, dormimos 9,5 (nueve coma cinco) horas. (La situación) Está muy mal.

D. ¿A qué hora... ?   In small groups, ask your classmates when they usually do the following activities. Then use the **nosotros/as** form to say whether you do the activity at the same time or at different times. **¡Atención!** All of these verbs belong to the **o → ue** family.

> almorzar   dormir   volver a casa (*to return home*)

> **MODELO:** E1: ¿A qué hora almuerzas?
>
> E2: Almuerzo a las doce y media.
>
> E1: Yo también. Almorzamos a la misma (*same*) hora. (Yo almuerzo a la una. Almorzamos a horas diferentes.)

Un consejo...

You'll recognize cognates more easily in Spanish if you keep in mind that the **o → ue** change happens in many words, not just in verbs. English doesn't have this change, so it typically has just the **o** (sometimes in combination with other letters). Here are some examples.

ac*ue*rdo *acc*o*rd, agreement*
esc*ue*la *sch*oo*l*
f*ue*nte *f*o*untain*
f*ue*rza *f*o*rce*
p*ue*rco *p*o*rk, pig*
p*ue*rto *p*o*rt*

Remember this **o → ue** change when you encounter new words with **ue** in Spanish.

Reciclaje — Gender and definite articles

Write the correct article (**el** or **la**) for each word. Then circle the words related to *time*.

1. ____ teléfono
2. ____ noche
3. ____ día
4. ____ mes
5. ____ deporte
6. ____ televisión

7. ____ semana
8. ____ parque
9. ____ profesor
10. ____ hora
11. ____ mañana
12. ____ biblioteca

■ Answers to this activity are in Appendix 2 at the back of your book.

3.4   ¿A qué hora es esa clase?

Demonstrative adjectives

Para empezar...

In many countries, university students choose a specialized major from the beginning of their studies and all students in that major take the same classes. Here, for example, you see a class schedule for first-semester pharmacy students at the **Universidad Central de Venezuela.** Use this schedule to complete the sentences that follow.

HORA	LUNES	MARTES	MIÉRCOLES	JUEVES	VIERNES
7–8 A.M.	Física Prof. Michael Mijares		Química General Prof. Carmen Chirinos	Física Prof. Michael Mijares	Química General Prof. Carmen Chirinos
8–9 A.M.		Salud (*Health*) Pública Prof. Jaime Charris			
9–10 A.M.	Formación General Prof. Carlos Ayala		Química Orgánica I Prof. Ingrid Merchán		Química Orgánica I Prof. Ingrid Merchán
10–11 A.M.					
11–12 A.M.	Prácticas (*Laboratory*)	Prácticas		Prácticas	Prácticas
12–1 P.M.					
1–2 P.M.					
2–3 P.M.		Talleres (*Workshops*)		Química Orgánica I Prof. Ingrid Merchán	

1. Tienen una clase a las siete de la mañana los lunes. **Esa** (*That*) clase se llama
   _____.

2. Uno de los profesores se llama Jaime Charris. Tienen la clase con **ese** profesor
   los _____.

3. Los martes, no tienen muchas clases. **Ese** día, solo tienen la clase de
   _____.

(*Continues*)

■ Answers to these activities are in Appendix 2 at the back of your book.

4. Los miércoles tienen dos clases. **Esas** clases son _____ y
_____.

5. Los lunes y jueves tienen la clase de Física a las siete. También tienen la clase
de _____ a **esa** hora los miércoles y viernes.

6. Dos de los profesores son Michael Mijares y Carlos Ayala. Tienen clases con
esos profesores los _____ y _____.

Actividades analíticas

1 **Este, esta, estos,** and **estas** are *demonstrative adjectives* (**los adjetivos demostrativos**). They indicate that something is close or nearby, in the same way you would use English *this* or *these*. **Ese, esa, esos,** and **esas** are also demonstrative adjectives, but they refer to something that is farther away, similar to English *that* or *those*.

Esta mochila es vieja, pero me gusta.	*This backpack is old, but I like it.*
Este libro es muy bueno.	*This book is very good.*
Me gustan **esas revistas.**	*I like those magazines.*

■ For more on demonstrative adjectives and demonstrative pronouns, see **Para saber más 3.4** at the back of your book.

2 Demonstrative adjectives, like other adjectives in Spanish, agree with the noun that they modify in both number and gender. Complete the following chart by correctly writing the demonstrative adjectives in the chart.

	DEMONSTRATIVE ADJECTIVES			
	SINGULAR		**PLURAL**	
MASCULINE	**est**e libro	*this book*	**est**os libros	*these books*
	____ libro	*that book*	____ libros	*those books*
FEMININE	**est**a clase	*this class*	**est**as clases	*these classes*
	____ clase	*that class*	____ clases	*those classes*

3 Choose the correct demonstrative adjective for these nouns, assuming that they're close to you.

_____ bolígrafo _____ señoras _____ niños _____ mochila

Actividades prácticas

A. ¿Cierto o falso?   Listen to the sentences and write **C** for **cierto** or **F** for **falso**.

1. ____   2. ____   3. ____   4. ____   5. ____   6. ____   7. ____   8. ____

B. Preguntas   For each of the following items, first answer the question in (a), then provide the correct form of **ese, esa, esos,** or **esas.** Finally, answer the question in (b).

RESPUESTAS

1. a. ¿Cómo se llama el actor favorito de Gael García Bernal?   _____
   b. ¿De qué país es ____ actor?   _____
2. a. ¿Cuántos colombianos hay en la **Actividad práctica C** de **3.1**?   _____
   b. ¿De qué país son ____ personas?   _____
3. a. ¿Cómo se llama el país al norte (*north*) de Guatemala?   _____
   b. ¿A qué hora comen en ____ país?   _____
4. a. ¿Cómo se dice *to work* en español?   _____
   b. ¿Cuál es la forma *yo* de ____ verbo?   _____
5. a. ¿Cuál es la palabra para *five* en español?   _____
   b. ¿Cuántas letras tiene ____ palabra?   _____
6. a. ¿Cuántos bolígrafos tienes en tu mochila?   _____
   b. ¿De qué color son ____ bolígrafos?   _____

C. En la sala de computación   Imagine that you're the student in the doorway. What is nearest him is nearest you, and what is far from him is far from you. With a partner, write four sentences comparing and contrasting what you see in the lab.

MODELO: Esta chica tiene el pelo castaño, pero esa chica tiene el pelo rubio.

D. Las cosas de la clase   Create five sentences, some true and some false, about objects in the classroom. Choose some objects that are in your possession (such as **este libro**) and others that are far away (such as **ese libro**). Read the sentences to a partner and point to the objects you're talking about. Ask him/her to reply **cierto** or **falso** to each one.

MODELOS: Estos bolígrafos son rojos.
            Esos libros son de Mary.
            Esa mochila es muy grande.

■ The audio files for in-text listening activities are available in the eBook, within Connect activities, and on the Online Learning Center.

¡Leamos!

La rutina de una líder

Antes de leer

PASO 1. Read the following elements of a typical workday and put them in the order you would expect from an international leader.

____ comer en un café

____ hacer ejercicio

____ informarse de las noticias
     (*to find out about news*)

____ reunirse con (*to meet with*) colegas

____ reunirse con representantes de otras (*other*) organizaciones

____ trabajar en el despacho (la oficina)

PASO 2. The activities in **Paso 1** come from a professional's work schedule. For each element in that schedule, write on a separate piece of paper an equivalent for the life of a student.

> **MODELO:** Para una persona profesional, **trabajar en el despacho** es como (*is like*) **estudiar en la biblioteca** para un(a) estudiante.

1. comer en un café
2. hacer ejercicio
3. informarse de las noticias
4. reunirse con colegas
5. reunirse con representantes de otras organizaciones

A leer

Read the article about the daily activities of the former President of Chile, Michelle Bachelet and answer the questions that follow.

SALVATORE DI NOLFI/EPA-EFE/Shutterstock

La rutina de una líder

Michelle Bachelet es médica (doctor) y también tiene experiencia en la política: primero como Ministra de Salud[a] en el gobierno[b] de Chile, luego como Ministra de Defensa[c] antes de ser Presidenta de Chile (2006-2010 y 2014-2018). Ahora trabaja como Alta Comisionada de las Naciones Unidas para los Derechos Humanos.[d]

Michelle Bachelet vive en Suiza donde un día típico comienza[e] en su apartamento. Su primera actividad de la mañana es leer los diarios[f] y hacer algo de ejercicio antes de ir a su despacho en el edificio[g] histórico Palacio Wilson, en Ginebra.[h]

Normalmente, su actividad empieza[i] con reuniones[j] con sus empleados[k] y otros miembros de la comisión.

A media mañana es habitual que la comisionada participe en algún acto[l] en un salón formal del palacio. Después de almorzar en casa o en un café de Ginebra, regresa[m] a su despacho para seguir[n] con la actividad de promocionar los derechos humanos a través de[o] las Naciones Unidas. Durante la tarde, suele[p] tener reuniones en su despacho y participar en otras actividades profesionales.

Siendo un puesto[q] muy global, Bachelet también viaja[r] mucho a otros

---

[a]*health* [b]*government* [c]*Ministra... Defense Minister* [d]*Alta... United Nations High Commissioner for Human Rights* [e]*begins* [f]*newspapers* [g]*building* [h]*Geneva* [i]*begins* [j]*meetings* [k]*staff* [l]*participe... participates in some activity* [m]*she returns* [n]*continue* [o]*through* [p]*she tends* [q]*Siendo... As it is a position* [r]*travels*

países para hablar con los funcionarios[s] de varios gobiernos con el fin de establecer y firmar acuerdos[t] que mantengan las mejores normas[u] de derechos humanos a nivel[v] internacional.

Tanto cuando viaja como[w] en Ginebra, su actividad suele terminar tarde por la noche.

Cuando puede, pasa unos días de vacaciones en Chile donde descansa junto a su familia y amigos.

[s]*officials* [t]*con… with the goal of establishing and signing agreements* [u]*que… that uphold the best standards* [v]*level* [w]*Tanto… Both when she travels and when she's*

1. ¿Dónde vive Bachelet?
2. ¿Qué hace Bachelet antes de (*before*) trabajar?
3. ¿Dónde está la oficina de la Alta Comisionada?
4. Indica las actividades que hace Bachelet.

   ☐ asiste a reuniones
   ☐ escribe leyes (*writes laws*) internacionales
   ☐ firma acuerdos

   ☐ habla con sus empleados
   ☐ promueve los derechos humanos
   ☐ tiene reuniones con líderes de otros países
   ☐ viaja (*travels*) a otros países

5. ¿Cuándo termina el día de trabajo?
6. ¿Dónde pasa las vacaciones?

Después de leer

PASO 1. Look again at the activities you put in order in **Antes de leer, Paso 1.** This time, order them according to what you just read about Michelle Bachelet's schedule and compare the lists. Does her schedule differ from how you envisioned a typical work day? If so, how?

 PASO 2. Now work in pairs to interview each other about your own daily routines following the model from the reading.

1. ¿Cuál es tu primera actividad de la mañana?
2. ¿Cómo empiezan las actividades del trabajo o de la universidad?
3. ¿Qué haces a media mañana?
4. ¿Qué haces para almorzar?
5. Normalmente, ¿cuándo termina el día?
6. ¿Qué haces durante las vacaciones?

PASO 3. Prepare a presentation of your classmate's day using format and structures from the reading as models. **¡Atención!** Deliver a prepared, practiced, and professional presentation.

> **MODELO:** (*Nombre*) comienza su día en… Normalmente su actividad empieza con…
>
> A media mañana…
>
> Para almorzar…
>
> Su día termina…
>
> Durante las vacaciones…

CONÉCTATE AL MUNDO PROFESIONAL

Comparing and contrasting daily routines with others is a great way to make cross-cultural connections while traveling or studying abroad. It is also excellent practice for professional networking. Successful networking is about building mutually beneficial relationships. The starting point is always finding out what you have in common (by listening attentively to what others say), then using those commonalities in future communications. At some point you may be able to do the other person a favor, and vice versa.

¡Escuchemos!

El horario para comer

Estrategia

For this activity, listen for a time or range of times. You do not have to understand everything the speakers say—just extract the information you need to complete the activity.

En español...

In many parts of the Spanish-speaking world, **la comida** and **el almuerzo** refer to the same midday meal, but that isn't true everywhere. In Mexico, for instance, **el almuerzo** is a morning meal. Some people eat **la merienda** regularly between lunch and dinner.

Norberto Lauria/Alamy Stock Photo

Antes de escuchar

Fill in the first row of the table below with the times you typically eat. Then ask three of your classmates when they tend to eat, and include their information in the table.

MODELO: E1: ¿A qué hora desayunas?
E2: A las nueve y media. ¿Y tú?
E1: A las ocho.

A escuchar

Now watch the video replaying and pausing as necessary. Fill in the times they say people typically eat in their countries.

NOMBRE	EL DESAYUNO	EL ALMUERZO/ LA COMIDA	LA CENA
yo			
Isabel (México)			
Laura (Colombia)			
Roberto (Costa Rica)			
Joelis (Venezuela)			

Después de escuchar

PASO 1. Compare the schedules of Isabel, Laura, Roberto, and Joelis, and say whether they're **muy diferentes, similares,** or **iguales.**

1. Los horarios de desayunar de Isabel, Laura, Roberto y Joelis son...
2. Los horarios de comer/almorzar de Isabel, Claudia, Roberto y Joelis son...
3. Los horarios de cenar de Isabel, Laura, Roberto y Joelis son...

PASO 2. Now compare your schedule and those of your classmates to the schedules of the people in the video. Present your conclusions to the class.

MODELO: Mi horario y el horario de Isabel son iguales porque desayunamos a las nueve, comemos a las dos y cenamos a las nueve.
Los horarios de cenar de los estudiantes de esta clase y los de Isabel y Laura son muy diferentes porque nosotros almorzamos a las doce y ellas almuerzan a las dos o tres de la tarde.

CONÉCTATE AL MUNDO HISPANO

The schedules of the people in the video represent common patterns in the Spanish-speaking world, where a large family meal is often eaten at midday and a light supper is eaten later in the evening. But be careful not to jump to conclusions about a whole country based on one person—schedules vary widely and Isabel, Laura, Roberto, and Joelis are just four individuals. Think of your schedule at college, which is probably quite different than your parents' schedule; neither one can be said to represent all of this country's culture.

¡Escribamos!

Las rutinas diarias

When you interact with people as you travel or study abroad, you may find that you have activities in common, and can plan to do them together, allowing you to meet new people and experience the culture from a more intimate perspective. Or, you may find that your routines are very different, which provides an opportunity to learn and try new things.

You've worked a lot in this chapter with your own schedule, so for this activity you'll focus on the schedule of someone who is not a student.

Estrategia

Timelines

When writing text in which time sequences are important, a timeline can help you sort your ideas so that readers can easily follow the sequential flow of what you've written. Whether recounting historical events, a person's lifetime, or a daily routine, try to set up a timeline as a pre-writing strategy.

Antes de escribir

Prepare a timeline of at least four activities in a friend or family member's routine on a typical day. (Ideally, select someone who is not a student.)

MODELO: mi madre

6:30	7:00	8:00		3:00
desayunar	ir a la oficina	trabajar		comer

A escribir

PASO 1. Use the timeline to guide you as you convert these isolated activities into at least four complete sentences.

MODELO: Mi madre desayuna a las seis y media de la mañana.
A las siete de la mañana, ella va a la oficina.

PASO 2. Next, flesh out each sentence by adding more description to help turn them into a more cohesive paragraph. Try to anticipate questions your readers might have (such as **¿dónde?** and **¿con quién?**), and incorporate the answers into your paragraph.

MODELO: Todos los días a las seis y media de la mañana, mi madre desayuna cereal en casa (*at home*) con mi hermano. Los días entre semana, él va en autobús (*bus*) a la escuela y ella va en coche (*car*) a la oficina.

Después de escribir

PASO 1. Check your own work, then exchange paragraphs with a classmate. Read the content of your classmate's essay carefully. Are there any important pieces of information missing? If so, be sure to point that out.

PASO 2. Read the essay again, using the following checklist to edit the grammar. Verifica que (*Check that*)...

☐ hay concordancia (*agreement*) de género (*gender*) entre los adjetivos y lo que describen (*what they describe*)

☐ hay concordancia de número (singular o plural) entre los adjetivos y lo que describen

☐ hay concordancia entre los sustantivos (*nouns*) y verbos

☐ los verbos con cambio de raíz tienen los cambios correctos

When you're finished, return the paper to your classmate and make corrections to your own, based on your classmate's feedback.

¡Hablemos!

La rutina de la familia Ramírez

Antes de hablar

Based on the illustrations of this family's daily routine, indicate which of the invitations below would make sense (**Es lógico**) and which would not (**No es lógico**). Can you explain why?

	ES LÓGICO	NO ES LÓGICO
1. Jaime, ¿corremos a las siete y media de la mañana?	☐	☐
2. Elena, ¿vamos de compras a las diez de la mañana?	☐	☐
3. Marisol, ¿montamos a caballo por la tarde?	☐	☐
4. Ignacio, ¿corremos a las dos de la tarde?	☐	☐
5. Marisol, ¿jugamos fútbol a las nueve de la noche?	☐	☐

 ### A hablar

Make plans with at least two different classmates to do some of the activities the family pictured does.

MODELO: E1: Claire, ¿comemos a las dos?
E2: No puedo. Tengo clase a las dos. ¿Comemos a la una?
E1: Sí.

 ### Después de hablar

In groups, take turns describing something from the pictures without naming the item. Can the others guess what you're describing? **¡Atención!** Use vocabulary from **Capítulos 1** and **2**.

MODELO: E1: Es pequeño y es blanco y negro. Tiene números.
E2: ¿Es el reloj?
E1: ¡Sí!

VOCABULARIO

Now that I have completed the chapter, I can . . .

☐ ask and tell time

☐ say when events occur

☐ get someone's attention

☐ say what I do in my free time

☐ talk about daily schedules in the Spanish-speaking world

Comunicación / Communication

Disculpa... / Disculpe... / Disculpen...	Excuse me . . . (*inform.* / *form.* / *pl.*)
Oye... / Oiga... / Oigan...	Listen . . . (*inform.* / *form.* / *pl.*)
¿Qué hora es?	What time is it?
Es la una.	It's 1:00.
Es la una y media/treinta.	It's 1:30.
Son las dos y cuarto/quince.	It's 2:15.
Son diez para las nueve. / Son las nueve menos diez. / Son las ocho y cincuenta.	It's 8:50.
Es mediodía. / Son las doce del día / mediodía.	It's noon.
Es medianoche. / Son las doce de la noche / medianoche.	It's midnight.
¿A qué hora...?	At what time . . . ?
¿A qué hora abre...?	At what time does . . . open?
¿A qué hora cierra...?	At what time does . . . close?
Es a la/las...	It's at . . .
de la mañana	in the morning
de la tarde	in the afternoon/ evening
de la noche	at night
de la madrugada	in the early morning

Los días de la semana / The days of the week

los días entre semana lunes, martes, miércoles, jueves, viernes	weekdays
el fin de semana sábado, domingo	weekend

Los sustantivos / Nouns

la comida	food; (midday) meal
la escuela	school
el horario	schedule
la vez (*pl.* veces)	time; instance
una vez	once
dos veces	twice

La rutina diaria / The daily routine

almorzar (ue)	to eat lunch
aprender	to learn
asistir (a)	to attend
bailar	to dance
caminar	to walk
cantar	to sing
cenar	to eat dinner
cocinar	to cook
comer (comida mexicana)	to eat (Mexican food)
comprar	to buy
correr (en el parque)	to run (in the park)
desayunar	to eat breakfast
escribir (un email)	to write (an email)
escuchar	to listen (to)
ir (*irreg.*) al gimnasio	to go to the gym
jugar (ue) ...	to play ...
básquetbol	basketball
videojuegos	video games
leer (el periódico)	to read (the paper)
mirar / ver (la televisión)	to see, watch (television)
montar a caballo	to go horseback riding
nadar	to swim
poder (ue)	can, to be able to
practicar...	to practice/do/play . . .
el fútbol	soccer
un deporte	a sport
yoga	yoga
soñar (ue)	to dream
tomar	to take; to drink
trabajar	to work
usar (la computadora)	to use (the computer)
viajar	to travel
vivir	to live
volver (ue)	to return

Los adjetivos demostrativos / Demonstrative adjectives

ese/esa, esos/esas	that, those
este/esta, estos/estas	this, these

Expresiones útiles	Useful expressions
a veces	sometimes
nunca	never
por la mañana	in the morning
por la tarde	in the afternoon/ evening
por la noche	at night
siempre	always
todo/a; todos/as	all; everyone; all of us/ them/you
todo el día / toda la noche	all day/night
todos los días / todas las noches	every day/night

¡Qué bonita familia!°

What a beautiful family!

Una muchacha mexicana
con sus abuelos

Hill Street Studios/Blend Images

Objetivos

When you finish this chapter, you will be able to:

■ ask what people do for a living
■ comment on things and compliment people
■ talk about your family members and their activities
■ compare and contrast people and things
■ talk about what you want or plan to do

4

¿A qué te dedicas? / ¿A qué se dedica?

Asking what people do for a living

A. A ver: Presentaciones

PASO 1. First, work in pairs to ask and answer the questions that you'll hear answered in the video clips.

> **MODELO:** E1: ¿Cómo te llamas?
> E2: Mónica.

¿Cómo te llamas?   ¿De dónde eres?   ¿Cuántos años tienes?

PASO 2. Watch and listen as Spanish speakers introduce themselves. Replay and pause as needed, then provide the missing information in the bios.

En español...

Just as English speakers use fillers such as *uh, um,* and *OK* in spontaneous speech, Spanish speakers use expressions such as **pues, bueno, eh,** and **OK.** Almost all the speakers in this video use one of those fillers when they begin to speak.

1. Óscar Alberto Chavarría Mora es de San José, _____. Tiene _____ años y es **chofer.**

2. Charo Sánchez López es de Salamanca, _____ y es **periodista.**

3. Víctor Peralta es de la Ciudad de México, _____ y es **pintor.**

4. Kadín Eliecer Morán es de Panamá. Tiene _____ años y es **policía.**

5. Yazmín Lyons es de _____ y es **socióloga** y **estudiante.**

6. Henry Sequeira Chávez es de Monteverde, Costa Rica. Tiene _____ años y es **guía naturalista.**

7. Paulina es de _____. Es **médico** y tiene _____ años.

You've learned how to introduce yourself and respond to the following questions.

¿Cómo te llamas? / ¿Cómo se llama?
¿De dónde eres? / ¿De dónde es?
¿Cuántos años tienes? / ¿Cuántos años tiene?

An additional piece of information that people may offer when introducing themselves is the answer to these questions.

¿Cuál es tu profesión? / ¿Cuál es su profesión? ⎱ What do you do
¿A qué te dedicas? / ¿A qué se dedica? ⎰ (for a living)?

—**Mavi, ¿a qué te dedicas?**   —**Señora Serna, ¿cuál es su profesión?**
—**Estudio ciencias políticas.**   —**Soy ingeniera (*engineer*).**

Here are some common professions, some of which you heard in the video. Can you figure out all the cognates?

el/la abogado/a	attorney	**el/la pintor(a)**	painter
el/la chofer		**el/la policía**	
el/la doctor(a) / médico/a		**el/la psicólogo/a**	
el/la guía naturalista		**el/la sociólogo/a**	
el/la periodista	journalist		

B. ¿A quién conoces? (*Whom do you know?*)   Draw a grid with nine cells, like tic-tac-toe: three columns of three rows each. Fill each cell with a profession you know how to say in Spanish. For each cell in the table, try to find a classmate who knows someone who practices that profession and circle it. When you have three circles in a row, sit down.

MODELO: E1: ¿Conoces a (*Do you know*) un policía?
E2: No. ¿Conoces a un ingeniero?
E1: ¡Mi padre es ingeniero!

¡Qué lindo!

Commenting on things and complimenting people

To express the equivalent of *How* + adjective*!*, *What a* + noun*!*, or *What a* + adjective + *noun!* use: **¡Qué...!**

¡Qué + adjective**!**
   ¡Qué guapo/a!   How handsome/pretty!

¡Qué + noun**!**
   ¡Qué lío!   What a mess!
   ¡Qué frío/calor!   It's so cold/hot!

¡Qué + adjective + noun**!**
   ¡Qué bonita familia!   What a beautiful family!

¡Atención! Remember, whenever you use an adjective, it must agree in number and gender with the noun it refers to.

A. No estamos de acuerdo. (*We don't agree.*)   Work in pairs, using the list of adjectives as a starting point. For each word your partner gives, say the opposite. How many more adjectives can you add to the list?

MODELOS: E1: ¡Qué bueno!
E2: ¡Qué malo!

E1: ¡Qué feo!
E2: ¡Qué lindo!

> alto/a   bajo/a   bello/a
> débil   delgado/a   feo/a   frío/a
> gordo/a   gracioso/a   guapo/a
> joven   lento/a   lindo/a
> pequeño/a   rápido/a

■ The audio files for in-text listening activities are available in the eBook, within Connect activities, and on the Online Learning Center.

En español…

Here are more expressions that use **¡Qué…!**

¡Qué cara (tiene)!
What nerve!

¡Qué coraje! / ¡Qué rabia!
How frustrating/annoying!

¡Qué feo/a!
How ugly! / How horrible! (*weather, behavior, situation, and so on*)

¡Qué pesado!
What a pain! / How annoying!

¡Qué rico/a!
How delicious! / How pleasant!

B. Las reacciones For each image, indicate if the expression using **¡Qué…!** is logical (**es lógico**) or illogical (**no es lógico**). If it's not logical, suggest a reaction that would be logical.

MODELO:

You hear: ¡Qué triste! *You say:* Es lógico.

1.

2. (image)

3.

4. (image)

5.

6.

(1) Javier Perini CM/Image Source; (2) OSTILL is Franck Camhi/Shutterstock; (3) bruno135/123RF; (4) Leah Warkentin/Design Pics; (5) David Coder/E+/Getty Images; (6) Philip Coblentz/MedioImages/SuperStock

C. ¡Qué bueno!

PASO 1. Write an example of each of the following. Try to include examples from the Spanish-speaking world.

1. el nombre de un actor
2. el nombre de una actriz
3. el título de una película
4. el título de un libro
5. el nombre de un grupo musical
6. el título de una canción (*song*)
7. el nombre de un restaurante
8. el nombre de un curso
9. el nombre de una ciudad
10. el nombre de una universidad

PASO 2. Now express your opinions! Working in pairs, take turns naming things from your list. Your partner will react using **¡Qué…!** expressions.

MODELO: E1: La clase de biología.
E2: ¡Qué aburrida! ¡Qué pesada! *or* ¿La biología? ¡Qué interesante!

¿Cómo es la familia de Camila?

Describing family members

A. La familia de Camila

PASO 1. Use the description to provide the missing names of Camila's family members in the family tree.

- **El padre (papá)** de Camila se llama Antonio. María es **la madre (mamá)** de Camila.
- Jaime es **el tío** de Camila. Su **esposo/marido/pareja** se llama Gustavo.
- **La tía** de Camila se llama Aurelia. Ella es soltera (no tiene **esposo/a**).
- Aurelia tiene otra **sobrina** además de (*in addition to*) Camila: Isabel.
- Jaime y Gustavo tienen dos **hijos**: **un hijo,** Sebastián, y **una hija,** Isabel.
- Camila es **hija única**: ella no tiene **hermanos.**
- **La abuela** de Camila se llama Carmen; Ricardo es **el abuelo** de Camila.
- Sebastián es **el nieto** de Carmen y Ricardo.
- Camila tiene **un perro,** Chispa, y **una gata,** Reina.
- Sebastián (**el primo** de Camila) e Isabel (**la prima** de Camila) tienen **un pez,** Hernán.
- La familia tiene tres **mascotas** en total: un perro, una gata y un pez.

Relatives are **los familiares** or **los parientes.** *Parents* are **los padres** or **los papás.** Here are some more family relationship terms.

el/la bisabuelo/a	great-grandfather/great-grandmother
el/la cuñado/a	brother-in-law/sister-in-law
el/la novio/a	boyfriend/girlfriend
la nuera	daughter-in-law
el/la suegro/a	father-in-law/mother-in-law
el yerno	son-in-law

Step-relationships use the suffix **-astro/a.**

el/la hermanastro/a	stepbrother/stepsister
el/la hijastro/a	stepson/stepdaughter
la madrastra	stepmother
el padrastro	stepfather

PASO 2. Answer the following questions about Camila's family tree.

1. ¿Quiénes son **los padres** de Camila?
2. ¿Cuántos **cuñados** tiene Aurelia?
3. ¿Cómo se llaman **los hijos** de Jaime y Gustavo?
4. ¿Cómo se llaman las dos **sobrinas** de Aurelia?
5. ¿Cuántos años tiene **la suegra** de Antonio?
6. ¿Quiénes son **los abuelos** de Camila?
7. ¿Cuántos **nietos** tienen Carmen y Ricardo?
8. ¿Quién es **el nieto** de Carmen y Ricardo?
9. ¿Cómo se llaman los dos **yernos** de Ricardo y Carmen?
10. ¿Cuántas **mascotas** hay en la familia?

B. Definiciones Provide the family term that corresponds to each definition.

1. La hermana de mi madre es mi...
2. El hijo de mi hijo es mi...
3. La hija de mi hermano es mi...
4. La esposa de mi padre es mi...
5. La esposa de mi padre, que no es mi madre, es mi...
6. El marido de mi abuela es mi...
7. Los hijos de mi tía son mis...
8. La madre de mi sobrina es mi...
9. El padre de mi nieto es mi...
10. El hijo de mi esposo y su ex esposa es mi...

Estrategia

Matching definitions and words is a much better way to learn and study new vocabulary than with English–Spanish flashcards because it allows you to work 100% in Spanish, without translating.

Anne Ackermann/Digital Vision/Getty Images

¿Tienen una nueva mascota? ¡Qué bueno!

C. Noticias sobre mi familia

PASO 1.   Read the following statements about the speaker's family and react accordingly using the **¡Qué...!** structure. The following words will help you.

bueno	horrible	terrible
emocionante (*exciting*)	interesante	triste (*sad*)
fabuloso	malo	
fantástico	maravilloso	

MODELO: Mi primo ganó una beca (*won a scholarship*) para asistir a la universidad. → ¡Qué maravilloso!

1. Mi padre perdió (*lost*) su trabajo.
2. Mi tía está embarazada (*pregnant*).
3. Mi prima tiene 16 años y quiere casarse con (*marry*) su novio.
4. Mi hermana acaba de empezar su propio negocio (*own business*).
5. Mis abuelos están de vacaciones en Puerto Rico.
6. Mi hermano está enfermo (*sick*).

 PASO 2.   Now share at least two pieces of news about your own family (or be creative and invent news) with a partner. Your partner will react using the **¡Qué...!** structure.

 ## D. A ver: Los miembros de la familia

PASO 1.   Watch and listen at least twice, pausing as needed, as the following people describe their families. For each family member they mention, there are two terms provided. Circle the one used in the video.

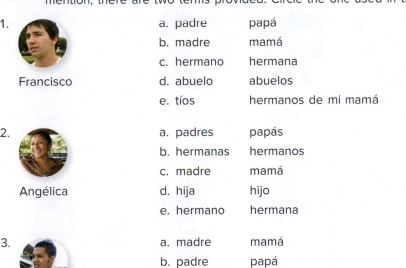

1. **Francisco**

a. padre   papá

b. madre   mamá

c. hermano   hermana

d. abuelo   abuelos

e. tíos   hermanos de mi mamá

2. **Angélica**

a. padres   papás

b. hermanas   hermanos

c. madre   mamá

d. hija   hijo

e. hermano   hermana

3. **Michael**

a. madre   mamá

b. padre   papá

c. abuelo   abuelos

d. tíos   hermanos de mi mamá

e. hermano   hermana

4. **Guadalupe**

a. padre   papá

b. madre   mamá

c. hermanas   hermanos

d. sobrino   sobrinos

PASO 2.   Make a list of your family members, indicating a) those you see most often and b) those you see only once in a while. Try to use two ways of describing each relative (for example, **madre / mamá; tía / hermana de mi mamá,** and so on). Are there occasions that usually bring your whole family together? What are they?

Estrategia

Listen closely for details—the difference between an "a" or an "o" ending, for example. Different tasks call for different strategies—here, details are important; sometimes understanding the main idea is the goal. Always read through the activity before watching the video so you know what strategies to deploy and can use the support the activities provide to complete the tasks.

E. ¿Cómo es la familia de Pedro y Manuela?

PASO 1.   Work in pairs to complete Pedro and Manuela's family tree. One partner should consult only the family tree labeled **Estudiante 1,** while the other should consult only the family tree labeled **Estudiante 2.**

MODELO: E1: ¿Cómo se llama la esposa de Pedro?
E2: Manuela.

E2: ¿Cuántos años tiene?
E1: 65 años.

PASO 2.   Compare your finished products. Do you both have the same family tree and correct ages?

Para Estudiante 1

(Continues)

CONÉCTATE AL MUNDO PROFESIONAL

In many Spanish-speaking countries, it's common to include a headshot, as well as your age and marital status, on resumes. In the United States, it's illegal to ask job applicants for that information.

Observe as you interact with others from around the world to know when it's appropriate to talk about family and personal lives in professional contexts.

Para Estudiante 2

Pedro
70 años

Manuela
___ años

___ años

Elena
45 años

___ años

José Manuel
39 años

___ años

Jorge
22 años

___ 25 años

Lidia
___ años

F. ¡Qué bonita familia!

 PASO 1. Work in pairs to interview each other and find out more about your family members and pets. (You can make up an imaginary family if you prefer.) Draw your partner's family tree as you go and react to what you find out about your partner using **¡Qué... familia!**

Sample questions:
¿Con quién vives?
¿Cómo se llaman los padres de tu mamá/papá?
¿Tienes hermanos? ¿Cuántos? ¿Cómo se llaman? ¿Cómo son?
¿Quién es tu pariente favorito? ¿Por qué?
¿Tienes primos?

 PASO 2. Report to the class your reaction about your partner's family. Use the family tree you created and any other details you learned during your interview to support your reaction.

MODELO: ¡Qué pequeña familia tiene Joe! Es hijo único. Vive con su mamá y papá y no tiene mascotas.

COMUN VOCABU **ESTRUCTURA** TE

Reciclaje Adjectives

The Grammy award–winning Mexican singer Julieta Venegas has an identical twin sister Yvonne, an accomplished and very successful photographer whose work has been exhibited at several major museums. Given this information, and given the photo here, how would you describe the two sisters? Choose from the adjectives provided. **¡Atención!** Be sure to make the adjectives agree!

| débil | joven | pobre | trabajador(a) |
| famoso/a | perezoso/a | rico/a | viejo/a |

Las hermanas Venegas son...

_____, _____,

_____ y _____.

■ Answers to this activity are in Appendix 2 at the back of your book.

4.1 Es más alto que su padre

Comparatives

Para empezar...

As in some other European countries with monarchies, Spain's **familia real** (*royal family*) has played a prominent but mainly ceremonial role in the country.

Members of the family include **el rey** (*king*) Felipe VI, **la reina** (*queen*) Letizia, and the king's parents **el rey** Juan Carlos I and **la reina** Sofía.* King Felipe and Queen Letizia have two daughters, **la princesa** Leonor and **la infanta** Sofía. Match each of the statements below to a member of the royal family. **¡Atención!** Some items have more than one possible answer.

■ Answers to these activities are in Appendix 2 at the back of your book.

	LA REINA LETIZIA	EL REY FELIPE	EL REY JUAN CARLOS	LA REINA SOFÍA	LA INFANTA SOFÍA	LA PRINCESA LEONOR
1. Es más (*more*) alto que su padre.	☐	☐	☐	☐	☐	☐
2. Es más delgada que su esposo.	☐	☐	☐	☐	☐	☐
3. Es más bajo que su hijo.	☐	☐	☐	☐	☐	☐
4. Es más alta que sus nietas.	☐	☐	☐	☐	☐	☐
5. Es más alto que su esposa.	☐	☐	☐	☐	☐	☐
6. Es más baja que su mamá.	☐	☐	☐	☐	☐	☐

*With King Juan Carlos' abdication of the throne in 2014, **el príncipe** (*prince*) Felipe became king and his wife became queen. The former king and queen retain their titles for life.

Actividades analíticas

1 In English, to make comparisons in which one person has *more* of a given quality, *-er* may be added to the adjective: *Mary is taller than Catherine.*

The word *more* may also be used: *Mary is more intelligent than Catherine.*

What word is used to make these comparisons in Spanish? _____

Where English uses the word *than*, Spanish uses **que.**

José es **más** alto **que** Antonio.	*José is taller than Antonio.*
Mónica y Julia son **más** delgadas **que** José.	*Mónica and Julia are thinner than José.*

You can see in these comparisons that the adjective agrees with the subject, just as it would in any other sentence.

2 To express a comparison in which one person has *less* of a given quality than the other, use **menos.**

Antonio es **menos** alto **que** José.	*Antonio is less tall than (not as tall as) José.*

Now try converting the following statements with **más** into ones with **menos. ¡Atención!** Be sure the adjective agrees with the subject.

María es más rica que Celia. → Celia es _____ que María.

Juan es más alto que Marisela. → Marisela es _____ que Juan.

Patricia es más alta que los niños. → Los niños son _____ que Patricia.

3 For the adjectives **bueno** and **malo,** there are special comparative forms.

mejor	*better*	Mi hermano es **mejor** jugador de fútbol que yo.
		My brother is a better soccer player than I am.
peor	*worse*	El lunes es **peor** que el martes.
		Monday is worse than Tuesday.

4 When comparing people's ages, it is common to use **mayor** (*older*) and **menor** (*younger*).

Arturo es **mayor** que su hermana.	*Arturo is older than his sister.*
Yo soy **menor** que tú.	*I'm younger than you.*
Nosotros somos **menores** que nuestros amigos.	*We're younger than our friends.*

Note that these comparative forms do not change based on gender, but they do show number agreement: **mejores, peores, mayores, menores.**

José es más alto que Antonio.

■ For more on expressing comparisons and superlatives in Spanish, see **Para saber más 4.1** at the back of your book.

> ### Autoprueba
>
> Use the adjectives given to create comparisons with **más.** Be sure to make the adjective agree with the subject and be aware of adjectives that have special comparative forms.
>
> 1. Arturo y Beatriz son _____ que Ernesto. (*fuerte*)
> 2. Elena está _____ que Javier. (*contento*)
> 3. Tus padres son muy viejos. Son _____ que mis abuelos. (*mayor*)
> 4. El coche de mi hermano es _____ que el coche de mi primo. (*bueno*)
>
> **Respuestas: 1.** más fuertes **2.** más contenta **3.** mayores **4.** mejor

Actividades prácticas

 A. ¿Cómo son mis compañeros/as?   Listen as your instructor compares two of your classmates. For each statement, write **C** for **cierto** or **F** for **falso.**

1. ____   2. ____   3. ____   4. ____   5. ____   6. ____

B. ¿Quién es más famoso? Which Spanish-speaking celebrities are famous in your country? Are some better known than others? Complete each of the following sentences with **más famoso/a** or **menos famoso/a.**

En mi país...

1. Juanes es _____ que Shakira.
2. Penélope Cruz es _____ que Javier Bardem.
3. Antonio Banderas es _____ que Diego Luna.
4. Julieta Venegas es _____ que Gael García Bernal.
5. Daddy Yankee es _____ que Plácido Domingo.
6. Salma Hayek es _____ que Sofía Vergara.

Sofía Vergara, actriz colombiana

Jeffrey Mayer/WireImage/Getty Images

C. ¿Qué te dice una foto?

PASO 1. In pairs, look at the photos and read the descriptions of each person. Then write a statement comparing each person to someone else.

MODELOS: Angélica es menos seria que Carolina.
Diego es más estudioso que Ignacio y Erick.

Denise, de Argentina

Estudia teatro. Canta y baila mucho.

Carolina, de Colombia

Estudia cine. Lee mucho, ve películas y viaja (*travels*).

Angélica, de Costa Rica

Trabaja en un hotel. Cocina y pasa tiempo con la familia y con amigos.

Diego, de México

Estudia derecho (*law*). Va a fiestas con amigos y baila.

Erick, de Nicaragua

Trabaja en un parque nacional. Sale (*Goes out*) a comer con amigos y va al cine.

Ignacio, de España

Trabaja en un banco. Viaja mucho a otros países.

Truth-Function/McGraw-Hill

PASO 2. Now match up people who you think have something in common, such as classes, activities, or interests. Share your answers with the class.

MODELO: Carolina e Ignacio tienen mucho en común porque los dos (*both of them*) viajan.

D. Una clasificación

PASO 1. With a partner, rank the items in each list from 1 to 4 (1 = **máximo,** 4 = **mínimo**), according to the criterion given.

CARO/A (*expensive*)	DIFÍCIL	PEOR
____ un Ford™	____ un curso de español	____ un examen de matemáticas
____ un Kia™	____ un curso de historia	____ una cita (*appointment*) con el dentista
____ un Mercedes™	____ un curso de matemáticas	____ un día sin (*without*) hablar con amigos
____ un Rolls-Royce™	____ un curso de química	____ una noche sin dormir

DIVERTIDO/A

____ un concierto
____ un examen
____ una noche con la familia
____ una película

MAYOR

____ un abuelo
____ un padre
____ un hijo
____ un bisabuelo

MEJOR

____ una película de acción
____ una película cómica
____ una película romántica
____ una película de terror

PASO 2. For each category, create a statement that compares the top-ranked member (number 1) with the lowest ranked member (number 4).

MODELO: Una película romántica es mejor que una película de terror.

 E. La familia de tu compañero/a Interview a classmate about his/her family. Select four family members (for example, **abuelo/a, tío/a, hermano/a, primo/a**) and then find out how they compare. In addition to the obvious information (who is older, younger, taller, or shorter), find out more interesting information as well (such as, who is more intelligent, who is funnier, and so on). Take good notes so you can share your findings with the class!

Guatemala

Romantiche/Alamy Stock Photo

F. Cultura: La planificación (*planning*) familiar en Guatemala

PASO 1. Read the following text about Guatemala.

En ciertas comunidades del altiplano[a] guatemalteco, las familias son muy grandes. En esta región, la tasa de fertilidad[b] es muy alta. Muchas veces las madres tienen hasta[c] diez u once hijos.

Hay organizaciones guatemaltecas e internacionales que se dedican a ofrecerles alternativas a estas familias. Los trabajadores de estas organizaciones están preocupados por[d] las familias, en particular por la salud[e] de las madres y sus hijos. Las mujeres pueden tener problemas de salud porque sus cuerpos[f] no tienen mucho tiempo para descansar entre cada embarazo.[g] Otro problema en las familias con muchos hijos es la alimentación.[h] Muchas veces los padres no tienen suficiente dinero y los hijos sufren hambre[i] o malnutrición.

Sin embargo,[j] no todas las mujeres del altiplano quieren[k] usar contraceptivos para limitar el número de hijos que tienen. La mayoría de las familias son mayas católicas. Siguiendo sus tradiciones culturales y religiosas, no controlan o planifican[l] el número de hijos en una familia. En algunos[m] casos, las mujeres sí quieren usar contraceptivos, pero sus maridos no están de acuerdo.[n] Las organizaciones de salud continúan ofreciendo a las mujeres programas educativos sobre[o] la salud femenina y la planificación familiar.

[a]*high plains* [b]*tasa... fertility rate* [c]*up to* [d]*preocupados... worried about* [e]*health* [f]*bodies* [g]*entre... between pregnancies* [h]*diet* [i]*sufren... suffer from hunger* [j]*Sin... However* [k]*want* [l]*plan* [m]*some* [n]*no... don't agree* [o]*about*

PASO 2. Complete the sentences with **más... que** or **menos... que** to create logical comparisons according to the information found in the reading.

1. El altiplano de Guatemala tiene una tasa de fertilidad _____ alta _____ la tasa de fertilidad de otros países.
2. Las familias de otras partes de Latinoamérica son _____ grandes _____ las familias del altiplano guatemalteco.
3. La malnutrición es _____ frecuente en las familias grandes _____ en las familias pequeñas.
4. La planificación familiar es _____ común en las familias mayas católicas _____ en familias de otras tradiciones culturales y religiosas.

 PASO 3. With a partner, answer the following questions and discuss the ideas behind your responses.

1. En algunos países hispanos, hay mujeres que quieren tener muchos hijos por razones (*reasons*) prácticas. ¿Puedes pensar en una de esas razones prácticas?
2. En Guatemala y en muchos otros países, en general las mujeres en las áreas urbanas tienen menos hijos que las mujeres en las áreas rurales. ¿Por qué crees que ocurre (*do you think that happens*)?
3. En Guatemala, las mujeres con más acceso a la educación tienen menos hijos. ¿Es así en los Estados Unidos también?

Una mujer guatemalteca

Holly Wilmeth/Photodisc/Getty Images

Reciclaje   Present indicative

Categorize these activities into those that you do with your family or friends together (**juntos**), those that you do alone (**solo/a**), and those that you don't do at all.

almorzar	cocinar	jugar al fútbol
cantar	correr	mirar la televisión
cenar	desayunar	nadar

MODELO: Mis amigos y yo cenamos juntos. Almuerzo sola y no desayuno.

4.2 ¿Qué dices para contestar el teléfono?

Stem-changing verbs: e → i

Para empezar...

When you answer the phone (**contestar el teléfono**), what do you say? Here is what people from around the Spanish-speaking world say.

Nadia Angélica, de México:
Decimos «bueno».

Luis, de Nicaragua:
Decimos «hola».

María, de Argentina:
Decimos «hola».

Mario, de España:
Decimos «diga».

Edgardo, de Venezuela:
Decimos «aló».

Now complete the following sentences, then say how you answer the telephone.

1. Los argentinos **dicen** (*say*) _____ para contestar el teléfono.
2. Los españoles **dicen** _____ para contestar el teléfono.
3. Los mexicanos **dicen** _____ para contestar el teléfono.
4. Los nicaragüenses **dicen** _____ para contestar el teléfono.
5. Los venezolanos **dicen** _____ para contestar el teléfono.
6. En mi país, **decimos** _____ para contestar el teléfono.

Actividades analíticas

1 In the **Para empezar** activity, you saw two forms of the verb **decir** (*to say*). Use these forms and what you know about verb endings in general to complete the conjugation in the chart.

You may notice that the **yo** form (**digo**) has a **g**, which might seem unexpected. This is because **decir** has an irregular **yo** form, a trait we'll discuss in depth in **Capítulo 5.** For now, we'll focus on the other forms.

decir (e → i)	
SINGULAR	
yo	d**i**go
tú	
él/ella, Ud.	d**i**ce
PLURAL	
nosotros/as	
[vosotros/as]	[d**e**cís]
ellos/ellas, Uds.	

VOS	
decir	d**e**cís

(Continues)

2 The endings on the verb forms of **decir** are completely regular, but the stem vowel (**la vocal de la raíz**) changes: sometimes it is **e** (as in **decir**) and sometimes it is **i** (as in **dice**). The stem vowel **e** is used in the infinitive **decir** and in the **vos, nosotros/as,** and **vosotros/as** forms. In all other forms, the stem vowel changes to **i.**

3 There are other verbs that behave in a similar way. Two examples are **servir** (*to serve*) and **pedir** (*to ask for*). These verbs have an **e** in the infinitive and the **vos, nosotros/as,** and **vosotros/as** forms, and this vowel becomes **i** in all other forms. Use this information to complete the conjugations of these verbs.

	servir (e → i)	pedir (e → i)
SINGULAR		
yo	s**i**rvo	
tú		p**i**des
él/ella, Ud.	s**i**rve	
PLURAL		
nosotros/as		p**e**dimos
[vosotros/as]	[s**e**rvís]	[p**e**dís]
ellos/ellas, Uds.	s**i**rven	

VOS	
servir	s**e**rvís
pedir	p**e**dís

Both of these verbs are very common in everyday Spanish.

Sirven desayuno en ese restaurante.   *They serve breakfast at that restaurant.*

¿**Pedimos** café?   *Shall we ask for coffee?*

Servir is often used in the sense of *to work* (as in whether something functions or not) or, with **para,** to express *to be good at/for doing* something.

¿Tu computadora **sirve**?   *Does your computer work?*

No **sirvo para** jugar al fútbol.   *I'm no good at playing soccer.*

The rest of this chapter will concentrate on **decir, servir,** and **pedir,** but now that you know how these verbs work, you can conjugate any member of this family of verbs. Some other common verbs in this family are **repetir** (*to repeat*) and **seguir** (*to follow*).

Repito las palabras difíciles.   *I repeat the difficult words.*

Paula siempre **sigue** las instrucciones.   *Paula always follows the instructions.*

■ For additional **e → i** stem-changing verbs, see **Para saber más 4.2** at the back of your book.

> **Autoprueba**

Use what you now know about verbs with the **e → i** stem change to provide these forms for **repetir** and **seguir.**

repetir (e → i)
1. yo _____
2. tú _____
3. nosotras _____

seguir (e → i)
4. Uds. _____
5. nosotros _____
6. ella _____

Respuestas: 1. repito **2.** repites **3.** repetimos **4.** siguen **5.** seguimos **6.** sigue

Actividades prácticas

A. ¿Para qué sirve? A family, like any group, is a mix of people with varying strengths and weaknesses. Think of those things that individuals in your own family are *not* especially good at and complete the following sentences, adding or subtracting family members as needed.

1. No sirvo para _____.
2. Mi padre no sirve para _____.
3. Mi madre no sirve para _____.
4. Mi hermano/a no sirve para _____.
5. _____ no sirve para _____.
6. En general en mi familia, no servimos para _____.

B. ¿Qué piden para tomar? You've probably observed that in some families, everyone is remarkably alike, whereas in others, each family member is very different from the others. In your family, what does everyone order to drink when you go out to eat? Using the following list of beverages, state what your family's preferences are. Do you all ask for the same thing (**lo mismo**) or for different things (**cosas diferentes**)? Answer using complete sentences.

Sergei Vinogradov/seralexvi/123RF

MODELOS: En mi familia, todos pedimos lo mismo. Pedimos leche.
Pedimos cosas diferentes. Mi papá pide cerveza, mi mamá pide jugo, mis hermanas piden soda y yo pido leche.

> **café cerveza** (*beer*)
> **jugo** (*juice*) **leche** (*milk*)
> **soda té** (*tea*)
> **vino** (*wine*)

C. Saludar a los padres de los amigos How do you greet a parent of one of your friends? When you say *hi* or *hello* to him/her, do you add anything else, such as *sir/ma'am, Mr./Mrs.,* or use a first name? What do you think people generally say in Spanish? For each sentence, in the first blank write the correct form of **decir,** then on the second line write the greeting you would say. **¡Atención!** In cases where you don't say anything, mark an X.

Para saludar a uno de los padres de un amigo o una amiga,...

1. yo _____ (decir), «*Hello/Hi,* _____».
2. otros _____ (decir), «*Hello/Hi,* _____».
3. en general, en nuestro país nosotros _____ (decir), «*Hello/Hi,* _____».
4. en general, los hispanohablantes (*Spanish speakers*) _____ (decir), «Hola, _____».

D. ¿Qué dices?   You've already seen examples where there is more than one way to say something in Spanish. The same phenomenon occurs in English. Here are three well-known cases, as they might be described in a textbook for Spanish speakers learning English.

- Para decir **¡salud!** o **¡Jesús!** cuando una persona estornuda (*sneezes*), dicen *bless you* o *gesundheit,* o no dicen nada.
- Para decir **mamá** (cuando hablan con ella), dicen *Mom, Mommy, Momma, Mother* o *Ma.*
- Para decir **papá** (cuando hablan con él), dicen *Dad, Daddy, Pop, Father* o *Pa.*

 PASO 1.   Are these statements about English accurate? To find out, choose one of these cases, ask at least five classmates what they say, and keep track of the results.

MODELO: Para decir **mamá** en inglés, ¿qué dices tú?

PASO 2.   If a Spanish speaker who was learning English asked you about one of these cases, what would you say? Use the information you gathered in **Paso 1** to create a statement describing which words your classmates actually say. **¡Atención!** If your statement includes yourself, use **decimos.** If it does not include you, use **dicen.**

E. El trabajo de la casa

PASO 1.   In many parts of Latin America, middle-class families often employ full-time domestic help, which means that multiple people are available to do any household chore: the parent(s), the children, or the employee (**el empleado / la empleada**). Imagine that you're the head of a household in Latin America and you need to make a list of who is going to do which task. Place each task in the list below under the appropriate heading, keeping in mind that no single person can do everything. **¡Atención!** You'll need to conjugate each verb according to who is doing that task.

decir «hola» (para contestar el teléfono)	**preparar el almuerzo**	**servir el almuerzo**
	preparar el desayuno	**servir el desayuno**
lavar los platos (*wash dishes*)	**preparar la cena**	**servir la cena**
limpiar (*clean*) **la casa**		
pedir una pizza para cenar (por teléfono)		

YO	MIS HIJOS	EL EMPLEADO / LA EMPLEADA

 PASO 2.   Now compare your answers with those of a classmate. Do the two of you have anything in common in your choices? Report this to the class. Is there anything that the whole class has in common?

MODELO: Preparamos y servimos el almuerzo. Los hijos preparan la cena.
La empleada sirve la cena.

⟳ Reciclaje   The infinitive of the verb

For many people, the weekends are when they have the most free time, but even then, it's difficult to squeeze in everything they want to do. Make two lists: one with what you *are* able to get done on weekends (**Puedo...**) and one with what you generally are *not* able to get done on weekends (**No puedo...**).

■ Answers to these activities are in Appendix 2 at the back of your book.

Estrategia

Stem-changing verbs like **querer** are traditionally called "irregular," but a better term would be "almost regular." The verb endings are 100% regular and even the stem vowel changes in exactly the forms where you would expect it to: everywhere except in the infinitive and in the **vos, nosotros/as,** and **vosotros/as** forms. To make things even easier, these verbs come up a lot in conversation, so you'll get used to them very quickly.

4.3   ¿Adónde quieren ir?

Stem-changing verbs: *e → ie*

Para empezar...

Some friends are visiting from out of town, and you need to find out what they want to do. For each question that you ask them from column **A,** choose an answer that makes sense from column **B.**

A	**B**
1. _____ ¿**Quieren** (*do you* [*pl.*] *want*) comer en un restaurante?	a. Sí, **queremos** ver una película de terror.
2. _____ ¿Adónde **quieren** ir?	b. Sí, ¡vamos a la playa!
3. _____ ¿**Quieren** ver la universidad?	c. No, no tenemos hambre.
4. _____ ¿**Quieren** ir a nadar?	d. **Queremos** ir al parque.
5. _____ ¿**Quieren** ir al cine?	e. Sí, **queremos** ver dónde estudias.

Actividades analíticas

1 In **Para empezar,** you saw two forms of the verb **querer** (*to want*). Add these forms to the conjugation below.

querer (e → ie)	
SINGULAR	
yo	qu<u>ie</u>ro
tú	qu<u>ie</u>res
él/ella, Ud.	qu<u>ie</u>re
PLURAL	
nosotros/as	
[vosotros/as]	[qu<u>e</u>réis]
ellos/ellas, Uds.	

vos	
querer	qu<u>e</u>rés

2 In the infinitive of **querer,** the stem vowel is **e,** as it is also in the **vos, nosotros/as,** and **vosotros/as** forms. In all of the other conjugated forms, this vowel changes to **ie.** Everything else about the conjugation of **querer** is completely regular.

¡**Quiero** dormir!	*I want to sleep!*
Mañana **queremos** jugar fútbol.	*We want to play soccer tomorrow.*

■ For additional **e → ie** stem-changing verbs, see **Para saber más 4.3** at the back of your book.

Monkey Business Images/Shutterstock

There is a whole family of verbs that behave like **querer,** including **empezar** (*to begin*) and **pensar** (*to think, to plan*).

Nuestra clase **empieza** a las once.   *Our class begins at 11:00.*

¿**Piensas** ir a la biblioteca esta noche?   *Are you planning to go to the library tonight?*

Following the pattern with **querer,** complete the conjugations for **empezar** and **pensar.**

	empezar (e → ie)	pensar (e → ie)
SINGULAR		
yo	emp**ie**zo	
tú		p**ie**nsas
él/ella, Ud.	emp**ie**za	
PLURAL		
nosotros/as		p**e**nsamos
[vosotros/as]	[emp**e**záis]	[p**e**nsáis]
ellos/ellas, Uds.	emp**ie**zan	

The verb **tener,** which you already know, is also a member of this family.

¿**Tienes** un diccionario?   *Do you have a dictionary?*

Tenemos un examen el martes.   *We have a test on Tuesday.*

3 We've now seen three families of verbs in which the vowel in the stem changes.

	o → ue	e → i	e → ie
Ejemplos:	**poder**	**decir**	**querer**
	dormir	**servir**	**pensar**
	almorzar	**pedir**	**empezar**

The vowel change that occurs is different in each family, but the change always occurs in the same forms: everywhere except the infinitive and the **nosotros/as** and **vosotros/as** forms.

Actividades prácticas

A. Empiezas a vivir

PASO 1. Working with a partner, place the following events on a timeline based on the age at which they occur for *most people* in your country. Then, report your results to the class. Can you all reach a consensus on what is typical for most people in your country?

MODELO: A los 28 años, quieres empezar a tener hijos.

1. Quieres empezar a tener hijos.
2. Empiezas a pensar que tus padres no son perfectos.
3. Empiezas a vivir fuera (*away*) de la casa de tus padres.
4. Empiezas a salir con chicos (*boys*) / chicas (*girls*) y tener citas (*dates*).
5. Quieres casarte (*get married*).
6. Piensas que eres más inteligente que tus padres.

---

vos	
empezar	emp**e**zás
pensar	p**e**nsás

En español...

Many of the verbs that we see in this section are often followed by an infinitive.

Juan **quiere andar** en bicicleta.
Juan wants to ride bikes.
Angélica **piensa comprar** un coche.
Angélica is thinking about / planning to buy a car.

Some verbs are followed by another word and then the infinitive.

To express that somebody starts an action, use **empezar a** + *inf.*

Los niños **empiezan a comer** a las dos.
The children begin to eat at 2:00.

To use **tener** to express that someone *has to do something,* you'll need to add **que.**

tener que + *inf.*
Tenemos que leer ese libro.
We have to read that book.

(Continues)

Si quieres ir a la fiesta, tienes que hacer la tarea.

CONÉCTATE AL MUNDO HISPANO

Latin Americans and Spaniards are often surprised to hear that North Americans traditionally move away from their parents' home to attend university. In many countries, this would be considered a needless extravagance, unless there were some very good reason for it (such as, to pursue a major not offered at your local university). In addition, many universities in the Spanish-speaking world do not have housing for students, and off-campus housing is sometimes difficult to find or very expensive. For these reasons, it is more common for students to live with their parents and attend a university in their area.

PASO 2.   In many parts of the Spanish-speaking world, and especially in Latin America, children typically live with their parents until they get married, which for many people means until at least their late 20s. Select the answer below to compare this to what your class put on its timeline.

En general, los latinoamericanos empiezan a vivir fuera de la casa de sus padres...

    a. más tarde que nosotros.
    b. más temprano que nosotros.
    c. a la misma edad (*age*) que nosotros.

B. Unos consejos   Parents are known for giving lots of advice to their children, and Spanish-speaking parents are no exception. Match the information in the two columns to create sensible advice (and commands disguised as advice!).

1. _____ Si (*If*) quieres sacar (*get*) buenas notas (*grades*),...
2. _____ Si piensas comprar un auto,...
3. _____ Si no quieres ser tan (*so*) delgado/a,...
4. _____ Si quieres ir al cine con tus amigos,...
5. _____ Si pensamos comprar una casa,...
6. _____ Si tus amigos quieren sacar buenas notas,...
7. _____ Si empezamos a limpiar todos,...
8. _____ Si empiezas a estudiar hoy,...

  a. vas a estar listo/a (*ready*) para el examen mañana.
  b. podemos tener la casa muy limpia.
  c. tienes que estudiar mucho.
  d. tienes que comer más.
  e. primero (*first*) tienes que limpiar la casa.
  f. tienes que empezar a ahorrar (*save*) más.
  g. tenemos que empezar a ahorrar más.
  h. tienen que estudiar mucho.

C. ¿Qué tienes que hacer? ¿Qué quieres hacer?

PASO 1.   Time is precious and responsibilities often take precedence over things we want to do . . . and vice versa! Think about your average weekend. What do you have to do? What do you want to do? What about your family members? What do they have to do and want to do? What can you normally get done?

> **MODELO:**   Los fines de semana tengo que estudiar y trabajar, pero quiero dormir y ver películas (*movies*).
> Mi padre quiere mirar la televisión los fines de semana, pero tiene que hacer ejercicio.
> Normalmente puedo dormir y también estudiar, pero no puedo mirar muchas películas.

 PASO 2.   With a classmate, compare weekends. Whose do you prefer?

D. Tu vida en el futuro

PASO 1.   We all have ideas of how we would like to live in the future, but do we all think the same? First, ask yourself the following questions about your life over the next several years and write your answers on a separate piece of paper.

1. ¿Quieres tener hijos? (¿Ya (*already*) tienes hijos?) ¿Cuántos?
2. ¿Quieres vivir en la ciudad o en el campo (*countryside*)?
3. ¿Piensas estudiar más para sacar la maestría (*master's*) o el doctorado (*doctorate*)?
4. ¿Quieres tener un perro o un gato?

 PASO 2.   Now ask three or four of your classmates the same questions and keep track of their answers, then share your findings with the class. Did anyone answer two of the questions the same as you? Three of the questions? All four?

E. Tu familia y el fin de semana Many Spanish speakers have the idea that North Americans are not very close to their families and don't interact with them much. To what extent is this true? In this spirit, ask your partner what he/she plans to do this weekend (or on the next school break) that involves his/her family (parents, siblings, spouse, children, and so on).

> **MODELO:** E1: ¿Qué piensas hacer con tu familia este fin de semana / durante (*during*) las vacaciones?
>
> E2: Pienso cenar con mis padres el sábado. El domingo, quiero jugar fútbol con mi hermano.

Reciclaje — The verbs *ser* and *estar*

Read through these statements and check off those that are true for you. Then, talk to a classmate and find out which statements are true for him/her.

> **MODELO:** ¿Eres de los Estados Unidos?

	YO	MI COMPAÑERO/A
1. Soy de los Estados Unidos.	☐	☐
2. Soy de Canadá.	☐	☐
3. Soy de otro país.	☐	☐
4. Mi madre es de otro país.	☐	☐
5. Mi padre es de otro país.	☐	☐
6. Estoy contento/a hoy (*today*).	☐	☐
7. Estoy muy ansioso/a hoy.	☐	☐

4.4 Es su mamá; está en Argentina

Ser and *estar* for identity and location

Para empezar...

Cecilia Roth is an Argentinian actress, partly raised in Spain, who now works in both countries. Her mother and brother are also well-known entertainers, but all three have adopted stage names (**nombres artísticos**) so you might not know that they're related. Choose the right ending for each of these sentences. **¡Atención!** In Spanish, people generally have both **un apellido paterno** and **un apellido materno** and women often continue to use their birth name after marriage.

La actriz Cecilia Roth y el músico Fito Páez

1. Cecilia Roth **es** ____.
2. Dina Rot **es** ____ y ____.
3. Ariel Rot **es** ____ y ____.
4. Martín Páez Rotenberg **es** ____.
5. Fito Páez **es** ____.
6. Dina Rot **está** ____.
7. Fito Páez **está** ____.
8. Cecilia Roth trabaja mucho en España pero sus padres **están** ____ y viven en diferentes países.
9. Cecilia Roth, Dina Rot y Ariel Rot **son** ____, pero **están** ____.

a. el hijo de Cecilia Roth y Fito Páez
b. el nombre artístico de Dina Gutkin, la cantante
c. el nombre artístico de Cecilia Rotenberg Gutkin
d. el nombre artístico del músico español Ariel Rotenberg Gutkin
e. el hermano de Cecilia Roth
f. la madre de Cecilia Roth
g. muy orgulloso de su ex esposa
h. un músico argentino y el ex esposo de Cecilia Roth
i. familiares
j. en diferentes países
k. muy orgullosa de su hija
l. divorciados

■ Answers to these activities are in Appendix 2 at the back of your book.

Javier Lira/Notimex/Newscom

Glow Images

Buenos Aires, Argentina

Actividades analíticas

1 In **Para empezar,** you saw these forms of the verbs **ser** and **estar.**

es   está   están   son

Circle those that are forms of **ser;** underline those that are forms of **estar.**

2 Often, a form of **estar** is followed by a phrase indicating location (**ubicación**). Find an example of this in **Para empezar.** _____

3 The forms of **ser** in **Para empezar** are always followed by a person, thing, or nationality.

Es el hermano de Cecilia Roth.   **Es** un músico argentino.

Son familiares.

This use of **ser** indicates the identity (**identidad**) of the subject.

4 This chart summarizes everything that you've seen so far about **ser** and **estar,** including the information from **Capítulos 1** and **2.**

ser	estar
Origin	Location
Soy de Los Ángeles.	Los hijos **están** en casa.
Identity	Characteristic that could change
Ese señor **es** mi papá.	**Estamos** cansados.

Now for each of the following sentences, identify the infinitive of the verb and say which of these four uses it exemplifies.

	VERB	USE
a. Argentina está en Sudamérica.		
b. Los niños están tristes.		
c. Mario es de Venezuela.		
d. María y Vicente son estudiantes.		

¿Por qué?

You may have noticed that the **yo** forms of **ser, estar,** and **ir** end in **-oy,** rather than the usual **-o.**

Soy estudiante.   **Estoy** en la universidad.   **Voy** a la biblioteca.

The verb **dar** (*to give*) behaves the same way: the **yo** form is **doy.** These verb forms might seem like an irregularity, but in fact there is a simple rule behind them. When the present tense **-o** ending is stressed, it is pronounced **-oy.** This is one more example of what you saw earlier with the **o → ue, e → i,** and **e → ie** families of verbs. In all of these cases, Spanish does what many languages around the world do: It changes the pronunciation of the vowel when it is stressed.

Actividades prácticas

A. ¡Adivinanzas! (*Riddles*)

PASO 1.   Work with a partner or small group to see if you can solve these riddles about cities or countries in the Spanish-speaking world. **¡Atención!** The four photos below provide clues to solving the riddles. If necessary, you can also consult the maps at the back of the book.

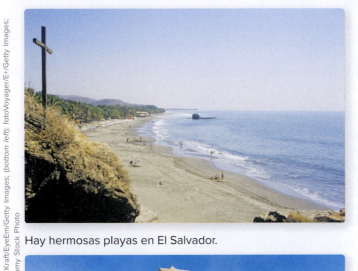

Hay hermosas playas en El Salvador.

Guayaquil es la «capital económica» de Ecuador.

La Casa Milà de Antoni Gaudí está en Barcelona.

Se baila mucha bachata en la República Dominicana.

1. Estoy en un país.
   Es uno de los países de América Central.
   Está en la costa del Pacífico.
   Tiene frontera (*border*) con Guatemala y Honduras.
   ¿En qué país estoy? _____

2. Estoy en una ciudad.
   Está en Ecuador, pero no es la capital.
   Es más grande que la capital.
   Está en la costa del Pacífico.
   ¿En qué ciudad estoy? _____

3. Estoy en una ciudad.
   No es la capital, pero es muy grande.
   Está en la costa del Mediterráneo.
   Está en España, muy cerca (*close*) de la frontera con Francia.
   ¿En qué ciudad estoy? _____

4. Estoy en un país.
   El país está en una isla (*island*).
   La isla está en el Caribe.
   El país tiene frontera con Haití.
   ¿En qué país estoy? _____

(Continues)

PASO 2. Pick a recognizable location on your school's campus and write four clues similar to those in **Paso 1** so your partner can guess it. Be sure to include at least one use of **ser** and one use of **estar.** The following phrases will help you describe the location.

al lado de (*beside*)   **estar lejos de** (*to be far from*)

el edificio (*building*)   **un lugar** (*a place*)

estar cerca de (to be close to)

> **MODELO:** E1: Es un edificio viejo.
> Está cerca de la librería.
> Está lejos del gimnasio.
> Es un lugar donde podemos estudiar.
> E2: ¿Es la biblioteca?
> E1: ¡Sí!

Al Horford es dominicano.

B. Cuatro hispanos de los Estados Unidos There are many very famous Hispanics in the United States, but many people don't know what their family origins are (that is, whether they're Mexican-American, Cuban-American, and so on). Here you'll find out about a few.

PASO 1. The following are descriptions of four different people. Fill in each blank with a form of **ser** or **estar.**

1. Sus padres ____ de la República Dominicana.
   ____ actriz (*actress*) en las películas de *Star Trek* y *Guardians of the Galaxy.*

2. Él ____ de la República Dominicana.
   ____ jugador de básquetbol.
   Su equipo (*team*) ____ en Filadelfia.

3. Sus padres ____ de Cuba.
   ____ cantante (*singer*) de reggaetón y hip hop.
   ____ en un video musical con Jennifer López.

4. Sus abuelos ____ de México.
   ____ astronauta.
   Su casa ____ en Houston.

PASO 2. Match each person to the corresponding description.

Armando Pérez (Pitbull) ____   Ellen Ochoa ____

Zoe Saldaña ____   Al Horford ____

 C. ¿Dónde están tus familiares? Another impression that Spanish speakers often have of North Americans is that our families are very dispersed, with many family members living very far from their birthplace and very far from each other. Is there any truth to this? To explore this question, interview a classmate about his/her family (parents, uncles and aunts, grandparents) and find out where each one is from (**¿De dónde es?**) and where each one is now (**¿Dónde está?**).

> **MODELO:** E1: ¿Tienes tíos?
> E2: Sí, tengo una tía y un tío.
> E1: ¿De dónde es tu tía?
> E2: Es de Minnesota.
> E1: ¿Y ahora dónde está?
> E2: Está en Nueva York.

D. ¡Más adivinanzas! Create a riddle about a famous person using **Actividad B** as a model, then try it out on your classmates. Be sure to give enough facts so that the other person will be able to guess whom you're talking about.

Mitchell Leff/Getty Images

¡Leamos!

La edad dorada°: de 25 a 34   *golden*

Antes de leer

Answer the questions about the ideal age to embark on different aspects of adulthood.

¿A qué edad (*age*)...

piensas viajar sin (*without*) tus padres? _____

quieres irte de (*leave*) la casa de tus padres? _____

quieres comprar un coche (*car*)? _____

empiezas a disponer de una tarjeta de crédito propia (*have your own credit card*)? _____

empiezas a ahorrar para la jubilación (*save for retirement*)? _____

quieres comprar una casa? _____

piensas convertirte en (*to become*) padre/madre? _____

A leer

Read the results of **un sondeo** (*survey*) **internacional** about the ideal age to embark on different aspects of adulthood. For each item, indicate whether you agree (**Estoy de acuerdo**) with the survey results or not.

	ESTOY DE ACUERDO	NO ESTOY DE ACUERDO
Viajar sin los padres:	☐	☐
Irse de la casa de los padres:	☐	☐
Comprar un coche:	☐	☐
Disponer de una tarjeta de crédito propia:	☐	☐
Ahorrar para la jubilación:	☐	☐
Comprar una casa:	☐	☐
Convertirse en padre/madre:	☐	☐

VIVIR A LOS...

19 La edad escogida para comenzar a viajar sin los padres.

22 La edad perfecta para irse de casa, emanciparse de los padres y comprarse un coche.

23 Un buen momento para empezar a disponer de una tarjeta de crédito propia.

26 Ideal para disfrutar del amor, y también el momento de empezar a ahorrar para la jubilación.

27 La etapa idónea para lanzarse a la compra de una casa y también para convertirse en padres.

RubberBall Selects/Alamy Stock Photo

Después de leer

PASO 1. Write three comparisons between your ideal ages and those in the survey (**sondeo**) in **A leer.**

MODELO: Para mí, la edad ideal para ahorrar para la jubilación es mayor que la edad del sondeo, pero la edad ideal para irse de la casa de los padres es menor que la edad del sondeo.

PASO 2. Compare your answers to **Paso 1** with those of at least three other classmates and decide which of the following statements is most true for you. Then see if the whole class agrees.

_____ En general, la edad ideal para nosotros es menor que la edad del sondeo.

_____ En general, estamos de acuerdo con el sondeo.

_____ En general, la edad ideal para nosotros es mayor que la edad del sondeo.

¡Escuchemos!

¿De dónde son sus antepasados°? *ancestors*

Antes de escuchar

Where are your ancestors from? Check all the places that apply.

☐ África   ☐ Japón

☐ América   ☐ México

☐ Asia   ☐ otro: _____

☐ Europa

Abigaíl y Lourdes

A escuchar

Lourdes and Abigaíl are sisters from Mexico. Lourdes will describe their large family, then Abigaíl will speak about their ethnic heritage.

PASO 1. Watch the video several times, pausing as necessary. Then answer the questions.

1. ¿Es grande o pequeña la familia de Lourdes y Abigaíl?
2. ¿Cuántos abuelos vivos (*alive*) tienen?
3. ¿Cuántas hermanas tiene su mamá?
4. ¿Cuántos primos tienen?
5. ¿Cuántas tías viven en los Estados Unidos?

PASO 2. Lourdes and Abigaíl have a rich ethnic past. Out of four great-grandparents Abigaíl mentions, one is **indígena** (*indigenous*). What are the nationalities or ethnic origins of each one?

1. El bisabuelo materno (de parte de la mamá) es _____.
2. La bisabuela materna es _____.
3. El bisabuelo paterno (de parte del papá) es _____.
4. La bisabuela paterna es _____.

Después de escuchar

Working with a classmate, take turns using **¡Qué... familia!** to comment on Lourdes and Abigaíl's family. Use adjectives such as: **grande, interesante, diverso/a, divertido/a, internacional, típico/a, atípico/a,** and so on. Make sure you use the correct gender/number. Can you think of more adjectives?

CONÉCTATE AL MUNDO HISPANO

Did you know that the Mexican actress, Salma Hayek, has Lebanese ancestors? And that the large influx of Italian immigrants to Argentina in the early twentieth century is still evident in the many Italian restaurants and pizzerias there? Because of this immigration, there is no one "look" for Spanish speakers from any country. Throughout this book you'll see Spanish speakers in the video from many countries with ancestors from all over the world.

¡Escribamos!

Una familia famosa

In this activity, you'll write a description of a family without naming it. Can your instructor and classmates figure out which family you're describing?

Antes de escribir

Brainstorm a list of famous families that you can describe. They can be historical, political, or from literature, film, television, or pop culture. Choose the best one to write about. List the nationality, each person's age, profession, and adjectives that describe each person. Include both physical and personality descriptions.

> **MODELO:** familia: los Bush
> descripción: una familia norteamericana; el padre es político (ex presidente) y es conservador, la madre es bibliotecaria, el abuelo es político (ex presidente), una hija es rubia, otra hija tiene el pelo castaño.

A escribir

Write a description of the family you chose. Don't mention any names, but include the number of family members, their relationships to each other, their ages, what they do, and comparisons of their appearances and personalities. Use complete sentences.

Después de escribir

 PASO 1. Check your own work, then exchange descriptions with a classmate and check each other's work using the following list. Then share your edited description with the class to see if they can guess who it is.

- ☐ hay concordancia (*agreement*) de género (*gender*) entre los artículos y los sustantivos
- ☐ hay concordancia de número (singular o plural) entre los adjetivos y lo que describen
- ☐ los verbos que cambian de raíz tienen los cambios correctos
- ☐ hay comparaciones con **más/menos... que** (o **mayor/menor... que**)

 PASO 2. In groups, share your descriptions. Can everyone identify the families that are described?

Estrategia

Brainstorming

Brainstorming is a great way to come up with several ideas so that you can then evaluate each one to choose the best topic before you start your writing assignments. This process allows your mind to explore and play, so that creativity can open up new possibilities, and then your analytical mind can hone in to select and develop the strongest option.

Un consejo...

Some basic concepts challenge Spanish students during the first several years of language study. It's a great strategy to check your work for very specific (and very common) mistakes. As with so many things in life, you'll learn more from your mistakes than anything else!

¡Hablemos!

¡Esta es mi familia!

Antes de hablar

What if you were trying to locate family members and only had a few pieces of information? Your instructor will give you information about an imaginary person (such as, **nombre, estado civil** [*marital status*], **lugar de origen, profesión**). Read the information and prepare to talk to others about your new identity.

 A hablar

Circulate around the room to ask and answer questions in Spanish and find the other members of your imaginary family. Then sit down as a group.

Después de hablar

Be prepared to introduce your family member(s) to the rest of the class.

VOCABULARIO

Now that I have completed the chapter, I can . . .

- ☐ ask what people do for a living
- ☐ comment on things and compliment people
- ☐ talk about my family members and their activities
- ☐ compare and contrast people and things
- ☐ talk about what I want or plan to do

Comunicación	Communication
¿A qué te dedicas? / ¿A qué se dedica?	What do you do (occupation)?
¿Cuál es tu/su profesión?	What is your profession?
Las profesiones	Professions
el/la abogado/a	attorney
el/la guía naturalista	nature guide
el/la médico/a	doctor
el/la periodista	journalist
Cognados: el/la chofer, el/la doctor(a), el/la ingeniero/a, el/la pintor(a), el/la policía, el/la psicólogo/a, el/la sociólogo/a	

¡Qué + adj.!	
¡Qué feo/a!	How ugly! / How horrible!
¡Qué guapo/a!	How handsome/ pretty!
¡Qué lindo/a!	How cute/pretty!
¡Qué + n.!	
¡Qué calor!	It's so hot!
¡Qué frío/a!	It's so cold!
¡Qué lío!	What a mess!
¡Qué + adj. + n.!	
¡Qué bonita familia!	What a beautiful family!

La familia	Family
el/la abuelo/a	grandfather/grandmother
el/la bisabuelo/a	great-grandfather/ great-grandmother
el/la cuñado/a	brother-in-law/ sister-in-law
el/la esposo/a	husband/wife
los familiares	relatives

el/la gato/a	cat
el/la hermanastro/a	stepbrother/stepsister
el/la hermano/a	brother/sister
el/la hijastro/a	stepson/stepdaughter
el/la hijo/a	son/daughter
el/la hijo/a único/a	only child
la madrastra	stepmother
la madre/mamá	mother
el marido	husband
la mascota	pet
la mujer	woman; wife
el/la nieto/a	grandson/granddaughter
el/la novio/a	boyfriend/girlfriend
la nuera	daughter-in-law
el padrastro	stepfather
el padre/papá	father
los padres/papás	parents
la pareja	partner/spouse
los parientes	relatives
el/la perro/a	dog
el pez (pl. peces)	fish
el/la primo/a	cousin
el/la sobrino/a	nephew/niece
el/la suegro/a	father-in-law/ mother-in-law
el/la tío/a	uncle/aunt
el yerno	son-in-law

Los verbos	Verbs
decir (i) (g)	to say; to tell
empezar (ie)	to begin
empezar a + inf.	to begin (to do something)
lavar	to wash
los platos	the dishes
limpiar	to clean
pedir (i)	to ask for
pensar (ie)	to think; to plan
preparar	to prepare
el desayuno / el almuerzo / la cena	breakfast/lunch/dinner
querer (ie)	to want
querer + inf.	to want (to do something)
repetir (i)	to repeat
seguir (i)	to follow
servir (i)	to serve; to be useful; to work
servir para + inf.	to be good at/for (doing something)
tener (ie) (g) que + inf.	to have (to do something)

Las comparaciones	Comparisons
más/menos + *adj.* + **que**	more/less (-er) (+ adj.) than
más alto/a/os/as que	taller than
menos alto/a/os/as que	less tall than
mayor(es)	older
mejor(es)	better
menor(es)	younger
peor(es)	worse

Por la ciudad°

Throughout the city

La Plaza Independencia,
Montevideo, Uruguay

Daniel Ferreira-Leites Ciccarino/123RF

Objetivos

When you finish this chapter, you will be able to:

- ■ express gratitude
- ■ ask for and give directions
- ■ describe cities and towns
- ■ compare urban and rural life
- ■ use numbers from 100–9,999
- ■ talk about your daily routine
- ■ describe people and places
- ■ express negation and indefinite
  quantities of people and things

5

COMUNICACIÓN LARIO UCTURA TE

Muchas gracias
Expressing gratitude

 A. A ver: ¡Gracias!

PASO 1. Mira y escucha el video. Luego mira otra vez con pausas e indica la expresión que cada (*each*) persona dice. Mira una tercera vez para verificar (*check*) tus respuestas.

	GRACIAS	MUCHAS GRACIAS	MUCHÍSIMAS GRACIAS			GRACIAS	MUCHAS GRACIAS	MUCHÍSIMAS GRACIAS
1.	☐	☐	☐	5.		☐	☐	☐
2.	☐	☐	☐	6.		☐	☐	☐
3.	☐	☐	☐	7.		☐	☐	☐
4.	☐	☐	☐	8.		☐	☐	☐

Truth-Function/McGraw-Hill

 PASO 2. Mira y escucha, luego mira otra vez con pausas, emparejando (*matching*) la persona que habla con lo que dice (*what he or she says*).

1. _____   3. _____

2. _____ 4. _____

a. Bueno, yo les agradezco por ponernos atención.
b. Muchísimas gracias, gracias por entrevistarme. Es un honor.
c. Pues, muchas gracias por este tiempo.
d. Bueno, muchas gracias por la entrevista, muchas gracias por venir, ustedes aquí con nosotros. Muy agradecida de parte mía (*I am very grateful*).

Truth-Function/McGraw-Hill

To thank someone in Spanish, you can use one of these expressions.

Gracias.	Thank you.
Muchas/Muchísimas gracias.	Thank you very much.
Gracias por + *noun/infinitive*.	
Gracias por la entrevista.	Thank you for the interview.
Gracias por venir.	Thank you for coming.
Te/Le/Les agradezco por...	I appreciate that you . . . / I thank you for . . .

¡Atención! To say *Yes, please* in Spanish, say **Sí, gracias.** To say *You're welcome,* use **De nada** or **No hay de qué.**

B. Sí, gracias. Para cada situación, escoge (*choose*) la expresión adecuada (*appropriate*).

	MUCHAS GRACIAS.	SÍ, GRACIAS.
1. ¿Quieres un café?	☐	☐
2. Tu profesor te ayuda (*helps you*) con el proyecto.	☐	☐
3. Estás perdido/a (*lost*) en una ciudad nueva. Una persona te pregunta: «¿Necesita ayuda?».	☐	☐
4. Un amigo te da (*gives you*) un regalo (*gift*).	☐	☐
5. Una persona te da información sobre la ciudad que visitas.	☐	☐

C. ¡Gracias! Working in pairs, take turns giving each other the following things and thanking each other.

MODELO: E1: Muchas gracias por el reloj.
E2: ¡De nada! (No hay de qué.)

EmiliaU/iStock/ Getty Images

1.
2.
3.

4.
5.
6.

(1) I. Rozenbaum/PhotoAlto; (2) Mark Dierker/McGraw-Hill;
(3) C. Zachariasen/PhotoAlto; (4) I. Rozenbaum/PhotoAlto;
(5) Purestock/SuperStock; (6) L. Mouton/PhotoAlto

D. ¿Quieres...? Circula por el salón de clase, pídeles y ofréceles algo (*something*) de la lista a cinco compañeros. Agradéceles (*Thank*) a tus compañeros por lo que te ofrecen a ti.

algo de comer	una curita / una tirita (*band-aid*)	unas hojas de papel
un bolígrafo	un diccionario	el libro de texto
un chicle (*gum*)	gel antibacterial	una soda

MODELOS: E1: ¿Quieres ayuda con la tarea?
E2: No, gracias. (Sí, gracias.)

E1: ¿Tienes un lápiz?
E2: Sí. (No.)
E1: Gracias por el lápiz. (Gracias de todas maneras. [*Thanks anyway.*])
E2: No hay de qué.

¿Dónde está... ?

Asking for and giving directions

To ask where something is located, use **¿Dónde está...?** or **¿Dónde queda...?**

¿Dónde está / queda el supermercado?	Where's the supermarket?

To say *here* and *there*, use **aquí** and **allí.**

De aquí no está muy lejos.	From here, it's not very far.
Allí está el mercado.	The market's over there.

To give directions, you can use **Siga** (*Go / Keep going / Continue*).

Siga derecho/recto _____ cuadras.	Keep going straight (for) _____ blocks.

For long distances, you can add references to intersections.

Siga hasta llegar a la esquina de _____ y _____.	Continue until you get to the corner of _____ and _____.

These are more expressions you might need when giving directions.

Doble/Gire...	Turn...
a la derecha/izquierda.	(to the) right/left.
Suba/Baje...	Go up / Go down . . .
por esta calle.	this street.
hasta llegar al parque.	until you get to the park.
Está/Queda...	It's . . .
a la derecha/izquierda.	on/to the right/left.
enfrente de _____.	across from _____.
detrás de _____.	behind _____.
al lado de _____.	next to _____.

To say *block*(s) in Spanish, use **cuadra(s).**

—Perdone, ¿dónde está el gimnasio?
—**Siga derecho dos cuadras, doble a la izquierda y siga una cuadra. El gimnasio está a la derecha, en la esquina de la calle San Martín y la avenida 18 de Septiembre.**
—Gracias.

Note that the formal **Ud.** is used in all of these examples because asking for directions often involves talking to someone you don't know and therefore would not want to treat informally.

En español...

The expressions presented in **¿Dónde está?** will be understood anywhere in the Spanish-speaking world, but you may hear other expressions as well when people are giving directions. For instance, instead of the verbs **doblar** or **girar** for *to turn,* some people use **dar la vuelta, virar,** or **voltear.** In some countries, the word **manzana** is used for *block.*

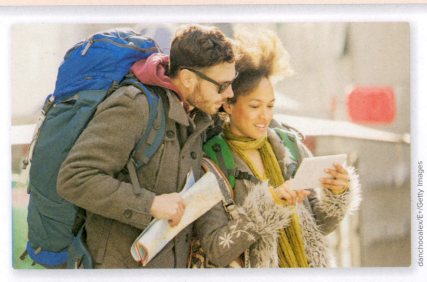

danchooalex/E+/Getty Images

«Siga todo derecho por tres cuadras...»

A. Cómo llegar

PASO 1. Escoge (*Choose*) la respuesta que mejor describe cada imagen.
¡Atención! En cada una, la equis (**X**) marca tu punto de partida (*starting point*).

1. ____

  a. Siga recto tres cuadras.
  b. Siga recto una cuadra, gire a
     la izquierda y siga recto tres
     cuadras.
  c. Siga recto una cuadra, gire a
     la derecha y siga recto tres
     cuadras.

2. ____

  a. Siga derecho una cuadra,
     doble a la derecha y siga
     derecho dos cuadras.
  b. Siga derecho tres cuadras,
     doble a la derecha y siga
     derecho una cuadra.
  c. Siga derecho una cuadra,
     doble a la derecha y siga
     derecho tres cuadras.

3. ____

  a. Siga recto una cuadra, doble
     a la derecha y siga recto una
     cuadra.
  b. Doble a la derecha y siga
     recto una cuadra.
  c. Siga recto una cuadra, doble
     a la izquierda y siga recto
     una cuadra.

4. ____

  a. Siga derecho dos cuadras,
     gire a la izquierda y siga
     derecho dos cuadras.
  b. Siga derecho dos cuadras,
     gire a la derecha y siga
     derecho dos cuadras.
  c. Siga derecho dos cuadras,
     gire a la derecha y siga
     derecho tres cuadras.

5. ____

  a. Siga recto tres cuadras,
     doble a la derecha y siga
     recto una cuadra.
  b. Siga recto tres cuadras,
     doble a la izquierda y siga
     recto una cuadra.
  c. Siga recto una cuadra, doble
     a la derecha y siga recto tres
     cuadras.

PASO 2. Ahora dibuja (*draw*) una imagen para cada descripción.

1. Siga recto una cuadra, doble a la derecha y siga recto una cuadra.
2. Siga derecho cuatro cuadras.
3. Siga derecho dos cuadras, gire a la izquierda y siga derecho tres cuadras.
4. Siga derecho una cuadra, doble a la derecha y siga derecho una cuadra. Doble a la izquierda y siga derecho tres cuadras.

B. De vacaciones en Ushuaia   In pairs, take turns asking for directions to the places on your lists. You're both at the **X** facing northeast on Gdor. de Loqui. **Estudiante 1** should look only at **Mapa 1** and **Estudiante 2,** at **Mapa 2.** Don't look at your partner's map.

MODELO: E1: Perdone, ¿dónde está la Casa de Gobierno?
   E2: Siga recto cinco cuadras hasta llegar a Comodoro Augusto Lasserre. Doble a la derecha en Lasserre. Siga recto una cuadra y media, y la Casa de Gobierno está a la izquierda.
   E1: Muchas gracias.

Estudiante 1 (le pregunta a **Estudiante 2**)
Pregúntale a tu compañero/a cómo llegar a los siguientes lugares que no están en tu mapa. Luego marca en el mapa dónde está cada lugar.

1. el Museo Marítimo
2. la oficina de correos (*post office*)
3. el Museo del Fin del Mundo

4. el Restaurante Kaupé
5. el Hotel Austral

MAPA 1

(*Continues*)

Estudiante 2 (le pregunta a **Estudiante** 1)
Pregúntale a tu pareja cómo llegar a los siguientes lugares que no están en tu mapa. Luego marca en el mapa dónde está cada lugar.

1. la Oficina de Información Turística
2. la Antigua Legislatura
3. el Pub Restaurante Náutico

4. el Hostal Los Calafates
5. la Agencia de Turismo Rumbo Sur

MAPA 2

Restaurante Kaupé

Museo Marítimo

Museo del Fin del Mundo

Hotel Austral

Casa de Gobierno

Oficina de correos

(Photos): Facundo Santana/AP Images

C. ¿Cómo llego?   In pairs, take turns describing a place on or near your university campus. Your partner has to guess the place and then give you directions to it.

MODELO: E1: ¿Cómo llego al lugar donde puedo estudiar y buscar libros?
E2: ¿A la biblioteca? ¿A la librería?
E1: A la biblioteca.
E2: De aquí gire a la derecha, siga recto hasta llegar al centro estudiantil. Luego doble a la izquierda y la biblioteca está enfrente.

Paisajes urbanos
Urban landscapes

To talk about types of communities, use these words.

la ciudad	city
el campo	countryside; rural area
las afueras	suburbs; outskirts

The American concept of *suburbs* does not exist in much of the Spanish-speaking world. If you're an American from the suburbs, you can use **las afueras** to talk about where you live.

Vivo en las afueras de Phoenix.	I live in the suburbs of Phoenix.

A. Más vocabulario: En la ciudad

PASO 1. Look at the following drawings and match each to the paragraph that best describes it. Then fill in the blanks in the paragraphs with the most logical word from the list, using the labels in the drawings as a guide.

1. _____

2. _____

3. _____

4. _____

El carro and el auto are also common terms for el coche.

(Continues)

apartamentos	jardín (*garden*)	restaurantes	urbanos
banco	mercado	rurales	
cine	metro	taxis	
contaminación	museo	tráfico	

a. En Barcelona, hay muchas construcciones del famoso arquitecto Antoni Gaudí, como La Sagrada Familia, una **iglesia** muy grande y **moderna** que ha estado en construcción (*has been under construction*) desde 1882. Si (*If*) quieres un poco de **tranquilidad,** puedes visitar el **parque** Güell, también diseñado por Gaudí. Aquí hay un _____ lleno de flores, **árboles** y esculturas (*sculptures*) decoradas con mosaicos coloridos. Además de (*Besides*) la arquitectura, se puede ir de compras en los grandes **almacenes** y comer en los varios _____ sofisticados de esta ciudad. Si se necesita sacar dinero, es fácil encontrar un cajero automático (*ATM*) de un _____ internacional.

b. Buenos Aires es la **capital** de Argentina. Entre sus **lugares** famosos están el **Teatro** Colón (1908); el _____ de Arte Latinoamericano de Buenos Aires (MALBA), construido (*built*) en 2001; y la **avenida** 9 de Julio, nombrada por el día de independencia del país en el año 1816. Al igual que (*Just like*) muchos espacios _____, la cantidad (*quantity*) de **coches,** _____ y **autobuses** resulta en mucho _____, lo cual (*which*) produce _____ del aire y **bastante** (*quite a lot*) **ruido** por los sonidos de todos los motores.

c. En el **centro moderno** de la ciudad de Panamá, muchas personas viven en **edificios** de _____ muy altos (llamados **rascacielos**) como la **Torre** Vitri, construida en 2012. Hay un _____ para el entretenimiento de los aficionados a (*fans of*) las películas, **escuelas** para estudiar desde el primer grado (*first grade*) hasta la universidad, **tiendas** para comprar todo tipo de cosas, incluida una **librería** internacional donde se venden (*sell*) libros de todo el mundo (*world*). Si cruzas (*you cross*) el Canal de Panamá por el **Puente** de las Américas, puedes viajar por la **carretera** Panamericana para visitar el **campo, los pueblos** y otros lugares _____ del país.

d. Santo Domingo es una de las ciudades más viejas de las Américas, pero tiene una mezcla (*mixture*) de lo moderno y lo **antiguo.** Por ejemplo, el tren subterráneo (es decir, el _____) fue completado en 2009 y es uno de los principales **transportes públicos** de la ciudad; y la primera **catedral** del Nuevo Mundo, conocida como la Catedral Primada de América, fue construida en 1541. Junto a la catedral está la **plaza** central, que en 1887 cambió su nombre a parque Colón (*Columbus*). En una de las calles centrales hay un _____ con **carnicerías, fruterías** y otros **puestos** en los que (*in which*) se puede comprar de todo.

PASO 2. In groups, make a list of advantages and disadvantages of traveling to each of the cities described. Consider the current season, the relative travel time to the various destinations, and each group member's likes and dislikes. Which city would your group travel to first?

■ The audio files for in-text listening activities are available in the eBook, within Connect activities, and on the Online Learning Center.

B. ¿Qué es? Escucha las descripciones e indica qué describe cada una.

1. _____   5. _____
2. _____   6. _____
3. _____   7. _____
4. _____   8. _____

C. ¿Dónde vive tu familia?   En grupos de tres personas, hagan y contesten las siguientes preguntas. Según las respuestas de sus compañeros, adivinen (*guess*) si cada uno es de la ciudad, el campo o las afueras.

¿Tu familia...

1. vive en un apartamento?
2. viaja más de un kilómetro (0,6 millas) para ir de compras?
3. vive en un lugar donde los niños caminan a las escuelas?
4. viaja más de diez minutos para ir a un museo?
5. vive en un lugar donde los niños van al parque para jugar?
6. viaja en transporte público por lo menos una vez (*time*) a la semana?

Creo que eres de la ciudad / el campo / las afueras. ¿Tengo razón? (*Am I right?*)

D. A ver: ¿Dónde estamos en este momento?

PASO 1.   Mira las imágenes en el video, con pausas entre cada una. Según lo que ves (*what you see*), decide dónde está cada persona.

1. ____ Abril está en...
   a. un almacén.
   b. una iglesia.
   c. un parque.

2. ____ Aníbal está en...
   a. una ciudad.
   b. un jardín.
   c. un parque.

3. ____ Rafael está en...
   a. una montaña (*mountain*).
   b. un restaurante.
   c. una tienda.

4. ____ Jama está en...
   a. un mercado.
   b. una galería de arte.
   c. una plaza.

5. ____ José Manuel está en...
   a. un campo.
   b. una plaza.
   c. un parque.

6. ____ José Miguel está en...
   a. un museo.
   b. una iglesia.
   c. una plaza.

7. ____ Roberto está en...
   a. un mercado.
   b. un restaurante.
   c. una tienda.

La Plaza de la Constitución (mejor conocida como «el Zócalo») en la Ciudad de México.

PASO 2.   Mira y escucha, luego mira otra vez con pausas, emparejando la descripción con el lugar que se describe. Mira una tercera (*third*) vez para verificar tus respuestas.

____ 1. la Plaza Francia
____ 2. la parte antigua de la ciudad
____ 3. Monserrate
____ 4. la galería de arte
____ 5. el Jardín Borda
____ 6. la Plaza de Bolívar
____ 7. El Mirador

a. una de las montañas más altas de Bogotá, Colombia
b. el Centro Cultural de Morelos, México
c. la Ciudad de Panamá
d. la calle Ocho en Miami
e. un parque en Argentina
f. una plaza principal en Colombia
g. un restaurante en Costa Rica con vistas muy bonitas

E. ¿Dónde están ahora?   Nombra por lo menos tres de tus seres queridos (*loved ones*) y di (*say*) dónde están ahora.

MODELO: Mi novio está en el supermercado ahora.

Estrategia

Activity D, Paso 1 emphasizes the importance of visual clues in any communicative context—there is no sound, but you don't have to hear a word to know where each speaker is!

Truth-Function/McGraw-Hill; Klic Video Productions/McGraw-Hill

Mark Lewis/Photographer's Choice/Getty Images

Los números del 100 al 9.999
Numbers from 100 to 9,999

100 cien/ciento	1.000 mil
200 doscientos/as	2.000 dos mil
300 trescientos/as	3.000 tres mil
400 cuatrocientos/as	4.000 cuatro mil
500 quinientos/as	5.000 cinco mil
600 seiscientos/as	6.000 seis mil
700 setecientos/as	7.000 siete mil
800 ochocientos/as	8.000 ocho mil
900 novecientos/as	9.000 nueve mil

By itself, the number 100 is **cien.** When any other number follows it, use **ciento.**

101 ciento uno
199 ciento noventa y nueve

Do not use **y** immediately after **ciento, cientos,** or **mil.**

178 ciento setenta y ocho
235 doscientos treinta y cinco
1.315 mil trescientos quince

To say the year in Spanish, say the whole four-digit number.

1492 = mil cuatrocientos noventa y dos
1988 = mil novecientos ochenta y ocho
2020 = dos mil veinte

When written in Spanish, numerals in the thousands place are usually separated from the hundreds by a period, but they can be written in other ways as well. You might see one thousand (**mil**) represented as any one of the following:

1.000   1,000   1 000   1000

A. ¿Cuánto(s)...?   Escucha las oraciones y escribe el número correcto para completar cada frase.

1. El número de arquitectos que querían diseñar el Museo de Arte Latinoamericano en Buenos Aires: _____.
2. El Puente de las Américas mide _____ metros.
3. El número de empleados de El Corte Inglés de Barcelona: _____.
4. Con una tarjeta, 20 viajes en el Metro de Santo Domingo cuestan _____ pesos.

B. ¿Cuántos años tiene?   Usa las imágenes y las descripciones de la **Actividad A** en las páginas 135–136 para contestar las siguientes preguntas.

1. ¿Cuántos años tiene el Teatro Colón?
2. ¿Cuántos años tiene el metro de Santo Domingo?
3. ¿Cuántos años tiene la iglesia La Sagrada Familia?
4. ¿Cuántos años tiene la Catedral Primada de América?
5. ¿Cuál es el día de la independencia de Argentina?
6. ¿Cuánto tiempo hace que (*How long since*) la plaza central de Santo Domingo se llama «parque Colón»?
7. ¿En qué año se construyó (*was built*) la Torre Vitri?

C. ¿Cuánto tiempo dura (*lasts*) la construcción?   Escucha la historia de la construcción de cada lugar y apunta el año en que termina cada uno.

1. _____   2. _____   3. _____   4. _____

COMUN VOCABUL **ESTRUCTURA** ATE

 Reciclaje   The verbs *estar, ir, ser,* and *tener*

Escribe la forma **yo** de uno de los siguientes verbos en cada oración. Luego indica si la persona habla de **la ciudad** o **del campo.**

estar   ir   ser   tener

	CIUDAD	CAMPO
1. «_____ de Buenos Aires.»	☐	☐
2. «_____ a la casa de mi abuelo, donde tiene muchas gallinas (*chickens*).»	☐	☐
3. «_____ de una zona rural.»	☐	☐
4. «_____ en una estación del metro.»	☐	☐
5. «_____ tres caballos (*horses*).»	☐	☐
6. «_____ en la capital del país.»	☐	☐

Mi abuelo cría (*raises*) gallinas en su finca (*farm*).

■ Answers to this activity are in Appendix 2 at the back of your book.

5.1 Traigo el mapa del metro

Verbs with irregular *yo* forms

Para empezar...

The following sentences describe life **en el campo** and **en la ciudad.** Complete these sentences in a way that makes sense using the items from the list. The verbs **oír** (*to hear; to listen to*), **salir** (*to leave; to go out*) and **traer** (*to bring; to carry*) are new. **¡Atención!** You will use answer **d** twice.

EN EL CAMPO

1. «Cuando **salgo** de mi casa, **oigo** _____ y _____.»
2. «Cuando camino por (*through/along*) _____, siempre **traigo** _____.»
3. «Cuando voy al campo para descansar, no **hago** _____.»

EN LA CIUDAD

4. «Cuando **salgo** de mi apartamento, **oigo** _____ y _____.»
5. «Cuando camino por _____, siempre **traigo** _____.»
6. «Cuando corro por las calles, **hago** _____.»

a. los campos
b. el mapa del metro
c. los coches
d. mucho ejercicio
e. los autobuses
f. los caballos
g. el centro
h. las gallinas
i. un bastón (*stick*) para caminar

Pixtal/age fotostock

¿Por qué?

There is a reason why so many verbs add a **-g-** in the **yo** form. This form ends in the vowel **-o,** which is pronounced with the tongue positioned in the back of the mouth. The **-g-,** which is also pronounced with the tongue in the back of the mouth, smooths the transition between the verb stem and the **-o** and makes the verb easier to pronounce.

Actividades analíticas

■ Answers to these activities are in Appendix 2 at the back of your book.

1 Use what you saw in **Para empezar** to complete this set of conjugations.

	hacer	poner (*to put, to place*)	traer	salir
yo		pongo		
tú	haces	pones	traes	sales
él/ella, Ud.	hace	pone	trae	sale
nosotros/as	hacemos	ponemos	traemos	salimos
[vosotros/as]	[hacéis]	[ponéis]	[traéis]	[salís]
ellos/ellas, Uds.	hacen	ponen	traen	salen

In the present tense, these verbs are irregular only in the **yo** form. They are otherwise completely regular.

¿Dónde **pongo** mi tarjeta de metro?   *Where do I put my metro pass?*

Ponen sus libros en la mesa.   *They put their books on the table.*

2 Some stem-changing verbs also add **g** in the **yo** form. **Tener** and **venir** (*to come*) belong to the **e → ie** family, and **decir** belongs to **e → i** family. Complete their conjugations here.

vos	
hacer	hacés
poner	ponés
traer	traés
salir	salís
tener	tenés
venir	venís
decir	decís
oír	oís

	tener (e → ie)	venir (e → ie)	decir (e → i)
yo		vengo	
tú	tienes		dices
él/ella, Ud.		viene	
nosotros/as	tenemos		decimos
[vosotros/as]	[tenéis]	[venís]	[decís]
ellos/ellas, Uds.		vienen	

Vengo de Nicaragua.   *I come from Nicaragua.*

¿**Vienes** a la fiesta el sábado?   *Are you coming to the party on Saturday?*

3 **Oír** is another common verb with **g** in the **yo** form. It makes some spelling adjustments in the other forms: the **i** is accented in **oír, oímos,** and **oís,** and the **i** changes to **y** when between two vowels (**oyes, oye, oyen**).

Estrategia

Don't be discouraged by the number of irregular verbs in Spanish. Many of these "irregularities" actually make the language easier to use (as in the case of **-g-** here). Plus, irregular verbs are generally the most common ones. This means you'll hear them a lot and they will soon sound very natural to you.

	oír (y)
yo	
tú	oyes
él/ella, Ud.	
nosotros/as	oímos
[vosotros/as]	[oís]
ellos/ellas, Uds.	oyen

Oigo el tráfico de mi casa.

¿Ud. **oye** mucha música clásica?

I hear the traffic from my house.

Do you listen to a lot of classical music?

4 The verbs **saber** (*to know [a fact]*) and **conocer** (*to know, be familiar with*) are two important verbs with irregular **yo** forms. With **saber,** the **yo** form is **sé,** and with **conocer,** it is **conozco.** The present tense of these verbs is completely regular otherwise.

Saber and **conocer** can both be translated as *to know,* but they are not the same. **Saber** means to know a fact or to know how to do something.

Sé que vives en el centro.

Sabemos que Miami está en Florida.

—¿**Sabes** dónde está la biblioteca?
—Sí, **sé** dónde está.
   Está detrás del gimnasio.

Ella **sabe** nadar.

I know that you live downtown.

We know that Miami is in Florida.

Do you know where the library is?
Yes, I know where it is.
   It's behind the gym.

She knows how to swim.

Conocer, on the other hand, means *to be familiar or acquainted with something or someone.*

Conozco muy bien mi universidad.

Juan **conoce** Boston.

¿**Conoces** a mi hermano?

I know my university very well.

Juan knows (is familiar with) Boston.

Do you know my brother?

Actividades prácticas

A. Preguntas y respuestas   Empareja cada pregunta con la respuesta más lógica.

1. ____ ¿Tienes un lápiz?
2. ____ ¿Por qué estás cansado?
3. ____ ¿Qué tipo de música te gusta?
4. ____ ¿Qué haces los sábados?
5. ____ ¿Qué haces cuando tienes mucho sueño en el trabajo?
6. ____ ¿Conoces Chicago?
7. ____ ¿Cuál es la capital de la Guinea Ecuatorial?

a. Pongo la cabeza (*head*) en el escritorio y duermo.
b. ¡Claro! Vengo de allí.
c. No, pero traigo un bolígrafo en mi mochila.
d. Salgo a bailar con mis amigos.
e. No sé, pero sé que está en África.
f. Oigo mucho rock en español.
g. Vengo del gimnasio.

B. Una conversación entre dos estudiantes   Las siguientes oraciones (*sentences*) vienen de una conversación entre dos estudiantes que se encuentran (*who meet*) en la calle. Ponlas en orden (*Put them in order*).

__1__ —¡Hola! ¿Por qué no contestas el teléfono?

____ —No, no conozco ese lugar, pero dicen que es muy bueno. Oye, ¿pongo mi mochila aquí en tu coche?

____ —¡Sí, puedo! ¿Adónde quieren ir? ¿Conoces un lugar bueno?

__7__ —Sí, está bien. ¿Viene Silvia también?

____ —Sí traigo, pero no mucho.

____ —Pues, te llamo para saber si puedes salir a comer con mi compañero de cuarto y conmigo (*with me*).

____ —Sí. ¿Conoces el restaurante La Buena Vida? Cuando salgo con mis compañeros del trabajo, vamos allí, y me gusta mucho.

____ —No sé. Sé que tiene un examen mañana y tiene que estudiar. Oye, ¿traes dinero?

____ —¡Ay, perdón! Vengo de mi clase de historia, y tengo el teléfono apagado (*turned off*).

> **Autoprueba**

Complete the sentences below with the correct form of the verb in parentheses.
1. Yo _____ (venir) de una ciudad grande.
2. ¿Tú _____ (oír) eso?
3. Yo siempre _____ (salir) los fines de semana.
4. Yo _____ (poner) mi mochila en la mesa.
5. ¿De dónde _____ (venir) Uds.?
6. Yo no _____ (oír) nada.

Respuestas: 1. vengo 2. oyes 3. salgo 4. pongo 5. vienen 6. oigo

■ For more on **saber** and **conocer,** as well as more irregular verbs ending in **-zco,** see **Para saber más 5.1** at the back of your book.

C. ¿*Saber* o *conocer*? Escribe la forma **yo** de **saber** o **conocer** en cada una de las siguientes oraciones. Luego decide si la oración es **cierta (C)** o **falsa (F)** para ti.

¿Cierto o falso?

1. _____ cuál es la capital de México.   C   F
2. _____ Bolivia.   C   F
3. _____ quién es Luis Fonsi.   C   F
4. _____ hacer yoga.   C   F
5. _____ la comida italiana.   C   F
6. _____ preparar una pizza.   C   F
7. _____ a la mejor amiga de mi abuela.   C   F
8. _____ cómo se llama el presidente de   C   F
nuestra universidad.

D. Los extranjeros en la ciudad En las grandes ciudades de España y Latinoamérica, hay muchos extranjeros (*foreigners*) de muchos países diferentes. Estos son algunos ejemplos.

	Benjamín	**Elena**	**Miguel**
PAÍS	Bélgica	Rumania	Portugal
TRABAJO	turismo	camarera (*waitress*)	promoción de eventos de surf y eventos rastafari
CIUDAD DONDE VIVE Y TRABAJA	Ciudad de México	Madrid	Panamá

Truth-Function/McGraw-Hill

Completa cada una de las siguientes oraciones con la forma **yo** de los verbos de la lista. Luego escribe el nombre de la persona de la tabla que probablemente dice la oración.

conocer   oír   saber   salir   tener   venir

1. _____ dice: «_____ de mi casa para ir al restaurante.»
2. _____ dice: «_____ una agencia de viajes.»
3. _____ dice: «_____ del trabajo a las tres de la mañana.»
4. _____ dice: «_____ de Lisboa.»
5. _____ dice: «_____ música reggae cuando estoy en el trabajo.»
6. _____ dice: «_____ muchas partes de México. Es un país fascinante.»
7. _____ dice: «_____ que hay muchas películas belgas muy buenas.»
8. _____ dice: «_____ de Rumania.»
9. _____ dice: «_____ muchas playas de muchas partes del mundo, y puedo decir que las playas de Panamá son excelentes.»

E. ¿Sales los sábados?

PASO 1.   En general, ¿sales los sábados por la noche? Si sales, ¿a qué hora? ¿Con quién? ¿Adónde van? Entrevista (*Interview*) a un compañero / una compañera y completa las primeras dos líneas de la tabla.

¿QUIÉN?	¿SALE(N) LOS SÁBADOS?	¿A QUÉ HORA?	¿CON QUIÉN?	¿ADÓNDE?
yo				
mi compañero/a: _____				
Estudiantes de <u>aquí</u>				
Estudiantes de <u>Madrid</u>				

PASO 2.   Con tu compañero/a, decide qué hace la mayoría de los estudiantes en su universidad. Luego lee la información sobre los estudiantes de Madrid y completa el resto de la tabla.

> En general en España, los estudiantes salen a las diez o a las once de la noche. Álvaro, un estudiante de Madrid, dice: «Todo el mundo (*Everybody*) sale... con sus amigos, con la gente de clase».
>
> Andrea, también estudiante en Madrid, dice: «Salen a bailar y van a los bares».

F. ¿Qué hace tu compañero/a?

PASO 1.   En parejas, pregúntense si hacen estas actividades **siempre, casi** (*almost*) **siempre, a veces, casi nunca** o **nunca.**

escuchar música en español

poner la computadora en la mochila

traer una mochila a clase

venir a clase tarde (*late*) / temprano (*early*)

venir a la universidad a pie (*on foot*)

MODELO: E1: ¿Vienes a la universidad a pie?
E2: Sí, a veces vengo a pie. ¿Y tú?
E1: No, casi nunca vengo a pie. Siempre vengo en autobús/bicicleta/coche/taxi.

PASO 2.   With a partner, look at the activities in **Paso 1** and write four sentences that summarize what the two of you do. If you both do the same thing, use **los/las dos** (*the two of us*) and the **nosotros/as** form of the verb. If you do different things, write a sentence for each one. Then share your answers with the class to see what everybody has in common.

MODELOS: Los dos escuchamos música en español a veces.
Yo nunca traigo una mochila, pero Kevin casi siempre trae una mochila.

CONÉCTATE AL MUNDO HISPANO

Los **bares** en España no son iguales a los *bars* en los Estados Unidos y Canadá. En España, los bares son el centro de la vida (*life*) social para mucha gente y no abren solo por la noche. Además de (*In addition to*) bebidas (*beverages*) alcohólicas, sirven las famosas tapas y comidas (*meals*). Muchas personas van al bar por la mañana para charlar (*chat*) con los amigos, tomar café y comer pan tostado (*toast*).

Reciclaje   The verb *llamarse*

En la siguiente conversación, escribe las formas más lógicas del verbo **llamarse**.

ELENA: ¡Hola! ¿Cómo _____¹?
RAFAEL: _____² Rafael.
ELENA: ¿Conozco a tu hermano? ¿Cómo _____³?
RAFAEL: _____⁴ Jorge. Y tú, ¿cómo _____⁵?
ELENA: _____⁶ Elena.

■ Answers to this activity are in Appendix 2 at the back of your book.

5.2   Me ducho en el gimnasio

Reflexive verbs

Para empezar...

Usa la siguiente lista para escribir algunas (*some*) actividades que son comunes en cada lugar.

despertar**se**   maquillar**se**   duchar**se**/bañar**se**   peinar**se**   afeitar**se**

vestir**se**   sentar**se**   bañar**se**   acostar**se**   dormir**se**

■ Answers to these activities are in Appendix 2 at the back of your book.

LUGARES	EJEMPLOS DE ACTIVIDADES COMUNES			
En una biblioteca	_____	_____		
En un gimnasio	_____	_____	_____	_____
En un hotel	_____	_____	_____	_____

Actividades analíticas

■ For additional reflexive verbs, see **Para saber más 5.2** at the back of your book.

1 The verbs in **Para empezar** are all infinitives, but they have an additional ending that other infinitives don't have. What is this ending? _____

This ending is a *reflexive pronoun* (**pronombre reflexivo**) and verbs that have it are called *reflexive verbs* (**verbos reflexivos**). Reflexive verbs often, but not always, indicate an action that one does to oneself: **afeitarse** (*to shave* [*oneself*]), **bañarse** (*to bathe* [*oneself*]).

2 Reflexive verbs are conjugated just like other verbs, but when conjugated, the reflexive pronoun is placed *before* the verb. The form of the reflexive pronoun depends on the subject.

SUJETO	PRONOMBRE REFLEXIVO	EJEMPLO	
yo	me	Yo **me peino** después de hacer ejercicio.	*I comb my hair after exercising.*
tú	te	¿A qué hora **te duermes**?	*At what time do you fall asleep?*
él/ella, Ud.	se	Marisa **se baña** por la mañana.	*Marisa bathes in the morning.*
nosotros/as	nos	Julieta y yo **nos acostamos** temprano.	*Julieta and I go to bed early.*
[vosotros/as]	[os]	[¿**Os afeitáis** cada día?]	*[Do you shave every day?]*
ellos/ellas, Uds.	se	Esos estudiantes **se duchan** en el gimnasio.	*Those students shower at the gym.*

Now complete the conjugations of these reflexive verbs.

	afeitarse	bañarse	peinarse
yo	me afeito		
tú		te bañas	
él/ella, Ud.	se afeita		se peina
nosotros/as	nos afeitamos		
[vosotros/as]	[os afeitáis]	[os bañáis]	
ellos/ellas, Uds.		se bañan	se peinan

VOS	
te	¿Con qué frecuencia **te despertás** durante la noche? *How often do you wake up at night?*

VOS	
afeitarse	te afeitás
bañarse	te bañás
peinarse	te peinás

3 Some reflexive verbs have stem changes.

FAMILIA	VERBO		
o → ue	acostarse	**Me acuesto** a las once.	*I go to bed at 11:00.*
	dormirse	A veces **me duermo** en el autobús.	*Sometimes I fall asleep on the bus.*
e → ie	despertarse	**Me despierto** a las siete.	*I wake up at 7:00.*
	sentarse	**Me siento** para cenar con mi familia.	*I sit down to eat dinner with my family.*
e → i	vestirse	**Me visto** en tres minutos.	*I get dressed in three minutes.*

Jose Luis Pelaez Inc/ Blend Images

Mi papá y yo nos cepillamos los dientes.

4 Reflexive verbs are very common in Spanish. In fact, one of the first verbs you learned is a reflexive verb. **Me llamo Miguel** literally means *I call myself Miguel.* Here are some other common reflexive verbs.

acordarse (ue) de	*to remember*
Me acuerdo muy bien **de** mis abuelos.	*I remember my grandparents very well.*
cepillarse los dientes	*to brush one's teeth*
Me cepillo los dientes cada noche antes de dormir.	*I brush my teeth every night before bed.*
irse	*to leave; to go away*
¿A qué hora **te vas**?	*At what time are you leaving?*
lavarse (las manos / la cara)	*to wash one's hands/face*
Me lavo la cara antes de salir para el trabajo.	*I wash my face before leaving for work.*
levantarse	*to get up; to stand up*
Me levanto muy tarde.	*I get up very late.*
ponerse (g) (los lentes / los lentes de contacto)	*to put on (glasses / contact lenses)*
Me pongo los lentes cuando me levanto.	*I put on my glasses when I get up.*
quedarse	*to stay*
Siempre **se queda** con su tía en Miami.	*He always stays with his aunt in Miami.*

5 When reflexive verbs are in their infinitive form, the reflexive pronoun may be attached to the end of the infinitive.

¿A qué hora **vas a acostarte**? / ¿A qué hora **te vas a acostar**?　　*What time are you going to sleep?*

No tengo que ducharme antes de ir a la fiesta. / **No me tengo que duchar** antes de ir a la fiesta.　　*I don't have to shower before going to the party.*

Actividades prácticas

A. Tu rutina Usa números para indicar el orden (*order*) en que haces las siguientes actividades. Si hay una actividad que no haces, indícala con una **X**.

_____ Me acuesto.　_____ Me baño.　_____ Me duermo.　_____ Me maquillo.

_____ Me afeito.　_____ Me despierto.　_____ Me levanto.　_____ Me peino.

B. Preguntas y respuestas Empareja cada pregunta con la respuesta más lógica.

1. _____ ¿Te acuerdas dónde queda la oficina de correos?
2. _____ ¿Nos vamos inmediatamente después de la clase?
3. _____ ¿A qué hora se despiertan los niños?
4. _____ ¿Te maquillas todos los días?
5. _____ ¿Te quedas o te vas con nosotros?
6. _____ ¿Me pongo estos zapatos (*shoes*) negros?
7. _____ ¿A qué hora se acuesta Abril?

a. Mejor no. Vamos al gimnasio, ¿por qué no te pones los tenis (*tennis shoes*)?
b. Sé que está en esta calle.
c. Sí, por supuesto (*of course*). No me pongo maquillaje solo cuando hago ejercicio.
d. Me quedo. No puedo salir todavía (*yet*), y ya conozco ese museo.
e. Sí, está bien. Tengo que llegar a casa temprano.
f. Ella dice que se acuesta a las doce.
g. Normalmente, a las siete.

C. Tus hábitos   Usa la imagen para completar cada pregunta. Luego en parejas, túrnense (*take turns*) para hacer y contestar las preguntas.

MODELO: ¿A qué hora _____ los domingos?
E1: ¿A qué hora te duermes los domingos?
E2: Me acuesto a las once de la noche los domingos, pero no me duermo hasta las once y media.

1. ¿A qué hora _____ los días entre semana? ¿Y los fines de semana?

2. ¿Normalmente _____ por la mañana o por la noche?

3. ¿Cuántas veces _____ al día?

4. ¿Con qué frecuencia _____? ¿Todos los días? ¿Una vez a la semana?

D. ¿Qué hace Pudenciano?

PASO 1.   Pudenciano es un maestro de secundaria (*high school teacher*) en México. Vas a escuchar lo que (*what*) dice Pudenciano sobre (*about*) su rutina de la mañana. Escucha y apunta (*take notes on*) lo que hace. **¡Atención!** Tienes que cambiar el verbo a la forma **él.**

¿Qué hace Pudenciano?

Se levanta a las _____[1] de la mañana. _____,[2] _____[3] y _____[4] en su auto hacia (*toward*) su trabajo. Su trabajo es en una escuela telesecundaria.

¿A qué hora se levanta Pudenciano?

PASO 2.   En una hoja, usa la oración de Pudenciano como modelo para escribir lo que tú haces por la mañana. Luego crea (*create*) una oración para decir qué tienes en común con Pudenciano, y otra oración para decir una diferencia entre Pudenciano y tú.

MODELO: **Mi rutina:** Me levanto a las ocho de la mañana. Desayuno, me baño, me visto y a las nueve y media me voy en autobús a clase.
Comparación: Los dos desayunamos. Pudenciano se baña antes de desayunar, pero yo me baño después de desayunar.

E. ¡Una crisis por la mañana!   En parejas, lean la situación. Luego usen la lista de posibles actividades para escribir qué hacen Uds. en esta situación y a qué hora. **¡Atención!** No hay tiempo para hacerlo todo. ¡Tienen que negociar!

Situación: Tú y tu compañero/a viven en la misma casa. Se despiertan. Son las siete menos un minuto. Hoy hay muchísimo tráfico y tienen que salir a las siete y cuarto para llegar a la universidad a tiempo. Solo hay un baño (*bathroom*) en la casa.

afeitarse	desayunar	ponerse los lentes (de contacto)
bañarse	maquillarse	ponerse los zapatos
cepillarse los dientes	peinarse	vestirse

	YO	MI COMPAÑERO/A
6:59	Me despierto.	Se despierta.
7:04	_____	_____
7:08	_____	_____
7:12	_____	_____
7:15	Nos vamos juntos/as.	

F. ¿Te acuerdas?

PASO 1.   Pregúntales a cuatro de tus compañeros si se acuerdan de cómo se llaman los siguientes lugares o personas.

> **MODELO:**   ¿Te acuerdas de cómo se llama tu escuela primaria?

1. tu escuela primaria (*elementary school*)
2. tu maestro/a (*teacher*) de primer año (*first grade*) en la escuela primaria
3. tu profesor(a) de tu primera clase en la universidad
4. tu primera mascota
5. tu mejor amigo/a en la escuela primaria

PASO 2.   Crea un resumen (*summary*) de los resultados y compártelo (*share it*) con la clase.

> **MODELO:**   De cuatro estudiantes, tres se acuerdan de cómo se llama su escuela primaria.

Reciclaje   The verbs *ser* and *estar*

Empareja cada sujeto con la descripción más lógica. Luego completa cada oración con la forma correcta de **ser** o **estar.**

1. ____ nosotros
2. ____ Shakira
3. ____ el banco nacional y la biblioteca nacional
4. ____ Rafael Nadal y Javier Bardem
5. ____ el árbol

a. _____ de Colombia.
b. _____ en el parque.
c. _____ de España.
d. _____ estudiantes.
e. _____ en el centro de la capital.

■ Answers to this activity are in Appendix 2 at the back of your book.

5.3   ¿Cómo es? ¿Cómo está?

Ser and *estar* with adjectives

Para empezar...

En la calle

En el Banco Mundial (*World Bank*)

En un teatro

Shakira es una cantante de Colombia, pero también trabaja en varias organizaciones como la Fundación Pies Descalzos (*Bare Feet*) y ALAS (la Fundación América Latina en Acción Solidaria [*Supportive*]), que ayudan a niños pobres. Mira las fotos y decide si las siguientes oraciones son ciertas o falsas.

■ Answers to these activities are in Appendix 2 at the back of your book.

	CIERTO	FALSO
1. **Es** famosa.	☐	☐
2. En la foto del teatro, **está** triste.	☐	☐
3. **Es** pobre.	☐	☐
4. En la foto de la calle, **está** contenta.	☐	☐
5. **Es** vieja.	☐	☐

	CIERTO	FALSO
6. En la foto de la calle, **está** enojada.	☐	☐
7. **Es** trabajadora.	☐	☐
8. En la foto del banco, **está** seria.	☐	☐
9. **Es** generosa.	☐	☐
10. En la foto de la calle, **está** bonita.	☐	☐

Actividades analíticas

1 In **Capítulo 4,** you saw that the verb **ser** is used to express origin or identity.

Mis padres **son** de Honduras.   *My parents are from Honduras.*

Maritza **es** estudiante.   *Maritza is a student.*

You also saw that the verb **estar** may express location.

Mario **está** en el parque.   *Mario is at the park.*

In **Para empezar,** both **ser** and **estar** are used with adjectives to describe Shakira. Which type of description uses **ser,** and which uses **estar**?

■ For more comparison of **ser** and **estar**, see **Para saber más 5.3** at the back of your book.

¿SER O ESTAR?

_____ Shakira en general

_____ Shakira en la foto (en un momento específico)

2 The sentences in **Para empezar** are good examples of the basic difference between **ser** and **estar** when used with adjectives.

	CONCEPTO	EJEMPLOS
ser + *adjective*	intrinsic quality (unlikely to change suddenly)	Shakira **es** famosa. Estos libros **son** interesantes. Bill Gates **es** rico.
estar + *adjective*	quality subject to change or resulting from change	Shakira **está** contenta. Jorge **está** muy triste. ¿**Estás** enojado?

3 The same adjective can often be used with either **ser** or **estar,** but the overall meaning of the sentence will be different.

Shakira **es** feliz.	*Shakira is happy.*
Shakira **está** feliz en la foto.	*Shakira looks happy in the photo.*
Víctor **es** muy viejo.	*Víctor is very old.*
¡Víctor **está** muy viejo!	*Víctor is very old (compared to when I last saw him)!*
María **es** muy limpia.	*María is a very clean and tidy person.*
María **está** muy limpia.	*María is all cleaned up.*

The sentences with **ser** describe lasting qualities or properties of the people that are not likely to change suddenly. The sentences with **estar** describe qualities or properties that could change or that are the result of change: Shakira looks happy in this particular photo, but in another photo she may not, and Víctor didn't appear old before, but now he does. María was dirty before, but now she's clean (or she looks particularly clean).

Notice that expressing the meaning of **estar** in English often involves the use of additional words, such as *look* or *appear*.

4 Here is a summary of all the uses of **ser** and **estar** that you've seen.

ser		estar	
origin	Shakira **es** de Colombia.	**location**	Shakira **está** en el parque.
identity	Shakira **es** cantante.	**subject to change or resulting from change**	Shakira **está** bonita en la foto.
intrinsic quality	Shakira **es** famosa.		

Which of these uses does each of the following sentences exemplify?

a. Tegucigalpa está en Honduras. _____
b. Estoy muy enojado. _____
c. Tegucigalpa es la capital de Honduras. _____
d. Jorge es muy alto. _____
e. Ésther es de La Ceiba, una ciudad en el norte de Honduras. _____

La Catedral San Miguel Arcángel está en la Plaza Morazán, Tegucigalpa.

Neil Julian/Alamy Stock Photo

5 Estar may be followed by a verb form that ends in **-ndo** to indicate an action that is taking place at the moment, and therefore is subject to change or that is the result of change. This structure is easy to recognize.

Guillermo Anderson **está cantando** en este momento.	*Guillermo Anderson is singing at this moment.*
Ahora **estoy trabajando** en el museo.	*I'm working at the museum right now.*
Por el momento, **estamos viviendo** en un apartamento.	*For right now, we're living in an apartment.*

This use of **estar** with a verb ending in **-ndo** is similar to the present progressive tense in English (with *-ing*). It is less frequent in Spanish and is sometimes overused by English speakers learning Spanish. It will be treated in more detail in **Estructura 11.3.**

Actividades prácticas

A. Español e inglés Gracias al uso de **ser** y **estar,** el español puede expresar ideas muy complejas (*complex*) con muy pocas (*few*) palabras. Empareja cada oración en español con la traducción adecuada.

1. _____ Eres malo.
2. _____ Estoy muy fea.
3. _____ Son bastante (*quite*) serios.
4. _____ ¡Qué delgado estás!
5. _____ Soy muy fea.
6. _____ Están muy serios.
7. _____ Estás malo.
8. _____ Eres muy delgado.

a. You've really slimmed down!
b. They look like they're in a very serious mood.
c. You're a bad person.
d. You're very thin.
e. I look like a mess.
f. They're pretty serious people.
g. I'm very ugly.
h. You are sick / not doing well.

B. Diferentes lugares en la ciudad Escoge el verbo más lógico para completar cada oración. Luego contesta la pregunta, usando una de estas opciones.

En un parque.   En un museo.   En un hospital.   En un banco.

1. (Soy / Estoy) una persona muy tranquila en general, pero en este momento (soy / estoy) enojada y triste porque dicen que no tengo dinero en mi cuenta (*account*). ¿Dónde soy / estoy)? _____

2. (Soy / Estoy) muy aburrida porque no me gusta el arte, y este edificio tiene puro (*only*) arte. A mi amigo le gusta mucho el arte, y él (es / está) fascinado (*fascinated*). ¿Dónde (soy / estoy)? _____

3. (Soy / Estoy) muy contenta porque (soy / estoy) en un lugar muy tranquilo. También (es / está) un lugar muy bonito, porque hay muchos árboles y flores (*flowers*). ¿Dónde (soy / estoy)? _____

4. (Soy / Estoy) aquí porque (soy / estoy) malo. No (soy / estoy) médico (*doctor*), pero dicen que los médicos aquí (son / están) muy buenos. ¿Dónde (soy / estoy)? _____

C. Reacciones Si una persona te dice una de las siguientes oraciones, ¿cómo reaccionas? Para cada una, escoge la reacción (una pregunta) más lógica y complétala con la forma **tú** de **ser** o de **estar.**

> **MODELO:** Estoy estudiando.
> ¿Eres estudiante?

1. _____ Estoy viviendo con mi mamá en Bogotá.
2. _____ Estoy trabajando con los pacientes (*patients*).
3. _____ Estoy cantando y estoy bailando. Es parte de mi trabajo.
4. _____ Estoy hablando, pero no sé qué estoy diciendo.
5. _____ Estoy en una fiesta con Luisa, pero no estoy hablando con ella.
6. _____ Estoy saliendo de la oficina del presidente en la Casa Blanca.

a. ¿_____ médico / médica?
b. ¿_____ en el teatro?
c. ¿_____ enojado/a con ella?
d. ¿_____ importante?
e. ¿_____ de Colombia?
f. ¿_____ muy cansado/a?

En español...

One common way to express the idea of *to become* in Spanish is with the reflexive verb **ponerse** followed by an adjective.

Me pongo **contenta cuando estoy en el parque.**
I become/get happy when I'm at the park.

Se ponen **muy divertidos en las fiestas.**
They become lots of fun at parties.

Se pone **muy serio en el trabajo.**
He becomes/gets very serious at work.

¿Cómo te pones cuando pierdes el autobús?

D. Se ponen...

PASO 1. Completa cada oración en la primera columna con la terminación más lógica en la segunda columna. Usa cada terminación solo una vez (*time*).

1. Julia se pone bastante enojada cuando ____
2. Me pongo muy triste cuando ____
3. Nos ponemos muy cansados y aburridos cuando ____
4. Me pongo muy gordo cuando ____
5. Los jardines y los parques se ponen muy bonitos ____
6. Los estudiantes se ponen bastante serios cuando ____
7. Los estudiantes se ponen muy contentos cuando ____

a. hablan con el maestro.
b. tenemos que estudiar mucho.
c. como mucho.
d. no puede usar la computadora.
e. sacan buenas notas.
f. saco mala nota en una clase.
g. en primavera.

 PASO 2. En parejas, digan cómo se ponen Uds. en las siguientes situaciones. Pueden usar las palabras de esta lista u otras.

asustado/a (*scared*)	contento/a	nervioso/a
cansado/a	enojado/a	triste

MODELO: Pierdes (*You miss*) el autobús.
Cuando pierdo el autobús, me pongo frustrado/a.

1. Tienes un examen.
2. Tus amigos no dejan de enviarte (*won't stop sending you*) mensajes de texto.
3. Ves una película de terror.
4. Haces mucho ejercicio.
5. No ves a tu familia por mucho tiempo.

 E. ¿Estás de acuerdo? ¿Somos así? Muchos norteamericanos viven y trabajan en las grandes ciudades de Latinoamérica y España, y muchos van de turistas también. ¿Qué fama (*reputation*) tienen? En grupos, lean las opiniones de estas personas y contesten las preguntas para cada persona.

- **Jorge, Panamá:** «Son muy trabajadores, y son muy buenos para la tecnología.»
- **Lourdes, México:** «Son personas amables (*nice*). Los jóvenes que vienen a Cancún no son tan (*so*) amables, a lo mejor (*probably*), pero los que viven allá sí son amables.»
- **María, Argentina:** «Tengo compañeros norteamericanos en el trabajo, y son muy buenas personas. Son quizá (*perhaps*) más nacionalistas que nosotros.»
- **Eric, México:** «A lo mejor quieren ser dominantes y superiores a los otros países.»
- **Jimena, México:** «Van mucho a fiestas y son muy divertidos.»

1. ¿Están Uds. de acuerdo con esta persona?
2. ¿Las personas de este país son así (*like that*)?
3. ¿Uds. son así?

MODELO: Estoy de acuerdo con Jorge. En general, somos muy trabajadores en este país, pero yo no soy así.

Cathy Yeulet/123RF

F. La personalidad de tu compañero/a

PASO 1. En parejas, pregúntense y contesten las siguientes preguntas.

¿Cómo eres en general? ¿Cómo estás hoy? ¿En qué momentos te pones muy contento/a (triste, enojado/a...)?

PASO 2. Haz (*Make*) una oración para describir a tu compañero/a. Luego haz otra oración que explica si Uds. dos son parecidos/as o diferentes, y por qué. Después, comparte la información con la clase.

> **MODELO:** Mi compañero es simpático, divertido y trabajador; se pone muy contento cuando está con sus amigos. Somos parecidos porque yo soy simpática y divertida y me pongo muy contenta cuando estoy con mis amigos, pero somos diferentes porque yo no soy muy trabajadora.

G. Cultura: Asunción, la capital de Paraguay

PASO 1. Lee el texto sobre Asunción, la capital de Paraguay.

Asunción fue[a] una de las primeras ciudades en ser fundada[b] cuando los españoles llegaron[c] a Sudamérica. Es la ciudad más grande de Paraguay y está situada en la región suroeste[d] del país, cerca de la frontera con Argentina. La zona metropolitana se llama «Gran Asunción».

   Aunque[e] Paraguay es un país interior (no tiene acceso al mar), la capital es un puerto[f] industrial muy importante en esta región. El río[g] Paraguay, que forma una de las fronteras naturales con Argentina, permite que los barcos entren y salgan de[h] esta ciudad portuaria.[i] La economía de Paraguay está creciendo[j] mucho en estos años y varias corporaciones tienen sus oficinas en las afueras de Asunción.

   Una de las calles más antiguas y más conocidas[k] de Asunción es la calle Palma. Comienza en la Plaza de los Héroes, donde se encuentra[l] el histórico monumento llamado el Panteón Nacional de los Héroes. La calle Palma sigue hacia el noroeste[m] y termina a unas cuadras del puerto. A lo largo de[n] la historia de Asunción, esta avenida ha sido[ñ] un importante espacio público para los habitantes, lleno de[o] tiendas, boticas (antiguas farmacias) y grandes librerías. Hoy en día las personas que visitan Asunción pueden encontrar tiendas y puestos[p] con productos locales, restaurantes con comida típica y bellas casas históricas.

[a]*was* [b]*en... to be founded* [c]*arrived* [d]*southwest* [e]*Although* [f]*port* [g]*river* [h]*barcos... ships enter and leave*
[i]*port (adj.)* [j]*growing* [k]*más... most well-known* [l]*se... is located* [m]*northwest* [n]*A... Throughout* [ñ]*ha... has been*
[o]*lleno... filled with* [p]*stands*

PASO 2. Ahora completa las oraciones con la forma correcta de **ser** o **estar**.

1. Asunción _____ en Paraguay.
2. Argentina _____ al sur (*south*) del país.
3. Asunción _____ una ciudad portuaria que _____ en el río Paraguay.
4. Asunción _____ una de las ciudades en la zona metropolitana Gran Asunción.
5. Las oficinas de las grandes corporaciones _____ en las afueras de la ciudad.
6. Asunción _____ grande y antigua.
7. La calle Palma y el Panteón Nacional de los Héroes _____ sitios importantes en la historia de Asunción.
8. Últimamente (*Lately*) muchos paraguayos _____ contentos porque su economía está creciendo.

PASO 3. En parejas, contesten las preguntas y explíquense (*explain to each other*) sus respuestas.

1. Muchas ciudades portuarias, como Asunción, tienen una población muy grande. ¿Por qué crees que es así?
2. ¿Hay otras ciudades grandes en el mundo hispano que son puertos? ¿Y hay ciudades grandes que no tienen puerto?
3. En tu país, ¿hay ciudades grandes que son portuarias? ¿Hay otras ciudades grandes que no tienen puerto?

Paraguay

La ciudad de Asunción y el río Paraguay

Reciclaje · Demonstrative adjectives

Escribe la terminación de género y número para cada adjetivo demostrativo. Luego completa cada oración con la expresión adecuada.

est___ muchacho   est___ catedral   est___ edificios

est___ chicas   est___ tienda

1. _____ son más altos que los otros.
2. _____ tiene mejores precios que la otra.
3. _____ es más fuerte que el otro.
4. _____ son más bonitas que las otras.
5. _____ es más alta que la otra.

■ Answers to this activity are in Appendix 2 at the back of your book.

5.4   Hay algo interesante en Tegucigalpa

Indefinite and negative expressions

Para empezar...

Mira el mapa del centro de Tegucigalpa, la capital de Honduras. Usando la información en este mapa, decide si cada oración es cierta o falsa.

■ Answers to these activities are in Appendix 2 at the back of your book.

	CIERTO	FALSO
En este mapa...		
1. **algunos** (*some*) hoteles están cerca de (*close to*) la avenida República de Chile.	☐	☐
2. no hay **ningún** (*not any*) parque en Tegucigalpa.	☐	☐
3. hay **algo** (*something*) interesante en la calle Bolívar, si te gusta el arte.	☐	☐
4. **ninguna** librería está en la avenida Máximo Jerez.	☐	☐
5. hay **algunas** tiendas en la avenida Miguel Cervantes.	☐	☐
6. no hay **ningún** cine en el paseo Casamata.	☐	☐
7. **algunos** hospitales están en la calle Morelos.	☐	☐
8. **ningún** museo está en la calle Los Dolores.	☐	☐
9. hay **algunos** edificios del gobierno (*government*) en la calle Bolívar.	☐	☐
10. no hay **nada** (*nothing*) interesante en el centro de Tegucigalpa.	☐	☐

Actividades analíticas

1 In **Para empezar,** you see some words in **boldface** type. Write those words in the appropriate position in the chart here. When there are two forms of the same word, write both next to the same English translation.

_____ something   _____ _____ some

_____ nothing   _____ _____ no (_not one/any_)

2 Given what you know about Spanish adjectives, you should not be surprised to see that **algún** and **ningún** change their form to agree with the gender and number of the noun that follows them. Circle the correct form to complete the sentences here.

a. Hay algunos / algunas casas en la avenida Cervantes.
b. Tengo algunos / algunas libros en mi mochila.
c. No hay ningún / ninguna parque en esta parte de la ciudad.
d. No conozco ningún / ninguna galería de arte en esa calle.

For **algunos/algunas,** the plural forms are the most common, though singular forms do exist (**algún/alguna**). For **ningún/ninguna,** it is the singular forms that are the most common, though plural forms also exist (**ningunos/ningunas**).

3 The verb must be preceded by **no** when negative expressions such as **ningún/ ninguna** or **nada** come after the verb. Unlike English, double negatives are common in Spanish.

No hay **ningún** cine en el paseo Casamata.   _There isn't any / There is no movie theater on Paseo Casamata._

No tengo **nada** en mi mochila.   _I don't have anything / I have nothing in my backpack._

4 **Algo** and **nada** both refer to things. To talk about people, use **alguien** (_someone_) and **nadie** (_no one_). These words are invariable; that is, there are no separate masculine/feminine or singular/plural forms.

Hay **alguien** en esa tienda.   _There is someone in that store._

Nadie vive en esa casa.   _No one lives in that house._

When **alguien** and **nadie** are objects of the verb, they are preceded by **a.**

¿Conoces **a alguien** en Tegucigalpa?   _Do you know anyone / someone in Tegucigalpa?_

No conozco **a nadie** en ese banco.   _I don't know anyone / I know no one in that bank._

5 A common negative expression for time is **nunca** (_never_).

Nunca llego tarde a mi clase.   _I never arrive late to my class._

No voy al campo **nunca.**   _I never go to the countryside._

The opposite of **nunca** is **siempre** (_always_).

Siempre voy al parque los domingos.   _I always go to the park on Sundays._

Eduardo José Cabra Martínez, Ileana Cabra Joglar y René Pérez Joglar del grupo Calle 13

Actividades prácticas

A. El centro de tu ciudad What is the downtown of your city like? What exists and what doesn't exist? Complete the sentences that have a blank space and then choose **a** or **b** as the best description of the downtown of your city.

1. ____ a. Hay algunos lugares buenos para bailar.   b. No hay ningún lugar bueno para bailar.
2. ____ a. Algunas veces hay conciertos.   b. Nunca hay conciertos.
3. ____ a. Hay algunos museos buenos.   b. No hay ningún museo bueno.
4. ____ a. Hay algunas galerías de arte.   b. No hay _____.
5. ____ a. Hay algunos cines.   b. No hay _____.
6. ____ a. Hay _____.   b. No hay ningún parque bonito.
7. ____ a. Hay _____.   b. No hay ningún teatro.

B. Los miembros de Calle 13 Calle 13 es un grupo musical de Puerto Rico. Sus miembros son los hermanastros René Pérez Joglar y Eduardo José Cabra Martínez, conocidos como (*known as*) «Residente» y «Visitante» y su media hermana, Ileana Cabra Joglar, conocida como «iLe». Completa las oraciones usando la siguiente lista. Cada palabra se usa solo una vez. **¡Atención!** Dos de las oraciones son falsas. ¿Cuáles son?

alguien   algunas   algunos   nada   nadie   ningún   nunca

	CIERTO	FALSO
1. _____ personas dicen que el estilo de su música es reggaetón, pero ellos dicen que es «música urbana».	☐	☐
2. En su música, siempre canta _____. Casi siempre son los dos hermanastros, pero a veces es su media hermana, Ileana.	☐	☐
3. Reciben (*They receive*) _____ premios (*awards*) Grammy casi cada año entre 2006 y 2015.	☐	☐
4. _____ compra sus canciones nunca.	☐	☐
5. Como muchos músicos latinoamericanos, no tienen _____ problema (*m.*) en mezclar (*mixing*) la música con la política.	☐	☐
6. _____ pierden (*miss*) la oportunidad de colaborar con otros artistas, como Bad Bunny o Café Tacuba.	☐	☐
7. Los miembros de este grupo musical no tienen _____ de importancia en la vida (*life*) cultural de Puerto Rico.	☐	☐

C. Algunas ciudades Primero, indica si conoces a alguien en cada una de las siguientes ciudades. Luego, si no conoces a nadie en alguna ciudad, pregúntales a varios (*several*) compañeros si conocen a alguien allí. Apunta el nombre de la persona que conoce a alguien en esa ciudad.

MODELO: E1: ¿Conoces a alguien en Atlanta?
E2: No, no conozco a nadie allí. (Sí, conozco a alguien allí.)

☐ Atlanta _____   ☐ Lima _____   ☐ Panamá _____
☐ Boston _____   ☐ Madrid _____   ☐ Portland _____
☐ Buenos Aires _____   ☐ Medellín _____   ☐ Vancouver _____

D. ¿Qué hacen los estudiantes en la clase?
PASO 1. ¿Qué hace un estudiante bueno en nuestra clase? ¿Hay cosas que nunca hace? Crea tres respuestas con **siempre** y tres respuestas con **nunca.**

MODELOS: Un estudiante bueno siempre habla español en la clase.
Los estudiantes buenos nunca hablan inglés en la clase.

PASO 2. Indica las respuestas que son ciertas para tu clase.
1. «Siempre nos sentamos bien.»   ☐
2. «Nunca tomamos café o refrescos (*soft drinks*) en la clase.»   ☐
3. «No dormimos nunca en la clase.»   ☐

¡Leamos!

«¿Padre, hijo o caballo°?», por don Juan Manuel

horse

Antes de leer

PASO 1. Indica si cada palabra se refiere a **la ciudad, al campo** o a **los dos.**

1. la tranquilidad
2. los edificios
3. los caballos
4. el silencio
5. la metrópoli
6. el monumento histórico
7. el taxi
8. el estrés (*stress*)
9. la soledad (*solitude*)
10. los mercados y las tiendas

PASO 2. In groups of three or four, spend two minutes writing a list of other people, places, and things that are associated with **la ciudad** and **el campo,** then compare with other groups.

A leer

PASO 1. Mientras (*While*) lees el cuento (*story*), empareja cada párrafo con el dibujo que mejor lo acompañe.

«¿Padre, hijo o caballo?»

por don Juan Manuel

—Hoy es día de mercado; vamos al pueblo para comprar unas cuantas[a] cosas que necesitamos.

1 Deciden llevar con ellos un caballo para transportar sus compras. Parten[b] por la mañana muy temprano para el mercado: el caballo sin carga,[c] ellos a pie.[d]

2 Por el camino[e] se topan con[f] unos hombres que regresan del pueblo. Dichos[g] señores dicen entonces que ni el padre ni[h] el hijo parecen muy cuerdos[i] pues ambos[j] van a pie cuando el caballo va sin carga. Al oír esto, el padre le pide opinión a su hijo. Este admite que los hombres tienen razón,[k] y que, como el caballo no tiene carga, uno de ellos debe montarlo. Así pues, el padre manda[l] montar a su hijo y siguen adelante.[m]

3 Un poco más tarde, topan con otro grupo de hombres que regresa del pueblo. Estos hombres declaran que el padre está loco pues, viejo y cansado, va a pie mientras que su hijo, tan joven y robusto, va montado a caballo. El padre pide consejo[n] a su hijo y este declara que, en efecto, los hombres tienen razón. Así es que el hijo baja[ñ] del caballo y el padre se monta.

4 Algunos minutos más tarde, otros hombres que regresan del mercado critican al padre: según ellos, un joven tan[o] delicado no debe ir a pie. Por eso[p] el padre hace montar a su hijo en su caballo y ninguno de los dos va entonces a pie. Más adelante se topan con otros hombres que también regresan del pueblo y estos critican tanto al padre como[q] al hijo. Dicen:

—¿Cómo va a poder cargar un caballo tan flaco a dos hombres tan grandes y pesados[r]?

5 El padre le pregunta al hijo qué deben hacer para no ser reprochados[s] ya más y al fin[t] llegan a la conclusión de que lo único que les resta[u] es cargar con el caballo. Padre e hijo llegan al mercado, pues, con el caballo en sus hombros[v] pero, a pesar de[w] esto, muchos se lo critican.

[a]unas... *a few* [b]*They depart* [c]sin... *without a load* [d]a... *on foot* [e]Por... *On the road* [f]se... *they run into* [g]*These* [h]ni... *neither the father nor* [i]*sane* [j]pues... *since both* [k]tienen... *are right* [l]*orders* [m]*ahead, forward* [n]*advice* [ñ]*gets down* [o]*so* [p]Por... *For that reason* [q]tanto... *both father and* [r]*heavy* [s]*criticized* [t]al... *in the end* [u]lo... *the only option that remains* [v]*shoulders* [w]a... *in spite of*

a. ____

b. ____

c. ____

d. ____

e. ____

PASO 2. Indica si cada oración es cierta o falsa. Corrige (*Correct*) las oraciones falsas.

	CIERTO	FALSO
1. El padre y su hijo viven en la ciudad.	☐	☐
2. El padre y su hijo van al pueblo para comprar un coche.	☐	☐
3. El padre y su hijo llevan el caballo para transportar sus cosas.	☐	☐
4. El padre y su hijo escuchan los consejos de los hombres que ven (*they see*) durante el viaje.	☐	☐
5. Después de mucha crítica, el padre y su hijo deciden llevar (*carry*) el caballo en sus hombros.	☐	☐

Después de leer

PASO 1. Contesta las preguntas según lo que leíste (*what you read*) en el cuento.

1. ¿Cómo es el padre? ¿Cómo es el hijo?
2. ¿Dónde están ellos? ¿Adónde van?
3. ¿Cómo se pone el padre cuando lo critican los hombres del pueblo?
4. ¿Cómo se ponen los hombres del pueblo al ver a dos hombres llevando un caballo?
5. ¿Cómo crees que se sienten (*feel*) el padre y su hijo después de llevar el caballo?

PASO 2. Escoge la mejor moraleja del cuento para ti.

☐ No debes escuchar los consejos de otras personas.
☐ Es importante explicar las razones por las que haces algo.
☐ Es importante entender por qué haces algo.
☐ Es imposible evitar (*avoid*) la crítica.
☐ Es importante pensar por uno mismo (*oneself*).

¡Escuchemos!

¿Cómo llego a...?

Antes de escuchar

Empareja cada palabra con su antónimo.

1. ____ bajar
2. ____ derecha
3. ____ derecho
4. ____ voltear

a. continuar sin desviarte (seguir derecho)
b. doblar
c. izquierda
d. subir

Estrategia

When giving or following directions, details can be very important. In this case, you have to listen for specific words that are key to arriving to a destination.

A escuchar

PASO 1. Santa Monica is a popular tourist attraction in California. Watch and listen at least three times as Ariana gives directions from where she is on the Promenade (marked with an X on the map) to other places in Santa Monica. Then use the map to identify each place she provides direction to; write each one in the blank provided.

1. _____

2. _____

3. _____

PASO 2. Jorge is on Santa Monica Pier. Watch and listen at least three times as he gives directions to other places in Santa Monica. Using the map, write each place he gives direction to.

1. _____

2. _____

3. _____

Después de escuchar

Choose a starting point and a destination on the map of Santa Monica. Tell your partner where to begin (but not the destination) and give directions to see if s/he can follow them to arrive at the right location.

En español...

Just as in English, the fine details of the way someone speaks can tell you a lot about that person's background. In this video, any Spanish speaker would realize very quickly that Jorge was raised in the U.S. and that his parents were from the Caribbean, just from his pronunciation, his choice of words, and the way he puts those words together into sentences. People do this "detective work" without even thinking, and you'll begin to do it too as your ability in Spanish develops. It is not an issue of which way of speaking is "right" or "wrong;" the goal is to learn how to understand **everyone** and to use the way they speak to tell you more about who they are.

¡Escribamos!

Un lugar que conozco

Es importante poder escribir una descripción de un lugar que conoces para un turista que quiere visitar ese lugar.

Antes de escribir

Make a list of cities / towns that you know well, then choose one and think of all the things one can do there. Draw a wheel with one spoke for each category of attractions, then list examples of each—see the model.

MODELO: Chicago, ~~Ocean City~~, ~~Philadelphia~~

A escribir

Ahora usa la información de tu dibujo para formar un párrafo sobre la ciudad que escogiste (*you chose*). Escribe oraciones completas para dar una descripción amplia de la ciudad. ¿Cuáles son los mejores lugares para visitar y por qué? ¿Qué se puede hacer en una visita de un día o un fin de semana?

Arte
- National Museum of Mexican Art
- ver el arte de Carlos Cortez y Leopoldo Méndez

Música
- escuchar música jazz

Atracciones naturales
- la playa
- el río
- el parque Humboldt

Monumentos
- subir a la Torre Willis
- hacer un tour de la arquitectura
- tomar el tren «L» por la ciudad

Chicago

Comida
- comer en los restaurantes puertorriqueños
- comer una salchicha (*hot dog*) «Chicago-style»

Vida nocturna
(Nightlife)
- bailar en los clubes

De compras
- Macy's® en la calle State
- caminar por The Magnificent Mile

Deportes
- ver un partido de béisbol en Wrigley Field

Después de escribir

Revisa (*Check over*) tu ensayo. Luego intercambia (*exchange*) ensayos con un compañero / una compañera. Lee el ensayo de tu compañero/a y determina si falta (*it lacks*) información necesaria. Lee de nuevo (*again*) el ensayo de tu compañero/a con cuidado (*carefully*) para revisar los siguientes puntos de gramática.

☐ Usa **ser** y **estar** de manera correcta (es decir, describe dónde **están** los mejores lugares para visitar y cómo **son** esos lugares).

☐ Usa comparaciones correctas (**más... que, menos... que**).

☐ Hay concordancia (*agreement*) entre los sustantivos (*nouns*) y verbos.

☐ Hay concordancia de género (*gender*) entre los adjetivos y lo que describen.

☐ Tiene la ortografía (*spelling*) correcta.

Después de revisar el ensayo de tu compañero/a, devuélveselo (*return it to him/her*). Mira tu propio (*own*) ensayo para ver los cambios que tu compañero/a recomienda y haz las revisiones necesarias.

Estrategia

Drawing

For some writing assignments, the best way to organize your ideas is by using drawings—a wheel with ideas radiating off the spokes, a flow chart, or a series of quote bubbles. Drawing can help you visualize your thoughts for better coverage, organization, and flow.

¡Hablemos!

Hagamos un viaje°   *Let's take a trip*

Antes de hablar

Primero escoge un destino de la lista. Luego piensa en las respuestas a las preguntas que siguen.

- el barrio (*neighborhood*) favorito de tu ciudad
- el mejor parque que conoces
- una ciudad grande de este país
- el mejor lugar para ir de compras

- la mejor atracción cultural
- tu lugar natural favorito (un lago [*lake*], una montaña, una playa, etcétera)

1. ¿Dónde está el lugar?
2. ¿Cómo es el lugar?
3. ¿Cuál es la mejor manera de viajar al destino? (¿A pie, en autobús, en avión, en coche, en metro o en taxi?) Explica cómo llegar, paso por paso (*step by step*).
4. ¿Cuál es la mejor manera de viajar una vez llegado/a (*once you've arrived*) al destino?
5. ¿Cuánto cuesta(n)...

- el viaje?
- el transporte en el destino?
- las entradas (*tickets*)?

- el alojamiento (*lodging*)?
- la comida y las bebidas (*drinks*)?

6. ¿Cuáles son los monumentos o edificios famosos?

 ## A hablar

Usa las preguntas de **Antes de hablar** para entrevistar a tres compañeros de clase para saber más sobre sus destinos y apunta sus respuestas. ¡No te olvides de agradecerles (*thank*) a tus compañeros por sus recomendaciones!

COMPAÑERO/A	DESTINO	TRANSPORTE LOCAL	PRECIOS	MONUMENTOS FAMOSOS
1.				
2.				
3.				

Después de hablar

De los lugares que han descrito (*have described*) tus compañeros, ¿adónde quieres ir? ¿Por qué? Justifica tu decisión. ¿Cuál es el lugar más popular entre tus compañeros de clase?

CONÉCTATE AL MUNDO PROFESIONAL

Employers often want employees who are willing to travel and who can independently navigate a new city, learn to use public transportation, and deal with unexpected delays and outages—all while making the employers look good by arriving on time to meetings and representing them well. Studying abroad can provide you with a lot of these important professional skills.

VOCABULARIO

Now that I have completed the chapter, I can . . .

- ☐ express gratitude
- ☐ ask for and give directions
- ☐ describe cities and towns
- ☐ compare urban and rural life
- ☐ use numbers from 100 to 9,999
- ☐ talk about my daily routine
- ☐ describe people and places
- ☐ express negation and indefinite quantities of people and things

Comunicación / Communication

Comunicación	Communication
Gracias por + *noun/infinitive*.	Thank you for . . .
(Muchas/Muchísimas) gracias.	Thank you (very much).
Sí, gracias.	Yes, please.
Te/Le/Les agradezco por...	I appreciate that you/ I thank you for . . .
De nada. / No hay de qué.	You're welcome.
¿Dónde está / queda...?	Where is . . . ?
aquí/allí	here/there
Siga...	Go / Keep going . . .
derecho/recto	straight
hasta llegar a...	until you arrive at . . .
Doble/Gire...	Turn . . .
a la derecha/izquierda	(to the) right/left
Suba/Baje...	Go up/Go down . . .
por esta calle	this street
Está/Queda...	It's . . .
a la derecha/izquierda	on/to the right/left
al lado de	next to
detrás de	behind
enfrente de	across from
en la esquina de... y...	on the corner of . . . and . . .

Los paisajes urbanos y rurales / Urban and rural landscapes

Los paisajes urbanos y rurales	Urban and rural landscapes
las afueras	outskirts, suburbs
el almacén	department store
el árbol	tree
el autobús	bus
la calle	street
el campo	countryside / rural area
la carnicería	butcher shop
la carretera	highway
el centro	downtown
la ciudad	city
el coche (el carro / el auto)	car
la contaminación	pollution
la cuadra	block
el edificio	building
la escuela	school
la frutería	fruit store
la iglesia	church
el jardín	garden
el lugar	place
el mercado	(outdoor) market
el pueblo	town
el puente	bridge
el puesto	stand
el rascacielos	skyscraper
el ruido	noise
la tienda	store
la torre	tower

Cognados: el apartamento, la avenida, el banco, la capital, la catedral, el hospital, el metro, el museo, el parque, la plaza, el restaurante, el taxi, el teatro, el tráfico, la tranquilidad, el transporte público

Repaso: el cine, la librería

Los verbos / Verbs

Los verbos	Verbs
acordarse (ue) (de)	to remember
acostarse (ue)	to go to bed
afeitarse	to shave
bañarse	to bathe (oneself)
cepillarse los dientes	to brush one's teeth
conocer (zc)	to know; to be familiar with
despertarse (ie)	to wake up
dormirse (ue)	to go to sleep
ducharse	to shower
hacer (*irreg.*)	to make; to do
irse (*irreg.*)	to leave; to go away
lavarse...	to wash (oneself)
la cara	to wash one's face
las manos	to wash one's hands
levantarse	to get up; to stand up
llegar	to arrive
maquillarse	to apply make-up
oír (*irreg.*)	to hear; to listen to
peinarse	to comb (one's hair)
poner (*irreg.*)	to put
ponerse (*irreg.*)...	to put on; to become
contento/a	to become happy
los lentes / los lentes de contacto	to put on glasses/ contacts
quedarse	to stay
saber (*irreg.*)	to know (*a fact*)
salir (*irreg.*)	to leave; to go out
sentarse (ie)	to sit down
traer (*irreg.*)	to bring; to carry
venir (*irreg.*)	to come
vestirse (i)	to get dressed

Los adjetivos y los adverbios — Adjectives and adverbs

antiguo/a	ancient; former; old
Cognados: moderno/a, rural, urbano/a	
bastante	quite, enough
muy	very

Las expresiones indefinidas y negativas — Indefinite and negative expressions

algo	something
alguien	someone
algunos/as	some
nada	nothing
nadie	no one
ningún/ninguna	none, not any, no
Repaso: nunca, siempre	

Los números del 100 al 9.999 — Numbers from 100–9,999

cien/ciento	one hundred
doscientos/as	two hundred
trescientos/as	three hundred
cuatrocientos/as	four hundred
quinientos/as	five hundred
seiscientos/as	six hundred
setecientos/as	seven hundred
ochocientos/as	eight hundred
novecientos/as	nine hundred
mil	one thousand
dos mil	two thousand
tres mil	three thousand
cuatro mil	four thousand
cinco mil	five thousand
seis mil	six thousand
siete mil	seven thousand
ocho mil	eight thousand
nueve mil	nine thousand

¡A comer!°

Un camarero (*waiter*) guatemalteco nos presenta los postres (*desserts*) del día.

Objetivos

When you finish this chapter, you will be able to:

- respond affirmatively to a request
- give and decline invitations politely
- describe meals, table settings, and foods
- talk about the past
- use pronouns to avoid repetition
- discuss meals and foods in the Spanish-speaking world

6

McGraw Hill

¡Cómo no!

Responding to requests

A. A ver: ¡Cómo no! Mira y escucha. Luego mira otra vez con pausas e indica la expresión usada para contestar la pregunta. Mira una tercera vez para verificar tus respuestas.

		¡CLARO QUE SÍ!	¡CÓMO NO!	CON MUCHO GUSTO.	POR SUPUESTO.
1.		☐	☐	☐	☐
2.		☐	☐	☐	☐
3.		☐	☐	☐	☐
4.		☐	☐	☐	☐
5.		☐	☐	☐	☐
6.		☐	☐	☐	☐
7.		☐	☐	☐	☐
8.		☐	☐	☐	☐

Truth-Function/McGraw-Hill

If someone invites you to do something or offers you something, here's what you might say if you want to accept.

Sí, gracias.	Yes, please.
Si no es molestia.	If it's not a bother.

¡Atención! Remember, in Spanish, **gracias** is used in instances where North Americans might say *please*.

—**¿Quieres un café?**
—**Sí, gracias.**

You can also use any of these expressions, which convey the English *Sure!, No problem,* and *Of course,* to respond in the affirmative.

¡Claro que sí!	**Con mucho gusto.**
¡Cómo no!	**Por supuesto.**

—**¿Me traes un café, por favor?**
—**Sí. ¡Cómo no!**
—**Gracias.**

¡Atención! The expression **¡Cómo no!** means *Of course!,* but **como no...** followed by a verb means *since / because + negative statement.*

Como no tenemos tiempo, no vamos a tener la prueba hoy.	Since we don't have time, we're not going to have the quiz today.

B. ¡Por supuesto!

PASO 1.   Para cada pregunta, escoge la respuesta más adecuada para ti y luego termina la frase para dar una explicación.

1. ¿Quieres vivir en otro país?
   ☐ No, quiero vivir aquí, porque...
   ☐ Por supuesto. Quiero vivir en...

2. ¿Es importante poder hablar español?
   ☐ No. Es útil (*useful*), pero no es importante, porque...
   ☐ ¡Claro que sí! Es importante porque...

3. ¿Tienes un sueño (*dream*) en la vida?
   ☐ No, no soy ambicioso/a. Solo quiero...
   ☐ Por supuesto. Quiero...

4. ¿Quieres cenar en mi casa esta noche?
   ☐ No, gracias. Ya (*Already*) tengo planes. Voy a...
   ☐ ¡Claro que sí! Yo puedo llevar...

5. ¿Nos haces el favor de presentarte (*introduce yourself*) a la clase?
   ☐ Lo siento. No puedo. Soy muy introvertido/a y no me gusta...
   ☐ ¡Cómo no! ¡Hola! Me llamo...

6. Quieres ir al campo conmigo este fin de semana?
   ☐ Lo siento. No puedo. Este fin de semana...
   ☐ ¡Cómo no! Podemos...

 PASO 2.   En parejas (*In pairs*), practiquen las expresiones, pidiéndole algo a su compañero/a.

   MODELO: E1: ¿Puedo sentarme aquí?
   E2: Por supuesto. ¿Me prestas (*Can you lend me*) el diccionario?
   E1: ¡Claro que sí!

—¿Quieres... ? —No, gracias.

Inviting and declining politely

To ask someone if they want something, you can use **querer.**

TÚ	**UD.**
¿Quieres + *noun*?	**¿Quiere (Ud.)** + *noun*?
¿Quieres un café?	**¿Quiere Ud. un sándwich?**

There are many ways to invite someone to do something.

TÚ

¿Quieres + *infinitive*?
   ¿Quieres ir al restaurante?

¿Tienes ganas de + *noun/infinitive*?
   ¿Tienes ganas de pizza?
   ¿Tienes ganas de pedir una pizza?

¿Qué te parece + *noun/infinitive*?
   ¿Qué te parece una hamburguesa?
   ¿Qué te parece cenar en casa?

¿Te apetece + *noun/infinitive*?
   ¿Te apetece un café?
   ¿Te apetece tomar un café?

UD.

¿Quiere (Ud.) + *infinitive*?
   ¿Quiere Ud. ir al restaurante?

¿Tiene (Ud.) ganas de + *noun/infinitive*?
   ¿Tiene Ud. ganas de una cerveza?
   ¿Tiene ganas de tomar algo?

¿Qué le parece + *noun/infinitive*?
   ¿Qué le parece un mango?
   ¿Qué le parece pedir un café?

¿Le apetece + *noun/infinitive*?
   ¿Le apetece un café?
   ¿Le apetece salir a comer?

In some cultures it is polite to decline an invitation to eat or drink something the first time and then accept when it's been offered for a second or third time. To decline politely say: **No, gracias.**

If you really want to decline, it's nice to add a reason the second (and maybe third) time you decline.

No puedo...	I can't . . .
Debo + *infinitive*.	I should (do something).
Debo regresar a casa.	I should go back home.

Tengo muchas ganas de vivir en Guanajuato, México, el año que viene.

A. ¿Por qué no?   Empareja la invitación con la justificación más lógica.

1. _____ ¿Tienes ganas de dar un paseo (*take a walk*) después de la cena?
2. _____ ¿Qué te parece ir al nuevo club con nosotros?
3. _____ ¿Te apetece tomar un café?
4. _____ ¿Quieres almorzar con nosotros el domingo?

a. No, gracias. Voy a viajar este fin de semana.
b. Gracias, pero no puedo. No me gusta hacer ejercicio después de comer.
c. No, gracias. No puedo consumir cafeína.
d. Gracias, pero no puedo. No sé bailar.

B. Gracias, pero...

PASO 1.   Haz una lista de cinco actividades que normalmente haces y cuándo piensas hacerlas (*plan to do them*).

MODELO:

ACTIVIDAD	¿CUÁNDO?
correr en el parque	mañana a las tres de la tarde
estudiar en la biblioteca	hoy, después de almorzar
tomar un café en el Café Turrón	el sábado a las diez de la mañana

PASO 2.   Circula por la clase e invita a otros compañeros a participar en algunas de tus actividades. Responde a las invitaciones que recibes, ofreciendo una justificación si la respuesta es «no».

MODELO: E1: ¿Quieres ir al Café Turrón a tomar un café el sábado a las diez de la mañana?

     E2: No, gracias. No puedo. Debo visitar a mis padres.

Bogdan Bratosin/Flickr/Getty Images

C. ¿Dónde quieres comer?

 PASO 1. Consulta la publicidad de estos tres restaurantes. En parejas, decidan dónde quieren ir a comer. **¡Atención!** Los precios están en dólares estadounidenses.

MODELO: E1: ¿Qué te parece comer en El Mirasol?

E2: No me gusta mucho la carne (*meat*). ¿Quieres comer en Las Mañanitas?

E1: Pues, es muy caro. ¿Vamos al restaurante cubano Versailles?

E2: ¡Cómo no!

Las Mañanitas (Cuernavaca, México)

Ambiente: terrazas y áreas de comedor (*dining room*); rodeado de (*surrounded by*) un maravilloso jardín entre aves (*birds*) exóticas y obras (*works*) de arte.

Especialidades de la casa: desde tradicionales platillos (*main courses*) de comida mexicana hasta exquisitos platillos de la cocina (*cuisine*) internacional.

Rango de precios: de $19 a $39

Russell Gordon/Danita Delimont/ Alamy Stock Photo

El Mirasol (Buenos Aires, Argentina)

Ambiente: un excelente salón con las mejores vistas de la ciudad, un lugar para relajarse y comer sin apuro (*without being rushed*) con vistas al puerto.

Especialidades de la casa: clásica comida argentina: empanadas de carne (*pastry stuffed with beef*) y carne a la parrilla (*grill*)— bifes (*steaks*), asados (*roasts*) y lomo (*loin*).

Rango de precios: de $25 a $50

©Gise Bracco/Nick Albi

Versailles (Miami, Estados Unidos)

Ambiente: uno de los mejores restaurantes cubanos de Miami, ubicado en la Pequeña Habana, con precios moderados (*moderate*). Aquí se reúnen (*meet*) muchos cubanos a disfrutar de (*to enjoy*) un café y discutir (*discuss*) sobre la política de Cuba.

Especialidades de la casa: comida típica cubana, arroz (*rice*) con frijoles (*beans*) y ropa vieja (*shredded beef in tomato sauce*).

Rango de precios: de $6 a $12

©David Martin-Warr/EA

 PASO 2. Ahora comparen sus respuestas con las de (*those of*) otras parejas. ¿Adónde van a comer ellos y por qué?

MODELO: Vamos a comer en el restaurante cubano Versailles porque tienen precios muy económicos y la comida es buena. ¿Y Uds.?

En español...

To say *Enjoy your meal,* use **¡Buen provecho!**

English doesn't have an exact equivalent for **¡Buen provecho!** The closest thing in English is *Bon appétit!,* borrowed from French. In the Spanish-speaking world it would be rude to come across anyone eating and not say **¡Buen provecho!**

COMUN **VOCABULARIO** UCTURA ATE

A comprar la comida
Food and where to buy it

A. De compras

Imagina que vas a la página web del supermercado para comprar toda la comida que necesitas para la semana. Mira la selección de comidas y bebidas. Luego usa la tabla en la siguiente página para hacer una lista de lo que vas a comprar.

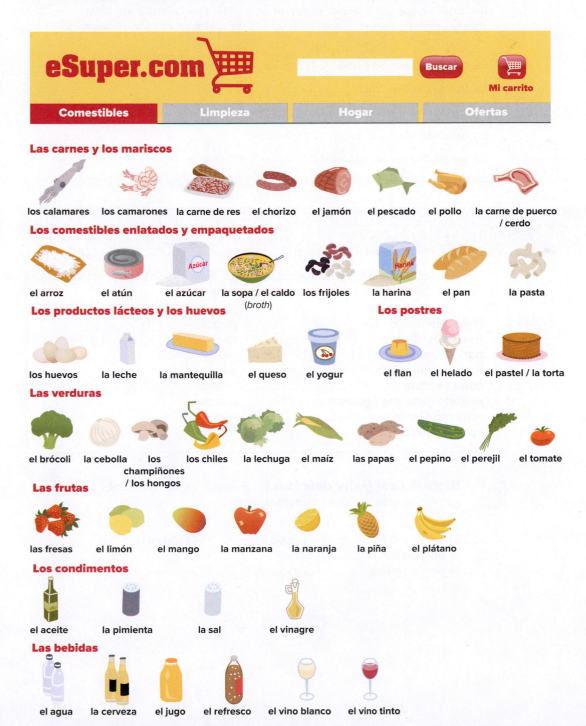

eSuper.com | Buscar | **Mi carrito**

| Comestibles | Limpieza | Hogar | Ofertas |

Las carnes y los mariscos

los calamares · los camarones · la carne de res · el chorizo · el jamón · el pescado · el pollo · la carne de puerco / cerdo

Los comestibles enlatados y empaquetados

el arroz · el atún · el azúcar · la sopa / el caldo *(broth)* · los frijoles · la harina · el pan · la pasta

Los productos lácteos y los huevos

los huevos · la leche · la mantequilla · el queso · el yogur

Los postres

el flan · el helado · el pastel / la torta

Las verduras

el brócoli · la cebolla · los champiñones / los hongos · los chiles · la lechuga · el maíz · las papas · el pepino · el perejil · el tomate

Las frutas

las fresas · el limón · el mango · la manzana · la naranja · la piña · el plátano

Los condimentos

el aceite · la pimienta · la sal · el vinagre

Las bebidas

el agua · la cerveza · el jugo · el refresco · el vino blanco · el vino tinto

(Continues)

LOS DESAYUNOS	LOS SÁNDWICHES	LAS ENSALADAS (SALADS)	LA CENA	LAS MERIENDAS (SNACKS)	LAS BEBIDAS	LOS POSTRES

Supermercados and even **hipermercados** (*warehouse stores, such as Sam's Club*[TM] *or Costco*[TM]) are increasingly common in large cities in the Spanish-speaking world. However, in smaller towns, there are often locally owned stores that specialize in selling one type of food product. Here are some examples.

La carnicería vende carne de todos los animales.

La frutería vende fruta.

La panadería vende pan y pasteles.

La pescadería vende pescado y mariscos.

La verdulería vende verduras.

En español...

The names of different fruits and vegetables vary from region to region. Here are some examples. The more common word appears first.

chile / pimiento / ají	pepper
fresa / frutilla	strawberry
hongo / seta	mushroom
jugo / zumo	juice
papa / patata	potato
plátano / banana / guineo	banana
refresco / soda	soda
tomate / jitomate	tomato

■ The audio files for in-text listening activities are available in the eBook, within Connect activities, and on the Online Learning Center.

B. ¡Qué rico! (*How delicious!*) Escucha las descripciones y escribe el número al lado del plato correspondiente.

_____ el banana split   _____ los espaguetis   _____ el sándwich
_____ la ensalada   _____ el omelet   _____ la sopa
_____ la hamburguesa   _____ la quesadilla

C. Las comidas

PASO 1. ¿Cuántas veces comes al día? Apunta a qué horas comes durante el día. Luego haz un sondeo (*survey*) del resto de la clase y llena (*fill in*) la tabla. Sigue el modelo y usa la lista de **comidas** y **verbos**.

Comidas	Verbos
el desayuno	desayunar
el almuerzo	almorzar
la comida	comer
la merienda	merendar (*to have a snack*)
la cena	cenar

MODELO: Desayuno a las ocho de la mañana, almuerzo a la una de la tarde y ceno a las siete de la noche. ¿Y tú? ¿Cuántas veces comes al día?

	2 VECES	3 VECES	4 VECES	5 VECES
Número de estudiantes				

PASO 2. Ahora, usa las siguientes preguntas (o inventa otras) para saber más detalles sobre las comidas que tus compañeros de clase comen. ¿Tienen Uds. algo en común? Presenta un resumen (*summary*) que incluye por lo menos una diferencia entre tú y alguno/a de tus compañeros.

- ¿Te sientas para desayunar o comes algo en el camino (*on the way*) a la universidad / al trabajo?
- ¿Normalmente traes tu almuerzo o compras comida en el comedor?
- ¿Qué comidas son tus favoritas para merendar?
- ¿Con quién cenas usualmente?
- ¿Sabes cocinar? ¿Qué te gusta cocinar?
- ¿Prefieres la comida saludable (*healthy*) o la comida basura / chatarra (*junk food*)?

D. Vamos de compras

Mira las siguientes imágenes, identifica la comida y di (*say*) adónde puedes ir para comprar cada una.

MODELO: Para comprar camarones, puedo ir a la pescadería.

Foodcollection/StockFood

1.

Fullerene/iStock/Getty Images

2.

NOAA/Department of Commerce

3.

Coprid/Shutterstock

4.

David Planchet/McGraw-Hill

5.

Source: Renee Comet/National Cancer Institute

6.
Iconotec/Glow Images

E. A ver: ¿Qué se come en las comidas? Mira y escucha por lo menos dos veces con pausas. Luego llena (*fill in*) la tabla con la información.

	LA COMIDA (*MEAL*)	¿QUÉ SE TOMA / COME?
Selene de México	_____ _____ _____ _____	_____ Es una comida fuerte (*heavy*). _____
María Fernanda de Venezuela	el almuerzo	_____ _____ _____
Víctor de España	_____ _____ _____	Se come en casa. _____ Es una comida fuerte.
Carolina de Costa Rica	_____ _____ _____ _____	Se toma entre las 6 y las 9 de la mañana. Se toma entre las 12 y la 1. _____ _____ Es parecido al almuerzo.

¡Buen provecho!

En la mesa
Eating at home and at restaurants

A. ¡Pongamos la mesa! (*Let's set the table!*) El cubierto (*place setting*) consiste en varios elementos que se usan para comer. ¿Qué elementos del cubierto usas para cada cosa? **¡Atención!** Las bebidas y la sopa requieren el verbo **tomar.**

el vaso — la taza

la cuchara

el bol —

el cuchillo

el tenedor — el plato

la servilleta —

MODELO: Como el brócoli con un tenedor y un plato, pero tomo la sopa de brócoli con una cuchara y un bol.

1. la pasta
2. la ensalada
3. el café
4. la sopa
5. una torta de chocolate
6. el yogur
7. el agua
8. la carne

Here are some other words to describe food and its preparation.

al ajillo fried with garlic
a la plancha grilled
la salsa sauce
asado/a roasted

dulce sweet
frito/a fried
picante spicy
saludable healthy

When in a restaurant, you can use **pedir** to order food from the **camarero/a** or **mesero/a** (*server, waiter / waitress*). Ask for **la carta** (*menu*) to decide what you want to eat.

—**¿Sabes qué vas a pedir?**

Do you know what you're going to order?

—**No, es mi primera vez en este restaurante. Tengo que ver la carta.**

No, it's my first time at this restaurant. I have to see the menu.

—**Bueno, yo voy a pedir una hamburguesa.**

OK, well I'm going to order a hamburger.

 B. Tus platos favoritos

En grupos, describan sus platos favoritos en casa con sus familias y sus platos favoritos de un restaurante en su ciudad. Comparen y contrasten los dos platos.

MODELO: En casa, mi plato favorito es la pasta con pollo y brócoli. Aquí, mi plato favorito es la pizza de Frisky's. La pasta es más saludable, pero me encanta la pizza...

C. ¿Para pedir o para evitar (*avoid*)? Las siguientes personas van a comer en el Restaurante Piña. En parejas, miren la carta y decidan qué platos o bebidas va a pedir cada uno y qué va a evitar.

Restaurante Piña

Aperitivos

coctel de camarón	₡2,500
empanada de jamón y queso	₡1,750
empanada de verdura	₡1,500
melón con jamón	₡3,500

Primer plato

ensalada mixta	₡2,750
ensalada rusa (de papas)	₡2,500
sopa de champiñones	₡2,500
sopa de pollo con fideos (pasta)	₡2,750

Segundo plato

filete de carne "la Piña"	₡6,000
pescado del día	₡5,000
salmón asado	₡5,750
ravioles de queso	₡4,500
ravioles de verdura	₡4,500

Acompañamientos

arroz	₡1,000
champiñones al ajillo	₡1,500
frijoles negros	₡1,500
papas fritas	₡1,000
puré de papas	₡1,000

Postres

flan	₡ 750
fruta fresca	₡1,000
helado de piña	₡1,000
torta de chocolate	₡1,200

Bebidas

agua	₡ 750
café	₡ 950
cerveza	₡2,000
vino	₡2,500

Restaurante Piña 879A Paseo Colón, San José, Costa Rica

CONÉCTATE AL MUNDO HISPANO

En muchos países hispanos, **el menú del día** (o **menú**) se refiere a una comida especial compuesta de **sopa** u otro **primer plato** (*first course*), **un plato principal / segundo plato** (*main course*) y **postre** con **pan** y **una bebida.** En algunos restaurantes se ofrecen varias posibilidades para cada plato y se paga **un precio fijo** (*fixed*). Si no quieres el menú del día, debes pedir **la carta** y seleccionar un plato y **un acompañamiento** (*side order*).

Al igual que en inglés, hay muchas palabras para decir *appetizers*; por ejemplo, **aperitivos, entradas, entrantes, botanas** o **tapas.** Estas palabras varían de región en región.

MODELO: E1: Teresa está a dieta.
E2: Ella pide una ensalada mixta y el pescado del día a la plancha. Evita los postres.

1. Ronaldo no tiene hambre.
2. Pablo y Javier tienen hambre.
3. Sara es vegetariana.
4. Elena y Tomás van al gimnasio después de la comida.
5. Olga no toma alcohol.
6. Ricardo tiene prisa (*is in a hurry*).
7. A Margarita no le gustan los mariscos.
8. Franco no come carbohidratos ni gluten.

D. Nunca como...

PASO 1. Consulta la carta del Restaurante Piña en la **Actividad C** y haz una lista de cinco alimentos (*foods*) o bebidas que nunca comes o tomas.

NUNCA COMO...	NUNCA TOMO...
salmón	*vino*

PASO 2. En parejas, entrevístense para determinar si evitan las mismas (*same*) comidas y bebidas. Luego presenten lo que tienen en común al resto de la clase.

MODELO: E1: Nunca como salmón. ¿Y tú?
E2: Me gusta el salmón. Nunca como carne. ¿Y tú?
E1: ¡Yo tampoco! (*Me neither!*)

E. ¡A pedir!

PASO 1. Usando la carta del Restaurante Piña, completa el diálogo entre el camarero (*waiter, server*) y un cliente alérgico a los productos lácteos y a quien no le gustan ni (*neither*) el pescado ni (*nor*) los mariscos. **¡Atención!** Al servir la comida, usa: **¡Buen provecho!**

EL CAMARERO: ¿Está listo para pedir?

EL CLIENTE: De primer plato, quiero _____

EL CAMARERO: ¿Y de segundo plato?

EL CLIENTE: _____

EL CAMARERO: ¿Y para tomar?

EL CLIENTE: _____

EL CAMARERO: ¿Algo más?

EL CLIENTE: _____

EL CAMARERO: ¿Está listo para pedir postre?

EL CLIENTE: _____

PASO 2. En grupos, túrnense para ser camarero/a mientras los otros piden comida de la carta. Es importante usar el trato formal (**Ud.**).

MODELO: E1: ¿Está listo/a para pedir?
E2: De primer plato, la ensalada mixta, por favor.
E1: ¿Y de segundo?

CONÉCTATE AL MUNDO PROFESIONAL

Culinary adventurousness can help you succeed in a globalized workplace. Even if you're not fluent in a language, try to be aware of a few cultural customs and be willing to try new foods as you encounter them in other cultures. This can make you stand out against the competition.

COMÚN VOCABUL **ESTRUCTURA** ATE

Reciclaje The present indicative

¿Eres igual a un cocinero (*chef*) profesional? Escribe cada verbo en tiempo presente para decir (*say*) cómo es un cocinero profesional y cómo eres tú. ¡Usa **no** si es necesario!

Un cocinero profesional		Yo	
cocinar	_____ muy bien.	_____ muy bien.	
escribir	_____ libros de cocina.	_____ libros de cocina.	
trabajar	_____ en un restaurante.	_____ en un restaurante.	
aprender	_____ a cocinar cosas nuevas de vez en cuando.	_____ a cocinar cosas nuevas de vez en cuando.	

Según tus respuestas, ¿qué tienes en común con un cocinero profesional? Si no tienen nada en común, escribe eso.
Los dos _____.

■ Answers to this activity are in Appendix 2 at the back of your book.

6.1 Aprendió a cocinar

The preterite: Regular verbs

Para empezar...

Virgilio Martínez es parte de una nueva generación de cocineros (*chefs*) peruanos, y según muchos, su restaurante principal **Central Restaurante,** en Lima, Perú, es uno de los mejores del mundo. Martínez es conocido (*known*) por el uso de ingredientes peruanos, como la papa y la quinua, y por el uso de más de 120 tipos distintos de sal.

PASO 1. Usa tu sentido (*sense*) común para emparejar cada evento en la vida de Virgilio Martínez con el año correspondiente.

AÑO	EVENTO
1. ____ 1977	a. **Abrió** un restaurante en Londres después del éxito (*success*) de su restaurante en Lima.
2. ____ 1995–1997	b. **Trabajó** en restaurantes en Nueva York y en otras partes del mundo por nueve años.
3. ____ 1998	c. **Escribió** un libro sobre Central Restaurante usando sus experiencias en el proyecto Mater Iniciativa.
4. ____ 1999–2008	d. **Abrió** su propio (*own*) restaurante en Lima. Se llama Central Restaurante.
5. ____ 2008–2009	e. **Nació** (*He was born*) en Lima, Perú.
6. ____ 2010	f. **Aprendió** a cocinar bien en la escuela *Cordon Bleu* en Canadá.
7. ____ 2012	g. **Empezó** Mater Iniciativa, un proyecto de investigación en el que busca ingredientes nuevos en todo Perú y luego usa esos ingredientes en sus restaurantes, después del éxito de sus restaurantes en Lima y Londres.
8. ____ 2013	h. **Estudió** derecho en Lima por dos años.
9. ____ 2016	i. **Trabajó** como cocinero principal en el restaurante Astrid y Gastón en Madrid y en Bogotá. Allí **empezó** a tener mucha fama.

CRIS BOURONCLE/AFP/Getty Images

Virgilio Martínez, un chef y empresario (*entrepreneur*) peruano

(Continues)

PASO 2.   Ahora que sabes más sobre la vida de Virgilio Martínez, haz tu propia (*own*) minibiografía. Para cada pregunta, escoge la respuesta adecuada y escribe la información que falta (*is missing*). Si es necesario, puedes empezar tu respuesta con **nunca** (por ejemplo, «Nunca aprendí a cocinar»).

1. _____ ¿En qué año **naciste**?
2. _____ ¿Dónde **naciste**?
3. _____ ¿Dónde **estudiaste** primaria?
4. _____ ¿En qué año **empezaste** a estudiar en la universidad?
5. _____ ¿En qué año **trabajaste** en un restaurante?
6. _____ ¿En qué año **aprendiste** a cocinar una cena completa?

a. **Empecé** a estudiar en la universidad en el año _____.
b. **Nací** en el año _____.
c. **Trabajé** en un restaurante en el año _____.
d. **Nací** en _____.
e. **Aprendí** a cocinar una cena completa en el año _____.
f. **Estudié** primaria en _____.

■ Answers to these activities are in Appendix 2 at the back of your book.

Actividades analíticas

1   The verbs in **Para empezar** are in the *preterite tense* (**el tiempo pretérito**). This tense is used when you want to portray an event as happening at a specific point in the past. Use the verb forms from **Para empezar** to complete these conjugations of **trabajar, aprender,** and **escribir** in the preterite.

	trabajar	aprender	escribir
yo			escrib**í**
tú			escrib**iste**
él/ella, Ud.			
nosotros/as	trabaj**amos**	aprend**imos**	escrib**imos**
[vosotros/as]	[trabaj**asteis**]	[aprend**isteis**]	[escrib**isteis**]
ellos/ellas, Uds.	trabaj**aron**	aprend**ieron**	escrib**ieron**

vos	
trabajar	trabaj**aste**
aprender	aprend**iste**
escribir	escrib**iste**

2   Complete this chart of endings for **-ar, -er,** and **-ir** verbs in the preterite. Note that the endings for **-er** and **-ir** verbs are the same.

	-ar		-er / -ir	
yo	_-é_ trabaj**é**		_____ aprend**í**	escrib**í**
tú	_-aste_ trabaj**aste**		_____ aprend**iste**	escrib**iste**
él/ella, Ud.	_-ó_ trabaj**ó**		_-ió_ aprend**ió**	escrib**ió**
nosotros/as	_____ trabaj**amos**		_-imos_ aprend**imos**	escrib**imos**
[vosotros/as]	[_-asteis_ trabaj**asteis**]		[_____ aprend**isteis**	escrib**isteis**]
ellos/ellas, Uds.	_____ trabaj**aron**		_____ aprend**ieron**	escrib**ieron**

vos	
-ar	trabaj**aste**
-er / -ir	aprend**iste** / escrib**iste**

■ For more verbs in the preterite, see **Para saber más 6.1** at the back of your book.

3 The preterite is often used with specific time expressions such as **ayer** (*yesterday*) and **anoche** (*last night*).

El supermercado cerró muy temprano **ayer.**	*The supermarket closed very early yesterday.*
Anoche cené a las ocho.	*I had dinner at 8:00 last night.*

To express the idea of *ago*, use the word **hace** followed by the period of time that has passed.

Trabajé en el restaurante **hace cinco años.**	*I worked in the restaurant five years ago.*
Comimos **hace dos minutos.**	*We ate two minutes ago.*

4 For **-ar** verbs with stems that end in **-g-** (such as **jugar** and **llegar**), add a **-u-** to the **yo** form to preserve the hard **g** sound before the **-é** ending. This change is not needed when the ending begins with **a** or **o**.

Llegué ayer en la tarde.	*I arrived yesterday in the evening.*
¿**Llegaste** a tiempo?	*Did you arrive on time?*

Similarly, for **-ar** verbs whose stems end in **-c-** (such as **practicar**), change the **-c-** to **-qu-** in the **yo** form to preserve the hard [k] sound of the **-c-** when followed by the **-é** ending. For verbs whose stems end in **-z-** (such as **empezar**), change the **-z-** to **-c-**. These changes are not needed when the ending begins with **-a** or **-o**.

Ayer no **practiqué** tenis.	*I didn't practice tennis yesterday.*
¿Tú sí **practicaste**?	*Did you practice?*
Empecé a estudiar matemáticas el año pasado.	*I started studying math last year.*
¿Cuándo **empezaste** tú?	*When did you start?*

Actividades prácticas

A. Preguntas y respuestas   Empareja cada pregunta con una respuesta adecuada.

1. _____ ¿A qué hora cenaron anoche?
2. _____ ¿Estudiaste mucho ayer?
3. _____ ¿Cuándo empezaste a bailar salsa?
4. _____ ¿Quién cocinó ayer?
5. _____ ¿A qué hora cenaste anoche?
6. _____ ¿Dónde vivieron el año pasado?
7. _____ ¿Estudiaron mucho para el examen?
8. _____ ¿Cuándo empezaron a cocinar?
9. _____ ¿Dónde vivió Ud. en 2017?

a. Cené a las nueve.
b. Viví en casa de mi madre.
c. Cenamos a las siete.
d. Empezamos hace diez minutos.
e. Empecé hace cuatro meses.
f. Cociné yo.
g. Vivimos en la residencia estudiantil.
h. Sí, estudiamos mucho.
i. Sí, estudié mucho.

Estrategia

The preterite tense can seem very intimidating at first, but you'll learn it by hearing and producing it in real, meaningful contexts. The **Actividades prácticas** here give you an excellent start in that direction.

B. Entrevistas   Lee las entrevistas con Gonzalo, Isabel, María y Pilar sobre qué comieron y cuándo comieron. Usa la siguiente información para completar las entrevistas.

- Los argentinos tienen fama (*reputation*) de comer mucha carne.
- Los argentinos y los españoles tienen fama de cenar a las diez o más tarde.
- Los mexicanos tienen fama de desayunar y comer (almorzar) mucho, pero cenar poco.

Gonzalo (Argentina)

—_____¹

—Desayuné a las seis y media.

—¿Y qué desayunaste?

—_____²

—¿A qué hora cenaste ayer?

—_____³

—¿Qué cenaste?

—_____⁴

María y Pilar (España)

—_____⁵

—Anoche cenamos a las diez.

—¿Qué cenaron?

—_____⁶

Isabel (México)

—_____⁷

—Desayuné a las ocho.

—¿Y qué desayunó?

—_____⁸

—¿A qué hora comió?

—_____⁹

—_____¹⁰

—Comí una sopa, arroz, un guisado (*stew*) y un postre.

—¿A qué hora cenó?

—_____¹¹

—¿Qué cenó?

—_____¹²

a. Cené a las nueve.
b. ¿A qué hora cenaron anoche?
c. Cené muy ligero (*light*): un pan y un vaso con leche.
d. ¿A qué hora desayunaste esta mañana?
e. Anoche cené a las diez.
f. Desayuné huevo, frijoles, pan de dulce y fruta.
g. ¿Y qué comió?
h. Cené carne y una ensalada.
i. Comí a las tres.
j. Cenamos pescado.
k. ¿A qué hora desayunó Ud. esta mañana?
l. Desayuné una medialuna (*croissant*) con un café.

Gonzalo

María y Pilar

Isabel

C. ¿Cómo comen los estudiantes?   ¿Tus compañeros comen de una manera balanceada (*balanced*)? Escoge uno de los siguientes tipos de comida o bebida y pregúntales a tres compañeros cuántas veces comieron o tomaron cada una durante las últimas (*last*) veinticuatro horas. Apunta los resultados.

> **MODELO:**   E1: ¿Cuántas veces comiste carne en las últimas veinticuatro horas?
> E2: Comí carne dos veces.

1. agua
2. carne
3. frijoles
4. fruta

5. granos integrales (*whole grains*)
6. leche
7. pescado
8. verduras

D. ¡A juntarse!

PASO 1.   En muchos países hispanos, es muy común juntarse (*to get together*) con toda la familia los domingos para comer. ¿Es así (*like that*) para tus compañeros también? En parejas, pregúntense con quién desayunaron, con quién almorzaron y con quién cenaron el domingo pasado.

> **MODELO:**   E1: ¿Con quién desayunaste el domingo pasado?
> E2: Desayuné solo.

PASO 2.   ¿Cuándo fue (*was*) la última vez que se juntó tu familia? En parejas, túrnense para describir la reunión y den (*give*) muchos detalles. (¿Celebraron Uds. algo específico? ¿Cuántas personas asistieron [*attended*]? ¿Dónde fue [*was*] el evento? ¿Quién preparó la comida? ¿Cocinaste tú alguna comida especial? ¿Qué comieron Uds.? ¿A qué hora terminó la reunión?)

La comida del domingo

Reciclaje | Verbs with irregular **yo** forms

Completa cada oración usando uno de los siguientes verbos en la forma **yo** del presente.

decir   hacer   ir   poner   ser

1. _____ una persona perfecta.
2. Cada mañana, _____ un desayuno muy rico para todos mis amigos.
3. _____ «¡Buen provecho!» antes de empezar a comer.
4. _____ al súper cada día para comprar la comida más fresca.
5. Siempre _____ las cosas en el lugar correcto.

■ Answers to this activity are in Appendix 2 at the back of your book.

6.2 ¿Hice algo mal en la cena?

The preterite: Some common irregular verbs

Para empezar...

Uno de tus amigos está en Buenos Aires y la semana pasada lo invitaron (*they invited him*) a una cena. **Fue** (*He went*), pero ahora tiene la impresión de que **hizo** (*he did*) algo mal en la cena. Según él, estas son las cosas que **hizo**. ¿Qué **estuvo** (*was*) bien, y qué **estuvo** mal? Primero lee **Conéctate al mundo hispano**. Luego haz la actividad. **¡Atención!** ¡Tu amigo solo **hizo** dos cosas bien!

CONÉCTATE AL MUNDO HISPANO

Muchos aspectos de **una cena latinoamericana** son similares a las costumbres en este país, pero hay algunas diferencias importantes.

■ Al llegar (*Upon arriving*) es normal darse la mano o darle un beso a cada persona presente.
■ En general, la cena empieza más tarde.
■ Debes tener las manos sobre (*on top of*) la mesa durante la comida, no debajo de (*under*) la mesa.
■ La conversación en la mesa (conocida como **la sobremesa**) es animada y puede durar (*last*) hasta mucho después de terminar (*end*) la cena.

Puede haber diferencias en ciertos lugares, pero estas características se aplican en la mayoría de los países hispanos.

LAS COSAS QUE YO HICE (*I DID*)	ESTUVO BIEN	ESTUVO MAL
1. Primero **fui** (*I went*) a la casa equivocada (*wrong*).	☐	☐
2. Llegué a la casa de mis amigos a las seis y media.	☐	☐
3. **Fui** (*I was*) muy educado (*polite*). Les di la mano a todos los invitados.	☐	☐
4. **Hice** un brindis (*a toast*) con un vaso de agua.	☐	☐
5. Antes de empezar a comer, **dije**: «¡Qué comida tan extraña (*strange*)!».	☐	☐
6. **Puse** (*I put*) las manos debajo (*under*) de la mesa.	☐	☐
7. Tomé mucho vino y **me puse** muy borracho (*drunk*).	☐	☐
8. Después de cenar, **dije**: «**Estuvo** muy rica la cena. ¡Gracias!».	☐	☐
9. Me levanté y **me fui** inmediatamente después de cenar.	☐	☐

Actividades analíticas

1 In **Para empezar** you saw some new verb forms in the preterite tense. One of these verb forms, **fui,** has two meanings. Write out the sentence from **Para empezar** that illustrates each of the meanings listed here.

EXAMPLE

fui = *I went* _____

fui = *I was* _____

The reason that **fui** has two meanings is that the verbs **ir** (*to go*) and **ser** (*to be*) are conjugated in exactly the same way in the preterite.

■ Answers to these activities are in Appendix 2 at the back of your book.

	ir / ser
yo	fui
tú	fuiste
él/ella, Ud.	fue
nosotros/as	fuimos
[vosotros/as]	[fuisteis]
ellos/ellas, Uds.	fueron

VOS	
ir / ser	fuiste

The context generally makes it clear which meaning (**ir** or **ser**) is intended.

¿Adónde **fueron** Uds.?	*Where did you* (pl.) *go?*
Fuimos al supermercado.	*We went to the supermarket.*
Alberto Fujimori **fue** presidente del Perú.	*Alberto Fujimori was president of Peru.*
La fiesta **fue** en casa de Ana.	*The party was at Ana's house.*

«Hice sopa de tortilla para la comida. ¡Buen provecho!»

Source: James Gathany/CDC

2 Use the other verb forms that you saw in **Para empezar** to complete these conjugations.

	decir	estar	hacer	poner
yo		estuve		
tú	dijiste	estuviste	hiciste	pusiste
él/ella, Ud.	dijo		hizo	puso
nosotros/as	dijimos	estuvimos	hicimos	pusimos
[vosotros/as]	[dijisteis]	[estuvisteis]	[hicisteis]	[pusisteis]
ellos/ellas, Uds.	dijeron	estuvieron	hicieron	pusieron

VOS	
decir	dijiste
estar	estuviste
hacer	hiciste
poner	pusiste

These verbs use a special stem in the preterite (**dij-, estuv-, hic-, pus-**). Despite their irregular stems, the endings of these verbs all follow the same pattern. The only exception to this pattern is **dijeron** (and other irregular preterite verbs whose stems end in **-j-,** such as **traer [trajeron]**), in which **i** of the **-ieron** ending is dropped, making the ending **-eron.** Use the examples to complete the chart on page 182.

(Continues)

VOS	
-iste	**¿Hiciste** la tarea? *Did you do the homework?*

Autoprueba

Use the preterite form of each verb to complete the sentence.

1. ¿Tú _____ (poder) comprar las manzanas?
2. ¿Quién _____ (traer) la ensalada de fruta?
3. Mis hermanos _____ (tener) una comida muy rica.
4. Mi mamá _____ (hacer) unas enchiladas de queso.
5. Yo _____ (decir) que desayuno muy poco.

Respuestas: 1. pudiste **2.** trajo **3.** tuvieron **4.** hizo **5.** dije

Terminaciones del pretérito: Verbos de raíz irregular

yo	-e	No **dije** nada.	*I didn't say anything.*
tú	_____	**¿Estuviste** en la fiesta?	*Were you at the party?*
él/ella, Ud.	-o	¿Qué **hizo** Mario?	*What did Mario do?*
nosotros/as	_____	**Pusimos** la comida allí.	*We put the food there.*
[vosotros/as]	[-isteis	**¿Estuvisteis** contentos ayer?]	[*Were you happy yesterday?*]
ellos/ellas, Uds.	-ieron	**Hicieron** sopa para todos.	*They made soup for everyone.*

3 Here is a list of the most common verbs with irregular stems in the preterite, including the four just seen.

Verbos de raíz irregular en el pretérito

INFINITIVO	RAÍZ	EJEMPLO	
decir	dij-	¿Qué **dijo** tu amigo?	*What did your friend say?*
estar	estuv-	Eva no **estuvo** en la cena.	*Eva was not at the dinner.*
hacer	hic-	**Hicieron** una paella muy rica.	*They made a delicious paella.*
poder	pud-	**Pude** llegar a la clase a tiempo.	*I was able to arrive to class on time.*
poner	pus-	¿Dónde **pusiste** las peras?	*Where did you put the pears?*
tener	tuv-	Ayer **tuvimos** un día muy bonito.	*We had a very nice day yesterday.*
traer	traj-	**¿Trajeron** Uds. la comida?	*Did you bring the food?*

Actividades prácticas

A. ¡Arepas!   Las arepas son una comida tradicional de Colombia y Venezuela hecha (*made*) de harina de maíz. Hay comidas parecidas en otros países, como **las pupusas** de El Salvador y **las gorditas** de México. Las siguientes oraciones describen lo que hicieron Bárbara y Mari para preparar arepas, pero las oraciones están desordenadas (*in the wrong order*). Ponlas (*Put them*) en orden, ¡y aprende a hacer arepas!

CÓMO HICIMOS AREPAS

a. ____ Separamos la masa en bolas (*balls*).
b. ____ Comimos las arepas.
c. ____ Pusimos la harina de maíz en agua, con un poco de sal.
d. ____ Pusimos las arepas en aceite caliente.
e. ____ Mezclamos (*We mixed*) todo, y así hicimos la masa (*dough*).
f. __1__ Tuvimos que salir a comprar harina de maíz.
g. __5__ Pusimos queso entre (*between*) dos bolas y las aplastamos (*we flattened them*) en forma circular.
h. ____ ¡Estuvieron muy ricas!

Las arepas

The Colombian Way Ltda/Moment Open/Getty Images

B. Completar la oración

PASO 1. Completa cada oración con el verbo adecuado.

dijeron   estuvimos   fue   fuimos   hicieron   pudieron   trajo   tuviste

1. Araceli _____ la mejor estudiante de la clase ayer.
2. Beto y yo _____ a la biblioteca para estudiar.
3. Edgar _____ un perro a nuestra clase.
4. Los cocineros _____ una paella exquisita.
5. ¿_____ un examen de matemáticas?
6. Brenda y Gustavo no _____ hacer la tarea.
7. ¡_____ en la biblioteca por cuatro horas ayer!
8. _____ que el español es muy bonito.

PASO 2. Cambia cada oración del **Paso 1** a la forma **yo** e indica si hiciste eso ayer.

¿HICISTE ESO AYER?

	SÍ	NO
1. ____ Fui el/la mejor estudiante de la clase. ____	☐	☐
2. _____	☐	☐
3. _____	☐	☐
4. _____	☐	☐
5. _____	☐	☐
6. _____	☐	☐
7. _____	☐	☐
8. _____	☐	☐

C. ¿Adónde fuiste a comer?

PASO 1. Pregúntale a tu compañero/a cuándo fue la última vez que salió a comer. ¿Adónde fue? ¿Qué comió? ¿Cómo estuvo la comida? Apunta sus respuestas.

PASO 2. Ahora comparte con la clase las experiencias de tu compañero/a.

MODELO: Kristen salió a comer anoche. Fue a Dino's Restaurante Italiano y comió pasta con verduras. ¡La comida estuvo muy rica!

D. ¿Qué hicieron?

PASO 1. En grupos, pregúntense si hicieron alguna de estas acciones en los últimos doce meses y apunten los resultados.

MODELO: E1: ¿Quién dijo «bon appétit» en una comida?
E2: Yo dije eso muchas veces.

¿Quién hizo esto?

1. decir «bon appétit» en una comida
2. hacer comida mexicana en casa
3. hacer un brindis (*a toast*) en una comida
4. ir a un restaurante peruano
5. tener una cena especial en Año Nuevo (*New Year's*)
6. traer comida para una clase

PASO 2. Creen (*Create*) un resumen de lo que hicieron.

MODELO: Chris dijo «bon appétit» en una comida.
Kathy y Sean hicieron comida mexicana en casa.
Nadie hizo un brindis en una comida.

PASO 3. En sus grupos, hablen de otras experiencias culinarias que han tenido Uds. (*you've had*) recientemente. Las siguientes palabras pueden ayudarlos/las (*help you*).

cocinar   comer   ir   probar (*to try; to taste*)   tener

Reciclaje — Definite articles

Para cada sustantivo, escribe el artículo definido (**el, la, los, las**) correcto. Cinco de estos sustantivos son cosas que no se pueden comer. ¿Cuáles son?

1. ____ aceite
2. ____ carne
3. ____ cebolla
4. ____ chile
5. ____ cuchara
6. ____ cuchillo
7. ____ fresas
8. ____ frijoles
9. ____ leche
10. ____ lechuga
11. ____ maíz
12. ____ pan
13. ____ papas
14. ____ pollos
15. ____ servilleta
16. ____ tazas
17. ____ tenedor
18. ____ tomates
19. ____ vainilla
20. ____ yogur

■ Answers to this activity are in Appendix 2 at the back of your book.

6.3 Lo encontraron en México

Direct objects and direct object pronouns

Para empezar...

¿Qué tienen en común el chile, la papa, el tomate y la vainilla? Todos son originarios (*native*) de América. En la siguiente lista de oraciones, escribe **C** si se trata (*it's about*) del chile, **P** si se trata de la papa, **T** si se trata del tomate y **V** si se trata de la vainilla. **¡Atención!** Para entender las oraciones mejor, acuérdate de que **chile** y **tomate** son sustantivos masculinos, y **papa** y **vainilla** son sustantivos femeninos.

1. ____ **La** domesticaron en la región de los Andes. Los españoles **la** llevaron a Europa y ahora **la** usan mucho en la cocina alemana e irlandesa, por ejemplo.
2. ____ En Sudamérica y en el Caribe, **lo** conocen como «ají». **Lo** usan para hacer más picante la comida.
3. ____ **La** usan mucho en los postres.
4. ____ En España, **lo** conocen como «pimiento».
5. ____ En el centro y el sur de México, **lo** conocen como «jitomate».
6. ____ Los españoles **lo** encontraron en varias partes de América y **lo** llevaron a Europa y Asia en tiempos coloniales. Ahora **lo** usan mucho en la cocina tailandesa, china y coreana.
7. ____ En la mayoría de España, **la** llaman «patata».
8. ____ Los españoles **lo** encontraron en México y **lo** llevaron a Europa. Desde entonces (*since then*) es un ingrediente muy importante en la cocina española e italiana (en la pizza, por ejemplo).

el chile (C)   la papa (P)   el tomate (T)   la vainilla (V)

Actividades analíticas

1 In the examples in **Para empezar, lo** and **la** are *pronouns* (**pronombres**) like *it, him,* or *her* in English. They're used to avoid repetition and replace the full name of a person or thing. **Lo** and **la** specifically replace the *direct object* (**el objeto directo**) of the sentence. The direct object is the person or thing upon which the action of the verb is performed. Circle the direct object in each sentence, then note how it is replaced by **lo** or **la.** The first one is done for you.

a. Los españoles encontraron ⟨el chile⟩ en México.
→ Los españoles **lo** encontraron en México.

b. Los españoles llevaron la papa a Europa.
→ Los españoles **la** llevaron a Europa.

c. Veo a mi hermano todos los días.
→ **Lo** veo todos los días.

d. Gustavo conoce muy bien a Marisela.
→ Gustavo **la** conoce muy bien.

2 Circle the direct object of each sentence, then rewrite the sentence, replacing the direct object with **lo** or **la.** The first one is done for you.

a. Encontré (este libro) en la biblioteca.   →   _____Lo encontré en la biblioteca._____
b. Ana toma café por la mañana.   →   _____
c. Julián compró la fruta ayer.   →   _____

3 If the direct object is plural, the pronouns **los** or **las** are used.

Necesito **los libros.**   → **Los** necesito.

Mi amiga conoce **a Ana y a Luisa.**   → Mi amiga **las** conoce.

The other direct object pronouns (**me, te, nos,** and **os**) are already familiar to you, because they look exactly the same as the reflexive pronouns (**Estructura 5.2**). The full set is given here.

PRONOMBRES DE OBJETO DIRECTO			
singular		**plural**	
me	me	**nos**	us
te	you (inform.)	**[os]**	[you (inform., Sp.)]
lo	him/it (m.)	**los**	them (m.)
	you (m., form.)		you (m.)
la	her/it (f.)	**las**	them (f.)
	you (f., form.)		you (f.)

¿**Me** conoces?   *Do you know me?*

Perdón, no **te** oí.   *I'm sorry, I didn't hear you.*

Marta **nos** invitó a una fiesta.   *Marta invited us to a party.*

4 Direct object pronouns are usually placed before the conjugated verb. If the conjugated verb is immediately followed by an infinitive, the pronoun can instead be attached to the end of the infinitive.

Puedo encontrar **el libro** en la biblioteca. →
{
Lo puedo encontrar en la biblioteca.
Puedo encontrar**lo** en la biblioteca.
}

You'll explore the placement of the pronoun in more detail in **Estructura 8.3.**

5 In addition to being used to mean *it* (m. and f.) and *him / her / them,* the pronouns **lo, la, los,** and **las** may be used to refer to people that you're addressing as **Ud.** or **Uds.** (*you*).

Mi madre **la** conoce.   *My mother knows you* (f. sing., form.). / *My mother knows her.*

Los invité a la cena.   *I invited you* (m. pl.) *to the dinner. / I invited them to the dinner.*

The following sentences are addressing the person as **tú.** Change them to address the person as **Ud.**

a. Te invito a desayunar con nosotros.   →   _____
                                                      (addressing a male)

b. Te llevamos (*take*) a la fiesta.   →   _____
                                                      (addressing a female)

> **Autoprueba**

In each sentence, find the direct object and change it to a pronoun.

1. Juan hizo las tortillas.
   _____

2. Mi mamá conoce a Ana y a Mario.
   _____

3. Llevé la fruta a la cocina.
   _____

4. Pusimos el arroz en los platos.
   _____

5. No necesito las tazas.
   _____

Respuestas: 1. Juan las hizo. **2.** Mi mamá los conoce. **3.** La llevé a la cocina. **4.** Lo pusimos en los platos. **5.** No las necesito.

■ Answers to these activities are in Appendix 2 at the back of your book.

Actividades prácticas

A. El maíz y las tortillas De las siguientes oraciones, ¿cuáles se refieren (*refer*) al maíz y cuáles se refieren a las tortillas? Además (*In addition*), hay dos oraciones falsas, una sobre el maíz y una sobre las tortillas. ¿Cuáles son?

¿El maíz o las tortillas?

	CIERTO	FALSO
1. _____ Lo domesticaron en América.	☐	☐
2. _____ Los españoles las llevaron a Europa, y desde entonces las comen mucho los españoles y los italianos.	☐	☐
3. _____ Las comen en México, Guatemala y El Salvador.	☐	☐
4. _____ Lo ponen en agua con cal (*lime [mineral]*) para hacer la masa para las tortillas.	☐	☐
5. _____ Lo ponen en agua con azúcar para hacer la masa para las tortillas.	☐	☐
6. _____ Tradicionalmente las hacen de maíz.	☐	☐
7. _____ Los españoles lo llevaron a Europa y al resto del mundo.	☐	☐
8. _____ En muchos países lo llaman «choclo».	☐	☐
9. _____ En el norte de México, donde tradicionalmente no hay mucho maíz, las hacen de harina.	☐	☐

CONÉCTATE AL MUNDO HISPANO

La tortilla es importante en la gastronomía mexicana, centroamericana y española. Pero, ¿sabes que hay varios tipos de tortillas?

En el norte de México, se pueden encontrar tortillas de harina. Estas suelen ser (*tend to be*) más grandes y se usan para hacer los burritos. En el centro y sur de México y en Centroamérica se encuentran tortillas de maíz. Son hechas con harina de maíz, y normalmente son más pequeñas. Se usan para hacer los tacos o enchiladas, o para acompañar algún plato.

En España, la tortilla tradicional es totalmente distinta. Está hecha de huevo y papa y es un tipo de «omelet».

cokemomo/123RF

Tortillas de maíz

Ingram Publishing/SuperStock

Una tortilla española

B. Preguntas y respuestas Vas a escuchar ocho preguntas. Escoge la respuesta más lógica para cada una.

1. ____
2. ____
3. ____
4. ____
5. ____
6. ____
7. ____
8. ____

a. ¿No me conoces? Soy Mari, la amiga de Jorge.
b. La tiré (*threw out*).
c. Las puse en la cocina.
d. Porque no nos invitaron a la fiesta.
e. Sí, está bien. Te veo allí.
f. ¿No lo conoces? Es el amigo de Ana.
g. Lo puse en la cocina.
h. Los tiré.

C. La comida mexicana en tu país De toda la comida hispana, la mexicana es la más conocida en este país. Pero, ¿tú la conoces bien? De esta lista de platillos (*dishes*) mexicanos, ¿cuáles conoces? ¿Cuáles tienen en restaurantes donde tú vives? En parejas, comparen sus experiencias. **¡Atención!** El número y género de cada platillo es diferente.

> **MODELO:** E1: ¿Conoces el arroz con leche?
> E2: No, no lo conozco, pero lo tienen en restaurantes aquí.

ALGUNOS PLATILLOS MEXICANOS

1. el arroz con leche
2. la birria (carne de chivo [*goat*])
3. las carnitas (carne de puerco)
4. los chilaquiles (trozos [*pieces*] de tortilla de maíz con huevo y salsa picante)
5. la crema de espárragos (*cream of asparagus soup*)
6. la sopa de tortilla
7. los huevos motuleños (tortilla de maíz con huevos, frijoles negros y queso)
8. los nopalitos (*cactus pads*)
9. la sopa de lima (de pollo con jugo de lima [*lime*])
10. los tamales dulces

D. El tenedor y el cuchillo Hay dos maneras de cortar (*to cut*) la comida con el tenedor y el cuchillo en el mundo: «el estilo norteamericano» y «el estilo europeo». Lee las siguientes descripciones, y trata de identificar cuál es el estilo norteamericano y cuál es el estilo europeo. Luego cambia la expresión subrayada (*underlined*) a un pronombre y escribe la descripción en el espacio correcto.

> **MODELO:** Tengo el tenedor en la mano izquierda (*left hand*). →
> Lo tengo en la mano izquierda.

El estilo A:

1. Tengo el tenedor en la mano izquierda. Después de cortar algo, cambio el tenedor de la mano izquierda a la mano derecha (*right*) para comer.
2. Tengo el cuchillo en la mano derecha. Después de cortar algo, pongo el cuchillo en el plato.

El estilo B:

1. Tengo el tenedor en la mano izquierda. Después de cortar algo, dejo (*I leave*) el tenedor en esa mano para comer.
2. Tengo el cuchillo en la mano derecha. Después de cortar algo, dejo el cuchillo en esa mano.

Estilo _____ es el estilo europeo.

> **El tenedor:** _____
> **El cuchillo:** _____

Estilo _____ es el estilo norteamericano.

> **El tenedor:** _____
> **El cuchillo:** _____

Ingram Publishing

 E. ¿A quién ves fuera de la clase? Haz una lista de los compañeros de tu clase que ves fuera de la clase de vez en cuando. En parejas, explíquense dónde y cúando ven a cada persona en su lista.

> **MODELO:** *Tú:* Te veo en mi clase de biología los martes y jueves.
> *Steve:* Lo veo en la residencia todos los días.
> *Alycia y Karen:* Las veo en el trabajo de vez en cuando.

Chile

El pescado es un producto económico importante de Chile.

F. Cultura: Los productos agrícolas (*agricultural*) y de mar (*sea*) en Chile

PASO 1. Lee el texto sobre Chile.

¿Conoces la comida chilena? Aunque no conozcas[a] todos los platillos tradicionales, sin duda[b] conoces los ingredientes. Chile produce y exporta mucha comida que llega a las mesas de familias en otros países. Por ejemplo, se cultivan muchas frutas y verduras. Chile es el primer exportador de manzanas, uvas, duraznos y ciruelas[c] en el mundo. También produce muchos aguacates, fresas, peras y espárragos.

Por tener una costa tan larga, claro que otra comida que se exporta de Chile es el pescado. Después de Noruega, Chile es el segundo exportador en todo el mundo de salmón y trucha.[d] Un dato interesante es que en los Estados Unidos y Canadá, el pez que se pesca en los océanos entre Patagonia y Antártida, y que antes se conocía como *Patagonian toothfish,* es ahora mejor conocido como *Chilean sea bass,* el nombre que inventó un vendedor de pescado.* Chile produce otros pescados y varios mariscos también, como mejillones, vieiras, ostras y abulón.[e]

Y una mesa de comida chilena no está lista hasta tener una botella (o tal vez, una caja†) de vino chileno. Chile es el quinto[f] exportador de vino en todo el mundo. Los vinos que más produce son los Cabernet Sauvignon y los Merlot. El valle de Maipo es una de las regiones más reconocidas por la producción de vino chileno excelente.

[a]Aunque... *Even if you aren't familiar with* [b]*doubt* [c]uvas... *grapes, peaches, and plums* [d]*trout* [e]mejillones... *mussels, scallops, oysters, and abalone* [f]*fifth*

PASO 2. Ahora empareja cada producto chileno con la oración que lo describe usando un pronombre de objeto directo.

_____ 1. Chile la exporta al resto del mundo.

_____ 2. Los niños de los Estados Unidos las traen en sus almuerzos.

_____ 3. Chile los exporta junto (*along*) con sus pescados.

_____ 4. Incluso los franceses y los italianos lo beben durante la cena.

_____ 5. Los sirven en los restaurantes vegetarianos en todo el mundo.

_____ 6. Los noruegos (*Norwegians*) casi no lo comen porque tienen un producto nacional similar.

a. la fruta chilena
b. el vino chileno
c. los mariscos chilenos
d. las manzanas chilenas
e. el salmón chileno
f. los espárragos chilenos

 PASO 3. En parejas, contesten las preguntas y explíquense sus respuestas.

1. Chile es uno de los pocos países hispanos que exporta grandes cantidades (*quantities*) de vino al resto del mundo (los otros son Argentina y España). ¿Por qué produce tanto (*so much*) vino Chile, y no países como Colombia o Guatemala?

2. En comparación al resto de Latinoamérica, Chile es un país relativamente rico y tiene una economía fuerte. ¿Ves una relación entre eso y la producción de vino en Chile?

3. En tu país, ¿dónde producen vino y dónde no? En general, ¿las zonas donde producen vino son más ricas que otras partes del país?

---

*Este pez, que tiene el nombre científico de *Dissostichus eleginoides,* se conoce como «bacalao de profundidad» (*deep-water cod*) en Chile y «merluza (*hake*) negra» en Argentina.
†En Chile algunos de los vinos más sabrosos (*best-tasting*) se venden en caja (*box*).

¡Leamos!

El huitlacoche

Antes de leer

PASO 1. Indica tus gustos en cuanto a (*with regard to*) la comida mexicana.

	ME GUSTA(N)	NO ME GUSTA(N)	NO HE PROBADO (*I HAVEN'T TRIED*)...
1. los chiles asados	☐	☐	☐
2. la pechuga (*breast*) de pollo rellena (*stuffed*) de champiñones (hongos)	☐	☐	☐
3. las quesadillas	☐	☐	☐
4. los tamales	☐	☐	☐
5. las tortillas de harina	☐	☐	☐
6. las tortillas de maíz	☐	☐	☐

PASO 2. Ahora contesta las preguntas.

1. ¿Eres atrevido/a (*daring*) cuando pruebas (*you try*) comida? ¿Te gusta probar comidas nuevas?
2. ¿Cuál fue la última (*last*) comida nueva que probaste? ¿Te gustó?
3. ¿Te gustan los champiñones?
4. Nombra dos platos que normalmente tienen champiñones.
5. ¿Conoces el huitlacoche?

A leer

Lee el artículo sobre el hongo huitlacoche y contesta las preguntas.

El huitlacoche

Se podría pensar que todas las mazorcas[a] de maíz de esta cosecha[b] están arruinadas[c] porque fueron atacadas por hongos que crecen dentro de la chala,[d] hasta abrirla.[e] Pero es todo lo contrario.

Porque estos hongos que atacan el maíz son muy nutritivos, deliciosos y, para el agricultor[f] de maíz, no son desastrosos porque los hongos se venden en el mercado a un precio mucho más alto que el maíz.

Estos hongos se llaman «huitlacoche» o «cuitlacoche», un nombre que viene de dos palabras indígenas: *cuitlatl* (*excremento*) y *cochi* (*dormir*).

Según los científicos de la alimentación,[g] estos parásitos del maíz ofrecen una generosa cantidad[h] de proteínas, minerales y propiedades nutritivas.

El «ataque» de estas bolitas hongosas[i] resulta en un proceso metabólico dentro de la mazorca que produce nutrientes

Marina Mariya/iStock/Getty Images

nuevos y más robustos. Uno de los minerales derivados de este hongo es la lisina.[j] Prácticamente ausente en el maíz, la lisina abunda en el huitlacoche. La lisina es un aminoácido fundamental para nuestra salud que el organismo no reproduce por sí mismo.[k] Combate infecciones, fortifica el esqueleto y es

[a]cobs [b]crops [c]ruined [d]crecen... *grow inside the husk* [e]hasta... *until it opens it* [f]farmer [g]científicos... *nutrition scientists* [h]quantity [i]bolitas... *mushroom balls* [j]lysine [k]por... *on its own*

(Continues)

popular entre los fisicoculturistas y los esteticistas[l] para aumentar los músculos y rejuvenecer la piel.[m]

No tienes que tomar una pastilla[n] para recibir los beneficios del huitlacoche. Pero sí tienes que cenar en restaurantes exclusivos, como la James Beard House de Nueva York, donde periódicamente este hongo indígena luce[ñ] en el menú. Saboréalo[o] también en las quesadillas de Tú y Yo en Boston o en los tamales de La Casita Mexicana de Los Ángeles.

Steve Sando —dueño de Rancho Gordo en el Valle de Napa— diría: «¡Olvídate del valor nutritivo[p]! El sabor[q] es espectacular». Sando viajó a México para obtener el hongo. Probó el huitlacoche en una feria culinaria con su amiga Ruth Alegría, una chef mexicana. En la feria, comieron quesadillas de maíz rellenas de huitlacoche, cebollas y granos de maíz y otros platos con el hongo. Son platos como este los que inspiran a su compañía, Rancho Gordo, a cultivar[r] productos únicos y exclusivos como el huitlacoche y otros cultivos indígenas.

[l]fisicoculturistas... *bodybuilders and aestheticians*   [m]aumentar... *build muscle and rejuvenate skin*   [n]*pill*   [ñ]*is featured*   [o]*Taste it*   [p]valor... *nutritional value*   [q]*flavor*   [r]*cultivate*

1. ¿Qué es el huitlacoche?
2. Según estudios, ¿qué propiedades nutritivas tiene el huitlacoche?
3. ¿Cuál **no** es un beneficio de la lisina?
   a. ayuda a sacar músculos   b. combate infecciones   c. protege los órganos internos
4. ¿Cómo es el sabor del huitlacoche?
5. Describe el negocio de Steve Sando: ¿Qué es? ¿Dónde está? ¿Por qué visitó México?
6. ¿Qué platos hechos con huitlacoche menciona el artículo?
7. En este país se puede comer huitlacoche en...
   a. algunos de los mejores restaurantes.   c. exclusivamente en los restaurantes
   b. todos los restaurantes Tex-Mex.   de baja calidad.

Después de leer

En grupos, contesten las preguntas.

1. ¿Qué comidas te parecen raras, extrañas o asquerosas (*disgusting*)? ¿Por qué?
2. ¿Hay comidas que se comen en este país que pueden ser raras para gente de otros países? Expliquen.
3. ¿Te gustaría (*Would you like*) probar el huitlacoche? ¿Por qué sí o por qué no?

En español...

A number of foods originating from the Americas take their name from words in Nahuatl, the language spoken in the Aztec Empire and most commonly spoken indigenous language in Mexico today. The influence of Nahuatl can be seen in both Spanish and English food names.

NAHUATL	SPANISH
ahuacatl	**aguacate**
chocolatl	**chocolate**
colanto	**cilantro**
chilli	**chile**
xitomatl	**(ji)tomate**

¡Escuchemos!

La cocina tradicional

Antes de escuchar

En grupos, describan platos típicos de sus países, estados o familias. Cada estudiante debe añadir (*add*) detalles. Describan por lo menos cuatro platos típicos.

MODELO: E1: La hamburguesa es como un sándwich de carne con pan.
E2: Generalmente lleva (*it comes with*) lechuga, tomate, queso y salsa de tomate.
E3: Normalmente lleva papas fritas como acompañamiento.

A escuchar

Mira y escucha las descripciones de platos tradicionales que se comen en varias partes del mundo hispano. Luego mira otra vez con pausas y completa las recetas con los ingredientes que corresponden a cada plato.

El ceviche (de Perú y otros países costeros de América)

LISTA DE INGREDIENTES

las cebollas rojas   el limón
el culantro (*cilantro*)   el pescado

PREPARACIÓN

Tenemos el ceviche, que es _____ crudo que lo maceramos (*marinate*) con _____ y _____ y _____.

Ildi.Food/Alamy Stock Photo

El gallo pinto (de Costa Rica)

LISTA DE INGREDIENTES

el arroz   el chile   la mantequilla
la cebolla   los frijoles

PREPARACIÓN

Bueno, gallo pinto son especias como _____, _____ picado, luego se le pone _____, y ya le pone _____, _____ y se mezcla. Sí, es el plato típico.

Daniel Gomes Lacerda/EyeEm/ Getty Images

El gazpacho (de España)

LISTA DE INGREDIENTES

el aceite   el pan   el pimiento (*bell pepper*)   el tomate
la cebolla   el pepino   la sal   el vinagre

PREPARACIÓN

¿El gazpacho? Pues es _____, _____, _____ y _____, y _____ mojado (*wet*)... Se pasa por la batidora (*blender*), se le echa (*add*) _____, _____ y _____ y luego se cuela (*strain*) y se bebe líquido como si fuera, pues yo que sé... como un zumo (jugo).

Light Thru My Lens Photography/ Moment Open/Getty Images

(*Continues*)

El pico de gallo (de Nicaragua)

LISTA DE INGREDIENTES

la cebolla   la pimienta   la sal   el tomate

PREPARACIÓN

Pico de gallo es tomate picado con _____ y todo eso mezclado. Es como una salsita, pero de _____ picado en cuadritos más cebolla y _____ y _____.

Raul Taborda/Alamy Stock Photo

El pabellón criollo (de Venezuela)

LISTA DE INGREDIENTES

el arroz   los frijoles   el huevo   el plátano

PREPARACIÓN

El pabellón criollo es un plato a base de _____ negros y _____. Luego lleva un _____ frito y _____ frito también.

©Gandhi Emanuel Ponce Juárez

Después de escuchar

En grupos, hablen de cuál(es) de los platos descritos quieren probar y por qué.

MODELO: Quiero probar el ceviche porque me gustan los mariscos. No sé si quiero probar los plátanos fritos del pabellón criollo.

¡Escribamos!

Una celebración memorable

¿Recuerdas una celebración especial en la que la comida estuvo muy rica?

A. Antes de escribir

Piensa en una celebración a la que asististe y en la que estuvo muy rica la comida que sirvieron. Puede ser una fiesta, una celebración de cumpleaños o «todos los domingos en casa de mis padres». Prepara dos listas de vocabulario: todas las palabras en español relacionadas con el tema y las palabras que necesitas en español pero que no sabes.

MODELO: *el primer cumpleaños de mi prima*

Vocabulario en español:	Vocabulario en inglés:
la ensalada	*candle*
la lechuga	*carrots*
el tomate	*gifts*
el helado	
la torta	

A escribir

Escribe un ensayo de diez frases (mínimo) para describir la celebración. Explica qué celebraron Uds., qué comida sirvieron, quiénes estuvieron y por qué la recuerdas.

Después de escribir

Revisa tu ensayo. Luego intercambia ensayos con un compañero / una compañera. Lee el ensayo de tu compañero/a y determina si falta información necesaria. Lee de nuevo (*again*) el ensayo con cuidado para revisar los siguientes puntos de gramática.

☐ El ensayo está escrito en el pasado.

☐ Los verbos regulares tienen las terminaciones correctas en el pretérito.

☐ Los verbos irregulares tienen las conjugaciones correctas en el pretérito.

☐ Hay concordancia de sustantivos y adjetivos.

☐ Tiene la ortografía (*spelling*) correcta.

Después de revisar el ensayo de tu compañero/a, devuélveselo (*return it to him/her*). Mira tu propio (*own*) ensayo para ver los cambios que tu compañero/a recomienda y haz las revisiones necesarias.

¡Hablemos!

La fiesta de la clase

Antes de hablar

¡La clase va a hacer una fiesta! En grupos de tres o cuatro, hagan una lista de lo que van a servir en la fiesta (bebidas, aperitivos [*appetizers*], postre, etcétera).

A hablar

Cada grupo escoge un tipo de comida (argentina, china, cubana, española, italiana, mexicana...) para su menú y habla de lo que se va a servir para cada elemento de **Antes de hablar.** Decidan quién va a traer cada cosa. Mencionen una por una (*one by one*) las cosas de su lista y pidan voluntarios. **¡Atención!** Tengan cuidado (*Be careful*) con los pronombres de objeto directo.

>   **MODELO:** E1: Para nuestra fiesta española, necesitamos una tortilla española.
>   E2: Yo la traigo.
>   E1: También necesitamos olivas.
>   E3: Yo las traigo.

Después de hablar

Cada grupo presenta su menú e invita a la clase a asistir. Los otros grupos deben aceptar o rechazar la invitación usando el vocabulario de este capítulo.

VOCABULARIO

Now that I have completed the chapter, I can . . .

☐ respond affirmatively to a request

☐ give and decline invitations politely

☐ describe meals, table settings, and foods

☐ talk about the past

☐ use pronouns to avoid repetition

☐ discuss meals and foods in the Spanish-speaking world

Comunicación	Communication
¿Quieres/Quiere + noun/inf.?	Do you (inform./form.) want . . . ?
¿Tienes/Tiene ganas de + noun/inf.?	Do you (inform./form.) feel like . . . ?
¿Qué te/le parece + noun/inf.?	How about (inform./form.) . . . ?
¿Te/Le apetece + noun/inf.?	How about (inform./form.) . . . ?
Sí, gracias.	Yes, please.
Si no es molestia.	If it's not a bother.
No, gracias.	No, thank you.
Debo + inf.	I should (do something).
No puedo.	I can't.
¡Cómo no! / ¡Claro que sí! / ¡Por supuesto!	Sure! / No problem! / Of course!
¡Con mucho gusto!	With pleasure!

La comida	Food
el aceite	oil
el agua	water
el arroz	rice
el atún	tuna
el azúcar	sugar
la bebida	drink
los calamares	squid
el caldo	broth, clear soup
los camarones	shrimp
la carne	(red) meat
la carne de res	beef
la carne de puerco	pork

la cebolla	onion
la cerveza	beer
los champiñones/hongos	mushrooms
el chile	chili pepper
el chorizo	sausage
los comestibles...	groceries, food
empaquetados	packaged goods
enlatados	canned goods
la ensalada	salad
el flan	custard
la fresa	strawberry
los frijoles	beans
la harina	flour
el helado	ice cream
el huevo	egg
el jamón	ham
el jugo	juice
la leche	milk
la lechuga	lettuce
el limón	lemon; lime
el maíz	corn
la mantequilla	butter
la manzana	apple
los mariscos	seafood
la merienda	snack
la naranja	orange
el pan	bread
la papa	potato
el pastel	cake
el pepino	cucumber
el perejil	parsley
el pescado	fish
la pimienta	black pepper
la piña	pineapple
el plátano	banana
el pollo	chicken
el postre	dessert
los productos lácteos	dairy products
el puerco	pork
el queso	cheese
el refresco	soda
la sal	salt
la salsa	sauce
la sopa	soup
la torta	cake
la verdura	vegetable
el vino blanco/tinto	white/red wine

Cognados: el brócoli, el condimento, la fruta, el mango, la pasta, el sándwich, el tomate, el vinagre, el yogur

En la mesa / At the table

En la mesa	At the table
el bol	bowl
el/la camarero/a	waiter, server
la carta	menu
el cubierto	place setting
la cuchara	spoon
el cuchillo	knife
el/la mesero/a	waiter, server
el plato	plate; dish; course
el primer plato	first course
el segundo plato / plato principal	main course
la servilleta	napkin
la taza	coffee cup; measuring cup
el tenedor	fork
el vaso	(drinking) glass

Las tiendas de comida / Food stores

Las tiendas de comida	Food stores
el hipermercado	large supermarket
la panadería	bakery
la pescadería	fish market
la verdulería	vegetable market

Repaso: la carnicería, la frutería, el mercado, el supermercado (el súper)

Otros términos culinarios / Other cooking terms

Otros términos culinarios	Other cooking terms
a la plancha	grilled
al ajillo	sauteed with garlic
asado/a	roasted
dulce	sweet
frito/a	fried
picante	spicy
saludable	healthy

Los verbos / Verbs

Los verbos	Verbs
evitar	to avoid
merendar (ie)	to have a snack
nacer (zc)	to be born
pedir (i)	to order (*food*); to ask for
poner (*irreg.*) la mesa	to set the table
probar (ue)	to try; to taste

Los pronombres de objeto directo

me, te, lo/la, nos, os, los/las

Los recuerdos° y la nostalgia

La celebración del Año Nuevo en Cartagena, Colombia.

Objetivos

When you finish this chapter, you will be able to:

- say you had a good time
- wish someone well and congratulate them
- talk about holidays and celebrations in the Spanish-speaking world
- talk about ongoing events in the past
- express to whom or for whom an action is performed

Lo pasé bien

Expressing to have a good time

▶ **A. A ver: ¿Cómo lo pasan bien los estudiantes?**

PASO 1. Mira y escucha varias veces, incluso con pausas, y empareja la imagen de cada persona que habla con lo que describe.

_____ 1. José de Puerto Rico

_____ 2. Santiago de Colombia

_____ 3. Karla de Venezuela

_____ 4. Gabriel de Puerto Rico

_____ 5. Steven de Colombia

_____ 6. Dennis de Puerto Rico

_____ 7. Darley de Colombia

a. un campeonato de *ping-pong*
b. la graduación y el *prom*
c. unas marchas (*protest marches*)
d. patinar (*to skate*)
e. subir una montaña que se llama Monserrate
f. el trabajo
g. un viaje (*trip*) con la familia

PASO 2. Escucha mientras tu instructor/a pronuncia los siguientes ejemplos: *disfruté, me divertí, nos divertimos, la pasé muy bien.* Luego mira y escucha otra vez e indica la expresión / las expresiones que usa cada persona para decir «*to have a good time*».

		DISFRUTAR	DIVERTIRSE	PASARLO/LA BIEN	PASARLA DIVERTIDO	PASARLA RICO
1.	José	☐	☐	☐	☐	☐
2.	Santiago	☐	☐	☐	☐	☐
3.	Karla	☐	☐	☐	☐	☐
4.	Gabriel	☐	☐	☐	☐	☐
5.	Steven	☐	☐	☐	☐	☐
6.	Dennis	☐	☐	☐	☐	☐
7.	Darley	☐	☐	☐	☐	☐

Klic Video Productions/McGraw-Hill

Estrategia

In **Paso 1,** you're listening generally to understand the activity each person describes so that you can choose from among seven discrete choices. In **Paso 2,** you have to listen for very specific key phrases. Just as in any communication, you have to deploy different strategies for different contexts.

To say you had a good time in Spanish, use **pasarlo/la bien** (*to have a good time*), **disfrutar** (*to enjoy*), or **divertirse** (*to have fun*).

—**Lo pasé muy bien* de vacaciones. ¿Y tú?**	I had a good time on vacation. And you?
—**Sí, me divertí mucho en las montañas.**	Yes, I had a lot of fun in the mountains.
¿Adónde fuiste tú?	Where did you go?
—**A la playa.**	To the beach.

¡Atención! There is no literal translation of the English *to have a good time*. You must use an expression like one of those presented here.

*Bien can be replaced by various adjectives: **divertido, rico, fenomenal.**

B. ¿Adónde van para divertirse? Lee la cita (*quote*) de cada persona y luego selecciona la oración que mejor la resume (*summarizes*).

1. ____ Nuria (de Madrid, España), dice: «El fin de semana pasado, mis amigos y yo nos divertimos tomando el sol y nadando en el mar».
   a. Fueron a las montañas.
   b. Fueron a la playa.
   c. Fueron al campo.
   d. Fueron al mercado.

2. ____ Eduardo (de Panamá) dice: «Me gustan las películas de acción».
   a. Eduardo lo pasa bien en el cine.
   b. Eduardo lo pasa bien en la playa.
   c. Eduardo lo pasa bien en los mercados.
   d. Eduardo lo pasa bien en las fiestas.

3. ____ Sara (de Colombia) dice: «El año pasado fui a Buenos Aires, Río de Janeiro, Tokio, Londres y Barcelona. Siempre me divierto».
   a. Sara lo pasa bien en la cocina.
   b. Sara lo pasa bien en la clase de música.
   c. Sara lo pasa bien en la oficina.
   d. Sara lo pasa bien en los viajes.

4. ____ María (de México) dice: «Los jóvenes la pasan bien en los antros y discos».
   a. Se divierten en los clubes.
   b. Se divierten en la playa.
   c. Se divierten en la biblioteca.
   d. Se divierten en las canchas (*fields*) de fútbol.

5. ____ Rodrigo (de Buenos Aires) dice: «Los fines de semana me divierto en las fiestas con mis amigos de la universidad».
   a. Rodrigo lo pasa bien en la biblioteca.
   b. Rodrigo lo pasa bien en los cafés.
   c. Rodrigo lo pasa bien en las casas de sus amigos.
   d. Rodrigo lo pasa bien en los salones de clase en la universidad.

Philip Coblentz/Brand X Pictures/PunchStock

El fin de semana pasado, me divertí con mis amigos en La Portada.

En español...

The word **antro** literally means *cave* or *cavern,* but in Mexico it's a very informal term for *club*—a place to socialize, dance, and drink. **Discoteca** is the general word that is understood everywhere, but other words may be used locally. Part of the fun of meeting people from around the Spanish-speaking world is learning the local slang terms that they use.

C. ¿Te divertiste?

PASO 1.   Para cada actividad que hiciste alguna vez, concluye con una de las siguientes expresiones, según tu experiencia.

(no) me divertí   (no) lo pasé bien

MODELO: Visité a mi familia y *lo pasé bien*.

1. Bailé en un club y _____.
2. Cené en un nuevo restaurante y _____.
3. Estudié en la biblioteca y _____.
4. Fui a la playa y _____.
5. Fui de compras y _____.
6. Hice la tarea y _____.
7. Limpié mi cuarto y _____.
8. Practiqué un deporte y _____.
9. Tomé un café en el centro estudiantil y _____.
10. Visité a mis abuelos y _____.

PASO 2.   Habla con tres personas para saber qué hicieron o adónde fueron el fin de semana pasado y si lo pasaron bien.

MODELOS: E1: ¿Qué hiciste el fin de semana pasado?
E2: Visité a mi familia, que vive en Chicago.
E1: ¿Lo pasaste bien?
E1: Sí, lo pasé muy bien. (No, lo pasé mal.)

E1: ¿Qué hiciste el sábado por el día?
E2: Fui a una fiesta para celebrar el cumpleaños de mi sobrina.
E1: ¿Te divertiste?
E2: Sí, me divertí mucho. (No, no me divertí nada.)

Mi sobrina lo pasó bien en su fiesta de cumpleaños con una piñata.

Dynamic Graphics Group/Creatas/Alamy Stock Photo

CONÉCTATE AL MUNDO PROFESIONAL

Networking should always be about building mutually beneficial relationships, not asking for favors. One way to do this is to engage in genuine but light conversation. The **Comunicación** sections throughout the textbook provide you with fixed expressions that you can use immediately to build networking relationships in Spanish. Whatever language you use, you should be able to comfortably employ polite expressions, talk to people about activities they enjoy, react appropriately, and find out what you have in common so that you can follow up later.

Felicitaciones/Felicidades/ Enhorabuena

Congratulating someone

To say *Congratulations* in Spanish, use **Felicitaciones, Felicidades,** or **Enhorabuena.**

—**Voy a graduarme de la universidad en mayo.**	I'm going to graduate from the university in May.
—**¡Felicitaciones!**	Congratulations!

Sometimes this is expressed with the verb **felicitar** and a direct object pronoun.

—**En agosto empiezo a trabajar de psicólogo escolar.**	In August, I will start working as a school psychologist.
—**Te felicito. / Te felicitamos.**	I/We congratulate you.

Note: To express your condolences for something say **Lo siento** (*I'm sorry*).

A. ¿Bueno o malo?   Para cada cita, indica si es más lógico decir «**Felicitaciones**» o «**Lo siento**».

	FELICITACIONES.	LO SIENTO.
1. Saqué mala nota en mi examen ayer.	☐	☐
2. Mi hermana tuvo un bebé. ¡Soy tío!	☐	☐
3. Estoy comprometida (*engaged*).	☐	☐
4. Tengo malas noticias (*bad news*) de mis padres.	☐	☐
5. Conseguí un trabajo.	☐	☐
6. Recibí mi título (*degree*) de la universidad.	☐	☐
7. ¡Gané la lotería!	☐	☐
8. No lo pasé bien en la fiesta anoche.	☐	☐

B. ¡Gracias!

PASO 1.   Escoge (*Choose*) una de las siguientes situaciones y dísela (*tell it*) a tu compañero/a. Tu compañero/a debe responder de manera lógica y ofrecer una solución si es apropiado. Luego cambien de papeles (*roles*).

MODELO: E1: Tengo examen mañana y perdí mi libro.
E2: Lo siento mucho. ¿Quieres usar mi libro?
E1: ¡Gracias! Te lo agradezco.

1. Mi equipo de fútbol ganó el campeonato.
2. Estamos muy tristes; nuestro perro se murió (*died*).
3. Me voy a graduar de la universidad en mayo.
4. Me voy a casar (*get married*) este verano.
5. No me aceptaron en el máster (los estudios de posgrado).

PASO 2.   Siguiendo el modelo del **Paso 1,** dile a tu compañero/a tres cosas (muy buenas o muy malas) que hiciste la semana pasada. Tu compañero/a tiene que responder de una manera apropiada.

MODELO: E1: Salí mal en el último (*last*) examen de español.
E2: Lo siento mucho. ¿Quieres estudiar conmigo (*with me*) para este examen?
E1: ¡Con mucho gusto!

VOCABULARIO

¿Cómo se celebra?

Celebrations in the Spanish-speaking world

A. ¡Celebremos!

PASO 1. Empareja la imagen con la mejor descripción.

a. acción de ofrecer buenos deseos antes de beber
b. algo que una persona le da a otra persona
c. una celebración, puede ser por cualquier (*any*) razón
d. una celebración religiosa y fiesta para un bebé
e. una celebración de un viaje o una mudanza (*move*)
f. una celebración al recibir un título académico
g. una celebración o aniversario de un nacimiento (*birth*)
h. la celebración del casamiento (*marriage*) de una pareja

1. ____ **el brindis**

2. ____ **el cumpleaños**

3. ____ **la despedida**

4. ____ **la fiesta**

5. ____ **el regalo**

6. ____ **el bautizo**

7. ____ **la boda**

8. ____ **la graduación**

CONÉCTATE AL MUNDO HISPANO

En algunas partes del mundo hispano, un término para un fin de semana largo es **un puente** (*bridge*). Si el día festivo que se celebra es un jueves, hacen «un puente» de viernes para crear un fin de semana de cuatro días. Es parecido a la tradición en los Estados Unidos en que el viernes después del **Día de Acción de Gracias** (*Thanksgiving Day*) también es día festivo.

(*Continues*)

CONÉCTATE AL MUNDO HISPANO

La mayoría de los hispanos se identifica como **católica** o **cristiana.** Sin embargo, hay gente de varias religiones en el mundo hispano. Por ejemplo, hay grandes comunidades **judías** en Argentina y México, y hay comunidades **musulmanas** (*Muslim*) en España, Argentina, México y Venezuela. Se encuentran **budistas** en México, Costa Rica y especialmente en Perú, gracias a las grandes inmigraciones de japoneses y chinos al país en los siglos XIX y XX.

PASO 2. Empareja cada descripción con una de las siguientes imágenes.

a. **el Día de los Reyes Magos** (*Wise Men*)

b. **el Carnaval**

c. **la fiesta de quinceañera**

d. **la Semana Santa**

e. **el Día de la Independencia**

f. **el Día de Muertos**

g. **el Jánuca**

h. **la Nochebuena y la Navidad**

i. **la Nochevieja y el Año Nuevo**

1. _____ Son dos días festivos que celebran el **nacimiento** del niño Jesús. Las familias cristianas tienen tradiciones especiales para **celebrar,** pero muchas cenan juntas e intercambian regalos.

2. _____ El 1 y 2 de noviembre los mexicanos tienen la **costumbre** de honrar a sus parientes muertos (*dead*). Hacen altares con objetos personales de los muertos.

3. _____ Es una fiesta judía (*Jewish*) de ocho noches. Cada noche se enciende (*light*) una vela (*candle*) más de la menorá.

4. _____ Cuando una niña **cumple** 15 años, muchas familias dan una gran fiesta para marcar la transición de niña a mujer. **Invitan** a los parientes y amigos a la celebración. La niña lleva un vestido elegante y recibe muchos regalos, **flores** (*flowers*) y **tarjetas** (*cards*) con dinero.

5. _____ Es una celebración del establecimiento de una nación independiente. Normalmente hay **desfiles** en los que las personas caminan, llevan banderas y tocan música. En muchos países se celebra con **fuegos artificiales** por la noche.

6. _____ Esta celebración conmemora (*commemorates*) la visita de los tres reyes (*kings*) al niño Jesús. Mucha gente da regalos en este día porque los reyes le llevaron regalos al bebé. Se celebra el 6 de enero con cabalgatas (*cavalcades*) y reconstrucciones (*reenactments*) de la visita.

7. _____ Es una celebración del fin de un año y la esperanza (*hope*) de un nuevo comienzo (*beginning*). La gente toma **champán** cuando el reloj marca la medianoche.

8. _____ Es la semana más importante en la tradición cristiana. Empieza con el Domingo de Ramos (*Palm*) que recuerda la entrada de Jesús en Jerusalén y termina en el Domingo de **Pascua (Florida)** que celebra su resurrección.

9. _____ Son tres días de fiesta antes de la Cuaresma (*Lent*) cristiana. La gente usa muchos **disfraces,** hay desfiles y se come y se bebe mucho.

En español...

The term **quinceañera** has made its way from Spanish into common usage in English, where it refers to a party for a girl turning 15 years old. However, in Spanish, **quinceañera** originally refers to the girl herself. The party is most often referred to as **la fiesta de quinceañera** or **la fiesta de quince años.**

B. Asociaciones

PASO 1.   Para cada celebración, indica todos los elementos asociados.

	LAS BEBIDAS	UNA CENA	UNA CEREMONIA	UNA FIESTA	UN REGALO	UNA TARJETA
1. el Año Nuevo	☐	☐	☐	☐	☐	☐
2. la boda	☐	☐	☐	☐	☐	☐
3. el Carnaval	☐	☐	☐	☐	☐	☐
4. el cumpleaños	☐	☐	☐	☐	☐	☐
5. la graduación	☐	☐	☐	☐	☐	☐
6. el Jánuca	☐	☐	☐	☐	☐	☐
7. la Nochevieja	☐	☐	☐	☐	☐	☐

PASO 2.   En grupos de dos o tres, digan en qué mes normalmente se celebra cada una de las celebraciones del **Paso 1.** Si es algo que celebran sus familias, digan qué hacen Uds. para conmemorarlo.

MODELO: El Año Nuevo se celebra en enero. Siempre celebro el Año Nuevo con mi familia de una manera muy tranquila, porque la noche anterior, la Nochevieja, siempre estoy con mis amigos en una gran fiesta hasta muy tarde. Nos despertamos tarde y miramos El Desfile de las Rosas en la televisión.

C. Vocabulario: ¿Qué le dices?   En parejas, túrnense para dar la expresión más lógica para cada celebración o evento.

¡Buen viaje! (*Bon voyage!*)   ¡Enhorabuena!   ¡Feliz cumpleaños!
¡Buena suerte! (*Good luck!*)   ¡Feliz Año Nuevo!   ¡Feliz Navidad!

1. «Hoy cumplo 20 años.»
2. «Salgo para Hawái mañana.»
3. «Es el 25 de diciembre.»
4. «Hoy bautizan a mi ahijado (*godson*).»
5. «Hoy tengo un examen.»
6. «Es el primero de enero.»

D. ¿Para cuándo?   Consulta el calendario y empareja cada elemento de la lista de quehaceres (*to-do list*) con la fecha más adecuada.

1. ____ Celebrar a la medianoche.
2. ____ Celebrar el nacimiento del niño Jesús.
3. ____ Llegar a la iglesia con media hora de anticipación (*early*).
4. ____ Preparar lo que voy a decir sobre los novios para el brindis.
5. ____ Salir a un restaurante elegante con mi esposo.
6. ____ Encender las velas (*candles*) con los vecinos (*neighbors*).
7. ____ Enviar (*Mail*) la tarjeta de cumpleaños.
8. ____ Invitar a los compañeros de trabajo a la fiesta para Jaime.

a. el 3 de diciembre
b. el 7 de diciembre
c. el 9 de diciembre
d. el 12 de diciembre
e. el 13 de diciembre
f. el 15 de diciembre
g. el 25 de diciembre
h. el 31 de diciembre

CONÉCTATE AL MUNDO HISPANO

Una procesión durante Las Posadas

En México se celebran **Las Posadas** (*The Inns*) del 16 al 24 de diciembre. Es una recreación (*reenactment*) de la búsqueda (*search*) de alojamiento (*lodging*) que hicieron José y la Virgen María antes del nacimiento del niño Jesús. Cada noche, una procesión va pidiendo posada (*lodging at the inn*) y en la tercera casa se aceptan todos los participantes para una fiesta.

E. Celebraciones típicas   Antes de ver los videos, decide si cada afirmación describe algo típico o no.

	ES TÍPICO.	NO ES TÍPICO.
1. Se hace una fiesta con todos los amigos para celebrar el cumpleaños.	☐	☐
2. Se celebran los bautizos con fuegos artificiales.	☐	☐
3. Hay un DJ (*pronounced "DEE yay"*) en la Nochebuena en la iglesia.	☐	☐
4. Se celebra la boda en una iglesia.	☐	☐
5. En la Nochebuena y la Navidad hay mucha comida con toda la familia.	☐	☐
6. En la Nochevieja se hace un brindis con champán.	☐	☐
7. La fiesta de quinceañera celebra el paso de la niñez a la adolescencia.	☐	☐

F. A ver: Unas celebraciones importantes

PASO 1.   Mira y escucha. Luego mira otra vez con pausas y apunta de qué celebración o celebraciones habla cada uno. Mira y escucha una tercera vez para verificar tus respuestas.

1. Caitlin _____

2. Isabel _____

3. Charo _____

4. Anlluly _____

5. Gabriel _____

6. Rodrigo _____
_____
_____
_____

PASO 2.   Mira y escucha otra vez, luego contesta las preguntas.

1. ¿Qué comida preparan en la casa de Caitlin?
2. ¿A qué hora termina la celebración que describe Isabel?

3. Según Charo, ¿quiénes eligen (*choose*) a la madrina (*godmother*)?
4. Según Anlluly, ¿cómo son las fiestas de quince años?

5. ¿Cuál es el Día de la Independencia argentina?
6. ¿En qué tipo de evento *no* trabaja Rodrigo?

G. Nuestras tradiciones   ¿Qué tradiciones tiene tu familia? Escoge una de las siguientes celebraciones (u otra celebración especial) y describe la tradición familiar a tu compañero/a.

el Día de Acción de Gracias
el Día de la Independencia
el Día de San Valentín

la Pascua (Florida)
el *Halloween*

COMUN VOCABUL **ESTRUCTURA** ATE

Reciclaje   Present indicative and preterite

¿Ayer fue un día típico para ti? Usa los verbos indicados para completar las oraciones sobre lo que haces **regularmente** (en tiempo presente) y lo que hiciste **ayer** (en tiempo pretérito). Luego completa las oraciones con la información que falta.

regularmente	**ayer**
hablar _____ estos idiomas (*languages*): _____.	_____ estos idiomas: _____.
comer _____ _____ porciones de fruta.	_____ _____ porciones de fruta.
leer Sí / No _____ las noticias (*news*) en línea.	Sí / No _____ las noticias en línea.
dormir _____ _____ horas.	_____ _____ horas.
ir Sí / No _____ a clase.	Sí / No _____ a clase.

7.1   ¿Cómo vivían los mayas?

The imperfect

Para empezar...

Muchos países latinoamericanos tienen un gran orgullo (*pride*) y cierta nostalgia por las civilizaciones prehispánicas que existían (*existed*) antes de la llegada (*arrival*) de los españoles. Lee las siguientes oraciones y decide si son ciertas o falsas. Si no sabes alguna respuesta, adivina. **¡Atención!** Solo tres oraciones son falsas.

Los mayas en los tiempos prehispánicos...

	CIERTO	FALSO
1. **vivían** en el sur de México y en Centroamérica.	☐	☐
2. **comían** maíz.	☐	☐
3. **escribían** libros.	☐	☐
4. **usaban** caballos y **comían** arroz.	☐	☐
5. **sabían** mucho de astronomía.	☐	☐
6. **tenían** una arquitectura espectacular.	☐	☐
7. **vivían** en el Perú.	☐	☐
8. **hablaban** español.	☐	☐

■ Answers to these activities are in Appendix 2 at the back of your book.

Actividades analíticas

1   The verbs you saw in **Para empezar** are in the *imperfect* tense (**el imperfecto**). The imperfect is used when you want to portray an event as being in the past, but it is not important exactly when the event started or if it ended.

De niño, Carlos **vivía** en Honduras.	*As a child, Carlos lived in Honduras.*
Los mayas **comían** mucho maíz.	*The Mayas ate a lot of corn.*
Cuando **estaba** en Madrid, Julieta **trabajaba** con su tía.	*When she was in Madrid, Julieta worked with her aunt.*

In all of these examples, the action occurs over an extended period of time, but it is not specified when it started or stopped.

El Templo de la Serpiente en el Parque Nacional Tikal, Petén, Guatemala

George Bailey/iStockphoto/Getty Images

Now that you have the basic pattern for verb conjugation in the imperfect tense, you can apply it to any verb. Try it!

festejar (celebrar)
yo _____
tú _____
nosotros/as _____

envolver* (to wrap)
yo _____
tú _____
él/ella, Ud. _____
nosotros/as _____
ellos/ellas, Uds. _____

vestirse*
yo _____
él/ella, Ud. _____
ellos/ellas, Uds. _____

*Don't forget, most verbs are regular in the imperfect! There are no verbs with stem changes or spelling changes.

me vestía, se vestía, se vestían
envolvía, envolvíamos, envolvían,
festejábamos; envolvía, envolvías,
Respuestas: festejaba, festejabas,

2 Use the verb forms in **Para empezar** and the patterns you see here to complete these conjugations in the imperfect.

	hablar	comer	vivir
yo	hablaba	comía	vivía
tú	hablabas	comías	
él/ella, Ud.	hablaba	comía	vivía
nosotros/as	hablábamos		vivíamos
[vosotros/as]	[hablabais]	[comíais]	[vivíais]
ellos/ellas, Uds.			

3 Complete this chart of endings for **-ar** and **-er/-ir** verbs in the imperfect.

	-ar		-er/-ir		
yo	_-aba_ : habl**aba**		_____ : comía	vivía	
tú	_____ : habl**abas**		_____ : comías	vivías	
él/ella, Ud.	_____ : habl**aba**		_-ía_ : comía	vivía	
nosotros/as	_____ : habl**ábamos**		_-íamos_ : comíamos	vivíamos	
[vosotros/as]	[_-abais_ : habl**abais**]		[_____ : comíais	vivíais]	
ellos/ellas, Uds.	_____ : habl**aban**		_____ : comían	vivían	

vos	
hablar	hablabas
comer	comías
vivir	vivías
ir	ibas
ser	eras
ver	veías

4 The verbs **ir, ser,** and **ver** are the only irregular verbs in the imperfect. There are no verbs with stem vowel changes or spelling changes.

	ir	ser	ver
yo	iba	era	veía
tú	ibas	eras	veías
él/ella, Ud.	iba	era	veía
nosotros/as	íbamos	éramos	veíamos
[vosotros/as]	[ibais]	[erais]	[veíais]
ellos/ellas, Uds.	iban	eran	veían

The stems of these verbs are irregular in the imperfect, but the endings show similarities with those of regular verbs.

Íbamos a muchas fiestas cuando yo **era** niño.

We went to a lot of parties when I was a child.

¿**Veías** ese programa de televisión todos los días?

Did you watch that TV show every day?

5 The verb form **hay** becomes **había** in the imperfect.

Había un edificio maya en este lugar.

There was a Mayan building in this place.

Había cuatro niños en la fiesta.

There were four children at the party.

Rodrigo Torres/ Glow Images

Cuadrángulo de los Pájaros de Uxmal, antigua ciudad maya en México

Actividades prácticas

A. Las tradiciones de mi familia   Las siguientes descripciones están basadas en la imagen de la vida tradicional norteamericana que se ve en el cine y en la televisión. Indica las que son ciertas en el caso de tu familia.

1. ☐ Íbamos a la playa en verano.
2. ☐ Cenábamos con mis abuelos el Día de Acción de Gracias.
3. ☐ Íbamos a la iglesia los domingos.
4. ☐ Celebrábamos mi cumpleaños cada año.
5. ☐ Comprábamos un árbol de Navidad cada año.
6. ☐ Veíamos los fuegos artificiales el Día de la Independencia.
7. ☐ Hacíamos una fiesta de Nochevieja en casa.
8. ☐ Jugábamos béisbol en la calle.
9. ☐ Mis amigos y yo íbamos a la escuela en un autobús amarillo.
10. ☐ Comíamos de vez en cuando en casa de mi abuela.

B. España y América antes de 1492   Las siguientes oraciones describen la vida en España y en América en los siglos (*centuries*) antes de la llegada de los españoles a América.

PASO 1.   Primero, escoge el verbo más lógico para cada oración y escríbelo en la forma **ellos** del imperfecto (por ejemplo, **trabajar → trabajaban**).

comer	ir	tener (2x)
hablar (2x)	ser	vivir

Antes de 1492...   **¿E, A o E/A?**

1. _____ tomates.   _____
2. _____ caballos.   _____
3. el calendario y los días festivos _____ muy importantes.   _____
4. _____ español, árabe y otros idiomas (*languages*).   _____
5. en algunas ciudades, _____ a las pirámides (*pyramids*) para hacer ritos religiosos.   _____
6. _____ ciudades muy grandes.   _____
7. en algunas partes, los cristianos, los judíos y los musulmanes _____ en armonía (*harmony*).   _____
8. _____ náhuatl, quechua y otros idiomas.   _____

PASO 2.   Ahora escribe **E** si la oración describe la vida en España antes del año 1492, **A** si describe la vida en América o **E/A** si describe los dos lugares.

La Piedra (*Stone*) del Sol (*Sun*) muestra (*shows*) los varios soles de la cosmología mexica de México.

Frank van den Bergh/E+/Getty Images

C. El Día de Muertos   Una de las tradiciones mexicanas más conocidas es el Día de Muertos. Tradicionalmente, ese día la gente va a las tumbas (*graves*) de sus familiares difuntos (*deceased*), hacen altares y comen varios tipos de pan y dulces (*sweets*) especiales.

PASO 1.   En una entrevista en 1984, una mujer mexicana dijo cinco de las siguientes oraciones sobre las tradiciones en su familia para el Día de Muertos. De las ocho oraciones en total, ¿cuáles dijo y cuáles no?

	LO DIJO.	NO LO DIJO.
1. «Vamos al cementerio.»	☐	☐
2. «Limpiamos las tumbas (*graves*) y las decoramos con flores.»	☐	☐
3. «Hacemos un altar con una foto del difunto (*deceased*) y algunos de sus objetos favoritos.»	☐	☐
4. «Hacemos una fiesta y bailamos mucho.»	☐	☐
5. «Comemos pan de muerto—un pan dulce, a veces con figuras en forma de hueso (*bone*).»	☐	☐
6. «Vamos a una ceremonia especial en Buenos Aires.»	☐	☐
7. «Nos ponemos disfraces y vamos de casa en casa para pedir dulces.»	☐	☐
8. «Hacemos calaveras (*skulls*) de dulce.»	☐	☐

Una ofrenda para el Día de Muertos

PASO 2.   Ahora usa las oraciones que dijo para hacer una descripción de lo que hacía esta familia el Día de Muertos en 1984. **¡Atención!** Usa la forma **ellos** del imperfecto.

   MODELO: «Vamos al cementerio.» → *Iban* al cementerio.

D. ¿Qué hacías antes?   Por razones (*reasons*) sociales, emocionales o físicas, hay muchas cosas que hacíamos de niños que ya no (*no longer*) hacemos ahora. Pregúntales a tres compañeros qué hacían antes que ya no hacen. Usa una de las siguientes ideas o piensa en otra.

correr muy rápido	jugar todo el día
dormir mucho	recibir muchos regalos
ir a muchas fiestas de cumpleaños	ver televisión todo el día

   MODELO: E1: ¿Qué hacías antes que no haces ahora?
                 E2: Nadaba mucho, pero ya no nado.

E. Tus padres cuando tenían tu edad

PASO 1.   Entrevista a tu compañero/a para saber qué hace y qué hacían sus padres cuando tenían su edad (*age*). Apunta las respuestas.

■ ¿Dónde vives? ¿Dónde vivían tus padres cuando tenían tu edad?
■ ¿Qué haces? ¿Trabajas? ¿Estudias? ¿Ya tienes hijos? Y tus padres, ¿qué hacían cuando tenían tu edad? ¿Trabajaban?...

PASO 2.   Crea una oración con una semejanza (*similarity*) entre tu compañero/a y sus padres, y otra oración con una diferencia.

   MODELO: Alex estudia. Cuando tenían su edad, sus padres también estudiaban.
                 Alex tiene una hija. Cuando tenían su edad, sus padres no tenían hijos.

F. Cultura: El Carnaval en Uruguay

PASO 1. Lee el texto sobre Uruguay.

En general, los uruguayos tienen vidas largas. ¿A qué se debe?[a] Quizás[b] a la belleza de su país con su larga costa y bellas playas, o quizás a su espíritu positivo y fiestero que se ve, por ejemplo, cuando celebran el Carnaval. El Carnaval uruguayo, como en el resto del mundo, se caracteriza por música, baile, disfraces y máscaras, desfiles y mucha diversión, pero en contraste con las costumbres del resto del mundo, el Carnaval en Uruguay es mucho más largo y puede durar hasta (*up to*) 40 días.

Uruguay

El Carnaval es una tradición de fiestas públicas que se observa en varios países europeos, caribeños[c] y latinoamericanos. Los orígenes del Carnaval vienen de Europa, donde las fiestas paganas del equinoccio de primavera se combinaron con tradiciones católicas. El Carnaval se celebra las semanas antes de la Cuaresma,[d] un periodo de solemnidad y ascetismo. Un elemento muy importante del Carnaval uruguayo es «la murga». Las murgas son canciones interpretadas por un coro[e] de quince a veinte personas. Tienen influencia del teatro español y así usan las canciones para contar historias.[f]

Un tamboril es el tipo de tambor (*drum*) usado para la música candombe.

Otra cosa notable del Carnaval uruguayo es que una gran parte de su música viene de tradiciones afro-uruguayas. Estas tradiciones musicales se conocen como «candombe» y se practicaban entre[g] las comunidades de esclavos[h] en la época de la colonia. Durante el Carnaval, las comparsas[i] de candombe consisten en[j] muchos bailadores disfrazados y por lo menos cincuenta percusionistas que tocan ritmos africanos.

[a]*¿A... To what is this owed?* [b]*Perhaps* [c]*Caribbean* [d]*Lent* [e]*choir, chorus* [f]*contar... tell stories* [g]*among* [h]*slaves* [i]*musical groups* [j]*consisten... are made up of*

PASO 2. Indica si cada oración es lógica (**L**) o ilógica (**I**) según la información que leíste.

_____ 1. Los esclavos afro-uruguayos cantaban murgas.
_____ 2. Los primeros inmigrantes españoles a Uruguay tocaban música candombe.
_____ 3. Para los primeros africanos que llegaron a Uruguay, era importante conservar sus tradiciones musicales.
_____ 4. Las fiestas paganas de Europa marcaban el fin (*end*) del invierno.
_____ 5. Los católicos creían que era importante tener un periodo festivo en las semanas antes de la Cuaresma.

 PASO 3. En parejas, contesten las preguntas y explíquense sus respuestas.

1. La cultura afro-uruguaya existe porque en la época de la colonia llegaron muchos esclavos africanos, principalmente por la capital, Montevideo. ¿Qué relación hay entre esto y la ubicación geográfica de Uruguay, y de Montevideo en particular?
2. Hoy en día, hay muchos descendientes de esclavos africanos en varios países de Latinoamérica, pero sobre todo en las islas del Caribe, en algunas zonas de Centroamérica, en Brasil, y en Colombia y Venezuela. ¿Por qué piensas que llegaron tantos esclavos a estos lugares en particular?
3. Varias culturas latinoamericanas tienen mucha influencia africana. ¿La cultura de tu país es así también? ¿Hay más influencia africana en las zonas donde llegaron muchos esclavos en los tiempos de antes (*earlier*)?

↻ Reciclaje — Direct object pronouns

Cuando eras niño/niña, ¿a quién veías? Completa las siguientes oraciones usando el pronombre de objeto directo (**me, la, lo, los** o **las**) correcto e indica si la oración es cierta o falsa para ti.

	CIERTO	FALSO
1. A mi abuela ____ veía todos los días.	☐	☐
2. A mi abuelo ____ veía todos los días.	☐	☐
3. A los amigos de la escuela ____ veía todos los días.	☐	☐
4. A las amigas de mi mamá ____ veía todos los días.	☐	☐
5. A mí mis papás ____ veían todos los días.	☐	☐

■ Answers to this activity are in Appendix 2 at the back of your book.

7.2 Le doy un abrazo

Indirect objects and indirect object pronouns

Para empezar...

PASO 1. Cuando es tu cumpleaños, ¿cómo te felicitan? ¿Te dan la mano? ¿un beso? ¿un abrazo? Y cuando es el cumpleaños de alguien más, ¿cómo lo/la felicitas tú? Indica tus respuestas aquí.

	LA MANO	UN BESO	UN ABRAZO
El día de mi cumpleaños...			
mi papá **me** da:	☐	☐	☐
mi mamá **me** da:	☐	☐	☐
mis amigos **me** dan:	☐	☐	☐
mis amigas **me** dan:	☐	☐	☐
El día de su cumpleaños...			
a mi papá **le** doy (*I give*):	☐	☐	☐
a mi mamá **le** doy:	☐	☐	☐
a mis amigos **les** doy:	☐	☐	☐
a mis amigas **les** doy:	☐	☐	☐

■ Answers to these activities are in Appendix 2 at the back of your book.

PASO 2. ¿Piensas que las respuestas serían (*would be*) diferentes en un país hispano? ¿Cómo?

Actividades analíticas

1 The words **me, le,** and **les** in **Para empezar** are *indirect object pronouns* (**pronombres de objeto indirecto**). Add these words to the chart of indirect object pronouns here.

Singular		Plural	
____	to me	**nos**	to us
te*	to you (*inform.*)	[**os**	to you (*inform.*)]
____	to him/her/it; to you (*form.*)	____	to them; to you (*form.*)

---

*The indirect object pronoun **te** is also used with **vos**.

2 An indirect object is the person or thing that receives something from the action of the verb. In English, it is often indicated by the preposition *to*. For instance, in the sentence *Mary gave the book to John,* the indirect object is *John*. Underline the indirect object in these sentences.

a. Bill sent a letter to his parents.

b. Diane explained the problem to her friends.

Me dio un abrazo y un beso.

3 In Spanish, an indirect object is usually indicated by the preposition **a.** In general, an indirect object pronoun is used whenever there is an indirect object.

Le doy un abrazo **a mi papá.**	*I give a hug to my dad.*
Mi mamá **les** da besos **a sus amigas.**	*My mom gives kisses to her friends.*

Indirect object pronouns differ in this way from direct object pronouns, which replace the direct object. Indirect object pronouns may also be used on their own, when the context makes it clear whom the pronoun refers to.

Ellos son mis vecinos. **Les** doy el periódico cada mañana.	*They're my neighbors. I give them the newspaper every morning.*
Mis amigos **me** dan un abrazo en mi cumpleaños.	*My friends give me a hug on my birthday.*

4 Indirect objects are very frequent with the verb **dar** and similar verbs expressing a similar action. They're also common with verbs of communication such as **decir, hablar, pedir,** and **preguntar,** as well as verbs such as **enseñar** (*to show; to teach*) and **regalar** (*to give [a present]*).

Te digo que es la verdad.	*I'm telling you that it's the truth.*
Nos habló de su viaje a Lima.	*He told us about his trip to Lima.*
Le pido un café.	*I ask him/her for a coffee.*
¿**Les preguntaste** dónde está la universidad?	*Did you ask them where the university is?*
Miguel **me enseñó** su nueva casa.	*Miguel showed me his new house.*
Nos regalaron un libro.	*They gave us a book.*

5 Just as you saw with direct object pronouns, indirect object pronouns can be placed before the main verb or be attached to the end of infinitives.

Le voy a preguntar algo.	*I am going to ask him/her/you* (form.)
Voy a preguntar**le** algo.	*something.*

You'll explore the placement of object pronouns in more detail in **Estructura 8.3.**

Autoprueba

Identify the indirect objects and their pronouns in the following sentences.

1. Para el Día de San Valentín, siempre le regalaba flores a mi novia.
2. En la víspera del Día de Todos los Santos (*Halloween*) los vecinos les dan muchos dulces a los niños.
3. El Día de Acción de Gracias pasado, mi abuela le enseñó a mi padre a cortar el pavo (*carve the turkey*).

Respuestas: 1. mi novia, le **2.** los niños, les **3.** mi padre, le

En español...

The indirect object pronouns that you're studying here are the same as those used with the verb **gustar.**

Me gusta nadar en el mar.	*I like to swim in the ocean.* (Lit., *It is pleasing to me to swim in the ocean.*)
Le gusta ese tipo de películas.	*She likes that type of movie.* (Lit., *That type of movie is pleasing to her.*)
Nos gusta ir a fiestas.	*We like to go to parties.* (Lit., *Going to parties is pleasing to us.*)

Actividades prácticas

A. ¿Por qué no...? (*Why don't you . . . ?*)

A veces las invitaciones y los regalos pueden causar situaciones difíciles. Pero cuando le explicas el problema a un amigo, casi siempre hay una solución. Empareja cada problema con la respuesta adecuada.

PROBLEMA	RESPUESTA
1. ＿＿ Quiero invitar a Silvia a la fiesta, pero no está aquí.	a. ¿Por qué no les dices que estás enfermo y que no puedes ir?
2. ＿＿ Ayer le compré un regalo a mi mamá, pero en realidad no me gusta.	b. ¿Por qué no le buscas (*look for*) otra cosa?
3. ＿＿ No quiero ir a la fiesta de Juan.	c. ¿Por qué no nos acompañas a la cena antes de la fiesta?
4. ＿＿ ¿Te compro este lápiz por tu cumpleaños?	d. ¿Por qué no me regalas algo mejor?
5. ＿＿ Paula y Jorge me invitaron a su casa, pero no quiero ir.	e. ¿Por qué no le hablas por teléfono?
6. ＿＿ No puedo ir con Uds. a la fiesta.	f. ¿Por qué no le dices que estás enfermo y que no puedes ir?

B. Los padres y los hijos

Los padres a veces les dan regalos a los hijos, y los hijos a veces les dan regalos a los padres. Pero, ¿quién lo hace más? Completa las dos frases sobre tu familia con el pronombre correcto.

Ejemplos: el cumpleaños, el Día de las Madres / los Padres, el Jánuca, la Navidad, la Semana Santa

1. Mis padres ＿＿ dan regalos en las siguientes ocasiones: ＿＿＿＿＿＿＿＿＿＿
2. Yo ＿＿ doy regalos a mis padres en las siguientes ocasiones: ＿＿＿＿＿＿＿＿＿

Ahora pregúntale a tu compañero/a sobre su familia y completa las oraciones sobre ellos.

3. ¿En qué ocasiones tus padres ＿＿ dan regalos? ＿＿＿＿＿＿＿＿＿＿＿＿＿＿
4. ¿En qué ocasiones tú ＿＿ das regalos a tus padres? ＿＿＿＿＿＿＿＿＿＿＿＿

C. ¿A quién le pides ayuda?

Cuando tienes problemas, ¿a quién le pides ayuda (*help*)? Escoge un tipo de problema de la siguiente lista. Pregúntales a varios compañeros de clase a quién(es) le(s) piden ayuda en ese caso y apunta los resultados.

MODELO: E1: Cuando tienes problemas de dinero, ¿a quién le pides ayuda?
E2: Les pido ayuda a mis papás.

1. problemas de amor
2. problemas de dinero
3. problemas en una clase
4. problemas con tu coche

¿Quién me dio este regalo?

D. La Nochevieja   ¿Qué te gusta hacer para celebrar la Nochevieja? En parejas, comparen sus ideas y completen la tabla con lo que les gusta hacer.

YO	MI COMPAÑERO/A	LOS DOS

E. El problema de «Anónimo»

PASO 1. Un chico anónimo le escribe a la Doctora Amor (*Love*) para decirle su problema y proponer (*propose*) algunas posibles soluciones. Lee la carta (*letter*) a la Doctora Amor. En la lista de ideas de la carta, marca con un círculo (*circle*) cada pronombre de objeto indirecto. Luego decide cuáles son las tres mejores ideas que tiene el chico que escribió la carta.

Doctora Amor:

Me gusta mucho una persona que trabaja en la universidad donde estudio. Me ve casi todos los días, pero parece que ni sabe que existo. ¿Qué hago? Quiero salir con esta persona, pero no sé qué hacer. Tengo algunas ideas, pero no sé si son buenas o no.

MIS IDEAS

1. Preguntarle directamente si quiere salir conmigo (*with me*) el día de mi cumpleaños.
2. Decirle a la persona que me gusta mucho.
3. Enseñarle que tengo mucho dinero.
4. Hablarle de cosas triviales —por ejemplo, el clima, las películas, etcétera—, y así va a ver que soy muy buena persona.
5. Preguntarle adónde le gusta salir. Va a ser más fácil hablar con esta persona en un club que en el sitio donde trabaja.
6. No prestarle atención (*pay attention*). Posiblemente así va a hablarme más.
7. Decirle que soy de otra ciudad, que no conozco a nadie y que me siento (*feel*) muy solo.
8. Decirle que solo me quedan (*remain*) seis meses de vida y no sé todavía qué es el amor.

¿Qué piensas? ¿Puedes ayudarme con este problema?

Gracias,

Anónimo

 PASO 2. En grupos pequeños, piensen en otras cosas que podría hacer «Anónimo» (es decir, ideas que no están en la lista del **Paso 1**). Conversen, seleccionen las tres mejores y apúntenlas (*write them down*) para compartir con la clase. ¡Sean creativos!

↻ Reciclaje Subject pronouns

Los vecinos van a tener una fiesta de cumpleaños para su hija y te invitan a ti. Empareja cada persona de la lista con la oración que le corresponde, y completa la oración con el pronombre adecuado.

las abuelas   el hermano   el hermano y yo   la mamá   el papá   los papás

¿Quién(es)?

_____ 1. <u>Ellos</u> están organizando la fiesta.
_____ 2. ____ está muy contenta por el cumpleaños de su hija.
_____ 3. ____ quiere jugar con los regalos de su hermana.
_____ 4. ____ está muy contento porque le compró una bicicleta a su hija.
_____ 5. _____ le vamos a cantar una canción a la niña.
_____ 6. ____ quieren ir a la fiesta pero no pueden porque las dos (*both of them, female*) viven lejos.

■ Answers to this activity are in Appendix 2 at the back of your book.

■ Answers to these activities are in Appendix 2 at the back of your book.

7.3 Un buen regalo para mí

Pronouns after prepositions

Para empezar...

Cada persona tiene sus propios gustos (*tastes*), y no puedes darles el mismo regalo a todos. Compara los gustos de tu mamá, de tu papá, los tuyos y de alguien más (tu amigo/a, tu primo/a, etcétera). ¿Qué sería (*would be*) un buen regalo para cada uno?

	PARA MI MAMÁ	PARA MI PAPÁ	PARA MÍ	PARA ____
1. una bicicleta	☐	☐	☐	☐
2. una computadora	☐	☐	☐	☐
3. unas flores	☐	☐	☐	☐
4. un libro de historia	☐	☐	☐	☐
5. una planta	☐	☐	☐	☐
6. ropa	☐	☐	☐	☐
7. un teléfono	☐	☐	☐	☐
8. _____	☐	☐	☐	☐

Actividades analíticas

1 Based on what you saw in **Para empezar,** complete the following chart of singular pronouns after prepositions (that is, words such as **a, de, en, por,** and **para**).

para/de ____	*for me*
para/de ti	*for you* (sing., inform.)

2 The pronouns **mí** and **ti** may be thought of as specialized forms of **yo** and **tú**. They're only used when they're the object of a preposition (such as **a, de,** and **para**).

A mí me llevaban a la playa cada verano.	*They would take me to the beach every summer.*
Vamos a hablar **de ti.**	*We're going to talk about you (sing., inform.).*
Tengo un regalo **para ti.**	*I have a gift for you.*

All other pronouns (**él/ella, Ud., nosotros/as, vos, vosotros/as, ellos/ellas, Uds.**) retain their regular form when used as the object of a preposition.

A **él** le dan un abrazo cuando lo ven. — They give him a hug when they see him.

¿Este libro es **de Ud.**? — Is this book yours (sing., form.)?

Ya escogieron un regalo **para nosotros.** — They already chose a present for us.

A **ellas** les gusta estudiar en la biblioteca. — They like to study in the library.

3 The preposition **con** has two special forms: **conmigo** (*with me*) and **contigo** (*with you* [sing., inform.]).

¿Quieres ir a la playa **conmigo**? — Do you want to go to the beach with me?

Vamos a comer **contigo.** — We are going to eat with you.

With other pronouns, **con** is used in the regular way, without any special form.

El profesor quiere hablar **con nosotros.** — The teacher wants to speak with us.

Vamos a comer **con Ud.** — We are going to eat with you (sing., form.).

4 Some other useful prepositions that are often followed by pronouns are **en** (*in, on*), **sin** (*without*), and **sobre** (*on, above; about*).

¿Crees **en** mí? — Do you believe in me?

¡No puedo vivir **sin** ti! — I can't live without you!

Van a hacer un libro **sobre** ella. — They're going to make a book about her.

The preposition **en** is especially common with the verb **pensar**. In English, you *think about* someone, but in Spanish, the equivalent expression is **pensar en.**

Cuando veía esa película, pensaba **en** ti. — When I was watching that movie, I was thinking about you.

■ For more on the use of pronouns after prepositions, and to learn about stressed possessives, see **Para saber más 7.3,** at the back of your book.

En español...

The verb **gustar** generally takes an indirect object, and as you saw in **Estructura 7.2,** this is expressed by using an indirect object pronoun. The preposition **a** is sometimes used with a noun (such as a person's name) or a pronoun to specify or emphasize the indirect object.

A mí me gusta trabajar de noche. — I like to work at night.
A Teresa le gusta el fútbol. — Teresa likes soccer.

Some other verbs that behave like **gustar** are: **encantar** (*to delight*), **fascinar** (*to fascinate*), **importar** (*to matter; to be important to*), **interesar** (*to interest*), **molestar** (*to bother*), and **parecer** (*to seem*). They all use an indirect object pronoun, and they all allow further specification or emphasis with **a** + *noun/pronoun.*

A mí me encanta este libro. — I love this book.
A María le fascinan las películas viejas. — María loves / is fascinated by old movies.
¿**A ti** no te importa? — Doesn't it matter to you?

Actividades prácticas

A. Completa la oración Completa las oraciones con una de las siguientes opciones. ¡Atención! Cada opción se puede usar *solo una vez.*

1. ¿Quieres salir ____? ¡Yo sí quiero salir ____!
2. Magda, ¿____ te gusta correr en la calle?
3. ¿De quién hablan? ¿Hablan ____?
4. ¿Sabes que ____ me encanta salir a bailar los sábados?
5. ¿Y Marcos? ¿Ya le preguntaste ____ si puede ir a la fiesta?
6. ¿Te gustan las flores? Espero que sí, porque estas flores son ____.
7. Tus amigos van a salir a cenar este fin de semana. ¿Quieres ir ____?

a. a mí
b. a ti
c. a él
d. conmigo
e. contigo
f. con ellos
g. de mí
h. para ti

Autoprueba

Using what you now know about pronouns, complete the sentences with **tú, ti,** or **contigo.**

1. ¿A _____ te gustan los cumpleaños?
2. Todos piensan que _____ quieres tener una fiesta.
3. Tu hermano habla mucho de _____.
4. Quiero ir a la fiesta

Respuestas: 1. ti 2. tú 3. ti 4. contigo

■ The audio files for in-text listening activities are available in the eBook, within Connect activities, and on the Online Learning Center.

B. ¿Le gusta o le molesta? Escucha las descripciones de algunas personas y empareja cada descripción con una de las siguientes oraciones.

a. ____ Le encantan las fiestas muy grandes.
b. ____ No le gustan las fiestas muy grandes.
c. ____ Le fascina el cine.
d. ____ Le parece muy caro ir al cine.
e. ____ Le interesa viajar a Sudamérica.
f. ____ Le interesa viajar a Europa.
g. ____ Le encanta ver televisión con la familia.
h. ____ Le molesta ver televisión con la familia.

C. El Día del Amor y la Amistad (*Friendship*) En muchos países el 14 de febrero se celebra el Día del Amor y la Amistad. Es común mandarle una tarjeta o un mensaje romántico a otra persona.

PASO 1. En cada mensaje, escribe el pronombre más lógico: **yo, tú, mí** o **ti.**

1. ¿____ piensas en ____ de vez en cuando?
2. ____ voy a escribir un poema sobre ____.
3. ____ no quiero pasar el día sin ____.
4. Eres horrible. Cuando pienso en ____, me siento mal.
5. ____ eres mi vida.
6. ____ soy mucho más atractivo/a que tú.
7. ¿Quieres una foto de ____?

PASO 2. Dos de los mensajes no son lógicos para el Día del Amor y la Amistad. ¿Cuáles son?

PASO 3. En parejas, sigan el modelo del **Paso 1** y creen tres oraciones adecuadas para el Día del Amor y la Amistad y tres oraciones que no son adecuadas.

¡¿Para mí?!

D. Los cumpleaños

PASO 1. En grupos pequeños, hablen de los siguientes temas.

1. A los niños, ¿qué les gusta hacer para el cumpleaños?
2. A ti, ¿qué te gustaba hacer para tu cumpleaños cuando eras niño/a?
3. ¿Qué te gusta hacer ahora para tu cumpleaños?

PASO 2. Apunten sus conclusiones y compártanlas (*share them*) con la clase.

E. Las diferencias Pregúntale a tu compañero/a qué le gusta hacer y compara sus respuestas con tus propios (*own*) intereses. Usen las actividades de la lista o inventen sus propias ideas. ¿Qué diferencias pueden encontrar?

bailar	jugar básquetbol	salir con mis amigos
cantar	nadar	viajar
cocinar	practicar yoga	visitar a mi familia

MODELO: A mí me gusta correr, pero a ella no. A ella le encanta ver películas viejas pero a mí no.

¡Leamos!

Los ritos y conjuros° de la Nochevieja   *spells*

Antes de leer

PASO 1. Contesta las siguientes preguntas.

1. ¿Cuáles son algunas de las costumbres que tenemos para celebrar la Nochevieja en este país? ¿Qué significado (*meaning*) tienen estas costumbres?

2. Nombra dos cosas que mucha gente espera (*expect*) del Año Nuevo.

3. ¿Qué haces tú para celebrar la Nochevieja?

PASO 2. Para entender mejor la lectura sobre los ritos de la Nochevieja en el mundo hispano, empareja las actividades con los resultados esperados (*desired results*).

ACTIVIDADES

1. ____ correr por la ciudad con las maletas (*luggage*)

2. ____ comer las uvas apoyándose (*standing*) en la pierna (*leg*) izquierda

3. ____ barrer (*sweep*) la casa de dentro a fuera (*from inside to out*)

4. ____ quemar (*burn*) muebles (*furniture*) y ropa vieja

5. ____ comer doce uvas (*grapes*) a medianoche

6. ____ usar ropa interior (*underwear*) de color amarillo

RESULTADOS ESPERADOS

a. atraer (*attract*) el amor
b. atraer la prosperidad y la buena suerte
c. empezar el Año Nuevo con el pie (*foot*) derecho para entrar mejor al porvenir (*future*)
d. hacer muchos viajes en el nuevo año
e. limpiar todas las impurezas (*impurities*)
f. purificarse de lo malo con el fuego (*fire*)

(*Continues*)

A leer

Lee el artículo de Carmen Domingo. Luego completa las oraciones con los lugares en donde se hace cada actividad.

«Los ritos y conjuros de la Nochevieja»

escrito por Carmen Domingo

La tradición de comer una uva con cada campanada[a] a las doce de la noche el 31 de diciembre es originaria de España.

La última noche del año tiene siempre algo de mágico y se presta[b] a toda clase de conjuros y agüeros[c] que, aunque tienen diferentes manifestaciones, persiguen[d] el objetivo común de atraer la prosperidad y la buena suerte en los 365 días siguientes.

Millones de latinoamericanos siguen la tradición española de tomar las doce uvas al compás de las campanadas[e] de la medianoche del 31 de diciembre, aunque hay multitud de supersticiones acordes con[f] la idiosincrasia popular.

El ritual de las uvas se puede complicar un poco para aumentar[g] sus efectos y tomarlas de pie,[h] apoyándose solo en la pierna izquierda para entrar en el Año Nuevo con el pie derecho, por suponérsele más hábil[i] que el izquierdo en la caminata hacia el porvenir.[j]

Los mexicanos siguen ese rito al son[k] de las campanadas de la Catedral Metropolitana de la Ciudad de México, pero antes o después de tomar las uvas, barren la casa, de dentro a fuera, para dejarla limpia[l] de impurezas de todo tipo.

Otra forma de acabar con[m] lo malo es someterlo[n] al fuego purificador. Se queman muebles y ropas viejas en el Perú, Honduras y Ecuador. [...]

Pasear o correr con maletas en Nochevieja no es una prueba[ñ] de atletismo urbano. Se trata de un ritual para que el Año Nuevo traiga[o] muchos viajes, muy extendido en Colombia y seguido también por venezolanos, panameños, paraguayos, peruanos, chilenos, salvadoreños y costarricenses. [...]

En Argentina todos corren también, pero a abrir sus regalos después del brindis con champán o sidra[p] en la medianoche del 31 de diciembre. [...]

Comer una cucharada[q] de las lentejas[r] en Nochevieja es una tradición en Chile, donde también está muy extendido el uso de ropa interior de color amarillo para atraer el amor. [...]

Todos estos rituales ayudan a franquear el umbral[s] del nuevo año y hasta aquellos que se dicen más escépticos[t] siguen alguno... por si acaso.[u]

[a]*stroke of the clock* [b]*se... lends itself* [c]*omens* [d]*follow* [e]*al... to the rhythm of the bells tolling* [f]*acordes... in keeping with* [g]*increase* [h]*de... standing up* [i]*por... because one would suppose that it is more capable* [j]*caminata... journey toward the future* [k]*sound* [l]*dejarla... leave it clean* [m]*acabar... do away with* [n]*to subject it* [ñ]*test* [o]*para... so that the New Year might bring* [p]*hard cider* [q]*spoonful* [r]*lentils* [s]*franquear... clear the way* [t]*hasta... even those said to be more skeptical* [u]*por... just in case*

PAÍS

1. Comen doce uvas en... _____

2. Barren la casa en... _____

3. Queman muebles y ropa vieja en... _____

4. Corren con las maletas en... _____

5. Abren regalos en... _____

6. Comen lentejas en... _____

7. Usan ropa interior de color amarillo en... _____

Después de leer

En grupos de tres o cuatro estudiantes, hablen de las tradiciones descritas en el artículo que quieren adoptar y expliquen por qué. ¿Cuál les parece la idea más extraña (*strange*)? ¿Por qué?

MODELO: Me gusta la tradición de correr con las maletas porque me gusta viajar. La costumbre de llevar ropa interior de color amarillo para la Nochevieja me da risa (*makes me laugh*), pero como mi vida romántica no va muy bien, necesito suerte, ¡así que la voy a probar!

¡Escuchemos!

Nuestros recuerdos°   *memories*

Antes de escuchar

Indica si tienes un buen recuerdo asociado con cada uno de los siguientes eventos o celebraciones. Apunta algunos detalles sobre los recuerdos para poder compartirlos con la clase.

¿Tienes buenos recuerdos...

	SÍ	NO		SÍ	NO
1. del Año Nuevo?	☐	☐	5. de la Navidad?	☐	☐
2. del bautizo de un bebé?	☐	☐	6. de la Nochevieja?	☐	☐
3. de un juego infantil (*childhood game*)?	☐	☐	7. de un viaje para visitar a tus tíos y primos?	☐	☐
4. del nacimiento de un bebé?	☐	☐	8. de una visita de tus tíos y primos?	☐	☐

A escuchar

Mira y escucha. Luego mira otra vez con pausas y empareja a cada persona con el recuerdo feliz que describe. Mira y escucha una tercera vez para verificar tus respuestas.

1. _____ Guadalupe, de Costa Rica

2. _____ Henry, de Costa Rica

3. _____ Catalina, de Colombia

4. _____ Michael, de Guatemala

5. _____ Anlluly, de Costa Rica

6. _____ Olman, de Costa Rica

7. _____ Zuly, de Colombia

a. la graduación
b. el nacimiento de primas
c. el nacimiento de perritos
d. el nacimiento de sus hijos
e. el regreso a su país después de vivir fuera (*away*)
f. un viaje a Guatemala
g. una visita a la casa de una persona famosa

Truth-Function/McGraw-Hill

Después de escuchar

Escoge una de las siguientes celebraciones y cuéntale a tu compañero/a un recuerdo feliz. ¿Qué año era? ¿Quiénes estaban? ¿Cómo se sentía la gente? ¿Qué hacía la gente para prepararse?

| un bautizo | un cumpleaños | una Navidad |
| una boda | una graduación | una Nochevieja |

¡Escribamos!

Una entrada° en un blog
entry

Es muy común usar un blog para compartir información nueva y explicarle algo a un grupo que no sabe nada con respecto al tema presentado. ¿Puedes explicarle una tradición o celebración única a un grupo que no sabe nada de las costumbres asociadas con el evento?

Estrategia

Question-asking for richer narration

When you have to explain something to someone who knows nothing about it, using the 5 Ws from journalism (*Who?*, *What?*, *When?*, *Where?*, *Why?* [and *How?*]) ensures that you're covering all the details from a perspective that will be understandable to someone who is unfamiliar with the subject. To organize your piece, jot down answers for each of these questions, then make sure to work in the responses as you write.

Antes de escribir

En grupos, hagan una lista de algunas celebraciones de este país o región. ¿Qué hace la gente? ¿Cuáles son las costumbres y tradiciones? ¿Saben Uds. el origen de las costumbres? De su lista de celebraciones, ¿cuáles serían (*would be*) las más interesantes para personas de otros países?

A escribir

PASO 1. Escoge una celebración de la lista que hicieron en **Antes de escribir** y escribe una entrada en un blog sobre esa celebración. Tu entrada informativa debe contestar todas las preguntas: **¿quién?, ¿qué?, ¿cuándo?, ¿dónde?, ¿por qué?** y **¿cómo?**

> **MODELO:** La víspera del Día de Todos los Santos (*Halloween*)
> **¿Quién?** Los niños (menores de 13 años)
> **¿Qué?** Se ponen disfraces y van de casa en casa pidiendo dulces.
> **¿Cuándo?** El 31 de octubre por la noche
> **¿Dónde?** En todos los estados de los Estados Unidos
> **¿Por qué?** Es una tradición relacionada con la cosecha (*harvest*) en otoño; los disfraces imitan y/o asustan a los espíritus malignos.
> **¿Cómo?** Los jóvenes tocan a la puerta, dicen «*trick or treat*» y la gente (*people*) en la casa les da dulces.

PASO 2. Escribe una descripción detallada para una persona que no sabe nada de la celebración. ¿Qué se celebra? ¿Qué hace la gente? ¿Cuáles son las costumbres/tradiciones? Describe la historia de la celebración. Usa oraciones completas e incluye todos los detalles del **Paso 1.**

Después de escribir

Revisa tu ensayo. Luego intercambia descripciones con un compañero / una compañera para evaluarlas. Lee el ensayo de tu compañero/a y determina si el ensayo explica la celebración para una persona que no sabe nada de ella o si falta información necesaria. Lee de nuevo (*again*) el ensayo con cuidado para revisar los siguientes puntos de gramática.

☐ Usa el imperfecto para describir la historia de las costumbres.
☐ Hay concordancia entre sujetos y verbos.
☐ Hay concordancia entre sustantivos (*nouns*) y adjetivos.
☐ La ortografía es correcta.

Después de revisar el ensayo de tu compañero/a, devuélveselo (*return it to him/her*). Lee tu propio (*own*) ensayo para ver los cambios que tu compañero/a te recomienda y haz las revisiones necesarias.

Potential employers will almost certainly do an online search for your name as part of the screening process. When they do, you want them to see that you have useful tech skills and know how to apply them in the workplace context. Having designed a website or blog is one way to impress potential employers, as are having an online professional profile and evidence of using social media for marketing or other workplace purposes.

¡Hablemos!

Un regalo terrible

Antes de hablar

Cada año recibimos regalos en varias ocasiones (para el cumpleaños, la Navidad, la graduación) y la mayoría del tiempo los regalos son buenos. Pero, ¿recibiste alguna vez un regalo terrible? Haz (*Make*) dos listas: una de los peores regalos que recibiste en tu vida y otra de los regalos que querías recibir en su lugar (*in their place*).

Recibí...   Quería recibir...

 ### A hablar

Habla con un compañero / una compañera sobre el peor regalo que recibiste. ¿Qué fue? ¿Quién te lo dio? ¿Por qué fue tan terrible? ¿Qué querías como regalo?

 ### Después de hablar

Compartan sus historias con la clase. ¿Quién de la clase recibió el peor regalo?

VOCABULARIO

Now that I have completed the chapter, I can . . .

☐ say I had a good time
☐ wish someone well and congratulate them
☐ talk about holidays and celebrations in the Spanish-speaking world
☐ talk about ongoing events in the past
☐ express to whom or for whom an action is performed

Comunicación / Communication

Lo/La pasé bien/mal.	I had a good/bad time.
Lo siento.	I'm sorry. / My condolences.
Me divertí mucho.	I had a lot of fun.
Disfruté.	I enjoyed.
¡Felicitaciones!/¡Felicidades!/ ¡Enhorabuena!	Congratulations!
Te felicito/felicitamos.	I/We congratulate you.

Los días festivos / Holidays

el Año Nuevo	New Year's
el bautizo	baptism
la boda	wedding
el brindis	toast (*to a person*)
el Carnaval	Carnival (*the festivities in the days preceding Lent*)
el champán	champagne
la costumbre	custom, habit
el cumpleaños	birthday
el desfile	parade
la despedida	farewell, good-bye
el Día de la Independencia	Independence Day
el Día de Muertos	Day of the Dead
el Día de los Reyes Magos	Three Kings' Day (Epiphany)
el disfraz (*pl.* los disfraces)	costume
la fiesta	party
la fiesta de quinceañera	*girl's 15th birthday celebration*
la flor	flower
los fuegos artificiales	fireworks
la graduación	graduation

el Jánuca	Hanukkah
el nacimiento	birth
la Navidad	Christmas
la Nochebuena	Christmas Eve
la Nochevieja	New Year's Eve
la Pascua (Florida / de Resurrección)	Easter
el regalo	gift
la Semana Santa	Holy Week
la tarjeta	card

Los verbos / Verbs

celebrar	to celebrate
cumplir ____ años	to turn ____ years old
disfrutar	to enjoy
divertirse (ie, i)	to have fun
encantar	to delight
enseñar	to show; to teach
escoger (j)	to choose
fascinar	to fascinate
felicitar	to congratulate
importar	to matter; to be important to
interesar	to interest
invitar	to invite
molestar	to bother
parecer (zc)	to seem
preguntar	to ask
regalar	to give (*a present*)

Los pronombres de objeto indirecto

me, te, le, nos, os, les

Las preposiciones y los pronombres / Prepositions and pronouns

con	with
conmigo	with me
contigo	with you
en	in, on; at (a place)
para	for
para mí	for me
para ti	for you
sin	without
sobre	on, above; about

Design Elements: Headphones: Shutterstock/Orchid24; Keyboard: McGraw-Hill Education/Mark Dierker; Microphone: Tzido/Getty Images; Clapboard: Ingram Publishing/Alamy; Smartphone: McGraw-Hill Education/David Planchet; Tablet: McGraw-Hill.

La ropa° y la moda°

Clothes, fashion

En un desfile de moda en México, unas modelos llevan (*wear*) vestidos (*dresses*) de la diseñadora (*designer*) Lydia Lavin.

Victor Chavez/Getty Images

Objetivos

When you finish this chapter, you will be able to:

- say how great something is
- use polite expressions in appropriate contexts
- talk about clothing and fashion
- talk about the human body
- express how clothing fits
- express events in the past
- discuss the fashion world and industry

8

COMUNICACIÓN LARIO UCTURA TE

Estrategia

As with any slang, the appropriateness of these expressions can vary a lot depending on differences in region, generation, or formality of context. Something perfectly appropriate in one context might be highly offensive in another. Take care when using these expressions or any other slang; pay attention to how people around you are talking and follow their lead.

¡Qué padre!

Talking about how great something is

A. A ver: ¿Cómo se dice «¡Qué bueno!» en su país? Mira y escucha. Luego mira otra vez con pausas para contestar. Mira una tercera vez para verificar tus respuestas.

1. Edgardo, de Venezuela, dice... _____

2. Olga, de España, dice... _____

3. Mirelle, de México, dice... _____

4. Jordi, de España, dice... _____

5. Nadia Angélica, de México, dice... _____

6. Víctor, de México, dice... _____

7. Luis, de Nicaragua, dice... _____

8. Daniela, Ana Marcela y Estela, de Costa Rica, dicen... _____

9. Luciana, de Colombia, dice... _____

10. Shayllie y Rayza, de Puerto Rico, dicen... _____

a. «Qué bien, qué chulo, qué guay...»
b. «Qué chido, está muy padre...»
c. «¡Qué chimba!»
d. «Qué bueno, ¡qué chévere!»
e. «¡Qué bárbaro!»
f. «¡Qué bien! ¡Estupendo! ¡Fenomenal!»
g. «¡Qué brutal!»
h. «¡Pura vida!»
i. «¡Está padre!»
j. «Qué padre, qué chido...»

En español...

In Costa Rica, people use the expresion **¡Pura vida!** for many things: it can mean **hola, adiós, ¿qué pasa?, perfecto, estoy satisfecho/a, la vida es bella,** and more. This expression is used in other Spanish-speaking countries, but in Costa Rica it is so common that it has become the national motto.

To express *cool!* or *awesome!* in Spanish, use one of the following words.

bárbaro/a (*Arg., Chile, C.A.*)
bien
brutal (*P.R.*)
chévere (*Carib., Andes*)
chido/a (*Mex.*)
chimba (*Colombia*)

chulo/a (*Sp., D.R.*)
estupendo/a
fenomenal
guay (*Sp.*)
padre (*Mex.*)
pura vida (*C.R.*)

Except for **pura vida,** these expressions are often used as exclamations with **¡Qué...!**

—Mira, compré un teléfono nuevo.   Look, I bought a new phone.
—¡Qué chévere/chido/chulo/padre!   Cool!

To say something is *not* cool or great, use one of these expressions.

aburrido/a (*boring*)
malo/a

pesado/a (*annoying*)
pésimo/a (*awful*)

B. ¿Chévere o pesado?   Indica tu reacción a cada actividad de la lista.

	¡QUÉ CHÉVERE!	¡QUÉ PESADO!
1. estudiar en la biblioteca	☐	☐
2. acampar (*go camping*) en las montañas	☐	☐
3. ir a la ópera	☐	☐
4. ir a la playa	☐	☐
5. ir a una entrevista de trabajo	☐	☐
6. ir de compras	☐	☐
7. jugar videojuegos	☐	☐
8. preparar la cena	☐	☐
9. hacer una presentación en una clase	☐	☐
10. salir con los amigos	☐	☐

C. Las marcas (*brands*) más chéveres

 PASO 1.   En grupos, decidan si cada cosa es **chévere, pesado/a** o **pésimo/a.** **¡Atención!** Usen también los sinónimos que ya saben.

MODELO: E1: ¿Qué piensas de la consola Switch™?
E2: ¡Qué aburrida! *o* Es aburrida.

1. un teléfono Android™
2. el iPad
3. la ropa de H&M™
4. la marca Hollister™
5. la marca Óscar de la Renta™
6. los zapatos Nike™

PASO 2.   Ahora, apunta tus cosas favoritas en cada una de las siguientes categorías: **marca de ropa, sitio web, marca de teléfono celular, videojuego.**

 PASO 3.   Habla con tres compañeros de clase para saber si están de acuerdo contigo o no. ¿Qué piensan ellos de tus cosas favoritas? ¿Cuáles son sus cosas favoritas? Usa las expresiones de la página 224 para reaccionar.

MODELO: E1: Me gusta la marca Gap™.
E2: ¡Qué padre! ¡A mí también! ¿Qué piensas de...?

El diseñador de moda Óscar de la Renta

Camera Press Ltd/Alamy Stock Photo

Disculpe...
Using polite expressions in appropriate contexts

There are many ways to say *Excuse me,* most of which depend on the situation. (You've already seen some of these in **Capítulo 3.**)

Con permiso.	Excuse me.
Disculpa. / Disculpe. / Disculpen.	Excuse me. (*sing. inform./form.; pl. form.*)
Perdón.	Sorry. / Excuse me. / Pardon me.
Perdona. / Perdone. / Perdonen.	Sorry. / Excuse me. / Pardon me. (*sing. inform./form.; pl. form.*)
¿Puedo pasar?	Excuse me. (*Literally,* May I pass by? *or* May I enter?)

While any of these phrases can mean *Excuse me,* **Con permiso** is generally used when entering or leaving a room, to leave the table, or to get past someone. **Perdón** and the forms of the verbs **disculpar** and **perdonar** are usually used as apologies for an interruption or inconvenience.

To apologize for something, you can also say **Lo siento.**

To invite someone into a space, including to let them pass by, use:

Pasa. / Pase. / Pasen.	Come in. / Go ahead. (*inform./form.; pl. form.*)

A. ¿Puedo pasar? Escoge la mejor expresión para cada situación.

1. Estás en una cena y quieres ir al baño (*restroom*).
   ☐ Con permiso.
   ☐ Lo siento.
   ☐ Con mucho gusto.

2. Estás en el transporte público con mucha gente y quieres bajar en la próxima parada (*get off at the next stop*).
   ☐ ¡Claro que sí!
   ☐ Sí, gracias.
   ☐ ¿Puedo pasar?

(*Continues*)

3. Chocas con (*bump into*) otra persona sin querer (*unintentionally*).
   ☐ Con permiso.
   ☐ Lo siento.
   ☐ ¡Cómo no!

4. Das una fiesta y tienes que dejar (*leave*) una conversación para darle la bienvenida
   a la persona que llega.
   ☐ Con permiso.
   ☐ ¿Puedo pasar?
   ☐ Pase.

5. Tienes que preguntarle algo a alguien, pero esta persona ya está hablando con
   otra persona. Decides interrumpir.
   ☐ Con mucho gusto.
   ☐ Disculpen.
   ☐ Por supuesto.

6. Quieres pedirle la hora a alguien en la calle.
   ☐ Con mucho gusto. ¿Qué hora es?
   ☐ Perdón. ¿Qué hora es?
   ☐ ¿Puedo pasar? ¿Qué hora es?

¿Puedo usar tu computadora?

B. Perdón, ¿puedo usar el teléfono?   Circula por la clase y pídeles
algo prestado (*ask to borrow*) a tus compañeros: el libro, el teléfono,
el bolígrafo, etcétera. **¡Atención!** Usa expresiones como **Con permiso** y
¿Puedo pasar? mientras circulas por la clase.

MODELO: E1: Perdón, ¿puedo usar tu teléfono?
             E2: Lo siento. No tengo teléfono. *o* ¡Cómo no!
             E1: Gracias.
             E2: De nada.

¿Qué llevas?
Describing clothing

¡Luce perfecto para tu entrevista de trabajo!

la gorra

¡La última moda para los niños y los jóvenes!

la chaqueta

la camiseta

el cinturón

los pantalones cortos

la corbata

la camisa

el suéter

el vestido

los jeans

la blusa

los calcetines

las sandalias

los tenis

el sombrero

los lentes

el traje de baño

¡Lo último para el verano!

el traje

el bolso

el abrigo

la falda

el pantalón

el reloj

la pulsera

Ropa interior y pijamas

los pendientes

el calzón

el anillo

el sujetador

el pijama

el collar

el paraguas

los tacones

los zapatos

¡Las mejores tendencias en accesorios y complementos!

el gorro

la bufanda

la chaqueta

los guantes

¡REBAJAS!

Conjuntos de *snowboarding* y esquí ¡Hasta 50% de descuento!

A. ¿Qué llevas para cada ocasión?   En grupos pequeños, organicen las **prendas** (*items*) **de ropa** en la página 228 según la ocasión: **un día en la playa, el primer día de la escuela, unas vacaciones de esquí, una entrevista de trabajo.**

B. ¿Cierto o falso?   Escucha las frases sobre las prendas de ropa que aparecen en el anuncio en la página 228. Indica si cada frase es **cierta** o **falsa** y corrige las oraciones falsas.

■ The audio files for in-text listening activities are available in the eBook, within Connect activities, and on the Online Learning Center.

	CIERTO	FALSO		CIERTO	FALSO		CIERTO	FALSO
1.	☐	☐	4.	☐	☐	7.	☐	☐
2.	☐	☐	5.	☐	☐	8.	☐	☐
3.	☐	☐	6.	☐	☐	9.	☐	☐

C. ¿De qué color es la ropa?

PASO 1.   En parejas, creen una tabla con los siguientes colores para categorizar las prendas de ropa del anuncio. Túrnense para hacerse preguntas sobre los colores y describir el color de cada prenda.

MODELO: E1: ¿Hay alguna prenda rosada?
         E2: El traje de baño de la niña es rosado. También el calzón de mujer es rosado.

PASO 2.   En grupos, túrnense para describir su propia ropa y añadan cada prenda a la lista debajo del (*below the*) color correspondiente.

MODELO: Hoy llevo una camiseta roja y azul y unos pantalones cortos color caqui (*khaki*). También llevo calcetines blancos, zapatos marrones y una gorra de los Red Sox™.

D. A ver: ¿Qué llevas hoy?

PASO 1. Antes de mirar el video, mira las fotos e indica todas las prendas que llevan las personas del video: Samuel, Rayn y Carolina.

1.

Samuel

□ la bufanda   □ la camisa   □ la chaqueta
□ el cinturón   □ la gorra

2.

Rayn

□ el anillo   □ la camiseta   □ el cinturón
□ las gafas   □ la gorra

3.

Carolina

□ la blusa   □ la camisa   □ el collar
□ la gorra   □ los lentes   □ la pulsera

PASO 2. Mira y escucha. Luego mira otra vez y apunta cada prenda y accesorio que menciona cada persona.

EXPRESIONES ÚTILES

los zarcillos	los pendientes
la enagua	la falda
la sombrilla	el paraguas

En español...

The verb **llevar** has several meanings in Spanish. Two of the most common uses are *to wear* (**La niña lleva un vestido rosado.**) and *to bring* or *to carry* (**Llevo refrescos a la fiesta.**)

The verb **usar** can also be used to mean *to wear*: **Yo no uso lentes, pero mis padres sí los usan.**

Persona	Prendas	Accesorios	Detalles

PASO 3. Mira y escucha otra vez y apunta una descripción más detallada (*detailed*) de la ropa que describe cada una.

    MODELO: Laura lleva una chaqueta deportiva y un jean básico.

El cuerpo humano

Parts of the body

A. Asociaciones

PASO 1. Empareja la parte del cuerpo con la ropa o accesorio que más se asocia con esa parte.

1. ____ el torso	a. la camisa
2. ____ la cabeza	b. la corbata
3. ____ las manos	c. la gorra
4. ____ las orejas	d. los guantes
5. ____ el cuello	e. los calcetines
6. ____ los pies	f. el pantalón
7. ____ las piernas	g. los pendientes

PASO 2. Di qué parte del cuerpo se asocia más con cada verbo. **¡Atención!** A veces hay más de una posibilidad.

1. comer	5. pensar	9. ver
2. escribir	6. correr	10. hablar
3. saludar	7. escuchar	
4. abrazar	8. sentarse	

B. ¿Qué es...? En grupos, túrnense para describir la ropa y las partes del cuerpo mientras los otros miembros del grupo adivinan qué palabra describes.

MODELOS: E1: Llevamos estas prendas de ropa en los pies, sobre los calcetines.
E2: ¿Son los zapatos?
E1: ¡Exacto!

E3: Es la parte del cuerpo que usas para besar (*to kiss*).
E1: ¿Es la cabeza?
E3: No exactamente. Pero sí están en la cabeza.
E2: ¿Son los labios?
E3: ¡Correcto!

C. ¿Qué debo llevar?   A veces es difícil saber qué ropa es apropiada para diferentes ocasiones. En parejas, túrnense para darse consejos sobre qué llevar en cada ocasión.

MODELO: E1: ¿Qué debo llevar para conocer (*meet*) a los padres de mi novia en un restaurante?

E2: Tienes que llevar un traje azul, con camisa y corbata. Y necesitas zapatos negros o marrones; no puedes usar tenis.

1. un concierto de música rock
2. una entrevista de trabajo
3. una cita a ciegas (*blind date*) en un restaurante elegante
4. un partido (*game*) de fútbol americano
5. la playa
6. las montañas de Colorado en enero
7. una fiesta con amigos
8. la boda de un buen amigo

¿Cómo te queda?

Expressing how clothing fits

Ken Karp/McGraw-Hill Education

The verb for *to try* (*something*) *on* is **probarse (ue).** To talk about how clothing fits, use the verb **quedar. Quedar** is conjugated in the same manner as **gustar.**

Me probé este vestido. Me queda bien.	I tried on this dress. It fits me well.
Los pantalones de mi hermano le quedan mal. Están demasiado apretados.	My brother's pants fit him poorly. They're too tight.

Here are other words to describe how clothing fits.

ancho/a	loose
apretado/a	tight
corto/a	short
grande	loose, big
largo/a	long
pequeño/a	small

¡Atención! Note that **largo** means *long*; use **grande** to say that something is *large*.

To talk about a particular size of clothing, use **el número** to refer to shoe size and **la talla** for clothing size.

Disculpe, señor. ¿Tiene este zapato en el número 9?	Excuse me, sir. Do you have this shoe in a size 9?
Perdone, señorita, pero quisiera probarme la camisa en una talla más grande.	Excuse me, miss, but I would like to try on the shirt in a larger size.

Here are some words you can use to talk about fashion in general.

el desfile de moda	fashion show
el/la diseñador(a)	designer
estar de moda	to be in fashion
estar pasado/a de moda	to be out of fashion
la marca	brand
de marca	brand-name (*adj.*)

A. Le quedan largos.   Empareja las oraciones con la persona que mejor describen, según el dibujo.

1. _____ Le queda apretado.

2. _____ Le quedan apretados.

3. _____ Le queda corta.

4. _____ Le queda grande.

5. _____ Le quedan grandes.

6. _____ Le quedan largos.

7. _____ Le queda pequeña.

B. No me queda bien.   Escucha las descripciones. Luego empareja cada descripción con la reacción más lógica.

1. _____

2. _____

3. _____

4. _____

5. _____

6. _____

a. Debes usar una talla más grande.

b. Está de moda.

c. Está pasado de moda.

d. Son marcas de diseñadores famosos.

e. Te quedan grandes.

 f. Te quedan pequeños.

Reciclaje — The preterite

PASO 1. Estos cinco panameños dicen qué hicieron el fin de semana pasado. Subraya todos los verbos que están en el tiempo pretérito.

 Kathyuska, 19 años, estudiante: «Pasé el fin de semana en casa de una amiga. Después, regresé a casa y terminé de hacer mis quehaceres (*chores*).»

 Graciela, 47 años, ingeniera (*engineer*) y gerente de una empresa (*business manager*): «Estuve en la playa con mi familia.»

 Marco Antonio, 48 años, trabaja en el sistema de bibliotecas de la Universidad de Panamá: «Ayudé a unos muchachos de la escuela secundaria a estudiar.»

 Mauricio, 20 años, estudiante: «Fui a una fiesta en la playa. La pasamos muy bien. Hicimos una fogata (*bonfire*), comimos y bailamos.»

  Ricardo, 32 años, gerente de una cadena (*chain*) de tiendas: «Trabajé.»

Truth-Function/McGraw-Hill

PASO 2. Da un ejemplo de dos personas que hicieron cosas parecidas.

Nombres: _____ y _____
¿Qué hicieron?_____

Ahora da un ejemplo de dos personas que hicieron cosas distintas.

Nombre: _____   ¿Qué hizo? _____
Nombre: _____   ¿Qué hizo? _____

¿Y tú? ¿Hiciste lo mismo que alguna de estas personas?
El fin de semana pasado, _____ y yo _____.

 PASO 3. En grupos de tres, hablen de lo que hicieron Uds. el fin de semana pasado. Cada persona debe nombrar por lo menos tres cosas. Mientras conversan, apunten las actividades para poder compartir la información con la clase.

■ Answers to this activity are in Appendix 2 at the back of your book.

8.1 Balenciaga vistió a la familia real española

More irregular preterite forms

Para empezar...

Cristóbal Balenciaga y Carolina Herrera son grandes figuras en el mundo de la moda. Tres de las siguientes oraciones describen a Balenciaga y cuatro a Carolina Herrera. Indica cuáles se refieren a Balenciaga con **B** y cuáles a Herrera con **H**.

Cristóbal Balenciaga,
español, 1895–1972

Carolina Herrera,
venezolana, 1939–

1. ____ **Nació** en el País Vasco (*Basque Country*).
2. ____ **Vistió** (*He/She dressed*) a Jacqueline Kennedy Onassis en los últimos años de su vida. Ahora viste a Oprah Winfrey, a Michelle Obama y a Renée Zellweger.
3. ____ **Asistió** a un desfile de moda de Balenciaga a los trece años (*at age thirteen*).
4. ____ **Murió** en 1972.
5. ____ Le **pidió** ayuda a su hija Carolina Adriana para crear una línea de perfumes.
6. ____ **Nació** en Caracas.
7. ____ Una exposición (*exhibition*) en el Metropolitan Museum of Art en 1973 **sirvió** como reconocimiento (*recognition*) de su importancia después de su muerte (*death*).

Actividades analíticas

1 Complete these conjugations in the preterite using the verbs you saw in **Para empezar** and following the pattern that you see here. **¡Atención!** Pay close attention to the stems of these verbs and note where they do and do not change. They share a pattern!

	pedir (i, i)	seguir (i, i)	servir (i, i)	vestir (i, i)
yo	pedí	seguí		
tú	pediste			vestiste
él/ella, Ud.		siguió		
nosotros/as			servimos	
[vosotros/as]	[pedisteis]	[seguisteis]	[servisteis]	[vestisteis]
ellos/ellas, Uds.		siguieron		

Remember that the verb **vestir** is often used in its reflexive form (**vestirse**) with the sense of *to dress oneself* or *to get dressed*.

Carlos **se vistió** bien para la entrevista.   *Carlos dressed well for the interview.*

Ayer **me vestí** después de desayunar.   *Yesterday I got dressed after having breakfast.*

■ Answers to these activities are in Appendix 2 at the back of your book.

vos	
pedir	pediste
seguir	seguiste
servir	serviste
vestir	vestiste

■ **NOTE:** The letters in parentheses following stem-changing verbs such as **dormir (ue, u)** and **pedir (i, i)** will help you know what type of change(s) to expect when those verbs appear in different tenses. When there is one set of vowels in parentheses (such as for **despertar [ie]** and **probar [ue]**), it refers to the stem change that occurs in the present tense in all forms but **nosotros/as** and **vosotros/as: despiert-, prueb-.** When there are two sets of vowels in parentheses (such as for **dormir [ue, u]** and **pedir [i, i]**), the first item in parentheses refers to the stem change that occurs in the present tense and the second is the change that occurs in the preterite: **durmió, durmieron; pidió, pidieron.**

■ For additional irregular verbs in the preterite, see **Para saber más 8.1** at the back of your book.

vos	
dormir	dormiste
morir	moriste

Estrategia

The endings in the preterite for all the verbs seen here are exactly the same as those of regular verbs. This section thus gives you another chance to have the regular preterite endings really sink in.

2 The verbs **pedir, seguir, servir,** and **vestir** are all **-ir** verbs with an **e** in the stem. In the **él/ella, Ud.** and **ellos/ellas, Uds.** preterite forms of this type of verb, the stem vowel **e** becomes **i**. Circle these verb forms in the conjugation.

¡Atención! Recall that these verbs also change their stem vowel in the present tense: **pedir, seguir, servir,** and **vestir** all belong to the **e → i** family in the present tense, though the pattern of stem changes there is slightly different.

3 Use the verbs in **Para empezar** once again, as well as the general pattern that you see here, to complete the conjugations of these verbs.

	dormir (ue, u)	morir (ue, u)
yo	dormí	
tú		moriste
él/ella, Ud.	durmió	
nosotros/as	dormimos	
[vosotros/as]		[moristeis]
ellos/ellas, Uds.		murieron

4 With the verbs **dormir** and **morir,** the stem vowel **o** becomes **u** in the **él/ella, Ud.** and **ellos/ellas, Uds.** forms of the preterite. Circle the verb forms in the chart where this vowel change occurs.

¡Atención! Recall that these verbs also change their stem vowel in the present tense: **dormir** and **morir** both belong to the **o → ue** family in the present tense.

Actividades prácticas

A. Completa las oraciones Usa los verbos para completar las siguientes oraciones. **¡Atención!** Debes usar uno de los verbos dos veces.

durmió   murió   pidió   siguió   sirvió   vistió

1. ¿A quién le _____ dinero Jorge?
2. A causa del examen que tiene ahora, Marisela _____ muy poco anoche.
3. Parece que Santiago se levantó y se _____ en treinta segundos.
4. Eva _____ el mismo camino (*path*).
5. Paco _____ una cena exquisita. Él lo preparó todo.
6. Iván está triste porque su perro _____ hace unos días.
7. María Elena tenía mucho sueño y _____ por mucho tiempo.

B. Preguntas y respuestas Empareja cada pregunta con la respuesta más lógica.

1. ____ ¿Quién durmió más anoche? ¿Guillermo o Pedro?
2. ____ ¿Ya se vistieron los niños?
3. ____ Después de las elecciones, ¿Villegas siguió (*continued*) como presidente?
4. ____ ¿Por qué te pidieron cinco dólares?
5. ____ ¿Sirvió ese teléfono desechable (*disposable*) que compraste?
6. ____ ¿Seguiste las instrucciones?
7. ____ ¿En qué año murió tu abuelo?

a. No, perdió las elecciones presidenciales.
b. Yo sí, pero Elena no las siguió.
c. No, no muy bien.
d. Pedro. Durmió diez horas.
e. En 2019.
f. Sí. Ya salieron a jugar.
g. Porque quieren comprar algo.

C. Pon las acciones en orden

PASO 1.   Mira la lista de las cosas que hizo Angélica esta mañana. Pon las oraciones en el orden más lógico.

a. ____ «Antes de ir al trabajo, fui a un café.»
b. ____ «Me levanté temprano.»
c. ____ «Tomé el café solo.»
d. ____ «Me puse los zapatos.»
e. ____ «Me sirvieron un café solo (*black*) por equivocación (*by mistake*).»
f. _1_ «Dormí.»
g. ____ «Fui al trabajo.»
h. ____ «Pedí un café con leche.»
i. ____ «Me vestí.»

PASO 2.   Ahora, en parejas, usa la lista de lo que hizo Angélica esta mañana para crear una narración del día de ella. **¡Atención!** Para una narración más natural, usa expresiones de tiempo: **primero, entonces** (*then*), **luego** (*later, then*), **después** (*next, afterwards*), **al final** (*in the end*), **finalmente / por fin** (*finally, at last*).

MODELO: E1: Primero, Angélica durmió.
              E2: Luego...

PASO 3.   En parejas, túrnense para explicar cuáles de las actividades del **Paso 1** hicieron Uds. esta mañana. ¿Alguien hizo todas las cosas? ¿Alguien no hizo ninguna?

MODELO: Dormí. Me levanté a las diez; no me levanté temprano.

D. Cuatro preguntas

PASO 1.   Pregúntales a cuatro compañeros una de las siguientes preguntas y apunta las respuestas.

1. ¿En qué año murió el ex presidente venezolano Hugo Chávez? (Si no lo sabes, ¡adivina!)
2. La última vez que comiste en un restaurante, ¿qué pediste de tomar?
3. ¿Cuántas horas dormiste anoche?
4. ¿En cuánto tiempo te vestiste esta mañana?

PASO 2.   Presenta tus resultados del **Paso 1** a la clase.

MODELO: Dos personas dicen que Hugo Chavez murió en el año ____, una persona dice...

Hugo Rafael Chávez Frías, ex presidente venezolano

CONÉCTATE AL MUNDO HISPANO

Hugo Chávez fue presidente de Venezuela durante catorce años. Fue una figura muy polémica (*controversial*). Por un lado Chávez es conocido por sus grandes reformas sociales que ayudaron a mejorar el nivel de vida (*standard of living*) de muchos venezolanos. Por otro lado, también fue criticado por las divisiones que creó dentro del país y entre Venezuela y otros países. Murió al principio de su cuarto periodo presidencial, tras (*following*) una lucha (*fight*) contra el cáncer.

Reciclaje — The imperfect

¿Cómo te vestías de niño o de niña? Usa el verbo entre paréntesis para completar las preguntas en el imperfecto. Luego contesta cada pregunta.

1. ¿Qué tipo de ropa _____ (llevar)? _____
2. ¿Qué tipo de zapatos _____ (tener)? _____
3. ¿Quién te _____ (escoger) la ropa? _____
4. ¿Te _____ (gustar) la ropa que te escogían? _____
5. ¿Quién te _____ (lavar) la ropa? _____

■ Answers to this activity are in Appendix 2 at the back of your book.

8.2 Él modelaba y ella lo vio

The preterite and imperfect together

Para empezar...

Las carreras (*careers*) artísticas de los actores españoles Penélope Cruz y Javier Bardem se han cruzado (*have crossed*) en más de una ocasión. Basándote en la información de la tabla, indica cuáles de las siguientes oraciones son ciertas y cuáles son falsas.

Javier Bardem y Penélope Cruz

AB1/WENN/Newscom

	PENÉLOPE CRUZ	JAVIER BARDEM
1969		Nace el primero de marzo en las Islas Canarias.
1974	Nace el 28 de abril en Madrid.	
1975		Empieza a trabajar como actor.
1989	Empieza a trabajar como actriz.	
1992	Tiene su primer gran éxito con *Jamón, jamón,* una película sobre un modelo de ropa interior masculina.	Tiene su primer gran éxito con *Jamón, jamón,* una película sobre un modelo de ropa interior masculina.
2001	Empieza a salir con Tom Cruise.	
2004	Termina su relación con Tom Cruise.	Sale (*Appears*) en *Mar Adentro*.
2006	Sale en *Volver*.	
2007	Empieza una relación con Javier Bardem. Recibe la nominación para el Premio Óscar a la mejor actriz por *Volver*.	Empieza una relación con Penélope Cruz. Sale en *No Country for Old Men*. Gana un Premio Óscar.
2008	Sale en *Vicky Cristina Barcelona*. Gana un Premio Óscar.	Sale en *Vicky Cristina Barcelona*.
2010	Se casa con Javier Bardem.	Se casa con Penélope Cruz.
2011	Da a luz (*Gives birth*) a su hijo, Leonardo.	Nace su hijo, Leonardo.
2012		Sale en *Skyfall*.
2013	Da a luz a su hija, Luna.	Nace su hija, Luna.

■ For more comparisons of preterite and imperfect, see **Para saber más 8.2** at the back of your book.

	CIERTO	FALSO
1. Cuando **nació** Penélope, Javier ya **tenía** cinco años.	☐	☐
2. En 1982, Javier **trabajaba** como actor y Penélope como actriz.	☐	☐
3. En 1992, los dos **tuvieron** su primer gran éxito, en la película *Jamón, jamón*.	☐	☐
4. De 2001 a 2004, Penélope **tuvo** una relación romántica con Tom Cruise.	☐	☐
5. Mientras **tenía** la relación con Tom Cruise, Penélope **salió** en *Volver*.	☐	☐
6. Javier ya **tenía** una relación romántica con Penélope cuando **salió** en *No Country for Old Men*.	☐	☐
7. Penélope y Javier **empezaron** a tener una relación en 2007 y **salieron** juntos en *Vicky Cristina Barcelona* en 2008.	☐	☐
8. Penélope y Javier ya **estaban** casados (*were already married*) cuando ella **ganó** el Premio Óscar.	☐	☐
9. Penélope y Javier **se casaron** en 2010 y su hijo Leo **nació** dos años después.	☐	☐
10. Javier solo **tenía** un hijo cuando **salió** en *Skyfall*.	☐	☐

Actividades analíticas

■ Answers to these activities are in Appendix 2 at the back of your book.

1 You've seen the imperfect tense used to portray an event as happening over a period of time, where the exact starting and ending points don't matter.

Javier **tenía** una relación con Penélope.	*Javier was in a relationship with Penelope.*

You've seen that the preterite tense, in contrast, is used to portray an event as being completed at a specific point in time.

Javier **salió** en esa película en 2007.	*Javier appeared in that movie in 2007.*

These same basic principles apply when the two tenses are in the same sentence.

Javier ya **tenía** una relación con Penélope cuando **salió** en esa película.	*Javier was already in a relationship with Penelope when he appeared in that movie.*

The verb **tenía** is in the imperfect because it refers to the time period when they're already in the relationship. It's not important here when it started or if it ever ended. The verb **salió** is in the preterite because it portrays that action as being completed. The implication is that Javier was in the relationship first, and then while still in it, he appeared in the movie.

2 Here is one way the use of the preterite and imperfect tenses together can be visualized.

tenía una relación
— imperfect —

time

preterite
salió en la película

The imperfect verb portrays an ongoing action happening in the background, while the preterite verb portrays an action that "interrupts" it, something that happens and is completed while the background action is still going on. Here are some examples of this type.

Enrique **buscaba** una camisa en la tienda cuando María Elena lo **vio.**	*Enrique was looking for a shirt at the store when María Elena saw him.*
Cuando Pilar **vivía** en Caracas, **consiguió** su primer trabajo en Zara.	*When Pilar was living in Caracas, she got her first job at Zara.*

(*Continues*)

¿Por qué?

In all cultures, talking about the past is important, whether you're discussing what you had for breakfast or what your ancestors did hundreds of years ago. So it makes sense that languages provide ways to make it easier to convey the details. Many languages are like Spanish and use verb tenses to make it clear whether two actions happened simultaneously, one after another, or with one action interrupting the other. These are important distinctions, and although all languages can express them in one way or another, Spanish does so in a particularly concise and helpful way.

Fuimos a la playa porque **hacía** mucho calor.   *We went to the beach because it was really hot.*

Which sentences in **Para empezar** are also of this type, containing one verb in the imperfect and another in the preterite? _____

3 When both verbs in a sentence are in the imperfect, it means that the two events happened at the same time, or at least overlapped.

Enrique **buscaba** una camisa en la tienda y **hablaba** con María Elena.

Enrique was looking for a shirt at the store and talking with María Elena (at the same time).

Cuando Pilar **vivía** en Caracas, **trabajaba** en Zara.

When Pilar was living in Caracas, she worked at Zara. (Whether she continued working for the company afterwards is not relevant.)

This can be visualized in the following way.

4 When both verbs in a sentence are preterite, it means that both events were completed, usually one after the other.

Enrique **buscó** una camisa y luego **habló** con María Elena.

Enrique looked for a shirt and then spoke with María Elena.

Pilar **fue** a Caracas y **trabajó** en Zara.

Pilar went to Caracas and worked at Zara.

Sequential actions in the past can be visualized like this.

Which sentences in **Para empezar** are an example of this? _____

Dana encontró los zapatos perfectos para la fiesta mientras paseaba por la avenida con sus amigas.

Vesna Andjic/Getty Images

El pretérito versus el imperfecto

THE PRETERITE: To show that an action was completed.

Enrique **habló** con María Elena ayer en la tienda.

Enrique spoke with María Elena yesterday at the store.

Angélica **fue** estudiante en la Escuela Argentina de Moda en 2018.

Angélica was a student at the Argentina School of Design in 2018 (but not after).

THE IMPERFECT: To show that an action was ongoing (when beginning and end points are not important).

De niño, Enrique **hablaba** mucho con María Elena.

As a child, Enrique spoke a lot with María Elena.

Angélica **era** estudiante en la Escuela Argentina de Moda en 2018.

Angélica was a student at the Argentina School of Design in 2018 (and possibly before/after).

Para expresar dos acciones en el pasado

IMPERFECT AND PRETERITE TOGETHER: Imperfect shows ongoing action occurring in background. Preterite shows "interruption," something that happened while background was going on.

Enrique **buscaba** una camisa en la tienda cuando María Elena **lo vio.**

Enrique was looking for a shirt at the store when María Elena saw him.

Cuando Pilar **vivía** en Caracas, **consiguió** su primer trabajo en Zara.

When Pilar was living in Caracas, she got her first job at Zara.

Fuimos a la playa porque **hacía** mucho calor.

We went to the beach because it was really hot.

¿Encontró la camisa que buscaba?

BOTH IMPERFECT: The actions are simultaneous (or overlapping).

Enrique **buscaba** una camisa mientras (*while*) **hablaba** con María Elena.

Enrique was looking for a shirt while he was talking with María Elena. (at the same time)

Cuando Angélica **era** estudiante, **trabajaba** en la universidad.

When Angélica was a student, she worked at the university.

BOTH PRETERITE: Two actions occur one after another.

Enrique **buscó** una camisa y luego **habló** con María Elena.

Enrique looked for a shirt and then spoke with María Elena.

Angélica primero **fue** estudiante y después **trabajó** en la misma universidad.

Angélica first was a student and then she worked at the same university.

Actividades prácticas

A. La historia y la moda Para cada año, escribe las letras que corresponden a lo que pasó y pasaba en el mundo hispano en ese año. **¡Atención!** Las imágenes te pueden ayudar.

AÑO	¿QUÉ PASÓ EN LA HISTORIA?	¿QUÉ PASABA EN EL MUNDO DE LA MODA?
1. 1492	_____	_____
2. 1821	_____	_____
3. 1939	_____	_____
4. 1973	_____	_____

Source: Library of Congress, Prints and Photographs Division [LC-USZC4-2919]

Album/Oronoz/Newscom

INTERFOTO/Alamy Stock Photo

Bettmann/Getty Images

a. Las mujeres usaban minifaldas (*miniskirts*) y trajes de pantalón. Los hombres (y también las mujeres) usaban pantalones de campana (*bell*). Los dos sexos llevaban zapatos de plataforma.

b. Los primeros españoles llegaron a América.

c. Las mujeres usaban faldas que iban por debajo (*below*) de las rodillas. También era muy común usar guantes. Los hombres llevaban trajes con corbatas anchas y sombreros Fedora.

d. El comandante Augusto Pinochet derrocó (*overthrew*) al gobierno de Salvador Allende en Chile, y empezó una dictadura (*dictatorship*) que duró (*lasted*) hasta 1990.

e. Las mujeres usaban vestidos largos con mangas (*sleeves*). Los hombres usaban camisas, pero no usaban pantalones. Llevaban medias (*stockings*) que llegaban hasta la cadera.

f. Simón Bolívar ganó la Batalla de Carabobo. Venezuela se independizó (*became independent*) de España.

g. Las mujeres llevaban corsés (*corsets*) con sus vestidos cónicos (*conical*) con mangas muy voluminosas (*bulky*). Los hombres usaban corsés con pantalón que llegaba hasta la rodilla y chaqueta, y también sombreros de dos picos (*two-cornered*).

h. Terminó la Guerra (*War*) Civil española y empezó la Segunda Guerra Mundial (*World*).

B. Más sobre Penélope   Basándote en la información de la tabla, escoge el tiempo del verbo más adecuado en cada caso.

ALGUNOS EVENTOS EN LA VIDA DE PENÉLOPE CRUZ

1974   Nace en Madrid.

1980   Empieza a estudiar danza.

1989   Deja (*Leaves*) la danza; empieza a trabajar como actriz.

1999   Sale en *Todo sobre mi madre,* su primera película con el director Pedro Almodóvar.

2000   Se hace vegetariana.

2005   Empieza una relación con Matthew McConaughey.

2006   Sale en *Volver;* termina la relación con Matthew McConaughey.

2007   Empieza una relación con Javier Bardem.

2008   Gana un Premio Óscar por su interpretación en *Vicky Cristina Barcelona.*

2010   Se casa con Javier Bardem.

2011   Nace su primer hijo, Leo.

1. En 1974, Penélope nació / nacía en Madrid.
2. En 1981, cuando Javier salió / salía en una película, Penélope estudió / estudiaba danza.
3. Estudió / Estudiaba danza por nueve años y después empezó / empezaba a trabajar como actriz.
4. Primero salió / salía en *Todo sobre mi madre* y luego se hizo / se hacía vegetariana.
5. Mientras estuvo / estaba en una relación con McConaughey, salió / salía en *Volver.*
6. Tuvo / Tenía una relación con Javier Bardem cuando ganó / ganaba el Premio Óscar.

C. La clase de actuación

PASO 1.   En las siguientes oraciones, subraya los verbos que aparecen en el pretérito y marca con un círculo (*circle*) los verbos que aparecen en el imperfecto.

SITUACIÓN 1

a. Una persona se ponía los zapatos y la otra escribía una carta.
b. Mientras (*While*) una persona se ponía los zapatos, la otra escribió una carta.
c. Una persona se puso los zapatos mientras la otra escribía una carta.
d. Una persona se puso los zapatos y luego la otra escribió una carta.

SITUACIÓN 2

a. Una persona se ponía la corbata mientras la otra cantaba una canción.
b. Mientras una persona se ponía la corbata, la otra cantó una canción.
c. Una persona se puso la corbata mientras la otra cantaba una canción.
d. Una persona se puso la corbata y luego la otra cantó una canción.

SITUACIÓN 3

a. Una persona se probaba la chaqueta y la otra se lavaba los dientes.
b. Mientras una persona se probaba la chaqueta, la otra se lavó los dientes.
c. Una persona se probó la chaqueta mientras la otra se lavaba los dientes.
d. Una persona se probó la chaqueta y luego la otra se lavó los dientes.

 PASO 2.   En parejas, escojan una oración y actúen lo que dice que pasó. Sus compañeros de clase tienen que adivinar qué oración escogieron y decidir si las acciones eran (1) simultáneas, (2) consecutivas o (3) si una acción interrumpió a la otra.

 PASO 3.   En parejas, usen el modelo del **Paso 1** para crear cuatro oraciones nuevas. Las oraciones deben (*should*) tener los mismos (*same*) dos verbos en diferentes combinaciones del pretérito y el imperfecto.

D. Amancio Ortega y Zara Amancio Ortega es el presidente de Zara, una compañía española que tiene más de 2.200 tiendas de ropa en más de noventa países del mundo. Ortega vive en A Coruña, una ciudad en el noroeste de España. Completa las siguientes oraciones con el tiempo (pretérito o imperfecto) más adecuado de los verbos entre paréntesis. Además, una oración es falsa. ¿Cuál piensas que es?

Amancio Ortega

Europa Press Entertainment/Getty Images

1. Amancio Ortega _____ (llegar) a A Coruña cuando _____ (tener) 14 años y su padre _____ (trabajar) en los ferrocarriles.
2. En 1975, _____ (abrir) en A Coruña su primera tienda, Zara. Esta tienda _____ (hacerse) muy popular porque _____ (tener) versiones más económicas de ropa de diseño.
3. A finales (*At the end*) de los años 80, la compañía Zara ya _____ (tener) más de ochenta tiendas en España.
4. En 1988, Ortega _____ (abrir) la primera tienda en el extranjero (*abroad*), en Portugal.
5. Ortega _____ (crear) un sistema en que pueden diseñar un producto nuevo y tenerlo en las tiendas en menos de quince días.
6. En 1989, _____ (entrar) al mercado norteamericano, pero su presencia en Europa y Latinoamérica sigue siendo (*continues to be*) mucho más fuerte.
7. En 2010 Amancio Ortega _____ (comprar) una de las casas más grandes de Madrid.
8. En 2019, la revista Forbes _____ (anunciar) que Amancio Ortega _____ (ser) el quinto (*fifth*) hombre más rico del mundo.

E. Una excusa ¿Te gusta inventar excusas? Inventa varias excusas para explicar por qué no pudiste terminar las siguientes actividades. Luego, compártelas con un compañero / una compañera. Tu excusa no tiene que ser verdadera (*truthful*), ¡pero sí tiene que ser creativa!

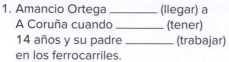

estudiar para el examen hacer la tarea lavar los platos limpiar la casa

> **MODELO:** Hacía mi tarea anoche, pero perdí mi lápiz y mientras lo buscaba, mi perro se comió todas las hojas de tarea, entonces no pude terminar.

F. Un cuento de cuando era niño/a Cuéntale a tu compañero/a algún evento verdadero o falso de cuando eras niño o niña y luego pregúntale si piensa que es cierto o no. Usa la siguiente estructura en tu cuento.

- ¿Cuántos años tenías?
- ¿Dónde vivías?
- ¿Dónde estabas y qué ropa llevabas?
- ¿Qué pasó?

> **MODELO:** Tenía 10 años y vivía en Nueva York con mis papás. Estaba en el parque y llevaba una camiseta y pantalones cortos porque era verano y hacía calor. Entonces vi que Rihanna caminaba cerca de mí. ¿Cierto o falso?

G. Cultura: Los modistas (*fashion designers*) de la República Dominicana y Cuba

la República Dominicana **Cuba**

Romantiche/Alamy Stock Photo

PASO 1.   Lee el texto sobre la República Dominicana y Cuba.

Cuando piensas en la ropa del Caribe, sin duda[a] viene a la mente la guayabera, una camisa tradicional para hombres, generalmente con cuatro bolsillos[b] y muchos pliegues[c] verticales. Pero los países caribeños como Cuba y la República Dominicana han contribuido[d] mucho más al mundo de la moda. Un gran número de influyentes diseñadores de alta costura[e] son de esta región y ahora trabajan en los centros urbanos de moda en los Estados Unidos, Canadá, Europa, Asia y Latinoamérica. Adolfo Sardiña y Óscar de la Renta son dos ejemplos.

Adolfo Sardiña nació en la provincia de Matanzas, Cuba, en 1933. Su madre murió en el parto[f] y por eso, durante su niñez Adolfo vivía con una tía. Ellos solían viajar[g] juntos y en un viaje a Europa, Adolfo conoció a la famosa diseñadora Coco Chanel. Inspirado por ese encuentro, Adolfo salió de Cuba y se fue a vivir a Nueva York, donde trabajaba como sombrerero.[h] En 1955, empezó a trabajar con telas[i] para diseñar vestidos elegantes. Entre sus clientes estaban la diseñadora Gloria Vanderbilt y la Duquesa de Windsor. Luego conoció a la primera dama Nancy Reagan y durante muchos años la vistió con sus trajes.

Óscar de la Renta nació en Santo Domingo en 1932. Cuando tenía 18 años, decidió ir a estudiar arte en Madrid. Allí se dio cuenta de[j] su interés en la moda y empezó a trabajar con varios diseñadores conocidos. En 1963, fue a Nueva York para colaborar con Elizabeth Arden y dos años después creó una empresa[k] de moda con su propio nombre. A lo largo de[l] su carrera, recibió muchos premios[m] por sus diseños. En 1977, lanzó[n] Óscar, un perfume para mujeres. En los años 80 y 90, lanzó varias otras fragancias, incluso para hombres.

Gordon Parks/The LIFE Picture Collection/Getty Images

El diseñador Adolfo Sardiña

[a]sin... *without doubt*   [b]*pockets*   [c]*pleats*   [d]han... *have contributed*   [e]alta... *haute couture*   [f]*childbirth*   [g]solían... *usually traveled*   [h]*hat maker*   [i]*fabrics*   [j]se... *became aware of*   [k]*company*   [l]A... *Throughout*   [m]*awards*   [n]*launched*

PASO 2.   Completa las oraciones con la forma apropiada del verbo en el pretérito o el imperfecto.

1. Cuando Adolfo _____ (nacer) en Cuba, Óscar _____ (tener) 7 meses de edad y su familia _____ (vivir) en Santo Domingo.
2. Cuando _____ (estar) en Nueva York, Adolfo _____ (conseguir* [*to get*]) su primer trabajo como sombrerero.
3. _____ (Ser) el año 1955 cuando Adolfo _____ (decidir) diseñar vestidos.
4. Óscar _____ (ir) a estudiar a España cuando _____ (tener) 18 años.
5. La Duquesa de Windsor y Gloria Vanderbilt ya (*already*) _____ (ser) clientes de Adolfo cuando Nancy Reagan le _____ (pedir) diseñar un vestido para ella.
6. Mientras Adolfo _____ (trabajar) como sombrerero en Nueva York, Óscar y varios diseñadores _____ (colaborar) en Europa.
7. Ya _____ (existir) el perfume Óscar para mujeres cuando el diseñador _____ (lanzar) la colonia para hombres.

PASO 3.   En parejas, contesten las preguntas y explíquense las respuestas.

1. Cuando gente talentosa como Adolfo Sardiña y Óscar de la Renta se va de su país para vivir en otro, se llama «fuga de cerebros» (*brain drain*) y es un fenómeno muy común en muchos países. En el caso de Sardiña y de la Renta, ¿por qué crees que se fueron?
2. ¿Qué piensas que siente (*feel*) la gente que se ha ido (*have left*) de su país natal (*native*)?
3. La fuga de cerebros no es siempre hacia (*toward*) los Estados Unidos, Canadá o Europa. En los últimos años, mucha gente joven de todas partes del mundo se ha ido a vivir a la Ciudad de México por las oportunidades económicas y culturales que ofrece (*offers*). ¿A ti te interesa vivir en otro país por razones (*reasons*) profesionales o económicas? ¿Por qué?

*Conseguir follows the same pattern as **seguir**.

■ Answers to this activity are in Appendix 2 at the back of your book.

Estrategia

It can take a lot longer to get used to object pronouns in Spanish than you might think. They're very short, are barely audible, and are in a different position than in English. In this section, you see something else that makes them a challenge: they're sometimes pronounced very far from the verb of which they're an object. As with anything else, though, you'll get used to this with enough exposure and practice.

■ For additional uses and placement of object pronouns, see **Para saber más 8.3** at the back of your book.

■ Answers to these activities are in Appendix 2 at the back of your book.

Autoprueba

Using what you now know about the placement of direct and indirect object pronouns with infinitives, determine what object pronoun would be used for the following sentences, then express each sentence using the two possible placements of the object pronoun.

1. Quiero comprar estas botas.
2. Necesitamos ver los guantes de cerca (*up close*).
3. ¿Vas a llevar tu chaqueta nueva?

llevar? **3.** la: ¿La vas a llevarla?
de cerca. Necesitamos verlos
2. los: Los necesitamos ver
comprar. Quiero comprarlas.
Respuestas: 1. las: Las quiero

Reciclaje   Direct and indirect object pronouns

Empareja cada palabra con la definición lógica. Luego completa la definición con el pronombre **lo, la, los** o **le.**

1. ____ el abrigo
2. ____ el anillo
3. ____ la camisa
4. ____ los guantes
5. ____ el pantalón
6. ____ el sombrero

a. ____ usas en la parte inferior del cuerpo.
b. ____ usas para proteger (*protect*) las manos.
c. ____ pones en la cabeza.
d. ____ usas para protegerte contra (*against*) el frío.
e. ____ das esto a tu novio/a cuando te casas.
f. ____ usas para tapar la parte superior del cuerpo.

8.3   ¡Lo voy a comprar!

Object pronoun placement with infinitives

Para empezar...

Empareja a cada persona con su reacción al ver (*after seeing*) la ropa mencionada.

PERSONA Y ROPA

1. ____ Un muchacho de 15 años: una corbata muy seria, pero barata
2. ____ Un joven de 25 años en su primer trabajo profesional: un traje
3. ____ Una muchacha de 17 años: un anillo y un collar
4. ____ Una estudiante de 20 años: unas sandalias
5. ____ Un estudiante de 22 años: unos zapatos de Zara

REACCIONES

a. «No **los** necesito, pero **los** voy a comprar.»
b. «No **lo** quiero, pero **lo** tengo que comprar.»
c. «**Los** quiero tener y **los** voy a comprar. Como (*Since*) son negros, ahora necesito calcetines negros también.»
d. «**Las** tengo que comprar, porque voy a la playa y allí no quiero usar zapatos.»
e. «**La** puedo comprar, pero ¿para qué **la** quiero?»

Actividades analíticas

1 As you saw in **Estructura 6.3** and **7.2,** direct and indirect object pronouns generally appear before verbs that are conjugated, whether the verbs are in the present, preterite, or imperfect tense. The object pronoun in these cases is written as a separate word.

Lo quiero.   *I want it.*

Le di el libro ayer.   *I gave the book to him/her yesterday.*

2 Object pronouns can appear after infinitive verb forms; in this case, the infinitive and the object pronoun are written as a single word.

Es importante leer**lo**.   *It's important to read it.*

Es necesario dar**le** el libro.   *It's necessary to give the book to him/her.*

3 When a conjugated verb is followed by an infinitive, the object pronoun may be placed either before the conjugated verb or after the infinitive: **¿Las camisas? Las queremos ver. / Queremos verlas.** Use the sentences in **Para empezar** to find examples of the following expressions, and write the expressions and pronouns here.

a. **voy a** + *infinitive*   _____
b. **quiero** + *infinitive*   Los quiero tener.
c. **tengo que** + *infinitive*   _____
d. **puedo** + *infinitive*   _____

4 Now write these same expressions, but with the pronoun placed after and attached to the infinitive verb.

a. **voy a** + *infinitive* _____
b. **quiero** + *infinitive* _____
c. **tengo que** + *infinitive* _____
d. **puedo** + *infinitive* _____

Actividades prácticas

A. Corbatas, sombreros y zapatos   Para cada oración, escribe **C** si se trata de (*it has to do with*) corbatas, **S** si se trata de sombreros y **Z** si se trata de zapatos. Hay dos oraciones que no se tratan de ninguno de estos objetos. En esos casos, escribe **N. ¡Atención!** Presta (*Pay*) atención a los pronombres de objeto directo e indirecto.

1. _____ En los restaurantes, casi siempre los tienes que usar.
2. _____ No es común usarlas cuando haces deporte.
3. _____ Es común comprarlos en tiendas especializadas que se llaman zapaterías.
4. _____ Es muy común usarlas cuando vas a la playa.
5. _____ No los puedes comprar en muchas tiendas de ropa, porque mucha gente no los usa.
6. _____ Los tienes que usar para hacer casi cualquier (*any*) tipo de deporte. En ese caso, se llaman «tenis» o «zapatillas deportivas».
7. _____ Los hombres las tienen que usar en muchos tipos de eventos formales.
8. _____ Es común comprarlas en los grandes almacenes.
9. _____ Tradicionalmente, los caballeros (*gentlemen*) no pueden llevarlos puestos (*put on*) dentro (*inside*) de un edificio.
10. _____ Los puedes comprar en las bibliotecas.

Tengo muchas corbatas. Me las pongo para ir al trabajo.

B. Preguntas y respuestas   Escucha las preguntas y escoge la respuesta más adecuada para cada una.

a. _____ No, pero me van a regalar algo mañana.
b. _____ No, pero lo tengo que comprar para mañana.
c. _____ No, pero la tenemos que comprar para mañana.
d. _____ Las voy a poner en el coche.
e. _____ No. La puedo hacer mañana.
f. _____ No, pero voy a regalarle un collar esta noche.
g. _____ Están en el coche todavía, pero los vamos a poner en la habitación (*room*).

C. Ya no sirve   ¿Qué puede hacer una persona con objetos que ya no necesita? ¿Venderlos (*Sell them*)? ¿Guardarlos (*Save them*)? ¿Donarlos (*Donate them*)? ¿Tirarlos (*Throw them away*)? ¿Reciclarlos? ¿Algo más? En parejas, túrnense para escoger un objeto de la lista y pregúntense qué van a hacer con cada uno. Apunten sus respuestas.

■ este libro   ■ tus lentes, si usas lentes   ■ tus zapatos
■ tu teléfono   ■ tu computadora   ■ tu cepillo de dientes

MODELO: E1: ¿Qué vas a hacer con este libro?
E2: Voy a guardarlo.
E1: Yo no. Yo voy a venderlo. *o* Yo también, pero Alicia lo va a reciclar.

D. ¿Cómo puedes usar este libro?   Obviamente puedes usar este libro para estudiar, pero, ¿para qué más? ¿Y cómo puedes usar tu mochila y tus zapatos? En parejas, piensen en otras maneras de usarlos.

MODELO: Este libro: Puedo usarlo para protegerme (*protect myself*) contra los criminales.
Mi mochila: Puedo usarla como sombrero.

Este libro: _____

Mi mochila: _____

Mis zapatos: _____

¡Leamos!

Conceptos que cautivan°   *captivate*

Antes de leer

En grupos de dos o tres, conversen sobre las siguientes preguntas.

1. Describe tu estilo de vestirte. ¿Es un estilo formal o informal? ¿Es profesional o relajado? ¿Cómodo (*comfortable*) o lujoso (*luxurious*)? ¿De moda? ¿De diseño? ¿Único (*unique*)?
2. ¿Qué factores consideras al comprar (*when buying*) ropa? ¿Consideras la talla / el número? ¿Piensas en cómo te queda? ¿En la marca? ¿El color? ¿La tela (*fabric*)? ¿El precio? ¿Otros factores? De ellos, ¿cuáles son los tres factores que te importan más?
3. ¿Cuáles diseñadores de ropa puedes nombrar?
4. ¿Qué factores crees que les importan más a los diseñadores al crear ropa para el público?
5. ¿Dónde crees que encuentran la inspiración los diseñadores?

A leer

Lee el artículo sobre **Ángel Sánchez,** un diseñador venezolano. Luego decide si cada una de las frases se refiere a Ángel Sánchez o a la actriz y activista, **Eva Longoria.**

Conceptos que cautivan

¿Moda arquitectónica[a]? ¿Vestidos construidos? ¿Prendas conceptualizadas? ¿Conceptos a medida[b]?

La energía y el brío[c] de los diseños[d] de Ángel Sánchez fascinan a las más famosas, como Taylor Swift, Eva Longoria, Beyoncé, Brooke Shields y Sandra Bullock.

Estas y muchas más estrellas empezaron a sentirse cautivadas por las creaciones del modista venezolano cuando se estableció en Nueva York en 1997. El ingenio de sus diseños brota[e] de sus experiencias en la casa de su niñez, de sus estudios y carrera en la arquitectura y de una cierta chispa creativa regalada del cielo.[f]

Sánchez nació en Valera, Venezuela, donde se crió en la modistería[g] de su madre. Desde muy temprano, el mundo del diseño impregnó[h] su mundo e imaginación, pero siguió una carrera en arquitectura. En los años 90, volvió al mundo de su juventud, el diseño. Pero no dejó atrás[i] su formación y sus destrezas[j] arquitectónicas.

Como la conceptualización de los edificios[k] de una comunidad, las colecciones de Sánchez se estructuran alrededor[l] de un concepto unificador.[m]

«Concepto es la palabra más clara que define cómo yo asumo[n] mi trabajo. A mí me gusta no solo hacer el vestido bonito, sino que[ñ] el vestido te diga[o] algo. Todo tiene su explicación, su concepto, técnicamente y creativamente hablando.» Cada prenda de sus colecciones tiene un principio y un final,[p] y se relaciona con las otras prendas de la colección.

Pero el diseñador no se limita a sus colecciones. Sandra Bullock lo buscó para diseñar su vestido de boda y otras lo han buscado con el deseo de lucir[q] una de sus creaciones en la alfombra[r] roja u otra ocasión especial. ¿De dónde vienen los conceptos para estos vestidos a medida? De las clientas

Kevin Winter/Getty Images

Eva Longoria con un diseño de Sánchez en los premios ALMA

[a]*architectural* [b]*a… custom-made* [c]*spirit* [d]*designs* [e]*springs, flows* [f]*chispa… God-sent creative spark* [g]*dress shop* [h]*impregnated, imbued* [i]*behind* [j]*skills* [k]*buildings* [l]*around* [m]*unifying* [n]*take on, approach* [ñ]*sino… but rather* [o]*te… tell you* [p]*principio… beginning and an end* [q]*to wear, show off* [r]*carpet*

Gary Gershoff/WireImage/Getty Images

Ángel Sánchez

mismas.[s] Sánchez primero escucha a sus clientas para entender su personalidad y sus gustos.[t]

El concepto de su última colección se inspiró en la arena[u] y en el desierto. En muchos aspectos, el diseñador salió de su elemento. Sánchez es famoso por sus elegantes y suntuosos trajes de noche y vestidos de novia, pero esta

colección es más casual, «prendas que no necesiten una ocasión para ser usadas, que puedan estar en el clóset listas[v] para salir». Además, la arquitectura de esta colección se basó en una tela más ruda:[w] el lino. Sánchez quiso retarse,[x] explorar materiales desconocidos[y] y crecer como artista.

[s]*themselves* [t]*taste* [u]*sand* [v]*ready* [w]*tela... course cloth* [x]*challenge himself* [y]*unfamiliar*

	Ángel Sánchez	Eva Longoria
1. Luce (*Wears, Shows off*) un elegante vestido en los premios ALMA.	☐	☐
2. Es de Venezuela, pero vive en Nueva York.	☐	☐
3. Crea vestidos y otra ropa.	☐	☐
4. Quiere llevar ropa única en eventos especiales.	☐	☐
5. Su preparación en la arquitectura forma la base de su trabajo actual (*current*).	☐	☐
6. Cada traje de su colección tiene algo en común con los otros trajes de la misma colección.	☐	☐
7. Le inspiran el desierto, la playa y la arena.	☐	☐

Después de leer

Contesta las siguientes preguntas según lo que leíste en la lectura.

1. _____ Las creaciones de Ángel Sánchez son resultado de:
   a. su formación académica
   b. su niñez en la modistería de su madre
   c. su talento creativo
   d. todas las respuestas son correctas

2. _____ ¿Cuál es la mejor descripción de las colecciones de Ángel Sánchez?
   a. Las colecciones son como los planos arquitectónicos para una ciudad entera.
   b. Todos los elementos de una colección se relacionan.
   c. Primero que nada, los vestidos son bonitos.
   d. Todas las colecciones tienen un principio y un final.

3. Según Sánchez, ¿cuál es la palabra que mejor describe sus colecciones? ¿Por qué usa esa palabra?

4. Además de sus colecciones, ¿qué tipo de ropa diseña?

5. Si Sánchez diseña algo especial para una de sus clientas famosas, ¿de dónde vienen las ideas para sus vestidos? ¿Por qué?

6. ¿Cómo es diferente su nueva colección de lo típico de Sánchez?

7. ¿Cuáles son los elementos inspiradores de la nueva colección?

¡Escuchemos!

Lo tradicional y lo moderno de los indios kuna

Antes de escuchar

PASO 1. Vas a escuchar a Marlina hablar de las molas, una artesanía (*handicraft*) típica de Panamá. Primero, empareja lo que dice Marlina con su explicación más adecuada.

MARLINA DICE

1. _____ «Nosotros tenemos tres tipos de molas.»

2. _____ «Las antiguas son de dos telas (*fabrics*) y son puras figuras geométricas.»

3. _____ «Las tradicionales vienen de diferentes capas (*layers*). Pueden tener hasta cinco capas: se van cortando (*cutting*) para que la otra capa vaya saliendo y saliendo...»

4. _____ «La nueva mola comercial que ha salido (*has come out*) es cosida (*sewed*) a mano, pero no se corta la capa: uno le pone la figura para ir cosiéndola encima (*on top*) de la tela negra.»

5. _____ «Mi mamá no puede usar esta clase de mola para su vestuario (ropa) porque no tienen los diseños ni los colores tradicionales.»

EXPLICACIÓN

a. Marlina dice que el vestuario tradicional kuna usa la mola con colores y diseños (*designs*) tradicionales; las molas que venden a los turistas son diferentes.

b. Marlina explica cómo se hace la mola tradicional de varias capas.

c. Marlina dice que la mola comercial no tiene varias capas.

d. Marlina va a describir diferentes tipos de molas.

e. Marlina dice que no hay animales ni flores en las molas antiguas.

CONÉCTATE AL MUNDO HISPANO

Barry Barker/McGraw-Hill

Marlina es de la comarca (región) **Kuna Yala,** también conocida como San Blas, una comunidad indígena (*indigenous*) de Panamá. Los kuna yala tienen sus propias costumbres, tradiciones, cultura e idioma, pero también tiene éxito comercializando sus productos. Uno de los productos es la **mola,** un textil tradicional que se usa para la ropa femenina. Cada mola tiene varias capas (*layers*) de tela (*fabric*) colorida cosida (*sewn*) y cortada (*cut*) para revelar muchos colores y figuras.

PASO 2. Ahora lee las citas (*quotes*) de Marlina y decide si cada cita se refiere a una **tradición** cultural o a la **comercialización** de sus productos.

1. «Estas [molas] son tradicionales, ellas vienen de diferentes capas. Tienen... Pueden tener hasta cinco capas, se van cortando y se van, para que la otra capa vaya saliendo y saliendo...»

   ☐ tradición   ☐ comercialización

2. «[La nueva mola comercial] es cosida a mano, pero no es elaborada por corte: [...] [U]no le va poniendo la figura para ir cosiéndola encima de la tela negra.»

   ☐ tradición   ☐ comercialización

3. «Siempre son estos y estos colores que representan más el vestuario kuna.»

   ☐ tradición   ☐ comercialización

A escuchar

Mira y escucha las veces que sea necesario. Luego contesta las preguntas.

Marlina y su primo nos enseñan sus molas.

1. _____ Las molas antiguas son...
   a. de diferentes capas: hasta cinco capas en total.
   b. dos telas con figuras geométricas.
   c. una tela negra con una figura cosida a mano encima.

2. _____ Las molas tradicionales para los vestuarios son...
   a. de diferentes capas: hasta cinco capas en total.
   b. dos telas con figuras geométricas.
   c. una tela negra con una figura cosida a mano encima.

3. _____ ¿Cuáles son los colores principales de la mola tradicional que muestra Marlina?
   a. negro, morado, rosado y verde
   b. negro, rojo oscuro y anaranjado
   c. rojo oscuro, anaranjado y verde
   d. rojo oscuro, morado y rosado

4. _____ Las nuevas molas comerciales son...
   a. de diferentes capas: hasta cinco capas en total.
   b. dos telas con figuras geométricas.
   c. una tela negra con una figura cosida a mano encima.

5. _____ ¿Cuáles son los colores principales de la mola comercial que muestra Marlina?
   a. negro, morado, rosado y verde
   b. negro, rojo oscuro y anaranjado
   c. rojo oscuro, anaranjado y verde
   d. rojo oscuro, morado y rosado

6. De los tres tipos de molas, ¿cuáles son hechas a mano?

7. ¿Qué tipo de mola *no* muestra Marlina: la antigua, la tradicional o la comercial?

Después de escuchar

En grupos, hagan un plan para popularizar la mola (u otro producto cultural que conocen) en su país. ¿Qué hacen con la mola? ¿Cómo la van a presentar al público? ¿Cómo la van a explicar? ¿Dónde la van a vender? Compartan sus ideas con el resto de la clase para ver quiénes tienen el mejor plan.

MODELO: Vamos a poner la mola en la pared de nuestros dormitorios y así se populariza la mola entre los estudiantes universitarios.

Truth-Function/McGraw-Hill

¡Escribamos!

Ser testigo°   *witness*

En la vida diaria, especialmente al leer y escribir, es importante ser buen observador / buena observadora. Para ayudarte a practicar esta habilidad, en esta actividad vas a ser testigo de un robo imaginario. Vas a observar todos los detalles que puedas sobre «los sospechosos» (*suspects*) y luego usar esa información para formar una descripción detallada para las autoridades.

Antes de escribir

Primero, a escondidas (*secretly*), observa la ropa que llevan tres compañeros de clase. Luego inventa una descripción de lo que hacía cada uno antes de que empezara la clase (*before class started*). **¡Atención!** Incluye detalles sobre el color de la ropa y los accesorios que llevan.

Nombre	Ropa que lleva	¿Qué hacía? / ¿Qué pasaba en el salón de clase?
Gladys	*unos jeans azules; una camiseta verde; un suéter gris; unos pendientes verdes…*	*Ponía su mochila debajo del escritorio mientras escribía un mensaje de texto a una amiga…*

A escribir

Imagínate que alguien robó un diccionario de español del salón de clase antes de clase. Inventa una historia: describe «el lugar del crimen» y a los estudiantes que observaste cerca del diccionario. Usando la información de **Antes de escribir,** escribe dos párrafos. En el primer párrafo describe el escenario.

■ ¿Qué pasaba en el salón de clase?   ■ ¿Qué ropa llevaban los sospechosos?

En el segundo párrafo, describe las acciones que viste.

■ ¿Qué hizo cada uno de los sospechosos y cuándo?

Termina tu historia con una conclusión. Por ejemplo: **Creo que ____ robó el diccionario porque…**

Después de escribir

Revisa tu ensayo. Luego intercambia ensayos con un compañero / una compañera para evaluarlos. Lee el ensayo de tu compañero/a y determina si falta información necesaria. Lee de nuevo el ensayo con cuidado, subrayando todos los verbos conjugados en el imperfecto y marcando con un círculo todos los verbos conjugados en el pretérito. Verifica que…

☐ usa el imperfecto para describir en el pasado.

☐ usa el pretérito para hablar de las acciones que ocurrieron en el pasado.

☐ hay concordancia entre sujetos y verbos.

☐ se puede entender qué ropa se describe en el ensayo.

☐ usa adjetivos descriptivos para describir la ropa.

☐ hay concordancia entre sustantivos y adjetivos (género y número).

Después de revisar el ensayo de tu compañero/a, devuélveselo. Mira tu propio ensayo para ver los cambios que tu compañero/a te recomienda y haz las revisiones necesarias.

👥 ¡Hablemos!

Un pase de modelos°   *fashion runway*

Antes de hablar

En grupos, practiquen como si presentaran (*as if you were presenting*) un desfile de moda. Cada persona debe describir la ropa de otro miembro del grupo. Cambien de papeles (*Change roles*) hasta que todos hayan sido (*have been*) modelos y presentadores.

A hablar

Ahora, escojan a una persona de cada grupo para ser el/la modelo y otra para ser el presentador / la presentadora en un pase de modelos de la clase. El/La modelo debe tener ropa variada y complementos.

   Los modelos salen del salón de clase y esperan en el pasillo. Un(a) modelo entra a la vez. Cada presentador(a) presenta el/la modelo de **otro** equipo. Los otros estudiantes son reporteros y deben tomar apuntes. Después del desfile, en grupos pequeños, escriban un resumen de lo que vieron.

- ¿Qué describe el presentador / la presentadora?
- ¿Falta algo (*Is something missing*)? ¿Qué?
- ¿Incluye detalles además de nombrar las prendas de ropa?

Después de hablar

De toda la clase, ¿quién fue el/la mejor modelo? ¿el mejor presentador / la mejor presentadora? Defiende tu opinión con detalles de los apuntes que tomaste para la sección de **A hablar.**

CONÉCTATE AL MUNDO PROFESIONAL

Public speaking in your professional life will probably include succinct, articulate summaries during meetings or brief professional phone calls to give and obtain information. Employers will be looking for candidates who possess these skills. Language classes are a great opportunity to practice for that kind of presentation. Practice, prepare, and polish before reporting back from group work!

VOCABULARIO

Now that I have completed the chapter, I can . . .

- ☐ say how great something is
- ☐ use polite expressions in appropriate contexts
- ☐ talk about clothing and fashion
- ☐ talk about the human body
- ☐ express how clothing fits
- ☐ express events in the past
- ☐ discuss the fashion world and industry

Comunicación	Communication
¡Qué bárbaro/bien/brutal/ chévere/chido/chimba/ chulo/estupendo/ fenomenal/guay/padre!	How cool/awesome!
aburrido/a	boring
malo/a	bad
pesado/a	annoying
pésimo/a	awful
Repaso: Lo siento.	
Con permiso.	Excuse me.
Disculpa/Disculpe/ Disculpen...	Excuse me . . .
Perdón/Perdona/ Perdone/Perdonen.	Sorry. / Excuse me. / Pardon me.
¿Puedo pasar?	Excuse me. (May I pass by / enter?)
Pasa/Pase/Pasen.	Come in. / Go ahead.
¡Pura vida!	Cool! / Awesome!

Repaso: ¡Claro (que sí)!, ¡Cómo no!, Con mucho gusto., Por supuesto., Gracias (por + *noun/verb*)., Sí/No, gracias., No puedo.

¿Qué llevas?	What are you wearing?
el abrigo	coat
el anillo	ring
el bolso	purse
la bufanda	scarf
los calcetines	socks
el calzón (*pl.* los calzones)	underwear
la camisa	shirt
la camiseta	t-shirt
el cinturón	belt
el collar	necklace
la corbata	tie
el desfile de moda	fashion show
el/la diseñador(a)	designer
la falda	skirt
la gorra	(baseball) cap
el gorro	knitted hat
los guantes	gloves
los lentes	(eye)glasses
la marca	brand
de marca	brand-name
el número	number; size (*shoes*)
el pantalón	pants
los pantalones cortos	shorts
el paraguas	umbrella
los pendientes	earrings
la prenda (de ropa)	item (of clothing)
la pulsera	bracelet
la rebaja	sale, price reduction
el reloj	watch
la ropa	clothes
la ropa interior	undergarments
las sandalias	sandals
el sombrero	hat
el sujetador	bra
los tacones	high-heeled shoes
la talla	size (*clothing*)
los tenis	tennis shoes
el traje	suit; formal gown
el traje de baño	bathing suit
el vestido	dress
los zapatos	shoes

Cognados: los accesorios, la blusa, la chaqueta, el descuento, los jeans, el pijama, el suéter

El cuerpo humano	The human body
la boca	mouth
el brazo	arm
la cabeza	head
la cadera	hip
la cara	face
el codo	elbow
el cuello	neck
el dedo	finger
los dientes	teeth
el hombro	shoulder
los labios	lips
la mano	hand
la nariz	nose
el ojo	eye
la oreja	ear
el pecho	chest; breast
el pelo	hair
el pie	foot
la pierna	leg
la rodilla	knee

Cognado: el torso

¿Cómo te queda?	How does it fit?
ancho/a	loose
apretado/a	tight
corto/a	short
largo/a	long

Repaso: grande, pequeño/a

Los verbos	Verbs
buscar (q)	to look for
estar (*irreg.*) (pasado/a) de moda	to be (un)fashionable
guardar	to save
ir de compras	to go shopping
llevar	to wear; to bring; to carry
morir (ue, u)	to die
probarse (ue)	to try on
quedarle + *adj./adv.*	to fit
tirar	to throw (away)
usar	to use; to wear

¿Adónde te gustaría° viajar?

would you like

Viajeros (*Travelers*) caminan por el aeropuerto en Madrid, España.

BIENVENID

Objetivos

When you finish this chapter, you will be able to:

- say what you would like to do
- use infinitives to express rules
- talk about travel and the weather
- talk about destinations, travel routes, and modes of transportation
- talk about what people do customarily
- talk about travel in the Spanish-speaking world

9

¿Te gustaría...? / ¿Le gustaría...?

Asking what people would like to do

 A. A ver: ¿Qué le gustaría hacer algún día? Mira y escucha. Luego mira otra vez con pausas y empareja la persona con la actividad más lógica. Mira y escucha una tercera vez para verificar tus respuestas.

1.
A Charo... ___

4.
A Isabel... ___

2.
A Juan... ___

5.
A Israel... ___

3.
A Mirelle... ___

6.
A Daniel... ___

a. le gustaría estudiar administración de restaurantes.
b. le gustaría participar en el ciclismo.
c. le gustaría vivir con su familia en Argentina.
d. le gustaría vivir en un país europeo.
e. le gustaría ver canguros y koalas en su hábitat.
f. le gustaría visitar todos los países del mundo.

To ask someone if he or she would like to do something, use
¿Te/Le gustaría + *infinitive*?

TÚ	UD.
—¿Te gustaría ir a la playa?	—¿Le gustaría viajar (*travel*) a Costa Rica?
—¡Claro que sí!	—Sí, y me gustaría ir a Panamá también.

B. ¿Cuáles son tus preferencias?

PASO 1. Indica si te gustaría hacer las siguientes actividades.

ME GUSTARÍA	NO ME GUSTARÍA	NO SÉ SI ME GUSTARÍA	
☐	☐	☐	1. pasar las vacaciones de primavera (*spring break*) en la playa
☐	☐	☐	2. viajar por toda Europa
☐	☐	☐	3. trabajar en otro país
☐	☐	☐	4. vivir en Alemania (*Germany*)
☐	☐	☐	5. viajar por toda Sudamérica
☐	☐	☐	6. ver las pirámides en Egipto
☐	☐	☐	7. ir al Caribe
☐	☐	☐	8. mudarme (*move*) a Costa Rica
☐	☐	☐	9. viajar por el mundo en un crucero (*cruise ship*)
☐	☐	☐	10. ver el Tour de Francia

(*Continues*)

PASO 2. Pon tus preferencias en orden de más (1) a menos (5).

a. _____ Me gustaría mudarme a otro país para estudiar.

b. _____ Me gustaría mudarme a otro país para vivir y trabajar.

c. _____ Me gustaría viajar a un destino y pasar dos o tres semanas allí.

d. _____ Me gustaría viajar para un acontecimiento (*event*) especial (como una boda, una feria, etcétera).

e. _____ Me gustaría viajar a muchos lugares diferentes durante las vacaciones.

 PASO 3. Ahora pregúntale a tu compañero/a si le gustaría hacer las actividades del video (u otras actividades) y por qué sí (o por qué no). Puedes usar las opciones de los **Pasos 1** y **2** u otras actividades para crear las preguntas.

> **MODELO:** E1: ¿Te gustaría trabajar en el extranjero?
> E2: ¡Sí, claro! (No, creo que no.)
> E1: ¿Por qué? (¿Por qué no?)
> E2: Porque me gusta aprender sobre otras culturas. (Porque no me gusta viajar.)

Favor de no fumar
Expressing rules with infinitives

The infinitive can be used to express rules and regulations that are often posted as signs. You may see them on buses, trains, and taxis, and in streets, parks, and restaurants as you travel.

Empujar.	Push.
Jalar.	Pull.
No beber y conducir.	Don't drink and drive.
No dar de comer.	Don't feed (the animals).
No doblar. / No girar.	Do not turn.
No entrar. / No pasar.	Do not enter.
No estacionar.	No parking.
No fumar.	No smoking.
No pisar.	Stay off. (*Lit.,* Do not step on.)
No tirar basura.	No littering. (*Lit.,* Do not throw trash.)

A. No... Empareja la regla (*rule*) con la señal correspondiente.

1. _____ No estacionar.
2. _____ No pisar el césped (*grass*).
3. _____ No beber y conducir.
4. _____ No entrar.
5. _____ No dar de comer.
6. _____ No tirar basura.
7. _____ No doblar.
8. _____ No fumar.

a. b. c.

d.   e. f.

g. h.

 B. Las reglas de la universidad En grupos, usen el infinitivo para inventar cinco reglas para la universidad donde estudian o para otro lugar de la comunidad.

> **MODELO:** No andar en bicicleta en la plaza central de la universidad.

COMUN VOCABULARIO UCTURA ATE

Los mejores lugares turísticos

Travel and tourism

A. ¿Adónde fueron de viaje?

PASO 1. Empareja cada escena con la tarjeta postal (*postcard*) más adecuada. Luego completa la tarjeta postal con las palabras que faltan (*are missing*).

_____ 1. **DE VIAJE (*ON A TRIP*) EN SEVILLA, ESPAÑA**

EL VUELO INTERNACIONAL
la seguridad

abordar el avión
el avión

recoger el equipaje /
la recogida de equipaje

SEVILLA
el tren

_____ 2. **LA PLAYA BOCA CHICA, REPÚBLICA DOMINICANA**

el hotel
tomar el sol
el mar
la playa
el bloqueador solar

el ascensor
la recepción
registrarse

_____ 3. **¡COSTA RICA ES UN PARAÍSO!**

el bosque tropical
la naturaleza
la catarata

el ecoturismo

UN RECORRIDO / TOUR DE LAS ATRACCIONES:
el bosque tropical
las cataratas
el volcán

las artesanías

la guía
el guía

(*Continues*)

_____ 4.

AVENTURAS EN LA PAZ, BOLIVIA

hacer las maletas

ir de viaje

la montaña

TURISMO DE AVENTURA

hacer ciclismo de montaña

la bicicleta de montaña

escalar

---

a.

El hotel de lujo (*luxury*) tiene un **servicio** excelente. Después de registrarnos, nadamos en el _____ [1] y nos relajamos en la playa todo el día. Un problema: ¡no usé _____ [2] y tengo **una quemadura de sol** (*sunburn*)!

b.

Este **viaje** es espectacular. Si te gustan las vacaciones activas, **el turismo de** _____ [3] es para ti. En las montañas, puedes _____ [4] o hacer ciclismo de montaña y **disfrutar de** la naturaleza.

c.

Ayer fue mi primer viaje **al extranjero** y mi primer **vuelo** internacional. **La vista** de la ciudad desde arriba era increíble. Llegamos en _____ [5] al **aeropuerto** de Madrid, recogimos _____ [6] y tomamos el tren conocido como el AVE (Alta Velocidad Española) para llegar a Sevilla en menos de tres horas.

d.

¡Las flores, las plantas tropicales, los animales exóticos! La _____ [7] aquí es increíble. Ayer hicimos **un recorrido** con un guía por un _____ _____, [8] lleno de espectaculares árboles. **Dimos un paseo** y vimos varias cataratas. ¡Quiero estar de viaje aquí para siempre!

PASO 2. Empareja cada destino con la(s) actividad(es) correspondiente(s) según el **Paso 1.**

_____ 1. Bolivia
_____ 2. Costa Rica
_____ 3. España
_____ 4. la República Dominicana

a. hacer un recorrido por un bosque tropical
b. relajarse en la playa y nadar en el mar
c. turismo de aventura: hacer ciclismo de montaña y escalar
d. visitar museos y disfrutar de las vistas bonitas

PASO 3. Con tres compañeros, pregúntense adónde quieren ir, escogiendo entre (_choosing among_) los cuatro destinos del **Paso 2.** En sus respuestas, expliquen por qué.

MODELO: E1: ¿Adónde quieres ir?
E2: A la República Dominicana porque me gusta relajarme en la playa más que hacer recorridos turísticos. ¿Y tú?

Here are more useful travel words.

hacer escala	to have a layover
visitar	to visit
el boleto	ticket
el paisaje	scenery; landscape
el pasaporte	passport
el recuerdo	souvenir
la visita	visit
cerca (de)	close, near (to)
lejos (de)	far (from)

B. Las preparaciones para las vacaciones Pon las siguientes acciones en el orden más lógico.

_____ abordar el avión
_____ esperar (_to wait for_) el vuelo
_1_ hacer las maletas
_____ ir al aeropuerto
_____ ir al hotel en taxi

_____ pasar por (_to pass through_) la seguridad
_____ recoger el equipaje
_____ registrarse en la recepción
_____ subir al cuarto en el ascensor
_____ usar las llaves para entrar en la habitación (_room_)

C. Viajes a lugares turísticos Empareja el lugar turístico con la actividad más adecuada.

1. _____ Un hotel de lujo en Cancún o Puerto Vallarta con vistas al mar
2. _____ Madrid, Barcelona u otra ciudad grande
3. _____ El Parque Nacional Torres del Paine en la Patagonia, Chile
4. _____ La Reserva Natural Tambopata en la Amazonia del Perú
5. _____ El mercado de Chichicastenango, Guatemala, con sus muchos productos hechos a mano
6. _____ San Carlos de Bariloche, Argentina, u otro lugar frío con montañas

a. comprar artesanías
b. acampar en la naturaleza
c. aprender sobre la flora y fauna del bosque
d. esquiar
e. ir a la playa
f. tomar un taxi para visitar museos famosos

D. El sitio ideal En parejas, pregúntense adónde van o adónde les gustaría ir (por ejemplo, a la playa, a las montañas, al bosque tropical) para hacer las siguientes actividades.

disfrutar del paisaje tropical
escalar

esquiar
hacer ciclismo de montaña

ir de viaje
participar en el ecoturismo
tomar el sol

En español...

The word **autobús** is understood everywhere, but in many places other words are used to refer to this form of transportation.

camión (México)
colectivo (Argentina)
guagua (Caribe, Islas Canarias)
micro (varios países)

Maskot/Getty Images

E. A ver: ¿Adónde les gustaría viajar?

PASO 1.   Mira y escucha. Luego mira otra vez con pausas e indica adónde le gustaría viajar a cada persona.

1. _____ A Alexandra le gustaría viajar a...

2. _____ A Kelvin le gustaría viajar a...

3. _____ A Henry le gustaría viajar a...

4. _____ A Camila le gustaría viajar a...

5. _____ A Samuel le gustaría viajar a...

6. _____ A Selene le gustaría viajar a...

7. _____ A Camilo le gustaría viajar a...

a. África
b. Brasil
c. España
d. Estados Unidos
e. Irlanda
 f. Japón
g. Turquía

Klic Video Productions/McGraw-Hill; Truth-Function/McGraw-Hill

PASO 2.   Mira y escucha otra vez con pausas. Luego contesta las preguntas.

1. ¿Por qué quiere visitar Alexandra el país que menciona en el video?
2. ¿Qué le gustaría visitar a Kelvin en el país que menciona en el video?
3. ¿A quiénes les gustaría viajar a Europa?
4. ¿A quién le gustaría ir de safari?
5. ¿Qué le gustaría hacer a Camila en su viaje?
6. ¿A quiénes les gustaría conocer culturas diferentes?

F. ¿Adónde van Uds.?

PASO 1.   Circula por el salón de clase para preguntarles a tus compañeros adónde les gustaría viajar y qué les gustaría hacer allí.

MODELO: E1: ¿Adónde te gustaría viajar?
E2: Me gustaría viajar a Canadá y esquiar en las Montañas Rocosas canadienses. ¿Y a ti?
E1: Me gustaría viajar a Argentina. Allí me gustaría visitar las cataratas del Iguazú.

PASO 2.   Organícense según las regiones geográficas del mundo adonde les gustaría viajar. Hagan un informe (*report*) para decir adónde quieren ir los miembros del grupo y por qué. ¿Cuál es la región más popular? ¿La actividad más popular? ¿Cuál es el grupo con los planes más aventureros? ¿Más relajantes?

MODELO: Nos gustaría ir a África porque queremos ir de safari. A Lisa y a James les gustaría visitar Sudáfrica para ver pingüinos. A Karen le gustaría ir a Egipto para caminar por las pirámides y a mí...

G. El mejor transporte En parejas, decidan los criterios para usar cada modo de transporte. Luego comparen con otra pareja. ¿Tienen los mismos criterios?

MODELO: Viajas en avión si...
- es un viaje largo
- el viaje cruza el mar
- tienes suficiente dinero (porque es caro viajar en avión)
- tienes un modo de transporte al llegar (*upon arrival*)

1. Viajas en taxi si...
2. Viajas en tren si...
3. Viajas en autobús si...
4. Viajas en bicicleta si...
5. Viajas a pie (*on foot*) si...
6. Viajas en coche alquilado (*rented*) si...

¿Qué tiempo hace?
Talking about the weather

A. El tiempo y las estaciones Mira los dibujos y lee las expresiones. Luego escribe la estación correspondiente en el hemisferio norte.

Hace (muy) buen tiempo.
The weather's (very) good.

1. _____

Hace (muy) mal tiempo.
The weather's (very) bad.

2. *el invierno*

Hace (mucho) calor.
It's (very) hot.

3. *el verano*

Hace (mucho) frío.
It's (very) cold.

4. _____

Hace (mucho) sol.
It's (very) sunny.

5. _____

Hace (mucho) viento.
It's (very) windy.

6. _____

You can use the verb **estar** to describe some types of weather.

Está despejado. The skies are clear.
Está (muy) nublado. It's (very) cloudy.

To talk about precipitation, use the verb **llover (o → ue)** (*to rain*) or **nevar (e → ie)** (*to snow*).

Está lloviendo. / Llueve mucho. It's raining. / It rains a lot.
Está nevando. / Nieva mucho. It's snowing. / It snows a lot.

■ The audio files for in-text listening activities are available in the eBook, within Connect activities, and on the Online Learning Center.

B. ¿Qué tiempo hace? Para cada situación que escuchas, indica el tiempo más típico donde vives.

1. ☐ Hace calor.   ☐ Hace frío.   ☐ Llueve.
2. ☐ Hace calor.   ☐ Hace frío.   ☐ Llueve.
3. ☐ Hace buen tiempo. ☐ Hace mal tiempo.   ☐ Nieva.
4. ☐ Hace calor.   ☐ Hace viento.   ☐ Nieva.
5. ☐ Hace calor.   ☐ Hace frío.   ☐ Llueve.
6. ☐ Hace calor.   ☐ Hace frío.   ☐ Hace viento.
7. ☐ Hace calor.   ☐ Hace frío.   ☐ Llueve.

C. ¿Qué tiempo hace en estos lugares? Empareja cada imagen con el lugar más lógico. Luego completa la oración con una descripción del tiempo en cada lugar.

a.

b.

____ 1. En el bosque tropical _____ todos los días.
____ 2. En las montañas más altas del mundo probablemente _____ ahora.

D. ¿Qué estación es? ¿Qué tiempo hace? Mira las siguientes fotos y di lo más que puedas (*as much as you can*) sobre cada una. ¿Qué estación es? ¿Qué tiempo hace? ¿Qué ropa debes llevar? ¿Cuáles son algunas actividades que puedes hacer en esta estación?

MODELO:

Kyoko Hasegawa Photography/Getty Images

Hace viento, pero puede hacer viento en todas las estaciones. Cuando hace viento y también frío, es necesario llevar una chaqueta. No debes usar un paraguas ni (*nor*) un sombrero cuando hace viento. Es divertido volar una cometa (*kite*) cuando hace viento.

1.

2.

3.

4.

1. Ingram Publishing/SuperStock; 2. Source: Photographs in Carol M. Highsmith's America Project in the Carol M. Highsmith Archive, Library of Congress, Prints and Photographs Division [LC-DIG-highsm-44217]; 3. Andrew Bret Wallis/Photodisc/Getty Images; 4. Julietphotography/Shutterstock

COMUN VOCABUL **ESTRUCTURA** ATE

Reciclaje — The prepositions *de* and *a*

El aeropuerto internacional de la Ciudad de México, conocido oficialmente como el Aeropuerto Internacional Benito Juárez, ofrece vuelos a más de cien destinos en todo el mundo y es el aeropuerto más transitado (*busiest*) de Latinoamérica. ¿Cuánto crees que duran los vuelos de México a otras ciudades? Empareja cada ciudad con la duración del vuelo, describiendo el vuelo con las preposiciones **de** y **a.** Usa los mapas al final del libro si necesitas ayuda.

Bogotá   Guatemala   Madrid   Nueva York   Santiago   Guadalajara

Duración del vuelo   **¿De México a qué otra ciudad?**

1. 1 hora 20 minutos   _____
2. 2 horas
3. 4 horas 30 minutos   de México a Bogotá
4. 5 horas   _____
5. 8 horas 25 minutos   _____
6. 10 horas 50 minutos   _____

■ Answers to this activity are in Appendix 2 at the back of your book.

9.1   Salimos para Machu Picchu

The prepositions *por* and *para*

Para empezar...

¿Te gustaría ir al Perú? Las ciudades de Lima y Cusco tienen mucho que ofrecer, pero la atracción turística número uno del país es la zona arqueológica de Machu Picchu. Cada día visitan las ruinas 5.000 personas, o casi dos millones por año. Las ruinas quedan a cuatro horas de Cusco. Usando el mapa y tu sentido (*sense*) común, escoge la respuesta adecuada para cada oración. Si no estás seguro/a, ¡adivina (*guess*)!

(Continues)

En las ruinas de Machu Picchu

■ Answers to these activities are in Appendix 2 at the back of your book.

1. ____ **Para** ir a Machu Picchu, primero tienes que llegar a...
   a. Bogotá.
   b. Cusco.
2. ____ De allí a Machu Picchu, puedes ir...
   a. **por** avión.
   b. **por** tren.
3. ____ Hay salidas **para** Machu Picchu...
   a. cuatro veces al día.
   b. veinte veces al día.
4. ____ Cuando vas, pasas...
   a. **por** Quito.
   b. **por** el Valle Sagrado (*Sacred Valley*).
5. ____ Si quieres prepararte **para** tu viaje, es recomendable leer un libro como...
   a. *La vida de los incas.*
   b. *La vida de los mayas.*
6. ____ **Para** evitar (*avoid*) los grandes grupos de turistas, es aconsejable (*advisable*) ya estar en la zona de las ruinas...
   a. **para** las ocho.
   b. **para** la una.
7. ____ Si quieres comprar recuerdos **para** tus amigos o **para** tu familia, es más barato hacerlo...
   a. en Cusco.
   b. en Machu Picchu.
8. ____ Algunos piensan que el futuro de Machu Picchu está en peligro (*danger*)...
   a. **por** los animales que llegan **por** la noche.
   b. **por** la gran cantidad de turistas que llegan todos los días.

Actividades analíticas

1 The core meaning of the preposition **para** is *aiming toward*. You may aim toward a place, a time (as in a deadline), or an outcome that you desire, or your action may be intended for, or benefiting, someone or something.

PARA	IDEA CENTRAL: *AIMING TOWARD*
A PLACE	Mañana salimos **para** España. *Tomorrow we're departing for (toward) Spain.*
A DEADLINE	Tenemos que estar en el aeropuerto **para** las seis. *We have to be at the airport by 6:00.*
A DESIRED OUTCOME (with infinitive verb)	Vamos a España **para** ver a mi tía. *We are going to Spain (in order) to see my aunt.*
A PERSON OR THING THAT BENEFITS	¡Compré este regalo **para** ti! *I bought this present for you (intended for you)!* Esta tarea es **para** mi clase de química. *This homework is for (intended for) my chemistry class.*

2 Find one example of each of these uses of **para** in the numbered items of **Para empezar** and write each example beside its corresponding **para** usage listed below. In some cases, more than one example is available.

Aiming toward . . .
a. a place _____
b. a time deadline _____
c. a desired outcome _____
d. a person / thing that will benefit _____

3 The core meaning of the preposition **por** is *passing through*. You may pass through a place or a time period, or **por** may indicate the means that you used ("passed through") in order to achieve an end. This core meaning of *passing through* may also be extended to include what *caused* you to undergo ("pass through") some experience.

POR	IDEA CENTRAL: *PASSING THROUGH*
A PLACE	Cuando vamos a España tenemos que pasar **por** Francia. *When we go to Spain we have to pass through France.* El año pasado viajamos **por** todo Chile. *We traveled throughout all of Chile last year.*
A TIME PERIOD	Siempre estudio **por** la mañana. *I always study in the morning (during the morning).*
A MEANS (noun) TO DO SOMETHING	Llegué **por** avión. *I arrived by plane.* Vamos a hablar **por** teléfono. *We're going to speak by phone.*
A CAUSE	**Por** el calor, me siento muy cansado. *Because of the heat, I feel very tired.* Decidí vivir en Honduras **por** las playas. *I decided to live in Honduras because of the beaches.*

En español...

The mode of transportation may also be expressed with the preposition **en** in place of **por**.

Vamos a ir **en** coche. *We're going to go by car.*
Me gustar viajar **en** tren. *I like to travel by train.*

For many speakers, the two prepositions are interchangeable here; for others, **en** is preferred.

4 Now find one example of each of these uses of **por** in the numbered items of **Para empezar** and write each example beside its corresponding **por** usage listed below.

Passing through . . .
a. a place   _____
b. a time period   _____
c. a means to an end   _____

What caused you to have an experience _____

En español...

Although both **para** or **por** can be translated as *for*, there are many English equivalents. Rather than learning these words by translation, focus on the simple core meaning of each. Visualizing this meaning may help.

Since **para** can be thought of as *aiming towards*, think of an arrow pointing at the object of **para.**

Vamos al hotel [para> dormir.

We're going to the hotel (in order) to sleep.

No me gusta estudiar [para> los exámenes.

I don't like to study for exams.

Since **por**, on the other hand, often can be thought of as *passing through*, think of the arrow as passing through the object of **por.**

Vamos al hotel [por autobús>.

We're going to the hotel by (means of) bus.

No me gusta estudiar [por la mañana>.

I don't like to study in / during the morning.

■ For more on the uses of **por** and **para**, see **Para saber más 9.1** at the back of your book.

> **Autoprueba**
>
> Now that you've read about the different uses of **para** and **por**, see if you can identify which would be used in each of the following sentences. Notice how you cannot consistently substitute a particular Spanish word for a particular English word, but rather you have to think about the "aiming toward" versus "passing through" meaning of each sentence.
>
> 1. On Saturday we leave <u>for</u> Panama.
> 2. We picked Panama <u>because</u> of its interesting history.
> 3. Tomorrow I'm staying home <u>to</u> pack.
> 4. <u>Throughout</u> the morning I'll be getting ready, but you can reach me <u>by</u> phone.
> 5. I don't need to go to the bank <u>to</u> change currency, because they use both the Panamanian balboa and the U.S. dollar there.
> 6. We're going to the airport <u>in</u> the morning, so I have to be ready <u>by</u> 9 o'clock.
> 7. Don't worry, I'll buy a souvenir <u>for</u> you!

Respuestas: 1. para **2.** por **3.** para **4.** Por, por **5.** para **6.** por, para **7.** para

Actividades prácticas

A. La agenda

PASO 1. Mira la agenda de Susana, una estudiante universitaria. Luego lee las oraciones y decide cuáles son ciertas y cuáles son falsas.

	LUNES	MARTES	MIÉRCOLES	JUEVES	VIERNES
9:00	sociología	ciencias políticas	sociología: examen	ciencias políticas	
10:00					
11:00	economía	historia	economía	historia	
12:00					
13:00					13:15 salir al aeropuerto
14:00		trabajo		trabajo	
15:00	hacer ejercicio		hacer ejercicio		15:30 vuelo
16:00			tarea: ciencias políticas		
17:00		tarea: historia			

	CIERTO	FALSO
1. Asiste a clase todos los días por la mañana.	☐	☐
2. Trabaja el martes y jueves por la tarde.	☐	☐
3. El martes, tiene que entregar la tarea de historia para las diez.	☐	☐
4. Probablemente va a revisar (*review*) el libro de sociología el martes por la noche.	☐	☐
5. Para el jueves tiene que estar lista (*ready*) para el examen de sociología.	☐	☐
6. Para el miércoles a las diez, tiene que entregar (*turn in*) la tarea de ciencias políticas.	☐	☐
7. El viernes, tiene que hacer la maleta para las nueve.	☐	☐
8. El viernes por la tarde, va a salir de la ciudad.	☐	☐
9. Tiene que salir para el aeropuerto para la una y cuarto.	☐	☐
10. Tiene que estar en el aeropuerto para las tres cuarenta y cinco.	☐	☐

PASO 2. En general, ¿qué hace Susana por la mañana? ¿Y qué hace por la tarde? ¿Crees que ella tiene una vida equilibrada (*balanced*)?

B. Itinerarios

PASO 1. En los viajes largos, es común hacer escala en otra ciudad. Empareja cada itinerario con la mejor descripción. Usa los mapas al final del libro si necesitas ayuda.

La lista de salidas en el Aeropuerto de Madrid-Barajas

ITINERARIO	DESCRIPCIÓN
1. ____ París → Madrid → Lisboa	a. Van para Uruguay.
2. ____ Londres → París → Madrid	b. Van para Puerto Rico.
3. ____ Nueva York → Montreal → La Habana	c. Van por Colombia.
4. ____ Cartagena → Medellín → Bogotá → Cali	d. Van para España.
5. ____ Dallas → Miami → San Juan	e. Van por Canadá.
6. ____ Bogotá → Caracas → Buenos Aires → Montevideo	f. Van por España.

PASO 2. Ahora completa la descripción de cada itinerario con **por** o **para**.

ITINERARIO	DESCRIPCIÓN
1. Oaxaca → Ciudad de México → Durango → El Paso	Van ____ los Estados Unidos.
2. Guatemala → San Salvador → Tegucigalpa → Managua	Van ____ Centroamérica.
3. Los Ángeles → Ciudad de México → Managua	Van ____ Centroamérica.
4. Caracas → Miami → Lisboa	Van ____ los Estados Unidos.
5. Lima → San Salvador → Santo Domingo	Van ____ Centroamérica.

C. Los viajes

PASO 1. En parejas, háganse las preguntas usando **por** o **para** y las palabras de la lista para completar cada oración.

MODELO: E1: ¿Se quedan muchos estudiantes en albergues (*hostels*)? (los precios bajos)

E2: Sí, muchos estudiantes se quedan en albergues por los precios bajos.

avión	mi madre	tomar el sol
comprar un boleto	la mañana	ver el Canal
la lluvia	las oportunidades de escalar	

1. ¿Cómo se llega a Argentina?
2. ¿Por qué te gusta pasar tiempo en las montañas?
3. ¿Para qué tienes dinero?
4. ¿Por qué cancelaron el vuelo?
5. ¿Compras recuerdos cuando estás de viaje?
6. ¿Cuándo tienes clases?
7. ¿Por qué quieres ir a Panamá?
8. ¿Por qué vas a la playa?

PASO 2. Ahora, indiquen por qué se usa **por** o **para** en cada circunstancia. Compartan sus respuestas con el resto de la clase. ¿Tienen todos las mismas respuestas?

D. Tu agenda ¿Cuáles son las fechas límites (*deadlines*) que tienes en las próximas (*upcoming*) semanas? Escribe una lista, usando la agenda de Susana en la **Actividad A** como modelo. En parejas, compárenlas y decidan entre los dos quién tiene el horario más difícil.

MODELO: Para mañana, tengo que estar listo para el examen de historia. Para el próximo lunes, tengo que terminar un proyecto para mi clase de inglés.

E. Tu itinerario Usando el mapa y siguiendo el ejemplo de la **Actividad B,** escribe un itinerario de vuelos de múltiples ciudades y dáselo a un compañero / una compañera. Tu compañero/a va a describir tu viaje en términos (*terms*) de países usando **por** y **para.**

MODELO: E1: Los Ángeles a la Ciudad de México, y de la Ciudad de México a Managua.

E2: ¡Vas para Nicaragua y vas por México!

Reciclaje   Reflexive verbs

Cuando pasas toda la noche viajando por autobús o avión, ¿qué haces primero cuando llegas a tu destino? Pon las siguientes actividades en orden de prioridad, conjugando cada verbo en la forma **yo** del tiempo presente.

acostarse   bañarse   lavarse la cara   peinarse
afeitarse   estirarse (*stretch*)   lavarse los dientes quitarse los zapatos

1. _____   5. _____
2. _____   6. _____
3. _____   7. _____
4. _____   8. _____

9.2   ¿Dónde se toma mate?

Impersonal *se*

Para empezar...

México, España y Argentina son los países hispanos más grandes. Tienen muchas cosas en común, pero la gente y cultura de estos países varían mucho. ¿Tú sabes distinguirlos (*tell them apart*)? Para cada una de las siguientes oraciones, escribe **M** si es algo típico de México, **E** si es algo típico de España o **A** si es algo típico de Argentina. Si no sabes, ¡adivina!

Un grupo de mariachis, México

¿Es típico de México (M), España (E) o Argentina (A)?

1. ____ **Se** baila flamenco.
2. ____ **Se** toma tequila.
3. ____ **Se** usa la salsa chimichurri (*a sauce similar to pesto*) para acompañar la carne.
4. ____ **Se** comen tacos.
5. ____ **Se** preparan tortillas de papas y huevos.
6. ____ **Se** baila tango.
7. ____ **Se** come paella (*rice cooked with seafood and sausage*).
8. ____ **Se** toma sangría (*wine mixed with fruit and juice*).
9. ____ **Se** hacen tortillas de maíz.
10. ____ **Se** come más carne que en ningún otro país del mundo.
11. ____ **Se** escucha música mariachi.
12. ____ **Se** toma mate (*a hot herbal drink*).

Actividades analíticas

1 You've seen **se** used for reflexive verbs (see **Estructura 5.2**), but the sentences in **Para empezar** show a different use of **se**, often referred to as *impersonal se* (**el se impersonal**). This usage means that the action indicated is something that people in general do, without referring to a specific person.

En España **se** baila flamenco.   *People dance flamenco in Spain.*

Aquí **se** habla español.   *Spanish is spoken here.*

2 In most sentences with impersonal **se**, the verb is in the third-person singular (**él/ella, Ud.**) form, but sometimes it's in the third-person plural (**ellos/ellas, Uds.**) form. Which three sentences in **Para empezar** use this plural form? ____, ____, ____

Why do you think the verb is plural in these sentences but not in the others?

_____

■ Answers to these activities are in Appendix 2 at the back of your book.

Autoprueba

In the following sentences about Peru, determine whether the verb should be singular or plural, and then conjugate each one accordingly.

En Perú...
1. se _____ (comer) papas a la huancaína, un plato de papas, crema y huevos.
2. también se _____ (comer) ají de gallina, un plato picante de pollo.
3. se _____ (tomar) pisco, una bebida alcohólica hecha de uvas.

Respuestas: 1. comen **2.** come **3.** toma

CONÉCTATE AL MUNDO HISPANO

Las cosas típicas de un país muchas veces vienen de una sola región del país. Por ejemplo, **el flamenco** viene de Andalucía en el sur de España, **el mariachi** es de Jalisco en el oeste de México y **el tango** tiene su origen en Buenos Aires, la capital de Argentina. ¿Hay cosas que se consideran típicas de tu país, pero que en realidad son de una región en particular?

Actividades prácticas

A. Tres países pequeños

Raúl, de Uruguay, muestra su mate.

En **Para empezar,** aprendiste información sobre tres países muy grandes. Aquí vas a leer algo sobre tres países pequeños: Nicaragua, Paraguay y Uruguay. Lee la descripción de cada país y luego escribe **N** para Nicaragua, **P** para Paraguay o **U** para Uruguay.

- **Nicaragua** es un país centroamericano que tiene volcanes, lagos y playas. Todavía (*Still*) hay mucha influencia de las antiguas civilizaciones mesoamericanas (las culturas indígenas de la región).
- **Paraguay** tiene fronteras con Brasil, Argentina y Bolivia pero no tiene costa. Hay mucha influencia indígena.
- **Uruguay** está ubicado entre Brasil y Argentina. Tuvo mucha inmigración europea a principios (*beginning*) del siglo (*century*) XX, sobre todo de Italia.

¿Se refiere a Nicaragua (N), Paraguay (P) o Uruguay (U)?

1. ____ En los volcanes, se puede esquiar sobre arena (*sand*).
2. ____ Se comen muchos tipos de pasta y de pizza.
3. ____ Se hablan español y guaraní (una lengua indígena de Sudamérica).
4. ____ En la costa del Caribe, se habla inglés criollo (*creole*).
5. ____ Se hace «sopa paraguaya», pero no es una sopa normal. Es sólida, y se hace con huevos, queso y harina de maíz.
6. ____ Se toma «grappamiel», un licor con miel (*honey*) que trajeron los inmigrantes europeos.
7. ____ En las playas del Pacífico, se hace muchísimo surf.
8. ____ Se come «gallo pinto», un plato de arroz y frijoles que se come con tortillas de maíz.
9. ____ No hay mar y no hay mucho turismo, pero sí se hace «turismo rural». Los turistas se quedan en estancias (*ranches*) y disfrutan del campo y de la naturaleza.
10. ____ Se toma mate.

¿Por qué?

You've seen that **se** is sometimes used to indicate a reflexive verb and sometimes used to indicate an impersonal action (that is, one that is performed by people in general).

Reflexive verb:

Marta **se** despierta a las siete.   *Marta wakes up at 7:00.*

Impersonal:

Se habla portugués en Brasil.   *Portuguese is spoken in Brazil.*

Why is this same pronoun used for such different functions? The answer is that **se** is a kind of "catch-all" pronoun, used in a variety of situations where no other pronoun can do the job. If Spanish did not have **se,** it would have to have a much larger collection of pronouns, each specialized for a very particular function. Spanish avoids this situation by allowing the single pronoun **se** to perform many functions in the language.

B. El turismo sostenible   Cuando viajas, ¿piensas en los efectos de tu viaje en el medio ambiente (*environment*) y en la gente del lugar? El «turismo sostenible (*sustainable*)» tiene el propósito de evitar los efectos negativos y de crear así una alternativa al turismo tradicional.

PASO 1.   Para cada oración, cambia el verbo a la forma correcta del **se** impersonal.

1. **aprender:** Se aprende mucho sobre la vida de la gente del lugar.
2. **usar:** _____ muchísimos recursos (*resources*) naturales, como el agua y la electricidad.
3. **gastar** (*to spend*): _____ dinero en pequeñas empresas (*enterprises*) locales.
4. **aprender:** _____ muy poco sobre la vida de la gente del lugar.
5. **hacer:** No _____ nada a beneficio de (*to benefit*) la gente del lugar.
6. **minimizar:** _____ el uso de recursos naturales.
7. **donar:** _____ cosas que la gente de la comunidad necesita.
8. **gastar:** _____ mucho dinero en los grandes hoteles y otros negocios grandes.

Se ven papagayos y otros pájaros en los bosques tropicales.

PASO 2.   En parejas, decidan si cada oración del **Paso 1** tiene que ver con (*has to do with*) el turismo tradicional o el turismo sostenible. Escriban el número de la oración en la posición correcta en la tabla según la categoría.

CATEGORÍA	EL TURISMO TRADICIONAL	EL TURISMO SOSTENIBLE
el bienestar (*well-being*) **de la gente del lugar**	_____	_____
el dinero	_____	_____
la educación	_____	_____
los recursos naturales	_____	_____

PASO 3.   En parejas, contesten las preguntas.

1. ¿Cómo se puede gastar dinero en pequeñas empresas locales?
2. ¿Cómo se puede aprender algo sobre la vida de la gente del lugar?
3. ¿Cómo se puede minimizar el uso de recursos naturales?
4. ¿Cómo se puede saber qué necesita la gente del lugar?

C. Tu ciudad o tu región

PASO 1.   En parejas, creen tres oraciones ciertas y una falsa para explicarle a un turista extranjero lo que se hace en la ciudad o región de Uds. Usen la **Actividad A** como modelo. **¡Atención!** Acuérdense de que una de sus oraciones tiene que ser falsa.

PASO 2.   Ahora compartan sus oraciones con la clase. ¿Sus compañeros pueden adivinar qué oración es falsa?

D. ¡Adivinanzas!   Piensa en un lugar en tu universidad o en tu ciudad, y dile a tu compañero/a qué se hace en ese lugar sin decirle el nombre. ¿Tu compañero/a puede adivinar en qué lugar estás pensando?

MODELO: E1: Aquí se come, se habla con amigos y se estudia.
E2: ¿Es el centro estudiantil?
E1: No, es otro lugar.
E2: ¿La cafetería?
E1: ¡Sí!

casadaphoto/iStock/Getty Images

Costa Rica

Un ecoturista escala un árbol en una reserva natural de Costa Rica.

E. Cultura: El ecoturismo en Costa Rica

PASO 1. Lee el texto sobre Costa Rica.

Costa Rica es uno de los grandes destinos en el mundo para el ecoturismo. Fue uno de los primeros países en desarrollar[a] esa industria. ¿Cómo es diferente el ecoturismo del turismo convencional? El ecoturismo tiene como objetivo dejar[b] un impacto mínimo sobre los lugares que se visitan y sobre el planeta en general. Además, una parte del dinero que se genera en el ecoturismo se dirige hacia[c] la conservación de la naturaleza. Los ecoturistas pueden hacer actividades muy divertidas y emocionantes,[d] disfrutar de la flora y la fauna del país y a la vez[e] ayudar a conservarlas.

La geografía de Costa Rica es ideal para el ecoturismo porque ya se ofrecen muchas actividades distintas. Se puede ir a la playa para nadar en las aguas tibias[f] del Caribe o rentar una tabla[g] para surfear en el Pacífico. Para observar animales como monos, pájaros y perezosos,[h] se puede viajar por los canales del Parque Nacional Tortuguero. En el Parque Nacional Arenal, donde se encuentra el gran volcán Arenal, los turistas más tranquilos pueden simplemente dar un paseo mientras que los más aventureros pueden hacer una visita al bosque y bajar en tirolina.[i]

Los turistas son bienvenidos[j] en Costa Rica y muchas de las personas que trabajan en el turismo son bilingües o trilingües para poder hablar con los extranjeros. El ecoturismo es importante para los costarricenses no solo porque genera ingresos[k] y crea empleos, sino también porque a ellos les da la oportunidad de compartir[l] la espectacular naturaleza y biodiversidad con el resto del mundo. Estas cosas se consideran importantes y la actitud de Costa Rica frente a[m] la conservación sirve como ejemplo para otros países.

[a]en... to develop [b]to leave [c]se... is directed toward [d]exciting [e]a... at the same time [f]tepid [g]board [h]monos... monkeys, birds, and sloths [i]bajar... go ziplining [j]welcome [k]income [l]share [m]frente... toward

PASO 2. Completa las oraciones con los verbos de la lista usando el **se** impersonal. **¡Atención!** Cada verbo se usa solo una vez.

alquilar (*to rent*)	hablar	poder	valorar (*to value*)
dar	ofrecer	usar	ver

1. En las playas de Costa Rica _____ tablas de surf.
2. Durante el día _____ mucho bloqueador solar.
3. En todo el país _____ la naturaleza y la biodiversidad.
4. _____ paseos en los volcanes.
5. Para ver monos, _____ viajes por los canales de Tortuguero.
6. _____ una variedad de pájaros en los bosques tropicales.
7. _____ visitar el bosque y bajar en tirolina.
8. En muchos hoteles y tiendas _____ inglés.

PASO 3. En parejas, contesten las preguntas y explíquense las respuestas.

1. Costa Rica tiene un nivel (*level*) de desigualdad (*inequality*) económica relativamente bajo y un sistema político estable. ¿Piensas que hay una relación entre estos dos factores? ¿Y piensas que estos factores ayudan a crear un ambiente (*atmosphere*) atractivo para los turistas?
2. Además del turismo, la economía de Costa Rica depende de la agricultura (principalmente los plátanos y el café) y la manufactura de componentes electrónicos. ¿Piensas que es mejor tener una economía variada de este tipo o especializarse en una sola cosa?
3. ¿Hay mucho turismo donde tú vives? ¿Por qué? Si lo hay, ¿puedes ver efectos positivos y negativos?

⟳ Reciclaje — Verbs like **gustar**

Usa uno de estos verbos para describir tu reacción a las siguientes actividades. ¿Te encantan, te fascinan, te gustan o te molestan?

encantar   fascinar   gustar   molestar

1. los viajes en autobús: _____
2. llevar una maleta muy pesada: _____
3. los viajes en avión: _____
4. hacer nuevos amigos en los aviones o autobuses: _____
5. la playa: _____
6. los trenes: _____

9.3   Se me olvidó el nombre del hotel

Se for unplanned events

Para empezar...

Las oraciones en la página 276 describen un día horrible en el aeropuerto, pero están desordenadas. Usa los dibujos (*drawings*) para poner las oraciones en el orden más adecuado.

1.

2.

3.

4.

5.

6.

7.

8.

9.

Mi día horrible

_____ **se me cayó** (*I dropped*) el teléfono y...

_____ Luego iba a registrarme para el vuelo, pero **se me olvidó** (*I forgot*) la tarjeta de identificación.

_____ Llegué muy temprano, y **se me antojó** (*I felt like*) un café.

__1__ Fui al aeropuerto para ir a San Salvador.

_____ Cancelaron mi vuelo, y por eso regresé a casa.

_____ **se me rompió** (*I accidentally broke it*).

_____ Iba a llamar a mi amigo para traérmela (*bring it to me*), pero...

_____ **Se me mancharon** (*I accidentally stained*) el chaleco (*vest*) y los pantalones.

_____ Compré un café, pero **se me cayó.**

■ Answers to these activities are in Appendix 2 at the back of your book.

Actividades analíticas

1 What nouns agree with the verbs in the bold-faced expressions in **Para empezar**?

se me cayó	el teléfono; _____
se me olvidó	_____
se me antojó	_____
se me rompió	_____
se me mancharon	_____

All these verbs use **se** because they're reflexive (see **Estructura 5.2**). Like many reflexive verbs, these indicate an action that occurs without anyone intentionally doing it. **Caerse,** for instance, means *to fall down,* an action that does not occur intentionally. The indirect object pronoun **me** indicates who is affected by this unintentional action (see **Estructura 7.2**). This can be the person who owns the object that underwent the action, such as the owner of the phone in **Se me cayó el teléfono** or the person who is experiencing the mental state, such as the person who experienced a craving in **Se me antojó un café.**

2 Most of these verbs may be used with or without the indirect object pronoun. The meaning of each verb is constant in Spanish, but adding the indirect object pronoun sometimes requires a different way of expressing the idea in English. In the following chart, use the pattern that you see to add the two missing sentences.

VERBO	SIN OBJETO INDIRECTO	CON OBJETO INDIRECTO
acabarse *to end, run out*	**Se acabó** el dinero. *The money ran out.*	**Se me acabó** el dinero. *I ran out of money.*
caerse *to fall down*	**Se cayó** el teléfono. *The phone fell down.*	**Se me cayó** el teléfono. *I dropped the phone. / My phone fell down.*
mancharse *to get stained*	**Se manchó** la camisa. *The shirt got stained.*	**Se me manchó** la camisa. *I (accidentally) stained the shirt. / My shirt got stained.*
romperse *to break (get broken)*	**Se rompió** el lápiz. *The pencil broke.*	_____ *I (accidentally) broke the pencil. / My pencil broke.*
perderse *to get lost*	**Se perdió** el pasaporte. *The passport got lost.*	_____ *I lost my passport.*

With **antojarse** (*to feel like, have a craving for, be in the mood for*), the indirect object pronoun is almost always included.

—**¿Se te antoja** un helado?   *Are you in the mood for (Do you feel like) an ice cream?*

—No, gracias. Pero sí **se me antojan** estos caramelos.   *No, thank you. But I do have a craving for these candies.*

Estrategia

You see many examples here of Spanish and English expressing the same idea in very different ways. Neither way is better; each follows the logic and structure of the given language. This is probably not the first time you've seen cases like this, and you'll see many more as you continue studying Spanish. Learning how to express the same idea in two different ways is one of the great benefits of learning another language.

3 Any of the indirect object pronouns may be used with these verbs in order to express who is affected by the action. To clarify further who this person is, use the preposition **a.**

Se **te** cayó el café.	*You dropped the coffee.*
Se **le** rompió el teléfono.	*His/Her/Your* (form.) *telephone broke.*
Se **nos** antojó ir a la playa.	*We felt like going to the beach.*
A mis amigos se **les** olvidó la fecha.	*My friends forgot the date.*

■ For more on **se** for unplanned events, see **Para saber más 9.3** at the back of your book.

Actividades prácticas

A. ¿Qué pasó? Completa cada oración con la expresión más lógica. **¡Atención!** Tienes que usar cada expresión dos veces.

se me antoja   se me cayeron   se me cayó   se me olvidó   se me rompió

1. _____ tu número de teléfono.
2. _____ ir al cine esta noche contigo. ¿A qué hora vamos?
3. La computadora _____, pero por suerte (*luckily*) no _____.
4. No _____ salir a bailar hoy. Tengo que limpiar el apartamento.
5. ¡_____ de mi bolso los pases de abordar! ¿Dónde están?
6. _____ el plato y _____ en pedacitos (*little pieces*).
7. _____ cómo se llama nuestro libro. ¿Recuerdas tú el nombre?
8. ¡Perdón! _____ los libros en el piso.

B. Reacciones Completa cada oración o pregunta usando la persona indicada entre paréntesis. Luego empareja la oración o pregunta con la respuesta más lógica.

____ 1. ¿Qué se ____ antoja hacer? (tú)
____ 2. Se ____ olvidó decirte que tuviste una A en el examen. (yo)
____ 3. A tu primo, ¿qué se ____ antoja comer? (él)
____ 4. ¡Se ____ olvidó nuestro aniversario! (tú)
____ 5. ¿Se ____ cayó algo? (tú)
____ 6. ¿A quién se ____ cayó este lápiz? (él/ella)
____ 7. ¿Se ____ olvidaron las llaves? (tú)
____ 8. ¿Cuándo se ____ perdió el teléfono a tu hermano? (él)

a. ¡A mí!
b. ¿No es mañana?
c. Le gustan las hamburguesas.
d. No quiero hacer nada.
e. El martes, cuando fue a esquiar (*ski*).
f. ¡Qué bueno! ¡Gracias!
g. Sí, mi teléfono, pero no le pasó nada.
h. No, no las necesito.

C. ¿Qué se te olvida llevar? En grupos de tres o cuatro compañeros, túrnense para saber qué es lo que a sus compañeros más se les olvida llevar cuando van de viaje. ¿El cargador (*charger*) del teléfono? ¿El pasaporte? ¿El traje de baño? Apunten los resultados y compártanlos con la clase.

MODELO: E1: ¿Qué se les olvida llevar cuando van de viaje?
E2: A mí siempre se me olvida llevar el cargador del teléfono.
E3: ¡A mí no! Pero a mí sí se me olvida el cepillo de dientes con frecuencia.

Autoprueba

For each of the following situations, select the most logical verb and form an appropriate expression with **se** and an indirect object pronoun, based on the context clues.

acabarse
caerse
olvidarse
perderse

1. _____ los lentes. No los puedo encontrar.
2. ¿Estás en el aeropuerto y _____ el pasaporte? No te preocupes, te lo llevo ahora mismo.
3. Creo que _____ las tarjetas de embarque (*boarding passes*) en el baño (*restroom*). Voy a regresar para ver si todavía están en el suelo (*floor*).
4. ¿Estuviste en la playa y _____ el bloqueador solar (*sunscreen*)? ¿Fuiste a comprar más?

Respuestas: 1. Se me perdieron **2.** se te olvidó **3.** se me cayeron **4.** se te acabó / se te perdió

D. Historias En parejas, escojan tres de las siguientes imágenes e inventen historias para explicar qué pasó. Creen situaciones lógicas y creativas. Para cada una, escriban por lo menos tres frases. Los siguientes verbos les pueden ayudar.

acabarse   caerse   olvidarse   romperse

MODELO:

C. Zachariasen/PhotoAlto

Tenía mucha prisa esta mañana porque me desperté tarde y tenía que estar en la estación de tren a las diez. Estaba muy nerviosa porque no quería llegar tarde. Hice mi maleta y salí de la casa con prisa, pero mientras corría, se me rompió el zapato, me caí y se me cayó el contenido de mi bolso en el suelo.

1.

Ingram Publishing

2.

Ingram Publishing/SuperStock

3.

Chris Ryan/age fotostock

4.

Ryan McVay/Getty Images

5.

Jirawan wattanavimonkorn/Shutterstock

E. ¿Adónde se te antoja ir?

PASO 1. En parejas, túrnense para entrevistarse, preguntándole a su compañero/a adónde se le antoja ir para sus próximas vacaciones, qué se le antoja hacer y qué se le antoja ver. Apunten las respuestas. **¡Atención!** Para hacer las preguntas en forma de **tú,** tienen que cambiar el pronombre **le** a **te** y el adjetivo posesivo **sus** a **tus.**

MODELO: E1: ¿Adónde se te antoja ir para tus próximas vacaciones?
E2: Se me antoja ir a una playa. ¿Y a ti?
E1: Se me antoja ir a una ciudad vieja e histórica.

A tu compañero/a...

¿adónde se le antoja ir para sus próximas vacaciones?

☐ a una ciudad grande   ☐ a una playa
☐ a un lugar histórico o antiguo   ☐ a un rancho o una granja (*farm*)
☐ a las montañas   ☐ a otro lugar: _____

¿qué se le antoja hacer?

☐ dormir, leer libros y pensar   ☐ hacer turismo de aventura
☐ escuchar música y bailar   ☐ observar animales
☐ hacer deportes de invierno   ☐ otra cosa: _____

¿qué se le antoja ver?

☐ artesanías típicas   ☐ el mar
☐ una cultura indígena   ☐ montañas o volcanes
☐ edificios coloniales   ☐ otra cosa: _____

PASO 2. Lee la siguiente información sobre cuatro destinos turísticos muy populares y piensa en las respuestas de tu compañero/a a las preguntas del **Paso 1.** ¿Qué lugar recomiendas tú para tu compañero/a? Dile tu recomendación y pregúntale si está de acuerdo (*if he or she agrees*).

Antigua, Guatemala: Una ciudad fundada (*founded*) por los españoles en el siglo (*century*) XVI, con calles muy bonitas, edificios hermosos y mucha artesanía indígena. Está rodeada de (*surrounded by*) volcanes activos.

Bariloche, Argentina: También conocida como San Carlos de Bariloche, es una ciudad a un lado de la cordillera (*mountain range*) de los Andes. Tiene lagos, bosques y montañas, y es un centro importante de esquí.

Islas Galápagos, Ecuador: En las famosas islas que le encantaron a Charles Darwin, hay mucho que ver a pie (*by foot*) —como las famosas tortugas gigantes— pero también se puede explorar en kayak.

Samaná, República Dominicana: En esta península, hay hermosas playas y lugares para ver ballenas (*whales*). Como en toda la República Dominicana, la música es buenísima y hay muchos lugares para bailar si te gustan la salsa y el merengue.

¡Leamos!

Vacaciones en Tequila

Antes de leer

PASO 1. Para cada actividad a continuación, escribe una **A** si le gustaría (*would like*) a una persona aventurera o una **C** si le gustaría a una persona cautelosa (*cautious*). **¡Atención!** Hay algunas actividades que les interesarían a ambos.

_____ 1. aprender cómo se hace el tequila
_____ 2. conocer los museos
_____ 3. aprender de la historia
_____ 4. explorar cavernas
_____ 5. hacer camping
_____ 6. andar en bicicleta

_____ 7. escalar
_____ 8. hacer turismo de aventura
_____ 9. nadar debajo de las cataratas
_____ 10. montar a caballo
_____ 11. caminar
_____ 12. visitar ruinas arqueológicas

PASO 2. Ahora haz una lista de las actividades del **Paso 1** que te gustaría hacer y otra de las actividades que no te gustaría hacer. ¿Eres una persona aventurera o cautelosa?

A leer

Lee el artículo y contesta las preguntas a continuación.

Vacaciones en Tequila

En 2006, UNESCO designó como Patrimonio de la Humanidad el paisaje entre el volcán Tequila y el Valle del Río Grande. La «Ruta del Tequila», un programa establecido al final del siglo XX,[a] promociona el turismo en esa zona tequilera. No se limita al pueblo Santiago de Tequila, sino que[b] el tren Tequila Express hace giras[c] por todo el valle. El turista puede degustar[d] tequila en las destilerías y haciendas de todo el valle.

Agave tequilana en Guadalajara, Jalisco, México

El inmenso valle azul-esmeralda[e] de las plantaciones de agave —la planta que nos brinda el «vino de mezcal[f]»— por sí solo proporciona[g] oportunidades de recorridos hermosos de mucha historia, pero más allá de las enormes plantaciones, la Ruta del Tequila ofrece una variedad seductora[h] de turismo.

Unas vacaciones en Tequila pueden saciar a diversos gustos[i] e intereses. Los *agroturistas* van a estar muy a gusto[j] con una estadía[k] en una de las grandes haciendas tequileras. En las haciendas, el turista puede visitar destilerías, presenciar muestras[l] de los procesos, visitar museos y probar las especialidades (tequilas y comidas) de la casa.

Los *histoturistas* y *arqueoturistas* disfrutarán[m] de una visita a las ruinas de las pirámides circulares en Guachimontones. Las ruinas quedan al oeste de Guadalajara en el estado de Jalisco y datan del año 300 a. C.[n]

[a]siglo... *twentieth century*   [b]sino... *but rather*   [c]*tours, excursions*   [d]*taste*   [e]*emerald-blue*   [f]*mescal*   [g]por... *in and of itself provides*   [h]*alluring*   [i]saciar... *satisfy a variety of tastes (preferences)*   [j]estar... *feel very comfortable*   [k]*stay (n.)*   [l]presenciar... *witness demonstrations*   [m]*will enjoy*   [n]datan... *date from 300 B.C.*

La Ruta del Tequila también complace[ñ] a todos los turistas que prefieren pasar sus vacaciones al aire libre.[o] Los *excurturistas* pueden dar caminatas[p] en las faldas[q] del Volcán Tequila, o hacer ciclismo o montar a caballo por los senderos[r] que serpentean[s] la rica vegetación hasta la Barranca de Tequila y la Cascada de los Azules. En la barranca,[t] los *ecoturistas* pueden acampar cerca de las cataratas y relajarse en las aguas azul-turquesas de los estanques.[u] Los *aventuristas* pueden practicar el rapel en los precipicios o la espeleología[v] en las cavernas cerca de las cataratas.

En Tequila, todos pueden degustar los mejores tequilas del mundo, la excelente cocina de la región y una variedad de platos especiales preparados con tequila.

[ñ]*pleases* [o]*al... outdoors* [p]*dar... take hikes* [q]*foothills* [r]*trails, paths* [s]*wind* [t]*ravine* [u]*pools* [v]*spelunking*

1. ____ ¿Cuál **no** es un lugar que se puede visitar en la Ruta del Tequila?
   a. las cataratas
   b. las destilerías que fabrican el tequila
   c. las playas tropicales
   d. las ruinas arqueológicas

2. ____ ¿Cuál es el enfoque de los atractivos turísticos en el Valle del Río Grande?
   a. el aventurismo
   b. la cerveza
   c. la naturaleza
   d. el tequila

3. ____ ¿Cuál **no** es un campo profesional relacionado con los atractivos que se mencionan?
   a. la arqueología
   b. la astronomía
   c. la destilería
   d. la historia

4. ____ ¿Cuántas destilerías hay en Jalisco?
   a. cero
   b. una
   c. dos
   d. varias

5. ____ ¿Cómo se puede hacer un recorrido de la Ruta del Tequila?
   a. a caballo
   b. a pie
   c. en bicicleta
   d. todas las anteriores

6. ____ ¿Cuál es la actividad que **no** menciona el artículo?
   a. el camping
   b. el fútbol
   c. las degustaciones
   d. la exploración de cavernas

7. ____ ¿Qué se ofrece en todas las destilerías y haciendas de la región?
   a. la comida hecha de las hojas de la planta agave
   b. degustaciones de diferentes tequilas
   c. degustaciones de diferentes vinos
   d. los postres más ricos de México

8. ____ ¿Cuál **no** es una atracción además del tequila?
   a. el rapel
   b. el ciclismo
   c. el vino
   d. la historia

Después de leer

PASO 1. En grupos, usen la información de la lectura para planear un fin de semana largo en Tequila. ¿Qué actividades les gustan? ¿Qué actividades no les gustan? ¿Por qué? ¿Cuándo van a participar todos en grupo y cuándo se van a separar? Hagan un itinerario para mostrar qué van a hacer cada día por la mañana, por la tarde y por la noche.

PASO 2. En grupos, repasen todas las actividades que se pueden hacer en estas excursiones y piensen en por lo menos cinco reglas que los organizadores de las excursiones Ruta del Tequila probablemente tienen para los turistas.

MODELOS: Tener cuidado al subirse y bajarse de sus caballos.
　　　　　　　　No pisar las plantas de agave.

¡Escuchemos!

Los viajes ideales

 ### Antes de escuchar

Vas a escuchar las opiniones de varias personas sobre sus vacaciones. Decide si esa persona describe vacaciones buenas o malas.

	VACACIONES BUENAS	VACACIONES MALAS
1.	☐	☐
2.	☐	☐
3.	☐	☐
4.	☐	☐
5.	☐	☐
6.	☐	☐
7.	☐	☐

A escuchar

PASO 1. Mira y escucha las descripciones de las vacaciones. Mira otra vez con pausas y empareja a la persona con los lugares que menciona.

1. _____ Adrián, de México

2. _____ Juan Andrés, de Costa Rica

3. _____ Magdalena, de Argentina

4. _____ Erick, de Nicaragua

5. _____ Olman, de Costa Rica

6. _____ Natalia, de Argentina

7. _____ Víctor, de México

a. Cancún y Puerto Vallarta
b. Colombia y Miami
c. Europa, los Estados Unidos y Canadá
d. las playas del Pacífico, como Guanacaste
e. Ushuaia, Argentina
f. varias ciudades grandes y estados de los Estados Unidos
g. varios países en varios continentes

Truth-Function/McGraw-Hill

PASO 2. Mira y escucha otra vez, indicando las tres atracciones que menciona cada uno.

	ADRIÁN	ERICK	NATALIA	VÍCTOR
1. un clima cálido (*warm*)	☐	☐	☐	☐
2. hoteles	☐	☐	☐	☐
3. un intercambio cultural	☐	☐	☐	☐
4. un lugar agradable (*pleasant*)	☐	☐	☐	☐
5. playas muy buenas	☐	☐	☐	☐
6. viajar a los Estados Unidos	☐	☐	☐	☐
7. viajar a Europa	☐	☐	☐	☐
8. visitar pueblos chicos con mucha cultura	☐	☐	☐	☐

Después de escuchar

PASO 1. En grupos, decidan si a cada persona del video le gustan o no las siguientes cosas y expliquen por qué.

> **MODELO:** A Víctor le gustan los museos porque va a las ciudades más grandes de Europa, pero no le gustan las playas.

las ciudades grandes	la naturaleza	los pueblos chicos
los hoteles excelentes	el paisaje	los viajes internacionales
los museos	las playas	

PASO 2. Comparen sus propios (*your own*) gustos con los de las personas del video.

> **MODELO:** Me gustan las playas más que a Víctor porque prefiero pasar las vacaciones en las playas más que en las ciudades grandes. No me gustan mucho los museos.

CONÉCTATE AL MUNDO PROFESIONAL

Although not all negative vacation experiences are appropriate in the workplace, there are some that may reveal important details about your skill set and character. Tales of getting lost and finding your way back, overcoming challenges and hardships, or simply acclimating to new environments can make great answers to tough job interview questions, such as *What are your weaknesses?, Tell me about a challenge you overcame,* or *Why should we hire you?* Your response can include an interesting story, what you learned from it, how you now apply the skills and experiences gained, and how this will impact the organization if they hire you.

Traveling can help you develop skills like resourcefulness, problem-solving, and decision-making. Demonstrating those skills in the workplace can lead to great opportunities: new teams and projects, travel, and representing your organization outside the office.

¡Escribamos!

Las mejores y peores vacaciones

Algunas vacaciones son mejores que otras. ¿Puedes describir dos vacaciones muy diferentes? Si no tienes la experiencia de haber tenido (*having had*) unas vacaciones excelentes y otras desastrosas, describe viajes de amigos o familiares.

Antes de escribir

Piensa en el peor viaje y el mejor viaje de tu vida y completa la tabla. Puedes inventar tus respuestas si quieres.

	EL MEJOR VIAJE	EL PEOR VIAJE
¿Adónde fuiste?		
¿Cuándo fuiste?		
¿Con quién(es) fuiste?		
¿Por qué fuiste?		
¿Qué hiciste?		
¿Se te olvidó algo?		

A escribir

Usando la información de **Antes de escribir,** escribe dos párrafos: el primero para describir el peor viaje de tu vida y el segundo para describir el mejor.

MODELO: Esta es la historia de dos viajes... El año pasado, fui a Chile con mis padres. Fue mi primer viaje fuera del país y por eso se me olvidó el pasaporte. Regresé a casa para recogerlo, pero luego perdí (*I missed*) el vuelo. El próximo vuelo no salió hasta el próximo día y por eso...

Después de escribir

Revisa tu ensayo. Luego intercambia ensayos con un compañero / una compañera para evaluarlos. Lee el ensayo de tu compañero/a y determina si cuenta una historia completa sobre el mejor y el peor viaje o si falta información necesaria. Lee de nuevo (*again*) el ensayo con cuidado para revisar los siguientes puntos de gramática.

☐ Usa el imperfecto para describir el pasado.
☐ Usa el pretérito para hablar de las acciones que ocurrieron en el pasado.
☐ Usa **se + me/te/le(s)/nos** correctamente.
☐ Hay concordancia entre sustantivos y adjetivos (género y número).
☐ Tiene la ortografía correcta.

Después de revisar el ensayo de tu compañero/a, devuélveselo. Mira tu propio ensayo para ver los cambios que tu compañero/a recomienda y haz las revisiones necesarias.

¡Hablemos!

¿Adónde vamos?

Antes de hablar

Haz una lista de por lo menos cinco criterios para tus vacaciones ideales. Por ejemplo, ¿prefieres vacaciones activas o prefieres relajarte? ¿Prefieres el calor o el frío? ¿Quieres comer en los mejores restaurantes? ¿Quieres ir a muchos museos?

MODELO: Me encanta la playa, pero no quiero gastar mucho dinero...

A hablar

En parejas, túrnense para hacer el papel de agente de viajes (*travel agent*) y el/la cliente que quiere ir de vacaciones pero no sabe adónde ir. El/La agente de viajes tiene que hacerle por lo menos siete preguntas al / a la cliente y luego recomendarle un lugar para sus vacaciones ideales. Pueden usar los lugares del capítulo u otros destinos que conocen.

MODELO: E1: ¿A Ud. le gustaría ir de vacaciones durante el invierno o el verano?
E2: Me gustaría ir de vacaciones durante el verano.
E1: Bueno, y ¿le gustaría estar en la playa o en las montañas?
E2: ...

Después de hablar

¿Quiénes están de acuerdo con las recomendaciones del / de la «agente de viajes» con quien hablaron en la sección **A hablar**? ¿Quiénes no están de acuerdo? Expliquen al resto de la clase por qué están de acuerdo o no.

VOCABULARIO

Now that I have completed the chapter, I can . . .

☐ say what I would like to do
☐ use infinitives to express rules
☐ talk about travel and the weather
☐ talk about destinations, travel routes, and modes of transportation
☐ talk about what people do customarily
☐ talk about travel in the Spanish-speaking world

Comunicación	Communication
Me gustaría + *inf.*	I would like (*to do something*).
¿Te/Le gustaría + *inf.*?	Would you (*inform./form.*) like (*to do something*)?
Favor de no fumar.	Please don't smoke.
Empujar.	Push.
Jalar.	Pull.
No beber y conducir.	Don't drink and drive.
No dar de comer.	Don't feed (the animals).
No doblar. / No girar.	Do not turn.
No entrar. / No pasar.	Do not enter.
No estacionar.	No parking.
No fumar.	No smoking.
No pisar (el césped).	Stay off / Do not walk on (the grass).
No tirar basura.	No littering. (*Lit.,* Do not throw trash.)

Las vacaciones	Vacation
el aeropuerto	airport
la artesanía	craft(s)
el ascensor	elevator
el avión	airplane
la bicicleta de montaña	mountain bike
el bloqueador solar	sunscreen
el boleto	ticket
el bosque tropical	rainforest
la catarata	waterfall
el equipaje	baggage
la escala	layover

el/la guía	guide (*person*)
la maleta	suitcase
el mar	sea
la naturaleza	nature
el paisaje	scenery; landscape
un paseo	a walk/trip
la quemadura de sol	sunburn
la recogida de equipaje	baggage claim
el recorrido	trip/tour
el recuerdo	souvenir
la regla	rule
el sol	sun
el tren	train
el turismo de aventura	adventure tourism
el viaje	trip
la vista	view
el vuelo	flight

Cognados: la atracción, el ecoturismo, el hotel, la montaña, el pasaporte, la recepción, la seguridad, el servicio, el tour, el turismo, la visita

El tiempo	Weather
¿Qué tiempo hace?	What's the weather like?
Está despejado/nublado.	It's clear/cloudy.
Hace (muy) buen/ mal tiempo.	The weather is (very) good/bad.
Hace (mucho) calor/frío/ sol/viento.	It's (very) hot/cold/ sunny/windy.
llover (ue)	to rain
Llueve. / Está lloviendo.	It rains. / It's raining.
nevar (ie)	to snow
Nieva. / Está nevando.	It snows. / It's snowing.

Los adjetivos	Adjectives
agradable	pleasant
cálido/a	warm, hot
próximo/a	next; upcoming

Los adverbios	Adverbs
al extranjero	abroad
cerca (de)	close, near (to)
lejos (de)	far (from)

Los verbos	**Verbs**
abordar	to board
acabarse	to end, run out
antojarse + *inf.*	to feel like (*doing something*)
antojarse + *n.*	to have a craving for (*something*)
caerse (*irreg.*)	to fall down
dar (*irreg.*) un paseo	to go for a walk
disfrutar de + *n.*	to enjoy (*something*)
escalar	to go rock climbing; to climb
esperar	to wait (for)
gastar	to spend
hacer (*irreg.*)...	
ciclismo de montaña	to go mountain biking
escala	to have a layover
la maleta	to pack a suitcase
un recorrido	to take a trip / go on a tour

ir de viaje	to go on a trip
mancharse	to stain
olvidarse	to forget
pasar por	to pass/go through
perder (ie)	to miss (*a bus/flight/event*); to lose
perderse (ie)	to get lost
recoger (j)	to pick up
registrarse	to check in
romperse	to break
tomar el sol	to sunbathe
visitar	to visit

La vida profesional

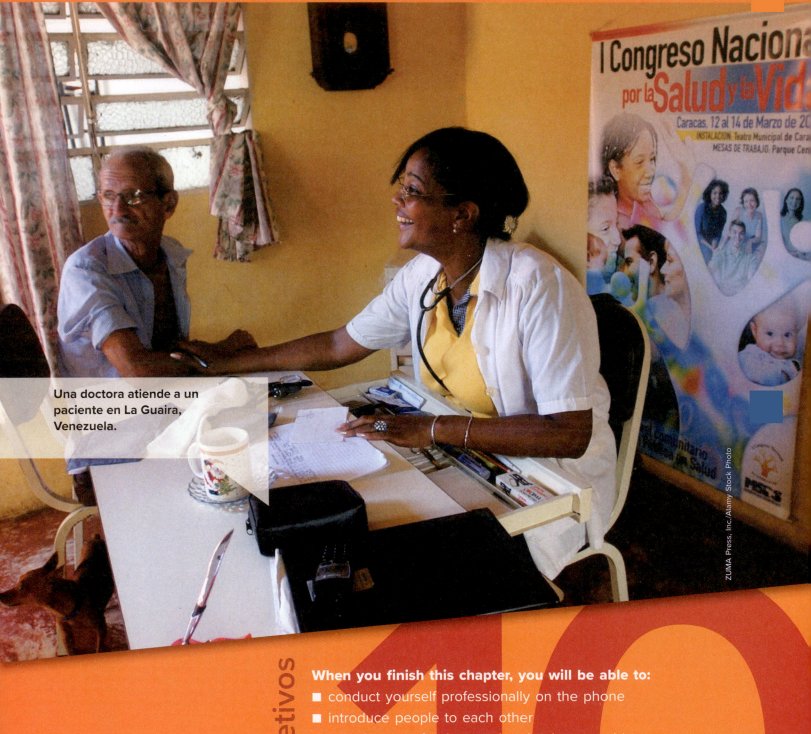

Una doctora atiende a un paciente en La Guaira, Venezuela.

I Congreso Nacional por la Salud y la Vida

Caracas, 12 al 14 de Marzo de 20

INSTALACIÓN: Teatro Municipal de Cara

MESAS DE TRABAJO: Parque Cen

ZUMA Press, Inc./Alamy Stock Photo

Objetivos

When you finish this chapter, you will be able to:

■ conduct yourself professionally on the phone

■ introduce people to each other

■ talk about professions and technology used in the workplace

■ give more detailed descriptions of a person, place, or thing

■ make requests, invitations, and commands

■ talk about work and professions in the Spanish-speaking world

10

A sus órdenes

Expressions for professional contexts

 A. A ver: A sus órdenes Escucha mientras tu instructor(a) pronuncia las posibles respuestas (a–f). Luego mira y escucha. Mira otra vez con pausas e indica la expresión (o expresiones) que usa cada persona. Mira una tercera vez para verificar tus respuestas.

1. _____ Angélica

2. _____ Alexis

3. _____ Eva

4. _____ Guadalupe

5. _____ Seiji

6. _____ Felicitas

7. _____ Ana

8. _____ Mayra

9. _____ Eduardo

10. _____ Olman

a. Con mucho gusto.
b. Es un placer.
c. Estoy a sus órdenes.
d. Fue un placer.
e. Ha sido un placer.
f. Para servirle(s).

To ask politely to do something, use: **Quisiera** + *infinitive.*

Quisiera hablar con la directora.

To ask *How can I help you?,* say: **¿En qué puedo servirle(s)?**
When someone thanks you for your assistance, respond with one of the following expressions.

Para servirle. **A sus órdenes.**	*At your service.*
Es / Fue / Ha sido un placer.	*It's / It was / It has been a pleasure.*
Con mucho gusto.	*My pleasure. / With pleasure.*

B. ¿En qué puedo servirle? Escoge la(s) frase(s) adecuada(s) para cada lugar.

____ 1. en el banco
____ 2. en la librería
____ 3. en el mercado
____ 4. en el museo
____ 5. en la oficina de correos
____ 6. en el restaurante

a. La cuenta (*bill*), por favor.
b. Quisiera cambiar / cobrar (*cash*) un cheque.
c. Perdone. Busco las manzanas.
d. Quisiera enviar (*send*) estas cartas (*letters*).
e. Dos entradas (*tickets*), por favor.
f. Disculpe. ¿Me puede decir dónde están los diccionarios?
g. ¿Me trae un tenedor, por favor?
h. Quisiera comprar estampillas (*stamps*).
i. Perdone. Busco los tomates.
j. Perdone, ¿dónde están las novelas de detectives?

C. ¿Qué se hace?

PASO 1. En parejas, hagan una lista de dos o tres actividades que se hacen en cada lugar.

> **MODELO:** en el banco: se depositan cheques, se cambian / cobran (*cash*) cheques, se saca dinero

1. en la librería
2. en el mercado
3. en el museo
4. en la oficina de correos
5. en el restaurante

PASO 2. Ahora pónganse en dos filas, cara a cara. Los estudiantes de una fila son los clientes; los estudiantes de la otra son los empleados (*employees*) de los lugares de la lista. Debes tener una conversación completa con la persona delante de (*in front of*) ti. Luego todos los estudiantes de una fila deben dar un pasito (*small step*) a la izquierda para empezar de nuevo con otra pareja en una situación nueva.

> **MODELO:** E1: Buenas tardes. ¿En qué puedo servirle?
> E2: Quisiera depositar un cheque y cambiar (*exchange*) dinero.
> E1: ¡Cómo no!
> E2: Gracias.
> E1: Para servirle.

1. el banco
2. la librería
3. el mercado
4. el museo
5. la oficina de correos
6. el restaurante

Quisiera cambiar dinero.

David Planchet/McGraw-Hill

En español...

Telephone interactions are more challenging than face-to-face interactions, in part because there are no visual cues. Often it is important to be able to get just the most basic information, such as a name and telephone number, so that a fluent speaker can return the call. Here are a few sentences that can help you take control of the conversation and successfully acquire the most basic information.

MAKING THE CALL

Buenos días. / Buenas tardes. Habla ____, de la compañía ____.	Good morning / afternoon. This is ____, from ____ (company) speaking.
¿Puedo hablar / Me puede comunicar con + name of person**?**	May I speak / Can you connect me with ____?
¿Está / Se encuentra + name of person**?**	Is ____ there?
¿Puedo dejarle un mensaje?	May I leave him/her a message?
Más despacio, por favor.	Slower, please.
Gracias, muy amable. Adiós.	Thank you, you've been very kind. Good-bye.

ANSWERING THE TELEPHONE

Buenos días. / Buenas tardes. + name of company	
¿De parte de quién?	Who's calling?
Un momento, por favor.	Just a moment, please.
No está en este momento. ¿Le quiere dejar un mensaje?	He's/She's not here right now. Would you like to leave a message for him/her?
¿Cuál es su nombre y su número de teléfono?	What is your name and telephone number?
Número por número, por favor.	One number at a time, please.
Letra por letra, por favor.	One letter at a time, please.
¿Cómo se escribe / deletrea?	How do you spell that?
Alguien lo/la volverá a llamar.	Someone will call you back.
Gracias por llamar. Adiós.	Thank you for calling. Good-bye.

These simple phrases can lead to a clear and successful telephone interaction that will be a lot less frustrating for both parties than a conversation full of requests for general repetitions such as **¿Cómo?** or **¿Qué?**

■ The audio files for in-text listening activities are available in the eBook, within Connect activities, and on the Online Learning Center.

D. «No está. ¿Le quiere dejar un mensaje?» Escucha los mensajes y apunta con quién quieren hablar, los nombres y apellidos de las personas que llaman y sus números de teléfono.

MENSAJE PARA...	NOMBRE(S)	APELLIDO(S)	NÚMERO DE TELÉFONO
1. _____	_____	_____	_____
2. _____	_____	_____	_____
3. _____	_____	_____	_____
4. _____	_____	_____	_____
5. _____	_____	_____	_____
6. _____	_____	_____	_____

E. ¡Rin, rin!

PASO 1. En parejas, pónganse espalda con espalda (*back to back*) y túrnense para apuntar un mensaje telefónico. Cada mensaje debe incluir: la fecha y la hora de la llamada, el nombre de la persona que debe recibir el mensaje, el nombre de la persona que llama y su número de teléfono.

MODELO: E1: ¡Rin, rin!
E2: Buenos días, oficina de Suzy.
E1: ¿Está Suzy?
E2: No está en este momento. ¿Le quiere dejar un mensaje?
E1: Sí, gracias.
E2: ¿Cuál es su nombre, apellido y número de teléfono?
E1: Mi nombre es...

PASO 2. Ahora, verifiquen los mensajes usando la siguiente lista.

- ¿El mensaje tiene correcto el nombre de la persona que debe recibir el mensaje?
- ¿El mensaje tiene correctas la fecha y hora de la llamada?
- ¿Tiene el nombre completo (nombre y apellido) de la persona que llama?
- ¿Tiene el número correcto?

CONÉCTATE AL MUNDO PROFESIONAL

Your experiences studying languages can provide you with a lot of great topics for professional-school essays and anecdotes for job interviews. For example, medical school applications usually ask candidates to describe how they'll interact with patients from a culture different than their own. Your own experiences of being different as you learn a new language and culture, as well as the communication strategies you develop, will help you to write a thoughtful answer. Similarly, you can use a situation of cross-cultural misunderstanding to answer job interview questions about weaknesses or overcoming difficulty.

Quiero presentarle a...

Introducing people to each other

To introduce people to each other, address by name the person with the highest status or whom you know less well and say: **Quiero presentarte/le a...**

—**Sara, quiero presentarte a mi hermano, Juan.**

—**Señor Olivares, quiero presentarle a mi amiga Sara.**

To introduce someone to more than one person, you can say: **Quiero presentarles a...**

—**Niños, quiero presentarles al nuevo estudiante, Antonio.**

To reply with something along the lines of *Nice to meet you* or *It's a pleasure*, use one of these expressions.

Mucho gusto.
Encantado/a.
Es un placer.

As you learned in **Capítulo 1,** if someone says *Nice to meet you* first, you can respond with **Igualmente,** which means *Likewise.*

—**Mario, quiero presentarte a mi amiga Anita.**
—**Mucho gusto, Anita.**
—**Igualmente, Mario.**

—**Profesora Alemán, quiero presentarle a mi madre, Magda Ordóñez Gil.**
—**Encantada, señora Ordóñez.**
—**Igualmente, profesora Alemán.**

A. A presentar   Pon la siguiente conversación en orden (del 1 al 5).

____ Adiós.
____ Buenas tardes, Juan Andrés. Quiero presentarte a mi novia, Elena.
____ Igualmente.
____ Mucho gusto, Elena.
____ Tengo clase en cinco minutos. Hasta luego.

Eric Audras/PhotoAlto/age fotostock

Fernando, quiero presentarte a mi amiga Maribel.

B. Quiero presentar...

PASO 1. Indica la mejor manera de presentar a las personas. **¡Atención!** ¿Quién tiene el estatus más alto? ¿A quién no conoces muy bien?

1. _____ A tu amigo y tu profesor de inglés
   a. Efra, quiero presentarte a mi profesor de inglés, Adam White.
   b. Profesor White, quiero presentarle a mi amigo Efra.
   c. Los dos están bien.
   d. Ninguno de los dos está bien.

2. _____ A una amiga de la universidad y tus padres
   a. Mariela, te presento a mis padres, Ernesto y Liliana.
   b. Mamá, papá, quiero presentarles a mi amiga Mariela.
   c. Los dos están bien.
   d. Ninguno de los dos está bien.

3. _____ A dos amigos tuyos
   a. Héctor, quiero presentarte a Juan.
   b. Juan, quiero presentarte a Héctor.
   c. Los dos están bien.
   d. Ninguno de los dos está bien.

4. _____ A la nueva gerente (*manager*) y el presidente de la compañía
   a. Estefanía Guzmán Torres, quiero presentarte al presidente, José Antonio López Gómez.
   b. Presidente López, quiero presentarte a la nueva gerente, Estefanía Guzmán.
   c. Los dos están bien.
   d. Ninguno de los dos está bien.

5. _____ Al nuevo estudiante y la maestra
   a. Diego, quiero presentarte a la maestra, señora Maldonado.
   b. Señora Maldonado, quiero presentarle al nuevo estudiante, Diego.
   c. Los dos están bien.
   d. Ninguno de los dos está bien.

PASO 2. En parejas, túrnense para presentarles su amiga Elena a las siguientes personas. Hagan la presentación de dos maneras si se puede.

> **MODELO:** tus hermanos (Esteban y Manolo) → Esteban, Manolo, quiero presentarles a mi amiga Elena.
> *o* Elena, quiero presentarte a mis hermanos, Esteban y Manolo.

1. tu mejor amigo/a
2. el profesor de inglés
3. los miembros de tu equipo (*team*)
4. el gerente de una compañía
5. la directora de marketing de una compañía
6. el vecino
7. tus padres

C. A conocernos... En grupos de cuatro o cinco, túrnense para presentarle un(a) estudiante a otro/a.

> **MODELO:** E1: Chelsea, quiero presentarte a mi amiga Leslie.
> E2: Encantada, Leslie.
> E3: Igualmente. Chelsea, ¿conoces a...?

VOCABULARIO

Las profesiones y los oficios
Professions and careers

A. Somos profesionales. ¿Dónde se practica cada profesión? Completa las oraciones en la página 296 con la profesión que se describe.

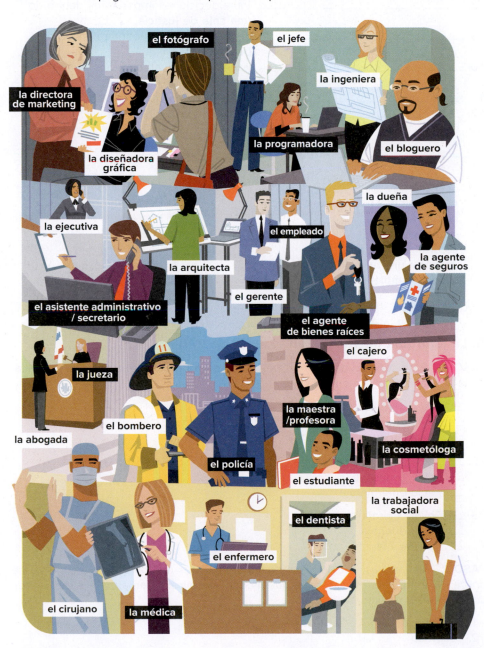

(Continues)

1. _____ saca fotos en bodas y otras celebraciones.
2. _____ organiza reuniones, toma mensajes y ayuda a los empleados de un negocio.
3. _____ diseña edificios, pero solo supervisa la construcción de ellos.
4. _____ ayuda a gente que quiere vender o comprar una casa.
5. _____ trabaja en la comunidad para asegurar la seguridad pública.
6. _____ trabaja en una escuela donde enseña a los estudiantes.
7. _____ ofrece su argumento delante del juez / de la jueza en **un tribunal.**
8. _____ toma decisiones importantes dentro de **una sala de justicia.**
9. _____ trabaja en una peluquería o salón de belleza.
10. _____ trabaja en el quirófano (*operating room*) operando a los pacientes.
11. _____ trabaja en una clínica médica u hospital.
12. _____ trabaja en una clínica dental.

Here are some useful verbs that have to do with work.

conseguir (i, i) (un puesto de trabajo)	to get (a job/position)
contratar	to hire
entrevistar	to interview
estar dispuesto/a	to be ready/willing
preparar un currículum	to prepare a résumé/CV
solicitar empleo/trabajo	to apply for work/a job

El empleado le muestra el informe (*report*) a su gerente.

B. La jerarquía (*hierarchy*) en el lugar de trabajo

PASO 1. Para cada grupo, pon los profesionales en orden de la persona más alta en la jerarquía (1) a la menos alta (3).

1. ____ el/la gerente
   ____ el/la ejecutivo/a
   ____ el/la secretario/a

2. ____ el/la asistente médico/a
   ____ el/la cirujano/a
   ____ el/la enfermero/a

3. ____ el/la cajero/a
   ____ el/la dueño/a
   ____ el jefe / la jefa

PASO 2. En parejas, decidan cuál de las profesiones del **Paso 1** es la que más se aplica a cada palabra y cuál es la que menos se aplica. Compartan sus decisiones con la clase y expliquen sus razones.

1. prestigioso
2. peligroso
3. interesante
4. divertido
5. lucrativo
6. fácil

C. ¿Qué hacen en el trabajo? Indica si cada frase es lógica o no para la persona de la profesión que se menciona.

	ES LÓGICA.	NO ES LÓGICA.
1. Un agente de seguros usa un libro de texto.	☐	☐
2. Una asistente administrativa usa mucho el teléfono.	☐	☐
3. Los estudiantes y profesores crean las leyes (*laws*).	☐	☐
4. Un fotógrafo usa una cámara.	☐	☐
5. Un ingeniero usa un bisturí (*scalpel*).	☐	☐
6. Los estudiantes y profesores usan libros de texto.	☐	☐
7. Una cosmetóloga usa un horno (*oven*).	☐	☐
8. Un cirujano usa un bisturí.	☐	☐
9. Una diseñadora de multimedia y un escritor usan computadoras.	☐	☐
10. Una cosmetóloga usa las tijeras (*scissors*).	☐	☐
11. Un abogado usa las leyes.	☐	☐

D. A ver: Las profesiones Mira y escucha. Luego mira otra vez con pausas y apunta la profesión de cada persona. Mira una tercera vez para verificar tus respuestas.

NOMBRE	PROFESIÓN
1. José Miguel	
2. Juan	
3. Lourdes	
4. Zuly	
5. Pedro	
6. Mario	
7. Néstor	
8. María Jesús	
9. Juan Francisco	
10. Jonathan	
11. Nancy	
12. Juan	
13. Andrea	

E. ¿Quién es? En grupos, túrnense para describir una profesión de la lista de vocabulario sin mencionar el nombre de la profesión. Los otros miembros del grupo deben hacer preguntas sobre la profesión hasta adivinar qué es.

MODELO: E1: Esta persona enseña a otras personas.
E2: ¿Es un juez?
E1: No, esta persona tiene una clase de estudiantes.
E3: ¿Es un profesor o una profesora?
E1: ¡Acertaste (*You guessed correctly*)!

F. ¿Qué profesiones te interesan? Mira de nuevo la lista de profesiones y decide cuáles son las tres que más te interesan. Nómbralas y explícale a un compañero / una compañera de clase por qué te interesan estas tres profesiones. ¿Qué destrezas (*skills*) requieren? ¿Las tienes tú? ¿Qué profesión de la lista te interesa menos? ¿Por qué?

La tecnología en el lugar de trabajo

Technology in the workplace

A. Escribir un email profesional Revisa las palabras que se asocian con la computación y la tecnología. Luego empareja cada palabra con su ejemplo más adecuado o descripción más adecuada.

la computadora portátil / el portátil / la (computadora) laptop

el correo electrónico / el email / el mensaje

el saludo

adjuntar / el adjunto

la despedida

la impresora

el escáner

la tableta

la pantalla

el teclado

Para dra.rodriguez@abc.org
Asunto: Reporte Final
Estimada Dra. Rodriguez:
Aquí **adjunto** el reporte final. Espero sus comentarios.
Atentamente,
Kathy Bauer
Reporte_Final.docx (27 K)
Enviar

En español...

In the technological realm, there are a lot of cognates or borrowed words that change spelling or accentuation to match pronunciation. Here are a few examples.

el blog
el email
el escáner
la web
el WiFi
el monitor
el (teléfono) celular/móvil
el USB
chatear
hacer clic

1. ____ el adjunto
2. ____ el asunto
3. ____ la despedida
4. ____ la impresora
5. ____ el saludo
6. ____ la tableta

a. «Atentamente»
b. lo que usas para imprimir documentos, mensajes o adjuntos
c. un documento que quieres enviar / mandar con un correo electrónico
d. «Estimados profesores»
e. «Reunión el lunes a las 14:00»
f. lo que usas para escribir un email cuando no puedes sentarte frente a la computadora

To talk about *uploading* or *downloading* in Spanish, use **subir** and **bajar.** Use **conectarse** to say *to get online.*

¿**Subiste** los documentos al servidor?

Did you upload the files to the server?

Voy a **bajar** la nueva canción de Calle 13.

I'm going to download the new Calle 13 song.

Voy a **conectarme** para chatear con una amiga.

I'm going to get online so I can chat with a friend.

B. Cómo escribir un correo electrónico profesional   Sigue las instrucciones para escribir un mensaje a tu profesor(a) para decirle que necesitas recuperar (*make up*) un examen que perdiste (*you missed*).

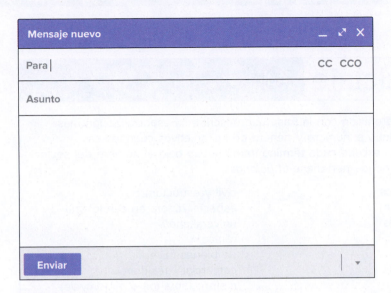

1. Usa la línea de **asunto.** El destinatario / La destinataria debe entender de qué se trata el mensaje basándose en esta frase.
2. Empieza con un saludo profesional, el título adecuado (**Profesor[a]** o **Doctor[a]**) y el apellido.
3. Incluye respuestas a estas preguntas.

   - ¿qué? (*el examen que perdiste*)

   - ¿quién? (*tú lo perdiste*)

   - ¿dónde? (*un lugar conveniente para el/la instructor[a]*)

   - ¿cuándo? (*un día y una hora apropiados*)

   - ¿por qué? (*explica tu situación*)

4. Termina con una despedida adecuada y profesional.

CONÉCTATE AL MUNDO HISPANO

¿Sabías que en México se instituyó (*established*) el sistema de educación de clases televisadas llamado Telesecundaria en 1968, mucho antes de surgir (*arose*) cualquier forma de educación a distancia en los Estados Unidos? Desde hace muchos años, la educación a distancia por televisión ha ampliado (*increased*) los niveles de educación de las poblaciones rurales por todo el mundo.

   Más recientemente, los teléfonos celulares han hecho (*have made*) posible mejorar el contacto con lugares donde no llegan los cables de los teléfonos tradicionales. **La conectividad** que nos da la tecnología no solo nos conecta socialmente, sino que ha aportado (*has offered*) opciones donde antes no existían.

COMÚN VOCABUL **ESTRUCTURA** ATE

Reciclaje · Adjectives

Empareja cada profesión con la frase que describe su especialización más común, modificando el número y género de los adjetivos cuando sea necesario. Luego escribe cada término (*term*) nuevo bajo el nombre del sector de la economía donde pertenece (*it belongs*).

los arquitectos	civil y estructural
una profesora	especializado/a en cardiología
los ingenieros	universitario/a
un médico	clínico/a
un policía	de bienes raíces
las psicólogas	comercial y residencial
una agente	motorizado/a (*on a motorcycle*)

EDIFICIOS / INFRAESTRUCTURA	EDUCACIÓN	SALUD (*HEALTH*)	SEGURIDAD
_____	_____	_____	_____
_____		_____	
_____			

■ Answers to this activity are in Appendix 2 at the back of your book.

Santiago Calatrava: Arquitecto de edificios y puentes; nació en Valencia, España, en 1951.

Carlos Slim Helú: Dueño de compañías e inversionista (*investor*) en telecomunicaciones y otras industrias; nació en la Ciudad de México en 1940.

10.1 El arquitecto que diseñó este puente

The relative pronoun *que*

Para empezar...

Santiago Calatrava y Carlos Slim son dos de los profesionales más destacados (*noteworthy*) y los dos son de países hispanos. Lee las oraciones e indica con una **C** las que describen a Calatrava y con una **S** las que describen a Slim. **¡Atención!** Hay dos oraciones que no tienen que ver ni con Calatrava ni con Slim. Usa **X** para estas oraciones.

1. ____ Muchos lo comparan con Antoni Gaudí, un arquitecto español **que** hizo muchos edificios muy famosos en Barcelona.
2. ____ Tiene varias compañías **que** administran sus hijos Carlos, Marco Antonio y Patrick.
3. ____ Es el dueño de Telmex™, una compañía **que** tiene el noventa por ciento de las líneas telefónicas en México.
4. ____ Es uno de los dueños de un periódico **que** se llama el *New York Times*.
5. ____ Diseñó la Ciudad de las Artes y las Ciencias, un complejo (*complex*) de museos **que** se encuentra en Valencia, España.
6. ____ Es cocinero en un restaurante mexicano **que** está en Los Angeles.
7. ____ Uno de sus edificios nuevos es el centro de transporte del World Trade Center, **que** se abrió en Nueva York en el 2016.
8. ____ Es el dueño de Telcel™ y de América Móvil™, las dos compañías **que** dominan el mercado de teléfonos celulares en México y el resto de Latinoamérica.
9. ____ Su novela *El enlace*, **que** escribió en 1971, es de ciencia ficción.
10. ____ Es un hombre **que** aparece en las listas de las personas más ricas del mundo.

Actividades analíticas

1 The relative pronoun **que** is used to give additional information about a noun. You can easily make your sentences more informative by adding a clause with **que.**

La señora vive en esa casa.	*The woman lives in that house.*
La señora **que trabaja en el banco** vive en esa casa.	*The woman who works at the bank lives in that house.*

The additional information (here, **que trabaja en el banco**) is called a *relative clause* (**una cláusula relativa**). The relative pronoun **que** introduces the relative clause. Its equivalent in English is *that, which,* or *who,* depending on the context.

In sentence 1 in **Para empezar,** what is the relative clause that describes **un arquitecto español?** _____

2 If a relative clause has an expressed subject, this subject may appear either before or after the verb.

El libro $\begin{Bmatrix} \text{que Ana leyó} \\ \text{que leyó Ana} \end{Bmatrix}$ es muy bueno.   *The book that Ana read is very good.*

In this case, **Ana** may appear either before or after the verb **leyó** and the basic meaning is the same. With this in mind, who manages the companies described in sentence 2 of **Para empezar?** _____

■ Answers to these activities are in Appendix 2 at the back of your book.

■ For more on the relative pronoun **que,** see **Para saber más 10.1,** at the back of your book.

Actividades prácticas

A. Mayra González   Mayra González es una de las mujeres más importantes en la industria automotriz a nivel internacional. En 2019, a la edad de 40 años, fue nombrada (*named*) Directora General de Ventas (*sales*) Globales en la firma Nissan™. Empareja cada oración sobre Mayra González con la terminación adecuada. **¡Atención!** Hay una terminación que no se usa. ¿Cuál es?

CORTESIA/NOTIMEX/Newscom

Mayra González, una ejecutiva en la industria automotriz

1. ____ Nació en Guadalajara, una ciudad grande...
2. ____ Cuando era niña, le gustaba ver los coches...
3. ____ Estudió mercadotecnia (*marketing*) en una universidad...
4. ____ Dice que «tiene gasolina en las venas (*veins*)», pero le interesan mucho los coches...
5. ____ Antes de irse a Japón, trabajó tres años como presidenta de Nissan México™, una compañía automotora....
6. ____ Dice que ser líder es como ser un chófer (*driver*)...
7. ____ Alguien le dijo que en el mundo corporativo internacional, ella tiene tres grandes desventajas (*disadvantages*): es joven, es mujer y es mexicana. Estas son desventajas...
8. ____ Ahora vive y trabaja en Japón, un país...

a. que está muy lejos del lugar donde ella nació.
b. que tiene más de 90 mil alumnos.
c. que maneja un autobús. Sabes adónde vas, pero tienes que recoger (*pick up*) a la gente adecuada en el lugar correcto.
d. que iban por las calles y adivinar cuál era el modelo y el año.
e. que está en el sur de Asia.
f. que tiene más ventas en México que ninguna otra compañía de autos.
g. que usan energía (*power*) eléctrica.
h. que ella pudo superar (*overcome*) y convertir en ventajas (*advantages*).
i. que está en el oeste del país.

Autoprueba

Complete each sentence with an appropriate relative clause based on information from a previous chapter. Look back at the chapter if you need to refresh your memory.

1. En el **Capítulo 5,** leímos sobre la vida de Shakira, una cantante que ____.
2. En el **Capítulo 6,** aprendimos sobre Central, un restaurante peruano que ____.
3. También leímos sobre el huitlacoche, un hongo que ____.
4. En el **Capítulo 8,** leímos sobre las molas, una artesanía que ____.
5. En el **Capítulo 9,** aprendimos sobre la Ruta del Tequila, unas excursiones mexicanas que ____.

En español...

The word **carrera** can mean professional *career* as well as *major* or *course of study* in a college or university context.

B. Los profesionales

PASO 1. La educación y el trabajo de los profesionales son parecidos en los distintos países, pero no son siempre idénticos. En parejas, usen lo que ya saben de este tema para encontrar una terminación adecuada para cada oración. **¡Atención!** Hay una terminación que tienen que usar dos veces.

LOS ABOGADOS

1. ____ Los abogados son las personas...
2. ____ Para ser abogado en este país, primero tienes que graduarte de una escuela de derecho (*law*), una escuela especializada...
3. ____ Para ser abogado en la mayoría de los demás países, tienes que graduarte de una facultad (*school*) de derecho, una escuela especializada...
4. ____ En algunos países, «licenciado» es una palabra...

LOS MÉDICOS

5. ____ Un médico es un profesional...
6. ____ Los médicos son profesionales...
7. ____ Para ser médico en este país, primero tienes que graduarte de una escuela de medicina, una escuela especializada...
8. ____ Para ser médico en muchos otros países, primero tienes que graduarte de una facultad de medicina, una escuela especializada...

LOS TRABAJADORES SOCIALES

9. ____ Un trabajador social es un profesional...
10. ____ Los trabajadores sociales son profesionales...

TERMINACIONES

a. que trabajan en hospitales, clínicas y otros lugares.
b. que se usa también para decir «abogado».
c. que sigue después de la escuela secundaria y que también ofrece carreras en enfermería (*nursing*), nutrición y tecnología médica.
d. que ayudan a encontrar soluciones a los problemas sociales.
e. que ofrece la licenciatura (*bachelor's degree*) en Derecho.
f. que tiene la licenciatura en Trabajo Social.
g. que sigue después de la licenciatura.
h. que defienden los intereses del cliente en cuestiones jurídicas (*legal*).
i. que se dedica al tratamiento (*treatment*) y prevención de las enfermedades (*illnesses*).

PASO 2. Como ya vieron, en muchos países es común obtener una licenciatura en Medicina o en Derecho, mientras en este país, normalmente se requiere estudios de posgrado (*postgraduate*). En parejas, hagan una comparación entre el sistema que usan en este país y el sistema que usan en otros países. ¿Cuáles son las ventajas y desventajas de cada sistema?

C. Una encuesta sobre la tecnología
Circula por tu salón de clase para hacerles a tus compañeros dos de las siguientes preguntas. **¡Atención!** Todos deben responder con oraciones completas que usen el pronombre relativo **que.**

> **MODELO:** E1: ¿Cuál es el tipo de blog que te gusta más?
> E2: Los blogs que me gustan más son los blogs culinarios.

1. ¿Cuál es la página web que usas más?
2. ¿Cuál es la marca de teléfono que te parece mejor?
3. ¿Cuál es el navegador web (*browser*) que usas más?
4. ¿Cuál es el aparato que usas más: el teléfono, el portátil, la tableta u otra cosa?
5. ¿Cuál es el tipo de computadora que te gusta más: PC o Mac?
6. ¿Cuál es la aplicación o programa que te gusta más?

D. ¿Cómo se llama?   ¿Sabes bien cómo se llaman los demás estudiantes en tu clase? Pregúntale a un compañero / una compañera cómo se llaman varias personas de la clase, sin mirarlas directamente ni señalar (*nor pointing*).

> **MODELO:** ¿Cómo se llama la persona que está a la izquierda de Erica y que tiene el pelo negro?

E. Cultura: El empleo en el Perú

el Perú

PASO 1.   Lee el texto sobre el Perú.

Si un país quiere que su economía crezca,[a] es importante tener trabajadores talentosos y bien formados[b] en las industrias que más van a expandirse. Los expertos dicen que en el Perú en los próximos años va a subir[c] la inversión,[d] en particular en la infraestructura (calles y carreteras, puentes, edificios, servicios públicos, etcétera) y en la minería.[e] En estos dos campos[f] se requieren personas con experiencia en ingeniería y en construcción.

Un ingeniero peruano

Igual que el resto del mundo, los campos tecnológicos también necesitan más gente cualificada, como por ejemplo personas que sepan[g] crear páginas web o manejar bases de datos. Hay un gran número de trabajos que emplean la tecnología en el sector financiero, que también está expandiéndose mucho. Y en esta época de la globalización, es cada vez más[h] importante saber hablar varios idiomas para tratar con[i] empresas internacionales.

A pesar de la expansión, la tasa[j] de desempleo y el número de personas en el Perú que trabajan sin beneficios siguen siendo altos. Una de las razones[k] es que no hay suficientes personas con experiencia y formación adecuada para ocupar los puestos en el sector formal. En ese sentido, es importante poner énfasis en la educación. Además, es necesario que los estudiantes que se especializan en las áreas de ingeniería, minería, tecnología, administración de negocios y relaciones internacionales se mantengan al tanto de[l] los avances recientes de sus disciplinas. Y por esa razón, siempre va a haber vacantes[m] en el sector de la educación, particularmente para profesores con un buen conocimiento de estos campos laborales.

[a]quiere… *wants its economy to grow* [b]*trained* [c]*increase* [d]*investment* [e]*mining* [f]*fields* [g]*know how* [h]cada… *increasingly* [i]tratar… *deal with* [j]*rate* [k]*reasons* [l]se… *keep themselves up to date on* [m]*vacancies*

PASO 2.   Ahora empareja las frases para crear oraciones completas.

1. Las personas _____ no reciben beneficios.
2. Los alumnos peruanos _____ encuentran trabajos en empresas internacionales.
3. En una facultad de informática hay mucha gente _____.
4. Los trabajadores _____ consiguen empleo en la construcción de puentes y carreteras.
5. El Perú es un país _____.
6. El sector financiero es un campo _____.

a. que sabe manejar bases de datos
b. que está creciendo (*growing*) mucho
c. que estudian inglés o chino
d. que trabajan en el sector informal
e. que quiere expandir su economía
f. que tienen experiencia en ingeniería

 PASO 3.   En parejas, contesten las preguntas y explíquense las respuestas.

1. El Perú no es un país muy pobre, pero no tiene los recursos (*resources*) de un país rico. ¿Cómo piensas que debería gastar su dinero para crecer? ¿En qué orden de prioridad pones la educación, el ejército (*army*), la salud, el sistema judicial y el transporte, por ejemplo?
2. Las universidades son necesarias para el desarrollo económico, pero implican muchos gastos (*expenses*): las bibliotecas, las computadoras, los edificios, los profesores, los servicios para los estudiantes, etcétera. Para un país sin muchos recursos, ¿en qué orden de prioridad pones estos gastos?
3. En tu país, ¿ves una relación entre las universidades y el desarrollo económico? ¿En las regiones donde hay buenas universidades, también hay un alto nivel económico?

Reciclaje — Present indicative: *tú* forms

Usa los verbos de la lista en la forma **tú** del tiempo presente para completar las siguientes oraciones. Luego empareja la profesión con la actividad que se hace.

aceptar   cuidar (*to take care of*)   dar   hacer   tomar
apagar (*to put out*)   cortar   escribir llevar

Si eres...   **¿Qué haces?**

1. ____ bombero   a. _____ artículos o libros.
2. ____ cajero   b. _____ operaciones para curar las enfermedades.
3. ____ cirujano   c. _____ fotos de personas u objetos.
4. ____ enfermero   d. _____ el pelo de tus clientes.
5. ____ escritor   e. _____ el dinero de los clientes y les _____ cambio.
6. ____ estilista   f. _____ la salud de la gente.
7. ____ fotógrafo   g. _____ incendios (*fires*).
8. ____ taxista   h. _____ a la gente de un lugar a otro en un coche.

■ Answers to this activity are in Appendix 2 at the back of your book.

10.2 Pide ayuda para revisar tu currículum

Informal (*tú*) commands

Para empezar...

Alguna vez en la vida, casi todos tenemos que buscar trabajo. Aquí hay doce consejos (*pieces of advice*) que te pueden ayudar en ese proceso, ¡pero uno no es un buen consejo! Decide cuál es y táchalo (*cross it out*).

1. **Busca** el tipo de trabajo que quieres.
2. **Pide** ayuda para revisar tu currículum.
3. **Evita** (*Avoid*) cualquier tipo de error ortográfico en tu currículum.
4. **Piensa** bien si estás dispuesto/a (*willing*) a cambiarte de ciudad.
5. **Usa** todos los medios (*means*) posibles para buscar trabajo: el Internet, los contactos personales, tu universidad, etcétera.
6. **Vístete** bien para la entrevista (*interview*). ¡Las primeras impresiones sí cuentan!
7. **No te bañes** el día de tu entrevista. ¡Eso te da buena suerte (*luck*)!
8. **No hables** demasiado *(too much)*, pero **no te quedes** callado/a (*silent*) tampoco.
9. **Aprende** los nombres de las personas que te entrevistan.
10. **No hables** mal de los lugares donde trabajaste antes.
11. **No comas** durante la entrevista.
12. **Escribe** una nota de agradecimiento (*thank-you note*) después de la entrevista.

■ Answers to these activities are in Appendix 2 at the back of your book.

CONÉCTATE AL MUNDO HISPANO

Al presentarse para puestos de trabajo en los países hispanohablantes, es común incluir varios **elementos demográficos** en el currículum, como por ejemplo, la fecha de nacimiento, el estado civil y una foto. Muchos consideran que estos datos ayudan a dar una imagen más completa del candidato como ser humano. En los Estados Unidos, en cambio, no es común incluir este tipo de información, por temor (*fear*) a que fomente (*encourages*) la discriminación laboral.

Actividades analíticas

1 The command form of the verb (**el mandato**) expresses what you want another person to do. Commands are used to give advice, to offer invitations, and to give orders. The verb forms in bold in **Para empezar** are *informal commands* (**los mandatos informales**), used when you address the person you're speaking to as **tú.** You'll see other types of commands in **Estructura 10.3.**

Using as examples the boldfaced words in **Para empezar,** determine the informal command form of each of the following verbs.

MANDATOS INFORMALES (TÚ)		
pensar	aprender	pedir
POSITIVE _____	_____	_____

This form is exactly the same as which form of the verb in the present tense?

_____

2 The examples in **Actividad analítica 1** are all *positive commands,* which means that they invite the other person *to do* something. When you want the other person *not* to do something, you use a *negative command.*

Complete the following chart using examples that you find in **Para empezar.**

MANDATOS INFORMALES (TÚ)		
	hablar	comer	escribir
POSITIVE	habl**a**	com**e**	escrib**e**
NEGATIVE	_____	_____	no escrib**as**

The negative informal command is the same as the **tú** form of the present tense, but with the "opposite" vowel in the ending: **-es** for **-ar** verbs and **-as** for **-er** and **-ir** verbs.

3 Verbs with stem changes in the present tense also show this change in negative informal commands.

e → ie	p**e**nsar → p**ie**nsas → no p**ie**nses
o → ue	d**o**rmir → d**ue**rmes → no d**ue**rmas
e → i	p**e**dir → p**i**des → no p**i**das

Verbs ending in **-car, -gar,** and **-zar** have a spelling change in negative informal commands to preserve the **-c-, -g-,** and **-z-** sounds.

c → qu	buscar → no bus**qu**es
g → gu	pagar (*to pay*) → no pa**gu**es
z → c	empezar → no empie**c**es

(Continues)

Autoprueba

Use the pattern you just learned to give the positive (+) and negative (−) informal commands for the following verbs.

1. **trabajar**
   + _____
   − no _____
2. **correr**
   + _____
   − no _____
3. **dormir**
   + _____
   − no _____

Respuestas: 1. trabaja, trabajes **2.** corre, corras **3.** duerme, duermas

Estrategia

There are a lot of details involved in informal commands, so they may seem overwhelming at first. As you learn more about verb forms in Spanish, though (in this chapter and in the chapters ahead), you'll get a better sense of the overall system, and command forms will seem a lot more manageable.

4 Some common irregular verbs have a special positive informal command form.

VERBO	MANDATO POSITIVO INFORMAL (TÚ)	EJEMPLO	
decir	**di**	**Di** «por favor».	*Say "please."*
hacer	**haz**	**¡Haz** la tarea!	*Do your homework!*
ir	**ve**	**Ve** a la biblioteca.	*Go to the library.*
poner	**pon**	**Pon** los libros aquí.	*Put the books here.*
salir	**sal**	**¡Sal** a la calle!	*Go out on the street!*
ser	**sé**	**Sé** buen niño.	*Be a good boy.*
tener	**ten**	**Ten** esto.	*Have (Take) this.*
venir	**ven**	**Ven** a mi casa.	*Come to my house.*

Many of these positive command forms are easy to remember, because they're simply the stem of the infinitive without any ending (**-ar, -er,** or **-ir**). Circle those forms that are of this type.

Note that **ve** is the positive command form of both **ir** and **ver**. The context makes it clear which is intended.

Ve a tu casa.   *Go to your house.*

Ve la dirección de esa casa.   *Look at / See the address of that house.*

5 Verbs that use a **-g-** in the stem of the **yo** form in the present tense, such as **decir** (**digo**) and **hacer** (**hago**), use this same stem with a **-g-** in the negative informal command.

VERBO	MANDATO NEGATIVO INFORMAL (TÚ)	EJEMPLO	
decir	no **digas**	No **digas** nada.	*Don't say anything.*
hacer	no **hagas**	No **hagas** eso.	*Don't do that.*
poner	no **pongas**	No **pongas** los pies allí.	*Don't put your feet there.*
salir	no **salgas**	No **salgas** a la calle.	*Don't go out on the street.*
tener	no **tengas**	No **tengas** miedo.	*Don't be afraid* (lit., *have fear*).
venir	no **vengas**	No **vengas** tan temprano.	*Don't come so early.*

All of these are **-er** and **-ir** verbs, so they all take the ending with the "opposite" vowel (**-as**).

En español...

For regions that use **vos** instead of **tú,** commands are formed in essentially the same way: the command is the same as the present tense, but without the final **-s. Vos hablás** in the present tense, for example, becomes **hablá** as a command.

     Buscá un trabajo nuevo.   *Look for a new job.*
     Comé este pan.   *Eat this bread.*
     Vení a mi casa.   *Come to my house.*

There is only one special positive command with **vos: ir → andá.** Negative commands with **vos** are the same as those with **tú** for most speakers, though this varies by region.

6 The verbs **ir, ser,** and **ver** have irregular forms when they're negative informal commands.

VERBO	MANDATO NEGATIVO INFORMAL (TÚ)	EJEMPLO	
ir	no vayas	No vayas a la playa.	*Don't go to the beach.*
ser	no seas	No seas así.	*Don't be like that.*
ver	no veas	No veas la película.	*Don't watch the movie.*

7 Object pronouns are attached to the <u>end</u> of positive commands, and written as a single word together with the verb. After the object pronouns are attached, a written accent mark is added if needed in order to keep the stress on the original stressed syllable.

¡Siéntate!

¡Haz**lo**!	*Do it!*
¡Levánta**te**!	*Get up!*

Find one example of a positive command with an object pronoun in **Para empezar.** _____

With negative commands, object pronouns are always written before the verb.

¡No **lo** hagas!	*Don't do it!*
¡No **te** levantes!	*Don't get up!*

Find at least one example of this in **Para empezar.** _____

En español...

All of the commands shown here are used when you're addressing people as **tú.** Because **tú** is strictly singular, these commands are only used for addressing one person. To give a command to more than one person in most of the Spanish-speaking world, you would use an **Uds.** command, which you'll learn more about in **Estructura 10.3.**

   In Spain, you would likely use **vosotros** commands to a group of people you would address as **tú.** Positive **vosotros** commands are just like the infinitive form, but with the final **-r** replaced by a **-d.**

hablar → ¡Hablad (vosotros)!
comer → Comed ahora.
escribir → Escribid la tarea.

Negative **vosotros** commands are like the negative **tú** commands in that they use "opposite" vowels in their endings: **-éis** for **-ar** verbs and **-áis** for **-er** and **-ir** verbs.

no hables → ¡No habléis!
no comas → No comáis ahora.
no escribas → No escribáis con lápiz.

> ### Autoprueba
>
> Using what you now know about informal command formation and the different positions of object pronouns, write the positive (+) and negative (−) commands for the following reflexive verbs. **¡Atención!** One of the verbs has a stem change.
>
> 1. **bañarse**
>   + _____   − _____
>
> 2. **ducharse**
>   + _____   − _____
>
> 3. **dormirse**
>   + _____   − _____
>
> The verb **apurarse** (*to hurry*) is a new verb to you, but since it is regular and you know the pattern to form informal commands, you have the tools to form its positive and negative commands. Try it!
>
> 4. **apurarse**
>   + _____   − _____

Respuestas: 1. Báñate., No te bañes. **2.** Dúchate., No te duches. **3.** Duérmete., No te duermas. **4.** Apúrate., No te apures.

Actividades prácticas

A. Organiza tu día. ¿Cómo podemos usar mejor el tiempo? Las siguientes oraciones te dicen, paso por paso, cómo organizar un día de trabajo, pero están desordenadas. Ponlas en orden: la primera y la tercera ya están hechas.

a. _____ Al final del día, revisa tu lista y tacha (*cross out*) todo lo que ya hiciste. Usa las cosas que quedan pendientes (*pending*) para empezar una nueva lista para mañana.

b. _____ Haz una lista de todo lo que tienes que hacer.

c. _____ Empieza a hacer las cosas que aparecen en tu lista. Ten en mente (*Keep in mind*) el orden de prioridad que hiciste y el tiempo en que trabajas mejor.

d. _____ Revisa (*Review*) tu lista y pon las cosas en orden de prioridad.

e. _____ ¡Vete a la casa!

f. __1__ Al llegar al trabajo, siéntate en tu escritorio.

g. _____ Divide tu día en segmentos. Cada persona es distinta, así que si trabajas mejor por la mañana, usa ese tiempo para hacer los proyectos más difíciles de tu lista.

h. __3__ Pon absolutamente todo en la lista: desde las cosas más triviales hasta las cosas más importantes. ¡No tengas miedo! Si quieres, ¡puedes poner «haz una lista» en tu lista!

B. Consejos buenos y consejos malos Como probablemente ya sabes, no todos los consejos son buenos. Escucha los consejos sobre la preparación para una entrevista profesional e indica si son buenos o malos.

	UN CONSEJO BUENO	UN CONSEJO MALO
1.	☐	☐
2.	☐	☐
3.	☐	☐
4.	☐	☐
5.	☐	☐
6.	☐	☐
7.	☐	☐
8.	☐	☐
9.	☐	☐
10.	☐	☐

Vístete con ropa profesional.

Chris Ryan/OJO Images/age fotostock

C. ¿Qué hacer con tantos emails? En muchos trabajos, la cantidad de correos electrónicos es increíble y no es posible dejarlos a un lado. En parejas, creen consejos sobre qué hacer con este problema tan común. Usen las ideas de abajo o creen sus propios consejos. Luego compártanlos con la clase. **¡Atención!** Usen mandatos para crear los consejos.

IDEAS

contestar inmediatamente

indicar los mensajes que tienes que contestar todavía

borrar (*delete*) sin leer los mensajes que son correo basura (*junk*)

no dejar nada para otro día

no leer el correo electrónico antes de acostarte

no leer el correo electrónico si no tienes tiempo para contestar en ese momento

MODELO: IDEA: leer los emails

CONSEJO: Lee solamente los emails que tienen que ver (*have something to do*) con el trabajo.

D. ¡Hazme caso! Crea cinco mandatos y léelos uno por uno a un compañero / una compañera para que los haga. ¡Entre más creativo, mejor! Si quieres, puedes usar expresiones como **al mismo tiempo,** o **primero... , después... .**

MODELO: Levántate.
Baila y canta al mismo tiempo.

↻ Reciclaje | Present indicative: *Ud.* forms

En las oficinas y otros lugares de trabajo, es común usar las formas correspondientes a **Ud.** cuando hablas. Practícalo con estas oraciones, cambiándolas de **tú** a **Ud.**

	TÚ	UD.
1.	¿Necesitas ayuda?	_____
2.	Eres el nuevo gerente de la tienda.	_____
3.	¿Sabes cómo hacer esto?	_____
4.	¿Dónde pones los documentos?	_____
5.	¿Me puedes ayudar en algo, por favor?	_____
6.	¿En qué te puedo ayudar?	_____
7.	Te voy a dejar el documento en tu escritorio.	_____
8.	¿Te vas después de la reunión (*meeting*)?	_____

■ Answers to this activity are in Appendix 2 at the back of your book.

10.3   Ponga el documento sobre el cristal

Formal (*Ud./Uds.*) commands

Para empezar...

Las siguientes oraciones vienen de instrucciones para el uso de diferentes aparatos. Empareja cada oración con el aparato apropiado.

INSTRUCCIONES

1. _____ **No lo use** dentro del restaurante.
2. _____ **Ponga** el documento sobre el cristal (*glass*).
3. _____ **Ponga** más tinta (*ink*) negra.
4. _____ **Conecte** el monitor antes de usarla.
5. _____ **Use** «control c» para copiar y «control v» para pegar (*paste*).
6. _____ **Oprima** (*Press*) este botón para tomar una foto de sus amigos.
7. _____ **Indique** el tamaño del papel que va a usar: A4 o 8½ × 11.
8. _____ Si la va a usar mucho, **cómprela** con una pantalla grande.

APARATOS

a. una computadora
b. un escáner
c. una impresora
d. un teléfono móvil

Stephen VanHorn/Alamy Stock Photo

■ Answers to these activities are in Appendix 2 at the back of your book.

Actividades analíticas

1 *Formal commands* (**los mandatos formales**) are used with people that you address as **Ud.** or **Uds.*** For singular commands (with **Ud.**), the form of the verb is the same for both positive and negative formal commands (**compre Ud., no compre Ud.**), unlike the case with informal commands with **tú.** Use the examples that you saw in **Para empezar** to complete the following chart of formal command forms for **Ud.**

MANDATOS FORMALES (UD.)		
usar	comer	oprimir
POSITIVE (AND NEGATIVE) _____	(no) coma	_____

(*Continues*)

---

*Remember that you use formal **Ud.** with strangers, people who are considerably older than you, and anyone you treat with respect (such as your professor, doctor, or boss). In most places outside of Spain you'd use **Uds.** as plural *you,* so it's the plural of both **tú** and **Ud.**

As you saw with negative informal commands in **Estructura 10.2**, formal commands consist of the verb stem plus the "opposite" vowel, that is -**ar** verbs use the -**e** ending, and -**er** and -**ir** verbs use the -**a** ending. Verbs with a stem change in the present (**e → ie, o → ue, e → i**) also have this change in the formal command. Verbs that use a stem with -**g**- in the **yo** form of the present tense, such as **poner** (**pongo**), use the same stem here (**ponga**).

Change the commands from **Para empezar** into their infinitive forms and write them in the correct column below. Don't repeat any verbs.

-AR VERBS	-ER VERBS	-IR VERBS
_____ _____	_____	_____
_____ _____		

As with negative informal commands, the verbs **ir, ser,** and **ver** have special forms: **vaya, sea,** and **vea.**

2 When addressing a group of people as **Uds.**, the command form of the verb is just like the **Ud.** command form except that -**n** is added to the end. Use this information to complete this chart.

	MANDATOS FORMALES (UDS.)		
	usar	comer	oprimir
POSITIVE (AND NEGATIVE)	_____	_____	_____

3 As you saw with informal commands, the placement of object pronouns changes depending on whether the formal command is positive or negative. Complete the chart by writing whether the object pronouns for the formal commands appear *before the verb* or *after and attached to the verb*, then give an example of each case from **Para empezar.**

TIPO DE MANDATO	LOS PRONOMBRES DE OBJETO SE COLOCAN...	EJEMPLO
POSITIVE FORMAL (**UD./UDS.**)	_____	_____
NEGATIVE FORMAL (**UD./UDS.**)	_____	_____

En español...

The forms for the formal commands (**Ud.** and **Uds.**) should remind you of the negative informal (**tú**) commands seen in **Estructura 10.2.**

INFORMAL (**TÚ**) COMMAND, NEGATIVE:	¡No **pongas** el documento allí!	*Don't put (inform. sing.) the document there!*
FORMAL COMMAND (**UD.**):	¡**Ponga** el documento allí!	*Put (form. sing.) the document there!*
FORMAL COMMAND (**UDS.**):	¡**Pongan** el documento allí!	*Put (pl.) the document there!*

These three command forms have much in common: They all use a stem with -**g**- (if the verb uses -**g**- in the **yo** form of the present tense) and they all change the stem vowel (if the verb belongs to one of the stem-changing families [**e → ie, o → ue, e → i**]). In addition, they all use the same sound-preserving spelling changes (**c → qu** in -**car** verbs, **g → gu** in -**gar** verbs, and **z → c** in -**zar** verbs). These forms have so much in common because they're all derived from the present subjunctive form. You'll begin to explore the subjunctive in **Capítulo 12.**

Actividades prácticas

A. Problemas y soluciones   Empareja cada problema con una posible solución para ofrecerles consejos a varios estudiantes universitarios.

1. _____ No tenemos el libro.
2. _____ Siempre estamos cansados.
3. _____ No tenemos suficiente dinero.
4. _____ Llegamos tarde a la primera clase.
5. _____ Tenemos hambre.
6. _____ Tenemos un examen.
7. _____ Tenemos sed.
8. _____ Es viernes y ya no tenemos nada que hacer aquí.

a. Tomen un vaso de agua fría.
b. Coman algo. ¿Desean unos sándwiches?
c. Estudien mucho.
d. Pues, vayan a la librería a comprarlo.
e. ¡Duerman más!
 f. ¡Váyanse a la casa!
g. ¡Levántense más temprano!
h. Pidan más horas en el trabajo.

B. Deseos   El arquitecto español Santiago Calatrava, el inversionista mexicano Carlos Slim (ejecutivo de América Móvil) y el empresario (*businessperson*) español Amancio Ortega (dueño de Zara) son personas de mucha influencia en el mundo de los negocios. Por cierto (*Indeed*), Slim y Ortega están entre las personas más ricas del mundo.

PASO 1.   Las siguientes oraciones son deseos (*wishes*) que podrías (*you could*) pedirles a estos tres hombres. Completa cada deseo (si es necesario) para hacerlo más a tu gusto (*to your taste*) e indica a quién le corresponde.

SANTIAGO CALATRAVA	CARLOS SLIM	AMANCIO ORTEGA	
☐	☐	☐	1. Haga más ropa de color _____.
☐	☐	☐	2. Invíteme a su casa en México.
☐	☐	☐	3. Diseñe un edificio para la ciudad de _____.
☐	☐	☐	4. Deme un trabajo como _____ en América Móvil.
☐	☐	☐	5. Haga un puente en el río _____ (o entre _____ y _____).
☐	☐	☐	6. Ponga una tienda Zara en _____.
☐	☐	☐	7. Regáleme un plan de servicio telefónico.
☐	☐	☐	8. Deme un trabajo como _____ en Zara.
☐	☐	☐	9. Diseñe un(a) _____ para el campus de mi universidad.

PASO 2.   ¿Qué industria te interesa más: la de la moda, la de las telecomunicaciones o la de la arquitectura? Formen grupos según sus intereses y hagan por lo menos tres recomendaciones (en forma de mandato) para el hombre del **Paso 1** (Calatrava, Slim u Ortega) que corresponde al interés del grupo.

> **MODELO:**   Haga faldas largas para la colección del otoño.

C. Descripciones y consejos   Para cada una de las profesiones en la tabla, escoge **una descripción** de lo que hace una persona con mucha experiencia. Luego escoge el mandato formal para darle **un consejo** a una persona que apenas (*barely*) empieza en ese trabajo.

	UNA DESCRIPCIÓN	UN CONSEJO
1. una abogada	_____	_____
2. una enfermera	_____	_____
3. un diseñador gráfico	_____	_____
4. un profesor de yoga	_____	_____

(*Continues*)

a. Piensa en el aspecto visual de los documentos.
b. Cuide a sus pacientes.
c. Defienda los derechos (*rights*) de su cliente.
d. Tiene mucha paciencia cuando da la clase.

e. Defiende los derechos (*rights*) de su cliente.
f. Piense en el aspecto visual de los documentos.
g. Cuida a sus pacientes.
h. Tenga mucha paciencia cuando da la clase.

D. Amor en la oficina

PASO 1.   Lee la carta al Doctor Amor. Luego, en grupos, decidan cuáles son las tres mejores y las tres peores sugerencias (*suggestions*). ¿Hay alguna en la lista de las mejores respuestas de un grupo y también en la lista de las peores respuestas de otro grupo?

> Para: Doctor@amor.com
> De: Anónimo
> Asunto: Problemas de amor
>
> Doctor Amor:
>
> Somos amigos de muchos años, y desde hace un mes, trabajamos en la misma compañía. El problema que tenemos es que estamos enamorados (*in love*) de la misma mujer. Los tres somos arquitectos y trabajamos juntos en la misma oficina, pero ella lleva mucho más tiempo en este trabajo que nosotros y tiene un puesto (*position*) más alto. ¡Ayúdenos! ¿Qué hacemos? Ella no sabe nada de esto.
>
> —Dos amigos anónimos

1. **Hablen** con ella y **explíquenle** cómo es la situación. **Pídanle** su opinión.
2. **Regresen** al trabajo y ya no **piensen** en eso.
3. **Salgan** juntos a cenar y a bailar con ella, y a ver qué pasa.
4. **Olvídenla** y **busquen** trabajo en otra compañía.
5. **Busquen** novias en otra parte, fuera del trabajo.
6. **Dejen** de (*Stop*) ser amigos y **mantengan** (*keep*) una relación profesional.
7. **Explíquenles** la situación a todos sus compañeros del trabajo y **pídanles** su opinión.
8. **Cálmense** (*Calm down*) y **esperen** un mes. Si para ese entonces todavía tienen el mismo problema, **escríbanme** de nuevo.
9. **Pónganse** a pelear (*fight*) allí en la oficina. El ganador (*winner*) puede preguntarle a ella si quiere salir con él.
10. No le **digan** nada. **Pongan** todo su tiempo y energía en el trabajo, y van a ver que este problema va a desaparecer (*disappear*).

PASO 2.   Ahora creen dos consejos más, uno bueno y uno malo y compártanlos con la clase.

E. ¿Qué les dices a los nuevos?   A los nuevos estudiantes que llegan a tu universidad por primera vez, ¿qué les puedes aconsejar sobre dónde comer, dónde estudiar, dónde vivir y qué clases tomar? En grupos, creen una lista de tres o cuatro consejos para cada una de estas categorías. Pongan su mejor sugerencia para cada categoría en la pizarra.

dónde comer   dónde estudiar   dónde vivir   qué clases tomar

MODELO: Coman (Uds.) en el restaurante Mi Rancho Grande. Allí tienen la mejor comida de la ciudad a los mejores precios.

¡Leamos!

Puestos y placeres

Antes de leer

PASO 1. En parejas, describan el trabajo «ideal». ¿En qué consiste? ¿Qué beneficios (*benefits*) hay? ¿Cómo es el sueldo (*salary*)? ¿Dónde trabaja la persona que ocupa este puesto ideal? ¿Están de acuerdo Uds. o tienen trabajos ideales muy distintos? Prepárense para compartir sus ideas con la clase.

PASO 2. Empareja cada puesto de trabajo poco común con la descripción apropiada. Luego indica cuáles de los trabajos te gustaría hacer y cuáles no.

	ME GUSTARÍA	NO ME GUSTARÍA
1. ____ catador(a) (*taster*) de helados	☐	☐
2. ____ cuidador(a) (*caretaker*) de isla paradisíaca	☐	☐
3. ____ diseñador(a) de los vestidos de Barbie™	☐	☐
4. ____ diseñador(a) de nuevos videojuegos	☐	☐
5. ____ enfermo/a (*sick person*) imaginario	☐	☐
6. ____ crítico/a de aire	☐	☐

a. cuidar de la isla Hamilton, situada en la Gran Barrera de Coral (*Great Barrier Reef*) de Australia
b. probar los sabores (*flavors*) hasta encontrar el resultado más satisfactorio para ser lanzado (*launched*) al mercado
c. viajar en los vuelos de los competidores para saber qué ofrecen
d. desarrollar (*develop*) ropa para la compañía Mattel™
e. fingir (*pretend*) que tiene una enfermedad (*illness*) para que los alumnos de medicina se entrenen haciendo diagnósticos
f. desarrollar ideas o conceptos y crear niveles (*levels*) para los juegos en desarrollo

A leer

Lee el artículo sobre los puestos ideales. Luego escribe el puesto de trabajo que corresponde a cada sueldo.

Puestos y placeres

por Soraya Almendros

Entrevistamos sobre su futuro a más de cien alumnos recién graduados de la universidad. Un tema que salió en todas las entrevistas fue querer conseguir un puesto divertido, bien remunerado[a]... ideal. Le pedimos a los entrevistados que describieran[b] el puesto de sus sueños, pero las respuestas nos decepcionaron.[c] ¡Qué aburridas!

Viktor1/Shutterstock

[a] bien... *well paid*   [b] que... *to describe*   [c] *disappointed*

(*Continues*)

Este resultado nos hizo preguntarnos: «¿Cuál es el puesto ideal? ¿Existe?». A partir de esto, realizamos más entrevistas y este artículo.

LUCILA: Soy crítica de aire. Estudié idiomas porque me gustaba viajar. Después de tres puestos agobiantes,[d] conseguí este con la aerolínea. No soy pilota ni azafata.[e] Hago viajes todo el año, en primera clase, en vuelos de la competencia,[f] a ciudades grandes y a algunos destinos exóticos.

TOMÁS: Bueno, en la universidad era muy quejón[g] y me hacía el enfermo[h] para no ir a clase. Ahora tengo el puesto de enfermo imaginario. Trabajo en un hospital docente[i] donde me quejo[j] de mis síntomas. Hoy tengo la gripe.

ALBERTO: Cuando mi esposa y yo nos casamos, fuimos de luna de miel[k] a Australia. Allí supimos que se solicitaba un cuidador para la isla Hamilton. La visitamos y, como mi esposa es escritora y puede trabajar dondequiera,[l] solicité el puesto.

MONA: Hay algo de revancha[m] en mí, por todos esos años que mis padres me regañaban:[n] «Basta ya[ñ] de los videojuegos» o mi favorito: «¡Te pierdes la vida jugando esa basura!». Sigo perdiéndome la vida jugando videojuegos, pero ahora los diseño.

RAÚL: Me gradué en moda y diseño. Trabajé con dos compañías antes de conseguir este puesto, el más divertido y gratificante. En este puesto —mis amigos se divierten con esto— diseño ropa para la muñeca[o] Barbie.

LOLA: Soy catadora de helados. Mi puesto en dos palabras: ¡como helado!

Para los que piensan que estos puestos pagan poco, a ver si estos datos desvanecen[p] sus dudas. Al volver de sus viajes, el jefe de Lucila le paga 2.400 dólares al mes por sus informes sobre la competencia. Por cada mes que pasa haciéndose el enfermo, le pagan a Tomás 1.440 dólares. Alberto y Susan no solo viven en un paraíso donde pasan los días buceando y disfrutando de[q] las playas, sino que Alberto también recibe 16.000 dólares al mes por cuidar la isla. Por cada juego que Mona diseña, le pagan 2.000 dólares. Raúl gana 5.000 dólares mensuales[r] por diseñar vestidos chiquititos[s] para Barbie. Y finalmente, Lola gana 4.600 dólares al mes por degustar[t] helados y determinar el sabor más satisfactorio.

[d]*exhausting* [e]*flight attendant* [f]*competition* [g]*muy... a big complainer* [h]*me... I pretended to be sick* [i]*teaching (adj.)* [j]*me... I complain* [k]*luna... honeymoon* [l]*wherever* [m]*vengeance* [n]*scolded* [ñ]*Basta... Enough already* [o]*doll* [p]*dispel* [q]*disfrutando... enjoying* [r]*monthly* [s]*tiny* [t]*tasting*

1. 1.440 dólares al mes
_____

2. 2 mil dólares por producto
_____

3. 2.400 dólares al mes
_____

4. 4.600 dólares mensuales
_____

5. 5 mil dólares al mes
_____

6. 16 mil dólares al mes
_____

De los seis, ¿cuál es el trabajo que paga mejor?

Después de leer

PASO 1.   Contesta las siguientes preguntas.

1. Según el título, ¿por qué son ideales los empleos que describe el autor?
2. ¿Cuál puesto de trabajo requiere los talentos de un actor? ¿Por qué?
3. De los trabajos descritos en el artículo, ¿cuál es el mejor pagado? ¿Y el peor pagado?
4. Si trabajas como crítico de aire para Southwest™, ¿vas a viajar mucho en vuelos de Southwest como parte de tu trabajo? Explica por qué.

PASO 2.   De los trabajos mencionados en el artículo, ¿cuál prefieres tú? Explica tu decisión.

PASO 3.   En grupos, escojan uno de los trabajos del artículo y preparen una descripción para presentar al resto de la clase. Usen la información del artículo y sus propias ideas o busquen en Internet para poder hablar de estos aspectos del puesto de trabajo.

■ los requisitos   ■ las ventajas   ■ las desventajas

¡Escuchemos!

La tecnología en el lugar
de trabajo

 ## Antes de escuchar

En parejas, apunten una lista de los elementos tecnológicos que usan más en sus
estudios y trabajos. Luego pónganlos en orden de más a menos importante.

 ## A escuchar

Mira y escucha el video. Luego mira otra vez y escribe un mínimo de 5 elementos
tecnológicos que menciona Minerva en la tabla que aparece al pie de la página
(en **Después de escuchar**). Donde Minerva usa sinónimos, apunta los dos términos.

Minerva, de México

Klic Video Productions/
McGraw-Hill

Después de escuchar

De la lista que hiciste en **A escuchar,** haz un sondeo (*survey*) de la frecuencia
con que usan los elementos tecnológicos varios compañeros de clase y escribe
los resultados en la tabla. Basándote en los resultados, ¿cuál es el elemento
tecnológico que más se usa? ¿Están de acuerdo muchos?

MODELO: E1: ¿Con qué frecuencia usas la impresora?
E2: La uso de vez en cuando.

	NUNCA	DE VEZ EN CUANDO	UNA VEZ AL DÍA	VARIAS VECES CADA DÍA
1.				
2.				
3.				
4.				
5.				
6.				

Estrategia

Because this video
consists of mostly familiar
vocabulary and includes
visual cues, use it as an
opportunity to pick up new
vocabulary that could be
important when your
device battery power
plummets. What is the new
noun and its corresponding
verb that you hear
mentioned in the video?
noun _____
verb _____
You will increasingly be
able to pick up new
vocabulary in this way—
while actively communicating
in Spanish.

¡Escribamos!

La carrera de mis sueños

Para conseguir un puesto de trabajo, tienes que explicar por qué eres el/la mejor candidato/a, ofreciendo justificaciones y ejemplos de tu experiencia. ¿Puedes describir la carrera profesional ideal para ti?

Estrategia

Supporting details

A solid thesis statement to open a paragraph should assert something, then the rest of the paragraph should explicitly support that assertion. Good supporting details include facts, statistics, examples, background information, descriptive adjectives, and brief anecdotes.

Antes de escribir

Escribe la información apropiada para la carrera de tus sueños.

- el campo (*field*) y el puesto de trabajo
- las responsabilidades
- la experiencia necesaria para el puesto
- la tecnología u otras destrezas (*skills*) necesarias

A escribir

En tres párrafos, describe la carrera de tus sueños. En la primera frase, describe la carrera ideal. En el resto del primer párrafo, explica por qué te interesa el campo (o cómo te interesó). En el segundo párrafo, describe con más detalle el puesto ideal para ti, qué experiencia requiere el puesto y luego explica si tienes esa experiencia o si la vas a tener en el futuro. Termina el ensayo con un párrafo sobre qué tipo de tecnología se requiere, cómo tiene que usarse y si hay otras destrezas necesarias que tienes que te pueden ayudar en este campo.

MODELO: La carrera de mis sueños es la medicina. Mis padres son doctores en una zona rural. Desde una edad joven, entendí la importancia del cuidado médico básico. En la escuela disfruté de mis cursos de ciencias y siempre sacaba buenas notas (*grades*). El verano pasado hice una práctica en una clínica en mi pueblo.

El puesto ideal para mí es ser médico de familia. En los Estados Unidos hay muchos especialistas, pero no hay muchos médicos de familia (o doctores de atención primaria)...

Después de escribir

Revisa tu ensayo. Luego intercambia ensayos con un compañero / una compañera para evaluarlos. Lee el ensayo con cuidado para revisar los siguientes puntos.

☐ Empieza con una descripción breve y clara de la carrera ideal.

☐ Explica la historia de su interés en el campo.

☐ Usa detalles para describir el puesto ideal.

☐ Describe la experiencia necesaria para el puesto.

☐ Explica el papel de la tecnología en su trabajo futuro.

☐ Usa el imperfecto para describir en el pasado.

☐ Usa el pretérito para hablar de las acciones que ocurrieron en el pasado.

☐ Hay concordancia entre sujetos y verbos.

☐ Hay concordancia entre sustantivos y adjetivos.

☐ Tiene la ortografía correcta.

Después de revisar el ensayo de tu compañero/a, devuélveselo. Mira tu propio ensayo para ver los cambios que tu compañero/a te recomienda y haz las revisiones necesarias.

¡Hablemos!

¿Le puedo dar un mensaje?

Antes de hablar

En parejas, hablen de las llamadas telefónicas más profesionales que han hecho (*made*) o recibido (*received*). Pueden ser llamadas para hablar del producto o servicio de una compañía, un mensaje recordatorio sobre una cita médica, llamadas en el lugar de trabajo, entrevistas por teléfono: cualquier contexto que no sea personal (entre amigos).

- ¿Cuándo fue?
- ¿Llamaste tú o te llamaron?
- ¿Con quién(es) hablaste?
- ¿Por qué?

A hablar

En parejas, túrnense para hacer las llamadas telefónicas en que le pides a tu compañero/a la información específica que tu profesor(a) le dará (*will give*).

MODELO: *Instrucciones para E1: Quieres el número de servicio al cliente.*
     E1: ¡Rin, rin!
     E2: ¿Aló? (¿Bueno?, ¿Diga?, ¿Dígame?)
     E1: Buenas tardes. Soy ＿＿. Busco el número de teléfono de servicio al cliente.
     E2: Claro. Es 3-52-60-70.
     E1: Gracias.
     E2: De nada.

Después de hablar

En grupos, hablen de las llamadas telefónicas. ¿Entendieron lo que querían las personas que llamaron? ¿Consiguieron lo que querían? ¿Cuáles fueron los retos (*challenges*) y los triunfos? Presenten los resultados al resto de la clase.

VOCABULARIO

Now that I have completed the chapter, I can . . .

☐ conduct myself professionally on the phone
☐ introduce people to each other
☐ talk about professions and technology used in the workplace
☐ give more detailed descriptions of a person, place, or thing
☐ make requests, invitations, and commands
☐ talk about work and professions in the Spanish-speaking world

Comunicación / Communication

Quisiera + *inf.*	I'd like to . . .
A sus órdenes.	At your (*form.*) service. (*lit.,* At your orders.)
¿En qué puedo servirle(s)?	How may I help you (*form. s./pl.*)?
Es / Fue / Ha sido un placer.	It's / It was / It has been a pleasure.
Para servirle.	At your (*form.*) service. (*lit.,* [I'm here] To serve you.)
Quiero presentarle(s) a...	I'd like you (*form. s./pl.*) to meet . . .
Quiero presentarte a...	I'd like you (*inform. s.*) to meet . . .
Encantado/a.	Nice to meet you. (*lit.,* Enchanted.)
Es un placer.	Nice to meet you. (*lit.,* It's a pleasure.)

Repaso: Con mucho gusto., Mucho gusto.

Las profesiones y los oficios / Professions and Trades

el/la agente de bienes raíces	real estate agent
el/la agente de seguros	insurance agent
el/la bloguero/a	blogger
el/la bombero/a	firefighter
el/la cajero/a	cashier
el/la cirujano/a	surgeon

el currículum	résumé, curriculum vitae (CV)
el/la diseñador(a) gráfico/a	graphic designer
el/la dueño/a	owner
el/la ejecutivo/a	executive
el/la empleado/a	employee
el/la empresario/a	businessperson
el/la enfermero/a	nurse
la entrevista	interview
el/la escritor(a)	writer
el/la gerente	manager
el jefe / la jefa	boss
el/la juez(a)	judge
el/la maestro/a	teacher
el/la programador(a)	programmer
el puesto	job/position
la sala de justicia	courtroom
el/la trabajador(a) social	social worker
el tribunal	court

Cognados: el/la arquitecto, el/la asistente administrativo/a, el/la cosmetólogo/a, el/la dentista, el/la director(a) de marketing, el/la fotógrafo/a, el/la secretario/a

Repaso: el/la abogado/a, el/la camarero/a, el/la chofer, el/la doctor(a), el/la estudiante, el/la guía (naturalista), el/la ingeniero/a, el/la médico/a, el/la periodista, el/la pintor(a), el/la policía, el/la profesor(a), el/la psicólogo/a, el/la sociólogo/a

La tecnología / Technology

el adjunto	attachment
el asunto	subject
la computadora portátil / el portátil	laptop computer
el correo electrónico	email
la despedida	closing (*in a letter*)
la impresora	printer
el mensaje	message
la pantalla	screen
el saludo	greeting
el teclado	keyboard

Cognados: la computadora, la (computadora) laptop, el email, el escáner, la tableta

Los verbos	Verbs
adjuntar	to attach
bajar	to download
conectarse	to get online
conseguir (i, i) (un puesto de trabajo)	to get (a job/position)
contratar	to hire
entrevistar	to interview
enviar (í)	to send
estar (*irreg.*) dispuesto/a	to be ready/willing
mandar	to send
preparar un currículum	to prepare a résumé/CV
solicitar (empleo / trabajo)	to apply for (work / a job)
subir	to upload

Un email profesional	A professional email
Estimado/a...	Dear . . .
Atentamente	Sincerely

Design Elements: Headphones: Shutterstock/Orchid24; Keyboard: McGraw-Hill Education/Mark Dierker; Microphone: Tzido/Getty Images; Clapboard: Ingram Publishing/Alamy; Smartphone: McGraw-Hill Education/David Planchet; Tablet: McGraw-Hill.

¡Estás en tu casa!

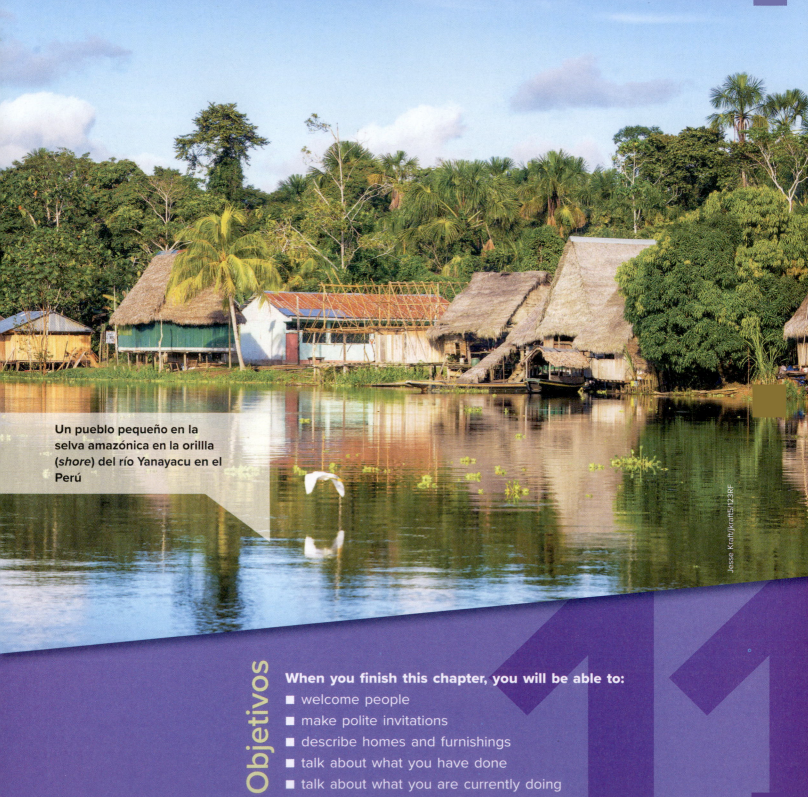

Un pueblo pequeño en la selva amazónica en la orilla (*shore*) del río Yanayacu en el Perú

Jesse Kraft/jkraft5/123RF

Objetivos

When you finish this chapter, you will be able to:

- welcome people
- make polite invitations
- describe homes and furnishings
- talk about what you have done
- talk about what you are currently doing
- discuss housing in the Spanish-speaking world and its cost

¡Bienvenido!
Welcoming people

 A. A ver: ¡Bienvenidos!   ¿Qué les dicen estos hispanos a los estudiantes que piensan visitar sus países? Mira y escucha. Luego mira otra vez con pausas y escoge la mejor respuesta.

1. Aníbal, de Panamá
   a. Le damos la bienvenida siempre.
   b. Os doy la bienvenida.
   c. Siempre van a ser bienvenidos.
   d. Son bienvenidos.

2. Guillermo, de España
   a. Le damos la bienvenida.
   b. Os doy la bienvenida.
   c. Siempre van a ser bienvenidos.
   d. Son bienvenidos.

3. Pedro, de México
   a. Si pueden venir, ¡bienvenidos!
   b. Siempre van a ser bienvenidos.
   c. Son bienvenidos.
   d. Todo el mundo es bienvenido.

4. Allan, de Costa Rica
   a. Si pueden venir, ¡bienvenidos!
   b. Siempre van a ser bienvenidos.
   c. Son bienvenidos.
   d. Todo el mundo es bienvenido.

5. Vilma, de Colombia
   a. Bienvenidos siempre.
   b. Le damos la bienvenida.
   c. Son bienvenidos.
   d. Todo el mundo es bienvenido.

6. Alexis, de Costa Rica
   a. Le damos la bienvenida.
   b. Os doy la bienvenida.
   c. Siempre son bienvenidos.
   d. Todo el mundo es bienvenido.

7. Sylvia, de Argentina
   a. Si pueden venir, ¡bienvenidos!
   b. Siempre van a ser bienvenidos.
   c. Son bienvenidos.
   d. Todo el mundo es bienvenido.

8. Víctor, de México
   a. Bienvenidos siempre.
   b. Le damos la bienvenida.
   c. Son bienvenidos.
   d. Todo el mundo es bienvenido.

9. Mauricio, de Costa Rica
   a. Si pueden venir, ¡bienvenidos!
   b. Bienvenidos siempre.
   c. Siempre van a ser bienvenidos.
   d. Todo el mundo es bienvenido.

Truth-Function/McGraw-Hill

To say *Welcome!,* use **¡Bienvenido(s)!** or **¡Bienvenida(s)!**

To specify who is welcome, use this construction: *subject* + **ser** + **bienvenido/a/os/as.**

Ud. es siempre bienvenido aquí.	You're always welcome here.

To use the equivalent of the verb *to welcome,* use this construction:
indirect object pronoun + **dar** + **la bienvenida a** + *noun*.

Les damos la bienvenida a los estudiantes.	We welcome students. (*lit.,* We give welcome to the students.)

En español...

To address people whose names you do not know, it is common to use these words.

señor(es) for men (*sir; sirs* or *gentlemen* in English)

señora(s) for older women and a married woman (*Mrs./ma'am; ladies*)

joven/jóvenes for younger males, from adolescence to their early 20s (*young man*; *young men*)

señorita(s) for younger, unmarried women (*Miss; ladies*)

These are all commonly used in the Spanish-speaking world, and you may come across as slightly rude or abrupt if you leave them out.

B. ¡Bienvenidos! Mira las imágenes y decide qué saludo de bienvenida debes usar para cada una.

MODELO:

¡Bienvenida, señora!

1.

_____

2.

_____

3.

_____

4.

_____

Pasa

Making polite invitations

Here are some commands that can be used as polite invitations. Adding **por favor** to these commands will soften them even more, ensuring that your audience receives them as friendly, not bossy.

TÚ	UD.	UDS.	
Come más.	**Coma más.**	**Coman más.**	Have some more (food).
¡Diviértete!	**¡Diviértase!**	**¡Diviértanse!**	Have fun!
Pasa.	**Pase.**	**Pasen.**	Come in.
Siéntate.	**Siéntese.**	**Siéntense.**	Have a seat.
¡Sírvete!	**¡Sírvase!**	**¡Sírvanse!**	Help yourself!

A. Pase Ud.

PASO 1. Empareja cada imagen con la mejor invitación. **¡Atención!** Usa cada invitación solo una vez.

1. ____

2. ____

3. ____

4. ____

5. ____

a. Diviértanse.
b. Pase.
c. Pasen.
d. Siéntese.
e. Sírvanse.

CONÉCTATE AL MUNDO PROFESIONAL

As you see in **Actividad A,** in professional contexts, it's best to defer to the formal register, **usted(es),** at least at first. Then observe your surroundings carefully: Do people tell you it's okay to use the informal **tú**? Are you the only person using the formal register? Is there a difference related to job titles or seniority? This model of deferring to the most formal approach first can be applied to a lot of workplace culture: use of mobile devices, breaks, written correspondence, language use, and so on.

(Continues)

PASO 2.   Para cada imagen, indica qué mandato debes usar.

1.

☐ Siéntate.
☐ Siéntese.
☐ Siéntense.

2.

☐ Pasa.
☐ Pase.
☐ Pasen.

3.

☐ Pasa.
☐ Pase.
☐ Pasen.

4.

☐ Siéntate.
☐ Siéntese.
☐ Siéntense.

5.

☐ Sírvete.
☐ Sírvase.
☐ Sírvanse.

6.

☐ Come más.
☐ Coma más.
☐ Coman más.

PASO 3.   En parejas, inventen por lo menos dos mandatos más para cada imagen en el **Paso 2. ¡Atención!** No se olviden de mantener el nivel de formalidad apropiado.

MODELO: (imagen 1) ¡Juega un videojuego conmigo! Cuéntame de tu día. No te olvides de llamar a tu mamá.

B. Las invitaciones en la clase   En parejas, practiquen «las visitas». Un(a) estudiante llega, toca a (*knocks on*) la puerta y el otro / la otra lo/la invita a entrar, a sentarse y a comer algo. Luego practiquen con otra pareja para usar la forma de **Uds.**

MODELO: E1: (*Toca a la puerta.*)
E2: ¡Hola! Pasa. Bienvenido/a.
E1: ¿Qué pasa?
E2: Tenemos pizza. Sírvete, por favor.

La casa y los cuartos

Rooms and other parts of a home

A. Un piso en Madrid

PASO 1.   Usa el vocabulario de los dibujos para completar la descripción de un apartamento en Madrid.

apartamento   ascensor   escalera   jardín   pasillo   tendedero

Vivo en un _____ (o «piso», como decimos aquí en España) en un **edificio** moderno en Madrid. Para subir a **la tercera planta,** tienes que usar el _____ o, si prefieres hacer más ejercicio, la _____. Al entrar en nuestro piso, hay dos **dormitorios** y entre los dos hay **un cuarto de baño.** Luego si pasas por el _____, está **la cocina** a la derecha y **un salón** a la izquierda. Si cruzas el salón, vas a ver **la terraza** con plantas, hierbas y flores. ¡Tenemos nuestro propio _____ en la terraza! Tenemos una mesa para comer y relajarnos allí. La vista es bellísima. Además, tenemos el _____ para colgar la ropa limpia para secarse al aire.

PASO 2.   Contesta las siguientes preguntas sobre el lugar donde vives.

1. ¿Cuántas plantas tiene tu casa o apartamento?
2. ¿Hay ascensor en tu edificio?
3. ¿Tienes tu propio dormitorio o lo compartes con otra(s) persona(s)?
4. ¿Cuántas personas comparten el cuarto de baño donde vives? ¿Quién lo limpia normalmente?
5. Si hay una cocina donde vives, ¿cómo es? ¿Es grande? ¿Moderna? Si no hay cocina, ¿echas de menos (*miss*) tener una cocina?

En español...

You already know the first ordinal numbers in Spanish, **primer(a), segundo/a** and **tercer(a).** The ordinal numbers for 4–10 are as follows:

4th = **cuarto/a**

5th = **quinto/a**

6th = **sexto/a**

7th = **séptimo/a**

8th = **octavo/a**

9th = **noveno/a**

10th = **décimo/a**

Los muebles y los electrodomésticos
Furniture and appliances

A. ¿Cúal no se encuentra (*isn't found*) en...? Lee las siguientes preguntas y para cada una, selecciona la respuesta más lógica.

1. ¿Cuál de las siguientes cosas no se encuentra en una cocina normalmente?

a. **un sofá**

b. **un fregadero**

c. **una estufa**

d. **un refrigerador**

2. ¿Cuál de las siguientes cosas no se encuentra en un cuarto de baño?

a. **una bañera**

b. **un lavabo**

c. **una cama**

d. **un espejo**

3. ¿Cuál de las siguientes cosas no se encuentra en un dormitorio / una habitación?

a. **un armario**

b. **una mesita de noche**

c. **una lámpara**

d. **un lavaplatos**

4. ¿Cuál de las siguientes cosas no se encuentra en el salón?

a. **un sillón**

b. **un estante**

c. **una ducha**

d. **un televisor**

5. ¿Cuál de las siguientes cosas no requiere electricidad para funcionar?

a. **la aspiradora**

b. **el inodoro**

c. **la lavadora**

d. **el microondas**

To talk about household chores (**los quehaceres domésticos**) in Spanish, the following vocabulary is useful.

barrer (el piso)	to sweep (the floor)
hacer la cama	to make the bed
lavar (los platos, el suelo)	to wash/clean (the dishes, the floor)
limpiar	to clean
pasar la aspiradora	to vacuum
sacar la basura	to take out the trash
sacudir; quitar / sacar el polvo	to dust

B. ¿Cómo son las partes de la casa?   Empareja las partes de la casa con su mejor descripción.

1. _____ la parte subterránea
2. _____ el cuarto (*room*) que se usa para dormir durante la noche
3. _____ una parte exterior con plantas y flores
4. _____ la parte donde se aparca el coche
5. _____ el cuarto que tiene mesa y sillas y que se usa para cenar
6. _____ la parte que conecta un cuarto a otro
7. _____ el cuarto que se usa para ducharse

a. el comedor
b. el cuarto de baño
c. el dormitorio
d. el garaje
e. el jardín
f. el pasillo
g. el sótano

C. ¿Qué haces en cada cuarto?

PASO 1.   Indica si cada oración describe una acción lógica o no.

	LÓGICA	NO ES LÓGICA
1. Me afeito en el garaje.	☐	☐
2. Me baño en la cocina.	☐	☐
3. Me lavo los dientes en el cuarto de baño.	☐	☐
4. Cocino en el dormitorio.	☐	☐
5. Como en el comedor.	☐	☐
6. Descanso (*I rest*) en la terraza.	☐	☐
7. Duermo en el cuarto de baño.	☐	☐
8. Me ducho en el pasillo.	☐	☐
9. Escucho música en el salón.	☐	☐
10. Lavo la ropa en el sótano.	☐	☐
11. Me lavo las manos en el salón.	☐	☐
12. Leo en el dormitorio.	☐	☐
13. Tomo el sol en el jardín.	☐	☐
14. Veo la televisión en el salón.	☐	☐

 PASO 2.   Ahora, en parejas, túrnense para cambiar todas las acciones ilógicas a acciones lógicas para Uds.

CONÉCTATE AL MUNDO HISPANO

Antoni Gaudí i Cornet fue un famoso arquitecto español que nació en Cataluña, España, en 1852 y murió en 1926. Cuando diseñaba casas y otras estructuras, prefería trabajar con modelos tridimensionales en vez de con modelos planos (*flat*), y siempre improvisaba e incorporaba otros trabajos artesanales hechos de madera, cerámica, metal, vidrio y otros materiales. Su estilo, orgánico e innovador para esa época, ha sido reconocido mundialmente. A Gaudí le gustaba mucho la naturaleza y sus obras fueron inspiradas por ella. Entre sus mejores obras destacan (*stand out*) tres que están en Barcelona: la Casa Milà (en la página 121 de este libro), de paredes ondulantes (*wavy*); el parque Güell, cubierto de mosaicos multicolores; y el Templo de la Sagrada Familia, una basílica que todavía está en construcción.

D. A ver: En casa de Jordi y Elena

PASO 1. Mira el video varias veces e indica las partes de la casa mencionadas por Jordi.

☐ la cocina ☐ el dormitorio ☐ el salón
☐ el cuarto de baño ☐ el garaje ☐ el sótano
☐ la despensa (*pantry*) ☐ el jardín ☐ la terraza

¿Qué electrodoméstico (*appliance*) *no* menciona Jordi?

☐ la batidora (*mixer*) ☐ el lavavajillas (lavaplatos) ☐ la nevera (*refrigerator*)
☐ el horno (*oven*) ☐ el microondas ☐ la placa (*cooktop*)

PASO 2. Mientras miras el video otra vez, indica tres verbos que usa Jordi en cada parte de su apartamento. Luego contesta la pregunta.

1. En el salón
   ☐ comer ☐ dormir
   ☐ descansar (*to rest*) ☐ lavar

2. En la terraza
   ☐ comer ☐ estar
   ☐ descansar ☐ preparar

3. En la cocina
   ☐ cocinar ☐ lavar
   ☐ descansar ☐ preparar

Según Jordi, ¿cuál es la cosa que no puede faltar en ninguna cocina española?

_____

E. El juego de las veinte preguntas   Formen grupos de por lo menos tres personas. Un miembro del grupo debe seleccionar un cuarto, un mueble o un aparato electrodoméstico. Los otros miembros deben hacerle preguntas de sí o no hasta adivinar la palabra correcta.

MODELO: (E1 selecciona la palabra «fregadero» sin decírsela a los otros estudiantes.)
E2: ¿Es un mueble?
E1: No.
E2: ¿Está en el salón?
E1: No.
E3: ¿Está en la cocina?
E1: ¡Sí!
E2: ¿Se usa para cocinar?...

F. ¿Cómo son nuestras casas?

PASO 1. Piensa en un cuarto de tu casa, residencia o apartamento. Apunta todos los detalles que puedes recordar sobre el cuarto. ¿Qué cuarto es? ¿Qué muebles y otras cosas hay en el cuarto? ¿Dónde se encuentran (*are they located*)? ¿Qué haces en el cuarto? Para explicar bien la ubicación (*location*) de cada mueble, usa estas expresiones.

a la derecha/izquierda de	detrás de
al lado de	en medio de (*in the middle of*)
cerca/lejos de	encima de (*on top of*)
debajo de (*below*)	enfrente de

PASO 2. En parejas, túrnense para describir sus cuartos. Mientras una persona describe el cuarto, la otra debe dibujar el plano (*floor plan*) con todas las cosas que escucha. Luego intercambien (*exchange*) dibujos. ¿Es parecido el dibujo de tu pareja al cuarto que describiste?

G. ¿Cómo viven los estudiantes?

PASO 1. En grupos, túrnense para contestar las preguntas sobre el lugar donde vive cada uno ahora.

¿Cómo es el edificio? ¿Cúantos pisos hay? ¿Hay ascensor en el edificio? ¿Hay cocina compartida (*shared*)?

¿Cuántos dormitorios hay? ¿Cuántos cuartos de baño?

Si hay cocina, ¿es moderna o anticuada? ¿Cuáles son los electrodomésticos en la cocina?

¿Cuántos televisores hay? ¿Dónde están? ¿Hay equipo de música? ¿Dónde?

¿Hay lavadora y secadora? ¿Dónde están?

¿Hay garaje? ¿Sótano? ¿Escaleras? ¿Jardín?

PASO 2. Basándote en la información del **Paso 1**, ¿quiénes viven en un apartamento, quiénes en una residencia estudiantil y quiénes en una casa? ¿Cuáles son algunas otras diferencias en los lugares donde viven tus compañeros?

¿Qué dormitorio es más similar al tuyo?

Reciclaje — Present, preterite, and imperfect tenses

¿Quién hace los siguientes quehaceres en tu casa regularmente? ¿Quién los hizo ayer? ¿Y quién los hacía cuando eras niño/a? Dibuja la siguiente tabla y complétala con esta información, usando los verbos indicados. Y si la respuesta es **nadie,** escribe eso, pero con el verbo.

	Regularmente...	Ayer...	Cuando era niño/a...
1. preparar el desayuno			
2. pasar la aspiradora			
3. limpiar la casa			
4. hacer la cama			
5. lavar la ropa			
6. sacudir los muebles			

He lavado los platos.

11.1 He limpiado mi cuarto cinco veces

The present perfect

Para empezar...

Muchos profesionales en los países hispanos dicen que se vive mejor en su país que en los Estados Unidos o Canadá. Una razón es que es relativamente barato contratar a alguien para hacer los quehaceres domésticos y ayudar con los niños. Esto les deja mucho tiempo que pueden pasar (*spend*) con los amigos y con la familia, y por eso la vida en general es más relajada.

Y para ti, ¿cómo es la vida? ¿Tienes que hacer muchos quehaceres domésticos? ¿Tienes tiempo para relajarte con los amigos y la familia? Para explorar este tema, completa las siguientes oraciones con un número (usa el cero si es necesario). Marca **vez** o **veces** según sea necesario.

Los quehaceres domésticos

La semana pasada,...

1. **he preparado** (*I've prepared*) la cena _____ vez / veces.
2. **he lavado** los platos _____ vez / veces.
3. **he pasado** la aspiradora _____ vez / veces.
4. **he sacudido** los muebles _____ vez / veces.
5. **he limpiado** mi cuarto _____ vez / veces.
6. **he hecho** (*made*) la cama _____ vez / veces.

El tiempo con los amigos y la familia

La semana pasada,...

1. mis amigos y yo **hemos comido** juntos _____ vez / veces.
2. mis amigos y yo **hemos tomado** un café o un refresco juntos _____ vez / veces.
3. **he visto** (*seen*) una película en el cine _____ vez / veces.
4. **he salido** a bailar _____ vez / veces.

Ahora, ¿cuáles son tus conclusiones?

1. En general, hago _____ quehaceres domésticos.
   a. muchos   b. algunos   c. pocos
2. En general, paso _____ tiempo con mis amigos y mi familia.
   a. mucho   b. algún   c. poco

Actividades analíticas

1 The verbs in the first two sections of the **Para empezar** questionnaire are in the *present perfect* (**el presente perfecto**). The use of this verb form is similar in both Spanish and English.

> **He preparado** la cena cinco veces.   *I've prepared dinner five times.*

The present perfect consists of two words: the *auxiliary verb* (**el verbo auxiliar**) **haber** in the present tense and the *past participle* (**el participio pasado**). To make a statement negative, just add **no** in front of the auxiliary verb.

> **No he preparado** la cena todavía.   *I haven't prepared dinner yet.*

Based on what you saw in **Para empezar,** complete the following conjugation of the auxiliary verb **haber** and provide an example of its use.

EL VERBO AUXILIAR *haber*			
yo			
tú	has	¿**Has hecho** la cama?	*Have you made the bed?*
él/ella, Ud.	ha	Javier **ha lavado** los platos.	*Javier has washed the dishes.*
nosotros/as			
[**vosotros/as**]	[habéis]	[¿**Habéis comido**?	*Have you eaten?*]
ellos/ellas, Uds.	han	Ya **han salido.**	*They have already left.*

2 Use the forms in **Para empezar** to complete this chart of past participles.

	INFINITIVO	PARTICIPIO PASADO
-ar VERBS	lavar	
-er VERBS	comer	
-ir VERBS	salir	

(*Continues*)

■ Answers to these activities are in Appendix 2 at the back of your book.

> **Autoprueba**
>
> Conjugate the verb **salir** in the present perfect.
>
> **salir**
> yo _____
> tú _____
> él/ella, Ud. _____
> nosotros/as _____
> ellos/ellas, Uds. _____

Respuestas: he salido, has salido, ha salido, hemos salido, han salido

VOS	
haber	has
¿**Has limpiado** tu cuarto hoy? *Have you cleaned your room today?*	

The rule for forming regular past participles is very simple. For **-ar** verbs, add **-ado** to the stem (for example, **preparar → prepar- + -ado**), and for **-er** and **-ir** verbs, add **-ido** to the stem (for example, **sacudir → sacud- + -ido**). Note that when regular past participles are used as part of the present perfect verb tense, they can only end in **-ado** or **-ido**; they do not change to agree with the subject. Form the past participle for these verbs.

INFINITIVO	PARTICIPIO PASADO
trabajar	
aprender	
vivir	

3 A few verbs have irregular past participles. Use what you saw in **Para empezar** to complete this table of the most common irregular past participles and examples of how they're used.

INFINITIVO	PARTICIPIO PASADO		
decir	dicho	**He dicho** eso muchas veces.	*I've said that many times.*
escribir	escrito	Ella **ha escrito** cinco libros.	*She's written five books.*
hacer			*I've made the bed.*
morir	muerto	El rey **ha muerto.**	*The king has died.*
poner	puesto	¿Dónde **has puesto** la llave?	*Where have you put the key?*
ver			*I've seen a movie.*

■ For more on past participles in Spanish, see **Para saber más 11.1** at the back of your book.

4 You know that **hay,** from the verb **haber,** expresses the idea of *there is* or *there are* in the present tense.

Hay un cambio en nuestros planes.	*There's a change in our plans.*
Hay muchos rumores sobre el nuevo celular.	*There are many rumors about the new cell phone.*

To express this idea in the present perfect (*there has been* or *there have been*), use the auxiliary **ha** and the past participle **habido.**

Ha habido un cambio en el horario.	*There's been a change in the schedule.*
Ha habido muchos rumores sobre la nueva laptop.	*There have been a lot of rumors about the new laptop.*

Notice that just as you saw with **hay,** which has one form for *there is* and *there are,* the singular form **ha habido** is used even when you're talking about something plural, such as **rumores.**

En español...

In general, the use of the present perfect in Spanish parallels its use in English. In both languages, the present perfect describes events that happened in the past but that are still relevant to the current moment.

Han cancelado el vuelo. ¿Ahora qué hago?	*They've canceled the flight. Now what do I do?*

For many speakers from Spain, however, the present perfect is also used to describe events that happened very recently.

He comido a la una.	*I ate at 1:00.*

For Latin American speakers, and for some from Spain as well, the simple preterite is used in these cases.

Comí a la una.	*I ate at 1:00.*

Actividades prácticas

A. Preguntas y respuestas   Empareja cada pregunta con la respuesta apropiada.

1. _____ ¿Qué han dicho los médicos?
2. _____ ¿Dónde has puesto la aspiradora?
3. _____ ¿Qué has hecho últimamente (*lately*)?
4. _____ No me acuerdo. ¿Hemos visto esa película?
5. _____ ¿Ya ha muerto el arquitecto que diseñó ese hotel?
6. _____ ¿Ya has escrito la composición para mañana?
7. _____ ¿Han ido a Ecuador?
8. _____ ¿Les ha gustado esa casa?

a. No, pero me voy a levantar mañana muy temprano para escribirla.
b. Ayer fui al cine y hoy en la mañana ayudé a mi abuela a limpiar la casa.
c. Sí, más o menos. Es pequeña, pero tiene muy bonita terraza.
d. Creo que la dejé en el pasillo.
e. ¡Claro que sí! La vimos el año pasado.
f. Dicen que tu abuelo está muy bien.
g. No, pero tenemos muchas ganas de ir a conocerlo.
h. Sí. Se murió hace tres años.

B. Los quehaceres que hemos hecho esta semana   Lee la lista de quehaceres domésticos y marca los que has hecho esta semana. Luego forma oraciones completas para decir cuáles has hecho y cuáles no.

> **MODELOS:**   lavar la ropa → He lavado la ropa esta semana.
> barrer el piso → No he barrido el piso.

1. ☐ pasar la aspiradora
2. ☐ hacer la cama
3. ☐ pagar una cuenta (*bill*)
4. ☐ lavar los platos
5. ☐ limpiar el cuarto de baño
6. ☐ sacudir los muebles
7. ☐ sacar la basura
8. ☐ sacar el reciclaje

C. De África y Asia a América ¿Te has cambiado de casa alguna vez en tu vida? ¿Te has ido a vivir a otro continente? En la historia de la humanidad, muchos sí lo han hecho, y la población actual de Latinoamérica es prueba (*proof*) de eso. La mayoría es de origen indígena y europeo, pero muchos también tienen sangre (*blood*) africana o asiática. ¿Cómo es eso? Las siguientes oraciones lo explican. Primero indica si la información tiene que ver con los de origen africano o asiático. Luego completa la oración con el verbo más lógico en el espacio en blanco. **¡Atención!** Cada verbo se usa dos veces.

Epsy Campbell Barr es una política costarricense. Su abuela era jamaicana.

Jorge Miyagui es un artista peruano, de ascendencia japonesa.

han emigrado (*emigrated*) **ha habido** **ha sido** **han tenido** **han vivido**

AFRICANOS	ASIÁTICOS	
☐	☐	1. Los filipinos _____ una presencia en Latinoamérica desde los primeros años de la colonia de Nueva España (lo que hoy es México) en el siglo (*century*) XVI, cuando llegaron marineros (*sailors*) de Manila en barcos (*ships*) españoles.
☐	☐	2. Los chinos y los japoneses _____ en Latinoamérica desde las últimas décadas (*decades*) del siglo XIX. Sus descendientes viven ahora en todos los países de Latinoamérica, pero sobre todo en Argentina, México y el Perú.
☐	☐	3. Desde los primeros años de la colonia, la influencia africana en Latinoamérica _____ muy importante. Algunos africanos llegaron con los españoles como marineros y exploradores, y muchos otros fueron traídos (*were brought*) después como esclavos (*slaves*).
☐	☐	4. _____ muchos que son famosos: el astronauta costarricense Franklin Chang-Díaz, la actriz mexicana/uruguaya Bárbara Mori y el ex presidente peruano Alberto Fujimori.
☐	☐	5. Muchos inmigrantes de Jamaica y otras islas del Caribe _____ en Panamá desde los tiempos de la construcción del Canal de Panamá, cuando muchos llegaron para buscar trabajo.
☐	☐	6. Por siglos, la presencia africana _____ muy notable en el Caribe, Centroamérica, Colombia y Venezuela, pero los afrolatinos _____ influencia en todos los países latinoamericanos, desde México hasta Chile.
☐	☐	7. _____ muchísimos que son muy famosos: la cantante cubana Celia Cruz, el beisbolista dominicano Robinson Canó y el futbolista mexicano Giovani dos Santos.
☐	☐	8. Muchos _____ a los Estados Unidos y a Canadá por razones económicas, y algunos de origen japonés _____ a Japón.

D. Los cambios en la vida

 PASO 1.   En parejas, entrevístense sobre los cambios importantes en sus vidas. Pregúntale a tu compañero/a en cuántos países, en cuántas ciudades y en cuántas casas ha vivido. ¿En cuántas universidades ha estudiado? En la casa donde vive su familia ahora, ¿siempre ha dormido en la misma habitación? Apunta los resultados.

> **MODELO:**   E1: ¿En cuántos países has vivido?
> E2: He vivido en dos países: en Canadá y en los Estados Unidos.

PASO 2.   Según los resultados, ¿crees que tu compañero/a ha llevado una vida relativamente estable (*stable*) o una con muchos cambios? ¿Piensas que este caso es típico de tu país? Prepárate para compartir los resultados con la clase.

E. Una encuesta

PASO 1.   ¿Quién en tu clase ha hecho las siguientes actividades? Pregúntales a tus compañeros y apunta por lo menos una persona que ha hecho cada actividad. Si nadie ha hecho una, escribe «nadie». **¡Atención!** Los verbos **hacer** y **ver** tienen participios pasados irregulares.

> **MODELO:**   E1: ¿Has bailado tango?
> E2: No, nunca he bailado tango.
> E1: Yo tampoco. ¿Has probado comida española?

1. bailar tango
2. probar comida española
3. probar comida salvadoreña
4. escuchar la música de Bad Bunny
5. hablar en español con alguien fuera de la clase
6. hacer surf
7. tomar horchata (*drink made with nuts and/or rice*)
8. tomar mate (un té que se bebe en Argentina, Uruguay y Paraguay)
9. ver en persona a un actor famoso / una actriz famosa
10. viajar a México

PASO 2.   En grupos, hagan oraciones para decir lo que han hecho todos los miembros del grupo, lo que no ha hecho nadie y lo que han hecho solo algunos.

> **MODELO:**   Todos hemos bailado tango y todos hemos tomado horchata.
> Nadie ha hecho surf, nadie ha tomado mate y nadie ha viajado a México.
> Chris y Mary han probado comida española.

PASO 3.   Inventa por lo menos tres preguntas originales para saber qué más han hecho los otros miembros de tu grupo. ¡Sé creativo/a! Luego haz las preguntas a tus compañeros y contesta las suyas (*theirs*).

> **MODELO:**   ¿Han visto una película española? ¿Han ido a un partido (*game*) de fútbol? ¿Han estudiado otro idioma?

F. ¿Qué has hecho? ¿Qué quieres hacer todavía (*still*)?

PASO 1.   Haz una lista de cuatro cosas significativas (*significant*) que has hecho en tu vida y cuatro cosas que quieres hacer todavía.

> **MODELOS:**   He escalado el monte Katadihn en Maine y todavía quiero escalar el Gran Teton en Wyoming.
> He viajado a siete estados. Todavía quiero viajar a Alaska.

 PASO 2.   Basándote en tu lista de actividades del **Paso 1,** entrevista a un compañero / una compañera para saber qué cosas significativas ha hecho y qué quiere hacer en la vida. ¿Uds. dos han hecho cosas parecidas o diferentes? ¿Tienen metas (*goals*) parecidas o diferentes?

México

El edificio multifamiliar Presidente Miguel Alemán en la Ciudad de México

G. Cultura: Mario Pani y la arquitectura moderna en México

PASO 1. Lee el texto sobre México.

México es un país tanto cosmopolita como rico[a] en cultura propia,[b] una característica que le ofrece complejidad a su expresión artística. En todo el mundo es conocido por sus grandes artistas, como los muralistas Diego Rivera y José Clemente Orozco. En paralelo a los movimientos artísticos del siglo XX, México produjo varias generaciones de arquitectos que ahora son conocidos en todo el mundo. Por ejemplo, María Luisa Dehesa fue la primera mujer latinoamericana en recibir su título[c] en arquitectura. El modernista Luis Barragán es conocido por las casas que construyó, por pintar las paredes con colores vibrantes que eran autóctonos[d] de México y por usar ventanas y tragaluces[e] para controlar de manera muy creativa el movimiento de la luz y la sombra. El arquitecto Juan O'Gorman, quien diseñó la casa-estudio de Diego Rivera y Frida Kahlo, también era pintor y tenía vínculos[f] fuertes con los otros artistas de su época. Y la hija de Rivera, Ruth Rivera Marín, es una arquitecta reconocida por su colaboración en la construcción del Museo de Arte Moderno en México.

Para los mexicanos, y sobre todo para los de la capital, el arquitecto Mario Pani es quizás[g] el más emblemático del urbanismo y la arquitectura moderna en México. La gran tarea[h] de Pani fue aplicar los conceptos del funcionalismo del famoso arquitecto suizo Le Corbusier a los aspectos particulares de la vida urbana en México. Logró[i] integrar los estilos de la arquitectura internacional con los detalles coloniales y precolombinos[j] que ya eran intrínsecos a los espacios domésticos en México.

Uno de los edificios más destacados de Pani es el multifamiliar[k] Presidente Alemán, la primera residencia multifamiliar de América Latina, construida en 1948. Este complejo cuenta con nueve edificios de trece pisos y seis edificios de tres pisos, con un total de 1.080 departamentos.[l] El terreno del multifamiliar es bastante grande, pero estos edificios altos solo ocupan un 25 por ciento del espacio y el otro 75 por ciento queda para áreas verdes, como parques y jardines. Era importante para Pani que el multifamiliar fuera[m] no solo una residencia grande, sino una comunidad, como un pueblo chico dentro de una ciudad monstruosa. Por eso el diseño incorporó espacios para los servicios que los habitantes necesitaban todos los días: tiendas, una guardería,[n] una oficina de correos, una lavandería y lugares para deportes, como una piscina semiolímpica.

[a]tanto... *both cosmopolitan and rich* [b]*(its) own* [c]*degree* [d]*native* [e]*skylights* [f]*ties, connections* [g]*perhaps* [h]*task* [i]*He succeeded in* [j]*pre-Columbian* [k]*multifamily apartment complex* [l]*apartments (Mex.)* [m]*be* [n]*daycare center*

PASO 2. Completa las oraciones con los participios pasados de los verbos de la lista. **¡Atención!** Cada verbo se usa solo una vez.

decir   haber   producir   seguir   ser   tener

1. México ha _____ varios artistas importantes.
2. Las culturas precolombinas siempre han _____ una influencia sobre la arquitectura mexicana.
3. Las familias de los multifamiliares han _____ participantes en un gran experimento social.
4. Desde que se construyó, siempre ha _____ muchos espacios verdes en el multifamiliar Presidente Alemán.
5. Muchas personas han _____ que la arquitectura es lo más fascinante de la historia de México.
6. Los arquitectos de hoy han _____ con el estilo moderno que Mario Pani estableció en México en el siglo XX.

PASO 3. En parejas, contesten las preguntas y explíquense las respuestas.

1. México tiene una población muy grande y en comparación con otros países, su economía es fuerte. ¿Ves una relación entre eso y la gran tradición de arquitectura que tiene?
2. En las zonas residenciales más elegantes de las ciudades grandes en México, muchas de las casas tienen un estilo muy contemporáneo. ¿Por qué crees que es así? ¿Piensas que los habitantes son conscientes de la tradición de arquitectura moderna en el país?
3. En tu país, ¿cómo son las casas? ¿En su mayoría, tienen un estilo contemporáneo o un estilo más tradicional (por ejemplo, un estilo colonial o «ranch»)? ¿Por qué crees que es así?

C) Reciclaje — Direct objects and direct object pronouns

¿Tus hábitos en la casa son comunes o son diferentes a los de otras personas? Completa las siguientes oraciones con el pronombre de objeto directo correcto y luego indica si la oración es cierta para ti.

¿CIERTO PARA TI?

1. La televisión: ____ veo en la cocina. Es más común ver____ en el salón. ☐
2. Los libros: ____ leo en la cama. Es más común leer____ en el sofá. ☐
3. Las sábanas (*sheets*): ____ lavo cada dos meses. Es más común lavar____ cada dos semanas. ☐
4. El comedor: ____ uso para estudiar. Es más común usar____ para cenar. ☐
5. La habitación: ____ uso para hacer ejercicio. Es más común usar____ para dormir. ☐

■ Answers to this activity are in Appendix 2 at the back of your book.

11.2 ¡No te sientes allí!

Commands with object and reflexive pronouns

Para empezar...

Los siguientes mandatos son comunes en casi cualquier casa, pero ¿en qué cuarto se oyen, generalmente? Para cada mandato, indica el lugar donde típicamente se escucharía (*you would hear it*): el cuarto de baño (**B**), la cocina o el comedor (**C**) o el dormitorio (**D**). Algunos mandatos pueden tener más de una respuesta.

1. ____ **Duérmete,** hijo. Ya es tarde.
2. ____ **Sírvele** el cereal a tu hermanito. **No le pongas** demasiado (*too much*) azúcar.
3. ____ **No te sirvas** mucho, papi. Ya sabes que no puedes comer todo.
4. ____ **Lávate** las manos. Están sucias.
5. ____ **¡No te sientes** allí! Es para nuestro invitado.
6. ____ **Báñate.** La fiesta es en dos horas.
7. ____ **¡Despiértate!**
8. ____ **Levántate.** Vas a llegar tarde a la escuela.
9. ____ Si te quitas los zapatos, **no los dejes** aquí. **Ponlos** en tu dormitorio.
10. ____ **Mírate** en el espejo, porque me parece que no te peinaste.
11. ____ **Ponte** el pijama verde; el rojo está sucio.
12. ____ Si los platos están sucios, **lávalos.**

■ Answers to these activities are in Appendix 2 at the back of your book.

Actividades analíticas

1 As you saw in **Capítulo 10,** object and reflexive pronouns are attached to the end of positive informal and formal commands. Use the examples of positive informal commands with the verb **poner** in **Para empezar** to complete the following chart.

	EJEMPLO CON MANDATO POSITIVO INFORMAL
Direct Object Pronoun	
Indirect Object Pronoun	Ponle más azúcar al café.
Reflexive Pronoun	

When needed, a written accent mark is added to keep the stress on the same syllable after the pronoun is attached. Can you find examples of this in **Para empezar?**

VOS	
POSITIVO	**NEGATIVO**
limpialo	no lo limpies

■ To learn how to say *Let's do something!* in Spanish, see **Para saber más 11.2** at the back of your book.

Autoprueba

Create positive and negative informal (**tú**) commands for these verbs by following the pattern you just learned for object pronoun placement.

1. sacudir los muebles

   + _____

   − _____

2. barrer el piso

   + _____

   − _____

3. lavar la camisa

   + _____

   − _____

Respuestas: 1. Sacúdelos, No los sacudas. 2. Bárrelo, No lo barras. 3. Lávala, No la laves.

2 With negative commands, whether informal or formal, object and reflexive pronouns are written as a separate word before the verb. With this in mind, take the examples from the chart in **Actividad analítica 1** and convert them to negative commands in the chart below.

	EJEMPLO CON MANDATO NEGATIVO INFORMAL
Direct Object Pronoun	No los pongas en tu dormitorio.
Indirect Object Pronoun	
Reflexive Pronoun	

3 The general rule seen here is that object and reflexive pronouns appear after and are attached to positive commands and come before negative commands. This holds true for all command forms. Use this rule to complete this chart of commands with **limpiar** and the direct object pronoun **lo.**

	POSITIVO	NEGATIVO
tú		no lo limpies
Ud.	límpielo	
[vosotros/as]	[limpiadlo]	[no lo limpiéis]
Uds.		

Actividades prácticas

A. Objetos y mandatos

PASO 1. Empareja cada objeto con el mandato más lógico. **¡Atención!** Cada mandato solo se puede usar una vez.

1. ____ la aspiradora
2. ____ la cama
3. ____ el equipo de música
4. ____ el fregadero
5. ____ el lavaplatos
6. ____ la mesa
7. ____ el horno y el microondas
8. ____ el refrigerador

a. Sacúdela.
b. Límpialo por dentro (*inside*).
c. Límpialos por dentro.
d. Pásala.
e. Sacúdelo.
f. Hazla.
g. Llénalo (*Fill it*) con agua y lava bien las papas.
h. Ponle los platos sucios.

PASO 2. Ahora, en parejas, túrnense para cambiar los mandatos informales del **Paso 1** en mandatos formales (Ud.).

¡Ponte los tenis!

Alohaflaminggo/Shutterstock

B. ¡Limpia tu cuarto! Cuando limpias un cuarto, una de las cosas más difíciles es decidir qué tirar (*throw out*) y qué guardar (*keep*). ¿Qué consejos das en cuanto a (*with regard to*) los siguientes objetos?

Consejos: Tíralo/la/los/las.
No lo/la/los/las tires.

1. _____ una pizza de hace un mes
2. _____ unas revistas del año pasado
3. _____ unos cupones para comprar pizza con un descuento de setenta y cinco por ciento (*percent*)
4. _____ el libro de tu clase de español
5. _____ los exámenes de tus clases del año pasado
6. _____ las llaves de tu coche
7. _____ un periódico del mes pasado
8. _____ los DVD de las películas en que salen juntos Penélope Cruz y Javier Bardem
9. _____ una foto de tu abuelo cuando era niño
10. _____ una foto de tu ex novio/a

C. Tu «ángel» y tu «demonio» Cuando tienes que tomar una decisión, ¿qué dicen tu «ángel» (tu lado bueno) y tu «demonio» (tu lado malo)? En parejas, creen por lo menos un consejo de tu «ángel» y otro de tu «demonio» para cada situación. **¡Atención!** Usa mandatos informales para dar los consejos.

MODELO: **Situación:** Sabes que tu amigo tiene un examen a las nueve. Son las ocho y media y está dormido todavía.
«Ángel»: Despiértalo y dile qué hora es.
«Demonio»: Déjalo dormir. No es tu problema.

SITUACIONES

1. Son las seis y media de la mañana y estás en la cama. Tu primera clase empieza a las ocho.
2. Son las once de la noche. Estás en una fiesta con unos amigos y estás muy contento. Mañana tienes un examen a las ocho.
3. A un compañero en tu clase se le cae un billete de veinte dólares. Tú lo ves pero él no.
4. Un compañero de clase se va al cuarto de baño y deja un sándwich en su escritorio. Tienes mucha hambre.

D. Actuación (*Acting*) en la casa y en el jardín

PASO 1. En grupos de tres o cuatro estudiantes, usen los verbos de la lista para decir cosas que se pueden hacer en la casa o en el jardín y exprésenlas con la forma del mandato de **Uds.**

MODELO: barrer el piso → ¡Bárranlo!

bañarse
despertarse
lavar (los platos)
levantarse
planchar (la ropa)
preparar (la comida)

PASO 2. Lean sus mandatos a otro grupo. El otro grupo tiene que decir en qué parte de la casa (o en el jardín) se hace cada uno y luego actuarlo.

MODELO: ¡Acuéstense! → Se hace en el dormitorio. (*El grupo actúa el mandato.*)

↻ Reciclaje · *Ser and estar*

¿Cómo es el lugar donde vives? ¿Y en qué condiciones está en este momento? Completa las oraciones con **es** o **está,** e indica si son ciertas o falsas para ti.

	CIERTO	FALSO
1. ____ una casa.	☐	☐
2. ____ una habitación en una residencia estudiantil.	☐	☐
3. La ropa limpia ____ guardada (*put away*).	☐	☐
4. La ropa sucia ____ en el piso.	☐	☐
5. ____ en la universidad.	☐	☐
6. La cama ____ grande.	☐	☐
7. ____ buen lugar para estudiar.	☐	☐
8. ____ muy limpio hoy.	☐	☐
9. ____ un apartamento.	☐	☐
10. El coche en el garaje ____ de Japón.	☐	☐

■ Answers to this activity are in Appendix 2 at the back of your book.

11.3 Estoy ayudando a mi mamá en la casa

The present progressive

Para empezar...

Alicia, una estudiante mexicana, tuitea (*tweets*) varias veces durante el día. Mira las fotos de su día y luego empareja cada una con el tuit que mandó a esa hora.

1. ____ 5:45   2. ____ 6:10   3. ____ 9:22   4. ____ 13:12   5. ____ 14:03

6. ____ 14:54   7. ____ 16:12   8. ____ 18:26   9. ____ 20:10   10. ____ 20:45

Los tuits de Alicia

a. «Mi mamá y yo **estamos comiendo.**»
b. «**Estoy haciendo** la tarea.»
c. «**Estoy desayunando.**»
d. «**Estoy ayudando** a mi mamá en la casa.»
e. «**Estoy llegando** a casa.»
f. «**Estoy cenando.**»
g. «Mis amigos y yo nos **estamos tomando** una foto en la universidad.»
h. «**Estoy bebiendo** refrescos con mis amigos. ¡Jorge **está bailando** en el pasillo!»
i. «Mi mamá y yo **estamos viendo** televisión.»
j. «**Estoy esperando** el autobús para ir a la universidad.»

■ Answers to these activities are in Appendix 2 at the back of your book.

Actividades analíticas

1 The verb forms in **Para empezar** are in the *present progressive* (**el presente progresivo**). The present progressive consists of the *auxiliary verb* (**el verbo auxiliar**) **estar** in the present tense, followed by the *present participle* (**el participio presente**), a verb with an **-ndo** ending. Find the present participles in the following sentences and write their infinitives in the column on the right.

		INFINITIVO
Estoy cenando.	*I'm having dinner.*	
Están estudiando.	*They're studying.*	
Mari **está escribiendo** una carta.	*Mari's writing a letter.*	

As you saw in **Estructura 5.3**, **-ar** verbs add **-ando** to the stem, and **-er** and **-ir** verbs add **-iendo**. Given this information, what is the present participle (**-ndo** form) of each of these verbs?

EL PARTICIPIO PRESENTE (-ndo)	
comer	
salir	
ayudar	
ver	

2 **-Ir** verbs with **e** as the final vowel in the stem (such as **decir, pedir, seguir,** and **servir**) change this vowel to **i** in the present participle: **diciendo, pidiendo, siguiendo, sirviendo.**

-Ir verbs with **o** in the stem (only **dormir** and **morir**) change this vowel to **u** in the present participle: **durmiendo, muriendo.** These changes are similar to the vowel changes that you saw for the preterite in **8.1**.

¿Qué estás d**i**ciendo?	*What are you saying?*
Estamos p**i**diendo tu ayuda.	*We're asking for your help.*
Estoy s**i**guiendo tu ejemplo.	*I'm following your example.*
¡Ya están s**i**rviendo la cena!	*They're already serving dinner!*
Las plantas están m**u**riendo porque no ha llovido.	*The plants are dying because it hasn't rained.*
Los niños están d**u**rmiendo.	*The children are sleeping.*

The verbs **leer, oír,** and **traer** (and other **-er** and **-ir** verbs whose stem ends in a vowel) have a spelling change in the present participle form. The ending for these verbs is **-yendo** rather than **-iendo.**

¿Estás le**y**endo?	*Are you reading?*
Estamos o**y**endo la música.	*We're listening to the music.*

3 The present progressive describes an action in progress and is very similar in meaning to its counterpart in English with *-ing*. The present progressive is used less frequently in Spanish than it is in English, however. This is partly because the simple present in Spanish is often used for actions that are currently underway, whereas English has to use *-ing* in these cases.

Voy a la biblioteca.	*I'm going to the library.*

In addition, *-ing* is often used in English to refer to future events, but the Spanish present progressive is not used in this way. The present indicative is used instead.

Mañana **hablo** con ella.	*I'm speaking with her tomorrow.*

Autoprueba

Form the present progressive for the following situations by using the pattern you just learned.

1. Nosotros _____ (preparar) la cena.
2. Los chicos _____ (poner) la mesa.

This next one includes a verb that is probably new to you (**batir** [*to beat, stir, whip*]), but since it's regular and follows the rule, you can do it!

3. Mi padre _____ los ingredientes.

Now try an **-ir** verb with a stem change. Again, this is a new verb to you (**hervir [ie, i]** [*to boil*]), but you know the pattern for **-ir** verbs with **e** in the stem, so try it!

4. El agua _____ (hervir).

■ To learn how to say in Spanish what you were doing in a past moment, see **Para saber más 11.3** at the back of your book.

4 The **-ndo** form may also be used with **ir, andar** (*to walk*), and **seguir** (*to continue*) in place of **estar. Andar** gives the sense of doing the action while moving around, and **seguir** gives the sense of continuing the action.

Manuel **va/anda buscando** una casa.　　*Manuel is looking for a house.*

¿Qué **andas haciendo** aquí?　　*What are you doing here?*

¿**Sigues barriendo** el pasillo?　　*Are you still sweeping the hallway?*

¿Por qué?

You saw in **Estructura 5.3** that **estar** is used with adjectives to describe a state that is subject to change or is the result of a change.

Estamos contentos.　　We're happy.

In the present progressive, the verb **estar** plays the same role with respect to verbs. It shows that the action described by the verb is subject to change or is the result of change.

Estamos trabajando.　　We're working.

Just as **estamos contentos** conveys the idea that we haven't necessarily always been happy, **estamos trabajando** suggests that we're working right at the moment, but that this wasn't necessarily true in the past and might not be in the future either.

Actividades prácticas

A. ¿Qué estás haciendo?　Empareja cada pregunta con la respuesta más lógica.

1. _____ ¿Qué estás comiendo?
2. _____ ¿Sigues buscando un coche?
3. _____ ¿Qué están leyendo en esa clase?
4. _____ ¿Qué andas diciendo de mí?
5. _____ ¿Están pidiendo mi consejo?
6. _____ ¿Por qué hay tanto ruido?
7. _____ ¿Dónde está tu hermano?
8. _____ ¿Estás haciendo la cama cada mañana como te dije?

a. Está en la cocina lavando los platos.
b. Sí. No sabemos qué hacer.
c. No. Sí quiero, pero se me olvida.
d. Una novela de detectives.
e. ¡Que eres muy inteligente!
f. Pan con chocolate. ¿Quieres?
g. Están pasando la aspiradora.
h. Sí, todavía necesito uno.

Source: Cade Martin/CDC

Estoy trabajando en el jardín.

■ The audio files for in-text listening activities are available in the eBook, within Connect activities, and on the Online Learning Center.

B. ¿Dónde estoy? Escucha las oraciones e indica en qué lugar normalmente pasa ese tipo de acción.

	LA COCINA	EL COMEDOR	EL DORMITORIO	EL JARDÍN
1.	☐	☐	☐	☐
2.	☐	☐	☐	☐
3.	☐	☐	☐	☐
4.	☐	☐	☐	☐
5.	☐	☐	☐	☐
6.	☐	☐	☐	☐
7.	☐	☐	☐	☐
8.	☐	☐	☐	☐

C. Un día típico para un estudiante típico

PASO 1.   Si un estudiante típico de tu universidad tuiteara (*tweeted*) en cada uno de los siguientes momentos, ¿qué diría (*would he/she say*) que está haciendo? Escribe el tuit más probable, según tu criterio.

> **MODELO:**   7:00 Estoy desayunando.

	Mensaje
7:00	_____
9:00	_____
12:00	_____
16:00	_____
18:00	_____
22:00	_____

PASO 2.   Compara tus respuestas con las de un compañero / una compañera. ¿Pueden llegar a un acuerdo entre los dos sobre los tuits más probables?

D. ¿Qué están haciendo?

PASO 1.   Piensa en por lo menos tres de tus seres queridos (*loved ones*) y en qué están haciendo probablemente en este momento. Comparte tus ideas con un compañero / una compañera de clase.

> **MODELOS:**   Mi perro probablemente está durmiendo en el sofá.
> Mis padres probablemente están trabajando en su restaurante.

PASO 2.   Ahora, túrnense para nombrar a por lo menos cuatro personas famosas (por ejemplo, el papa [*pope*], el presidente, tu estrella [*star*] de cine favorita, tu atleta favorito) e imaginar qué es lo que probablemente están haciendo en este momento.

E. ¡Actúen!   Escoge una acción de la lista o inventa tu propia acción. En grupos pequeños, actúala para tus compañeros. ¿Pueden adivinar qué estás haciendo?

barrer

sacar la basura

hacer la cama

lavar (la ropa, el coche, los platos, el suelo)

pasar la aspiradora

sacudir

¡Leamos!

Casas para el siglo XXI: Pequeñas, flexibles y mutables°   *changeable*

Antes de leer

PASO 1. Empareja cada tipo de casa con la descripción más lógica.

1. ____ una casa innovadora del siglo XXI

2. ____ una casa estática

3. ____ una casa tradicional/convencional

a. Tiene un cilindro giratorio (*revolving*) dentro del cuarto principal.

b. Tiene cuatro paredes permanentes.

c. No se mueve.

PASO 2. Lee el título del artículo en **A leer.** ¿En cuál programa de televisión podrías (*could you*) ver las casas que se describen en el artículo?
a. *Fixer Upper*   b. *Sell This House*   c. *Tiny House Hunters*   d. *Property Brothers*

A leer

PASO 1. Mira las ilustraciones en la página 345 de una casa giratoria (como la de Luigi Colani) y una casa minimalista (como Casa PACO™). Mientras lees el artículo, completa las ilustraciones con las palabras de la lista.

Casas para el siglo XXI: pequeñas, flexibles y mutables

En esta primera década del siglo XXI, la arquitectura ha expuesto,[a] además de innovadoras[b] soluciones formales, proyectos que presentan nuevos tipos de alojamiento,[c] derivados de las exigencias[d] de la vida contemporánea, con sus nuevos artefactos tecnológicos, medios de comunicación y transporte.

¿Así van a ser las casas del futuro?

El modelo de vivienda[e] «tradicional» confinado entre cuatro sólidas y estáticas paredes ha sido uno de los primeros en presentar cambios sustanciales, ya que para los nuevos parámetros de vida que se experimentan[f] en muchos lugares del planeta, ya resulta ineficaz.[g] Debido a ello,[h] algunos arquitectos han comenzado[i] a estudiar soluciones diferentes a las convencionales. [...]

Un proyecto notable es el prototipo de vivienda prefabricada, diseñado por Luigi Colani para la empresa[j] Hanse Haus™, que en tan solo treinta y seis metros cuadrados,[k] resuelve[l] una casa con habitaciones giratorias que cubre todas las funciones necesarias para vivir cómodamente.[m]

El objetivo del diseñador fue expandir al máximo el espacio de la vivienda, reduciendo al mínimo el cascarón[n] (solamente de 6m x 6m) y las circulaciones,[ñ] e insertando un cilindro giratorio dentro de un espacio o habitación principal.

El cilindro contiene los diferentes programas[o] de la casa. Un motor hace girar[p] la gran pieza cilíndrica que contiene las diferentes áreas: recámara, baño, cocina, etcétera. El cilindro puede girar a la derecha o a la izquierda, dejando a la vista[q] la parte que el usuario[r] necesite, y que se conecta directamente con el cuarto principal, el que contiene el cilindro. Es importante mencionar que el movimiento de la casa puede llevarse a cabo mediante[s] el uso de un control remoto.

Todavía[t] más pequeña, pero igual de[u] funcional que la casa giratoria es la denominada[v] Casa PACO, resuelta en tan solo nueve metros cuadrados. En su interior la casa, diseñada por el joven arquitecto de origen

---

[a]*brought to light* [b]*innovative* [c]*lodging* [d]*demands* [e]*housing* [f]*se... one experiences* [g]*inefficient* [h]*Debido... Due to this fact* [i]*begun* [j]*firm* [k]*square* [l]*achieves* [m]*comfortably* [n]*shell* [ñ]*hallways* [o]*areas* [p]*turn* [q]*dejando... leaving within view* [r]*user* [s]*llevarse... be carried out through* [t]*Even* [u]*igual... just as* [v]*called*

japonés Jo Nagasaka y la oficina de arquitectura Schemanta, contiene los elementos y servicios básicos para una vivienda: baño, cama, escritorio, cocina, comedor y estancia.[w] La estructura es de madera[x] con un acabado impermeable[y] en todos sus frentes.[z] La parte superior es abatible[aa] para iluminación[bb] y ventilación.

[w]*living room*   [x]*de... made of wood*   [y]acabado... *waterproof finish*   [z]*faces*   [aa]*moveable*   [bb]*lighting*

el baño   la cama   la cocina   el comedor   la recámara   la sala (el cuarto principal)

UNA CASA GIRATORIA   **UNA CASA MINIMALISTA**

PASO 2.   Ahora indica si cada frase describe una casa giratoria (**CG**), una casa minimalista (**CM**), o las dos (**CG/CM**). Luego escribe los dos elementos que más te gustan de cada casa.

1. _____ Un control remoto puede mover el cilindro central de la casa.

2. _____ El cuarto principal contiene todo lo que se necesita.

3. _____ Cuando estás en el cuarto principal, tienes que escoger el otro cuarto que quieres ver.

4. _____ Se construyó pensando en las necesidades tecnológicas y de transporte.

5. _____ La intención del diseño es ser lo más sencillo (*simple*) posible.

6. _____ El diseñador se inspiró en los círculos y las curvas.

7. _____ Es eficaz y flexible.

8. _____ Es prefabricada.

9. _____ No tiene ventanas; la ventilación viene del techo.

10. _____ Tiene lo que requiere la gente en el siglo XXI.

De la casa giratoria, me gusta(n) _____

De la casa minimalista, me gusta(n) _____

 Después de leer

En grupos pequeños, hablen de por qué son importantes las innovaciones descritas en el artículo. En el futuro, ¿les gustaría vivir en una casa así? ¿Por qué? ¿Qué más necesitan Uds. para vivir cómodamente?

¡Escuchemos!

¿Cuánto cuesta vivir aquí?

Antes de escuchar

En grupos, hagan una lista de los lugares en que pueden vivir los estudiantes de su universidad. Luego pongan los lugares en orden de más barato a más caro. **¡Atención!** Recuerda que la palabra para *dorm* en español es **residencia estudiantil**.

A escuchar

Mira y escucha. Luego mira otra vez con pausas e indica las respuestas a las preguntas.

1. Según Abigaíl, ¿cuánto cuesta un apartamento en una zona residencial de la Ciudad de México que tenga electricidad y servicios sanitarios?
   a. 2.000 pesos
   b. 4.000 pesos
   c. 6.000 pesos
   d. 8.000 pesos

2. Según Óscar, ¿cuánto cuesta un apartamento en una zona «cultural» en México?
   a. de 3.000 a 4.000 pesos
   b. de 5.000 a 6.000 pesos
   c. de 7.000 a 8.000 pesos
   d. de 10.000 a 12.000 pesos

3. Según Óscar, ¿dónde en México pagas entre 5.000 y 6.000 pesos mensuales (*monthly*)?
   a. en una colonia cultural
   b. en el centro de la ciudad
   c. en colonias no tan buenas
   d. en apartamentos exclusivos

4. Según Armon, ¿cuánto es el alquiler en el centro de Madrid?
   a. entre 200 y 300 euros
   b. entre 300 y 400 euros
   c. entre 400 y 500 euros
   d. entre 500 y 600 euros

5. Según Armon, ¿cuánto es el alquiler en las afueras de Madrid?
   a. entre 200 y 300 euros
   b. entre 300 y 400 euros
   c. entre 400 y 500 euros
   d. entre 500 y 600 euros

6. Según Liliana, ¿cuánto es un alquiler económico (*affordable*) en Panamá?
   a. 500
   b. 1.000
   c. 1.500
   d. 2.000

Truth-Function/McGraw-Hill

En español...

Words for talking about the cost of living vary from region to region. For example, in the video, Abigaíl and Óscar, from Mexico, say **el departamento, la colonia, los pesos (mexicanos), la renta;** Armon, from Spain, says **el piso, el barrio, los euros, el alquiler;** Liliana, from Panama, says **el apartamento, el barrio, los dólares, el alquiler;** and Eugenia and Carina, from Argentina, say **el departamento, el barrio, los pesos (argentinos), el alquiler.**

7. Según Liliana, ¿cuánto es un alquiler caro en Panamá?
   a. 500
   b. 1.000
   c. 1.500
   d. 2.000

8. Según Eugenia y Carina, ¿cuánto cuesta un apartamento con un dormitorio en el centro de Buenos Aires?
   a. entre 600 y 700 pesos
   b. entre 700 y 800 pesos
   c. entre 800 y 900 pesos
   d. entre 900 y 1.000 pesos

 ### Después de escuchar

En grupos, hablen de las ventajas y desventajas de vivir en diferentes comunidades (las comunidades urbanas, rurales, en las afueras, ciudades grandes / de tamaño medio / pequeñas). Sin hablar de los costos específicos, hablen de sus propias experiencias. ¿Dónde prefiere vivir la mayoría? ¿Por qué?

¡Escribamos!

Un día típico en casa

Cuando compartimos con otras personas nuestras experiencias de la infancia (*childhood*), muchas veces tenemos más en común de lo que pensábamos. En esta actividad vas a describir tu rutina diaria cuando eras más joven. Antes de escribir, vas a comparar tus ideas con un compañero / una compañera.

 ### Antes de escribir

Vas a describir los fines de semana cuando eras niño/a o adolescente. Primero completa las primeras dos columnas de la tabla con los miembros de tu familia y las actividades (los quehaceres o las actividades divertidas) en que participaba cada uno. Luego intercambia la tabla con un compañero / una compañera de clase. Lee su tabla y dale comentarios o hazle preguntas a tu compañero/a. Apunta los comentarios de la otra persona en la tercera columna.

MODELO: E1: Veo que todos los sábados por la mañana ibas a un café con tu padre y él leía el periódico. Luego Uds. iban al parque. ¿Qué hacían Uds. en el parque? ¿Jugaban algún deporte?

E2: Nuestro tiempo en el parque era lo más interesante de mi infancia. Mi padre es biólogo y me enseñaba los nombres científicos de diferentes plantas, animales e insectos, y luego jugábamos para ver si yo podía recordar los nombres.

LOS MIEMBROS DE MI FAMILIA	LO QUE HACÍAN ESTAS PERSONAS	COMENTARIOS Y PREGUNTAS
yo		

(Continues)

Estrategia

Brainstorm with a partner

Hearing someone else's ideas can help trigger your own or help you consider things from a different perspective. Therefore, it is often worthwhile to pair up and discuss writing assignments with a partner while you are in the initial planning stages. Take time to present your ideas, ask each other questions, seek more details, and then give each other feedback concerning the most interesting aspects of what was shared. Is there anything missing? Are there pieces either of you could eliminate? Aim to suggest at least one way your partner could improve his or her plan.

A escribir

Ahora escribe tres párrafos para describir tu rutina; trata de (*try to*) incorporar las sugerencias de tu compañero/a de clase para fortalecer (*strengthen*) tu descripción. En el primer párrafo, escribe una introducción en la que presentas el tema de la composición y la información que vas a detallar en los siguientes párrafos. En el segundo párrafo, describe el lugar donde vivías cuando eras niño/a. Luego describe qué hacían tú y los miembros de tu familia allí.

 ### Después de escribir

Revisa tu ensayo. Luego intercambia ensayos con un compañero / una compañera para evaluarlos.

☐ Lee la introducción. ¿Sabes qué esperar (*to expect*) en el resto del ensayo?

☐ Subraya todos los verbos en el segundo párrafo.
   a. ¿Tienen concordancia los sujetos y los verbos subrayados?
   b. ¿Controla el pretérito e imperfecto?

☐ Después de leer toda la composición, lee de nuevo la introducción. ¿Describe lo que va a presentar en los siguientes párrafos en el orden en que se presenta en el resto del ensayo?

Después de revisar el ensayo de tu compañero/a, devuélveselo. Mira tu propio ensayo para ver los cambios que tu compañero/a recomienda y haz las revisiones necesarias.

¡Hablemos!

Andamos buscando
un apartamento

Antes de hablar

1. ¿Has alquilado un apartamento o comprado una casa? ¿Cómo fue la experiencia? ¿Qué aprendiste?
2. ¿Qué hacen los agentes de bienes raíces? ¿Has trabajado con uno/a? ¿Para qué?
3. ¿Cuáles son las preguntas que normalmente le hacen los clientes a los agentes de bienes raíces?
4. ¿Cuáles son las cosas más importantes para investigar al ver un apartamento por primera vez?

 ### A hablar

En grupos de tres, creen un diálogo en el que uno o una de Uds. va a hacer el papel de agente de bienes raíces que debe darles un tour de un apartamento disponible (*available*) a los otros miembros del grupo, que andan buscando un apartamento para alquilar. Primero el/la agente debe darles la bienvenida a los clientes (los otros estudiantes). Luego debe invitarlos a entrar y darles un tour de un apartamento. El apartamento puede ser perfecto para ellos o absolutamente terrible. Lo importante es que el/la agente mantenga (*maintains*) un tono cortés (*polite*) y una actitud profesional.

 ### Después de hablar

Ahora ensayen (*rehearse*) su diálogo y prepárense para presentarlo al resto de la clase.

VOCABULARIO

Now that I have completed the chapter, I can . . .

- ☐ welcome people
- ☐ make polite invitations
- ☐ describe homes and furnishings
- ☐ talk about what I have done
- ☐ talk about what I am currently doing
- ☐ discuss housing in the Spanish-speaking world and its cost

Comunicación	Communication
¡Bienvenido/a/os/as!	Welcome!
subject + **ser** + **bienvenido/a/os/as.**	_____ is/are welcome.
Ud. es (siempre) bienvenido/a.	You are (always) welcome.
indirect object pronoun + **dar** + **la bienvenida a** + *noun.*	*subject* + welcome(s) + *direct object.*
¡Le damos la bienvenida a Ud.!	We welcome you!
¡Come/Coma(n) más!	Have some more!
¡Diviértete!/¡Diviérta(n)se!	Have fun!
¡Siéntate!/¡Siénte(n)se!	Have a seat!
¡Sírvete!/¡Sírva(n)se!	Help yourself!
Repaso: ¡Pasa!/¡Pase(n)!	

La casa y los muebles	House and furniture
el armario	armoire, closet
la aspiradora	vacuum cleaner
el balcón	balcony
la bañera	bathtub
la cama	bed
la cocina	kitchen
el comedor	dining room
el (cuarto de) baño	bathroom
la despensa	pantry
el dormitorio / la habitación	bedroom
la ducha	shower
el edificio (de apartamentos)	(apartment) building
el electrodoméstico	appliance
la escalera	stairs
el espejo	mirror

el estante	bookshelf
la estufa	stove
el fregadero	kitchen sink
el horno	oven
el inodoro	toilet
el jardín	yard; garden
la lámpara	lamp
el lavabo	bathroom sink
la lavadora	washing machine
el lavaplatos	dishwasher
la mesita de noche	nightstand
el microondas	microwave
la pared	wall
el pasillo	hallway
la piscina	pool
el piso	floor, story; apartment (*Sp.*)
el primer (segundo, tercer) piso	first (second, third) floor
la planta baja	ground floor
la primera (segunda, tercera) planta	first (second, third) floor
los quehaceres (domésticos)	(household) chores
el salón	living room
el sillón	armchair
el sofá	sofa, couch
el sótano	basement
el techo	roof
el televisor	television (set)
el tendedero	clothesline
la terraza	terrace
Cognados: el apartamento, el garaje, el refrigerador	
Repaso: el ascensor, la mesa, la silla	

Los verbos	Verbs
barrer	to sweep
descansar	to rest
hacer (*irreg.*) la cama	to make the bed
lavar (los platos, el suelo)	to wash/clean (the dishes, the floor)
limpiar	to clean
pasar la aspiradora	to vacuum
sacar (qu) la basura	to take out the trash
sacudir; quitar / sacar el polvo	to dust

Otras palabras y expresiones útiles	Other words and useful expressions
debajo de	below
encima de	on top of
en medio de	in the middle of

El deporte y el bienestar°

well-being

Dos equipos (*teams*) juegan un partido (*match*) de fútbol.

Corbis/VCG/Image100/Glow Images

Objetivos

When you finish this chapter, you will be able to:

- wish someone well
- say what needs to be done
- talk about sports, wellness, and injuries
- say what you would like to happen
- talk about sports and health in the Spanish-speaking world

12

COMUNICACIÓN LARIO UCTURA TE

¡Suerte!
Wishing someone good luck

 A. A ver: ¿Qué dicen? ¿Qué les dicen estas personas a sus amigos que se preparan para correr un maratón? Mira y escucha. Luego mira otra vez con pausas y escoge la respuesta que corresponde a lo que dice cada persona.

1. Rogelio, de México
   a. Ánimo.
   b. Que les vaya bien.
   c. Suerte.
   d. Las respuestas **b** y **c** están bien.

2. Sonia, de España
   a. Ánimo.
   b. Que les vaya bien.
   c. Suerte.
   d. Las respuestas **b** y **c** están bien.

3. Olman, de Costa Rica
   a. Adelante.
   b. Ánimo.
   c. Suerte.
   d. Las respuestas **b** y **c** están bien.

4. Delano, de Argentina
   a. Les deseo mucha suerte.
   b. Mucha suerte.
   c. Que les vaya bien.
   d. Suerte.

5. Marta, de Argentina
   a. Ánimo.
   b. Buena suerte.
   c. Les deseo muchísima suerte.
   d. Las respuestas **a** y **b** están bien.

6. Erick, de Nicaragua
   a. Espero que les vaya muy bien.
   b. Les deseo mucha suerte.
   c. Sí, se puede.
   d. Suerte.

7. Anlluly, de Costa Rica
   a. Espero que les vaya muy bien.
   b. Les deseo mucha suerte.
   c. Suerte.
   d. Sí, se puede.

8. Ramón, de Argentina
   a. Ánimo.
   b. Les deseo mucha suerte.
   c. Mucha suerte.
   d. Que les vaya bien.

9. Darío, de Argentina
   a. Les deseo mucha suerte.
   b. Buena suerte.
   c. Que les vaya bien.
   d. Suerte.

10. Juan, de Argentina
    a. Ánimo.
    b. Muchísima suerte.
    c. Que les vaya bien.
    d. Que sigan adelante.

11. Francisco, de Colombia
    a. Les deseo muchísima suerte.
    b. Mucha suerte.
    c. Que les vaya bien.
    d. Suerte.

12. Mauricio, de Panamá
    a. Ánimo.
    b. Les deseo muchísima suerte.
    c. Que les vaya bien.
    d. Las respuestas **b** y **c** están bien.

Truth-Function/McGraw-Hill

To wish someone good luck in Spanish, you can use one of these expressions.

Buena suerte.	Good luck.
Suerte (con todo).	Good luck (with everything).
Mucha suerte.	Best of luck.
Te/Le(s) deseo mucha suerte.	I wish you well. / I wish you lots of luck.

To give someone extra encouragement with something difficult (such as during a competition or before an exam or interview), you can use one of these.

¡Ánimo!	Keep your spirits high! / Give it all you've got! / Don't give up!
¡Adelante!	Go for it! / Let's go! / You can do it!
¡Sí, se puede!	Yes you/we can! (*lit.,* Yes, it can be done!)

To wish someone well in Spanish when you're saying good-bye, use one of these expressions.

Que te/le(s) vaya bien.	Have a good one. / I hope things go well for you.
Que tenga(s) un(a) buen(a) + *period of time*	Have a good . . .
Que tenga(s) un buen día / fin de semana / verano.	Have a good day/weekend/summer.
Que tenga(s) una buena tarde.	Have a good afternoon.

B. Que te vaya bien. Imagínate que un amigo o una amiga te dice las siguientes cosas. ¿Qué le contestas? Indica la mejor expresión para responder.

1. —Me voy al médico a hacerme unas pruebas (*tests*). No sé qué me van a decir.
   a. —Adiós.
   b. —Que tengas una buena tarde.
   c. —Suerte.

2. —Mi equipo (*team*) perdió ayer y estoy destrozado (*devastated*).
   a. —¡Ánimo!
   b. —¡Que te vaya bien!
   c. —¡Suerte!

3. —Me voy al gimnasio a hacer ejercicio. Nos vemos más tarde.
   a. —Adiós.
   b. —Ánimo.
   c. —Mucha suerte con todo.

4. —Me voy a la biblioteca; tengo un examen de biología mañana. Hasta luego.
   a. —Adiós.
   b. —Buena suerte.
   c. —Que tengas un buen fin de semana.

5. —Hace semanas que estoy entrenando (*training*), pero no estoy lista (*ready*) para correr el maratón el sábado.
   a. —Adiós.
   b. —Ánimo.
   c. —Que tengas una buena tarde.

6. —Y con esto terminamos la clase para hoy. Me voy de viaje con mi familia. Hasta el lunes.
   a. —Ánimo.
   b. —Muy buena suerte.
   c. —Que tengas un buen fin de semana.

C. Después de clase Pregúntale a un compañero / una compañera qué va a hacer hoy después de clase, hoy por la noche y este fin de semana. Luego despídete de él/ella usando una de las expresiones que acabas de aprender (*you just learned*).

MODELO: E1: ¿Qué vas a hacer después de clase?
E2: Voy a estudiar para mi examen de biología.
E1: ¿Y esta noche?
E2: Voy a acostarme temprano. El examen es a las ocho de la mañana.
E1: ¡Suerte en tu examen!

Para mantenerse sano/a,° hay que...

stay healthy

Giving advice on healthy living

> To say *You* (*don't*) *have to* (do something), use: **(No) Hay que** + *infinitive*. This can also be translated as *It's* (*not*) *necessary to* (do something).
>
> | | |
> |---|---|
> | **Para mantenerse sano/a, hay que comer bien.** | To stay healthy, one has to (it's necessary to) eat well. |
> | **No hay que levantar pesas para mantenerse en forma.** | People/You don't have to lift weights to stay in shape. |

A. Para llevar una vida (*life*) más sana...

 PASO 1. Indica si estás de acuerdo o no con cada afirmación que escuchas.

	ESTOY DE ACUERDO	NO ESTOY DE ACUERDO
1.	☐	☐
2.	☐	☐
3.	☐	☐
4.	☐	☐
5.	☐	☐
6.	☐	☐
7.	☐	☐
8.	☐	☐

■ The audio files for in-text listening activities are available in the eBook, within Connect activities, and on the Online Learning Center.

 PASO 2. En parejas, completen cada frase de dos maneras: con algo que hay que hacer y también con algo que *no* hay que hacer. No repitan la información del **Paso 1.**

MODELO: Para hacer ejercicio, no hay que ir al gimnasio.

1. Para llevar una vida más activa...
2. Para comer mejor...
3. Para mantenerse en forma...
4. Para conocer a otras personas sanas...
5. Para participar en deportes...

B. ¿Qué hay que hacer para mantenerse o estar más sano/a?

PASO 1. Escribe tres oraciones sobre lo que debes hacer tú para estar más sano/a.

MODELO: Para vivir una vida más sana, debo inscribirme (*sign myself up*) en un gimnasio. También debo comer más verduras y menos azúcar. Debo preparar la comida en casa en vez de ir a restaurantes.

 PASO 2. En grupos, compartan lo que quieren hacer para vivir más sano. Decidan cuáles son los dos puntos más importantes y preséntenlos a la clase. Empiecen su resumen (*summary*) con: **Según nuestro grupo...**

MODELO: Según nuestro grupo, para vivir una vida sana hay que comer muchas verduras y dormir ocho horas cada noche.

Los deportes y cómo mantenerse en forma

Sports and fitness

A. ¿Eres sedentario/a o activo/a? Completa la encuesta para saber si eres una persona sedentaria o activa.

PASO 1. ¿Con qué frecuencia haces las siguientes actividades?

1. ___ Veo películas y series en Internet…
   a. menos de una hora al día.
   b. de una a tres horas al día.
   c. más de tres horas al día.

2. ___ Viajo en coche o transporte público…
   a. menos de treinta minutos al día.
   b. de treinta a noventa minutos al día.
   c. más de noventa minutos al día.

3. ___ Camino… (Hago caminatas [*hikes*]… / Voy a la universidad a pie…)
   a. más de cuarenta y cinco minutos al día.
   b. de veinte a cuarenta y cinco minutos al día.
   c. menos de veinte minutos al día.

4. ___ Practico un deporte o hago una actividad física…
   a. más de cuatro horas a la semana.
   b. de dos a cuatro horas a la semana.
   c. menos de dos horas a la semana.

5. ___ Tomo siestas largas…
   a. muy raras veces.
   b. de vez en cuando.
   c. todos los días.

6. ___ Uso la computadora…
   a. menos de dos horas al día.
   b. de dos a cuatro horas al día.
   c. más de cuatro horas al día.

NÚMERO TOTAL DE CADA RESPUESTA

   a. _____
   b. _____
   c. _____

En español...

Mantenerse contains the verb **tener** and therefore is conjugated the same way.

Ella se mantiene en forma usando una combinación de ejercicio y dieta. She stays in shape using a combination of exercise and diet.

You'll find the same pattern with other verbs you'll come across that contain the verb **tener,** such as **contener** (*to contain*), **detener** (*to stop; to detain*), **obtener** (*to get, obtain*), **retener** (*to retain*), and **sostener** (*to sustain; to hold, support*).

PASO 2. Ahora, indica todos los deportes y otras actividades físicas que haces con frecuencia.

☐ **andar en bicicleta**

☐ **hacer alpinismo**

☐ **jugar voleibol**

☐ **andar en patineta**

☐ **jugar béisbol**

☐ **levantar pesas**

☐ **el atletismo**

☐ **jugar fútbol americano**

☐ **patinar sobre hielo,** el patinaje

☐ **boxear,** el boxeo

☐ **esquiar,** el esquí

☐ **jugar tenis**

☐ **surfear,** el surf

☐ bailar
☐ correr
☐ dar paseos largos

☐ hacer ejercicio aeróbico
☐ jugar básquetbol
☐ jugar fútbol

☐ montar a caballo
☐ nadar, **la natación**
☐ practicar yoga

☐ otro: _____

¿Cuántas actividades físicas marcaste? _____

PASO 3. Ahora, calcula los resultados.

En el **Paso 1,** todas las respuestas **a** valen 10 puntos; las **b** valen 5 puntos y las **c** valen 0 puntos. Para calcular los resultados de la encuesta, suma tus respuestas de **Paso 1** (máximo: 60). Luego suma el número total de deportes y actividades del **Paso 2** (máximo: 18) y agrega (*add*) este total a los resultados del **Paso 1.**

0–25: Tienes una vida muy sedentaria. No te gusta mucho la actividad física o no tienes tiempo en tu horario para hacerla. Piensa en maneras en que puedes incorporar más actividad a tu vida. El trabajo es importante, pero mantener una buena salud también es importante.

26–45: Participas con frecuencia en actividades físicas y tal vez has encontrado un buen equilibrio entre el trabajo y el ejercicio. ¡Felicidades! Si también comes bien y duermes lo suficiente, vas hacia (*toward*) una vida muy sana.

46+: Eres una persona muy activa. Te gusta moverte y te molesta quedarte quieto/a (*still*). ¡Lo que puedes hacer ahora es explorar y probar otras actividades físicas para buscar aún (*even*) más aventuras!

B. ¿Para qué se usa?

PASO 1. En parejas, túrnense para decidir para qué deporte(s) puede servir cada uno de los siguientes elementos.

1. la bicicleta   2. **el casco**   3. las manos   4. **la raqueta**

5. **los patines**   6. **la patineta**   7. **la pelota**   8. **las pesas**

9. los pies   10. **la piscina**   11. los tenis

1. Ingram Publishing/Alamy Stock Photo; 2. Wilawan Khasawong/venusangel/123RF; 3. Mark Dierker/McGraw-Hill; 4. Comstock Images/Alamy Stock Photo; 5. FeelFree/Shutterstock; 6. Ingram Publishing/SuperStock; 7. Cherdchai Charasri/Shutterstock; 8. Photosync/Shutterstock; 9. McGraw-Hill; 10. Daniel Hurst/Dana Hoff/Brand X Pictures/Getty Images; 11. D. Hurst/Alamy Stock Photo

PASO 2. En parejas, túrnense para pensar en un deporte y —sin decir el nombre del deporte— nombren todo el equipo (*equipment*) que se necesita para jugarlo. Tu compañero/a debe adivinarlo (*guess it*).

MODELO: E1: Este deporte requiere una piscina, un traje de baño, un gorro…
E2: ¡Es la natación!

C. A ver: El deporte en los países hispanos

PASO 1. Mira y escucha. Luego mira otra vez con pausas y contesta las siguientes preguntas.

1. ¿Qué deporte(s) o actividad(es) menciona cada persona?

Adrián, de México

Zaryn, de la República Dominicana

Eduardo, de México

Marco Antonio, de México

Isabel, de España

Juan, de Argentina

Truth-Function/McGraw-Hill

2. ¿Qué deporte(s) les gusta ver en la televisión?

Moravia y Gisela,
de México

Paula, de México

Henry, de Costa Rica

Adrián, de España

PASO 2.   Mira y escucha otra vez con pausas. Luego contesta las preguntas.

1. Según Zaryn, ¿cuál es el deporte nacional de la República Dominicana?
2. ¿Qué tipo de patinaje sobre hielo practica Eduardo?
3. ¿Es atlética Isabel? ¿Qué hace ella para mantenerse en forma?
4. ¿A Juan le gustaría hacer ejercicio en un gimnasio? ¿Por qué?
5. ¿Cuáles son los dos equipos de la NFL™ que mencionan Moravia y Gisela?
6. ¿Cuál es el deporte que a Adrián (de España) no le gusta ver en la televisión?

PASO 3.   En parejas, contesten las preguntas del video (¿Qué deportes practican?, ¿Qué deporte les gusta ver en la televisión?) según sus propios (*own*) intereses. ¿Tienen algo en común las respuestas de Uds. con las respuestas de las personas del video?

CONÉCTATE AL MUNDO HISPANO

Algunos atletas famosos del mundo hispano incluyen a **Kilian Jornet Burgada,** atleta de élite español. Es corredor de larga distancia, esquiador, alpinista (*mountaineer*) y ciclista de montaña. En los meses fríos del invierno, Jornet cambia sus zapatos por los esquís. Ha ganado (*He's won*) más de ochenta carreras y competencias (*competitions*) de esquí.

Kilian Jornet Burgada

La colombiana **Caterine Ibargüen Mena** es ganadora de varias medallas en varios campeonatos mundiales de atletismo (*track and field*). Es atleta de salto de longitud, salto de altura y triple salto. Compitió en los Juegos Olímpicos (*Olympic Games*) de verano en 2012 (ganó una medalla de plata) y 2016 (ganó una medalla de oro).

Caterine Ibargüen Mena

D. Cómo ser atleta de élite

PASO 1.   En parejas, hagan una lista de tres actividades que hay que hacer y tres hábitos que hay que tener para mantenerse en forma y tener éxito (*be successful*) como atleta de élite en cada uno de estos deportes: **la carrera (*racing*) de montaña, el esquí, el atletismo, la natación.**

PASO 2.   Formen un grupo de cuatro con otra pareja y pongan en orden los elementos de las dos listas, de lo más importante a lo menos importante para mantenerse en forma para cada deporte. ¿Cuáles de estos hábitos y actividades se aplican a varios deportes? ¿Cuáles se aplican a una vida sana en general?

La salud y el bienestar
Health and well-being

A. Medir (*Measuring*) la salud

PASO 1. Para cada imagen, escribe la cosa que se mide (*is measured*).

la altura **el peso** **la presión** **la temperatura**

Ariel Skelley/the Agency Collection/Blend Images/Getty Images

1. _____

Thinkstock/Stockbyte/Getty Images

2. _____

Rick Brady/McGraw-Hill

3. _____

Blue Jean Images/Getty Images

4. _____

PASO 2. ¿Quién hizo qué? Mira las imágenes y luego contesta las preguntas.

1. ¿Quién bajó de peso? _____
2. ¿Quién mide al paciente? _____
3. ¿Quién se enfermó? _____

4. ¿Quién se mejoró? _____
5. ¿Quién subió de peso? _____

To talk about *illness* (**la enfermedad**), *symptoms* (**los síntomas**), *complaints* (**las quejas**), and *pain* (**el dolor**), use the verb **doler** (*to ache, to hurt*).

The verb **doler** functions like **gustar**.

—¿Te duele la cabeza?	Does your head hurt?
—No, pero me duele mucho el estómago.	No, but my stomach hurts a lot.
—¿Le duelen a Ud. los pies?	Do your feet hurt?
—Sí, me duelen los pies y las piernas.	Yes, my feet and legs hurt.

There are many cognates in the medical field: **las alergias, el asma, la depresión, la infección, el insomnio.**

Here are more useful words to talk about ailments and illnesses.

el cambio	change
la cuarentena	quarantine
la fiebre	fever
la mascarilla	face mask
la pandemia	pandemic
la sangre	blood
la tos	cough
el virus	virus
cambiar	to change
quejarse	to complain
sufrir de	to suffer from
tener alergia a	to be allergic to
tomar los datos / las medidas	to get someone's information/ measurements

En español...

In most of the Spanish-speaking world, weight is measured in kilograms (**kilogramos** o **kilos**) and height is measured in meters (**metros**) or centimeters (**centímetros**). To convert your weight from pounds (**libras**) to **kilos,** divide by 2.2.

$$150 \text{ lbs} = 66.18 \text{ kg}$$

To convert your height from feet (**pies**) and inches (**pulgadas**) to centimeters or meters, change to inches and then multiply by 2.54.

$$5 \text{ ft. } 6 \text{ in.} = 66 \text{ in.} = 167.64 \text{ cm} = 1.68 \text{ m}$$

B. ¿Dolor o dato?   Escucha y decide si cada persona habla de **un síntoma/dolor** o **un dato / una medida.**

1. _____   3. _____   5. _____   7. _____

2. _____   4. _____   6. _____   8. _____

C. La historia médica

PASO 1.   Empareja cada pregunta o comentario con la reacción más lógica.

____ 1. ¿Cuánto mide Ud.?
____ 2. ¿Hay algún cambio en su historia médica?
____ 3. ¿Cómo está su presión?
____ 4. Estoy comiendo menos.
____ 5. ¿Tengo fiebre? ¿Debo usar mascarilla?

a. Muy bien. Bajó de peso dos libras.
b. Me preocupa (*It worries me*). Subió desde la última cita (*appointment*).
c. Cinco pies, siete pulgadas.
d. No. Su temperatura es normal. Noventa y ocho coma seis.
e. Sí, estoy tomando una nueva medicina para el asma.

PASO 2.   En parejas, túrnense para ser paciente o enfermero/a que toma los datos. Inventen todos los detalles.

Temperatura normal: 98,6   Presión normal: 120/80 (**de 120 sobre 80**)

ENFERMERO/A	DATOS DEL (DE LA) PACIENTE
¿Cuánto pesa Ud.?	
¿Cuánto mide?	
¿Hay algún cambio en la historia médica?	
¿Por qué está Ud. aquí hoy?	
Le tomo la temperatura. Es...	
Le tomo la presión. Es...	

D. Los dolores más comunes

 PASO 1. Las personas que practican los mismos deportes generalmente sufren de los mismos dolores, por los movimientos repetidos y los riesgos (*risks*) del deporte. En parejas, adivinen los dolores de los atletas que practican estos deportes.

MODELO: el tenis → Al jugador (*player*) de tenis le duele el codo.

el alpinismo	el esquí
el béisbol	el fútbol americano
el boxeo	la natación
el ciclismo	el patinaje

PASO 2. ¿Qué pueden hacer los atletas que participan en los deportes del **Paso 1** para protegerse mejor y no sufrir de tantos dolores? Menciona la parte del cuerpo, la prevención y el tratamiento.

MODELO: Para el jugador de tenis con dolor de codo, una prevención es levantar pesas y un tratamiento es hacer terapia física.

EXPRESIONES ÚTILES

estirar	stretch
hacer calentamientos	warm-ups
hacer terapia física	
tomar medicina	
tomar mucha agua	
usar casco	
usar rodilleras y coderas	to use knee pads and elbow pads

CONÉCTATE AL MUNDO PROFESIONAL

Any level of Spanish can be useful in a medical profession. A volunteer with a basic knowledge of Spanish could be a greeter who works in the waiting area and interacts with children while their parents have medical appointments. A medical assistant who has learned the intake script as practiced in **Actividad C** could use it everyday at work. With special qualifications or a high level of fluency, a medical interpreter can work in a variety of contexts and a bilingual doctor could work with an international organization such as Doctors Without Borders (**Médicos Sin Fronteras**).

E. ¿Qué deben hacer?

PASO 1. En parejas, túrnense para explicar la situación médica y ofrecer consejos.

MODELO: E1: Necesito hacer más ejercicio pero me duelen las rodillas.
E2: Debes practicar natación. Y no uses tenis viejos para hacer ejercicio.

1. Me duele la cabeza.
2. Mi doctor me dijo que tengo que perder diez libras.
3. Quiero mantenerme en forma, pero no soy muy bueno/a en deportes.
4. Sufro de insomnio.
5. Necesito hacer más ejercicio y prefiero jugar en un equipo.
6. Me siento muy débil (*weak*) y quiero tener músculos más grandes.
7. Hace tres semanas que tengo tos.

PASO 2. En parejas, representen el papel de un entrenador (*coach/trainer*) personal y su cliente. Usen mandatos para preparar un plan de entrenamiento (*training*) para mejorar la salud de los siguientes clientes.

1.

Un hombre de 45 años que trabaja en una oficina de cincuenta a setenta horas a la semana. Come comida rápida por lo menos una vez al día, toma algunas cervezas después del trabajo todos los días y fuma veinte cigarrillos al día.

2.

Un ama de casa (*homemaker*) de 37 años que subió de peso (*gained*) 60 libras en 10 años, pasa dos o tres horas diarias llevando a sus dos hijos a sus varias actividades; camina dos millas (*miles*) tres veces cada semana con otras señoras de su comunidad. En su tiempo libre (*free*) limpia la casa, cultiva el jardín y mira la televisión.

3.

Un estudiante universitario que no duerme lo suficiente, no tiene tiempo para comer bien y toma muchas bebidas con cafeína cada día. Pasa todo su tiempo estudiando y trabajando en una tienda.

4.

Una señora de 70 años con artritis que come mucha comida grasosa (*greasy*) y no hace ningún tipo de ejercicio.

COMUN VOCABUL **ESTRUCTURA** TE

 Reciclaje   The present perfect

Dicen que es bueno para la salud hacer las siguientes actividades todos los días. Para cada actividad, crea una oración para decir cuántas veces has hecho esa actividad en las últimas cuarenta y ocho horas. Usa **no** si no has hecho la actividad.

1. caminar por más de veinte minutos
2. comer frutas o verduras
3. meditar o practicar yoga
4. dormir una noche completa (de ocho horas)
5. hacer media hora de ejercicio aeróbico
6. tomar agua

En las últimas cuarenta y ocho horas…

1. _____
2. _____
3. _____

4. _____
5. _____
6. _____

■ Answers to this activity are in Appendix 2 at the back of your book.

12.1 Yulimar la ha ganado

The present perfect with object pronouns

Para empezar…

Yulimar Rojas es una atleta venezolana y una de las mejores del mundo en triple salto (*jump*). Nació y se crio en una familia muy pobre, pero por su perseverancia y dedicación, ha logrado ser campeona mundial en su deporte y ganar medallas (*medals*) en los Juegos Olímpicos y otros eventos. En las siguientes oraciones, vas a aprender un poco más sobre su vida. Cada oración tiene un pronombre de objeto directo (**lo, la, los, las**), pero, ¿a qué o quién se refiere el pronombre? Empareja la oración con la persona o la cosa correspondiente.

Yulimar Rojas

Michael Steele/Getty Images

1. _____ **Lo ha practicado** desde los catorce años, pero no había entrenadores y empezó a practicar el atletismo.
2. _____ **Lo ha conocido** desde 2015, cuando le envió un mensaje en Facebook.
3. _____ **La ha ganado** dos veces: en Londres en 2017 y en Doha en 2019.
4. _____ **Los ha conocido** por su participación en eventos deportivos internacionales.
5. _____ **Las han considerado** rivales porque las dos han sido campeonas mundiales en triple salto.
6. _____ Por años, muchos **la han considerado** «la diosa (*goddess*) del triple salto».
7. _____ **Lo ha cambiado** de color (rojo, rubio o verde, por ejemplo) en cada competencia.
8. _____ **La ha presentado** en las redes sociales y en muchos eventos públicos.

a. el pelo
b. la medalla de oro en triple salto en el Campeonato Mundial de Atletismo
c. el entrenador cubano Iván Pedroso, que también fue un atleta muy reconocido
d. la venezolana Yulimar Rojas y la colombiana Caterine Ibargüen
e. su novia
f. el voleibol
g. Yulimar Rojas
h. muchos países del mundo

■ Answers to these activities are in Appendix 2 at the back of your book.

Actividades analíticas

1 As you saw in **Estructura 6.3**, object pronouns (**pronombres de objeto**) appear before conjugated verbs.

Yulimar **lo ganó.**   *Yulimar won it.*

It's no different in the present perfect tense, where object pronouns appear before the auxiliary verb **haber,** because it is the conjugated verb.

Yulimar **lo ha** ganado.   *Yulimar has won it.*

In this example, the object pronoun (**lo**) is a direct object pronoun. What type of pronoun do you see in the following sentences: direct object, indirect object, or reflexive?

_____ Yulimar **se** ha despertado temprano.   *Yulimar has woken up early.*

_____ Yulimar **le** ha escrito una carta.   *Yulimar has written a letter to him/her/you* (form.).

2 You also saw in **Estructura 6.3** that when a conjugated verb is followed by an infinitive, the object pronoun may appear either before the conjugated verb or after and attached to the infinitive.

Yulimar **lo quiere** ganar. ⎫
                              ⎬ *Yulimar wants to win it.*
Yulimar quiere **ganarlo.** ⎭

The same is true when a present perfect verb form is followed by an infinitive. The object pronoun may appear either before the conjugated form of **haber** or after and attached to the infinitive. The meaning is the same regardless of the placement of the object pronoun.

Yulimar **lo ha** querido ganar. ⎫
                                 ⎬ *Yulimar has wanted to win it.*
Yulimar ha querido **ganarlo.** ⎭

The present perfect follows the same pattern of object pronoun placement as other verb tenses, but English speakers sometimes find these sentences difficult to understand. Check your comprehension by translating the following sentences into English.

Lo he tenido que hacer. _____

¿Le has podido contestar su pregunta? _____

La hemos querido comprar por mucho tiempo. _____

Actividades prácticas

A. Los deportes y el mundo hispano   Empareja cada oración con el deporte o premio que le corresponde.

1. ____ Argentina, España y Uruguay son los únicos países hispanos que **la han ganado.**

2. ____ El panameño Roberto Durán **lo ha practicado** desde 1968 y es reconocido (*recognized*) como uno de los mejores en toda la historia de este «deporte de los guantes».

3. ____ El español Ricky Rubio **lo ha practicado** a nivel (*level*) profesional desde los 14 años. Ahora lo juega en la NBA de los Estados Unidos.

4. ____ España es el único país hispano que **la ha ganado** en esquí alpino.

5. ____ La República Dominicana **les ha mandado** a las Grandes Ligas a más de 400 jugadores de este deporte.

6. ____ El argentino Lionel Messi **lo ha practicado** desde los cuatro años y es considerado por muchos como el mejor jugador de todos los tiempos.

a. la Copa Mundial de Fútbol

b. la medalla de oro en los Juegos Olímpicos de invierno

c. el béisbol

d. el boxeo

e. el básquetbol

f. el fútbol

Autoprueba

Using what you know about object pronoun use and placement, how would you respond affirmatively to the following questions?

1. ¿Has traído los cascos para los jugadores?

    _____

2. ¿El equipo ha preparado su plan para el partido?

    _____

3. ¿Han comprado los padres las bebidas?

    _____

4. ¿Han podido conseguir boletos Uds.?

    _____

Respuestas: 1. Sí, los he traído. **2.** Sí, lo ha preparado. **3.** Sí, las han comprado. **4.** Sí, los hemos podido conseguir / Sí, hemos podido conseguirlos.

B. El deporte en tu país

PASO 1. Para cada deporte en la tabla, escribe cuántas veces lo has visto (en televisión o en persona) y cuántas veces lo has practicado este año.

Número de veces que...	LO/LA HE VISTO	LO/LA HE PRACTICADO
1. el atletismo		
2. el básquetbol		
3. el béisbol		
4. el esquí (esquiar)		
5. el fútbol		
6. el fútbol americano		
7. la natación (nadar)		
8. el tenis		
9. el voleibol		
10. el yoga		

 PASO 2. En grupos, comparen sus respuestas. Para cada deporte, ¿quién lo ha visto más y quién lo ha practicado más? ¿Hay algún deporte que todos han visto o han practicado?

C. Compras para el deporte
Escoge una de las cuatro respuestas posibles para responder a las siguientes preguntas. Completa cada respuesta con el pronombre de objeto directo o indirecto correcto y escríbela en el espacio indicado.

Respuestas posibles: Sí, _____ he comprado.
Sí, _____ hemos comprado.
Sí, _____ he comprado una raqueta.
Sí, _____ hemos comprado una raqueta.

PREGUNTAS	RESPUESTAS
1. ¿Has comprado el casco?	_____
2. ¿Han comprado las revistas de deporte que les recomendé?	_____
3. ¿Has comprado las bicicletas?	_____
4. ¿Le han comprado algo a Victoria?	_____
5. ¿Han comprado los boletos para el partido?	_____
6. ¿Has comprado la raqueta de tenis que querías?	_____
7. ¿Le has comprado algo a Gerardo?	_____

D. ¿Qué te ha funcionado?

PASO 1. Todos hemos empezado algún hábito bueno y después no lo continuamos. ¿Pero alguna vez has empezado algo bueno para tu salud y lo has podido continuar? En parejas, hablen de este tema y creen una lista de cosas que han funcionado para Uds.

HÁBITO/ACTIVIDAD	¿POR CUÁNTO TIEMPO LO HAS HECHO?
correr por la mañana	Lo he hecho por dos años.
_____	_____
_____	_____
_____	_____

PASO 2. Ahora, crea dos mandatos informales para tu compañero/a y justifica tus recomendaciones con tu propia experiencia.

MODELO: Corre. Lo he hecho por dos años ya y me siento más fuerte.

Colombia   **Venezuela**

Egan Bernal

E. Cultura: Los deportes en Colombia y Venezuela

PASO 1. Lee el texto sobre Colombia y Venezuela.

Si preguntas a los sudamericanos cuál es el deporte más importante para su país, muchos van a mencionar el fútbol. Este es el caso de Colombia, donde la selección nacional ha participado cinco veces en la Copa Mundial de fútbol y en 2001 ganó la Copa América. Por otro lado, su nación vecina Venezuela no ha podido generar tanto entusiasmo alrededor del fútbol y, de hecho,[a] es el único país sudamericano que nunca ha participado en la Copa Mundial. Sin embargo, los venezolanos sí tienen mucho orgullo y mucho éxito en su deporte nacional: el béisbol. Se ve evidencia de esto en el gran número de beisbolistas —¡más de 300!— que han participado en las Grandes Ligas desde 1939.

Entonces, ¿es el fútbol el deporte nacional de Colombia? Para nada. El deporte nacional se llama «el tejo», un juego que se originó en la época prehispánica. El jugador tiene que lanzar[b] un disco de metal a una distancia de dieciocho metros al centro de una cancha de arcilla.[c] Lo divertido es que cuando el disco cae exactamente en el centro, hace ruido y saca chispas[d] porque allí hay unos pequeños paquetes de pólvora.[e] Y aparte del fútbol y del tejo, los colombianos son ciclistas excelentes. El colombiano Egan Bernal ganó el Tour de Francia en 2019. Fue el primer latinoamericano en hacerlo y el ganador más joven en 110 años.

En Venezuela, no todos los deportistas están satisfechos con el ritmo lento de un partido de béisbol. De hecho, el país es conocido por la naturaleza espectacular, que ofrece lugares tanto bellos como escarpados (*steep*), ideales para los deportes extremos. En la zona alrededor de Mérida, se puede hacer alpinismo en varios picos, los dos más altos de casi 5.000 metros. Los más atrevidos[f] pueden bajar volando, haciendo parapente,[g] un deporte muy popular. ¿Y en qué otro deporte participan los más atrevidos (o los más locos)? Hacen salto[h] BASE de la catarata[i] más alta del mundo, el Salto Ángel, ubicada en el Parque Nacional Canaima.

[a]de… *in fact*   [b]*toss*   [c]*clay*   [d]saca… *makes sparks*   [e]*gunpowder*   [f]*daring*   [g]*paragliding*   [h]*jumping*   [i]*waterfall*

PASO 2. Usa la lectura para identificar a lo que se refieren los pronombres de objeto directo subrayados (*underlined*).

1. La selección nacional de fútbol de Colombia <u>la</u> ha ganado. _____
2. Venezuela <u>los</u> ha mandado a las Grandes Ligas más de 300 veces. _____
3. Los colombianos <u>lo</u> han jugado desde los tiempos prehispánicos. _____
4. <u>Las</u> genera el disco de tejo cuando cae en el centro de la cancha. _____
5. <u>Lo</u> ha ganado en 2019 el ciclista Egan Bernal. _____
6. Los que hacen parapente en Venezuela <u>la</u> pueden admirar porque es espectacular. _____
7. Los deportistas más atrevidos de Venezuela <u>lo</u> han hecho. _____

PASO 3. En parejas, contesten las preguntas y explíquense las respuestas.

1. El béisbol empezó en los Estados Unidos en el siglo XIX y ganó mucha popularidad en países que tenían mucho contacto con los Estados Unidos. Considerando la ubicación geográfica de Colombia y de Venezuela, ¿por qué crees que el béisbol se hizo mucho más popular en Venezuela que en Colombia?
2. Basándote de nuevo en la geografía, ¿en qué otros países hispanos piensas que es muy popular el béisbol?
3. ¿Cómo se comparan el béisbol y el fútbol en tu país? ¿Cuál se juega más? ¿Cuál es más popular en la televisión?

⟳ Reciclaje | The present progressive

¿Qué están haciendo en los siguientes dibujos? Usa el presente progresivo para describir la acción de cada imagen.

1. _____

2. _____

3. _____

4. _____

5. _____

6. _____

7. _____

8. _____

■ Answers to this activity are in Appendix 2 at the back of your book.

Matthew Stockman/Getty Images

Rafael Nadal en el Abierto de Francia

12.2 Lo está ganando

The present progressive with object pronouns

Para empezar...

Estos son algunos momentos clave (*key*) en la vida del tenista español Rafael Nadal. Él es de Mallorca, una isla en el Mediterráneo, y se considera uno de los mejores jugadores de la historia del tenis. Empareja cada hora, fecha y tema con lo que está haciendo Nadal en ese momento.

HORA	FECHA	TEMA
a. 16:32	23 de mayo, 2005	El Abierto (*Open*) de Francia
b. 11:08	13 de febrero, 2008	La Fundación Rafa Nadal
c. 19:28	6 de julio, 2008	Roger Federer
d. 10:35	12 de julio, 2008	El asteroide 128036
e. 14:42	16 de agosto, 2008	La medalla de oro en los Juegos Olímpicos
f. 20:35	24 de octubre, 2008	El premio Príncipe de Asturias
g. 10:48	8 de enero, 2010	La cantante colombiana Shakira
h. 20:45	8 de septiembre, 2019	El Abierto de Estados Unidos

1. ____ **La está recibiendo** en Pekín (*Beijing*).
2. ____ **La está anunciando** como una fundación de asistencia social.
3. ____ **Lo está ganando** por primera vez, y con eso **se está haciendo** muy famoso en todo el mundo.
4. ____ **La está viendo** mientras ella canta en un video que están filmando juntos en Barcelona.
5. ____ **Lo está ganando** por cuarta (*fourth*) vez.
6. ____ La Unión Astronómica Internacional **le está dando** el nombre «Rafaelnadal» en honor a «uno de los mejores tenistas de todos los tiempos».
7. ____ **Lo está recibiendo** del príncipe Felipe en una ceremonia en Oviedo.
8. ____ **Lo está venciendo** (*beating*) en Wimbledon. Según muchos, es el mejor partido en la historia del tenis.

Actividades analíticas

1 As you saw in **Estructura 11.3,** the present progressive consists of the auxiliary verb **estar** followed by the present participle of the main verb. Object pronouns can appear before **estar,** since it is the conjugated verb of the form.

Nadal **lo está** ganando.   *Nadal is winning it.*

In this example, the pronoun **lo** is a direct object pronoun. In **Para empezar,** find one example each of an indirect object pronoun and a reflexive pronoun, and write the pronoun and complete verb form here.

With indirect object pronoun: _____

With reflexive pronoun: _____

2 Object pronouns may instead appear after and attached to the present participle of the verb, just as you've seen with infinitives (see **Estructura 8.3**).

Nadal está **ganándolo.**   *Nadal is winning it.*

If you attach the object or reflexive pronoun to the end of a present participle, you'll need to write an accent mark in order to keep the stress on the right vowel: on the **a** of **-ando** for **-ar** verbs, and on the **e** of **-iendo** for **-er** and **-ir** verbs. Whether you place the object/reflexive pronoun before the conjugated verb or attach it to the end of the present participle, the meaning is the same.

Take the verb phrases that you wrote in **Actividad analítica 1** and move the object/reflexive pronoun to the end of the present participle. Don't forget the accent marks!

Indirect object: _____

Reflexive: _____

■ Answers to these activities are in Appendix 2 at the back of your book.

> **Autoprueba**
>
> Use what you now know about placement of object pronouns with the present progressive to answer the following questions affirmatively in two different ways.
>
> 1. ¿Están mirando el partido Uds.?
> 2. ¿Los jugadores están siguiendo las reglas del partido?
> 3. ¿El entrenador está organizando la alineación (*lineup*) de jugadores?
>
> **Respuestas: 1.** Sí, lo estamos mirando., Sí, estamos mirándolo. **2.** Sí, las están siguiendo., Sí, están siguiéndolas. **3.** Sí, la está organizando., Sí, está organizándola.

■ For more on the use of object pronouns with the present progressive, see **Para saber más 12.2** at the back of your book.

Actividades prácticas

A. ¡Qué mala excusa!

PASO 1. Si invitas a un amigo o una amiga a hacer ejercicio contigo y te da una de las siguientes excusas, ¿cuáles son buenas y cuáles son ridículas?

No puedo hacer ejercicio contigo porque...	BUENA	RIDÍCULA
1. ya me estoy acostando. Tengo que levantarme muy temprano mañana.	☐	☐
2. me interesa más la televisión. La estoy viendo y cuando cambio el canal (*channel*), eso es muy buen ejercicio.	☐	☐
3. me estoy lavando los dientes.	☐	☐
4. encontré un libro en la basura y lo estoy leyendo.	☐	☐
5. tengo que presentar este libro mañana en mi clase de literatura y apenas (*barely*) lo estoy empezando a leer.	☐	☐
6. no encuentro mi computadora y la ando buscando.	☐	☐

PASO 2. Ahora, en parejas, creen dos excusas buenas y dos excusas ridículas para decir por qué no pueden hacer ejercicio en este momento. ¿Qué están haciendo que no les permite hacer ejercicio?

B. ¿Qué está haciendo? En parejas, para cada foto, túrnense para contestar la pregunta «¿Qué está(n) haciendo?».

1. Mateo   2. Luis   3. Los padres y su hija   4. Yo

5. Gloria   6. Francisco   7. Elena   8. Amaya, Maya y Marlén

C. Dos contra dos En dos parejas, túrnense para actuar para la otra pareja algunas de las siguientes acciones, pero sin hablar. ¿La otra pareja puede adivinar qué están haciendo?

MODELO: ¿Lo/La estás ayudando a practicar yoga? (¿Estás ayudándolo/la a practicar yoga?)

ayudarlo/la a ponerse un casco	invitarlo/la a nadar
ayudarlo/la a practicar yoga	pasarle la pelota en un partido de fútbol
darle una raqueta	saludarlo/la
decirle que es muy buen(a) futbolista	seguirlo/la

↻ Reciclaje | Commands

Usando las recomendaciones de la lista, crea consejos en forma de mandatos para tus compañeros que tienen los problemas mencionados. Cada recomendación se puede usar solo una vez. **¡Atención!** Algunos de los mandatos tienen que estar en forma singular (**tú**) y otros en plural (**Uds.**).

| comer menos y hacer más ejercicio | dormir más | practicar yoga |
| correr | levantar pesas | tomar agua |

PROBLEMA	CONSEJO
1. Tenemos sed.	_____
2. Quiero tener más flexibilidad.	_____
3. Queremos tener más músculo.	_____
4. Siempre tengo sueño.	_____
5. Quiero bajar de peso.	_____
6. Queremos tener mejor condición física.	_____

■ Answers to this activity are in Appendix 2 at the back of your book.

12.3 Te recomiendo que comas chocolate

The subjunctive: Volition with regular verbs

Para empezar...

Lee las siguientes preguntas sobre la salud y las respuestas del doctor América. Él te recomienda (*recommends*) puros productos autóctonos (*native*) de América para ayudarte con los problemas de salud. Pero, ¡cuidado! Una de sus recomendaciones es falsa.

1. Quiero bajar (*lower*) mi colesterol. ¿Qué hago?
   El doctor América dice: «Yo te recomiendo que **comas** mucho aguacate».

2. ¿Qué me recomienda para aumentar (*increase*) mi consumo (*consumption*) de antioxidantes?
   El doctor América dice: «Te recomiendo que **comas** o **tomes** mucho chocolate oscuro. El chocolate oscuro tiene un nivel muy alto de antioxidantes».

3. No me gusta el jugo de naranja. ¿Qué puedo hacer para tener suficiente vitamina C?
   El doctor América dice: «Te recomiendo que **comas** chiles. Los chiles contienen muchísima vitamina C».

4. Soy vegetariano. ¿Qué me recomienda para comer suficiente proteína?
   El doctor América dice: «Te recomiendo que **busques** quinua. Es de los Andes (sobre todo Bolivia) y tiene muchísima proteína. Se usa en forma de harina para hacer pan».

5. A veces tengo problemas digestivos. ¿Qué me recomienda?
   El doctor América dice: «Te recomiendo que **compres** papaya. Ayuda mucho a la digestión y tiene muchas vitaminas y antioxidantes».

6. Sé que tengo que comer más verduras, pero no me gustan. ¿Qué hago?
   El doctor América dice: «Te recomiendo que le **des** una oportunidad al maíz. ¿Lo has probado (*tried*) en verano? Con sal y mantequilla (o chile, ¿por qué no?), es muy rico».

7. Me estoy quedando calvo (*bald*) y no sé qué hacer. ¿Ud. me puede recomendar algo?
   El doctor América dice: «Te recomiendo que **vivas** una vida muy tranquila, que **duermas** mucho y que **tomes** agua con vainilla todas las noches antes de acostarte. En poco tiempo vas a tener mucho pelo de nuevo (*once again*)».

8. ¿Ud. me puede recomendar alguna fruta o verdura para ayudar a prevenir (*prevent*) el cáncer?
   El doctor América dice: «Yo te recomiendo que **comas** mucho tomate. Su color rojo es por la presencia de licopeno (*lycopene*), un antioxidante importante».

La recomendación falsa es la del número _____.

Richard Loader/E+/Getty Images

Una planta de quinua roja

■ Answers to these activities are in Appendix 2 at the back of your book.

Actividades analíticas

1 The verbs in bold in **Para empezar** are all in the **tú** form of the *present subjunctive* (**el presente de subjuntivo**). The subjunctive is used in a variety of situations, and here it is used to express a recommendation, a piece of advice, or a desire.

Write the subjunctive forms in bold from **Para empezar** in the right-hand column of this chart. Then write the **tú** form for the *present indicative* (**el presente de indicativo**), the grammatical name for the simple present tense.

INFINITIVO	PRESENTE DE INDICATIVO	PRESENTE DE SUBJUNTIVO
	tú	tú
buscar	buscas	
comer		
comprar	compras	
dar	das	
dormir		
tomar		
vivir		

2 You can identify subjunctive forms by the vowel (**vocal**) in the ending. Just as in the formal commands and negative informal commands, both **-ar** and **-er/-ir** verbs use the "opposite" vowel. Use the examples given to complete the following chart.

	La vocal en el presente de indicativo	La vocal en el presente de subjuntivo
-ar verbs	-a-	
Example	Tom**a**s chocolate.	...que tom**e**s chocolate.
-er/-ir verbs	-e-	
Example	Com**e**s chocolate.	...que com**a**s chocolate.

3 Apart from the change in vowel that you just saw in **Actividad analítica 2,** the endings in the present subjunctive are similar to those of the present indicative. Complete the following chart to see the entire conjugation.

	tomar	comer	vivir
yo	tome	coma	viva
tú			
él/ella, Ud.	tome		viva
nosotros/as		comamos	
[vosotros/as]	[toméis]		[viváis]
ellos/ellas, Uds.			vivan

	VOS
tomar	tomes, tomés*
comer	comas, comás
vivir	vivas, vivás

Note that the **yo** form and the **él/ella, Ud.** form are identical in the subjunctive. Context will help to determine which subject is intended, or the subject pronoun may be used.

---

*In the Río de la Plata region (Argentina and Uruguay) the present subjunctive conjugations for **vos** are the same as those for **tú,** while in Central America they're spelled with an accent mark over the last syllable.

4 You saw in **Para empezar** that **recomendar que** is followed by the subjunctive. Here are some other expressions that do the same.

■ For more expressions of volition, see **Para saber más 12.3** at the back of your book.

Se usa el subjuntivo después de...	Ejemplo
esperar (*to hope*) **que**	**Espero** que **puedas** venir a la fiesta. *I hope that you can come to the party.*
ojalá (que) (*I hope*)	**Ojalá** que **puedas** venir a la fiesta. *I hope that you can come to the party.*
pedir que	**Están pidiendo** que **trabajemos** en Bolivia. *They're asking us to work in Bolivia.*
querer que	**Quiero** que **lleguen** temprano mañana. *I want them to arrive early tomorrow.*
ser necesario que	**Es necesario** que tu papá **coma** más fruta. *It's necessary for your father to eat more fruit.*

These expressions trigger the use of subjunctive after **que** because they convey a recommendation, a piece of advice, or a desire.

5 **Decir que** sometimes expresses a recommendation, in which case it is followed by the subjunctive. When **decir que** is used simply to state information, it is followed by the indicative.

EL SUBJUNTIVO Y EL INDICATIVO DESPUÉS DE *DECIR QUE*	
Subjunctive (Recommendation)	Los médicos **dicen** que **tomes** mucho chocolate. *The doctors say that you should / tell you to drink a lot of hot chocolate.*
Indicative (Statement)	Los médicos **dicen** que **tomas** mucho chocolate. *The doctors say that you drink a lot of hot chocolate.*

Verbs such as **pensar** and **creer** never express a recommendation, so they're followed by the indicative.

Pienso que mi hijo **toma** mucho chocolate.   *I think my son drinks a lot of hot chocolate.*

> **Autoprueba**
>
> Use what you've just learned to conjugate the following verbs in the present subjunctive.
>
> 1. hablar (yo) _____
> 2. correr (tú) _____
> 3. sufrir (nosotros/as) _____
> 4. poder (ella) _____
> 5. cerrar (Uds.) _____

Respuestas: 1. hable **2.** corras **3.** suframos **4.** pueda **5.** cierren

Actividades prácticas

A. ¿Pensar o querer?   Escoge **pienso** o **quiero** para completar cada oración. **¡Atención!** Presta atención al verbo que sigue después de **que**. ¿Está en el indicativo o el subjuntivo?

1. **Pienso / Quiero** que Pepe está en el gimnasio.
2. **Pienso / Quiero** que Martina trabaja en San José.
3. **Pienso / Quiero** que gane Nadal.
4. **Pienso / Quiero** que van a limpiar la piscina al mediodía.
5. **Pienso / Quiero** que llueva mañana.
6. **Pienso / Quiero** que va a ganar Nadal.
7. **Pienso / Quiero** que esté muy limpia la casa.
8. **Pienso / Quiero** que corramos todos juntos en el parque mañana.

B. En otras palabras   En el español, como en el inglés, a veces hay más de una manera de decir las cosas. Empareja cada oración con la oración en el subjuntivo con el mismo sentido (*meaning*).

1. _____ Llámame antes del partido, por favor.
2. _____ ¿Por qué no hablan tus padres con el entrenador? Creo que sería buena idea.
3. _____ Diles a tus padres que tienen que hablar con el entrenador.
4. _____ ¡Por favor! ¡Come más fruta!
5. _____ Los atletas tienen que practicar. Es obligatorio.
6. _____ Tienes que cooperar (*cooperate*) con el resto del equipo. No hay otra opción.
7. _____ Si trabajas bien con el resto del equipo, voy a estar muy contento.
8. _____ Si ganas en la competencia, voy a estar muy contento.

a. Es necesario que trabajes bien con ellos.
b. Recomiendo que tus padres hablen con el entrenador.
c. Espero que ganes en la competencia.
d. Ojalá que trabajes bien con ellos.
e. Te estoy pidiendo que me llames antes del partido.
f. Quiero que tus padres hablen con el entrenador.
g. Te estoy pidiendo que comas más manzanas, naranjas, plátanos, etcétera.
h. Es necesario que los atletas practiquen.

¿Por qué?

Why does the subjunctive look so similar to formal commands (and negative **tú** commands)? The reason is that their meaning is almost the same. Commands express what you want to happen, and the subjunctive does something similar: it expresses what the subject of the main verb wants to happen. These commands and the subjunctive both use the "opposite" vowel in their endings, and as you saw in **10.2,** this makes sense. Spanish only uses **a, e,** and **o** in unstressed endings, and since **o** is reserved for the **yo** ending of the present indicative, the simplest way to distinguish the subjunctive from the indicative is to "switch" the vowels **a** and **e.**

C. Lo que dice la gente Para cada oración, decide si lo que se dice es una recomendación o una declaración (*statement*). Luego indica el verbo adecuado.

1. Mi mamá siempre me está diciendo que **come / coma** más frutas y verduras para estar más sana.
2. Este artículo en el Internet dice que Nadal **juega / juegue** tenis.
3. Gloria dice que muchos estudiantes en su universidad **nadan / naden** todos los días.
4. La maestra dice que **escribimos / escribamos** una carta en español como tarea para mañana.
5. Las instrucciones dicen que **nos acostamos / nos acostemos** después de tomar la pastilla (*pill*).
6. Marcos dice que sus papás **viven / vivan** en el Perú.
7. La televisión dice que el presidente **está / esté** viajando esta semana.
8. Para poder ganar la competencia, dicen que **estamos / estemos** presentes en todos los entrenamientos.

D. ¿Qué nos recomiendan los médicos en tiempos de pandemia?

PASO 1. Cuando hay una pandemia, es importante seguir los consejos de los médicos. En cada una de las siguientes oraciones, usa el verbo entre paréntesis en su forma **nosotros/as.** Luego, indica si la oración es **cierta** o **falsa.**

Los médicos nos recomiendan...

	CIERTO	FALSO
1. que (consultar) _____ con un doctor si empezamos a tener síntomas del virus, como fiebre o tos.	☐	☐
2. que (comer) _____ mucho azúcar porque el azúcar combate el virus.	☐	☐
3. que (abrazar) _____ a toda de la gente en la calle.	☐	☐
4. que (usar) _____ mascarilla cuando estamos fuera de la casa.	☐	☐
5. que (escuchar) _____ música en español una hora al día.	☐	☐
6. que (evitar) _____ grupos de gente muy grandes.	☐	☐
7. que (lavarse) _____ las manos varias veces durante el día.	☐	☐
8. que le (dar) _____ la mano a la gente cuando saludamos.	☐	☐

PASO 2. Ahora Uds. son los médicos. En grupos, creen seis recomendaciones para sus pacientes que tienen gripe (*the flu*) o COVID-19. Usen las sugerencias de la lista o inventen otras.

beber muchos líquidos	estar en cuarentena
comer caldo de pollo	sonarse (ue) (*to blow*) la nariz
comprar jarabe (*syrup*) para la tos	tomar unas aspirinas
descansar	

MODELO: Les recomendamos que Uds. se queden en casa.

E. El espíritu deportivo (*Good sportsmanship*) En parejas, creen tres recomendaciones para un(a) atleta que quiere ser un(a) ganador(a) cortés y no un perdedor resentido / una perdedora resentida (*sore loser*).

Te recomiendo que...   Ojalá que...   Es necesario que...

MODELO: Te recomiendo que no insultes a nadie.

¡Leamos!

Trancos° de gratitud en la 21K   *Strides*

Antes de leer

Contesta las siguientes preguntas sobre un deporte popular: carreras de fondo (*long-distance running*).

1. Para cada distancia, completa la tabla con el nombre de la carrera y los tiempos típicos para completar cada una.

maratón	ultramaratón	1–3 horas	24 horas o más
medio maratón		2–8 horas	

DISTANCIA	NOMBRE DE LA CARRERA	TIEMPO TÍPICO
21 kilómetros		
42 kilómetros		
100 kilómetros		

2. En general, ¿qué pisan (*step on*) los corredores?
   a. asfalto   b. flores   c. agua

3. En general, ¿por qué participan los mejores atletas?
   a. el espíritu de la competencia   b. el viaje   c. los premios

4. ¿Qué tipo de zapatos lleva la mayoría de los participantes en las carreras de fondo?
   a. Corre descalza.   b. Lleva tenis.   c. Lleva sandalias.

5. ¿Qué tipo de ropa llevan los participantes?
   a. cómoda y ligera   b. fuerte y tradicional   c. larga y elegante

6. ¿Cuál no es un requisito para participar en una carrera de fondo?
   a. el entrenamiento   b. la predisposición genética
   c. la resistencia (*endurance*) física

A leer

Lee la siguiente lectura sobre un grupo de corredores indígenas. Mientras lees, pon el resumen del artículo en orden de 1 a 6. Luego contesta las preguntas que siguen.

_____ La antigua tradición indígena tiene raíces religiosas.

_____ Hay una carrera que mezcla un juego de pelota con una carrera de fondo.

_____ Un corredor tarahumara corre en muchas carreras de fondo, incluso los ultramaratones.

_____ Los indígenas modernos participan en maratones alrededor del mundo.

_____ Hay muchas razones por las cuales la gente corre.

_____ La religión tarahumara reconoce la tierra, el sol y la luna.

(*Continues*)

Trancos de gratitud en la 21K

por Santino Ayala

Un rarámuri expresa su devoción.

Saltillo, Coahuila, México — Mañana, nuestras calles se atestarán de[a] participantes en la Gran Carrera de México, la 21K de Coahuila. ¡A correr!

Las motivaciones para correr son tan variadas como las personas que corren: el buen estado físico, los beneficios cardíacos y aeróbicos, el alivio[b] del estrés y el deseo de competir. Y claro, a veces corremos por el peligro[c] o el miedo.

En la Sierra[d] Tarahumara del estado de Chihuahua, los tarahumaras corren por motivaciones muy disímiles[e] de las que típicamente influyen en que nosotros salgamos con tenis a correr unos kilómetros por el vecindario[f] o el parque.

Correr es la tradición más antigua de los tarahumaras. Históricamente, corrían, descalzos[g] o con huaraches,[h] para cazar,[i] para comunicarse y para expresar su devoción y agradecimiento[j] a Dios por su existencia. Rarámuri, el nombre de los tarahumaras en su idioma, significa *pie corredor*.[k]

Una de las carreras más importantes de su comunidad es el *rarajípari* o carrera de bolas.[l] Es una carrera que puede durar[m] unas horas o un par[n] de días. En esta carrera comunitaria, dos equipos de corredores lanzan[ñ] una bola entre sí hasta llegar a la meta,[o] que puede ser de unos metros o hasta 200 kilómetros. Para las carreras más largas, la comunidad corre por equipos. Las mujeres participan con aros y palitos[p] y otros miembros corren al lado de los equipos, proveyéndoles[q] comida y bebida y, durante la noche, luz para iluminar el paso.

Según un miembro de la comunidad tarahumara, los rarámuris corren «para alegrar[r] el corazón de la Madre Tierra, al mismo Sol que es nuestro Dios y nuestra Madre Luna[s]».

Aunque por muchas décadas esta comunidad vivía muy aislada del mundo moderno, ahora participa en carreras más allá de[t] la Sierra. Corren en maratones en las ciudades más grandes de México y también en maratones en el extranjero, en lugares como Colorado, Nevada y California.

Este año, un grupo de diez tarahumaras de Tatahuichi vuelve a Saltillo para participar en la Gran Carrera de México, la 21K de Coahuila. Entre ellos, Martín Roberto Ramírez dice que ha participado en esta carrera por cuatro años seguidos.[u] ¿Le será difícil? Dudable.[v] Más de una vez, Martín se puso los huaraches y corrió 100 millas seguidas en ultramaratones de los Estados Unidos.

[a]se… will be filled with [b]relief [c]danger [d]Mountains [e]unlike [f]neighborhood [g]barefoot [h]sandals [i]hunt [j]thankfulness [k]running [l]balls [m]last [n]couple [ñ]equipos… running teams throw [o]finish line [p]aros… hoops and sticks [q]providing them with [r]fill with joy [s]Moon [t]más… beyond [u]in a row [v]Doubtful

1. ¿Cuántos kilómetros corren los participantes en la carrera de Saltillo, en México?

2. ¿Por qué tienen un significado especial las carreras para los tarahumaras?

3. ¿Cómo corren los hombres y las mujeres tarahumaras en la sierra? ¿Qué cosas llevan?

4. ¿En qué tipo de carrera han participado los tarahumaras en los Estados Unidos?

5. ¿Qué llevan en los pies para correr los tarahumaras?

6. ¿En qué se parecen los corredores / las corredoras tarahumaras y los de tu país? ¿En qué se diferencian? Explica.

Después de leer

En parejas, lean las siguientes situaciones y den una felicitación, una reacción o una sugerencia para cada una. **¡Atención!** Pueden usar las expresiones en la página 352 y las recomendaciones en **Estructura 12.3.**

1. Tu amigo está por correr su primera carrera 5K.

2. Tu amiga ha corrido la mitad de (*half of*) su carrera y está cansada, pero quiere seguir.

3. A tus amigos solo les queda una milla más (*only one mile left*) por correr en el maratón.

4. Tu amiga no sabe qué llevar para correr una carrera de larga distancia.

5. Un corredor tarahumara está por correr por veinticuatro horas seguidas.

¡Escuchemos!

El sueño° de ser deportista   *dream*

Antes de escuchar

PASO 1.   Completa cada una de las siguientes oraciones con tres posibilidades.

> **MODELO:**   De niña, quería trabajar como guía naturalista, periodista o veterinaria.

1. De niño/a, esperaba trabajar como…
2. Soy aficionado/a (*fan*) de los siguientes equipos deportivos: …
3. Los miembros de mi familia son aficionados de los siguientes equipos deportivos: …
4. Según mi opinión, los deportes más populares en el mundo hispano son…

 PASO 2.   En grupos pequeños, comparen sus respuestas al **Paso 1** y luego contesten las siguientes preguntas.

1. ¿Quiénes del grupo aún (*still*) quieren hacer el mismo trabajo que querían hacer en su niñez?
2. ¿Qué hacen los aficionados de los varios equipos deportivos que apuntaron en el **Paso 1** para demostrar (*show*) su pasión por el deporte o el equipo? ¿Cuál es la tradición más extraña?
3. ¿Quién(es) conoce(n) a alguien que haya tenido éxito como atleta profesional?
4. Según la mayoría, ¿cuál es el deporte más popular en el mundo hispano?

 ## A escuchar

PASO 1.   Mira y escucha el video. Mira otra vez con pausas y marca los trabajos que mencionan los entrevistados.

bailador(a)	corredor(a)	guitarrista	tenista
beisbolista	futbolista	nadador(a)	torero/a (*bullfighter*)

PASO 2.   Escucha otra vez con pausas y empareja cada equipo con su mejor descripción.

1. _____ un equipo profesional de fútbol de Madrid   a. El Real Madrid
2. _____ un equipo profesional de fútbol de la   b. La selección de fútbol de Paraguay
   capital de México, el Distrito Federal   c. El Cruz Azul
3. _____ el equipo representativo del país en los partidos nacionales

(Continues)

Después de escuchar

PASO 1. Mira y escucha otra vez con pausas. Luego contesta las preguntas.

LOS AFICIONADOS

1. Según Laura, ¿cuál es el deporte nacional de España?
2. Según Ludmila y Paula, ¿cuál es el deporte nacional de Argentina?
3. ¿Qué hizo Víctor el sábado por la tarde?
4. ¿Qué término usan Mariano, David y William para decir «jugador de fútbol»?

Fútbol: el deporte rey a nivel internacional

EL SUEÑO DE MUCHOS NIÑOS

1. Describe el sueño de Mariano.
2. Describe el sueño de Pedro. ¿Por cuánto tiempo entrenó profesionalmente? ¿Por qué dejó de entrenar profesionalmente?
3. ¿Qué carrera quiere seguir David?
4. ¿Qué sueño tiene William?

PASO 2. En parejas, contesten las siguientes preguntas sobre lo que escucharon.

1. Laura dice que el fútbol es «el deporte rey». ¿Qué significa? ¿Cuál es «el deporte rey» donde viven Uds.?
2. ¿Por qué puede costar mucho dinero cumplir el sueño de ser atleta profesional? ¿No ganan mucho dinero los atletas profesionales?

CONÉCTATE AL MUNDO HISPANO

Los buenos **comentaristas del fútbol** tienen un estilo de narrar los partidos para que cada patada (*kick*) a la pelota parezca emocionante (*seems exciting*). Tienen fama de gritar (*yell*) y cantar el «¡GOOOOOOOOOOOOOOLLLLLL!» como en ningún otro deporte. Imagínate la siguiente escena emocionante en un partido entre dos gran rivales.

COMENTARISTA: ¡La pelota pasa con rapidez entre los jugadores de los dos equipos: Barcelona™ y Manchester United™! El entrenador Valverde grita, pero nadie lo oye porque los aficionados en el estadio (*stadium*) hacen un ruido tremendo. Ninguno de los dos equipos ha marcado (*scored*) un gol y ahora —en los últimos segundos del partido— el nuevo jugador joven está por meter un gol: patea (*he kicks*) la pelota hacia el hombro izquierdo del portero (*goalkeeper*) inglés, pero el portero salta y agarra (*jumps and grabs*) la pelota con las manos. ¡Y así el partido termina en un empate (*tie*): 0–0!

¡Escribamos!

Cómo nos mantenemos en forma

Le vas a ofrecer consejos a alguien que, debido (*due*) a un cambio de circunstancias, busca un nuevo equilibrio.

Antes de escribir

Lee las descripciones de la salud y los hábitos de Mila, Félix y Elena e indica las partes tal vez problemáticas. Para cada descripción, apunta algunas cosas que debe hacer esta persona para mejorar su salud.

MILA: Estoy en clase toda la mañana de lunes a viernes. Luego por las tardes estudio y trabajo en la oficina de seguridad pública de la universidad. Como en la cafetería tres veces al día y no he subido de peso, pero siempre me siento cansada y sé que estoy más débil que hace un año cuando hacía mucho más ejercicio con los equipos deportivos de mi colegio.

FÉLIX: Recientemente me hice socio (*member*) del nuevo gimnasio al lado de mi oficina. Voy los cinco días de la semana, pero no he perdido ni un kilo. Con todo el ejercicio, tengo ganas de comer más de lo normal para mí. Además de las comidas normales, como un sándwich y unas papas fritas en la tarde y algún postre después de la cena.

ELENA: Antes iba al gimnasio cinco veces a la semana pero ahora con un trabajo de tiempo completo y una familia no tengo tiempo. Seguir una dieta equilibrada es muy importante para mí y más o menos sigo comiendo lo que siempre he comido.

A escribir

Escoge una de las tres personas y escribe un ensayo para ayudarla a mejorar su salud. Escribe un párrafo para describir lo que está haciendo mal y un párrafo en que le ofreces recomendaciones de lo que debe hacer para mejorar su salud. Explica por qué cada acción sugerida (*suggested*) es beneficiosa. Trata de anticipar las respuestas de la persona y responde también a ellas.

> **MODELO:** No coma el sándwich y las papas fritas extras.
>
> (Reacción anticipada: ¡Pero tengo hambre por hacer tanto ejercicio!) En vez de comer el sándwich y las papas fritas, los nutricionistas recomiendan que la gente coma fruta y un puñado (*handful*) de nueces (*nuts*); así no va a tener hambre y va a poder bajar de peso. Estas comidas son mejores que su merienda típica porque la fruta tiene muchas vitaminas y poca grasa (*fat*) y las nueces son altas en proteína.

(Continues)

Estrategia

Persuasive paragraph

Words can be powerful, even when up against strong convictions, tightly held beliefs, or deeply ingrained habits. Being able to write a persuasive paragraph is therefore an invaluable skill to have. This involves being able to argue a point and strengthen your case by bringing in supporting statements, using solid reasoning, and anticipating the counterpoints to your argument and preemptively responding to them.

Después de escribir

Revisa tu ensayo. Luego intercambia ensayos con un compañero / una compañera para evaluarlos.

☐ Lee la introducción. ¿Explica lo que está haciendo mal la persona?

☐ ¿Tiene un párrafo en el que le ofrece consejos usando el subjuntivo o algunos mandatos?

☐ Subraya todos los adjetivos en el ensayo. ¿Tienen concordancia los adjetivos y los sustantivos que describen?

☐ Hazle una recomendación a tu compañero/a: *Recomiendo / Es necesario que...*

☐ Dile a tu compañero/a qué hay que hacer para recibir una A en el ensayo: *Para recibir una A, hay que...*

Después de revisar el ensayo de tu compañero/a, devuélveselo. Revisa tu propio ensayo para ver los cambios que tu compañero/a recomienda y haz las revisiones necesarias.

¡Hablemos!

Somos entrenadores

Antes de hablar

Haz una lista de seis o más pasos básicos que hay que seguir para practicar un aspecto de tu deporte favorito o actividad física favorita.

> **MODELO:** dar un paseo → ponerse los calcetines y los tenis, levantarse, levantar el pie derecho, dar un paso, levantar el pie izquierdo, dar un paso, repetir más rápidamente…

A hablar

En grupos de tres o cuatro estudiantes, túrnense en el papel de entrenador(a) para enseñarles a los otros estudiantes cómo hacer el deporte o la actividad. Los otros miembros del grupo deben intentar seguir las instrucciones del entrenador o la entrenadora. Presten atención y anoten si a los entrenadores o las entrenadoras se les olvida algún paso importante. **¡Atención!** Usen mandatos de **Uds.** para dar instrucciones a más de una persona.

> **MODELO:** dar un paseo → Pónganse los calcetines y los tenis. Ahora levántense. Levanten el pie derecho y den un paso. Levanten el pie izquierdo y den otro paso. Repitan más rápidamente…

Después de hablar

En parejas, comenten las siguientes preguntas.

1. ¿Hay alguna instrucción importante que los otros entrenadores / las otras entrenadoras en tu grupo hayan olvidado (*have forgotten*) incluir? Añadan por lo menos una instrucción más a cada una de sus presentaciones.

2. ¿Cuáles son las instrucciones más comunes que dieron los entrenadores / las entrenadoras?

EXPRESIONES ÚTILES

coger	to catch
doblar	to bend
lanzar	to throw
mover (ue)	to move
patear	to kick
pegar	to hit
rebotar	to bounce
saltar	to jump
usar rodilleras y coderas	to wear knee pads and elbow pads

VOCABULARIO

Now that I have completed the chapter, I can . . .

☐ wish someone well
☐ say what needs to be done
☐ talk about sports, wellness, and injuries
☐ say what I would like to happen
☐ talk about sports and health in the Spanish-speaking world

Comunicación	Communication
¡Adelante!	Go for it! / Let's go! / You can do it!
¡Ánimo!	Keep your spirits high! / Give it all you've got! / Don't give up!
(No) Hay que + *inf.*	You (*don't*) have to. / It's (*not*) necessary to (*do something*).
Que te/le(s) vaya bien.	Have a good one. / I hope things go well for you.
Que tenga(s) un(a) buen(a)…	Have a good . . .
¡Que tengas un buen día!	Have a good day!
Sí, se puede.	Yes, you/we can! (It can be done!)
¡Suerte (con todo)!	Good luck (*with everything*)!
¡(Buena/Mucha) Suerte!	Good luck! / Best of luck!
Te/Le(s) deseo mucha suerte.	I wish you (*sing./pl.*) well. I wish you (*sing./pl.*) lots of luck.

Los deportes	Sports
el atletismo	track and field
la carrera	race
el casco	helmet
la competencia	competition
el/la entrenador(a)	coach; trainer
el equipo	team; equipment
el esquí	skiing
el estadio	stadium
el fútbol americano	(American) football
los Juegos Olímpicos	Olympic Games
el/la jugador(a)	player
la natación	swimming
el partido	game, match
los patines	skates
el patinaje	skating
la patineta	skateboard
la pelota	ball
las pesas	weights

Cognados: el/la atleta, el béisbol, la raqueta, el tenis, el voleibol
Repaso: la piscina

La salud y el bienestar	Health and well-being
la altura	height
el cambio	change
la cuarentena	quarantine
el dato	(piece of) information
el dolor	pain
la enfermedad	illness
la fiebre	fever
la mascarilla	face mask
la medida	measurement
el peso	weight
la presión	(*blood*) pressure
la queja	complaint
la sangre	blood
el síntoma	symptom
la tos	cough
bajar/subir de peso	to lose/gain weight
cambiar	to change
doler (ue)	to hurt, to ache
(no) encontrarse (ue) bien	to (*not*) feel well
enfermarse	to get sick
medir (i, i)	to measure
mejorarse	to get better
quejarse	to complain
sufrir (de)	to suffer (from)

tener (*irreg.*) alergia a	to be allergic to
tomar los datos	to take down information (*medical intake*)

Cognados: las alergias, el asma (*f.*), la depresión, la infección, el insomnio, la pandemia, la temperatura, el virus

Otras palabras y expresiones útiles	**Other useful words and expressions**
ojalá (que)	I hope that

Los verbos	**Verbs**
andar (*irreg.*) en patineta	to skateboard
boxear	to box
esperar	to hope; to wait (for)
esquiar (í)	to ski
ganar	to win
hacer (*irreg.*) alpinismo	to do/go mountaineering (mountain climbing)
jugar (ue) (gu)...	to play ...
béisbol	baseball
fútbol americano	football
tenis	tennis
voleibol	volleyball
levantar pesas	to lift weights
mantenerse (*irreg.*) / ponerse (*irreg.*) en forma	to stay/get in shape
mantenerse (*irreg.*) sano	to stay healthy
patinar sobre hielo	to ice skate
recomendar (ie)	to recommend
surfear	to surf
tener (*irreg.*) éxito	to be successful

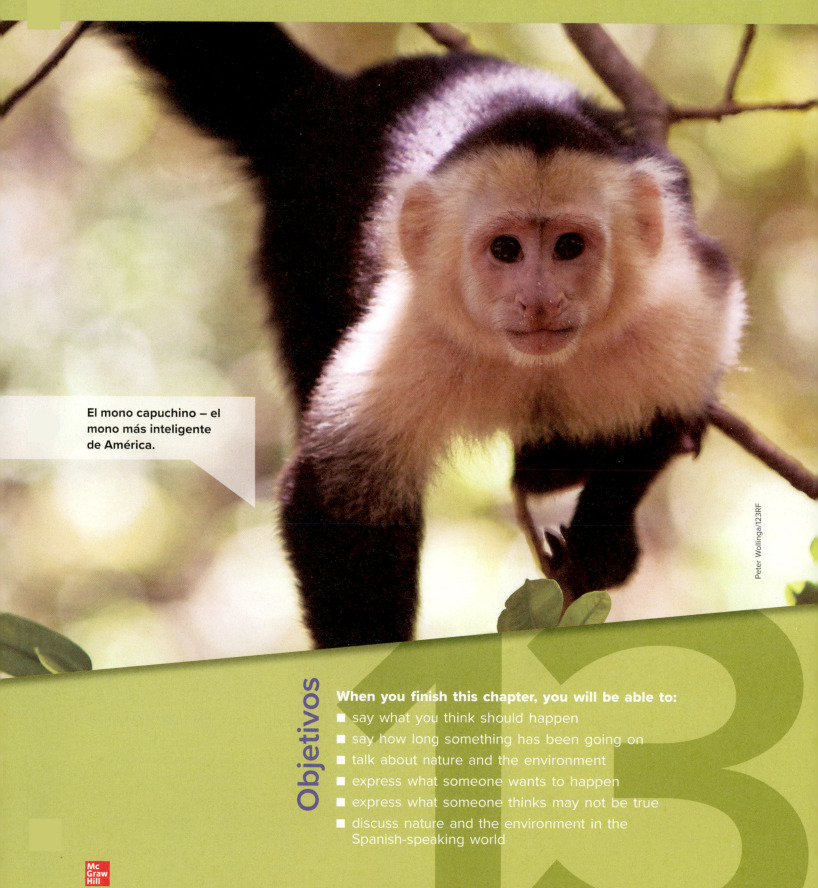

La naturaleza y el medio ambiente°

environment

El mono capuchino – el mono más inteligente de América.

Peter Wolinga/123RF

Objetivos

When you finish this chapter, you will be able to:

- say what you think should happen
- say how long something has been going on
- talk about nature and the environment
- express what someone wants to happen
- express what someone thinks may not be true
- discuss nature and the environment in the Spanish-speaking world

Debería...

Talking about what you think someone should do

A. A ver: ¿Qué deberíamos hacer para mejorar el mundo?

PASO 1. Empareja cada frase con la palabra que describe.

1. ____ Todos deberíamos cuidar (*take care of*) el planeta.   a. el ecologismo
2. ____ Todos deberían ayudarse (*help each other*) y entenderse.   b. el ecoturismo
3. ____ Deberían visitar la naturaleza bonita.   c. el humanitarismo

PASO 2. Mira y escucha. Luego mira otra vez con pausas e indica si cada persona habla del **ecologismo,** del **ecoturismo** o del **humanitarismo.**

	ECOLOGISMO	ECOTURISMO	HUMANITARISMO
1. Nelly	☐	☐	☐
2. Yenaro	☐	☐	☐
3. Juan Andrés	☐	☐	☐
4. María Emilia	☐	☐	☐
5. Enrique	☐	☐	☐
6. Eva	☐	☐	☐

Truth-Function/McGraw-Hill; Klic Video Productions/McGraw-Hill

PASO 3. Mira y escucha otra vez con pausas. Luego indica qué sugiere cada uno. Mira otra vez para verificar tus respuestas.

1. ____ Nelly dice que todos deberíamos...   a. ayudarnos los unos a los otros.
2. ____ Yenaro dice que todos deberíamos...   b. cuidar el agua y poner la basura en el lugar apropiado.
3. ____ Juan Andrés dice que todos deberíamos...   c. cuidar el planeta.
4. ____ María Emilia dice que todos deberíamos...   d. hacer turismo sin dañar el medio ambiente (*environment*).
5. ____ Enrique dice que todos deberíamos...   e. ser más tolerantes y entender que todos somos diferentes.
6. ____ Eva dice que todos deberíamos...   f. tratar de no contaminar más el medio ambiente.

To talk about what you think you or someone else should or should not do, use a form of **(no) debería** + *infinitive*.

Debería andar en bicicleta en vez de ir en coche.	I should ride my bike instead of driving.
Deberíamos reciclar.	We ought to recycle.
No deberías contaminar.	You shouldn't pollute.
Deberían cuidar el planeta.	They should take care of the planet.

B. ¿Qué deberíamos hacer?   Empareja la imagen con la cita (*quote*) más adecuada.

1. _____ «Deberíamos ahorrar (*save*) agua.»
2. _____ «Deberíamos evitar (*avoid*) el uso excesivo de electricidad.»
3. _____ «Deberíamos hacer abono (*fertilizer*) con los desechos (*waste*) orgánicos.»
4. _____ «Deberíamos proteger (*protect*) el mar.»
5. _____ «Deberíamos reciclar.»
6. _____ «Deberíamos usar menos los coches.»

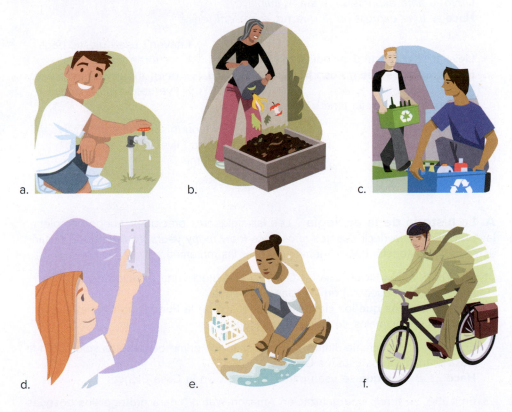

a.   b.   c.

d.   e.   f.

 C. ¿Qué deberían hacer los nuevos estudiantes?   En parejas, decidan qué deberían hacer los nuevos estudiantes que quieren participar en diversas actividades. Luego compartan sus respuestas con la clase.

¿Qué debería hacer un nuevo estudiante o una nueva estudiante que quiere…

1. comprar productos de bajo impacto ambiental (*low environmental impact*)?
2. ahorrar (*save*) agua?
3. hacer abono con los desechos orgánicos de la cafetería y de los restaurantes de la universidad?
4. reciclar el papel y los plásticos del campus?

¿Cuánto tiempo hace que...?

Expressing how long you've been doing something

To ask someone how long they've been doing something, use one of these expressions. Recall that you learned the present participle (the **-ndo** forms) with the present progressive in **Estructura 11.3.**

¿Cuánto tiempo lleva(s) + *present participle*?
¿Cuánto tiempo hace que + *present tense*?

¿Cuánto tiempo llevas reciclando?
¿Cuánto tiempo hace que reciclas? } How long have you been recycling?

To respond, you can use one of these expressions.

Llevo + *time expression* + *present participle*.
Hace + *time expression* + **que** + *present tense*.

Llevo tres años reciclando.
Hace tres años que reciclo. } I've been recycling for three years.

To express that something *hasn't* happened for a certain period of time, you can use one of these.

Llevo + *time expression* + **sin** + *infinitive*.
Hace + *time expression* + **que no** + *present tense*.

Llevo tres años sin usar bolsas de plástico.
Hace tres años que no uso bolsas de plástico. } I haven't used plastic bags for three years. / It's been three years since I've used plastic bags.

Here are some useful time expressions.

toda la vida   all my (your/his/her) life; all our (your/their/our) lives

mucho tiempo   a long time

A. La historia de la ecología   Lee las siguientes oraciones. Luego completa las oraciones para decir cuántos años hace (*how many years it's been*) que pasan estas cosas. **¡Atención!** ¡Vas a tener que usar las matemáticas!

1. En 1962, la Fundación Charles Darwin™ estableció una estación de investigación (*research*) en las islas Galápagos.
   Hace _____ **años que** los científicos (*scientists*) de la Fundación Charles Darwin estudian los animales de las islas Galápagos.

2. En 1977, el presidente Jimmy Carter instaló los primeros paneles solares en la Casa Blanca de los Estados Unidos.
   Hace _____ **años que** se usan paneles solares en la Casa Blanca.

3. En 1996, se fundó la organización Amazon Watch™ para proteger los bosques tropicales de Colombia, Ecuador, Perú y Brasil.
   La organización Amazon Watch **lleva** _____ **años trabajando** para proteger los bosques tropicales.

4. En 2005, la Universidad de Puerto Rico en Humacao empezó su programa de reciclaje (*recycling*).
   Los estudiantes de la Universidad de Puerto Rico en Humacao **llevan** _____ **años reciclando.**

5. En 2011, la energía eólica (*wind*) se convirtió en una de las principales industrias energéticas en España.
   Hace _____ **años que** la energía eólica es una de las fuentes (*sources*) de energía más usada en España.

B. Actividades a favor del medio ambiente

PASO 1. Indica todas las actividades ecológicas en que participas.

☐ comer comida orgánica
☐ comprar productos de bajo impacto ambiental
☐ conducir un auto eléctrico o híbrido
☐ ahorrar agua
☐ evitar el uso excesivo de electricidad
☐ hacer abono de los desechos orgánicos de la cocina
☐ llevar bolsas (*bags*) reusables al supermercado

☐ reciclar (el papel, las botellas, el cartón [*cardboard*], las latas [*cans*], etcétera)
☐ trabajar con organizaciones ecologistas
☐ transportarse en bicicleta en lugar de ir en coche

PASO 2. Para cada actividad del **Paso 1** en que participas, di cuánto tiempo llevas haciéndola.

1. ¿Cuánto tiempo hace que comes comida orgánica? ＿＿
2. ¿Cuánto tiempo llevas comprando productos de bajo impacto ambiental? ＿＿
3. ¿Cuánto tiempo hace que conduces un auto eléctrico o híbrido? ＿＿
4. ¿Cuánto tiempo hace que intentas ahorrar agua? ＿＿
5. ¿Cuánto tiempo llevas ahorrando electricidad? ＿＿
6. ¿Cuánto tiempo llevas guardando los desechos orgánicos en el jardín? ＿＿
7. ¿Cuánto tiempo hace que usas bolsas reusables para tus compras? ＿＿
8. ¿Cuánto tiempo hace que vas y vienes en bicicleta? ＿＿
9. ¿Cuánto tiempo hace que reciclas? ＿＿
10. ¿Cuánto tiempo llevas trabajando con una organización ecologista? ＿＿

PASO 3. En parejas, túrnense para hacer y contestar preguntas sobre su participación en las actividades del **Paso 1.** Si no participas en una actividad, debes decirlo.

> **MODELO:** E1: ¿Cuánto tiempo hace que reciclas? / ¿Cuánto tiempo llevas reciclando?
> E2: Hace cinco años que reciclo. / Llevo cinco años reciclando. / Nunca reciclo.

C. Todos somos ecologistas
Contesta las preguntas para decir cuántos años estas personas llevan haciendo cosas que benefician al medio ambiente.

> **MODELO:** ¿La ciudad tiene un programa de reciclaje? (1990)
> Hace ＿＿ años que la ciudad tiene un programa de reciclaje.

1. ¿Cuántos años lleva Teresa usando transporte público en vez de conducir? (2013)

　＿＿＿＿＿＿＿＿＿＿＿＿＿＿＿＿＿＿＿＿＿＿＿＿

2. ¿Cuánto tiempo hace que tu tío conduce un auto híbrido? (2003)

　＿＿＿＿＿＿＿＿＿＿＿＿＿＿＿＿＿＿＿＿＿＿＿＿

3. ¿Cuánto tiempo llevan participando en el club de ecologistas? (2009)

　＿＿＿＿＿＿＿＿＿＿＿＿＿＿＿＿＿＿＿＿＿＿＿＿

4. ¿Hace mucho tiempo que tu familia usa abono natural en su jardín? (1998)

　Sí, ＿＿＿＿＿＿＿＿＿＿＿＿＿＿＿＿＿＿＿＿＿＿.

5. ¿Las tiendas de tu barrio todavía ofrecen bolsas de plástico a sus clientes? (2012: no ofrecer)

　No, ＿＿＿＿＿＿＿＿＿＿＿＿＿＿＿＿＿＿＿＿＿＿.

CONÉCTATE AL MUNDO HISPANO

El lago Enriquillo en la República Dominicana siempre ha sido el lago más grande del Caribe. En 2004, el lago cubría (*covered*) 164 kilómetros cuadrados (102 millas cuadradas), pero diez años después, se había duplicado el tamaño: hasta 350 kilómetros cuadrados (217 millas cuadradas). El lago tenía tres islas, pero dos de ellas ya desaparecieron bajo el agua. Nadie sabe cuál fue la causa, pero parece que el cambio climático es uno de los factores. El agua del mar Caribe se ha calentado (*gotten warmer*), y eso ha provocado un aumento (*increase*) en la cantidad de lluvia. Muchos campos (*fields*) agrícolas se inundaron (*flooded*) y miles de familias fueron desplazadas (*displaced*). Desde 2014, el nivel de las aguas del lago está bajando, pero lentamente.

La naturaleza y el medio ambiente
Nature and the environment

A. Nuestro medio ambiente Lee las siguientes descripciones y emparéjalas con la imagen que mejor corresponde a cada una.

1. Hay varias **causas** de la **deforestación.**

a.   b.

c.   d.

   ____ El descuido (*carelessness*) de una persona con un cigarrillo puede **causar** la quema (*burning*) de **bosques** enteros, matando (*killing*) muchos árboles y **animales.**

   ____ La agricultura y la ganadería (*ranching*) ocupan mucha **tierra,** lo cual requiere **la tala de árboles** y **la destrucción** de bosques. **La consecuencia:** bosques como **la selva** amazónica están en **peligro** (*danger*).

   ____ Al **destruir** tantos árboles, la cadena alimenticia (*food chain*) sufre porque muchos animales dependen de los árboles para comer.

   ____ **El daño** (*damage*) a los árboles puede causar un gran efecto sobre todo tipo de **flora y fauna** que puede llegar hasta **la extinción** de **las especies.**

2. El **planeta Tierra** está en peligro.

a.   b.

c.   d.

   ____ La **contaminación** del **aire** y **la atmósfera** lleva (*leads*) al **calentamiento global**; es decir, la temperatura del planeta sube y **el clima** cambia.

   ____ Las temperaturas del agua del mar están subiendo también, **una situación** relacionada con el derretimiento (*melting*) de los icebergs.

   ____ El cambio climático puede causar otros problemas **ecológicos** graves, como **la sequía** (cuando no llueve por mucho tiempo).

   ____ También puede causar **tormentas** muy fuertes como **huracanes*** que muchas veces causan **inundaciones*** (un exceso de agua que pone calles, coches y casas bajo el agua).

3. Hay que **cuidar** la Tierra.

a.   b.

c.   d.

   ____ Varios grupos de **activistas** luchan para **proteger** el medio ambiente, **prohibir** la contaminación y **salvar** los animales.

   ____ Algunos activistas quieren **conservar** las plantas y los animales **marinos,** que sufren a causa de los productos químicos y la basura que tiramos (*throw away*) en el mar.

   ____ La **ecología** del mar es un **sistema** complejo: un mundo entero existe dentro de un **arrecife** (*reef*): corales, plantas y peces.

   ____ Los humanos pueden **participar** en **la protección** del mar si asumen **la responsabilidad** de la basura que producen en vez de tirarla al mar.

---

*La forma singular de **huracanes** es **huracán** y la forma singular de **inundaciones** es **inundación.**

4. A mucha gente le gusta visitar los parques nacionales y reservas naturales.

_____ Allí tienen vistas panorámicas de las montañas, el mar o el desierto, y los animales **salvajes** que viven allí.

_____ Sin embargo, la **disminución** de importantes **recursos naturales** como el agua, la madera y el petróleo pone en peligro estos paisajes bonitos y el planeta entero.

_____ Si los grandes países y sus industrias **explotan** los recursos naturales sin **la obligación** de conservar, vamos a ver el **agotamiento** de los bosques y el agua dulce (_fresh_), y sin árboles ni agua no podemos vivir.

_____ Dependemos de la naturaleza, la tierra y el agua del planeta. Por eso, deberíamos buscar soluciones **sostenibles** para mantener el planeta verde y saludable.

a.

b.

c.

d.

B. Las especies en peligro de extinción   ¿Reconoces estos animales?

Escribe el nombre del animal que corresponde a cada foto, basándote en su nombre en inglés.

el delfín	**el mono**	**el pingüino**
el león marino	**el perezoso**	**la tortuga**

el loro (el pájaro)

_____

el oso

_____

el sapo

_____

la ballena

_____

_____

_____

C. ¿Es lógica o no?   Escucha cada afirmación e indica si es lógica (L) o ilógica (I).

1. _____   3. _____   5. _____

2. _____   4. _____   6. _____

D. A ver: Los temas más importantes

PASO 1. Algunas personas van a presentar sus ideas sobre los problemas medioambientales (*environmental*) más graves. Mira el video. Luego mira otra vez con pausas y completa cada frase con la mejor expresión.

1. _____ Para Óscar, de Costa Rica, la causa medioambiental más importante es…

   a. la conservación de los arrecifes.
   b. la conservación del ecosistema.
   c. la protección del mar y la playa.

2. _____ Para Cristhian, de Colombia, es importante…

   a. la conservación de los bosques.
   b. la protección de las especies en peligro de extinción.
   c. el reciclaje.

3. _____ Para Yenaro, de Costa Rica, es importante…

   a. la conservación de los bosques.
   b. la protección de las especies en peligro de extinción.
   c. el reciclaje.

4. _____ Para Andrea, de México, la causa medioambiental más importante es…

   a. el calentamiento global.
   b. la explotación de los recursos naturales.
   c. la protección del medio ambiente.

5. _____ Luis, de Panamá, está preocupado por…

   a. el calentamiento global.
   b. la enseñanza sobre el medio ambiente.
   c. la explotación de un recurso natural en particular: la naturaleza.

6. _____ Para Magdalena, de Argentina, es importante…

   a. la conservación de los arrecifes.
   b. la conservación de la naturaleza y el paisaje.
   c. la protección del mar y la playa.

7. _____ Para Victorino, de Costa Rica, es importante…

   a. la conservación de los bosques.
   b. la protección del medio ambiente.
   c. el reciclaje.

8. _____ Para Henry, de Costa Rica, es importante…

   a. el calentamiento global.
   b. la enseñanza sobre el medio ambiente.
   c. la explotación de los recursos naturales.

PASO 2. Mira el video otra vez con pausas. Según sus intereses, ¿qué debería hacer cada persona del video?

1. _____ Óscar debería…
2. _____ Cristhian debería…
3. _____ Yenaro debería…
4. _____ Andrea debería…
5. _____ Luis debería…
6. _____ Magdalena debería…
7. _____ Victorino debería…
8. _____ Henry debería…

a. empezar un programa sobre la diversidad de los bosques y la protección del medio ambiente.
b. fundar una compañía que proteja el mundo ecológico.
c. participar en el turismo ecológico de alguna manera.
d. seguir con su empresa que promueve el reciclaje para contaminar menos con basura.
e. promover (*promote*) el uso de menos plástico.
f. sembrar (*plant*) árboles.
g. trabajar en un lugar que proteja las especies en peligro de extinción.
h. trabajar para el sistema de parques nacionales.

PASO 3. Explícale a un compañero / una compañera con quién del video tienes más en común y por qué. Usa la información del **Paso 1** para formar tus respuestas.

MODELO: Tengo más en común con _____ porque los/las dos (ninguno de los/las dos)…

E. A cuidar y disfrutar del planeta

PASO 1. De las siguientes actividades, ¿cuáles te gustaría hacer?

Me gustaría…

☐ cuidar las playas y el mar
☐ disfrutar de la naturaleza
☐ participar en el turismo ecológico
☐ pasar tiempo al aire libre
☐ proteger los animales salvajes

☐ trabajar en una compañía que proteja el medio ambiente
☐ trabajar de voluntario/a para cuidar el planeta
☐ ver el paisaje de un parque nacional

PASO 2. En grupos, dense consejos sobre qué deberían hacer para impulsar sus metas medioambientales personales. Usen la estructura **debería** + *infinitivo*.

MODELO: Si a ti te gustaría trabajar de voluntario/a para cuidar el planeta, entonces *deberías ponerte* en contacto con una organización local para limpiar parques en tu comunidad.

F. El medio ambiente en las noticias

PASO 1. Lee los siguientes titulares (*headlines*) de varios periódicos y revistas. En grupos, hagan una lista de por lo menos diez palabras del **Vocabulario** que esperarían (*you would expect*) leer en cada artículo. Luego comparen sus listas con otro grupo.

1. **Huracanes amenazan° la costa**   *threaten*

2. **La tala masiva de árboles sigue en las selvas**

3. **Grupo estudiantil recauda fondos° para la protección de las especies**
                                                                                       raises funds

4. **Nueva ley protege la naturaleza del país**

5. **El turismo: ¿ayuda o daña al medio ambiente?**

6. **¿Estamos reciclando? Nuevo estudio pone en duda la mayoría de los programas de reciclaje**

7. La explotación de recursos naturales a nivel mundial sigue en aumento

8. Nuevo estudio científico dice que están muriendo los arrecifes a un ritmo alarmante

PASO 2. En parejas, escojan uno de los titulares del **Paso 1** y escriban el primer párrafo del artículo. Intenten usar todas las palabras de la lista que su grupo formó para ese titular. Cuando leen el artículo a los otros estudiantes, ¿pueden identificar el titular del **Paso 1**?

PASO 3. En parejas, piensen en un tema medioambiental que les importe mucho y escriban un titular para un artículo sobre el tema. Luego consideren las siguientes preguntas y escriban el primer párrafo del artículo.

¿Por qué se considera «noticia» este tema? ¿Por qué es un problema esta situación? ¿Cuáles son los datos más importantes que deben incluir? ¿Cuáles son los factores que contribuyen al problema?

COMUN VOCABU ESTRUCTURA ATE

Reciclaje — Present indicative: Verbs with irregular **yo** forms

Usa la forma **yo** del presente de indicativo del verbo más lógico para completar cada oración. Luego indica si es algo que diría (*would say*) un **jaguar,** un **pájaro** o una **tortuga** si pudiera (*if it could*) *hablar*. Cada verbo se puede usar solo una vez. El primer verbo ya está hecho.

decir	ir	ser
estar	poner	tener
hacer	salir	traer

	JAGUAR	PÁJARO	TORTUGA
1. «A veces <u>voy</u> a los lagos y a los ríos a cazar (*hunt*) animales que están tomando agua.»	☐	☐	☐
2. «_____ nidos (*nests*) en los árboles.»	☐	☐	☐
3. «_____ una concha (*shell*) muy dura.»	☐	☐	☐
4. «_____ reptil.»	☐	☐	☐
5. «_____ de noche a cazar animales grandes y chicos.»	☐	☐	☐
6. «_____ comida al nido para mis crías (*babies*).»	☐	☐	☐
7. «En la selva, _____ en el punto más alto de la cadena alimenticia.»	☐	☐	☐
8. «_____ pío, pío, pío.»	☐	☐	☐
9. «_____ huevos en la arena (*sand*).»	☐	☐	☐

■ Answers to this activity are in Appendix 2 at the back of your book.

Las ruinas del Parque Nacional Tikal, Guatemala

Lissa Harrison

13.1 Le pedimos que no salga de los senderos° *paths*

The subjunctive: Irregular verbs

Para empezar...

El Parque Nacional Tikal es la reserva natural y cultural más famosa de Guatemala y la zona arqueológica más importante de la antigua civilización maya. Aquí hay una lista de reglas (*rules*) para los visitantes del parque, pero ¡no todas son de verdad! Indica si cada regla es **cierta** o **falsa.**

Durante su estancia (*stay*) en el Parque Nacional Tikal, le pedimos que...

	CIERTO	FALSO
1. no **haga** ningún tipo de fuego.	☐	☐
2. no **salga** de los senderos.	☐	☐
3. **sea** respetuoso con las reglas del parque.	☐	☐
4. **se vaya** inmediatamente y nunca **vuelva.**	☐	☐
5. **tenga** mucho cuidado al momento de escalar los monumentos.	☐	☐
6. **ponga** comida para los animales en los senderos.	☐	☐
7. no **haga** fotos ni videos con propósitos (*purposes*) comerciales sin la autorización adecuada.	☐	☐
8. **traiga** basura de su casa y la **deje** en el parque.	☐	☐
9. **ponga** atención a la hora. Se apaga (*turn off*) la energía eléctrica a las 21:30. Por eso, pedimos que **esté** en su hotel antes de esa hora.	☐	☐

Actividades analíticas

■ Answers to these activities are in Appendix 2 at the back of your book.

1 The verbs in bold in **Para empezar** are in the present subjunctive form. Use this information, as well as what you know about how the present subjunctive is formed, to conjugate these verbs.

	hacer	poner	salir	tener	traer
yo	haga			tenga	
tú		pongas			traigas
él/ella, Ud.					
nosotros/as	hagamos		salgamos		
[vosotros/as]		[pongáis]		[tengáis]	[traigáis]
ellos/ellas, Uds.			salgan		traigan

2 For all of these verbs, the stem in the subjunctive contains a **-g-** that is not present in the infinitive: **hag-, pong-, salg-, teng-,** and **traig-.** This stem is the same as that used in the **yo** form of the present indicative: **hago, pongo, salgo, tengo,** and **traigo.** The verb **decir** (**digo** in the **yo** form of the present indicative) also forms its subjunctive in this way.

Quiero que me **digas** la verdad.   *I want you to tell me the truth.*

Es necesario que **digan** si van   *It's necessary for you (pl.) to say if you*
a pasar la noche en el parque.   *are going to spend the night in the park.*

3 Two other common irregular verbs in the subjunctive are **ir** and **ser.** Use the forms that you saw in **Para empezar** to complete these conjugations.

	ir	ser
yo	vaya	
tú		seas
él/ella, Ud.		
nosotros/as	vayamos	
[vosotros/as]		[seáis]
ellos/ellas, Uds.		

Actividades prácticas

A. Voluntarios en las islas Galápagos   Cientos de voluntarios van a las islas Galápagos cada año para ayudar en el trabajo de conservación e investigación (*research*). Pon en orden los elementos de la siguiente conversación entre María, una coordinadora de voluntarios en la conservación, y Alicia, una voluntaria que acaba de llegar (*has just arrived*).

a. __1__ MARÍA: ¡Qué bueno que estés aquí en las islas Galápagos! ¿Estás contenta?

b. ____ MARÍA: ¡Ah, sí! Les voy a pedir también que hagan un conteo (*count*) de las iguanas marinas que se encuentran en la isla Genovesa. Parece que ahora hay menos y estamos un poco preocupados.

c. ____ ALICIA: Está bien. Vamos a la isla Genovesa, entonces. Ayer mencionaste algo de las iguanas en esa isla, ¿no?

d. ____ ALICIA: Bueno, vamos a hacer el conteo. El viernes viene otro grupo de voluntarios de Quito. ¿Quieres que traigan algo en especial?

e. ____ MARÍA: Quiero que salgan a inspeccionar los senderos en la isla Genovesa. Ha habido muchísimos turistas allí últimamente y hacen mucho daño.

f. ____ ALICIA: ¡Muy contenta! Mañana empezamos a trabajar todos los voluntarios de mi grupo. ¿Qué quieres que hagamos?

g. ____ MARÍA: Sí. ¿Pueden traer más folletos (*brochures*) para los turistas sobre los problemas medioambientales que tenemos aquí?

h. ____ ALICIA: ¡Claro! Les voy a decir que los traigan.

	vos
hacer	hagas, hagás
poner	pongas, pongás
salir	salgas, salgás
tener	tengas, tengás
traer	traigas, traigás

¿Por qué?

Many verbs add a **-g-** to the stem whenever the ending begins with **-o,** as in the **yo** form of the present indicative (such as, **pongo, salgo, tengo**), or with **-a,** as in all of the subjunctive forms (such as, **ponga, salga, tenga**). These two vowels are pronounced with the tongue in the back of the mouth. The **-g-** is also pronounced this way, so it smooths the transition between the stem (**pon-, sal-, ten-**) and the vowel. The vowels **-e** and **-i** are pronounced in the front of the mouth, so the **-g-** is not inserted when these vowels are added to the stem (so you have **pone, salimos, tenemos,** and so on).

	vos
ir	vayas, vayás
ser	seas, seás

> **Autoprueba**

Provide the correct subjunctive form for these verbs.

1. traer (tú) ____
2. tener (ellos) ____
3. ir (Uds.) ____
4. ser (ella) ____
5. salir (nosotros) ____

Respuestas: 1. traigas **2.** tengan **3.** vayan **4.** sea **5.** salgamos

■ For more verbs in the subjunctive, see **Para saber más 13.1** at the back of your book.

El Salto Ángel en el Parque
Nacional de Canaima

El Parque Nacional Rapa Nui en
la isla de Pascua

B. Los parques nacionales

PASO 1. Primero, indica con un círculo el verbo más adecuado para completar cada oración.

1. _____ Muchos dicen que este parque (es / sea) uno de los lugares más impresionantes del mundo. Las cataratas son enormes y se encuentran cerca de la triple frontera (*border*) entre Paraguay, Brasil y Argentina.

2. _____ Para ir a este lugar, al norte de Brasil, te recomiendan que (vas / vayas) en un coche que esté en muy buenas condiciones, que (traes / traigas) una cámara y que (sacas / saques) fotos del famoso Salto Ángel.

3. _____ En este lugar, es necesario que (se ponen / se pongan) ropa caliente en algunos meses, por el intenso frío que hace. Hay cientos de glaciares en este parque en los Andes, a ocho horas al norte de Lima.

4. _____ (Dicen / Digan) que los jaguares en este lugar, en la costa caribeña de este país centroamericano, (salen / salgan) solo de noche.

5. _____ Si (tienes / tengas) ganas de ver muchos loros y colibríes (*hummingbirds*), puedes ir a este parque, en el extremo este de la isla.

6. _____ Si te gustan las cataratas, los jaguares y las orquídeas, te recomiendo que (vas / vayas) aquí. Por su ubicación entre los Andes y la zona amazónica, tiene una gran diversidad de hábitats, desde selvas hasta sabanas (*savannahs*).

7. _____ Si quieres que tus próximas vacaciones (son / sean) muy interesantes, considera un viaje a este parque en la isla de Pascua, donde puedes encontrar cráteres volcánicos y estatuas creadas por los antiguos habitantes (*inhabitants*).

PASO 2. Ahora, escoge el parque nacional que corresponde a cada descripción en el **Paso 1.** Las pistas (*clues*) geográficas y los mapas (que se encuentran después del **Appendix 2** de este libro) te pueden ayudar.

Parques Nacionales

a. Parque Nacional Rapa Nui (Chile)
b. Parque Nacional de Canaima (Venezuela)
c. Parque Nacional Huascarán (el Perú)
d. Parque Nacional de Iguazú (Argentina)
e. Parque Nacional Noel Kempff Mercado (Bolivia)

f. Reserva de la Biosfera de Río Plátano (Honduras)
g. Parque Nacional Alejandro de Humboldt (Cuba)

C. Tus prioridades para tu comunidad

PASO 1. ¿Qué quieres que haga la gente de tu comunidad para mejorar el medio ambiente? Escoge las tres ideas más importantes para ti y crea tres oraciones que expresen lo que tú quieres.

> **MODELO:** esforzarse (*make an effort*) por usar el transporte público →
> Quiero que la gente se esfuerce por usar el transporte público.

1. decirles a los niños que es importante cuidar el medio ambiente
2. ir al trabajo o a la escuela a pie cuando sea posible
3. prestar (*give*) más atención al reciclaje
4. salir más a la naturaleza

5. ser más conscientes (*aware*) del impacto que tienen sobre el medio ambiente
6. tener más conocimiento sobre el turismo sostenible
7. llevar botellas de agua de metal, y no de plástico

PASO 2. Ahora, en parejas, comparen sus prioridades. ¿Pueden llegar a un acuerdo sobre cuál es la máxima (*top*) prioridad para mejorar el medio ambiente?

Reciclaje — Meanings of **creer, esperar, pensar,** and **saber**

Empareja cada expresión con su sinónimo.

1. ____ Creo que sí.
2. ____ No sé.
3. ____ Espero que no.
4. ____ Sé que sí.
5. ____ Espero que sí.
6. ____ Pienso que no.

a. No tengo idea.
b. Estoy muy seguro de que sí.
c. No sé si es así, pero quiero que sea así.
d. Pienso que sí.
e. No creo.
f. No sé si es así, pero no quiero que sea así.

■ Answers to this activity are in Appendix 2 at the back of your book.

Un sapo dorado

13.2   No creen que exista ya el sapo dorado°   *golden*

The subjunctive: Disbelief and uncertainty

Para empezar...

El sapo dorado vivió en el bosque de Monteverde en Costa Rica. Lo descubrieron por primera vez en 1966, pero no lo han visto desde 1989 y lo declararon extinto (*extinct*) en 2004. ¿Qué dicen los expertos de esto? Lee las siguientes oraciones. Indica cuáles son **ciertas** y cuáles son **falsas**. ¡Atención! Hay solo dos oraciones falsas.

	CIERTO	FALSO
Los expertos...		
1. creen que los machos (*males*) tenían un color dorado fluorescente.	☐	☐
2. creen que las hembras (*females*) eran de un color verde oliva con manchas (*spots*) rojas.	☐	☐
3. no creen que nadie **pueda** encontrar un sapo dorado hoy día.	☐	☐
4. piensan que vivían bajo tierra la mayor parte del año.	☐	☐
5. no piensan que las demás especies de sapos y ranas (*frogs*) **estén** fuera de peligro (*out of danger*).	☐	☐
6. esperan que no les **pase** lo mismo a las otras especies de ranas y sapos.	☐	☐
7. dicen que es posible que el cambio climático **sea** un factor en la extinción de los sapos y ranas.	☐	☐
8. saben que hay sapos dorados en Wyoming.	☐	☐
9. esperan que **aprendamos** algo de esta triste historia.	☐	☐
10. esperan que otras especies **tengan** el mismo futuro que el sapo dorado.	☐	☐

Actividades analíticas

1   As you saw in **Estructura 12.3** with expressions of volition, certain verbs and expressions require the verb that follows to be in the subjunctive form. Based on what you saw in **Para empezar,** indicate which of the following expressions require the subjunctive.

☐ creer que...   ☐ esperar que...   ☐ saber que...
☐ no creer que...   ☐ pensar que...
☐ es posible que... ☐ no pensar que...

2   What do the expressions that you selected in **Actividad analítica 1** all have in common?

☐ They all express the idea that what follows is (at least in the mind of the speaker) likely true.
☐ They all express the idea that what follows may not be true.

There are many more expressions that indicate uncertainty in Spanish, including **No es obvio (*obvious*) que...** and **Es improbable que...**

■ Answers to these activities are in Appendix 2 at the back of your book.

CONÉCTATE AL MUNDO HISPANO

El lobo (*wolf*) mexicano es uno de los animales del hemisferio occidental (*western*) en mayor peligro de extinción. Su hábitat original se extendía del norte de México hasta Arizona, Nuevo México y Texas en los Estados Unidos. Sin embargo, el lobo fue casi totalmente exterminado en el siglo veinte. En las últimas décadas, los científicos han tratado de salvar al lobo mexicano y establecerlo de nuevo en las zonas donde vivía antes. Poco a poco, lo están logrando (*achieving*). Ahora hay lobos salvajes en Arizona y Nuevo México y, en 2014, anunciaron dos grandes eventos: nació la primera camada (*litter*) de lobos en libertad en México y nació la primera camada por inseminación artificial en el Zoológico de Chapultepec, en la Ciudad de México.

3 Similarly, expressions such as **Es imposible que…**, **No es cierto que…**, and **No es verdad que…** also require the subjunctive because what follows them is (at least in the mind of the speaker) not true.

No es cierto que puedas ver el sapo dorado en Costa Rica.	*It is not true that you can see the golden toad in Costa Rica.*
Antonio piensa que **no es verdad que seas** estudiante.	*Antonio thinks that it's not true that you're a student.*

The expressions **Es cierto que…** , **Es verdad que…** , and **Es obvio que…** are followed by an indicative form, since they express something thought to be true.

Es cierto que eres muy buen estudiante.	*It is true that you're a very good student.*

Actividades prácticas

A. ¿De acuerdo?

PASO 1. Escucha las oraciones e indica si estás de acuerdo (**DA**) o no (**NDA**) con lo que dicen.

1. ____   2. ____   3. ____   4. ____
5. ____   6. ____   7. ____   8. ____

PASO 2. Ahora explica a la clase por qué no estás de acuerdo con ciertas declaraciones.

B. El oso hormiguero (*anteater*)
¿Cuánto sabes del oso hormiguero? Indica si cada oración debe comenzar con «**Es cierto que…**» o «**No es cierto que…**». ¡Atención! Presta atención a la forma del verbo. ¿Es indicativo o subjuntivo?

Fotofeeling/Westend61/Getty Images

El oso hormiguero

ES CIERTO QUE…	NO ES CIERTO QUE…	
☐	☐	1. come hormigas (*ants*) y termitas.
☐	☐	2. tiene una lengua muy larga.
☐	☐	3. sea un tipo de oso.
☐	☐	4. viva en África.
☐	☐	5. es pariente de los perezosos.
☐	☐	6. use su cola (*tail*) para matar hormigas.
☐	☐	7. duerma bajo el agua.
☐	☐	8. varias especies del oso hormiguero están amenazadas (*threatened*) por la destrucción de su hábitat.
☐	☐	9. coma pájaros.
☐	☐	10. vive solamente en América.

Sidebar:

- To learn how to use the subjunctive to describe things that don't exist, or to express how you feel about something, see **Para saber más 13.2** at the back of your book.

- The audio files for in-text listening activities are available in the eBook, within Connect activities, and on the Online Learning Center.

C. Cuatro especies

PASO 1.   Las siguientes cuatro especies son muy interesantes, pero no son muy conocidas fuera de su región. En parejas, creen oraciones usando **Creo que** y **No creo que** y las seis frases que siguen para comentar sobre los animales.

El cóndor andino
Distribución: Cordillera de los Andes
Estado de conservación: No amenazado

El quetzal
Distribución: México, Centroamérica
Estado de conservación: Amenazado

El lince (*lynx*) ibérico
Distribución: España
Estado de conservación: En peligro de extinción

El tapir
Distribución: Centroamérica, Sudamérica
Estado de conservación: Amenazado

MODELO: vuela / vuele →
   E1: No creo que el tapir vuele.
   E2: Yo tampoco, pero creo que el quetzal vuela.

1. pasa / pase mucho tiempo en el agua
2. come / coma carne
3. vive / viva en Europa
4. pone / ponga huevos
5. tiene / tenga pelo
6. vuela / vuele

PASO 2.   Piensa en un animal del que sabes mucho. Dile a un compañero / una compañera dos oraciones ciertas y dos oraciones falsas sobre el animal. Tu compañero/a debe decir **Es cierto que...** o **No es cierto que...** para cada oración. Si no está seguro/a, puede decir **Es posible que...**

MODELO: E1: Los conejos (*rabbits*) comen carne.
   E2: No es cierto que los conejos coman carne.
   E1: Los conejos tienen el pelo muy suave.
   E2: Es cierto que los conejos tienen el pelo muy suave.

D. Los pingüinos

Crea ocho oraciones sobre los pingüinos usando las siguientes expresiones y las oraciones que siguen. **¡Atención!** En algunos casos, tienes que cambiar el verbo al subjuntivo.

   Sé que...   Creo que...   Espero que...   No creo que...

MODELO: Los pingüinos son pájaros. → Sé que los pingüinos son pájaros.

1. Hay pingüinos azules y rojos.
2. Viven en Argentina, Chile, el Perú y las islas Galápagos.
3. Viven en Bolivia y en el Polo Norte.
4. Van a México durante el verano.
5. Trabajan en restaurantes como camareros.
6. Tienen una vida muy feliz.
7. Comen mucho pescado.
8. Tienen un futuro seguro.

Creo que los pingüinos son lindos.

Ecuador   **Bolivia**

El lago Titicaca, Bolivia

E. Cultura: Las luchas (*struggles*) ecológicas en Ecuador y Bolivia

PASO 1.   Lee el texto sobre Ecuador y Bolivia.

Los países de Ecuador y Bolivia tienen mucho en común. Los dos tienen sitios naturales espectaculares y diversos, como las islas Galápagos y los altiplanos[a] en Ecuador, y en Bolivia el lago Titicaca, la Laguna Verde y el salar[b] de Uyuni. En los dos países hay selvas amazónicas. Los dos países también cuentan con[c] grandes poblaciones indígenas que hablan una variedad de lenguas. Pero lamentablemente, desde la época de la Conquista española hasta hoy en día, los habitantes de los dos países han tenido que luchar en contra del imperialismo. El imperialismo del último siglo no solo es una conquista de la cultura autóctona,[d] sino[e] también del medio ambiente y los recursos naturales.

Desde 1971 hasta 1992, la gran empresa petrolera[f] transnacional Texaco™ se juntó[g] con el gobierno de Ecuador para extraer petróleo de la región amazónica y construir el Oleoducto[h] Transecuatoriano. Ahora este proyecto es conocido por muchos como «el peor desastre petrolero del mundo». Según algunas fuentes,[i] la empresa contaminó las aguas de la zona con casi 20 mil millones[j] de galones de residuo[k] tóxico. Además, del oleoducto se derramaron[l] casi 17 millones de galones de petróleo crudo. Como resultado, en las comunidades afectadas por la contaminación se aumentó drásticamente el número de casos de cáncer, enfermedades dermatológicas, problemas reproductivos y defectos de nacimiento.[m]

Los problemas medioambientales en Bolivia también se conectan con el agua, pero de otra forma. A finales de los años 90, el gobierno boliviano (siguiendo los requisitos[n] del Banco Mundial[ñ]) firmó dos tratados[o] para privatizar el suministro y saneamiento[p] del agua. Les vendió a corporaciones transnacionales los sistemas de agua municipales de La Paz y de Cochabamba. Como resultado, el precio del agua subió[q] bastante y la gente pobre perdió el acceso natural que tenía a diferentes fuentes de agua potable. En 2000, hubo protestas violentas en la ciudad de Cochabamba.* En 2006, el nuevo presidente Evo Morales declaró que «El agua no puede ser un negocio privado porque [...] se estarían[r] violando los derechos[s] humanos». El acceso al agua sigue siendo un problema y, en 2016, el gobierno tuvo que declarar un estado de emergencia por la escasez[t] de agua potable.

[a]*high plateaus* [b]*salt flat* [c]*cuentan... have* [d]*native* [e]*but* [f]*empresa... oil company* [g]*se... joined up with* [h]*Pipeline* [i]*sources* [j]*mil... billions* [k]*waste* [l]*se... spilled* [m]*birth* [n]*requirements* [ñ]*World* [o]*firmó... signed two accords* [p]*suministro... supply and sanitation* [q]*went up* [r]*se... it would be* [s]*rights* [t]*shortage*

PASO 2.   Ahora lee cada declaración y selecciona la expresión adecuada para indicar si estás de acuerdo o no. Luego completa la oración con la forma correcta del indicativo o el subjuntivo del verbo entre paréntesis.

1. (Creo / No creo) que las empresas petroleras _____ (deber) extraer petróleo de las zonas amazónicas.
2. (Pienso / No pienso) que Texaco _____ (ser) el responsable del desastre petrolero.
3. (Es cierto / No es cierto) que la contaminación del agua con residuo tóxico _____ (causar) problemas de salud entre los habitantes.
4. (Es verdad / No es verdad) que las corporaciones transnacionales _____ (querer) explotar la mano de obra (*workforce*) y los recursos naturales de los países más pobres.
5. (Estoy seguro/a / No estoy seguro/a) que limitar el acceso que una comunidad tiene al agua _____ (violar) los derechos humanos de esa comunidad.
6. (Es verdad / No es verdad) que Ecuador y Bolivia _____ (tener) que luchar para proteger su naturaleza y su herencia (*heritage*) cultural.

PASO 3.   En parejas, contesten las preguntas y explíquense las respuestas.

1. Muchas veces, los países que aceptan que las grandes empresas transnacionales trabajen en zonas ecológicamente delicadas son países de pocos recursos (*resources*) económicos, como Bolivia y Ecuador. ¿Por qué crees que es así?
2. Los residentes de Bolivia y Ecuador causan mucho menos daño al planeta que los residentes de países como los Estados Unidos o Canadá. Por ejemplo, tienen una huella (*footprint*) de carbono muy baja. ¿Por qué crees que es así?
3. En tu país, ¿los grandes proyectos que pueden hacer daño al medio ambiente, como las minas o la extracción petrolera, también ocurren frecuentemente en zonas relativamente pobres?

⟳ Reciclaje   *Para* and *por*

Empareja las frases para hacer oraciones completas lógicas, completándolas con **para** o **por.**

____ 1. Reciclamos papel…
____ 2. Ahorramos agua…
____ 3. Mantenemos los parques…
____ 4. Va a haber cambios climáticos…
____ 5. El huracán Mitch pasó…
____ 6. La contaminación causa muchos problemas…

a. ____ Honduras en 1998.
b. ____ los bosques.
c. ____ no tener que cortar tantos árboles.
d. ____ conservar la diversidad de zonas ecológicas.
e. ____ la sequía en los últimos años.
f. ____ el calentamiento global.

■ Answers to this activity are in Appendix 2 at the back of your book.

13.3   Para que las tortugas puedan sobrevivir° *survive*

The subjunctive: Purpose and contingency

Source: U.S. Fish & Wildlife Service/David Bowman

Una tortuga marina en Costa Rica

Para empezar…

Todas las especies de tortugas marinas están en peligro de extinción. Un grupo de biólogos (*biologists*) en Costa Rica ha tomado varias medidas (*measures*) para tratar de prevenir (*prevent*) la extinción de estas tortugas. Empareja cada medida con el objetivo más lógico. **¡Atención!** Cada objetivo se puede usar solo una vez.

MEDIDA

1. _b_ No usan luz en la playa de noche…
2. ____ Cuando las tortugas ponen huevos en la arena (*sand*), los conservacionistas los sacan…
3. ____ Guardan los huevos en un lugar de temperatura controlada…
4. ____ Cuando las crías salen del huevo, las ponen en la playa…
5. ____ Tratan de limitar el uso turístico de la costa…
6. ____ Tratan de educar a la gente…
7. ____ Hacen todo esto…

OBJETIVO

a. para que **entren** al mar.
b. para que las tortugas **lleguen** a la playa sin miedo (*without fear*) a poner los huevos en la arena.
c. para que las tortugas **tengan** playas sin gente para poner sus huevos.
d. para que los perros no los **coman.**
e. para que no **usen** los huevos de las tortugas como alimento.
f. para que las tortugas **puedan** sobrevivir en el futuro.
g. para que **se desarrollen** (*develop*) bien.

■ Answers to these activities are in Appendix 2 at the back of your book.

Actividades analíticas

1 Based on what you saw in **Para empezar,** which form of the verb is used after **para que** (*so that*)?

☐ indicative   ☐ subjunctive

Para que expresses what you want to happen as a result of your action.

Voy a hablar muy despacio **para que** me **entiendas.**

I'm going to speak very slowly so that you understand me.

In this example, you speak slowly because you want the other person to understand you. The meaning of **para que** is thus similar to that of **querer:** both express what you want to happen. As you saw in **12.3, querer que…** is always followed by the subjunctive, so it is not surprising that **para que** behaves the same.

Quiero que me **entiendas.**   *I want you to understand me.*

2 Another common expression that is followed by the subjunctive is **en caso de que** (*in case, in the event that*).

En caso de que llueva mañana, llámame.   *In the event that it rains tomorrow, call me.*

En caso de que no encuentres el parque, búscalo en el mapa.   *In case you don't find the park, look for it on the map.*

En caso de que expresses what might happen, when it is not at all certain that it will. Its meaning is thus similar to expressions like **Es posible que...,** and both are typically followed by the subjunctive.

Es posible que llueva mañana.   *It's possible that it will rain tomorrow (but I don't know for sure).*

3 Expressions that simply introduce a fact (rather than something that you *want* to happen or something that *might* happen) are followed by an indicative verb form. For example, **porque** is generally followed by the indicative.

Voy a hablar muy despacio, **porque** a veces no me **entiendes.**   *I'm going to speak very slowly, because sometimes you don't understand me.*

Llámame, **porque va** a llover mañana.   *Call me, because it's going to rain tomorrow.*

4 The indicative and subjunctive moods each have their own core meaning. The indicative expresses what is *thought* to be true (such as, **Ellos saben que estudiamos todas las noches.**). The subjunctive, on the other hand, expresses what someone *wants* to be true, but isn't yet (such as, **Quiero que estudiemos esta noche.**), or what is false or possibly not true (such as, **No es cierto que estudiemos todas las noches.** and **Es posible que estudiemos esta noche.**).

■ To see how to use the subjunctive to express situations that haven't happened yet or that will only happen under certain conditions, see **Para saber más 13.3** at the back of your book.

Resumen (*Summary*) de los usos del indicativo y del subjuntivo

Indicativo	Subjuntivo
To indicate a fact, something thought to be true (Estructura 13.2)	**To indicate a desire, something that you want to be true (Estructura 12.3, 13.3)**
Sé que las tortugas **están** bien. *I know that the turtles are fine.*	Quiero que las tortugas **estén** bien. *I want the turtles to be fine.*
Pienso que **ahorras** agua. *I think that you save water.*	Te recomiendo que **ahorres** agua. *I recommend that you save water.*
Te voy a invitar a la playa porque **eres** mi amigo. *I'm going to invite you to the beach because you're my friend.*	Te voy a invitar a la playa para que **seas** mi amigo. *I'm going to invite you to the beach so that you'll be my friend.*
	To indicate something that may not be true (Estructura 13.2, 13.3)
	No creo que los bosques **estén** en buenas condiciones. *I don't think that the forests are in good condition.*
	Es posible que ese pájaro **sea** un cóndor. *It's possible that that bird is a condor.*
	En caso de que **veas** un oso, dime. *In the event that you see a bear, tell me.*

Actividades prácticas

A. ¿Qué hacemos para ayudar?   Empareja la primera parte de cada oración con la terminación más lógica. **¡Atención!** Presta atención a los verbos en las terminaciones. ¿Están en subjuntivo o indicativo?

1. ____ Uso bicicleta para moverme por la ciudad para que…

2. ____ Uso bicicleta para moverme por la ciudad porque…

3. ____ Pongo los productos reciclables en los contenedores de reciclaje para que…

4. ____ No pido una bolsa cuando compro algo en una tienda porque…

5. ____ Trato de usar muy poca agua para que…

6. ____ Compro frutas y verduras orgánicas porque…

7. ____ Compro frutas y verduras orgánicas para que…

8. ____ Trato de minimizar el uso del papel para que…

a. no quiero que mi comida tenga pesticidas.

b. me gusta saber que no uso tanta gasolina.

c. no hagamos más daño a los bosques.

d. tengan suficiente en el futuro.

e. no esté tan sucio el aire de nuestra ciudad.

f. no la necesito y no quiero generar más basura.

g. no usen tanto pesticida en el campo.

h. puedan usarlos para producir otros productos.

B. Una casa ecológica   Imagínate que planeas la construcción de una casa ecológica. Completa cada oración con una conclusión lógica, usando las frases de la lista y conjugando el verbo en su forma más adecuada.

darme dinero (*money*)   poder trabajar   visitarme en la nueva casa

no molestarse   ser totalmente ecológica   ya estar viviendo allí en verano

no tener ningún defecto

1. Primero, debo conseguir el permiso de la ciudad para que los obreros (*workers*) _____.

2. Tengo que pedir un préstamo (*loan*) para que el banco _____.

3. Voy a avisar a los vecinos (*let the neighbors know*) para que _____.

4. Luego voy a escoger puros materiales reciclados para la casa para que _____.

5. Les voy a pedir a los obreros que trabajen con mucho cuidado para que la casa _____.

6. Quiero que la casa esté lista para julio para que mi familia _____.

7. Voy a invitar a todos mis amigos para que _____.

Estrategia

Many students memorize which expressions are followed by the subjunctive, but this makes things harder than they need to be. As you see in this section, the subjunctive is used to express what you want to be true or what you think isn't true, so anything that introduces ideas like these (such as **para que…** or **en caso de que…**) is followed by the subjunctive. Keeping the core concept in mind, rather than memorizing lists, is a much more efficient way to learn.

C. ¡Está preparado/a!   Dile a un compañero / una compañera qué hay que llevar **en caso de que** pase una de las siguientes situaciones. Tu compañero/a debe decidir si lo que dices es lógico o no.

> **MODELO:**   E1: En caso de que llueva, hay que llevar un bolígrafo.
>   E2: ¡No es lógico!

En caso de que...

1. poder andar en las montañas,...
2. hacer mucho calor,...
3. ir a la playa,...
4. tener tiempo para relajarse,...
5. querer explorar el río,...
6. hacer mucho frío,...

...hay que llevar...

un abrigo

mucha agua

una balsa (*raft*)

botas de montaña

una gorra

un libro

un traje de baño

D. ¿Qué hacer en el peor de los casos?   Pasar tiempo en la naturaleza puede ser una experiencia muy bonita, pero también puede ser un poco peligroso. Pregúntale a un compañero / una compañera qué hacer en caso de que te pase uno de los siguientes problemas. Tu compañero/a debe escoger la solución más lógica de la lista.

> **MODELO:**   picar (*to sting*) los mosquitos / ¡Aplástalos (*Squash them*) y ponte más repelente!
>   E1: ¿Qué hago en caso de que me piquen los mosquitos?
>   E2: ¡Aplástalos y ponte más repelente!

¿QUÉ HAGO EN CASO DE QUE ME...

1. atacar un oso?
2. picar una viuda (*widow*) negra?
3. querer morder (*bite*) un jaguar?
4. picar una medusa (*jellyfish*)?
5. hacer caca (*poop*) un pájaro?
6. ir a comer las pirañas?

RESPUESTAS

a. ¡Grita, mueve los brazos y trata de asustarlo!
b. ¡Usa agua y una servilleta para limpiarte!
c. ¡Salte (*Get out*) del río inmediatamente!
d. ¡Vete al hospital, porque el veneno (*poison*) de este animal es muy peligroso!
e. ¡Salte del mar y lávate la zona afectada con vinagre o agua salada (*salt water*)!
f. ¡Ponte en posición fetal, cúbrete la cabeza con los brazos y no te muevas!

CONÉCTATE AL MUNDO PROFESIONAL

Ecology and "green" activities have become important to many industries for both public relations and bottom line purposes. Most big companies engage in Corporate Social Responsibility (CSR) and a lot of new office buildings have LEED certifications prominently displayed at the entrance. Globalization expands the possibilities and increases the need for employees with industry expertise, ecological awareness, and the ability to communicate across languages and cultures.

¡Leamos!

La aventura y el ecoturismo en el Perú

Antes de leer

PASO 1. Decide si cada actividad es **sostenible** (S) o **no sostenible** (NS).

1. ____ acampar
2. ____ viajar en vehículo motorizado
3. ____ una caminata (*hike*)
4. ____ viajar en avión
5. ____ viajar en bote de remos (*rowboat*)
6. ____ observar flora y fauna
7. ____ un proyecto ecológico
8. ____ un centro etnobotánico

PASO 2. Escoge dos actividades del **Paso 1** y escribe una oración completa para explicar tus respuestas.

> **MODELO:** Acampar es sostenible porque no usa muchos recursos naturales y no destruye la naturaleza.

1. _____
2. _____

A leer

Lee el itinerario de «La aventura y el ecoturismo en el Perú» y sigue el modelo para rellenar el resto de la tabla.

La aventura y el ecoturismo en el Perú

PAÍS:	Perú
LOCALIZACIÓN:	Recorrido por Perú: Cusco, Camino Inca,[a] Parque de Tambopata
MODALIDAD DE VIAJE:	Viaje de ecoturismo y aventura, turismo de naturaleza

¿Qué viaje vas a vivir?

Un viaje sostenible especialmente diseñado[b] para los amantes[c] del ecoturismo y la aventura. Conoceremos[d] algunos de los principales atractivos del Perú, pero, sobre todo, disfrutaremos del Camino Inca, de una impresionante estancia[e] en la Posada[f] Amazonas y de un espectacular recorrido en *rafting*. Una oportunidad sin igual para avistar[g] nutrias[h] gigantes, guacamayos,[i] monos, etcétera. Un viaje para conocer un mundo muy distinto al nuestro.

[…]

DÍA 2: Lima / Paracas / Ica / Islas Ballestas
Las islas Ballestas son formaciones rocosas[j] las cuales albergan[k] a leones marinos, pingüinos de Humboldt, nutrias marinas,[l] delfines y una gran variedad de aves[m] residentes y migratorias… Navegando hacia[n] las islas Ballestas, en el camino se puede apreciar El Candelabro, que es un geoglifo[ñ] de grandes dimensiones que sirve de faro[o] a los navegantes.

El Candelabro de Paracas

[a]Camino… *Inca Trail* [b]*designed* [c]*lovers* [d]*We'll get to know* [e]*stay* [f]*Lodge* [g]*view* [h]*a large freshwater mammal* [i]*macaws* [j]*rocky* [k]*house* [l]nutrias… *sea otters* [m]*pájaros* [n]*toward* [ñ]*large rock art; drawings on the ground designed to be seen from above* [o]*lighthouse*

(Continues)

DÍA 5: Camino Inca: Cusco / Huayllabamba

Nuestro vehículo nos llevará hasta el punto de inicio de nuestra caminata. El camino sigue [el banco oeste] del río Urubamba, donde apreciamos hermosas vistas de la montaña Verónica (5850 m); después del almuerzo continuaremos nuestra caminata al valle de Huayllabamba para acampar cerca de la comunidad del mismo nombre.

[...]

DÍA 11: Cusco / Puerto Maldonado

Traslado[p] al aeropuerto para tomar el vuelo con destino a Puerto Maldonado. Recepción en el aeropuerto y traslado al puerto desde donde seguimos en bote hacia la Posada Amazonas. Durante nuestro viaje podemos observar diferente flora y fauna en las orillas.[q] Si nos queda tiempo, visitamos una granja[r] de los nativos. Después de la cena se mostrará[s] un video sobre el parque nacional de Tambopata.

El río Urubamba con vista de la montaña Verónica

[...]

DÍA 13: Posada Amazonas

Después del desayuno visitamos una pequeña collpa.[t] Desde una plataforma escondida[u] cerca de la collpa podemos observar cómo decenas[v] de loros y guacamayos se congregan aquí para alimentarse. En días soleados[w] se juntan[x] en este lugar decenas, hasta a veces centenares,[y] de loros para comer arcilla.[z] Después del almuerzo visitamos el Centro EtnoBotánico de una comunidad nativa para aprender más sobre la cultura local y su interacción con la selva. Regresamos [a la posada] para la cena.

Una collpa con loros y guacamayos

[p]transportation   [q]shorelines   [r]farm   [s]se... will be shown   [t]clay lick used by birds to neutralize toxins in their diet   [u]hidden   [v]scores   [w]con mucho sol   [x]se... gather   [y]hundreds   [z]clay

	¿Dónde?	¿Qué actividades hay?	¿Qué atractivos turísticos hay?
Introducción	*el Perú*	*viajar*, rafting, *el ecoturismo*	*Camino Inca, animales y pájaros*
Día 2			
Día 5			
Día 11			
Día 13			

Después de leer

En grupos, diseñen un viaje ecológico en su comunidad. Para organizar el viaje, primero contesten las siguientes preguntas. Luego organicen la presentación del viaje en la forma de un anuncio en la televisión y preséntenlo al resto de la clase.

1. ¿Adónde van a ir los turistas?
2. ¿Qué lugares de interés van a conocer? Describan cada uno.
3. ¿Cómo van a llegar los turistas a cada lugar?
4. ¿Qué van a hacer en cada lugar?
5. ¿Dónde se van a quedar?
6. ¿Qué van a aprender?

¡Escuchemos!

Algunas amenazas a nuestro planeta

Antes de escuchar

Para cada tema ecológico, anota los números correspondientes de las frases que escuchas.

el calentamiento global ____
la contaminación del mar ____
la deforestación _____
la escasez (*shortage*) de agua ____

A escuchar

Mira y escucha mientras los participantes hablan sobre algunos problemas medioambientales. Escucha otra vez con pausas e indica las tres expresiones que usa cada persona. Mira una tercera vez para verificar tus respuestas.

1. Eduardo, de Panamá
   - ☐ cambios en el clima
   - ☐ la contaminación
   - ☐ desequilibrio (*imbalance*) en las estaciones
   - ☐ medios de transporte
   - ☐ problemas ecológicos
   - ☐ las selvas tropicales

2. Anlluly, de Costa Rica
   - ☐ el cambio de clima
   - ☐ gente que corta muchos árboles
   - ☐ problemas medio ambientales
   - ☐ el pulmón (*lung*) del país
   - ☐ recursos naturales
   - ☐ tirar la basura en el bosque

3. Víctor, de México
   - ☐ el calentamiento global
   - ☐ el cambio climático
   - ☐ la contaminación
   - ☐ la destrucción de nuestro planeta
   - ☐ Se inundan ciudades, se inundan pueblos.
   - ☐ reciclar las bolsas plásticas

4. Guadalupe, de Costa Rica
   - ☐ el cambio climático
   - ☐ cortando árboles
   - ☐ la destrucción de nuestro planeta
   - ☐ Se inundan ciudades, se inundan pueblos.
   - ☐ Mucha gente está conservando.
   - ☐ protegiendo los bosques

5. Diego, de Argentina
   - ☐ el cambio climático
   - ☐ deforestación
   - ☐ problemas medio ambientales
   - ☐ el pulmón (*lung*) del país
   - ☐ recursos naturales
   - ☐ la selva

6. Andrea, de México
   - ☐ el cambio climático
   - ☐ cuánto daño le estamos haciendo
   - ☐ la destrucción de nuestro planeta
   - ☐ Le echan todo al mar.
   - ☐ El mar va a estar todo contaminado.
   - ☐ el pulmón del país

7. Juan Andrés, de Costa Rica
   - ☐ la contaminación
   - ☐ desequilibrios en estaciones
   - ☐ medios de transporte
   - ☐ problemas ecológicos
   - ☐ reciclar las bolsas plásticas
   - ☐ las selvas tropicales

Truth-Function/McGraw-Hill

(*Continues*)

Después de escuchar

Lee las siguientes preguntas y luego mira el video de nuevo. En parejas, contesten las preguntas usando oraciones completas.

1. Según Eduardo, ¿qué pasa con los bosques?
2. Según Eduardo, ¿qué pasa con el clima?
3. Según Anlluly, ¿qué hace la gente que es malo para el medio ambiente?
4. Según Víctor, ¿cuáles son algunos problemas que trae el cambio climático?
5. Según Guadalupe, ¿para qué están cortando árboles muchas personas?
6. ¿De qué habla Diego?
7. Según Andrea, ¿a qué deberíamos prestar más atención? Si no le prestamos más atención, ¿qué pasará?
8. ¿Qué sugerencias ofrece Juan Andrés para cuidar mejor el medio ambiente?

¡Escribamos!

El problema medioambiental más grave°

serious

En esta actividad, vas a describir un problema medioambiental, explicar tu opinión en cuanto al asunto (*concerning the matter*) y luego ofrecer sugerencias para una posible solución.

Antes de escribir

Escoge uno de los temas presentados en **¡Escuchemos!** y apunta información siguiendo el modelo.

MODELO: I. El problema: <u>la contaminación del mar</u>

    A. la tesis del video: <u>No prestamos atención al mar.</u>
      1. detalle: <u>Echamos basura al mar.</u>
      2. detalle: <u>Dañamos los animales marinos.</u>
      3. detalle: <u>Nos enfocamos en otros problemas (el aire, los bosques).</u>

    B. Mi opinión: _____
      1. detalle: _____
      2. detalle: _____
      3. detalle: _____

    C. Posible solución: _____
      1. sugerencia: _____
      2. sugerencia: _____
      3. sugerencia: _____

A escribir

Usa tu bosquejo (*outline*) para ayudarte a escribir un ensayo de tres párrafos. Primero, describe el problema y resume lo que dice la persona en el video. Luego añade tu propia opinión y más detalles. Escribe una conclusión en la que ofrezcas algunas sugerencias para llegar a una solución.

Después de escribir

Revisa tu ensayo. Luego intercambia ensayos con un compañero / una compañera para evaluarlos. Lee el ensayo de tu compañero/a y decide si falta información necesaria. ¿Se ha desarrollado (*developed*) bien cada párrafo? ¿Hay sugerencias apropiadas para llegar a una solución en la conclusión? Lee de nuevo (*again*) el ensayo con cuidado para revisar los siguientes puntos de gramática.

☐ Hay concordancia entre los sujetos y los verbos.

☐ Hay uso correcto del indicativo y el subjuntivo.

☐ Hay concordancia entre los sustantivos y los adjetivos.

Después de revisar el ensayo de tu compañero/a, devuélveselo. Mira tu propio ensayo para ver los cambios que tu compañero/a recomienda y haz las revisiones necesarias.

¡Hablemos!

¿A quién le gusta más la naturaleza?

Antes de hablar

Mira los dibujos y di a qué actividad se refieren. Si no sabes la palabra exacta para cada actividad, usa las palabras que sí sabes para explicarla.

MODELO: hacer *camping or* dormir fuera de la casa, en el bosque o en las montañas

1.   2.   3.

4.   5.   6.

Corepics VOF/Shutterstock; 1. Lane Oatey/Blue Jean Images/Getty Images; 2. Sam Edwards/OJO Images/age fotostock; 3. Glow Images; 4. Jakob Polacsek/Moment/Getty Images; 5. Sam Edwards/OJO Images/age fotostock; 6. Purestock/SuperStock

A hablar

En parejas, túrnense para decir qué tienen que llevar o cómo tienen que prepararse para hacer las actividades que identificaron en **Antes de hablar.** Expliquen para qué lo tienen que hacer o en qué situación va a ser necesario.

MODELOS: Deberíamos comprar un colchón inflable (*air mattress*) *para que* no tengamos que dormir en el suelo. / Debería llevar un traje de baño *en caso de que* haya un buen lugar para tomar el sol.

Después de hablar

Ahora, júntense con otra pareja y decidan cuál de las actividades prefieren hacer para este fin de semana.

VOCABULARIO

Now that I have completed the chapter, I can . . .

- ☐ say what I think should happen
- ☐ say how long something has been going on
- ☐ talk about nature and the environment
- ☐ express what someone wants to happen
- ☐ express what someone thinks may not be true
- ☐ discuss nature and the environment in the Spanish-speaking world

Comunicación	Communication
(no) debería + *inf.*	should (not) (*do something*)
¿Cuánto tiempo lleva(s) + -ndo *form?*	How long have you (*form./inform.*) (*done / been doing something*)?
Llevo + *time expression* + -ndo *form.*	I've been (*doing something*) for + *time*.
Llevo + *time expression* + sin + *inf.*	I haven't (*done something*) for + *time*.
¿Cuánto tiempo hace que + *present tense?*	How long have you (*done / been doing something*)?
Hace + *time expression* + que + *present tense.*	I've been (*doing something*) for + *time*.
Hace + *time expression* + que no + *present tense.*	It's been + *time* + since I've (*done something*).
mucho tiempo	a long time
toda la vida	all my (your/his/her) life; all our (your/their) lives

El medio ambiente	The environment
el agotamiento	depletion; exhaustion
el arrecife	reef
el bosque	forest
el calentamiento global	global warming
el clima	climate
la contaminación	pollution
el daño	damage

la disminución	decrease
la especie	species; kind
el huracán (*pl.* huracanes)	hurricane
la inundación (*pl.* inundaciones)	flood
el peligro	danger
el planeta (Tierra)	planet (Earth)
el reciclaje	recycling
los recursos naturales	natural resources
la selva	jungle
la sequía	drought
la tala de árboles	tree cutting
la tierra	earth; soil
la tormenta	storm

Cognados: el/la activista, el aire, el animal, la atmósfera, la causa, la consecuencia, la deforestación, la ecología, el ecologismo, el ecoturismo, la extinción, la fauna, la flora, el humanitarismo, la obligación, la protección, la responsabilidad, el sistema, la situación

Los animales	Animals
la ballena	whale
el delfín	dolphin
el león marino	sea lion
el loro	parrot
el mono	monkey
el oso	bear
el pájaro	bird
el perezoso	sloth
el pingüino	penguin
el sapo	toad
la tortuga	turtle

Los verbos	Verbs
ahorrar (agua, electricidad, dinero)	to save (water, electricity, money)
ayudar	to help
causar	to cause
conservar	to preserve; to conserve; to keep
contaminar	to pollute
cuidar	to take care of
destruir (y)	to destroy
explotar	to exploit; to develop
participar	to participate
prohibir (prohíbo)	to prohibit
proteger (j)	to protect
reciclar	to recycle
salvar	to save

Los adjetivos	Adjectives
ecológico/a	ecological
marino/a	marine, sea
medioambiental	environmental
salvaje	wild
sostenible	sustainable

La cultura y la diversión°

fun

El taller (*studio*) de un pintor
en La Habana, Cuba

Objetivos

When you finish this chapter, you will be able to:

- express uncertainty
- say what you and others would like or hope to do
- talk about what cultural activities you enjoy
- express desires in the past
- express future plans
- express speculation
- discuss cultural activities and entertainment in the Spanish-speaking world

14

Quizás. No sé. Tal vez...

Expressing uncertainty

 A. A ver: ¿Cuáles son sus preferencias?

PASO 1. Mira y escucha. Luego mira otra vez con pausas e indica los géneros (*genres*) de cine de los que habla cada persona. **¡Atención!** Algunas personas hablan de más de un género de cine. Indícalos todos.

1. _____ Mariana, de Costa Rica

2. _____ Brenda, de México

3. _____ Víctor, de España

4. _____ Denise, de Argentina

5. _____ Cinthya, de Costa Rica

a. acción
b. comedia
c. comedia musical
d. drama
e. infantil
 f. romance
g. suspenso/misterio
h. terror

Truth-Function/McGraw-Hill

PASO 2. Mira y escucha otra vez con pausas. ¿Qué expresión usa cada persona para expresar certeza (*certainty*) o duda?

	SÍ	CREO	TAL VEZ	QUIZÁ(S)	NO SÉ
1. MARIANA: «_____ que me gusta la comedia... »	☐	☐	☐	☐	☐
2. BRENDA: «...bueno de género así de terror, _____... »	☐	☐	☐	☐	☐
3. VÍCTOR: «...que tengan algún valor y sobre todo _____ también... »	☐	☐	☐	☐	☐
4. DENISE: «...con Julio Bocca que, _____ lo conocen... »	☐	☐	☐	☐	☐
5. CINTHYA: «Me gusta el suspenso, pero _____... »	☐	☐	☐	☐	☐

PASO 3. Contesta las preguntas sobre lo que dijo la gente del video.

1. ¿Qué género no le gusta a Mariana? ¿Por qué no?
2. ¿Qué películas le gustan a Brenda?
3. ¿Qué tipo de películas le gustan a Víctor más que las otras?
4. ¿Quién es Julio Bocca?
5. ¿Ha visto Cinthya la película de suspenso, *Infección*?
6. ¿Qué género de película del **Paso 1** no menciona nadie? ¿A ti te gusta este género?

To say *maybe* or *perhaps,* you can use **quizá/quizás** or **tal vez.**

—**¿Cuál es tu película favorita?**   What's your favorite movie?
—**No sé, tal vez** *Casablanca.*   I don't know. Maybe *Casablanca.*
  O quizá(s) *El padrino.*   Or perhaps *The Godfather.*

To say that you're sure of how you feel about something, you can say: **Sin duda (alguna).**

—**¿Cuál es tu película favorita?**   What's your favorite movie?
—**Sin duda alguna, mi película favorita**   Without a doubt, my favorite movie
  es *El ciudadano Kane.*   is *Citizen Kane.*

B. ¿Cuáles son tus preferencias?

PASO 1.   Apunta por lo menos dos personas, obras (*works*) u otras cosas que asocias con cada categoría.

> **MODELO:**   literatura: el autor Gabriel García Márquez; *Cien años de soledad*

> arte
> baile (*dance*)
> cine
> literatura
> música
> ópera
> teatro

PASO 2.   En parejas, túrnense para hacer preguntas sobre cada categoría para aprender sus preferencias. Usen las expresiones de la siguiente escala.

para   tal vez   sin duda
nada   alguna
(*not at all*)

> **MODELO:**   E1: ¿*Cien años de soledad* es tu libro favorito de García Márquez?
>   E2: Sin duda alguna es mi libro favorito. ¿Es el tuyo?
>   E1: No sé. Tal vez. Pero también me gusta *El amor en los tiempos del cólera.*

CONÉCTATE AL MUNDO HISPANO

Durante décadas, las películas más famosas de Hollywood han entretenido a los públicos (*audiences*) en todo el mundo. En algunos países hispanohablantes, **el doblaje** (*dubbing*) es una parte importante de la industria del cine. Antes de que una película se estrene (*premieres*), doblan (*they dub*) los diálogos al español. En otras partes del mundo ponen **subtítulos.** El amplio uso de subtítulos hace que el inglés goce de (*enjoys*) una presencia cultural incluso en los países donde no es un idioma oficial. Preocupadas por la preservación de la cultura hispana, algunas personas prefieren el doblaje, porque así los espectadores escuchan la película en su propia lengua. Sin embargo, en países con su propia producción cinematográfica (*film*), muchas personas prefieren que las películas de los Estados Unidos tengan subtítulos porque las películas subtituladas presentan menos competencia para las películas locales.

Quisiera...

Talking about what you would like to do

To talk about what you or someone else would like or hope to do, use a form of **quisiera** + *infinitive:* **(yo) quisiera, (tú, vos) quisieras, (él/ella, Ud.) quisiera, (nosotros/as) quisiéramos, (vosotros/as) quisierais, (ellos/ellas, Uds.) quisieran.**

Quisiera ser una actriz famosa.	I would like to be a famous actress.
Quisieran asistir a clases de baile.	They would like to attend dance classes.

A. ¿Qué quisieran hacer estas personas famosas?

Empareja cada persona famosa con la cita más lógica.

1. ____ Bernie Paz es un actor peruano que trabaja en telenovelas (*soap operas*).
2. ____ Pilar Bustos es una pintora de Ecuador.
3. ____ Giovanna Rivero es una escritora boliviana de libros de ficción.
4. ____ José Carreras es un cantante (*singer*) de ópera español.
5. ____ Los Espíritus es un grupo de rock argentino.

a. «Quisiera cantar en el Teatro Colón en Buenos Aires.»
b. «Quisiera ganar otro premio por uno de mis libros.»
c. «Quisiera presentar una exposición en el Museo de Arte Moderno.»
d. «Quisiéramos hacer una gira mundial (*world tour*) de conciertos.»
e. «Quisiera trabajar en cine de arte.»

Rodrigo Varela/WireImage/Getty Images

El actor peruano Bernie Paz

 B. Los aficionados En grupos, digan algo que las siguientes personas probablemente quisieran hacer.

MODELO: una persona a quien le gusta la ópera →
E1: Esta persona quisiera asistir a una ópera famosa.
E2: Tal vez quisiera ver *Carmen* o *La flauta mágica*.

1. un aficionado al ballet
2. una estudiante de arte
3. alguien a quien le gusta escuchar música clásica
4. una profesora de historia del arte
5. una persona a quien le gusta el cine
6. una joven a quien le encantan las obras (*works*) de Cervantes y Shakespeare
7. una persona que quiere ser actor/actriz
8. una chica que quiere aprender a tocar música rock

C. ¿Qué quisieras hacer tú?

PASO 1. Escribe por lo menos tres frases con **quisiera** y las **Expresiones útiles** para decir qué quisieras hacer en el mundo del arte.

MODELO: Quisiera aprender a tocar el piano.

 PASO 2. Ahora, hazles preguntas a otras personas en tu clase sobre sus aspiraciones. ¿Qué tienen en común las aspiraciones de Uds.? ¿En qué se diferencian?

MODELO: E1: Quisiera tocar la guitarra acústica. ¿Y tú?
E2: Yo quisiera tocar la guitarra eléctrica en una banda de rock.
E1: Yo no, para nada; prefiero la música folclórica.

EXPRESIONES ÚTILES

actuar (*to act*)

bailar

cantar

dibujar

escribir poesía / un poema

escribir un guion (*screenplay*) / una novela

pintar

ser fotógrafo/a

tocar la guitarra / el piano

El cine, el teatro, el museo

Movies, theater, and museums

A. El nuevo centro cultural El nuevo centro cultural en tu ciudad quiere saber cómo atraer al público. Responde al siguiente sondeo (*survey*).

ACTIVIDADES PARA ESPECTADORES (*spectators*) EN EL NUEVO CENTRO CULTURAL

	1–2 VECES AL MES	1–2 VECES AL AÑO	NUNCA
En general, me gusta ver…			
bailes	❏	❏	❏
conciertos (música en vivo [*live*]**)**	❏	❏	❏
obras de arte	❏	❏	❏
películas	❏	❏	❏
obras de teatro (*plays*)	❏	❏	❏
Me gustaría ver conciertos de música…			
alternativa	❏	❏	❏
clásica	❏	❏	❏
electrónica	❏	❏	❏
folclórica	❏	❏	❏
de ópera	❏	❏	❏
pop	❏	❏	❏
rock	❏	❏	❏

En mi opinión, tres de los mejores **cantantes** son:

_____

En mi opinión, tres de los mejores grupos/**bandas** son:

_____

	1–2 VECES AL MES	1–2 VECES AL AÑO	NUNCA
Me gustaría ver espectáculos de baile…			
clásico/ballet	❏	❏	❏
cumbia	❏	❏	❏
flamenco	❏	❏	❏
folclórico	❏	❏	❏
merengue	❏	❏	❏
salsa	❏	❏	❏
tango	❏	❏	❏
Me gustaría ver exposiciones en la galería de…			
escultura	❏	❏	❏
pintura	❏	❏	❏
Me gustaría oír/ver presentaciones de…			
literatura	❏	❏	❏
obras de **artistas, pintores** o cineastas (*filmmakers*) famosos	❏	❏	❏
poesía	❏	❏	❏

Me interesa participar en un taller (*workshop*) de…

☐ **arte**

☐ **danza** (baile)

☐ **actuación** (**actuar**)

☐ **dirección** (**dirigir** [*to direct*])

☐ escritura de novelas o letras (*lyrics*) de **canciones** (*songs*)

☐ producción de cine **alternativo**

Here are some common words used to talk about artists and the arts in Spanish.

el bailarín / la bailarina	dancer
el/la escritor(a)	writer
la estrella (de cine)	(movie) star
el personaje	character; celebrity, well-known person
el/la pintor(a)	painter
el/la protagonista	main character, protagonist
el público	audience
componer	compose
interpretar (un papel)	to play (a role or part)

—**¿La estrella** de cine Salma Hayek fue nominada a los Premios Óscar?
—Sí, por su actuación en *Frida*. Ella **interpretó el papel** de **la protagonista**, Frida Kahlo.
—Claro. **Los personajes** de esa película incluyen muchos artistas importantes del siglo XX.

Ingram Publishing

B. ¿Qué hace cada uno?

PASO 1.   Empareja cada verbo con su mejor descripción.

1. _____ actuar o interpretar un papel
2. _____ dirigir
3. _____ producir
4. _____ pintar
5. _____ tocar música
6. _____ componer música
7. _____ esculpir (*sculpt*)
8. _____ dibujar (*draw*)

a. hacer los preparativos y arreglarlo todo (*arrange everything*)
b. arreglar y producir obras musicales originales
c. aplicar pintura a un lienzo (*canvas*)
d. interpretar una canción con un instrumento musical
e. usar lápiz o pluma para crear una imagen en una superficie con líneas y colores
f. lo que hace la persona que da instrucciones a los actores
g. lo que hacen los actores para hacer verosímil (*realistic*) el personaje
h. hacer una obra en piedra, madera o metal

EXPRESIONES ÚTILES	
el cuerpo	
la historia	story
la voz	voice
contar	to tell
explicar	

 PASO 2.   En parejas, describan las siguientes artes. Pueden usar el **Paso 1** como modelo. Para más ayuda, vean también la lista de **Expresiones útiles.**

1. cantar   2. bailar   3. escribir

C. Las estrellas y sus papeles

PASO 1.   Haz una lista de tres o cuatro estrellas de cine y un personaje que ha interpretado cada una.

MODELO:	ESTRELLA	PERSONAJE
	Rami Malek	Freddie Mercury
	Salma Hayek	Frida Kahlo
	Joaquin Phoenix	Joker
	Daniel Radcliffe	Harry Potter

 PASO 2.   Ahora, en parejas, túrnense para compartir los pares de nombres de sus listas. Digan cuál es el **personaje** y cuál es la **estrella.** Digan también si la estrella es **actor** o **actriz** y cómo se llama la película.

MODELO: E1: Freddie Mercury y Rami Malek
         E2: El personaje es Freddie Mercury. La estrella es el actor Rami Malek. ¡La película es *Rapsodia bohemia*!

D. A ver: ¿Qué actividades culturales prefieren?

PASO 1. Mira y escucha. Luego mira otra vez con pausas e indica todos los elementos culturales que menciona cada persona.

	ARTE	BAILE	LITERATURA	MUSEOS	MÚSICA	PINTURA	TEATRO

¿Qué tipo de actividades culturales hay aquí?

		ARTE	BAILE	LITERATURA	MUSEOS	MÚSICA	PINTURA	TEATRO
1.	Andrea, de México	☐	☐	☐	☐	☐	☐	☐
2.	Carlos, de México	☐	☐	☐	☐	☐	☐	☐
3.	Ángela, de España	☐	☐	☐	☐	☐	☐	☐
4.	Alejandro, de Argentina	☐	☐	☐	☐	☐	☐	☐

Truth-Function/McGraw-Hill

PASO 2. Ahora mira y escucha otro video. Apunta el género (o los géneros) de música que menciona cada persona.

GÉNEROS DE MÚSICA

1. _____ Rodrigo, de Argentina

2. _____ Federico, de Nicaragua

3. _____ Agustina, de Argentina

4. _____ Carlos, del Perú

5. _____ Isabel, de España

a. flamenco
b. música alternativa
c. música clásica
d. música disco
e. música *hip hop*
f. música latina
g. música moderna
h. música pop
i. música *rap*
j. música reggae
k. música rock

Truth-Function/McGraw-Hill

PASO 3. En parejas, contesten las siguientes preguntas sobre sus preferencias en música.

1. ¿Qué género de música te gusta a ti? ¿Qué género de música no te gusta para nada?
2. ¿Qué instrumentos musicales son populares en la música que te gusta?
3. ¿Te gusta la música electrónica o prefieres la música acústica?
4. ¿Bailas o cantas cuando escuchas música? ¿Qué género de música prefieres bailar? ¿Qué género te gusta cantar?
5. ¿Qué género de música escuchan las personas mayores donde vives tú? ¿Te gusta esa música también? ¿Qué instrumentos musicales son populares en esa música?

En español...

Here are names of some additional musical instruments in Spanish. As you see, many of them are cognates.

el acordeón	la flauta	el sintetizador/el
la armónica	el órgano	teclado (*keyboard*)
el arpa	la pandereta	la trompeta
el bajo (*bass*)	(*tambourine*)	el violín
la batería (*drum set*)	el piano	
el clarinete	el saxofón	

E. Entrevistas: Preferencias culturales

PASO 1. Primero, apunta tus respuestas a estas preguntas. Luego, en parejas, túrnense para entrevistarse con las mismas preguntas.

1. En tu universidad, ¿qué hacen los estudiantes para divertirse?
2. ¿Te gustaría hacer algo en tu carrera (*career*) profesional relacionado con la cultura e identidad de una región o nación? ¿Por qué?
3. ¿Qué hay en la cultura norteamericana que les interesaría a los estudiantes de otros países? ¿Qué aspecto de la cultura de otro país te interesa a ti?
4. ¿De qué tipo de música u otra forma de arte de otro país (por ejemplo, la música salsa, la arquitectura de Gaudí, las novelas de Gabriel García Márquez, el baile folclórico o las películas de Guillermo del Toro) te gustaría aprender más?

PASO 2. En grupos pequeños, hablen de sus preferencias en cuanto a la música. Pueden usar las siguientes preguntas como guía.

■ ¿Te gusta asistir a conciertos de música? ¿Cuál fue el primer concierto al que asististe? ¿Y cuál fue el último? ¿Qué género de música prefieres ver en vivo?
■ ¿Has bajado música del Internet? ¿Cuál fue la última canción que bajaste? ¿Qué sitio usas para bajar música? Si no bajas música del Internet, ¿dónde consigues la música que escuchas?
■ ¿Has asistido a una ópera o has visto una en la televisión? ¿Qué ópera viste? ¿Te gustó? Si no has visto una ópera, ¿te gustaría ver una? ¿Por qué?
■ ¿Has asistido a un ballet? ¿Qué ballet viste? ¿Dónde lo viste? Si no has visto un ballet, ¿te gustaría ver uno? ¿Por qué?

F. ¿Qué quisieras hacer?

PASO 1. Haz una lista de por lo menos tres actividades culturales que no haces, pero en las que quisieras participar algún día.

MODELO: Quisiera ir a más museos de arte.
También quisiera... y...

PASO 2. En parejas, túrnense para expresar qué quisieran hacer. Luego cada uno debe decirle a su compañero/a qué debería hacer él o ella para realizar sus deseos.

MODELO: E1: Quisiera ir a más museos de arte.
E2: Deberías viajar a Washington, DC, para ver el Museo Nacional.

COMUN VOCABUL **ESTRUCTURA** ATE

Reciclaje The present subjunctive

En todas partes (*Everywhere*), hay gente que está a favor de fomentar (*promote*) el arte y gente que no le da mucha importancia. Primero, completa cada oración con la forma correcta del verbo. Luego indica qué oraciones diría (*would say*) una persona a favor del arte. **¡Atención!** Algunos verbos tienen que estar en el subjuntivo y otros en el indicativo.

¿A FAVOR DEL ARTE?

☐ 1. «Espero que los músicos no _____ (hacer) muchos conciertos este año.»

☐ 2. «Creo que la cultura _____ (ser) importante para nuestra ciudad.»

☐ 3. «Quiero que los dueños _____ (cerrar) las galerías de arte.»

☐ 4. «Tenemos que hacer algo para que la ciudad _____ (tener) una vida cultural más activa.»

☐ 5. «Es muy importante que todos los ciudadanos (*citizens*) _____ (participar) en la vida cultural del país.»

☐ 6. «Siempre digo que, para mí, la cultura no _____ (tener) mucha importancia.»

■ Answers to this activity are in Appendix 2 at the back of your book.

14.1 Querían que la música fuera para todos

The past subjunctive

Para empezar...

La Sinfónica de la Juventud Venezolana Simón Bolívar

El Sistema Nacional de Orquestas Juveniles (*Youth*) e Infantiles (*Children's*) de Venezuela, conocido simplemente como «El Sistema», es un programa de educación musical y desarrollo (*development*) social que lleva la música a todos los sectores de la sociedad en todo el país. Desde su creación en 1975, ha sido un modelo para programas de música en muchos otros países, incluso los Estados Unidos y Canadá. La orquesta más conocida de El Sistema, la Sinfónica de la Juventud Venezolana Simón Bolívar, ha realizado giras (*tours*) por Europa, Asia y los Estados Unidos.

¿Qué querían los organizadores de El Sistema cuando lo crearon? Indica si cada una de las siguientes oraciones es cierta o falsa. **¡Atención!** Hay solo dos oraciones falsas.

	CIERTO	FALSO
1. Querían que los jóvenes músicos venezolanos **tuvieran** la oportunidad de tocar en grupo.	☐	☐
2. Querían que la música **estuviera** al alcance (*reach*) de todas las clases sociales.	☐	☐
3. Recomendaban que **pusieran** orquestas juveniles solo en Caracas.	☐	☐
4. Era muy importante que los jóvenes de todo el país **pudieran** estudiar música.	☐	☐
5. Pedían que los profesores **pusieran** mucha pasión en sus clases.	☐	☐
6. Era necesario que el gobierno venezolano **diera** dinero para apoyar (*support*) El Sistema.	☐	☐
7. Pidieron que los profesores **hablaran** con los padres sobre la importancia de la educación musical.	☐	☐
8. Querían que los jóvenes **aprendieran** algo sobre la música clásica y la música tradicional venezolana.	☐	☐
9. Querían que los jóvenes **pudieran** estudiar música en un lugar seguro, alegre y divertido.	☐	☐
10. Esperaban que la música clásica **fuera** solo para los ricos.	☐	☐

Actividades analíticas

1 The verbs in bold in **Para empezar** are in the *past subjunctive* (**el imperfecto de subjuntivo**). Use what you saw there and what you know about Spanish verbs to complete the following conjugations.

	hablar	aprender	vivir
yo	habl**ara**	aprend**iera**	
tú	habl**aras**		viv**ieras**
él/ella, Ud.		aprend**iera**	viv**iera**
nosotros/as	habl**áramos**	aprend**iéramos**	
[vosotros/as]	[habl**arais**]	[aprend**ierais**]	[viv**ierais**]
ellos/ellas, Uds.			viv**ieran**

2 The past subjunctive is formed with the stem of the verb (**habl-, aprend-, viv-**) plus one of the endings from the following chart. Use what you saw in **Actividad analítica 1** to complete this chart.

TERMINACIONES DEL IMPERFECTO DE SUBJUNTIVO

	-ar verbs	**-er / -ir** verbs
yo	-ara	-iera
tú		-ieras
él/ella, Ud.	-ara	
nosotros/as		-iéramos
[vosotros/as]	[-arais]	[-ierais]
ellos/ellas, Uds.		

3 Verbs that have an irregular stem in the preterite use this same stem in the past subjunctive, together with the endings for **-er / -ir** verbs.

verbo	raíz irregular	pretérito (yo)	imperfecto de subjuntivo (yo)
estar	estuv-	estuve	estuviera
poder	pud-	pude	pudiera
poner	pus-	puse	pusiera
tener	tuv-	tuve	tuviera

As in the preterite, **dar** is conjugated with the endings for **-er / -ir** verbs.

Yo quería que me **dieras** un libro.   *I wanted you to give me a book.*

The verbs **ir** and **ser** share the same irregular form, **fuera.** As with the preterite, the context will help you know whether **ir** or **ser** is intended.

Te recomendé que **fueras** al cine.   *I recommended that you go to the movies.*

No creían que **fuéramos** músicos.   *They didn't believe that we were musicians.*

■ Answers to these activities are in Appendix 2 at the back of your book.

VOS	
hablar	habl**aras**
aprender	aprend**ieras**
vivir	viv**ieras**

> **Autoprueba**
>
> Give the past subjunctive forms of the following verbs.
>
> 1. actuar (nosotros/as) _____
> 2. salir (yo) _____
> 3. comer (tú) _____

Respuestas: 1. actuáramos **2.** saliera **3.** comieras

■ For more information and examples of irregular past subjunctive forms, as well as the past perfect subjunctive, see **Para saber más 14.1** at the back of your book.

4 The past subjunctive is used in the same environments as the present subjunctive when the main verb is in the past (whether preterite or imperfect), as seen in these examples.

PRESENTE DE SUBJUNTIVO	IMPERFECTO DE SUBJUNTIVO
To indicate a desire, something that you want to be true	
Piden que **hablemos** en la reunión. *They ask that we speak at the meeting.*	**Pidieron** que **habláramos** en la reunión. *They asked that we speak at the meeting.*
Quiero que **estudies** conmigo. esta noche. *I want you to study with me tonight.*	**Quería** que **estudiaras** conmigo esta noche. *I wanted you to study with me tonight.*
To indicate something that may not be true	
No **creo** que **sea** muy buena idea. *I don't think it is a good idea.*	No **creía** que **fuera** muy buena idea. *I didn't think it was a good idea.*
Es imposible que **gane** el premio este año. *It's impossible for him/her to win the prize this year.*	**Era imposible** que **ganara** el premio este año. *It was impossible for him/her to win the prize this year.*

Actividades prácticas

A. Dos cineastas importantes Luis Buñuel (España/México, 1900–1983) y Pedro Almodóvar (España, 1949–) son figuras muy importantes en el cine mundial. En las siguientes descripciones, hay cuatro posibles terminaciones, pero una es falsa. Primero, usa el tiempo del verbo (presente o imperfecto de subjuntivo) para emparejar las terminaciones con la descripción. Luego, para cada director de cine, adivina cuál es la terminación falsa y táchala (*cross it out*).

1. Luis Buñuel quería que sus películas: ____, ____, ____ y ____.
2. Pedro Almodóvar quiere que sus películas: ____, ____, ____ y ____.

a. criticaran la religión en algunos casos
b. critiquen el uso del violín en las orquestas sinfónicas
c. fueran fáciles de editar
d. mostraran una visión surrealista del mundo
e. muestren escenas escandalosas (*scandalous*)
f. sean a veces humorísticas (*humorous*)
g. tengan colores muy vivos y contrastantes (*contrasting*)
h. tuvieran mucho éxito en Netflix.

Jack Manning/New York Times Co./Archive Photos/Getty Images

Luis Buñuel

Dan MacMedan/WireImage/Getty Images

Pedro Almodóvar

B. Gustavo Dudamel   Gustavo Dudamel es un joven director de orquesta y un ex alumno de El Sistema en Venezuela. Empezó a dirigir orquestas en Venezuela en 1996, y en 2004 ganó el premio Gustav Mahler en Alemania. En 2009 lo designaron director de la Orquesta Filarmónica de Los Ángeles, cuando tenía solo 28 años. En octubre de ese año, hizo su primer concierto como director de la orquesta.

Escucha cada oración. Luego escribe **D** si se trata de lo que **Dudamel** quería durante su primera noche como director de la Filarmónica y **O** si se trata de lo que la **orquesta** quería. Escribe **X** si es **falsa** para los dos. Hay dos oraciones falsas.

1. ____   3. ____   5. ____   7. ____
2. ____   4. ____   6. ____   8. ____

Gustavo Dudamel, el director de la Orquesta Filarmónica de Los Ángeles

C. Diego Rivera y los deseos de los demás

PASO 1.   Diego Rivera fue uno de los artistas más famosos en la historia de Latinoamérica. Nació en México en 1886 y vivió en Europa entre 1907 y 1921. Desde su regreso a México hasta su muerte en 1957, fue una figura muy importante en el movimiento muralista mexicano. También es muy conocido por su matrimonio con la artista mexicana Frida Kahlo.

Completa cada oración con un verbo de la lista en su forma correcta. Luego adivina si Diego Rivera hizo lo que las personas mencionadas querían. **¡Atención!** Rivera hizo lo que querían en solo cinco de los ocho casos.

■ The audio files for in-text listening activities are available in the eBook, within Connect activities, and on the Online Learning Center.

| cambiar | estudiar | pintar | recrear (*to recreate*) |
| divorciarse | ir | quedarse | regresar |

Diego Rivera, muralista mexicano

	¿Y LO HIZO?	
	SÍ	NO
1. 1899: Su papá quería que _____ en una escuela militar por muchos años.	☐	☐
2. 1906: Su maestro de arte en México quería que _____ a Europa a estudiar.	☐	☐
3. 1921: Sus amigos europeos querían que _____ en Europa para siempre.	☐	☐
4. 1921: El gobierno mexicano quería que _____ a su tierra natal (*home country*) a pintar murales.	☐	☐
5. 1932: La familia Rockefeller le pidió que _____ un mural en el Rockefeller Center de Nueva York.	☐	☐
6. 1933: La familia Rockefeller le pidió que _____ el mural porque tenía un retrato (*portrait*) de Lenin, el revolucionario ruso (*Russian*).	☐	☐
7. 1940: El gobierno mexicano le pidió que _____ el mismo mural con el retrato de Lenin en el Palacio de Bellas Artes en México.	☐	☐
8. 1940: Frida Kahlo le pidió que _____, pero volvieron a casarse unos meses después.	☐	☐

PASO 2.   Siguiendo el modelo del **Paso 1,** completa las siguientes frases con lo que querían los demás que tú hicieras. Luego di si lo hiciste o no.

	¿Y LO HICISTE?	
	SÍ	NO
1. Cuando me gradué de la escuela secundaria, mis padres querían que yo _____	☐	☐
2. Cuando me gradué de la escuela secundaria, mis amigos esperaban que yo _____	☐	☐
3. Cuando empecé a estudiar en la universidad, mi familia quería que _____	☐	☐
4. Cuando empecé a estudiar en la universidad, mis profesores me recomendaron que _____	☐	☐

D. Antes y ahora

PASO 1. En el pasado, ¿qué tenía uno que hacer para empezar una carrera artística? En parejas, completen las oraciones con uno de los consejos de la lista. **¡Atención!** Tienen que conjugar el verbo del consejo.

> **MODELO:** Si querías ser un buen director de cine, era necesario que tuvieras experiencia con la actuación para entender el proceso de hacer cine.

____ 1. Si querías ser una buena guitarrista de rock, era necesario que…

_____

____ 2. Si querías ser un buen cantante de ópera, era recomendable que…

_____

____ 3. Si querías ser una buena directora de orquesta, era importante que…

_____

____ 4. Si querías ser un actor famoso, era fundamental que…

_____

____ 5. Si querías ser una buena bailarina, era esencial que…

_____

____ 6. Si querías ser un buen fotógrafo, era vital que…

_____

____ 7. Si querías ser una buena pintora, era primordial (*fundamental*) que…

_____

CONSEJOS:

a. tomar clases de guitarra clásica para entender mejor tu instrumento
b. poder bailar y cantar al mismo tiempo
c. cantar otro tipo de música de vez en cuando para relajar la voz
d. tocar algún instrumento para entender la orquesta mejor
e. estudiar danza clásica para entender mejor la historia del baile
f. aprender a dibujar para poder pintar mejor
g. ir a una escuela de fotografía para entender mejor la técnica de la fotografía

PASO 2. Hoy en día, ¿siguen siendo válidos estos consejos? En parejas, cambien las oraciones que escribieron en el **Paso 1** al tiempo presente y decidan si cada consejo es válido todavía.

> **MODELO:** Si quieres ser un buen director de cine, es necesario que tengas experiencia con la actuación para entender el proceso de hacer cine. Sí, es válido todavía.

CONÉCTATE AL MUNDO HISPANO

La Escuela Internacional de Cine y TV (EICTV) empezó en 1986 en una zona rural de Cuba llamada San Antonio de los Baños con el propósito de preparar cineastas de todas partes del mundo en estilos *no* hollywoodenses. Cuando la EICTV se estableció, era estrictamente para alumnos de Asia, África y Latinoamérica y ofrecía becas (*scholarships*) a los alumnos. La diversidad multinacional forma una parte integral de la escuela. Los profesores son cineastas internacionales con muchísima experiencia y éxito y a la vez los estudiantes tienen muchas oportunidades de participar en todos los papeles clave (*key*) del proceso creativo: actor, camarógrafo, director, editor, guionista o productor.

Reciclaje   The infinitive

Aquí hay una conversación entre dos amigos, pero las oraciones están desordenadas. Primero, escribe la terminación correcta para cada infinitivo (**-ar, -er, -ir**). Luego coloca las oraciones en un orden lógico. La primera y la última ya están hechas.

____ a. ¡Me encantan Los Amigos Invisibles! ¿Por qué no vamos a compr__ ropa nueva para llevar al concierto?

____ b. ¡Perfecto! A ver si podemos com__ algo rápido antes de lleg__ también. No me gusta asist__ a los conciertos con hambre.

_1_ c. ¿Va a hab__ un concierto en el Teatro Nacional esta noche?

_7_ d. Me parece muy bien. ¡Va a s__ una noche de maravilla!

____ e. Sí, no te preocupes. El concierto va a empez__ a las nueve.

____ f. ¡Qué buena idea! Pero si vamos primero a las tiendas, ¿vamos a lleg__ al teatro a tiempo?

____ g. ¡Sí! Van a toc__ Los Amigos Invisibles y quiero ir, pero no sé qué ropa us__.

■ Answers to this activity are in Appendix 2 at the back of your book.

14.2   ¿Qué será el «arte urbano»?

The future

Para empezar...

El arte urbano es un movimiento artístico y social que ha tenido una importancia especial en los países hispanos. Para aprender más sobre este arte, escoge la respuesta más adecuada para cada pregunta en la lista.

■ Answers to these activities are in Appendix 2 at the back of your book.

PREGUNTAS

1. ____ ¿Qué **será** el «arte urbano»?
2. ____ ¿El graffiti no **será** un tipo de vandalismo?
3. ____ ¿El arte urbano **tendrá** algún beneficio para la comunidad?
4. ____ ¿**Habrá** beneficios económicos también?
5. ____ ¿Dónde **estará** el «Distrito Grafiti»?
6. ____ ¿Dónde **vivirá** la mayoría de los artistas urbanos?
7. ____ ¿Por qué **habrá** tanto (*so much*) arte urbano en Colombia?
8. ____ ¿Los otros países de Latinoamérica y España también **tendrán** mucho arte urbano?

RESPUESTAS

a. Puede ser que sí. El Distrito Grafiti en Bogotá, por ejemplo, se ha convertido en una importante atracción turística y ha traído mucho dinero a la ciudad. Ahora hay grupos de artistas grafiteros que viven de eso.

b. Porque el gobierno lo reconoce y lo apoya. Contrata a artistas grafiteros para pintar sus obras en diferentes edificios gubernamentales.

c. Sí. En algunas ciudades de Chile, España y México, por ejemplo, hay artistas y obras importantes.

d. Está en una zona industrial de Bogotá, Colombia, donde han decorado las paredes (*walls*) de muchos de los edificios con grafitis. Ha sido una colaboración entre el gobierno y las empresas que tienen los edificios.

e. Es el arte que se hace en las calles, frecuentemente en un formato grande usando las paredes de los edificios.

f. Hay artistas urbanos (o «artistas grafiteros») en muchos países, pero hay grupos muy importantes en Colombia.

g. Muchas veces sí. Calles sucias y sin vida se convierten en zonas de mucho color y los habitantes encuentran una manera de expresar sus puntos de vista.

h. A veces sí lo es, cuando por ejemplo el grafiti invade un espacio público sin ninguna razón artística. Sin embargo, el grafiti a veces expresa ideas importantes de la comunidad y tiene un alto valor (*value*) estético.

El Distrito Grafiti en Bogotá

¿Por qué?

Future meaning is expressed easily in Spanish with **ir** + **a** + *infinitive*, so the future tense itself is used much less for that function. As a result, it has taken on the job of expressing conjecture and speculation. This is typical of what happens in languages. As two forms compete for the same meaning, each begins to take on a more specialized usage. **Ir** + **a** + *infinitive* has become the main way to express the future, and the future tense is used more to express conjecture.

Actividades analíticas

1 The verbs in bold in **Para empezar** are in the *future* tense (**el futuro**). Despite its name, this tense is commonly used to express conjectures about what might be true in the present.

Jaime no ha llegado. **Estará** dormido. *Jaime hasn't arrived. He might be asleep.*

The future is particularly common in questions, when one has little idea what the answer is.

¿Dónde **estarán**?	*Where could they be?*
¿Cómo **se llamará** ese hombre?	*What is that man's name? (I really have no idea.)*
¿De dónde **será** Pedro Almodóvar?	*Where on earth is Pedro Almodóvar from?*

The future is also used to express future actions, especially in the written language.

| Mañana **tendrán** el nuevo libro de Isabel Allende. | *They'll have the new book by Isabel Allende tomorrow.* |
| El director del museo **hablará** en la universidad el próximo año. | *The director of the museum will speak at the university next year.* |

As you saw in **Estructura 2.4,** the future is also expressed with **ir** + **a** + *infinitive*.

Vamos a visitar el museo. *We're going to visit the museum.*

2 Use the forms you saw in **Para empezar** and the patterns you see here to complete the following conjugations.

	estar	ser	vivir
yo		ser**é**	vivir**é**
tú	estar**ás**		vivir**ás**
él/ella, Ud.		ser**á**	vivir**á**
nosotros/as	estar**emos**	ser**emos**	
[vosotros/as]	[estar**éis**]	[ser**éis**]	[vivir**éis**]
ellos/ellas, Uds.	estar**án**		vivir**án**

vos	
estar	estar**ás**
ser	ser**ás**
vivir	vivir**ás**

3 The stem for the future consists of the entire infinitive form (in the above chart, **estar-, ser-** and **vivir-**), to which one of the following endings is added.

TERMINACIONES DEL FUTURO	
yo	-é
tú	-ás
él/ella, Ud.	-á
nosotros/as	-emos
[vosotros/as]	[-éis]
ellos/ellas, Uds.	-án

4 Several verbs have an irregular stem in the future, but they continue to use the above endings.

VERBO	RAÍZ	EJEMPLO	
decir	**dir-**	¿Qué **dirá** tu mamá?	*What will your mom say?*
haber	**habr-**	¿**Habrá** un museo en la universidad?	*Do you suppose there's a museum at the university?*
hacer	**har-**	**Haremos** lo que te prometimos.	*We'll do what we promised you.*
poder	**podr-**	¿**Podrás** cantar también?	*Do you think you'll be able to sing, too?*
poner	**pondr-**	Claro que puedes tomar prestado mi libro. Lo **pondré** en tu escritorio.	*Sure you can borrow my book. I'll put it on your desk.*
salir	**saldr-**	¿Cuándo **saldrá** el nuevo disco?	*When will the new record come out?*
tener	**tendr-**	¿**Tendrán** esculturas en ese museo?	*Might they have sculpture art at that museum?*
venir	**vendr-**	¿**Vendrá** el pianista también?	*Will the pianist come too?*

■ For more examples of irregular future forms and a look at the future perfect tense, see **Para saber más 14.2** at the back of your book.

Actividades prácticas

A. ¿Qué pasará?   Empareja cada pregunta con la respuesta más lógica.

1. ____ ¿Llegaré al concierto?
2. ____ ¿Cuándo saldrá la nueva película de Almodóvar?
3. ____ ¿A tus papás les gustará la pintura que hice?
4. ____ ¿Cantarán los niños en el concierto?
5. ____ ¿Tendrán algo interesante en la galería del centro?
6. ____ ¿Visitaremos el museo de arte moderno mañana?
7. ____ ¿No habrá otra obra de teatro? Esa no me gusta.
8. ____ ¿Podremos pasar un día en Cusco?

a. ¡Sí, lo vamos a visitar!
b. No, es la única que hay esta noche.
c. Me imagino que sí, porque siempre tienen cosas interesantes.
d. ¡Claro que sí! Vamos a estar un mes en el Perú. ¡Será fabuloso!
e. Me parece que sale en noviembre.
f. Lo siento, pero sinceramente no creo que les guste.
g. Van a estar allí pero no van a cantar.
h. Sí, no hay tráfico.

B. Los países y la cultura   En parejas, emparejen cada pregunta con un país o países de la lista.

Argentina	Cuba	México	Puerto Rico
Bolivia/Chile	España	el Perú	la República Dominicana

1. ¿En qué país estará el Museo Larco (un museo de arte prehispánico andino)? _____
2. ¿De qué país vendrá el «mambo» (una forma musical que se hizo popular en La Habana en los años treinta)? _____
3. ¿De dónde serán los padres del actor y compositor Lin-Manuel Miranda? _____
4. ¿De dónde vendrá la música merengue? _____
5. ¿En qué país estará el Teatro Colón (un teatro de ópera)? _____
6. Entre los países hispanos, ¿qué país tendrá más películas ganadoras (*winners*) en toda la historia de los premios Óscar? _____
7. ¿En qué países bailarán «la cueca»? _____
8. ¿En qué país dirán que el cantante Juan Gabriel fue «un ícono de nuestra música»? _____

Autoprueba

Use what you've just learned to conjugate the following verbs in the future. ¡**Atención!** Be careful of the verb with the irregular stem!

1. **ir**
   yo _____
   tú _____
   él/ella, Ud. _____
   nosotros/as _____
   vosotros/as _____
   ellos/ellas, Uds. _____

2. **interpretar**
   ellos/ellas, Uds. _____

3. **tener**
   yo _____

Respuestas: 1. iré, irás, irá, iremos, iréis, irán **2.** interpretarán **3.** tendré

C. La cultura en el año 2030

PASO 1. ¿Cómo será el mundo en 2030? En grupos, lean la siguiente lista de oraciones e indiquen si piensan que es **cierta** o **falsa** cada una. ¡**Atención!** No hay respuestas correctas o incorrectas. Todo depende de la opinión del grupo.

	CIERTO	FALSO
1. Podremos ir al cine para ver, sentir y oler (*smell*) una película.	☐	☐
2. Comeremos en restaurantes siempre. No comeremos en casa nunca.	☐	☐
3. Leeremos solo libros electrónicos.	☐	☐
4. Iremos a museos y galerías de arte con más frecuencia.	☐	☐
5. Los músicos ya no usarán instrumentos. La música será electrónica.	☐	☐
6. Toda la música estará en inglés.	☐	☐
7. Todas las películas serán de los Estados Unidos.	☐	☐
8. Todavía habrá clases de historia de arte en las universidades.	☐	☐
9. Ya no habrá pinturas tradicionales. Los artistas harán todo en la computadora.	☐	☐
10. Iremos al teatro con más frecuencia.	☐	☐

PASO 2. ¿Cómo será el mundo según tu grupo? Cambien las oraciones falsas para que sean ciertas.

PASO 3. ¿Qué otras predicciones tienen Uds. para las artes en el futuro? Consideren la música, las artes plásticas, el baile, el teatro, el cine, la literatura, la poesía, etcétera. En sus grupos, hagan por lo menos cuatro predicciones más.

D. El futuro de tu país

En grupos, creen una predicción sobre la vida en este país en 2050 relacionada con cada categoría de la lista. Según tu grupo, ¿cómo será el futuro de este país?

la cultura   el medio ambiente   la sociedad   la tecnología
la educación   la política

E. Cultura: El cine de Argentina

PASO 1. Lee el texto sobre Argentina.

Argentina

Romantiche/Alamy Stock Photo

La directora argentina
Lucrecia Martel

Pascal Le Segretain/Getty Images

Junto con México y Brasil, Argentina ha tenido una de las industrias cinematográficas[a] más fuertes de Latinoamérica desde finales del siglo XIX. De allí se lanzaron[b] las carreras de algunas de las estrellas más glamurosas del cine hispanohablante. Pero la turbulenta historia política de Argentina tuvo un impacto sobre el cine en varios momentos, no solo en la producción sino en las historias que las películas contaban.

A partir de la década de los 30, cuando empezó la producción de cine sonoro,[c] se produjeron en Argentina grandes películas musicales, comedias y dramas. Libertad Lamarque es, quizás, la actriz más conocida de esta época. En los años 40, bajo la presidencia de Juan Perón, se incrementó bastante la censura.[d] Esto, combinado con la importación de las películas de Hollywood, tuvo un impacto negativo sobre la industria del cine. A partir de los años 1960, se empezó un movimiento de cine de fuerte compromiso[e] político, el que luego se conoció como «el Tercer Cine». Los directores de este movimiento declaraban que en Latinoamérica se debían reconocer sus condiciones de «tercer mundo» y hacer películas que reflejaran su propia realidad. La película emblemática del movimiento es *La hora de los hornos*[f] (1968), dirigida por Octavio Getino y Fernando Solanas, y funcionaba como un manifiesto audiovisual en contra del imperialismo cultural de los Estados Unidos y Europa.

Después de que terminó la dictadura militar y se disminuyó[g] la censura, se produjo un gran número de películas que contaba las historias traumáticas de aquellos años. Películas como *La historia oficial* (1985) y *La noche de los lápices* (1986) hicieron que los eventos políticos de los años 70 se conocieran en todo el mundo. A partir de los años 90, el cine argentino se transformó, en cierta manera rechazando[h] tantos años

---

[a]*film (adj.)*   [b]*se… were launched*   [c]*sound (adj.)*   [d]*censorship*   [e]*engagement, commitment*   [f]*furnaces*
[g]*decreased*   [h]*rejecting*

de cine político. Los jóvenes cineastas querían contar historias sobre la vida cotidiana,[i] con una cámara que observaba a sus personajes en vez de juzgarlos.[j] Esta nueva tradición, conocida como «el Nuevo Cine Argentino», ha atraído la atención de los espectadores de todo el mundo, en particular en festivales internacionales. Directores como Lucrecia Martel (*La mujer sin cabeza, Zama*) y Pablo Trapero (*El bonaerense, El clan*) están entre los más representativos de esta generación. Sus películas se caracterizan por su realismo, con observaciones agudas[k] sobre el estado de la sociedad argentina en los tiempos actuales.[l]

[i]*daily*   [j]*en… instead of judging them*   [k]*sharp, acute*   [l]*current, present-day*

PASO 2.   Completa las oraciones con la forma correcta del futuro usando los verbos de la lista. Luego indica las oraciones probables según la lectura y lo que sabes.

haber   ir   obtener   poder   poner   tener   ver   volver

Durante los próximos diez años…   **¿ES PROBABLE?**

1. los argentinos _____ más películas chinas que norteamericanas.   ☐
2. los directores argentinos _____ muchos premios (*awards*) más en los   ☐
   festivales internacionales.
3. la censura _____ a controlar los medios de comunicación del país.   ☐
4. cualquier argentino _____ hacer una película, sin mucho dinero,   ☐
   con solo un teléfono celular y una computadora portátil.
5. las películas _____ más énfasis en los efectos especiales que en sus   ☐
   historias.
6. los actores argentinos _____ los salarios más altos de todo el mundo.   ☐
7. mis amigos y yo _____ al cine para ver una película del Nuevo Cine   ☐
   Argentino.
8. _____ un homenaje a Libertad Lamarque durante la presentación de   ☐
   los Premios Óscar en los Estados Unidos.

PASO 3.   En parejas, contesten las preguntas y explíquense las respuestas.

1. Entre los países hispanos, Argentina, Chile, España y México son de los más ricos. ¿Qué relación ves entre eso y el hecho de que también son los países hispanos que tienen la industria cinematográfica más fuerte?
2. Para los países hispanos que son pequeños y no tienen muchos recursos, es difícil crear una industria cinematográfica y competir contra países como Argentina. ¿Qué países piensas que están en esa situación?
3. La industria cinematográfica en los Estados Unidos es grandísima y es difícil que películas de otros países penetren el mercado norteamericano. Sin embargo, ¿hay películas de países hispanos que lo han podido hacer?

CONÉCTATE AL MUNDO PROFESIONAL

To see how international the U.S. television and movie industries are behind the scenes, look at the credits of some of your favorite shows and movies. How many international names do you see contributing to the productions? Filming the *Conéctate* videos required bilingual producers from around the world who could communicate with both the English-speaking film crew and the Spanish-speaking permit agencies, equipment vendors, and service providers for each location. Openness to and understanding of languages and cultures can uncover professional opportunities in some aspect of almost any industry.

¡Leamos!

«La princesa azul» por Juan Luis Sánchez

Jeff Vespa/THR/Getty Images

La actriz Zoe Saldana

Antes de leer

PASO 1. Zoe Saldana es una estrella de cine bilingüe que nació en Nueva Jersey de padre dominicano y madre puertorriqueña. Es conocida por sus papeles en películas como *Star Trek, Avatar* y *Guardianes de la galaxia*. Vas a leer un artículo sobre Saldana, pero primero, trata de poner los datos de su vida en orden cronológico (del 1 al 5).

a. ____ A los nueve años, se mudó a la República Dominicana.

b. ____ La reclutó (*recruited*) una agencia de talentos.

c. ____ Nació en Nueva Jersey en 1978.

d. ____ Participó en un programa para jóvenes interesados en la interpretación.

e. ____ Se convirtió en una estrella con el papel de Neytiri en *Avatar*.

PASO 2. A veces las traducciones (*translations*) de los títulos de las películas se parecen mucho a los títulos originales, pero otras veces usan juegos de palabras (*plays on words*) que no se traducen bien a otro idioma. Por eso, tienen que cambiarlos un poco (o por completo) para presentar la película en otro país. Empareja el título de cada película de Zoe Saldana en español con el título correspondiente en inglés.

1. ____ *Adivina quién*
2. ____ *Lazos de sangre*
3. ____ *Un funeral de muerte*
4. ____ *Ladrones* (Thieves)
5. ____ *El ladrón de palabras*
6. ____ *Piratas del Caribe*
7. ____ *El ritmo del éxito* (success)
8. ____ *En el punto de mira*

a. *Center Stage*
b. *Death at a Funeral*
c. *Guess Who*
d. *The Words*
e. *Pirates of the Caribbean*
f. *Takers*
g. *Vantage Point*
h. *Blood Ties*

PASO 3. En grupos, describan qué pasa en una o más de las películas de Zoe Saldana y expliquen el papel de la actriz. Usen las películas de la siguiente lista o las de los **Pasos 1** y **2.** Luego compartan la información con el resto de la clase.

Burning Palms

Crossroads

Los perdedores

Piratas del Caribe: La maldición de la Perla Negra

Star Trek: Más allá (Beyond)

Los Vengadores (*The Avengers - Infinity War* y *Endgame*)

A leer

Lee el artículo sobre la actriz Zoe Saldana e identifica la idea principal de cada párrafo.

La princesa azul

[1] No deja de[a] resultar paradójico que la protagonista de la película más taquillera[b] de la historia no se haya convertido en la gran megaestrella del momento. Pero nadie pudo ver en *Avatar* su rostro[c] porque su interpretación de la princesa azul Na'vi Neytiri fue digitalizada y retocada[d] por ordenador.[e] Aun así, Zoe Saldana empieza a ser reconocida, y se perfila[f] como una de las grandes para los próximos años. Extremadamente atractiva, transmite sencillez y simpatía.

[2] Zoe Yadira Saldaña Nazario nació el 19 de junio de 1978, en Nueva Jersey (Estados Unidos), pero su madre era puertorriqueña y su padre dominicano. Cuando tenía 9 años, su progenitor[g] falleció[h] en un accidente de tráfico, y su madre decidió trasladarse a la República Dominicana con Zoe y sus hermanas. [...]

[3] En la República Dominicana, Zoe Saldaña se apuntó[i] a clases de danza. Al regresar a los Estados Unidos a los 17 años, decidió participar en un programa llamado *Face Theater,* para jóvenes interesados por la interpretación, y descubrió que no se le daba nada mal.[j] Junto con sus compañeros, representaba obras para concienciar[k] a los adolescentes de los riesgos del uso de las drogas y otros temas de interés, pero ella demostraba un talento fuera de lo común. De hecho, antes de acabar fue reclutada por una agencia de talentos, que le consiguió un pequeño papel en un episodio de *Ley y orden.*

[4] Poco después, aprovechó sus dotes[l] para la danza para hacerse con el papel de la talentosa bailarina Eva, una de las protagonistas de *El ritmo del éxito.* Desde entonces no le ha faltado trabajo en títulos como *Crossroads* (*Hasta el final*), protagonizada por Britney Spears, aunque llamó especialmente la atención como la pirata Anamaría, en *Piratas del Caribe: La maldición de la Perla Negra,* donde le daba una bofetada[m] a Jack Sparrow, el personaje interpretado por Johnny Depp. Su apellido artístico es Saldana, no Saldaña, para no confundir a los angloparlantes.[n]

[5] «Mi madre y yo éramos muy aficionadas al cine cuando yo era pequeña. Siempre veíamos películas de grandes directores como Spielberg, que para mí era muy lejano. Nunca soñé que trabajaría con él», me confesaba en la entrevista Saldana. La actriz aún no acaba de creerse los elogios[ñ] que le dedicó Steven Spielberg, muy satisfecho con su trabajo, tras reclutarla para interpretar a la agente de aduanas Dolores Torres, que le niega continuamente el permiso para pasar al personaje de Tom Hanks, en *La terminal.*

[6] Tras sus trabajos en la comedia *Adivina quién* y el thriller *En el punto de mira,* a Saldana le llegó una gran oportunidad de la mano de J.J. Abrams, que necesitaba a una joven actriz para interpretar a Uhura, una de las protagonistas de *Star Trek* [...].

[7] El film fue un gran éxito, pero no tanto como *Avatar,* de James Cameron, un auténtico fenómeno de masas en el que Saldana interpretaba a la protagonista, la Na'vi que encandilaba[o] al personaje de Sam Worthington. Aunque preparó su papel durante seis meses, y la voz es la suya, sus movimientos fueron digitalizados, y su personaje recreado por ordenador.

[8] Ahora que empieza a convertirse en una estrella, el futuro de Zoe Saldana no puede ser más prometedor.[p] Tras interpretar a la chica que le da una droga a su novio por error, en el remake americano de *Un funeral de muerte,* ha protagonizado la cinta de acción *Los perdedores,* la comedia dramática *Burning Palms,* el thriller *Ladrones* y cuatro películas de superhéroes Marvel™. No tardarán en caer también las secuelas[q] de *Avatar* y *Star Trek.*

[a]deja... *stop* [b]*box office success* [c]*face* [d]*retouched* [e]*computer* [f]*se... is shaping up* [g]*father* [h]*died* [i]*se... enrolled* [j]*no... she didn't find it at all bad* [k]*to make aware* [l]*talents* [m]*a slap* [n]*English-speakers* [ñ]*praises* [o]*dazzled* [p]*promising* [q]*sequels*

La idea principal del párrafo ____ es:

1. ____ 2. ____ 3. ____ 4. ____ 5. ____ 6. ____ 7. ____ 8. ____

a. Actuó en varias películas.

b. A pesar de ser una actriz prolífica, hace poco que empieza a ser reconocida como una estrella.

c. De joven era muy aficionada a un director / productor famoso y como actriz tuvo la oportunidad de trabajar con ese director.

d. Empezó como bailarina y cuando regresó a los Estados Unidos, se descubrió su talento para la actuación.

e. En su carrera hollywoodense pudo combinar la danza y la actuación mientras se convertía en una estrella.

f. Es una actriz famosa con un futuro promisorio por delante.

g. Es de los Estados Unidos, pero también ha vivido en un país hispanohablante.

h. Uno de sus personajes más famosos usó su voz, pero la imagen fue digitalizada.

Después de leer

En parejas, hagan predicciones sobre el futuro de Zoe Saldana. ¿Cuál es la mejor predicción?

MODELO: Será la estrella de *Avatar 3, 4* y *5.* Tendrá mucho éxito y ganará un Premio Óscar.

¡Escuchemos!

La cultura que nos rodea°   nos... *surrounds us*

Antes de escuchar

Haz una lista de cuatro o cinco lugares culturales destacados (*renowned*) de tu ciudad o país. Luego escoge uno de los lugares de la lista y prepara una descripción del lugar para un turista de habla hispana. Describe el lugar y lo que lo hace famoso y haz una recomendación para el turista.

MODELO: El museo Smithsonian es un museo de historia natural grande y famoso. Está en una zona de muchos museos en la ciudad capital de los Estados Unidos, Washington, D.C. Recomiendo que visites la colección de joyería (*jewelry*) y, en especial, el diamante Hope.

A escuchar

PASO 1. Mira y escucha mientras las personas describen algunos lugares famosos de sus países. Mira otra vez con pausas y empareja cada persona con el lugar que describe.

1. ____ Maite, de Puerto Rico

2. ____ Benedicto, de Costa Rica

3. ____ Paul, de Panamá

4. ____ Jorge, de Argentina

5. ____ Almudena, de España

6. ____ José Manuel, de México

a. La Casa Rosada

b. El Centro Cultural de Morelos

c. El Centro de Visitantes del Canal de Panamá

d. El Museo del Prado

e. El parque Zarcero

f. El Viejo San Juan

PASO 2. Contesta las preguntas.

1. ¿Hace cuánto tiempo que se fundó la ciudad amurallada del Viejo San Juan?

2. ¿Qué era el parque Zarcero antes de ser parque?

3. ¿Cuándo fue inaugurado el Centro de Visitantes del Canal de Panamá?

4. ¿Cuál es la función de la Casa Rosada en Buenos Aires?

5. ¿Qué tipo de museo es el Museo del Prado?

6. ¿Cómo se llama el Centro Cultural de Morelos?

Después de escuchar

En grupos pequeños, escojan un lugar del video que quisieran visitar y expliquen por qué. Luego describan el lugar que escogieron al resto de la clase.

Truth-Function/McGraw-Hill

¡Escribamos!

Dos lugares famosos

Una manera excelente de entender un lugar que no conoces es por medio de una comparación con un lugar que ya conoces bien. Para describir un lugar que conoces bien en tu propio país vas a necesitar nuevo vocabulario en español.

Antes de escribir

Escoge un lugar mencionado en **¡Escuchemos!** (u otro lugar del cual has leído hasta ahora en *Conéctate*) y un lugar de tu país. Apunta información de los dos lugares en la tabla. Haz una lista del vocabulario que vas a buscar en un diccionario.

	Un lugar de ¡*Escuchemos!*	Un lugar de mi país
¿Qué es?	*La Casa Rosada, casa de gobierno*	*la Casa Blanca, casa de _____*
¿Dónde está?		
¿Cómo es?		
¿Qué se puede hacer allí?		
Una recomendación/ sugerencia		
Vocabulario nuevo que necesito		*president, obelisk, diplomats*

A escribir

Usando la información de la tabla, escribe tres párrafos. En el primero, describe los dos lugares. Luego describe lo que tienen en común y las diferencias entre los dos lugares. Termina con un párrafo que describe la visita que hará un / una turista que va a un lugar de tu país.

Después de escribir

Revisa tu ensayo. Luego intercambia ensayos con un compañero / una compañera para evaluarlos.

☐ ¿Ha usado tu compañero/a el diccionario bien para buscar e incorporar palabras? (Busca en un diccionario de español cualquier palabra que te sea nueva. ¿Se entiende la palabra que ha escrito tu compañero/a?)

☐ ¿Hay concordancia de género y de número entre sustantivos y adjetivos?

☐ ¿Están bien escritas las comparaciones?

☐ ¿Hay concordancia entre sujetos y verbos?

☐ ¿Están bien escritos los usos del futuro? ¿Usa bien los verbos regulares y también los irregulares?

Después de revisar el ensayo de tu compañero/a, devuélveselo. Mira tu propio ensayo para ver los cambios que tu compañero/a te recomienda y haz las revisiones necesarias.

¡Hablemos!

Nuestros gustos musicales

Antes de hablar

PASO 1. Nombra todos los géneros de música que puedas. Luego toma unos minutos para pensar en un(a) artista o una banda que representa cada tipo de música que nombraste.

PASO 2. En grupos pequeños, compartan sus ejemplos de música y músicos conocidos. ¿Pensaron Uds. en los mismos géneros y artistas? **¡Atención!** Si resulta que el resto del grupo no reconoce a alguno de los artistas que nombraste, explícale quién es, dándole todos los detalles que puedas.

A hablar

En sus grupos, respondan a las siguientes preguntas.

1. De todos los géneros de música, ¿cuáles son los que más les gustan a Uds.? ¿Por qué? ¿Qué tipo de música no les gusta? ¿Por qué? ¿Cuáles son sus grupos preferidos? ¿Y sus cantantes o músicos preferidos?

2. ¿Han cambiado sus preferencias musicales desde cuando eran más jóvenes? ¿Cuáles eran los grupos de música que más escuchaban Uds. de niños? Cuando eran adolescentes, ¿permitían sus padres que Uds. compraran la música que les gustaba? ¿O insistían ellos en que Uds. la escucharan gratis (*free*) en la radio o en Internet? ¿Cómo compraban sus padres u otros parientes su propia música?

3. ¿Cómo escuchan Uds. su música preferida hoy en día? ¿La compran? Si usan un sitio web o app para escuchar música, ¿qué sitio / app es? ¿Por qué prefieren ese sitio / app?

4. ¿Tienen Uds. CD? ¿Tienen discos de vinilo (*vinyl records*)? ¿Tienen casetes o canciones digitales? ¿Qué formato prefieren y por qué?

Después de hablar

Ahora que han hablado de cómo el consumo (*consumption*) de música y sus preferencias han cambiado durante su vida, compartan sus predicciones para el futuro. ¿Todavía se venderán discos en el año 2030? ¿Cómo compraremos la música? ¿Qué tipos de música serán populares? ¿Cómo escucharemos música?

CONÉCTATE AL MUNDO HISPANO

La música salsa tiene una larga tradición, pero el término «salsa» es de origen relativamente reciente. Se empezó a usar en Nueva York en los años setenta para referirse a la música afrocubana, un género que incorpora el mambo, el chachachá, la rumba y otros estilos. Se caracteriza por un ritmo muy bailable y el uso de instrumentos como el piano, el bajo (*bass*), la trompeta, la conga, las claves y las maracas. La música salsa se ha hecho famosa en el mundo entero, gracias a la cubana Celia Cruz, el panameño Rubén Blades y los norteamericanos Tito Puente y Marc Anthony (los dos de padres puertorriqueños), entre muchos otros. En general, se distingue entre la salsa, con sus raíces afrocubanas, y otros estilos bailables, como el merengue, de origen dominicano, y la cumbia, de origen colombiano. Aunque cada estilo está asociado a una región en particular, todos son populares en todo el mundo hispano.

VOCABULARIO

Now that I have completed the chapter, I can . . .

- ☐ express uncertainty
- ☐ say what I and others would like or hope to do
- ☐ talk about what cultural activities I enjoy
- ☐ express desires in the past
- ☐ express future plans
- ☐ express speculation
- ☐ discuss cultural activities and entertainment in the Spanish-speaking world

Comunicación / Communication

para nada	not at all
quizá(s)	maybe, perhaps
sin duda (alguna)	without (any) doubt
tal vez	maybe, perhaps
Quisiera + inf.	I would like (to do something)

Los sustantivos / Nouns

el actor / la actriz	actor/actress
el arte (but las artes)	art
el/la artista	artist
el bailarín / la bailarina	dancer
el baile	dance
la canción	song

el/la cantante	singer
la danza	dance
el/la escritor(a)	writer
la escultura	sculpture
la estrella	star
el género	genre, type
la música en vivo	live music
la obra	piece; work
la obra de arte	piece/work of art
la obra de teatro	play
el papel	role, part (in a movie or play)
el personaje	character (in a movie, play, or novel); celebrity, well-known person
el/la pintor(a)	painter
la pintura	painting
la poesía	poetry
el/la protagonista	main character, protagonist
el público	audience

Cognados: el ballet, la banda, el concierto, el/la fotógrafo/a, la literatura, la ópera, la orquesta

Los adjetivos

Cognados: alternativo/a, clásico/a, electrónico/a, folclórico/a, pop, rock

Los verbos / Verbs

actuar (actúo)	to act
componer (like poner)	to compose
dirigir (j)	to direct
interpretar (un papel)	to play (a role/part)

Design Elements: Headphones: Shutterstock/Orchid24; Keyboard: McGraw-Hill Education/Mark Dierker; Microphone: Tzido/Getty Images; Clapboard: Ingram Publishing/Alamy; Smartphone: McGraw-Hill Education/David Planchet; Tablet: McGraw-Hill.

Si la vida fuera° diferente...

were

Votantes argentinos participan en las elecciones para elegir a su presidente.

Marcos Brindicci/Getty Images

Objetivos

When you finish this chapter, you will be able to:

- express your opinions and beliefs
- talk about what you and others know and don't know
- discuss important social issues
- describe hypothetical situations
- explore social issues from Latin American and Spanish perspectives

15

COMUNICACIÓN LARIO UCTURA TE

En mi opinión...
Expressing opinions

A. A ver: Los problemas más graves (*serious*)

PASO 1. Pon los siguientes temas en orden de más importante (1) a menos importante (7), según tus opiniones.

_____ los conflictos y la seguridad (*safety*) internacionales

_____ la contaminación del medio ambiente

_____ la corrupción de los políticos

_____ la educación

_____ la falta (*lack*) de recursos naturales

_____ la pobreza (*poverty*) y el hambre (*hunger*)

_____ el terrorismo

PASO 2. Mira y escucha las descripciones de los problemas más graves. Luego escucha otra vez con pausas y empareja cada frase con la persona que la diría (*would say*).

1. _____ Marlén, de México

2. _____ Felicitas, de Argentina

3. _____ Juan Andrés, de Costa Rica

4. _____ Pamela, de Argentina

5. _____ Bertha, de Miami

6. _____ Daniel, del Perú

7. _____ Mariana, de Costa Rica

a. «Para mí, sin educación universal, la sociedad no puede progresar.»

b. «En mi opinión, con los políticos corruptos, es difícil tener un gobierno funcional.»

c. «Para mí, el terrorismo es el problema más grave al que nos enfrentamos porque es un problema internacional.»

d. «Creo que la falta de recursos naturales es el problema más fuerte porque afecta a todos los humanos.»

e. «Estoy de acuerdo con los activistas ecológicos. Ellos dicen que si no tenemos conciencia del medio ambiente, vamos a destruir nuestro planeta.»

f. «Para mí, si no hay seguridad, siempre se tiene que andar con precaución y uno no puede estar tranquilo en su propia casa.»

g. «Creo que lo peor (*the worst thing*) es ver a la gente que sufre de hambre a causa de la pobreza.»

PASO 3. Mira y escucha otra vez. Según las opiniones de las personas que hablan, ¿por qué es importante resolver los problemas que describen?

1. _____ Sin resolver el problema de la corrupción política,...

2. _____ Sin mejorar (*improving*) la educación,...

3. _____ Sin programas de ecoturismo y reciclaje,...

4. _____ Sin resolver el problema de la pobreza,...

5. _____ Sin resolver el problema del terrorismo,...

6. _____ Sin resolver el problema del uso excesivo del agua,...

7. _____ Sin resolver el problema de la seguridad,...

a. las futuras generaciones no podrán aprender a mejorar su situación.

b. la gente siempre estará muy preocupada.

c. habrá muchísima contaminación del medio ambiente.

d. habrá muchísima más hambre.

e. los niños no podrán salir a jugar tranquilos.

f. el país no va a poder salir adelante.

g. va a costar más el agua que la gasolina.

To express your beliefs and opinions, you can use the following phrases.

Para mí...	For me (personally) . . .
En mi opinión...	In my opinion . . .
Creo que...	I believe (that) . . .

Para mí, el medio ambiente es importante. — For me, the environment is important.

En mi opinión, el terrorismo es el problema más grave del mundo. — In my opinion, terrorism is the most serious problem in the world today.

Creo que muchos políticos son corruptos. — I think many politicians are corrupt.

B. Los asuntos actuales (*Current issues*) Indica la categoría que mejor describe cada elemento de la lista.

	LOS ASUNTOS SOCIALES	LOS ASUNTOS POLÍTICOS	EL MEDIO AMBIENTE
1. el activismo ecológico	☐	☐	☐
2. la contaminación	☐	☐	☐
3. la corrupción	☐	☐	☐
4. el ecoturismo	☐	☐	☐
5. la educación	☐	☐	☐
6. las elecciones democráticas	☐	☐	☐
7. la falta de recursos naturales, incluso el agua limpia	☐	☐	☐
8. el hambre	☐	☐	☐
9. la pobreza	☐	☐	☐
10. la seguridad	☐	☐	☐
11. la salud pública	☐	☐	☐
12. el terrorismo	☐	☐	☐

C. Los asuntos más importantes para ti

PASO 1. Haz una lista de los tres asuntos más importantes para ti de la **Actividad B.**

_____   _____   _____

PASO 2. Busca a un compañero o una compañera que esté de acuerdo contigo en un mínimo de dos de los tres asuntos que apuntaste en el **Paso 1.**

> **MODELO:** E1: Para mí, la corrupción política, la educación y la pobreza son los asuntos más importantes.
>
> E2: Yo también creo que la corrupción política es un asunto importante. Pero a diferencia de lo que piensas tú, yo no creo que la educación y la pobreza sean tan importantes. En mi opinión, la salud pública y la seguridad global para prevenir futuras pandemias son más importantes.

PASO 3. En parejas o en grupos pequeños, preparen una breve presentación para la clase sobre por qué estos asuntos les importan.

D. Algunos problemas sociales y nuestras predicciones Escoge dos o tres de las siguientes oraciones para completar con tus propias predicciones. Luego, en parejas, compartan sus respuestas y comparen sus predicciones.

> **MODELO:** Creo que si no nos dedicamos a reciclar más... , → será terrible porque los basureros se llenarán de mucha basura

1. En mi opinión, si no reducimos nuestra dependencia de los combustibles (*fuels*) fósiles,...

2. Para mí, si no paramos (*stop*) la tala de árboles en las selvas y en el campo,…
3. Creo que si el seguro (*insurance*) médico no está disponible (*available*) para todos,…
4. En mi opinión, si no exploramos maneras diferentes de cultivar y producir comida,…
5. Pienso que si no invertirmos (*invest*) en la salud pública para prevenir futuras pandemias,…

E. Entrevistas: El problema más grave de este país

 PASO 1.   En grupos de cuatro o cinco, entrevístense para saber cuál es el mayor problema de este país, según su opinión. Cada uno debe explicar su respuesta.

MODELO: E1: Para ti, ¿cuál es el problema más grave al que nos enfrentamos?
E2: Creo que la pobreza es el problema más grave. Hay muchos problemas económicos.

PASO 2.   Responde a las siguientes preguntas basándote en las respuestas que dieron tus compañeros de clase en el **Paso 1.**

Según la mayoría, ¿cuál es el problema más grave hoy en día? ¿Estás de acuerdo con ellos? ¿Por qué? ¿Te sorprenden las ideas de tus compañeros de clase?

F. ¿Cuál es tu opinión en cuanto a las noticias (*news*)?

PASO 1.   ¿Lees o ves las noticias en Internet, en el periódico de la universidad, en la radio, en la televisión o en otras fuentes (*sources*)? ¿Cuáles son los eventos más importantes y comentados de las últimas semanas? Lee la lista de noticias típicas y luego apunta un ejemplo específico que has escuchado o leído de dos a cinco de ellas.

- un escándalo entre políticos
- un debate sobre el presupuesto (*budget*) en el Congreso
- una celebridad o un(a) atleta con problemas personales
- una nueva ley de tu ciudad, estado o país
- protestas contra el gobierno en este país o en otro
- un nuevo descubrimiento científico
- un desastre natural que ocurrió o va a ocurrir

Un basurero (*dump*) típico

Al Franklin/Corbis/Alamy Stock Photo

 PASO 2.   En grupos, túrnense para describir una noticia que apuntaron en el **Paso 1.** Soliciten las opiniones de los otros miembros del grupo.

MODELO: E1: ¿Sabes que un debate sobre el presupuesto casi resultó en otro cierre (*shutdown*) del gobierno federal? ¿Cuál es tu opinión del posible cierre del gobierno?
E2: ¡Qué escandaloso! Creo que el gobierno debe asegurar los salarios de los empleados durante cualquier cierre.
E3: No creo que sea nada grave. Para mí, es importante que tengamos confianza en nuestros representantes elegidos.

¿Qué sé yo?
Expressing what you know and don't know

To talk about what you and others know and what you don't know, you can use one of the following expressions.

avisar / hacerle saber	to let someone know
¿Qué sé yo? / ¿Yo qué sé?	What do I know?, Beats me!
Que yo sepa…	That I know of . . . / As far as I know . . .
¿Quién sabe?	Who knows?
sin saber	without knowing/realizing
el/la sabelotodo	know-it-all
Ve/Vete tú / Vaya Ud. a saber.	Your guess is as good as mine.

(*Continues*)

¡Ay, lo siento! Lo hice **sin saber** lo que hacía.	I'm so sorry! I did it without knowing/ realizing what I was doing.
Que yo sepa Miguel no ha regresado de su viaje.	As far as I know Miguel hasn't returned from his trip.
Avísame si te puedo ayudar en algo.	Let me know if I can help you with something.

A. ¿Qué sé yo? Empareja cada pregunta u oración con la reacción más lógica.

_____ 1. ¿Ha llegado el paquete que esperaba?

_____ 2. Le mencioné a Anita la fiesta de Roberto, pero a ella no la invitaron. ¡Qué pena!

_____ 3. No está la profesora. ¿Qué le pasará?

_____ 4. Roberto va a hacer una fiesta, pero que yo sepa, todavía no tiene fecha.

_____ 5. Ella siempre me ofrece consejos, pero muchas veces está equivocada (*wrong*).

a. No te preocupes; fue sin saber.

b. Pues, me encantaría ir. Avísame en cuanto la sepas.

c. No le hagas caso (*Pay her no mind*); es una sabelotodo.

d. ¿Qué sé yo? Nunca recojo el correo.

e. Vete tú a saber.

B. ¿De qué habla? Escribe la expresión de la lista que corresponde a cada descripción que escuchas.

| le aviso | que yo sepa | sabelotodo | vaya Ud. a saber |
| le hago saber | ¿Quién sabe? | sin saber | ¿Yo qué sé? |

1. _____   5. _____

2. _____   6. _____

3. _____   7. _____

4. _____

C. ¿Quién sabe?

PASO 1. Para cada tema, indica si es algo que ocurre **sin saber** o **a propósito** (*on purpose*).

OCURRE(N)...	SIN SABER	A PROPÓSITO
1. los conflictos armados internacionales	☐	☐
2. la contaminación del medio ambiente	☐	☐
3. la educación universal	☐	☐
4. las elecciones democráticas	☐	☐
5. la falta de agua limpia	☐	☐
6. la propagación de un virus	☐	☐
7. el precio de la gasolina	☐	☐
8. el terrorismo	☐	☐

PASO 2. En parejas, entrevístense para saber cuánto saben Uds. de cinco temas globales. Pueden escoger entre los temas del **Paso 1** y los de la lista que sigue. ¿Quién sabe más del tema? ¿Hay algún tema en el que tu compañero/a no tiene el menor interés?

TEMAS ADICIONALES: el analfabetismo (*illiteracy*), la corrupción política, la crisis económica, la deuda (*debt*) externa, la pobreza, los problemas sociales relacionados con el racismo, el sistema penal (de prisiones), las violaciones de los derechos (*rights*) humanos

MODELO: E1: ¿Cuánto sabes de la participación de este país en los conflictos armados internacionales?

E2: **Que yo sepa,** el país participa menos y menos en conflictos armados internacionales.

Los problemas sociales, económicos y políticos

Social, economic, and political issues

A. ¿Qué quieren hacer las organizaciones sin fines de lucro (*nonprofit*)?

PASO 1. Empareja las citas (*quotes*) de los directores de varias organizaciones con las misiones correspondientes.

1. _____
> Queremos pasar de **la corrupción** política del pasado a **la democracia**. La gente tiene que participar en **el proceso político**. Es importante tener la oportunidad de **votar** en **las elecciones** democráticas y tener elecciones **justas** (*fair*).

2. _____
> Para ayudar a la gente más pobre y sin trabajo, trabajamos al **nivel** (*level*) «micro»: microfinanzas, microempresas y microproductos. Así vamos a cambiar la base del sistema económico para no depender del dinero de otros países.

3. _____
> Las organizaciones tradicionales como la Cruz Roja le dan provisiones a la gente necesitada; nosotros queremos colaborar con la gente en las zonas afectadas para que use los materiales donados para **desarrollar** (*develop*) **la infraestructura** sostenible a largo plazo (*over the long-term*).

4. _____
> La falta de educación es el mayor factor en **la violencia** a nivel mundial. En vez de (*Instead of*) caer en la delincuencia y **el crimen** (como, por ejemplo, **el narcotráfico**) los jóvenes deben estar en la escuela.

5. _____
> Debemos combatir **los problemas sociales** relacionados con **el racismo** contra los obreros mal pagados que salen de su propio país para hacer los trabajos más **peligrosos** (*dangerous*) en otro país.

6. _____
> Queremos acabar con **la guerra** (*war*) entre estados y entre grupos dentro del mismo país y **conseguir la paz**. También queremos proteger los **derechos humanos** más básicos.

La misión es:

a. **Acabar con** (*Put an end to*) **la discriminación** contra **los indígenas** e **inmigrantes** que cruzan **las fronteras** (*borders*) internacionales para trabajar.

b. Acabar con **la tiranía** y **la dictadura** (*dictatorship*) a través de un proceso democrático.

c. Combatir **el analfabetismo, la esclavitud infantil** (*child slavery*) y la violencia a través de (*by way of*) **la alfabetización** universal para que todos los niños del mundo sepan leer y escribir.

d. **Mejorar** (*Improve*) la situación internacional de **la pobreza, el desempleo** (*unemployment*) y **la desigualdad** (*inequality*) **económica** a través de programas de microfinanzas y al hacer esto evitar **la deuda externa** y **una crisis económica**.

e. Promover (*Promote*) **la paz** (*peace*) en todas sus formas.

f. Proveer (*Provide*) ayuda sostenible que desarrolle infraestructuras para protegernos de **un desastre natural** como, por ejemplo, una inundación de agua como resultado de un huracán.

PASO 2. Ahora, empareja cada término con su antónimo.

1. _____ la alfabetización
2. _____ **el hambre**
3. _____ **la igualdad**
4. _____ **la libertad**
5. _____ **la oferta** (*supply*)
6. _____ la paz
7. _____ la riqueza
8. _____ **la seguridad**

a. la pobreza
b. comer en exceso
c. **la demanda**
d. la desigualdad
e. la esclavitud
f. la guerra
g. **el peligro** (*danger*)
h. el analfabetismo

B. A ver: Los mayores problemas actuales

PASO 1. Mira y escucha el video. Luego mira otra vez con pausas e indica todos los tipos de problemas que le preocupan a cada persona.

		POLÍTICOS	ECONÓMICOS	SOCIALES
1.	Jama, de Cuba	☐	☐	☐
2.	Alejandra, de Colombia	☐	☐	☐
3.	Juan, de Argentina	☐	☐	☐
4.	Yesid, de Colombia	☐	☐	☐
5.	Gabriel, de Argentina	☐	☐	☐
6.	Christian, de Colombia	☐	☐	☐
7.	Benedicto, de Costa Rica	☐	☐	☐

Truth-Function/McGraw-Hill; Klic Video Productions/McGraw-Hill

PASO 2. Mira y escucha otra vez. Luego, basándote en lo que dice cada persona, escoge el término al que **no** se refiere ni se puede inferir.

1. Jama
☐ la pobreza ☐ la crisis económica ☐ los problemas sociales

2. Alejandra
☐ la empatía ☐ la intolerancia ☐ el narcotráfico

3. Juan
☐ el analfabetismo ☐ la desigualdad económica ☐ la situación política

4. Yesid
☐ la contaminación ☐ la corrupción económica ☐ la corrupción política

5. Gabriel
☐ la deuda externa ☐ la pobreza infantil ☐ el hambre

6. Christian
☐ la crisis económica ☐ la desigualdad educativa ☐ el elitismo

7. Benedicto
☐ la contaminación ☐ el hambre ☐ la inseguridad

C. ¿De qué se trata? Escucha las oraciones sobre los asuntos de la **Actividad B** y decide si son ciertas (**C**) o falsas (**F**).

1. ___   3. ___   5. ___   7. ___
2. ___   4. ___   6. ___

D. ¿Cuál sería *(would be)* el problema?

PASO 1. En parejas, indiquen cuáles serían los problemas que llevan a *(lead to)* las siguientes conclusiones. Luego comparen sus respuestas con otra pareja. ¿Están de acuerdo?

> **MODELO:** «En nuestra comunidad, necesitamos más escuelas y maestros cualificados.»
> El problema sería el analfabetismo. (Los problemas serían el analfabetismo y la falta de educación.)

1. «En nuestra comunidad necesitamos atraer o desarrollar una industria que nos provea de puestos de trabajo.»
2. «En mi opinión, es muy importante tener elecciones justas.»
3. «Para mí, hay que mejorar las relaciones entre los habitantes locales y los recién llegados *(newcomers)*.»
4. «En este país necesitamos renovar el sistema bancario.»
5. «Nos gustaría ver menos armas y más paz.»

PASO 2. Escoge uno de los problemas mencionados en el **Paso 1** y describe los detalles específicos en el contexto de tu universidad, tu ciudad o pueblo o el estado donde vives. Luego, en parejas, intercambien ideas y ofrezcan por lo menos una posible solución al problema.

E. Los problemas sociales

PASO 1. En grupos de tres, hagan una lista de por lo menos tres problemas (en orden de importancia) a los que cada uno de los siguientes grupos sociales se enfrenta.

> **MODELO:** Muchos ancianos *(elderly people)* no pueden manejar/conducir.

1. los ancianos
2. los estudiantes
3. los inmigrantes
4. las mujeres
5. los padres
6. los recién titulados/graduados

PASO 2. En sus grupos, escojan uno de los grupos sociales del **Paso 1** y elaboren un mínimo de tres soluciones para empezar a resolver uno de los problemas al que se enfrenta ese grupo.

> **MODELO:** Muchos ancianos no pueden manejar/conducir.

1. Debemos asegurar *(ensure)* que haya transporte público disponible.
2. Es importante tener transporte especial para llevar a los ancianos a sus citas médicas.
3. Hay que construir comunidades para ancianos cerca del centro de las ciudades.

¿Cuáles son los problemas a los que los ancianos se enfrentan? ¿Y las soluciones?

Terry Vine/Blend Images

La alfabetización es la enseñanza *(teaching)* de la lectura y la escritura.

Monashee Frantz/OJO Images/age fotostock

COMUN   VOCABU   **ESTRUCTURA**   ATE

Reciclaje   The future

Aquí hay una lista de metas (*goals*) de diferentes organizaciones. Complétalas usando uno de los siguientes verbos en la forma **nosotros** del tiempo futuro, y luego empareja la meta con el campo (*field*) de actividad que le corresponde.

acabar   conseguir (*obtain*)   erradicar   hacer   mejorar   resolver

METAS	CAMPOS
____ 1. _____ el analfabetismo.	a. el desarrollo (*development*) económico
____ 2. _____ un esfuerzo para parar la violencia en la frontera.	b. la educación
____ 3. _____ los conflictos entre los dos países.	c. la medicina
____ 4. _____ con la pobreza.	d. los derechos de los indígenas
____ 5. _____ las condiciones de las mujeres indígenas.	e. los derechos de los inmigrantes
____ 6. _____ una solución al problema de la malaria.	f. la diplomacia internacional

■ Answers to this activity are in Appendix 2 at the back of your book.

15.1 **Hablaría con los indígenas en Chihuahua**

The conditional

Para empezar...

En muchas partes de Latinoamérica, la población indígena tiene una presencia muy notable. A veces hay relaciones muy buenas entre el grupo indígena y el resto de la población y a veces no. Si hicieras un viaje de norte a sur para conocer mejor la situación de los indígenas en Latinoamérica, ¿en qué orden harías (*would you do*) las siguientes actividades? Escribe la letra de la actividad en el lugar correcto en el mapa. **¡Atención!** Dos de las siguientes actividades serían (*would be*) físicamente imposibles. Indica cuáles son.

a. **Pasaría** unos días en la ciudad de Oaxaca, hacia el oeste del istmo (*isthmus*) de Tehuantepec, la parte estrecha (*narrow*) de México, para conocer mejor a los mixtecos y los zapotecos.

b. **Haría** la última parte del viaje en el sur de Chile, donde viven los mapuches.

c. De allí **tendría** que ir a las islas donde viven los kunas en Panamá.

d. De Ecuador **saldría** para el Perú y Bolivia, donde muchas personas hablan quechua.

e. Después me **encantaría** ir a Guatemala para saber más del pueblo quiché, otro grupo maya.

f. De allí **caminaría** a la Isla de Pascua, donde muchos habitantes son de origen polinesio y hablan rapanui.

g. Primero, me **iría** a Chihuahua en el norte de México para hablar con los rarámuri, también conocidos como tarahumaras.

h. De allí, **nadaría** al estado de Chiapas en el sur de México porque allí viven los tzotziles, uno de los grupos mayas más grandes del país.

i. **Podría** conocer después a los quichuas en los Andes ecuatorianos.

Actividades analíticas

1 The verbs in bold in **Para empezar** are in the *conditional tense* (**el condicional**). The conditional is used to express what one *would* do under certain circumstances.

Para ayudarlos, yo **donaría** dinero.

En un mundo ideal, todos **trabajaríamos** juntos.

To help them, I would donate money.

In an ideal world, we all would work together.

2 Use the forms you saw in **Para empezar** and the patterns you see here to complete the chart.

	pasar	ser	ir
yo		ser**ía**	
tú	pasar**ías**		ir**ías**
él/ella, Ud.	pasar**ía**	ser**ía**	
nosotros/as			ir**íamos**
[vosotros/as]	[pasar**íais**]	[ser**íais**]	
ellos/ellas, Uds.	pasar**ían**		ir**ían**

3 Just as you saw for the future tense in **Estructura 14.2,** the stem for the conditional consists of the entire infinitive form, to which one of the following endings is added.

TERMINACIONES DEL CONDICIONAL			
yo	-ía	nosotros/as	-íamos
tú	-ías	[vosotros/as]	-íais]
él/ella, Ud.	-ía	ellos/ellas, Uds.	-ían

4 Those verbs that have irregular stems in the future tense use this same stem in the conditional. As with the future, there are no irregular endings in the conditional tense.

VERBO	RAÍZ	EJEMPLO	
decir	**dir-**	Yo **diría** que la situación está mejor ahora.	*I would say that the situation is now better.*
haber	**habr-**	Con ese plan, **habría** menos pobreza.	*With that plan, there would be less poverty.*
hacer	**har-**	**Haría** un gran esfuerzo para ayudarte.	*I would make a great effort to help you.*
poder	**podr-**	¿**Podría** hablar con Ud.?	*Could I speak with you?*
poner	**pondr-**	**Pondríamos** fin al problema, pero no tenemos suficientes recursos.	*We would put an end to the problem, but we don't have enough resources.*
salir	**saldr-**	**Saldrían** del país, pero no está permitido.	*They would leave the country, but it's not permitted.*
tener	**tendr-**	Para entendernos mejor, **tendríamos** que hablar más.	*To understand each other better, we would have to talk more.*
venir	**vendr-**	Mi hermano **vendría** también, pero no puede.	*My brother would come too, but he can't.*

Un consejo...

Relating a tense (**un tiempo verbal**) in Spanish to how you would say it in English can be helpful, but be cautious. The conditional, for instance, is almost always translated into English with *would,* as in the examples in **Actividad analítica 1.** The reverse, however, is not always true: When *would* is used to describe a repeated past state or event (meaning *used to*), the imperfect is used in Spanish.

Mario **caminaría** a la escuela contigo, pero no tiene suficiente tiempo.
Mario would walk to school with you but he doesn't have enough time.

De niño, Mario **caminaba** a la escuela.
As a child, Mario would (used to) walk to school.

	vos
pasar	pasar**ías**
ser	ser**ías**
ir	ir**ías**

■ Answers to these activities are in Appendix 2 at the back of your book.

■ For more conditional forms, see **Para saber más 15.1** at the back of your book.

Note that **habría** here is the conditional of **hay** (**haber**). As with **hay**, **habría** is always used in the singular to express existence.

Habría un problema.	*There would be a problem.*
Habría muchos problemas.	*There would be many problems.*

Actividades prácticas

A. ¿Qué harías?

PASO 1. ¿Qué harías tú para solucionar los siguientes problemas? Empareja cada problema con una solución razonable. **¡Atención!** Los problemas indicados con (*) tienen más de una solución.

<table>
<tr><th>PROBLEMAS</th><th>¿QUÉ HARÍAS?</th></tr>
<tr><td>

1. ____ Hay mucha pobreza.*
2. ____ Hay mucho analfabetismo.
3. ____ Hay mucha corrupción.
4. ____ Hay mucha enfermedad.
5. ____ No hay suficiente comunicación entre mi país y Latinoamérica.
6. ____ No conozco bien la realidad del mundo hispano.*

</td><td>

a. Haría un esfuerzo para mejorar los hospitales.
b. Viajaría a España o a Latinoamérica.
c. Leería más artículos sobre la situación en los países hispanos.
d. Les daría salarios decentes a los empleados del gobierno.
e. Ayudaría a crear microempresas en las comunidades pobres.
f. Crearía más trabajos.
g. Tendría más escuelas para toda la población.
h. Crearía clases de español para todos en mi país.

</td></tr>
</table>

PASO 2. En parejas, escojan las tres soluciones de máxima prioridad para Uds. del **Paso 1** y supongan que tienen dinero ilimitado para implementarlas. ¿Qué harían Uds. bajo estas condiciones? ¿Por qué?

MODELO: Haríamos un esfuerzo para crear más trabajos, porque si la gente no tiene trabajo, hay más pobreza y más violencia.

B. ¿Cómo somos y qué haríamos? Escucha las oraciones y decide si es algo que haría una persona consciente (*self-aware*) y bien informada (**C**) o si es algo que haría una persona poco consciente (**PC**) o de mente cerrada (*closed-minded*).

1. ____
2. ____
3. ____
4. ____
5. ____
6. ____
7. ____

C. Prioridades para la comunidad local y global

PASO 1. En grupos pequeños, usen el vocabulario que ya aprendieron para crear una lista de tres cosas que harían Uds. para mejorar su propia comunidad o su universidad. Pueden usar la lista de abajo o hacer sus propias sugerencias.

■ bajar el costo de la matrícula (*tuition*)
■ comprar más libros para la biblioteca
■ crear más lugares de estacionamiento (*parking spaces*)
■ construir edificios nuevos
■ mejorar los salarios de los maestros/profesores
■ tener más computadoras accesibles para los estudiantes
■ tener mejores opciones de transporte público para llegar a la universidad

■ The audio files for in-text listening activities are available in the eBook, within Connect activities, and on the Online Learning Center.

PASO 2.   Ahora creen una lista de tres cosas que harían Uds. para mejorar la comunidad global.

> **MODELO:**   Ayudaríamos a otras personas a conservar el agua.

D. Tu vida ideal

PASO 1.   En tu vida ideal, ¿qué harías? ¿Y qué *no* harías? Crea una lista de lo que harías y una lista de lo que no harías. **¡Atención!** Debes tener diez oraciones en total entre las dos listas.

PASO 2.   Compara tus listas con las de un compañero / una compañera. ¿Tienen algo en común?

■ Answers to this activity are in Appendix 2 at the back of your book.

↻ Reciclaje   The past subjunctive

Siempre ha habido gente que quiere mejorar la sociedad en la que vive. Mira la siguiente lista de afirmaciones sobre nuestra sociedad. ¿Qué crees que la gente de antes quería y qué no quería? Escribe cada afirmación bajo la categoría **Querían que…** o **No querían que… ¡Atención!** Hay que cambiar el verbo al imperfecto (pasado) de subjuntivo.

Querían que…	No querían que…
_____	_____
_____	_____
_____	_____
_____	

Crece la desigualdad económica.
Los niños pueden asistir a la escuela sin pagar.
Hay guerras.
La esclavitud ya no existe.
Las mujeres tienen derecho a votar.

La corrupción está presente en el sistema jurídico (*judicial*).
Los trabajadores descansan dos días a la semana.
Toda la gente tiene la libertad de practicar su religión.

15.2   Si nadie usara drogas, la vida sería más tranquila

Si clauses

Para empezar...

PASO 1.   Dicen que cada acción tiene sus consecuencias, que esas consecuencias tienen otras consecuencias, etcétera. Usa números para poner las siguientes oraciones en orden según una «cadena (*chain*) de consecuencias». La primera ya está hecha.

a. _____ Si los narcotraficantes (*drug traffickers*) no **ganaran** tanto dinero, no **podrían** «comprar» a los políticos y a los jueces latinoamericanos.

b. _____ Si no **fuera** un buen negocio vender drogas en los Estados Unidos, los narcotraficantes no las **importarían** al país.

c. _____ Si el sistema político y judicial **funcionara** mejor, los latinoamericanos **tendrían** una vida mejor.

d. _____ Si los narcotraficantes no **pudieran** «comprar» a los políticos y a los jueces, el sistema político y judicial **funcionaría** mejor en los países latinoamericanos.

■ Answers to these activities are in Appendix 2 at the back of your book.

(Continues)

¿Por qué?

Spanish speakers distinguish clearly between statements that are thought to be true, using the indicative, and those that may not be true, using the subjunctive. Here you see a special case of the latter: *if* clauses that are contrary to fact. The speaker knows that these are not true, but is imagining what the world would be like if they were. These counterfactual (or hypothetical) statements are expressed with the past subjunctive. Distinguishing between what is thought to be true, what might not be true, and what is definitely not true is extremely important for human communication, so like many other languages, Spanish signals these distinctions by changing the ending on the verb.

■ To find out how to use **si** clauses to express contrary-to-fact situations in the past, see **Para saber más 15.2** at the back of your book.

e. __1__ Si nadie **usara** drogas en los Estados Unidos, no **sería** un buen negocio venderlas.

f. ____ Si no **se importara** drogas a los Estados Unidos, el crimen organizado en los países latinoamericanos no **ganaría** tanto dinero.

PASO 2. Según esta cadena de consecuencias, ¿son ciertas o falsas las siguientes oraciones?

_____ Si nadie **usara** drogas en los Estados Unidos, muchos latinoamericanos **tendrían** una vida mejor.

_____ Según muchos latinoamericanos, el narcotráfico en Latinoamérica no **existiría** si no **existiera** la demanda en los Estados Unidos.

Actividades analíticas

1 Each of the sentences in **Para empezar** consists of an *if* (**si**) clause and a consequence (**consecuencia**). Write the verb form that appears in each part of these sentences here.

	SI... ,	CONSECUENCIA		SI... ,	CONSECUENCIA
a.	ganaran	podrían	d.	_____	_____
b.	_____	_____	e.	_____	_____
c.	_____	_____	f.	_____	_____

2 What is the name of the verb tense that appears in each of these two parts?

Si... : _____

Consecuencia: _____

The past subjunctive forms were presented in **Estructura 14.1.**

As in English, the **si** clause and the consequence may come in either order.

Si tuviera un millón de dólares, lo **donaría** a una organización sin fines de lucro.	*If I had a million dollars, I would donate it to a nonprofit organization.*
Donaría un millón de dólares a una organización sin fines de lucro **si** lo **tuviera.**	*I would donate a million dollars to a nonprofit organization if I had it.*

3 The pattern seen here with **si** + *past subjunctive* + *conditional* is used only when the *if* (**si**) clause describes a situation that is contrary to fact.

Si Guatemala **estuviera** en Europa, no **tendría** selvas tan bonitas.	*If Guatemala were in Europe, it would not have such beautiful jungles.*
Compraría una casa si yo **tuviera** el dinero.	*I would buy a house if I had the money.*

In these cases, the speaker knows that Guatemala is actually not in Europe and that he or she does not have a lot of money. The past subjunctive signals this contrary-to-fact status of the **si** clause. If the **si** clause describes a situation that is not contrary to fact (that is, it could be true or could happen), use an indicative tense such as present, preterite, or imperfect.

Si mañana **tengo** tiempo, **voy a pasar** por tu casa.	*If I have time tomorrow, I'll stop by your house.*
Si no **estudiaste**, no te **va a ir** bien en el examen.	*If you didn't study, it's not going to go well for you on the test.*
En esos tiempos, si **había** un conflicto entre dos países, **se convertía** en guerra.	*In those days, if there was a conflict between two countries, it would turn into a war.*

To summarize, the **si** clause can be in the past subjunctive or an indicative tense. It is never in the present subjunctive.

SI CLAUSE	CONSEQUENCE
past subjunctive a situation that is contrary to fact (that the speaker knows is not true)	*conditional*
any indicative a situation that is not contrary to fact	*any indicative*

4 The word **hay** is **hubiera** in the past subjunctive, and it is very common in **si** clauses that express contrary-to-fact situations.

Yo estaría contento si **hubiera** menos pobreza en el mundo.

I would be happy if there were less poverty in the world.

En español...

The standard way of expressing contrary-to-fact situations in the written language is the pattern you've just seen: **si** + *past subjunctive*. It is common in the spoken language too, but you may also hear variants in some regions. For example, it is common to hear **yo que tú** with the meaning **si yo fuera tú.**

Si yo fuera tú, no lo haría.
Yo que tú, no lo haría.

If I were you, I wouldn't do it.

Actividades prácticas

A. El desarrollo y la felicidad El Índice (*Index*) de Desarrollo Humano clasifica a los países según el nivel económico, el nivel de educación y la esperanza de vida (*life expectancy*). El Índice de Felicidad (*Happiness*) se calcula según las respuestas a varias encuestas. Basándote en la información en la tabla, indica si cada oración que sigue es cierta (**C**) o falsa (**F**).

	DESARROLLO HUMANO (%)	FELICIDAD (MÁXIMO 10)
Argentina	muy alto (*high*) (83)	alto (6.1)
Bolivia	alto (70)	medio (5.8)
Canadá	muy alto (92)	muy alto (7.3)
Chile	muy alto (85)	alto (6.4)
Colombia	alto (76)	alto (6.1)
Costa Rica	alto (79)	muy alto (7.2)
España	muy alto (89)	alto (6.4)
Estados Unidos	muy alto (92)	muy alto (6.9)
México	alto (77)	muy alto (6.6)
Nicaragua	medio (65)	alto (6.1)
Paraguay	alto (72)	medio (5.7)

(*Continues*)

Autoprueba

Complete the hypothetical statements with the appropriate form of the conditional (to indicate the consequence) or the past subjunctive (to indicate the contrary-to-fact situation).

1. Si alguien _____ (querer) ayudar a eliminar el analfabetismo, _____ (poder) hacerse voluntario en la biblioteca.
2. Nosotros _____ (construir) un nuevo refugio (*shelter*) para las mujeres en nuestra comunidad si _____ (ganar) la lotería.
3. Si a ella le _____ (interesar) la política, _____ (buscar) oportunidades para trabajar en las elecciones.
4. Yo _____ (trabajar) en el comedor de beneficencia (*soup kitchen*) todos los días si _____ (tener) más tiempo libre.

Respuestas: 1. quisiera, podría **2.** construiríamos, ganáramos **3.** interesara, buscaría **4.** trabajaría, tuviera

1. ___ Si hubiera menos analfabetismo y más progreso económico en México, podrían tener un nivel de desarrollo más alto.
2. ___ Si fuéramos de España, podríamos decir que nuestro país tiene un nivel de felicidad «muy alto».
3. ___ Si los países tuvieran un nivel de educación más alto, tendrían un nivel de desarrollo más alto también.
4. ___ Si Paraguay tuviera más desarrollo económico, podría estar en la lista de países con un nivel de desarrollo «muy alto».
5. ___ Si yo fuera de Nicaragua, podría decir que mi país tiene el mismo nivel de desarrollo que Colombia.
6. ___ Si Paraguay tuviera el mismo nivel de desarrollo que Argentina, sería uno de los países con un nivel de desarrollo «medio».
7. ___ Si hubiera más felicidad en los Estados Unidos, los estadounidenses posiblemente podrían tener el mismo nivel de felicidad que en Costa Rica.
8. ___ Si todos los países pudieran tener como mínimo el mismo nivel de desarrollo que Colombia, el mundo sería mejor.

B. Nuestras preferencias

PASO 1. Completa cada una de las siguientes oraciones, basándote en tus preferencias personales.

1. Si tuviera dinero, viajaría a _____ el fin de semana.
2. Si pudiera resolver solo un problema en mi país, sería el problema de _____.
3. Si pudiera resolver solo un problema en el mundo, sería el problema de _____.
4. Me iría a _____ si me dieran la oportunidad de vivir en otro país durante un año.
5. Cenaría con _____ si pudiera salir a cenar con cualquier persona del mundo hispano.
6. Me gustaría ser de _____ si yo pudiera ser de un país hispano.

PASO 2. Escoge una de las oraciones del **Paso 1**, cámbiala a una pregunta y pregúntasela a tres de tus compañeros. Apunta los resultados.

MODELO: Si tuvieras dinero, ¿adónde viajarías?

C. Si el mundo fuera diferente
En cada oración, decide si la cláusula con **si** expresa una situación que es contraria a la realidad. Luego escoge la forma correcta de los verbos.

1. Si Ecuador [está / estuviera] en Centroamérica, [es / sería] un país centroamericano.
2. Si la pobreza extrema [existe / existiera] en el mundo, [tenemos / tendríamos] que erradicarla.
3. Si [hay / hubiera] grandes diferencias económicas entre unos países y otros, [va a haber / habría] mucha inmigración de los países más pobres a los países más ricos.
4. Si Cristóbal Colón (*Christopher Columbus*) [está / estuviera] vivo, ¿qué [piensa / pensaría] de las Américas de hoy?
5. Si [hablan / hablaran] español en muchos países de Latinoamérica, eso no [significa / significaría] que las lenguas indígenas ya no existan.
6. Si no [hay / hubiera] ningún problema de desigualdad económica en el mundo, [podemos / podríamos] estar tranquilos.

D. Unas situaciones difíciles
En grupos de tres, creen una respuesta (una oración completa) a cada una de las siguientes preguntas.

1. Si vivieran en este país y no hablaran inglés, ¿qué trabajo podrían hacer?
2. Si fueran del norte de África y no pudieran encontrar trabajo allí, ¿a qué país se irían? ¿Por qué?
3. Si fueran líderes de un país y hubiera mucha desigualdad económica, ¿qué harían?
4. Si vivieran en un país no muy democrático, ¿qué podrían hacer para cambiar esta situación?

CONÉCTATE AL MUNDO HISPANO

En el mundo entero, la gente busca lugares donde haya mucha oferta de trabajo y los salarios sean altos. Por eso, es común ver **flujos** (*flows*) **de migración laboral** dentro de un solo país (de las áreas rurales hacia las grandes ciudades, por ejemplo) o de un país más pobre a otro país más rico. En el mundo hispano, por ejemplo, muchos africanos buscan trabajo en España, y por la misma razón, muchos guatemaltecos y hondureños se van a México y muchos bolivianos y paraguayos se van a Argentina o Chile. Todo este movimiento ocurre porque España, México, Argentina y Chile tienen economías relativamente grandes y fuertes.

De la misma manera (*way*), muchos salen del Caribe, de México o de Centroamérica a buscar trabajo en los Estados Unidos, un país con una de las economías más fuertes del mundo. Sin embargo (*However*), este fenómeno tan conocido cambia según el estado de la economía. Desde 2009, por ejemplo, el flujo migratorio entre los Estados Unidos y México ha cambiado: la cantidad (*quantity*) de migrantes de México a los Estados Unidos es menor que la cantidad de los que van de los Estados Unidos a México. Esto ha pasado por muchas razones, pero la recesión de 2008 en los Estados Unidos y el crecimiento (*growth*) económico en México han sido factores importantes. Entre 2013 y 2018, por ejemplo, la economía mexicana creció a una tasa (*rate*) más rápida que la economía norteamericana. Esta mejoría (*improvement*) en la economía mexicana ha tenido otro resultado interesante: la llegada de un gran número de inmigrantes de países lejanos (*distant*), como Argentina, Corea, España, Francia y Japón, todos buscando un futuro en México.

E. Cultura: La emigración en Honduras

PASO 1. Lee el texto sobre Honduras.

Para el visitante, Honduras parece un paraíso: hay bosques con una variedad de flora y fauna espectacular, hermosas playas de arena blanca, arrecifes[a] de coral impresionantes y sitios arqueológicos como Copán, una ciudad importante de la civilización maya. Sin embargo, para muchos de sus 9 millones de habitantes, Honduras está muy lejos de ser un paraíso y miles de hondureños salen del país cada año a buscar una vida mejor en otras partes. ¿Por qué lo hacen?

Una razón importante es la violencia. Honduras tiene una de las tasas[b] de homicidio más altas del mundo. Los robos, los asaltos y la extorsión son parte de la vida diaria para muchos, sobre todo para los de las zonas urbanas pobres. Esta lamentable situación se debe, en parte, a la presencia de pandillas[c] que operan con impunidad en muchas ciudades y al narcotráfico, que tiene una larga historia en el país. Honduras tiene la mala suerte de estar situado en un punto medio en cuanto a[d] la cocaína, entre la producción en Sudamérica y el consumo en los Estados Unidos. Muchos narcotraficantes ven a Honduras como el trampolín ideal para el transporte de drogas del sur al norte. Eso conlleva muchos sobornos[e] y corrupción en el gobierno, y mucha violencia en las calles por los conflictos entre los mismos narcotraficantes.

La pobreza es otro factor que impulsa[f] la emigración. El 64% de la población vive en la pobreza y el 16% en la pobreza extrema. Además, Honduras tiene una de las clases medias más pequeñas de Latinoamérica: solo el 11% de la población. La falta de oportunidades económicas para los jóvenes genera más participación en las pandillas y más violencia, y eso hace más difícil la tarea[g] de crear una economía más fuerte.

Por encima de todo, el cambio climático está haciendo que muchos emigren. En un país como Honduras, donde el 28% de la población trabaja en la agricultura, un cambio en las condiciones climáticas puede provocar consecuencias económicas desastrosas. El café, uno de los productos más importantes del país, es especialmente vulnerable a las variaciones del clima. Un cambio de temperatura muy pequeño puede resultar en una disminución de la cosecha y el crecimiento de la roya del café,[h] una enfermedad catastrófica para las plantas. Como resultado, muchos agricultores han perdido sus tierras y sus trabajos, y la desesperación los impulsa a buscar oportunidades en otros países. La pandemia que empezó en 2020 hizo la emigración más difícil, pero la desesperación sigue igual o peor.

Honduras

Romantiche/Alamy Stock Photo

Los migrantes hondureños

Gustavo Amador/EPA-EFE/Shutterstock

[a]*reefs* [b]*rates* [c]*gangs* [d]*en... in relation to* [e]*bribes* [f]*motivates* [g]*task* [h]*roya... coffee rust*

(*Continues*)

Estos tres factores, la violencia, la pobreza y el cambio climático, están interrelacionados y es difícil resolver uno sin resolver los otros. Honduras ha hecho grandes avances en los últimos años para combatir la violencia y la pobreza, pero será difícil acabar con ellas totalmente sin encontrar una solución al problema del cambio climático. Mientras tanto,[i] los gobiernos del mundo tienen que crear un ambiente ordenado para la migración nacional e internacional, porque parece que va a seguir creciendo, no solo en Honduras, sino en cualquier parte del mundo donde la gente no encuentre la manera de seguir viviendo donde está.

[i]Mientras… *meanwhile*

PASO 2.   Completa las oraciones con tus propias opiniones.

1. Si yo fuera presidente/a de Honduras, _____.
2. Si yo fuera presidente/a de los Estados Unidos, _____.
3. Si el narcotráfico no existiera, _____.
4. Si Honduras no estuviera en el camino entre el sur y el norte, _____.
5. La roya del café no causaría tantos problemas si _____.
6. Honduras podría tener una clase media más grande si _____.

PASO 3.   En parejas, contesten las preguntas y explíquense las respuestas.

1. En Honduras, como en muchos países tropicales, ha sido difícil establecer una economía fuerte, por el bajo (*low*) nivel de recursos naturales y terrenos cultivables, entre otros factores. ¿Piensas que hay una relación entre esto y la violencia y pobreza mencionadas en la lectura?
2. Muchos de los que salen de Honduras mandan dinero a los familiares que se quedaron en el país. ¿Piensas que esto puede ser una parte de la solución a los problemas económicos del país? ¿Por qué?
3. En tu país, ¿hay lugares donde la violencia y la pobreza están interrelacionadas?

¡Leamos!

«Malas y buenas noticias» por José Antonio Millán

Antes de leer

PASO 1. Vas a leer un texto sobre los libros digitales. Anticipando este tema, ¿a qué probablemente se refieren los siguientes términos?

____ 1. sagas vampíricas

____ 2. los aparatos/dispositivos lectores (*reading devices*)

____ 3. un buscador

____ 4. P2P

____ 5. la fórmula de negocio

a. Google™ o Bing™

b. Kindle™ o iPad

c. la serie *Twilight*

d. el modelo que usa una empresa para ganar dinero

e. la conexión entre varias computadoras que se usa para compartir archivos

PASO 2. Indica si cada frase a continuación se consideraría una **buena noticia** o una **mala noticia** para las empresas que producen libros digitales.

	BUENA NOTICIA	MALA NOTICIA
1. Hay mucha demanda de libros digitales.	☐	☐
2. Hay pocos libros digitales disponibles (*available*).	☐	☐
3. Hay muchos dispositivos lectores como iPad y Kindle.	☐	☐
4. El contenido digital más popular está en sitios ilegales.	☐	☐
5. Es difícil comprar libros digitales legalmente.	☐	☐
6. Es fácil conseguir libros digitales sin autorización.	☐	☐
7. Los jóvenes leen más que nunca.	☐	☐
8. Los jóvenes leen libros digitales descargados (*downloaded*) ilegalmente.	☐	☐

Hero/Corbis/Fancy/Glow Images

¿Cómo lees? ¿Dónde lees? ¿Es diferente leer con un libro digital?

(Continues)

A leer

Lee el artículo sobre los libros digitales escrito por José Antonio Millán, «Malas y buenas noticias», que apareció en el periódico español *El País*. Luego indica si cada frase que sigue es cierta (C) o falsa (F).

Malas y buenas noticias

Hagan una prueba: dejen a un puñado[a] de buenos lectores adolescentes un e-book y denles la oportunidad de bajarse[b] obras legalmente de los sitios web donde se comercializan. Al cabo[c] de unos meses comprobarán[d] que han leído vorazmente,[e] pero que las obras no provenían de descargas[f] autorizadas. Sencillamente, han buscado en las fuentes[g] legales los libros que querían leer y no los han encontrado. Y los han localizado «en Internet». Hay muchos libros en la red.[h] Quien quiera[i] probarlo solo tiene que escribir en un buscador el título de una obra. Y no se piense que para descargarla hay que entrar en las procelosas[j] aguas de los P2P. Basta llegar a una página web y hacer clic en un enlace.[k]

Pues bien: en muchos casos estos archivos[l] para e-book no están disponibles[m] si uno trata de comprarlos legalmente. Y en Internet los encontramos: libros torpemente[n] escaneados, o archivos creados ad hoc, ¡a veces con la traducción de obras aún no aparecidas en el mercado hispanohablante! Sí: los fans seguidores[ñ] de sagas vampíricas no se caracterizan por su paciencia.

La oferta de libros digitales es muy inferior a la demanda que existe. Y esta seguirá creciendo, porque los dispositivos lectores han ido bajando de precio y han aparecido alternativas como el iPad. Estos son los hechos:[o] acceso a Internet muy extendido; buscadores que encuentran cualquier cosa y un montón[p] de aparatos lectores para los que falta[q] contenido.

¿Y esta situación puede cambiar? Por ejemplo: Supongamos que los editores se apresuran[r] a sacar en versión electrónica los libros más codiciados,[s] ¿dejarían de descargarse ilegalmente? Pero un momento, un momento: ¿a qué precio me han dicho que pondrían la descarga?

Precios bajos, o nuevas fórmulas de negocio: no parece haber otra solución. El año que viene, la empresa madrileña 24symbols™ intentará suministrar[t] libros electrónicos en dos modalidades:[u] gratis con anuncios o pagando una suscripción que permitirá leer los que se quiera. Es la fórmula que en música ha seguido Spotify pero ¿querrán unirse a ella los editores de las obras que la gente realmente quiere leer? Se pueden pensar otras modalidades: hay empresas que patrocinan[v] ligas de fútbol o ciclos de conciertos: ¿no se animarían a patrocinar líneas editoriales[w] digitales?

¿No será que fallan[x] las alternativas de negocio? Cada vez que hay nuevos cálculos del acceso a obras sin autorización se habla de la «merma de negocio»,[y] y no es así (como se ha visto en el caso de la música): no toda obra descargada ilegalmente habría sido comprada, y menos a esos precios…

[a]*handful* [b]*to download* [c]*Al… At the end* [d]*they will confirm* [e]*voraciously* [f]*downloads* [g]*sources* [h]*Web* [i]*Quien… Whoever wants* [j]*stormy* [k]*link* [l]*files* [m]*available* [n]*clumsily* [ñ]*followers* [o]*facts* [p]*ton* [q]*lack* [r]*se… hurry* [s]*coveted* [t]*deliver* [u]*ways* [v]*sponsor* [w]*publishing* [x]*are failing* [y]*merma… lost business*

1. _____ Los jóvenes parecen preferir los libros digitales disponibles legalmente en los sitios web que venden e-books.

2. _____ Los libros que les interesan a los jóvenes están en Internet, pero muchos de ellos no están en sitios autorizados.

3. _____ Las descargas ilegales de libros en Internet son fáciles de encontrar.

4. _____ Las descargas ilegales de libros en Internet siempre son de muy buena calidad.

5. _____ En cuanto a los libros digitales, la demanda es más alta que la oferta (*supply*).

6. _____ Con más variedad de dispositivos de lectura, los precios han bajado.

7. _____ Según el autor, el precio de las descargas autorizadas de libros digitales no será muy importante.

8. _____ Según el autor, hay dos soluciones posibles: precios bajos o nuevas fórmulas de negocio.

9. _____ A los editores de los libros más populares no les van a gustar las nuevas fórmulas de negocio.

10. _____ Todas las personas que descargan libros digitales ilegalmente pagarían si estuvieran disponibles legalmente las mismas obras.

PASO 2. En grupos, hagan una lista de ejemplos de cada una de las tres fórmulas de negocio que menciona el texto.

- gratis con anuncios
- pagando una suscripción
- empresas patrocinadoras

Después de leer

PASO 1. Contesta las preguntas sobre tus hábitos como lector(a).

1. ¿Qué tipo de textos lees?

☐ biografías   ☐ literatura

☐ cómics   ☐ noticias

☐ libros de autoayuda (*self-help*)   ☐ reseñas (*reviews*) de películas y música

☐ libros de texto   ☐ revistas de moda

2. ¿Cuándo lees? ¿Dónde? En las situaciones en que tú lees, ¿cuál es el mejor formato para leer tus textos?

3. ¿Han cambiado en los últimos cinco o seis años tus prácticas como lector(a)? ¿Han cambiado los aparatos que usas para leer? ¿Cómo cambiaron y por qué?

4. ¿Tienes un aparato lector? ¿A ti te gusta leer con el aparato? ¿Por qué? ¿Conoces a alguien que use uno? ¿A esa persona le gusta leer con el aparato? ¿Por qué?

PASO 2. Ahora entrevista a un compañero / una compañera para saber sus criterios para comprar libros digitales. Luego escoge la conclusión que mejor describa la fórmula de negocio ideal para tu compañero/a y explícala.

MODELO: E1: ¿Comprarías libros digitales si tuvieras que pagar más de diez dólares por cada uno?

E2: No. Sería demasiado caro para mí. Solo compraría libros digitales si costaran menos de tres dólares.

¿Comprarías libros digitales si…

1. …primero tuvieras que mirar veinticinco segundos de anuncios de una empresa que patrocina a la editorial?

2. …tuvieras que mirar anuncios en el margen de la pantalla?

3. …tuvieras que pagar una suscripción de $15 al mes?

4. …fuera necesario pagar una suscripción de $10 al mes?

5. …fuera necesario pagar una suscripción de $5 al mes?

En conclusión:

Para mi compañero/a, la fórmula de negocio ideal es…

☐ gratis con anuncios porque _____.

☐ pagando una suscripción porque _____.

☐ empresas patrocinadoras porque _____.

¡Escuchemos!

¿Cómo cambiarían el mundo?

Antes de escuchar

 PASO 1. Marlén, Javier, Enrique y Mariana van a hablar sobre cómo cambiarían el mundo si pudieran. Antes de escuchar la conversación, conversen en grupos pequeños sobre la siguiente pregunta: «Si Uds. pudieran cambiar algo en el mundo, ¿qué harían?».

PASO 2. Ahora, empareja cada cita que vas a escuchar en el video con dos explicaciones lógicas.

1. ____ ____ «Me gustaría darles a los niños pobres las herramientas (*tools*) necesarias con las cuales ellos, en algún momento de su vida, se puedan independizar por completo.»

2. ____ ____ «Creo que debemos establecer un organismo global para defender los derechos humanos.»

3. ____ ____ «En mi opinión, hay que participar si luego quieres tener voz (*a voice*).»

4. ____ ____ «Hay falta de vivienda barata y asequible (*cheap and affordable housing*).»

a. La ayuda para los niños pobres no solo mejora la calidad de vida en el momento actual, sino también lleva a la independencia en el futuro.

b. Es un comentario sobre las atrocidades cometidas en muchos países del mundo.

c. Es un comentario sobre la gente que no participa y luego protesta.

d. Gente de todos los estatus sociales con diversos niveles de educación no tiene dónde vivir.

e. Hay gente tirada (*strewn about*) en las calles de muchas ciudades grandes.

f. Si quieres tener voz, tienes que ir a votar.

g. Si un grupo sufre en un país, no se puede recurrir a (*turn to*) ninguna entidad internacional para buscar ayuda.

h. Tenemos que mejorar la vida de los ciudadanos más jóvenes para hacer los cambios sociales necesarios.

A escuchar

Mira y escucha las respuestas que se dieron a la pregunta: «Si pudiera cambiar algo en el mundo, ¿qué haría Ud.?». Luego escucha otra vez con pausas y escoge la mejor conclusión para cada frase a continuación.

1. ____ Cuando Marlén dice: «niños pobres», está hablando específicamente de…
   a. niños que no tienen acceso a las escuelas públicas.
   b. niños que viven por debajo del nivel de pobreza federal.
   c. niños de la calle.
   d. todos los niños.

2. ____ Para Marlén, el cambio clave para conseguir (*achieve*) un mundo mejor es…
   a. acabar con todos los conflictos armados internacionales.
   b. sacar a los niños de la pobreza de manera que se puedan independizar como adultos.
   c. proveer la educación universal para todos los niños entre los cinco y los dieciséis años de edad.
   d. darles de comer a todos los niños que viven en la calle.

3. ____ Para Javier si quieres tener voz… ,
   a. debes protestar.
   b. no tienes derecho a participar.
   c. tienes que hablar en voz alta.
   d. tienes la obligación de votar.

4. ____ Según Javier, si no vas a votar… ,
   a. no puedes matricularte (*enroll*) en los cursos universitarios.
   b. no tienes derecho a protestar.
   c. no vas a tener éxito (*success*) profesional.
   d. no vas a ganar las elecciones.

Truth-Function/McGraw-Hill

5. ____ Para Enrique, el sueño (*dream, ideal*) es…
   a. un organismo internacional que defienda los derechos humanos.
   b. una vivienda asequible para todo el mundo.
   c. menos basura en las calles de las ciudades europeas.
   d. más gente tirada (*strewn about*) en las calles de las ciudades europeas.

6. ____ En Madrid, ¿cuántas personas están viviendo en la calle?
   a. 1.400   b. 4.000   c. 14.000   d. 40.000

7. ____ Según Enrique, ¿qué tipo de persona está viviendo en la calle?
   a. gente de todos los estatus sociales   c. gente con bajo nivel de educación
   b. gente con vivienda asequible   d. gente pobre

8. ____ ¿Qué país **no** menciona Enrique?
   a. Francia   b. Italia   c. Portugal   d. Bélgica

9. ____ Según Mariana, ¿qué es lo que genera inseguridad?
   a. las elecciones   c. las leyes
   b. el analfabetismo   d. la pobreza

10. ____ Cuando Mariana dice «mejor educación», se refiere a programas que…
    a. animan a los niños a que sigan con sus estudios para tener mejores oportunidades.
    b. acaban con el narcotráfico.
    c. acaban con todos los conflictos armados internacionales.
    d. sacan a los niños de la pobreza de manera que se puedan independizar como adultos.

Truth-Function/McGraw-Hill

Después de escuchar

PASO 1. Lee otra vez las declaraciones de **Antes de escuchar, Paso 2.** Luego di si estás de acuerdo o no, y por qué.

1. _____
2. _____
3. _____
4. _____

PASO 2. Busca a alguien que haya hecho cada una de las siguientes actividades. **¡Atención!** Para hacer las preguntas, tienes que cambiar los infinitivos al presente perfecto.

MODELO: E1: ¿Le has dado dinero, comida o ropa a una persona que vive en la calle?
E2: Sí, una vez en Denver le di mi bufanda a una señora sin hogar. Hacía mucho frío y ella no tenía ni una chaqueta.

1. …hablar con un(a) representante del gobierno sobre un tema social que te importa.
2. …organizar un grupo estudiantil o comunitario para mejorar la comunidad.
3. …participar en una manifestación para protestar por una injusticia.
4. …ganarte la vida (*to earn a living*) sin el apoyo (*support*) de tus padres.
5. …votar.
6. …formular un plan para lo que vas a hacer después de graduarte.
7. …votar en una elección de mitad de período (*midterm* [*not presidential*] *elections*).
8. …escribir una carta a un político / una política de Washington para protestar por algo.
9. …empezar a ahorrar dinero para tu jubilación (*retirement*).
10. …trabajar en un banco de alimentos (*food bank*) o participar en un programa parecido (por ejemplo, Meals on Wheels™).

PASO 3. Según los resultados del **Paso 2,** ¿quiénes son las personas más activistas de la clase? ¿Quiénes son las más independientes? Explica tus respuestas.

¡Escribamos!

Si tuviera un millón de dólares…

Ganar la lotería se dice que es una bendición (*blessing*) y una maldición (*curse*). En esta actividad, vas a escribir sobre lo bueno y lo malo de tener mucho dinero, qué harías para ti y tu familia, tus amigos y tu comunidad, y qué responsabilidades o problemas tendrías a causa de haber ganado la lotería.

Antes de escribir

PASO 1. ¿Qué harías si tuvieras un millón de dólares? ¿Qué problemas tendrías? Considerando las siguientes preguntas, crea una lluvia de ideas y luego pon las ideas en orden lógico.

Si tuvieras un millón de dólares, ¿qué harías para ti, tu familia y tus amigos? (viajaría a… , me compraría… , viviría en… , tendría… , no tendría…) ¿Qué harías para la comunidad? ¿Qué responsabilidades o problemas tendrías?

> **MODELO:** viajaría mucho __2__
> necesitaría ayuda para manejar (*manage*) todo mi dinero __4__
> me compraría una casa en la playa en Costa Rica y otra casa para mi familia __1__
> viviría en la playa durante tres meses al año y en mi yate (*yacht*) el resto del año __3__
> ayudaría a los demás también __6__
> empezaría una fundación para ayudar a niños enfermos __7__
> contrataría a un contador / una contadora (*accountant*) __5__

A escribir

En un ensayo de cuatro párrafos, explica lo que harías con un millón de dólares. El primer párrafo debe incluir un breve resumen de lo que vas a decir en el resto de tu ensayo. En el primer párrafo, di también si crees que ganar la lotería sería una bendición o una maldición para ti y explica por qué. En el segundo párrafo, describe lo que harías para ti, tu familia y tus amigos si ganaras la lotería y explica por qué. En el tercer párrafo, habla de lo que harías para tu comunidad y explica por qué. Concluye con un párrafo sobre «las maldiciones» de tener tanto dinero, es decir, los nuevos problemas y responsabilidades que tendrías, y por qué.

Después de escribir

Revisa tu ensayo. Luego intercambia ensayos con un compañero / una compañera para evaluarlos. Lee el ensayo de tu compañero/a y determina si el ensayo tiene sentido. ¿Se ha desarrollado (*developed*) bien cada párrafo? Lee de nuevo el ensayo con cuidado para revisar los siguientes puntos.

☐ ¿Ha escrito tu compañero/a cuatro párrafos (uno de introducción, uno sobre sí mismo y sus seres queridos, uno sobre su comunidad y el último sobre las dificultades y obligaciones asociadas con ganar la lotería)?

☐ ¿Siguen los párrafos el orden que nombró tu compañero/a en su introducción?

☐ Además de escribir una lista de lo que haría, ¿hay una explicación clara en cada párrafo?

☐ ¿Concuerdan los sujetos y los verbos?

☐ ¿Concuerdan los sustantivos y los adjetivos?

☐ ¿Ha usado bien el condicional?

☐ ¿Ha usado bien las cláusulas **si**?

Después de revisar el ensayo de tu compañero/a, devuélveselo. Mira tu propio ensayo para ver los cambios que tu compañero/a recomienda y haz las revisiones necesarias.

Estrategia

Flow

In a first draft, you will almost always write the ideas as they come to you, but that doesn't necessarily result in the most logical order. And sometimes you find that some back story is required to make sense of a particular action. It's important to edit your work so that if you say in your introduction you are going to talk about A, B, and C, you truly do write about those three things in that same order in the body of your writing. To help you do this, list all of your initial ideas first, then order them, and find the strongest, most logical flow. Eliminate anything that does not flow well.

¡Hablemos!

¿Crees que es buena idea o mala idea?

Antes de hablar

¿Crees que serían buena idea o mala idea los siguientes cambios en la política de tu universidad?

	BUENA IDEA	MALA IDEA
1. abolir (*abolish*) las notas (*grades*)	☐	☐
2. tener solo clases virtuales	☐	☐
3. requerir que los estudiantes que se especializan en idiomas estudien en el extranjero (*abroad*)	☐	☐
4. usar solo libros de texto electrónicos (en vez de impresos [*printed*])	☐	☐
5. tener el voluntariado (*volunteerism*) como requisito para la graduación	☐	☐
6. subir el precio de la matrícula para tener mejores profesores y programas	☐	☐
7. Otro: _____	☐	☐

A hablar

En grupos de cuatro, escojan uno de los temas de **Antes de hablar** y hagan un debate. Dos estudiantes tienen que estar a favor del asunto y dos, en contra. Presenten el debate al resto de la clase.

MODELO: ¿Es buena idea abolir las notas?
E1: Creo que no, porque sin notas, los estudiantes no participarían en las clases.
E2: Yo creo que sí, porque así (*that way*) los estudiantes más interesados asistirían a las clases y la participación sería mayor.

Después de hablar

¿Quién crees que gana cada debate? Voten para saber quiénes son los ganadores de cada debate.

CONÉCTATE AL MUNDO PROFESIONAL

If you think you'd like to study abroad at a university in another country, consider doing a professional internship at the same time. When you come back home, you can apply for jobs in partner businesses or branches of those same companies. Already having contacts and networks at headquarters abroad will help strengthen your potential career opportunities.

VOCABULARIO

Now that I have completed the chapter, I can . . .

☐ express my opinions and beliefs
☐ talk about what I and others know and don't know
☐ discuss important social issues
☐ describe hypothetical situations
☐ explore social issues from Latin American and Spanish perspectives

Comunicación	Communication
Creo que…	I think . . .
En mi opinión…	In my opinion . . .
Para mí…	For me (personally) . . .
dejarle saber	to let someone know
¿Qué sé yo? / ¿Yo qué sé?	What do I know? / Beats me!
Que yo sepa…	That I know of . . . / As far as I know . . .
¿Quién sabe?	Who knows?
sin saber	without knowing/ realizing (*by coincidence or by accident*)
el/la sabelotodo	know-it-all
Ve/Vete tú / Vaya Ud. a saber.	Your guess is as good as mine.

Los sustantivos	Nouns
la alfabetización	literacy; teaching of literacy
el analfabetismo	illiteracy
el crimen	serious crime
el derecho humano	human right
el desarrollo	development
el desempleo	unemployment
la (des)igualdad	(in)equality

la deuda externa	foreign debt
la dictadura	dictatorship
la esclavitud infantil	child slavery
la frontera	border
la guerra	war
el hambre (*f.*)	hunger
el/la indígena	native (indigenous) person
la libertad	freedom
el narcotráfico	drug trafficking
las noticias	news
el nivel	level
la oferta	supply; offer
la organización sin fines de lucro	nonprofit organization
la paz	peace
el peligro	danger
la pobreza	poverty
el/la político/a	politician
la seguridad	safety; security

Cognados: la corrupción, la crisis, la demanda, la democracia, el desastre natural, la discriminación, la elección, la infraestructura, el/la inmigrante, el problema social, el proceso politico, el racismo, la tiranía, la violencia

Los verbos	Verbs
acabar con	to put an end to (*a problem*)
conseguir (i, i) (g)	to achieve, obtain
desarrollar	to develop
mejorar	to improve

Cognados: erradicar, resolver (ue), votar

Los adjetivos	Adjectives
grave	serious
justo/a	fair
peligroso/a	dangerous

Cognados: económico/a

La amistad° y el amor°

friendship, love

En La Paz, Bolivia, la familia de los novios (*bride and groom*) los felicita después de la boda (*wedding*).

Melanie Stetson Freeman/The Christian Science Monitor/Getty Images

Objetivos

When you finish this chapter, you will be able to:

- discuss your marital status
- express sympathy and regret
- talk about personal relationships
- discuss personal relationships in the Spanish-speaking world

In this chapter you will review how to:

- talk about activities you do
- talk about activities you used to do
- use pronouns to avoid repetition
- express things that you want to happen

16

¿Eres soltero/a, casado/a o...?

Describing your relationship status

A. A ver: Los estados civiles

To describe your relationship status, you can use the following expressions.

casado/a	married	**en una relación**	in a relationship
comprometido/a	engaged; in a serious relationship	**separado/a**	separated
		soltero/a	single
divorciado/a	divorced	**viudo/a**	widowed

PASO 1. Mira y escucha. Luego mira otra vez con pausas e indica el estado civil de cada persona que habla.

1. Gerardo, de España

☐ casado
☐ en una relación
☐ separado
☐ soltero
☐ viudo

3. Sandra, de Puerto Rico

☐ casada
☐ comprometida
☐ separada
☐ soltera
☐ viuda

5. Juan Andrés, de Costa Rica

☐ casado
☐ en una relación
☐ separado
☐ soltero
☐ viudo

2. Óscar, de Costa Rica

☐ casado
☐ comprometido
☐ divorciado
☐ soltero
☐ viudo

4. Jordi, de España

☐ casado
☐ comprometido
☐ divorciado
☐ soltero
☐ viudo

6. Kelvin, de Puerto Rico

☐ casado
☐ divorciado
☐ soltero
☐ viudo
☐ separado

PASO 2. Escucha cada descripción y apunta la palabra que corresponde.

casado/a	divorciado/a	viudo/a
comprometido/a	en una relación	soltero/a

1. _____   4. _____
2. _____   5. _____
3. _____   6. _____

PASO 3. Ahora en parejas, contesten las preguntas.

1. ¿Qué significa **estado civil**? ¿A qué se refiere?
2. ¿Cuál es la diferencia entre **ser casado/a** y **estar en una relación**?
3. ¿Cuál es la diferencia entre **ser soltero/a** y **ser divorciado/a**?

B. El estado civil de las personas famosas

PASO 1. Apunta una lista de personas famosas y el estado civil de cada una.

PERSONA FAMOSA	ESTADO CIVIL
_____	_____
_____	_____
_____	_____

PASO 2. Formen grupos y hablen de los cambios en el estado civil de las personas famosas que apuntaron en el **Paso 1.**

MODELO: La actriz Ana de Armas cambió su estado civil de casada a divorciada en 2013. Ella y su ex esposo, el actor Marc Clotet, estuvieron casados por dos años y no tienen hijos.

Cuánto lo siento
Expressing sympathy and regret

To express sympathy for a loss, especially the death of a loved one, you can use these expressions.

Lo siento mucho. / Cuánto lo siento.	I'm very sorry.
Mi/Nuestro más sentido pésame.	My/Our deepest condolences.
Te/Le/Les doy/damos el pésame.	My/Our condolences.
Te/Lo/La/Los/Las acompaño en el sentimiento/dolor.	You're in my thoughts. / I'm with you in your time of pain.
Te/Lo/La/Los/Las acompañamos en el sentimiento/dolor.	You're in our thoughts. / We're with you in your time of pain.

A. ¿Celebración o sufrimiento?

PASO 1. ¿Con qué expresión asocias cada uno de los siguientes términos?

	¡FELICITACIONES!	LO SIENTO MUCHO.
1. la alegría	☐	☐
2. la angustia	☐	☐
3. la desesperación	☐	☐
4. la diversión	☐	☐
5. el dolor	☐	☐
6. la felicidad	☐	☐
7. la pena	☐	☐
8. la risa (*laughter*)	☐	☐
9. el sufrimiento	☐	☐
10. la tristeza	☐	☐

PASO 2. Primero pon las siguientes circunstancias en orden de la mejor (1) a la peor (5) para ti. Luego indica una expresión lógica para usar con una persona que se encuentra en esa circunstancia.

PON EN ORDEN	EXPRESIÓN APROPIADA
____ romper con (*breaking up with*) tu novio / tu novia	_____
____ el nacimiento de un bebé	_____
____ la adquisición de un nuevo coche	_____
____ la muerte (*death*) de un pariente	_____
____ casarte con (*getting married to*) la pareja de tus sueños	_____

 B. ¿Qué te pasa? En parejas, imagínense que son dos viejos amigos (viejas amigas) que no se han visto desde hace mucho tiempo. Tienen que decirse qué les ha pasado en los últimos años —los mejores y peores momentos (pueden inventar momentos falsos también)— y reaccionar.

MODELO: E1: Mi abuela se murió en junio. Estaba muy enferma, así que no nos sorprendió su muerte, pero estamos muy tristes.
E2: Te acompaño en el sentimiento.

La amistad y el amor
Personal relationships

En español...

La pareja is grammatically feminine, but it may refer to either a man or woman when used to mean *partner* and to two men, women, or a mixed couple when used to mean *couple*. The terms **novio** and **novia** can refer to a serious *boyfriend/ girlfriend,* an engaged *fiancé/fiancée,* or even an about-to-be-married or recently married *groom/ bride.* In general it is easy to recognize the meaning of *groom/bride* because the context of a wedding is usually very clear.

A. El amor en línea

PASO 1. Imagínate que has visitado un portal de citas (*dating website*) por Internet en español. Contesta las siguientes preguntas que encuentras en el sitio.

1. **Estado civil**
   - ☐ **casado/a**
   - ☐ **comprometido/a**
   - ☐ **divorciado/a**
   - ☐ **en una relación**
   - ☐ **soltero/a**
   - ☐ **viudo/a**

2. La **pareja** ideal debe ser...
   - ☐ **abierta** (*open*)
   - ☐ **cariñosa** (muestra afecto)
   - ☐ **celosa** (tiene envidia)
   - ☐ **comprensiva** (se comprende / se entiende)
   - ☐ **tolerante**

3. La edad (*age*) ideal para...
   - un **noviazgo** (relación romántica) serio entre dos personas que pasan de ser amigos a ser **novios** es a los _____ años.
   - **emanciparse** (**independizarse**) del **nido familiar** (es decir, de la casa de sus padres) y **responsabilizarse** es a los _____ años.
   - el **matrimonio** (*marriage*) es a los _____ años.

4. Con respecto al acto de **enamorarse de** (*falling in love with*) otra persona, creo...
   - ☐ en el amor a primera vista.
   - ☐ que, después de muy poco tiempo, uno sabe si está **enamorado** de otra persona.
   - ☐ que el amor crece de una **amistad** (un período de ser amigos) larga.
   - ☐ que **casarse con** el amor de su vida es la mayor expresión del **amor** (*love*).

5. La primera **cita** (*date*) debe ser...
   - ☐ una **cita a ciegas** (*blind date*).
   - ☐ después de salir varias veces con un grupo de amigos.
   - ☐ después de pasar tiempo como amigos.
   - ☐ en el momento en que **se conocen** (*meet*).

6. ¿Cuánto tiempo debe pasar entre...
   - conocerse por primera vez y decir esas palabras mágicas: «**te quiero**» o «**te amo**»? _____
   - ser novios y **comprometerse** (hacer planes para convertirse en esposos)? _____
   - comprometerse y **casarse** (convertirse en esposos)? _____

7. La **boda** ideal es...
   - ☐ grande, cara, en una iglesia y con más de cien personas invitadas.
   - ☐ pequeña, en una iglesia y solo con la familia y los amigos más íntimos.
   - ☐ los dos novios en un lugar exótico.
   - ☐ una boda civil (es decir, no religiosa y con poca ceremonia).

8. Si una persona **rompe con** su esposo/a y el matrimonio termina en **divorcio...** ,
   - ☐ uno de los esposos debe **mudarse** (irse) de casa.
   - ☐ las dos personas deben seguir viviendo en el **hogar** familiar (la casa de la familia).
   - ☐ la persona que cuida más a los hijos debe quedarse en la casa.

PASO 2.   Rellena la tabla con la letra adecuada para describir la ventaja y desventaja de cada uno de los siguientes estados civiles.

a. Después de estar casado/a durante un período de tiempo, vuelves a la vida de soltero/a.
b. Te has enamorado/a y estás en un momento optimista con planes para casarte y compartir tu futuro con tu pareja perfecta.
c. Has sufrido el fracaso (*failure*) de tu matrimonio.
d. No tienes con quien compartir los gastos, las responsabilidades, la vida.
e. No tienes que coordinar y colaborar con otro en casi todo.
f. Tienes con quien compartir los gastos, las responsabilidades, la vida.
g. Tienes que coordinar y colaborar con otro en casi todo.
h. Tienes que manejar toda la logística y los gastos de hacer planes para una boda.

ESTADO CIVIL	VENTAJA	DESVENTAJA
casado/a		
comprometido/a		
divorciado/a		
soltero/a		

B. ¿Cómo ocurre una relación?   Pon los elementos de una relación en orden cronológico de 1 a 5.

____ Casarse en una boda y contraer matrimonio con la pareja ideal.
____ Comprometerse y hacer planes para una boda.
____ Conocer a otra persona soltera que es comprensiva y tolerante.
____ Enamorarse y empezar un noviazgo.
____ Salir en una primera cita.

C. ¿Qué piensan los demás?   En grupos pequeños, hablen de sus reacciones al **Paso 1** de la **Actividad A.** Expliquen sus respuestas.

MODELO: E1: Para ti, ¿cómo es una boda ideal?
E2: Personalmente quiero una boda muy grande, con muchos familiares y todos mis amigos.
E1: Yo prefiero algo más íntimo, con mi familia y mis amigos más íntimos.
E3: No soy religioso/a, así que (*so*) no quiero casarme por la Iglesia. Una ceremonia civil sería ideal para mí.

D. A ver: La pareja ideal   Mira y escucha. Luego mira otra vez con pausas y completa la información que falta.

PASO 1.   Para cada persona que habla, ¿cuál es la edad ideal para casarse?

1. Sabrina, de México
Más de ____ años

2. Héctor, de México
De ____ a ____ años

3. Noelia, de España
De ____ a ____ años

4. Nadia Angélica, de México
Más o menos a los ____ años

5. Olman, de Costa Rica
Más de ____ años

6. María Luz, de Perú
De ____ a ____ años

(Continues)

Truth-Function/McGraw-Hill

PASO 2. Según cada persona que habla, ¿cómo es la pareja ideal? Escucha por lo menos dos veces con pausas y marca todas las respuestas que mencionan.

1. Mirelle, de México

☐ Es cariñosa.
☐ Es comprensiva.
☐ No es celosa.
☐ Quiere a la otra persona.

2. Suny, de Panamá

☐ Es comprensiva.
☐ Es una persona abierta.
☐ No es celosa.
☐ Tiene buena comunicación.

3. Víctor, de México

☐ Es una persona abierta.
☐ Hay respeto mutuo.
☐ Te deja ser independiente.
☐ Tiene buena relación.

4. Noelia, de España

☐ Es cariñosa.
☐ Es comprensiva.
☐ Quiere a la otra persona.
☐ Se comunica bien.

5. Sabrina, de México

☐ Acepta a la otra persona.
☐ Es cariñosa.
☐ Es tolerante.
☐ Te deja ser independiente.

6. Anlluly, de Costa Rica

☐ Es cariñosa.
☐ Es comprensiva.
☐ Es honrada.
☐ Es sincera.

E. El momento perfecto y la persona ideal

PASO 1. En grupos de cuatro personas, entrevístense para conocer sus ideas sobre el matrimonio y la pareja ideal. Luego completa la tabla.

Nombre de mi compañero/a	¿Cuál es su estado civil?	¿Cuál es la edad ideal para casarse?	¿Cómo es la pareja ideal?

MODELO: E1: En tu opinión, ¿cuál es la edad ideal para casarse?
E2: Yo creo que entre los 28 y 30 años sería ideal.

PASO 2. Ahora, dividan su grupo en dos. Cada persona debe hablar con su compañero/a sobre sus opiniones de la pareja perfecta. **(¿Cuáles son sus pasatiempos? ¿Cómo es la personalidad? ¿Cómo es físicamente? ¿Cómo trata a la pareja?)** Hablen también de la pareja ideal que sus compañeros solteros describieron en el **Paso 1**. ¿A quién conocen Uds. que sería una pareja buena (¡o perfecta!) para ellos? (Si no conocen a nadie, piensen en una persona famosa o de ficción que sería ideal.)

COMUN VOCABUL **ESTRUCTURA** ATE

Reciclaje — Review: The present indicative and the infinitive

Completa las conjugaciones del presente de indicativo de los siguientes verbos.

caminar	camin**o**	camin**as**	camin___	camin**amos**	camin**áis**	camin___
correr	corr___	corr___	corr___	corr____	corr**éis**	corr**en**
sacudir	sacudo	sacud___	sacude	sacud____	sacud**ís**	sacud___
volver	vuelv**o**	___**es**	___**e**	___**emos**	___**éis**	___**en**
ped___	___**o**	pid**es**	___**e**	___**imos**	___**ís**	___**en**
pens___	___**o**	piens**as**	___**a**	___**amos**	___**áis**	___**an**
ser	s___	___**s**	es	___mos	___is	son
sal___	sal___	sal**es**	sal___	sal**imos**	sal**ís**	sal___
casarse	me cas**o**	___ cas___	___ cas___	nos cas**amos**	os cas**áis**	___ cas___

16.1 Los novios no quieren casarse en junio

Review: The present indicative and the infinitive

■ Answers to this activity are in Appendix 2 at the back of your book.

Actividades prácticas

A. ¿Eres romántico/a o práctico/a?

PASO 1. Primero completa las siguientes oraciones con la forma correcta de los verbos entre paréntesis. Usa el presente de indicativo (la forma **tú** para la pregunta y la forma **yo** para las respuestas) o el infinitivo, según el contexto.

PREGUNTA

Cuando _____ (despertarse) en la mañana, ¿qué es lo primero que _____ (pensar)?

RESPUESTAS ROMÁNTICAS

a. _____ (Querer) mucho a mi novio/a.
b. _____ (Amar) mucho a mi esposo/a.
c. _____ (Necesitar) un novio / una novia.

RESPUESTAS PRÁCTICAS

d. _____ (Querer) _____ (ir) al baño.
e. _____ (Tener) hambre.
f. Esta noche _____ (ir) a _____ (acostarse) más temprano.

Ahora, contesta las preguntas.
¿Cuál es la mejor respuesta para ti? _____
¿Es una respuesta romántica o práctica? _____

PASO 2. En grupos, conversen sobre los primeros pensamientos de Uds. al despertarse. Comparen sus respuestas y escriban un resumen (*summary*) de lo que dicen. En general, ¿Uds. son románticos o son prácticos en sus pensamientos al comienzo del día? **¡Atención!** Recuerda que si eres parte del grupo, debes usar la forma **nosotros/as,** pero si no eres parte del grupo, debes usar la forma **ellos/ellas.**

MODELO: En general, somos prácticos. Tres de nosotros pensamos que tenemos hambre y solo uno piensa en cuánto ama a su novia.

B. ¿Un rechazo (*rejection*) o no?   Cuando uno emprende (*initiates*) una amistad (¡o algo más!) con alguien, siempre existe la posibilidad de rechazo. En esta actividad, vas a ver algunas formas de empezar a hablar con alguien y algunas respuestas posibles.

PASO 1.   Para cada pregunta o exclamación en la primera columna, escoge la mejor respuesta en la segunda columna y complétala usando el verbo entre paréntesis.

PREGUNTAS/EXCLAMACIONES

1. _____ ¿Quieres ir al cine?
2. _____ ¿Me das tu número de teléfono?
3. _____ ¿Dónde vives?
4. _____ ¿Qué vas a hacer este fin de semana?
5. _____ ¿Estás en mi clase de español?
6. _____ ¡Qué guapo eres!

RESPUESTAS

a. No sé. ¿_____ (Tener) planes tú?
b. No, no _____ (ser) estudiante. ¿Tú sí?
c. ¡Gracias! Mira, te _____ (presentar) a mi novia.
d. ¡Muy lejos de ti, _____ (esperar)!
e. Sí. Me _____ (encantar) ir al cine.
f. No. Lo _____ (sentir), pero no _____ (querer) que me llames.

PASO 2.   ¿Cuáles son las respuestas en la segunda columna que se pueden considerar como rechazos?

C. A encontrar la pareja perfecta   Lee los siguientes perfiles (*profiles*) de jóvenes españoles y latinoamericanos. ¿Quién sería buena pareja para quién? ¿Por qué?

MUJERES

Andrea
España

Estudia marketing.
«Me gusta estar con amigos, leer y practicar deporte. Practico gimnasia y pádel, que es un deporte muy parecido al tenis.»

Ximena
Argentina

Trabaja en una agencia de prensa y estudia.
«Me gusta mucho leer y en Buenos Aires hay mucha oferta cultural. Hay mucho cine, exposiciones, recitales… Me gusta mucho reunirme (*get together*) con amigos.»

Laura
Colombia

Estudia artes visuales.
«Pinto. Soy artista y me gusta pintar.»

Nadia Angélica
México

Estudia relaciones internacionales.
«Practico natación, salgo con mis amigos, voy al cine, leo, escucho música y voy a bailar.»

HOMBRES

Adrián
España

Estudia ciencias del deporte.
«Me gusta practicar deporte. Practico fútbol y tenis, pero no me gusta la natación. Me gusta ir al cine. Me gustan las comedias, el drama y las películas de terror.»

Cristián
Argentina

Trabaja como abogado.
«Me gusta jugar tenis y me gusta salir y divertirme. Salgo con amigos por la noche y voy a cenar. Es buena vida.»

Eduardo
México

Estudia telecomunicaciones.
«Estudio japonés como hobby porque me gusta la cultura japonesa. Soy patinador (*skater*) sobre hielo. Me gustan los tangos y la música electrónica.»

Jahyr
Panamá

Estudia.
«Juego fútbol y me gusta ver fútbol y béisbol en la televisión. También voy al gimnasio. De música me gusta la salsa y también el merengue y el reggae.»

D. Lo mejor y lo peor   Basándote en los ejemplos en la **Actividad C,** crea los siguientes perfiles.

■ un perfil del hombre perfecto / la mujer perfecta
■ un perfil de un hombre / una mujer horrible

Reciclaje   Review: The preterite and imperfect

PASO 1.   Completa las conjugaciones del pretérito de los siguientes verbos.

hablar	habl**é**	habl**aste**	habl__	habl**amos**	habl**asteis**	habl____
aprender	aprend__	aprend**iste**	aprend**ió**	aprend____	aprend**isteis**	aprend____
llegar	lleg__	lleg____	lleg**ó**	lleg____	lleg_____	lleg**aron**
ir/ser	____	fu**iste**	____	_____	fu**isteis**	_____
decir	dij**e**	dij__	dij**o**	dij____	dij**isteis**	dij____
hacer	hic__	hic**iste**	__**o**	hic____	hic____	hic____
tener	____**e**	____**iste**	__**o**	tuv____	tuv____	tuv____
dormirse	me ____**í**	te ____**iste**	se ____**ió**	____ dorm**imos**	os dorm**isteis**	se durm____

PASO 2.   Ahora completa las conjugaciones del imperfecto de los siguientes verbos.

amar	am__	am**abas**	am__	am**ábamos**	am**abais**	am____
comer	com**ía**	com__	com__	com____	com**íais**	com____
salir	sal__	sal**ías**	sal__	sal____	sal**íais**	sal____
irse	____ ib**a**	te ib__	se ib__	nos íb____	os ib**ais**	se ib____
ser	er__	er**as**	er__	ér____	er**ais**	er____

16.2   Cuando llegaron a la iglesia, los invitados ya los esperaban

Review: The preterite and imperfect together

■ Answers to this activity are in Appendix 2 at the back of your book.

Se conocieron en la secundaria.

Actividades prácticas

A. ¿Te acuerdas?

PASO 1.   Dos amigas están hablando de cómo se conocieron por primera vez. Primero empareja lo que dice **Amiga 1** con la respuesta de **Amiga 2.** Luego completa las oraciones con el pretérito del verbo entre paréntesis.

AMIGA 1

1. ____ ¿En qué clase te _____ (conocer)?
2. ____ Sí, claro. Y te _____ (preguntar) sobre la tarea, ¿no?
3. ____ ¡Y me _____ (decir) que no! ¿Te acuerdas tú?
4. ____ Sí, la recuerdo bien. Pero luego Uds. _____ (hablar).
5. ____ ¡Ja, ja, ja, qué chistoso (*funny*)! ¿Por qué _____ (pensar) que yo era buena persona?
6. ____ ¿Con solo una sonrisa (*smile*)? Y entonces, ¿_____ (seguir) con nuestra conversación?
7. ____ ¿Y luego? Te _____ (invitar) a comer con mis amigos, ¿no?
8. ____ ¿Y qué _____ (comer) tú? Seguramente no te acuerdas.

AMIGA 2

a. Sí, y _____ (decidir) que parecías una buena persona.
b. Claro. Es que _____ (hacer) la tarea con otra amiga y ella me estaba mirando.
c. Lo recuerdas bien. _____ (Ir) con Uds. a un restaurante.
d. Nosotras _____ (conocerse) en la clase de biología. ¿Te acuerdas?
e. No es cierto. Me acuerdo perfectamente: _____ (pedir) enchiladas verdes.
f. Pues, te ____ (dar) la tarea y me lo _____ (agradecer).
g. No sé. Creo que porque nos _____ (sonreír).
h. Sí, me _____ (pedir) permitirte ver mi tarea de la noche anterior.

(*Continues*)

PASO 2. Explícale a un compañero o una compañera cómo conociste por primera vez a una persona importante en tu vida. Tu compañero/a debe hacerte preguntas para sacarte más detalles.

> **MODELO:** E1: Cuando conocí por primera vez a mi entrenador (*coach*) de fútbol, me cayó mal. Ahora es una de las personas más importantes de mi vida.
>
> E2: ¿Por qué te cayó mal? ¿Te acuerdas? ¿Te dijo algo?
>
> E1: Al contrario. No me dijo nada por dos meses. Pero luego me dijo que quería observarme primero.

B. El matrimonio en la civilización inca

PASO 1. Los incas eran una de las grandes civilizaciones en América en la época prehispánica. Sus tradiciones del matrimonio eran parecidas a las europeas, pero no en todos los aspectos. Completa cada oración con el imperfecto del verbo entre paréntesis. Luego decide si cada oración es cierta o falsa para los incas en los tiempos prehispánicos. **¡Atención!** Tres de las oraciones son falsas.

¿Cierto o falso?

____ 1. En general, los jóvenes _____ (casarse) cuando _____ (tener) 16 años.

____ 2. Antes de casarse formalmente, _____ (vivir) juntos para ver si _____ (ser) compatibles.

____ 3. Los padres del novio _____ (arreglar) el matrimonio con los padres de la novia.

____ 4. Una vez al año, el gobierno _____ (hacer) una boda en cada pueblo para todos los que _____ (querer) casarse.

____ 5. Todos _____ (ir) a la iglesia católica del pueblo para asistir a la boda.

____ 6. La novia _____ (vestirse) de blanco.

____ 7. Después de la boda oficial, cada familia _____ (hacer) su propia ceremonia en casa.

____ 8. Durante la boda, el novio _____ (tener) que bailar un vals con la novia.

PASO 2. Ahora, en grupos de tres, creen tres oraciones, dos ciertas y una falsa, sobre el matrimonio en tiempos de sus abuelos. Luego lean sus oraciones a otro grupo para ver si ellos pueden decir cuál es la oración falsa.

C. Oraciones sobre el amor

PASO 1. Completa cada oración con el verbo en el pretérito o en el imperfecto.

Pretérito	**Imperfecto**
1. a. «Gerardo y Luz _____ (conocerse) ese día.»	b. «Gerardo y Luz ya _____ (conocerse).»
2. a. «Gerardo _____ (estar) en Las Vegas el 21 de abril.»	b. «Luz ya _____ (estar) en Las Vegas el 21 de abril.»
3. a. Gerardo dice: «Cuando éramos estudiantes, yo _____ (enamorarse) de ti, y tú _____ (enamorarse) de mí después.»	b. Luz dice: «Cuando éramos estudiantes, yo _____ (enamorarse) de ti y tú _____ (enamorarse) de mí.»
4. a. «Ayer _____ (casarse) Luz y Gerardo.»	b. «Ayer _____ (casarse) Luz y Gerardo.»

Se conocen.

Se enamoran.

Se casan.

PASO 2.   Ahora empareja cada oración del **Paso 1** con la situación más lógica.

SITUACIÓN

1. ____ octubre de 2013
   ____ el 14 de septiembre de 2013: Se hablan por primera vez en la clase de biología.
2. ____ en Las Vegas: 21 de abril
   ____ en Las Vegas: 20, 21, 22, 23 de abril
3. ____ el amor: primero Gerardo y luego Luz
   ____ el amor: Gerardo y Luz, poco a poco y al mismo tiempo
4. ____ Hoy no sabemos si están casados o no.
   ____ Hoy están casados.

D. La pareja Perón

PASO 1.   Eva y Juan Perón son, sin duda, la pareja política más conocida en toda la historia de Latinoamérica. Se hicieron aún más famosos por la obra de teatro y la película *Evita*. Completa las siguientes oraciones sobre ellos con el imperfecto o el pretérito de los verbos entre paréntesis.

Juan y Eva Perón

1. Juan _____ (entrar) al Colegio Militar en 1910, cuando Eva no _____ (vivir) todavía.
2. Eva _____ (nacer) en 1919 en una zona rural, cuando Juan ya _____ (ser) militar (*soldier*).
3. Eva _____ (irse) a Buenos Aires en 1935 para trabajar como actriz, pero ella y Juan no _____ (conocerse) todavía. _____ (Conocerse) por primera vez en un concierto organizado por Juan en 1944.
4. Un poco después, Juan _____ (volverse [*to become*]) vicepresidente, cuando _____ (tener) 48 años.
5. Eva y Juan _____ (casarse) en 1945 y al año siguiente, Juan _____ (volverse) presidente de Argentina.
6. Eva _____ (empezar) a hacerse muy famosa a nivel mundial por sus discursos (*speeches*) de un gran impacto emocional.
7. Eva _____ (morirse) en 1952 cuando apenas (*barely*) _____ (tener) 32 años.
8. Juan _____ (seguir) como presidente hasta 1955 y después _____ (vivir) muchos años en el exilio.
9. Juan _____ (regresar) a Argentina en 1973 para asumir la presidencia de nuevo. _____ (morirse) en 1974.

PASO 2.   En parejas, hagan una cronología (o «línea de tiempo») de las vidas de Eva y Juan Perón basada en la información en el **Paso 1.** Empiecen en 1910 y terminen en 1974. En un lado de la línea, apunten cada evento o período de la vida de Eva, y en el otro lado, cada evento o período de la vida de Juan.

PASO 3.   Crea una cronología sobre tu propia vida con un mínimo de seis eventos o períodos, y explícasela a tu compañero / compañera. ¡Empieza con el evento más importante: «Nací»!

E. ¡Un desastre!   Cuando uno trata de empezar una relación amorosa con otra persona, las cosas no siempre van muy bien. Usa tu imaginación para terminar la siguiente historia, creando cuatro incidentes desastrosos (*disastrous*) en una noche que iba a ser muy romántica. Para cada incidente, escribe lo que **pasaba** en ese momento y lo que **pasó.**

Salimos a cenar y luego...

	¿QUÉ PASABA?	¿QUÉ PASÓ?
1.	_____	_____
2.	_____	_____
3.	_____	_____
4.	_____	_____

F. ¿Cómo se conocieron tus padres?   ¿Sabes cómo se conocieron tus padres? Cuéntale la historia a un compañero / una compañera e indiquen juntos si eso sería común hoy en día o no y por qué.

> **MODELO:**   Mi papá vivía en Fullerton, California. Mi mamá fue a un baile allí con su prima, y allí se conocieron. Eso ya no es muy común ahora, porque ahora nadie va a bailes.

G. Cultura: El matrimonio entre personas del mismo sexo en España

PASO 1.   Lee el texto sobre España.

Yuliyan Velchev/
Alamy Stock Photo

España

El 3 de julio de 2005, España legalizó el matrimonio entre personas del mismo sexo (es decir, entre dos hombres o dos mujeres). Fue el tercer país del mundo en aprobar una ley[a] similar —después de los Países Bajos (Holanda) y Bélgica[b]— y el primer país en el mundo hispano. El proyecto de ley[c] fue apoyado[d] por el entonces presidente del gobierno, José Luis Rodríguez Zapatero, cumpliendo con[e] una promesa que había hecho durante su campaña electoral. El resultado final fue una reforma al Código Civil: la nueva versión declara que «El matrimonio tendrá los mismos requisitos y efectos cuando ambos contrayentes[f] sean del mismo o de diferente sexo».

En España se celebra la nueva legislación a favor del matrimonio entre personas del mismo sexo.

Según las encuestas de 2004, un 66 por ciento de los españoles estaban a favor del matrimonio entre homosexuales. Sin embargo, la nueva ley no tenía el apoyo de los grupos más conservadores. Por ejemplo, el Partido Popular, que tenía la mayoría de los votos en el Senado, argumentó que la homosexualidad era una patología y que tendría un efecto negativo sobre los hijos de una pareja. Sin embargo, esos argumentos se rechazaron[g] y a pesar del veto del Senado, la ley sí fue aprobada por el Congreso, el presidente del gobierno y el rey Juan Carlos I.

Después de que la ley se ratificó, quedaban dos temas importantes por resolver. Uno era si en los matrimonios entre personas del mismo sexo la ley le daría residencia legal en España a un extranjero o una extranjera que se casara con un ciudadano español, incluso si viniera de un país donde el matrimonio homosexual todavía no era legal. Se determinó que sí, que los derechos de esa pareja, incluso la residencia de la persona extranjera, serían reconocidos dentro de España aunque el matrimonio no fuera legal en otros contextos. El otro asunto era «la adopción homoparental». Según la ley, si una pareja lesbiana tuviera un hijo o una hija, la madre no biológica tendría que hacer todos los trámites[h] formales de adopción para ser reconocida legalmente como la madre. Eso no era el caso entre las parejas heterosexuales: si una mujer con hijos se casara con un hombre, el padrastro se reconocería automáticamente como el padre legal de los hijos. Esta desigualdad se resolvió modificando la ley sobre la reproducción asistida, aplicando los mismos derechos legales a las familias homoparentales que ya tenían las familias heteroparentales.

[a]*law* [b]*Belgium* [c]*proyecto... bill* [d]*supported* [e]*cumpliendo... keeping* [f]*parties* [g]*se... were rejected* [h]*paperwork, legal processes*

PASO 2.   Completa las oraciones conjugando el verbo más lógico de la lista en la forma adecuada del pretérito o el imperfecto. **¡Atención!** No repitas ningún verbo.

apoyar	dar	existir	legalizar	querer	ser
causar	declarar	hacer	presentar	reformar	

1. Cuando España _____ el matrimonio entre personas del mismo sexo, ya _____ legal en los Países Bajos (Holanda) y Bélgica.

2. José Luis Rodríguez Zapatero _____ cumplir con una promesa que _____ durante su campaña electoral.

3. El Congreso _____ una ley que ya _____ en el Código Civil.

4. Muchos españoles ya _____ el matrimonio entre homosexuales cuando el presidente del gobierno _____ el proyecto de ley al Senado y el Congreso.

5. El Partido Popular _____ que las relaciones homoparentales _____ daño (*harm*) a los hijos.

6. La ley les _____ residencia legal y otros derechos a parejas de países que no habían legalizado el matrimonio homosexual.

PASO 3. En parejas, contesten las preguntas y explíquense las respuestas.

1. España y el resto del mundo hispano tienen una larga tradición católica, pero en general, hay una separación muy clara entre la religión y la política. ¿Piensas que eso tiene algo que ver (*something to do*) con el hecho de que (*the fact that*) algunos de estos países (Argentina, España, México, Uruguay) fueron de los primeros en el mundo en legalizar el matrimonio entre personas del mismo sexo?

2. Los cuatro países mencionados, en comparación al resto del mundo hispano, tienen un nivel de desarrollo y un nivel de educación relativamente altos. ¿Piensas que eso también tiene algo que ver?

3. En tu país, ¿la religión tiene mucha o poca influencia en la política? ¿Esto ha tenido un efecto en el debate sobre el matrimonio entre personas del mismo sexo o la adopción homoparental?

Reciclaje   Review: Object pronouns

Empareja el término con la descripción. Luego completa cada oración con el pronombre de objeto directo (**lo, la** o **los**) o de objeto indirecto (**te, le**). La primera ya se ha hecho.

1. _*b*_ la pareja perfecta
2. ____ tu amigo/a
3. ____ el amor
4. ____ el estado civil
5. ____ tu esposo/a
6. ____ el novio y la novia

a. ____ regalas algo cuando es el aniversario de boda.

b. Muchos *la* buscan, pero no todos *la* encuentran.

c. ____ habla con frecuencia para ver cómo estás.

d. ____ puedes ver en una boda. Son el centro de atención.

e. Los casados a veces tienen que esforzarse (*make an effort*) para mantener____ en su matrimonio.

f. ____ tienes que indicar en muchos formularios oficiales.

■ Answers to this activity are in Appendix 2 at the back of your book.

16.3   Le pidió el divorcio porque ya no lo amaba

Review: Object pronouns

Actividades prácticas

A. Preguntas y respuestas Vas a escuchar seis preguntas. Escoge la mejor respuesta para cada una.

1. ____   2. ____   3. ____   4. ____   5. ____   6. ____

a. Los conocí en una fiesta en tu casa el año pasado.

b. Lo vi en el parque con su hermana.

c. Les hablo por teléfono de vez en cuando y nos mandamos mensajes por Facebook.

d. La queremos hacer en Acapulco, pero no sé si podemos ahorrar el dinero.

e. Le dieron un trabajo muy bueno en el banco.

f. Nunca la he visto. ¿Existe o es una fantasía tuya (*of yours*)?

■ The audio files for in-text listening activities are available in the eBook, within Connect activities, and on the Online Learning Center.

B. Un gran problema

PASO 1. Lee esta carta que explica un problema. Luego completa las posibles soluciones al problema con un pronombre de la lista. **¡Atención!** Algunos pronombres se usan más de una vez.

Pronombres preposicionales: él   ella
Pronombres de objeto directo e indirecto: le   lo   me

Para: doctor@amor.com
De: Anónima
Asunto: Dudas

Doctor Amor:

Tengo un gran problema. Ya no quiero seguir con mi novio, pero no sé cómo terminar (*end*) la relación. Lo quería mucho y me parecía muy guapo, pero no sé qué pasó. Últimamente no lo aguanto (*I can't stand him*) y además, ahora me parece muy feo. Me sigue mandando mensajes constantemente, siempre quiere estar conmigo y les cuenta a sus amigos que está locamente enamorado de mí, pero la verdad es que ya no lo quiero en mi vida. ¿Qué hago? No es malo y no quiero lastimarlo (*hurt him*). En el archivo adjunto (*attached*) puse una lista de ideas.

—Anónima

POSIBLES SOLUCIONES:

1. Decir___ que solo quiero ser su amiga.
2. Decir___ que ___ odio y que ya no ___ quiero ver.
3. Decir___ que ___ siento mucho, que es muy buena persona, pero ___ parece mejor si terminamos nuestra relación.
4. Ya no hablar___.
5. Invitar___ a un restaurante muy caro, cenar allí con ___, decir___ que voy al baño y luego desaparecer.
6. Presentárse___ a una amiga y esperar que él se enamore de ___.
7. Decir___ que siempre ___ voy a querer mucho, pero que quiero estar sola por un tiempo.
8. Empezar a vestir___ muy mal, para que piense que soy muy fea y que ___ deje.
9. Presentar___ a una amiga y decir___ que ___ es mi novia y que ya no ___ interesan los hombres.
10. Dar___ buenísimas recomendaciones como novio en Internet para que otras mujeres ___ busquen para salir con ___.

PASO 2. En grupos, decidan cuál es la mejor solución de todas y cuál es la peor.

La mejor solución es la número: ____

La peor solución es la número: ____

PASO 3. Basándose en la mejor solución que escogieron en el **Paso 2,** escriban un guion (*script*) de lo que «Anónima» le puede decir a su novio.

C. Los muxes de Oaxaca

PASO 1. En el estado de Oaxaca en México, la cultura indígena de los zapotecos es muy fuerte. En esa cultura, existe la tradición del muxe (se pronuncia *MU-she*), un hombre que en muchos aspectos lleva la vida de una mujer. Completa las siguientes oraciones, utilizando un pronombre de objeto (**lo, los, las, le** o **les**) o un pronombre reflexivo (**se**). Luego indica la oración falsa.

1. En general, a los muxes ___ tratan con respeto en las comunidades zapotecas.
2. A muchos padres ___ gusta tener un hijo muxe porque los hijos muxes no ___ abandonan en tiempos difíciles.
3. Tienen una competencia de muxes cada año y al más bonito ___ dan un premio.
4. Muchos muxes ___ visten de mujer, pero algunos ___ visten de hombre.
5. A un muxe ___ escogieron como presidente del país en 2008.
6. A muchos niños ___ dan la opción de ser muxe cuando entran a la adolescencia.
7. A las personas muxes, mucha gente ___ considera dotadas (*gifted*) de un talento artístico especial.
8. A muchos muxes ___ puedes ver de vez en cuando en las comunidades zapotecas vendiendo cosas en el mercado, haciendo artesanía o en otros trabajos tradicionales de mujeres.

Eduardo Verdugo/AP Images

Un muxe de Oaxaca

PASO 2.   Si pudieras hablar con un muxe, ¿qué le preguntarías? En parejas, creen tres preguntas para ellos.

MODELO: ¿Uds. se casan?
¿Cómo los tratan los demás?

D. Cómo pueden cuidarse bien el uno al otro   Si uno ama a su pareja y quiere cuidarla bien (mental, física y emocionalmente), ¿qué debe hacer? En grupos pequeños, creen una lista de por lo menos cinco ideas de cómo podrían cuidar a su pareja y cómo él/ella podría cuidarlos a Uds. **¡Atención!** Escriban sus ideas con la forma del infinitivo.

MODELO: Ayudarlo/la con la tarea.
Prepararle comida.

E. La amistad
PASO 1.   ¿Qué hace un buen amigo / una buena amiga? En grupos, creen una lista, basada en su experiencia, de las cosas que hacen los amigos / las amigas de verdad (*true*).

MODELO: Los amigos te piden ayuda cuando tienen problemas.

PASO 2.   ¿Son iguales las amistades entre los hombres y las amistades entre las mujeres? Creen una lista de algunas diferencias que Uds. han visto entre los hombres y las mujeres en cuanto a (*concerning*) la amistad.

MODELO: Una mujer les pide ayuda mucho a sus amigas. Un hombre no les pide ayuda tanto a sus amigos.

PASO 3.   Si encontraron diferencias entre los hombres y las mujeres en el **Paso 2,** ¿piensan que esas diferencias son comunes en todas las culturas?

CONÉCTATE AL MUNDO HISPANO

En muchos países latinoamericanos, la industria televisiva es un sector importante de la economía, gracias en parte al enorme éxito internacional de **las telenovelas.** En su temática (*topics*), las telenovelas son parecidas a los «soap operas» de los Estados Unidos, pero en otros aspectos son parecidas a programas dramáticos, como *Game of Thrones.* En general, los programas se transmiten (*are broadcast*) por la noche y muchas veces tienen actores muy reconocidos. Atraen (*They attract*) a un público de hombres y mujeres de todas las edades y de todas las clases sociales. A veces parece que el país entero se detiene (*stops*) a la hora indicada para ver su «novela» favorita.

Los países que producen más telenovelas son Argentina, Brasil (en portugués, pero dobladas al español para exportar), Chile, Colombia, México y Venezuela. Pasan los programas no solo en Latinoamérica y España, sino también en otros países de Europa, en Asia y en el Medio Oriente (*Middle East*), con subtítulos, doblados o hasta con otro equipo de actores. Dos de las telenovelas más famosas internacionalmente son *Los ricos también lloran,* una telenovela mexicana de 1979, y *Yo soy Betty, la fea,* una telenovela colombiana que estuvo en el aire de 1999 a 2001. Esta última fue presentada en su versión original en más de treinta países e hicieron más de veinte versiones con nuevos actores para otros países. La versión norteamericana se llama *Ugly Betty* y fue transmitida de 2006 a 2010. En tiempos más recientes, la serie mexicana *La Casa de las Flores* empezó en Netflix en 2018 como una sátira de la telenovela tradicional y ha tenido mucho éxito a nivel internacional.

Reciclaje — Review: The present subjunctive

Completa las conjugaciones del presente de subjuntivo de los siguientes verbos.

amar	am**e**	am___	am___	am**emos**	am___	am___
casarse	me cas**e**	___ cas___	___ cas___	nos cas**emos**	os cas**éis**	___ cas___
volver	vuelv**a**	___**as**	___**a**	___**amos**	___**áis**	___**an**
hac___	hag___	hag**as**	hag___	hag**amos**	hag**áis**	hag___
ser	___**a**	se___	___	se___	___**áis**	se___
tener	teng**a**	teng___	___**a**	teng___	___**áis**	teng___

■ Answers to this activity are in Appendix 2 at the back of your book.

16.4 Espero que rompa con su novio antes de que se enamore de él

Review: The present subjunctive

Actividades prácticas

A. Una telenovela Las telenovelas son programas de televisión muy populares en Latinoamérica y otras partes del mundo. Se trata de una historia de amor, presentada de una forma sentimental y melodramática.

PASO 1. Lee la siguiente versión muy exagerada de cómo hablan en las telenovelas. Usa los verbos de la lista para completar las oraciones. La primera ya está hecha. **¡Atención!** Algunos verbos están en el indicativo y otros en el subjuntivo.

eres (2x)	se casa (2x)	sea (3x)	te cases
haya	se case	seas	te vayas

MUJER: ¡Quiero que <u>te cases</u> conmigo! ¡Quiero que _____[1] mi esposo!

HOMBRE: ¿Estás loca? No quiero casarme contigo, porque _____[2] muy fea.

MUJER: Es posible que yo _____[3] un poco fea, pero ¡tú eres peor! No creo que _____[4] otro hombre más feo en todo el mundo.

HOMBRE: ¿Pero no entiendes? Me voy a casar con Angélica Antonieta. ¡Necesito que tú _____[5] de mi vida!

MUJER: No pienso que Angélica Antonieta _____[6] tan tonta. Ella dice que _____[7] contigo solo para que la dejes en paz.

HOMBRE: ¡No es cierto! Ella me quiere mucho y hace todo para que yo _____[8] feliz. Si yo le digo a ella que _____[9] conmigo, entonces _____[10] conmigo.

MUJER: ¡Qué idiota _____[11]!

PASO 2. En parejas, escriban un diálogo de telenovela usando el **Paso 1** como modelo.

B. William Levy

PASO 1. William Levy es un actor y modelo cubano que inmigró a los Estados Unidos a los 15 años. Durante muchos años, fue uno de los galanes (*leading men*) más conocidos de las telenovelas, sobre todo de las telenovelas mexicanas. Aquí hay unas afirmaciones (*statements*) sobre él que pueden ser ciertas o falsas. Escribe cada afirmación en la categoría correcta para completar la oración. **¡Atención!** En dos de las categorías, tienes que cambiar al subjuntivo el verbo de la afirmación.

William Levy, actor cubano

AFIRMACIONES

Es originario de Cuba.

No puede conseguir novia.

Vive en los Estados Unidos.

Habla bien inglés y español.

Muchas personas lo consideran feo.

Pasa mucho tiempo en diferentes países de Latinoamérica.

Hace ejercicio todos los días.

Es un gran ídolo de las telenovelas.

Es un mal actor.

ES VERDAD QUE...	ES POSIBLE QUE...	NO CREO QUE...
_____	_____	_____
_____	_____	_____
_____	_____	_____

 PASO 2. Crea una o dos oraciones más sobre Levy para cada una de las categorías. Luego en grupos pequeños, compartan sus oraciones para ver quiénes están de acuerdo.

C. La Malinche y Hernán Cortés

La mujer indígena conocida como «Malintzín» o «La Malinche» fue intérprete (*interpreter*) y consejera (*advisor*) diplomática entre los españoles y los aztecas en los tiempos de la conquista de México. Su relación de amor con el conquistador español Hernán Cortés es muy conocida. Completa las siguientes oraciones con la forma adecuada del presente de indicativo o subjuntivo del verbo entre paréntesis. Luego escribe **M** si la persona que está hablando es La Malinche y **C** si es Cortés. Escribe **M/C** si los dos podrían haber dicho (*could have said*) la oración.

¿M, C o M/C?

1. _____ «Yo nací en España. Hablo español, pero no hablo ninguna lengua indígena de México. Quiero que La Malinche _____ (trabajar) como mi intérprete.»
2. _____ «Estoy aprendiendo español, porque es necesario que lo _____ (hablar) bien.»
3. _____ «La Malinche y yo vamos a tener un hijo. Quiero que _____ (llamarse) Martín.»
4. _____ «El hijo que tuve con Cortés ya nació. Dicen que _____ (ser) el primer mestizo (*person of mixed race*) de México.»
5. _____ «Ahora me quiero casar con una española. Le voy a decir a La Malinche que _____ (irse).»
6. _____ «Ahora estoy casada con un noble español. No creo que Cortés y yo _____ (volver) a vernos nunca.»
7. _____ «Ahora estoy casado con una española y tengo seis hijos con ella. Creo que ellos _____ (ir) a estar bien, porque les _____ (ir) a dejar mucho dinero en mi testamento para que _____ (tener) todo lo que necesitan.»
8. _____ «Espero que la historia me _____ (tratar [*to treat*]) bien.»

D. ¿Cómo consigues novio/a?

PASO 1. ¿Qué le recomiendas a un amigo / una amiga que quiere conseguir novio/a? Escribe por lo menos tres ideas.

> **MODELO:** Yo te recomiendo que seas simpático/a, que te vistas siempre bien y que te bañes cada día.

 PASO 2. Pregúntales a tres compañeros/as qué recomiendan ellos/ellas que uno haga para conseguir novio/a. Apunta las respuestas.

> **MODELO:** ¿Qué recomiendas que uno haga para conseguir novio o novia?

¡Leamos!

Los jóvenes retrasan° su emancipación   *delay*

Antes de leer

El siguiente artículo habla de un estudio europeo sobre una tendencia de los jóvenes, pero se concentra en Vitoria, una ciudad en el norte de España, como su punto de referencia.

PASO 1. Lee el titular (*headline*) del artículo y escoge la mejor respuesta para cada una de las siguientes preguntas.

1. Los jóvenes no se mudan de (*move out of*) la casa de los padres hasta…
   a. casarse.   b. empezar sus estudios universitarios.   c. tener 25 años.

2. La edad promedio (*average*) para casarse es:
   a. 25 años.   b. 30 años.   c. 32 años.

PASO 2. Ahora, lee el primer subtítulo y escoge los tres factores de la lista que, según el subtítulo, influyen en la decisión de los jóvenes de emanciparse más tarde.

☐ Es más cómodo vivir con los padres que independizarse.
☐ La familia se siente responsable de sus hijos.
☐ Los estudiantes universitarios europeos prefieren vivir con sus padres.
☐ Los precios de los pisos son muy altos.
☐ No hay muchas casas en Vitoria.

A leer

PASO 1. Lee el artículo del *Diario de Noticias de Álava* e indica si cada afirmación se refiere principalmente a gente de países del **norte** o del **sur** de Europa.

Los jóvenes retrasan su emancipación hasta la fecha de la boda, en el umbral[a] de los treinta

LA FAMILIA, LA ESCASEZ[b] DE PISOS DE RENTA BAJA Y LA COMODIDAD INFLUYEN EN ESTA DECISIÓN

Anglosajones y escandinavos se mudan antes para vivir solos, pero no ocurre lo mismo en los países de tradición católica

R. Ruiz De Gauna
Diario de Noticias de Álava

1 VITORIA. De casa de los padres al hogar conyugal. A diferencia de lo que pudiera parecer,[c] la frase sigue siendo válida. Y es que, a la hora de independizarse, Europa también camina a dos velocidades. Mientras los jóvenes británicos, daneses, suecos o alemanes se mudan de casa a los 25 años, como solteros, para vivir solos, los vascos, españoles, irlandeses e italianos se resisten a abandonar el nido familiar hasta fijar[d] la fecha de la boda. El matrimonio y la emancipación suelen[e] coincidir en el umbral de los 30.

2 ¿Por qué esas diferencias entre el norte y el sur de Europa? Básicamente son factores culturales, económicos e incluso institucionales los que condicionan la emancipación al matrimonio y hacen que esta se retrase, sin olvidar que por detrás de todos ellos subyacen[f] las raíces[g] del catolicismo.

3 En los países anglosajones y escandinavos, el Estado ejerce un papel activo y directo para garantizar el bienestar de sus ciudadanos. Rol que en los territorios de tradición católica asume la familia, entendiendo que son los padres los responsables del bienestar de sus hijos.

4 La otra cuerda que ata[h] a padres e hijos es la que se deriva del desempleo, la precariedad laboral y los bajos salarios: variables que se han acentuado con la crisis.

[a]*threshold* [b]*lack* [c]*pudiera… might seem* [d]*setting* [e]*tend to* [f]*underlie* [g]*roots* [h]*ties*

5 Tras varios años en el mercado de trabajo, alaveses[i] y vascos,[j] en general, logran un empleo estable y mejor remunerado. Ha llegado la hora de mudarse a una vivienda propia y entonces se topan con[k] la cruda realidad: apenas[l] hay alquileres de renta baja y el precio de los pisos en propiedad es prohibitivo para afrontarlo con un único salario. Vitoria se mantiene entre las cinco ciudades con pisos libres más caros y casas de segunda mano que intentan venderse por encima de su valor real. ¿Solución? Casarse, y así poder sumar dos sueldos para afrontar la hipoteca.[m]

[i]*people from the city of Álava (located in the Basque Country)* [j]*Basques (people from the Basque Country)* [k]*se... they come across* [l]*barely* [m]*mortgage*

de Gauna, R. Ruiz, "Los jóvenes retrasan su emancipación hasta la fecha de la boda, en el umbral de los treinta," Noticias de Álava, May 9, 2009. Copyright © 2009 by Noticias de Álava. All rights reserved. Used with permission.

	EL NORTE	EL SUR
1. Después de independizarse, viven con su esposo o esposa.	☐	☐
2. Después de independizarse, viven solos.	☐	☐
3. El Estado garantiza el bienestar.	☐	☐
4. La familia garantiza el bienestar.	☐	☐
5. Se emancipan a los 25 años.	☐	☐
6. Se emancipan a los 30 años.	☐	☐

PASO 2. Indica si cada factor que influye en el retraso (*delay*) de la emancipación es cultural o económico.

	FACTOR CULTURAL	FACTOR ECONÓMICO
1. bajos salarios	☐	☐
2. cierta independencia personal	☐	☐
3. el desempleo	☐	☐
4. la religión	☐	☐
5. la vivienda cara	☐	☐

Después de leer

PASO 1. Empareja el párrafo del informe con la idea principal que corresponda.

a. ____ A pesar de tener un puesto de trabajo estable con un buen salario, es difícil poder pagar una vivienda cara. Al casarse, los jóvenes pueden unir dos salarios para pagar una vivienda.

b. ____ Con la crisis económica es más difícil que los jóvenes encuentren trabajo estable y que ganen suficiente dinero para independizarse.

c. ____ En el norte el gobierno ayuda a uno a independizarse, mientras que en el sur se supone que son los padres los responsables de sus hijos adultos solteros.

d. ____ Los jóvenes del norte de Europa tienen menos edad cuando se mudan de casa que los jóvenes del sur.

e. ____ Varios factores influyen en el retraso de la emancipación de los jóvenes en el sur de Europa.

PASO 2. En grupos, respondan a la pregunta «Donde viven Uds., ¿cuáles son las razones para independizarse de los padres antes de casarse?». Escriban por lo menos cinco razones e intenten ponerlas en orden de prioridad.

¡Escuchemos!

¿Cómo se conocieron?

Antes de escuchar

Indica si conoces a muchas (**M**) o pocas personas (**P**) que hayan conocido a su pareja de las siguientes maneras, o si no conoces a nadie (**N**) que lo haya hecho.

____ a través de (*through*) otra persona que conocía a los dos

____ a través de un grupo religioso

____ desde la niñez

____ en el colegio (*high school*)

____ por Internet

____ en la calle

____ en otro país

____ en un autobús (u otro transporte)

____ en un bar o restaurante

____ en un lugar de trabajo

De todas, ¿cuál es la manera más común de conocer a una pareja? Cuál es la menos común?

 ### A escuchar

Mira y escucha el video en el que los participantes responden a la pregunta «¿Cómo conoció Ud. a su pareja?». Luego escucha otra vez con pausas e indica quién dice cada una de las siguientes frases.

Magnolia, de Cuba

Clody, de Argentina

Víctor, de España

María Esther, de México

María Luz, de Perú

Óscar, de Costa Rica

1. _____ «Ahora mi hija tiene dos niños: dos nietos para nosotros.»
2. _____ «Aquí estoy, todavía (me) considero, después de 22 años, enamorada de él.»
3. _____ «Conocí a una sudafricana en la calle y me quedé.»
4. _____ «Él me conoció primero y se flechó (se enamoró) de mí.»
5. _____ «Estaba solo en ese momento. Y entonces ella también estaba sola y acabamos juntos.»
6. _____ «Hace treinta y ocho años que estamos casados.»
7. _____ «Lo conocí en Cuba.»
8. _____ «Me fui de turista a Israel.»
9. _____ «Nos conocimos en… aquí en Barcelona.»

10. _____ «Nos conocimos cuando estábamos los dos estudiando en la universidad.»

11. _____ «Nos conocimos trabajando en una fábrica de ropa.»

12. _____ «Ya nos vamos a tener que morir juntos.»

13. _____ «Yo tenía 19 años, ella tenía 24.»

14. _____ «La vida es lo que te sucede mientras estás ocupado haciendo otros planes.»

Después de escuchar

En una oración completa, describe el comienzo de una relación importante (puede ser relación tuya o de otras personas).

> **MODELO:** Mi hermana conoció a su esposo cuando él compartía un apartamento con el novio (ahora ex novio) de ella.

¡Escribamos!

La emancipación de los jóvenes estadounidenses

En diferentes culturas, las costumbres asociadas con la emancipación varían mucho según la época histórica, la situación socioeconómica, las tradiciones familiares, la religión y la cultura popular. En esta actividad vas a comparar tu experiencia como joven con las experiencias descritas en la lectura de **¡Leamos!**

Antes de escribir

Escoge dos temas de la lista y apunta algunos detalles relacionados con cada tema. Los detalles deben ilustrar lo que tienes en común con los jóvenes mencionados en la lectura «Los jóvenes retrasan su emancipación» y lo que no tienes en común con ellos.

TEMAS

la edad de emancipación	la religión
el matrimonio	la situación económica
la posición política/social	

MODELO:	Semejanzas	Diferencias
el matrimonio	*Como los vascos, españoles, irlandeses e italianos, mis amigos y yo solemos casarnos a los 30 años.*	*No vivimos con los padres hasta casarnos; vivimos con grupos de amigos o con novios.*

	Semejanzas	Diferencias
TEMA 1		
TEMA 2		

(Continues)

Estrategia

Comparing and contrasting

When comparing your situation to that of others, it is important to consider similarities as well as differences. Understanding what you have in common can help you better understand what you don't have in common, and any discussion can be made richer by looking at more than one side. If you contemplate different perspectives by comparing and contrasting them with your own, you will no doubt gain a better understanding of the situations of others as well as a new appreciation of your own.

A escribir

Usando la información de **Antes de escribir,** escribe un ensayo de cuatro párrafos.

- ☐ En el primer párrafo, explica los dos temas.
- ☐ En el segundo párrafo, compara y contrasta tu experiencia en uno de los temas con la experiencia de los jóvenes de la lectura.
- ☐ En el tercer párrafo, compara y contrasta otro tema.
- ☐ En el último párrafo, concluye el ensayo con una afirmación sobre la comparación entre tú y los jóvenes españoles.

Después de escribir

Revisa tu ensayo. Luego, en parejas, intercambien los ensayos para evaluarlos. Lee el ensayo de tu compañero/a y decide si ha incluido tanto semejanzas como diferencias con respecto a los dos temas. Lee de nuevo el ensayo con cuidado para revisar los siguientes puntos.

- ☐ ¿Concuerdan los sujetos y los verbos?
- ☐ ¿Concuerdan los sustantivos y los adjetivos?
- ☐ Cuando es apropiado, ¿ha usado las excepciones **mayor, menor, mejor** y **peor**?
- ☐ ¿Ha usado **que** con **más** y **menos**?
- ☐ ¿Ha usado **como** con las formas adecuadas de **tan** y **tanto**?
- ☐ ¿Tiene sentido la conclusión?

Después de revisar el ensayo de tu compañero/a, devuélveselo. Mira tu propio ensayo para ver los cambios que tu compañero/a te recomienda y haz las revisiones necesarias.

¡Hablemos!

Mis primeros días en la universidad

Antes de hablar

Usando el pasado (pretérito e imperfecto), escribe una descripción del comienzo de una relación en la universidad. Luego usa el presente para describir la relación en este momento.

> **MODELO:** Estaba nerviosa el primer día. Luego conocí a mi compañera de cuarto y su familia me invitó a cenar con ellos. Fuimos a… Luego… Ahora somos muy buenas amigas.

A hablar

En grupos de tres, comparen sus historias. Luego formen nuevos grupos de tres y cuenten todas las historias del primer grupo; tienen que contar sus propias historias en primera persona (**yo**) y las historias de los otros estudiantes en tercera persona (**él, ella**). Al final, deben saber nueve historias de los primeros días en la universidad.

Después de hablar

Cuéntale a tu profesor(a) la mejor historia y explícale por qué es la mejor.

VOCABULARIO

Now that I have completed the chapter, I can . . .

☐ discuss my marital status

☐ express sympathy and regret

☐ talk about personal relationships

☐ discuss personal relationships in the Spanish-speaking world

Comunicación	Communication
Lo siento mucho. / Cuánto lo siento.	I'm very sorry.
Mi/Nuestro más sentido pésame.	My/Our deepest condolences.
Te/Le/Les doy/damos el pésame.	My/Our condolences.
Te/Lo/La/Los/Las acompaño en el sentimiento/dolor.	You're in my thoughts. / I'm with you in your time of pain.
Te/Lo/La/Los/Las acompañamos en el sentimiento/dolor.	You're in our thoughts. / We're with you in your time of pain.

Los sustantivos	Nouns
la amistad	friendship
el amor	love
la boda	wedding
la cita	date; appointment
la cita a ciegas	blind date
el divorcio	divorce
el estado civil	marital status
el hogar	home
el matrimonio	marriage
el nido familiar	parents' home (*lit.*, nest)
el noviazgo	relationship; engagement
el novio / la novia	boyfriend/girlfriend; fiancé/fiancée; groom/bride
la relación	relationship
el/la viudo/a	widow
Repaso: la pareja	

Los adjetivos	Adjectives
abierto/a	open
cariñoso/a	affectionate
casado/a	married
celoso/a	jealous
comprensivo/a	understanding
comprometido/a	engaged; in a serious relationship
enamorado/a	in love
soltero/a	single
tolerante	tolerant
viudo/a	widowed
Cognados: divorciado/a, en una relación, separado/a	

Los verbos	Verbs
amar	to love
casarse (con)	to get married (to)
comprometerse	to get engaged; to commit (oneself)
conocerse (zc)	to meet (each other)
emanciparse	to become free/ independent
enamorarse (de)	to fall in love (with)
independizarse (c)	to become independent
mudarse	to move (*residence*)
querer (ie)	to want; to love
responsabilizarse (c)	to take responsibility
romper con	to break up with

Capítulo 1

1.1 Singular nouns and articles

More about gender of nouns

1. Nouns with the endings **-ción / -sión** (frequently corresponding to the English *-tion / -sion*) and **-tad / -dad** (corresponding to English *-ty*) are generally feminine. Many of these words are cognates with English.

-ción / -sión	la nación (*nation*)
	la solución (*solution*)
	la comprensión (*comprehension*)
	la televisión (*television*)
-tad / -dad	la libertad (*liberty*)
	la ciudad (*city*)
	la universidad (*university*)

2. Nouns with the ending **-ma** are often masculine. Many of these words are cognates with English.

el clima (*weather*)	el problema	el telegrama
el idioma (*language*)	el programa	el tema (*theme, topic*)
el poema	el sistema	

3. Feminine nouns that begin with the stressed vowel **a-** use the singular definite article **el** instead of **la.** However, in the plural these feminine nouns do use the expected article **las.**

el agua (*water*)	**las** aguas
el águila (*eagle*)	**las** águilas
el área	**las** áreas

Capítulo 2

2.1 Adjectives

Adjective placement

1. Descriptive adjectives in Spanish usually follow the noun that they modify.

una mujer **alta**   un libro **blanco**   un estudiante **inteligente**

Some descriptive adjectives, however, occasionally appear before the noun that they modify. **Bueno** and **malo** are two common adjectives that do this, but they are shortened to **buen** and **mal** in the masculine singular form in this case.

un libro **bueno**	un **buen** libro
un día **malo**	un **mal** día
una mesa **buena**	una **buena** mesa
una semana **mala**	una **mala** semana

2. Ordinal numbers generally come before the noun that they modify. The first three ordinal numbers are **primero/a** (*first*), **segundo/a** (*second*), and **tercero/a** (*third*). Of these three, **primero** and **tercero** are shortened to **primer** and **tercer**, respectively, when they precede masculine singular nouns. **Segundo/a** is never shortened.

el **primer** día	la **segunda** vez
la **primera** noche	el **tercer** café
los **primeros** estudiantes	la **tercera** puerta
el **segundo** libro	

3. With some adjectives, there is a noticeable difference in meaning depending on their placement. If the adjective follows the noun, it has a literal meaning, but if it precedes the noun, it has a more figurative meaning. This difference is seen clearly in adjectives like **grande, pobre,** and **viejo.** Note that **grande** is shortened to **gran** when it precedes either a masculine or a feminine noun.

	Before the noun	After the noun
grande	una **gran** universidad	una universidad **grande**
	a great university	*a big university*
pobre	un **pobre** hombre	un hombre **pobre**
	a poor (unfortunate) man	*a poor man (without money)*
viejo	un **viejo** amigo	un amigo **viejo**
	a friend for a long time	*a friend who is old*

In English, adjectives always precede the noun, so position cannot differentiate between the above two types of meanings. Context determines whether *an old friend* is intended to mean **un viejo amigo** or **un amigo viejo.**

2.2 The verbs *estar* and *ir*

Using *tener* to express states

The verb **tener** + *noun*, like **estar** + *adj.*, is often used to express states. **Tener** is used with **calor** (*heat*) and **frío** (*cold*) to say whether someone *is hot* or *is cold*.

¡Tengo calor!	*I'm hot!*
¿No **tienes frío**?	*Aren't you cold?*

To say that someone *is hungry* or *is thirsty*, use **hambre** (*f., hunger*) or **sed** (*f., thirst*).

Elena **tiene hambre.**	*Elena is hungry.*
Tengo mucha sed.	*I'm very thirsty.*

A variety of other states may be expressed using **tener,** such as **ganas** (*pl. desire*), **miedo** (*fear*), **prisa** (*haste*), **razón** (*f., reason*), and **sueño** (*sleepiness*).

Tengo ganas de un café.	*I feel like (having) a coffee.*
¿**Tienes miedo**?	*Are you afraid?*
El profesor **tiene prisa.**	*The teacher is in a hurry.*
El bebé **tiene sueño.**	*The baby is sleepy.*

With all of these expressions, you can use **mucho/a** or **muchos/as** to express a greater degree of these states.

Tengo **mucho sueño.**	*I'm very sleepy.*
Perdón, tengo **mucha prisa.**	*Sorry, I'm in a big hurry.*
¡Ud. **tiene mucha razón**!	*You are so right!*

2.3 The verb *gustar*

Nos gusta(n), os gusta(n), les gusta(n)

To say what *we* like, use **nos gusta** or **nos gustan.**

Nos gusta la música.	*We like music.*
Nos gustan las películas.	*We like movies.*

When addressing a group of people as **vosotros/vosotras,** use **os gusta** or **os gustan.**

¿**Os gustan** las clases de biología?	*Do you* (pl.) *like the biology classes?*

When addressing people as **Uds.,** or when saying what other people (more than one person) like, use **les gusta** or **les gustan.**

¿**Les gusta** el fútbol?	*Do you* (pl.) *like soccer?*
No **les gusta** la cerveza.	*They don't like beer.*
Les gustan los libros.	*They like books.*

Capítulo 3

3.3   Stem-changing verbs: *o → ue*

Additional *o → ue* verbs

1. Here are some other common verbs in Spanish that belong to the **o → ue** family.

contar	to count; to tell	¿**Cuento** de uno a diez en español?
		Shall I (Do I) count from one to ten in Spanish?
costar	to cost	¿Cuánto **cuesta** el libro?
		How much does the book cost?
encontrar	to find	¿Dónde **encuentras** buena comida en la universidad?
		Where do you find good food at the university?
mostrar	to show	El mapa **muestra** dónde está la universidad.
		The map shows where the university is.
recordar	to remember	No **recuerdo** cómo te llamas.
		I don't remember what your name is.
soler*	to tend (to do something)	Jaime **suele** llegar tarde al trabajo.
		Jaime usually arrives / tends to arrive late to work.
volver	to return	**Vuelvo** al mismo lugar cada año.
		I return to the same place every year.

2. The verb **jugar** (*to play*) follows the same pattern as the **o → ue** verbs, but it is the **u** that changes to **ue.**

Los niños **juegan** en el parque.	*The children play in the park.*
Jugamos fútbol a las cuatro.	*We play soccer at 4:00.*

3.4   Demonstrative adjectives

The demonstrative adjectives *aquel/aquella/aquellos/aquellas*

In addition to **este/esta/estos/estas** and **ese/esa/esos/esas,** Spanish has a third set of demonstrative adjectives used to indicate something very far away in time or space.

	SINGULAR		PLURAL	
masculino	**aquel** libro	*that book*	**aquellos** libros	*those books*
femenino	**aquella** clase	*that class*	**aquellas** clases	*those classes*

---

*The verb **soler** is very common in Spain, but less so in Latin America.

Aquel/aquella/aquellos/aquellas is similar to English *that,* but it refers to something that is particularly far away or that happened a long time ago.

No me gusta **aquel** libro.   *I don't like that book over there.*
Aquellas clases eran muy difíciles.   *Those classes (back then) were very difficult.*

Spanish thus makes a three-way distinction (**este libro** vs. **ese libro** vs. **aquel libro**) based on distance in time or space, while English makes only a two-way distinction (*this book* vs. *that book*).

Demonstrative pronouns

1. Demonstratives may appear without the noun when the noun has been previously mentioned or is otherwise obvious from the context. In this case, they are called **pronombres demostrativos** (*demonstrative pronouns*).

Esa clase es muy difícil pero **esta** es fácil. *That class is very difficult but this one is easy.*

Ese es rojo y **este** es azul. *That one (masc. sing.) is red and this one is blue.*

Aquellos son de Honduras. *Those ones (over there) are from Honduras.*

Traditionally, demonstrative pronouns have been written with an accent mark (**ésta, ése,** and so on) to distinguish them from demonstrative adjectives. The accent mark is no longer required, but it is still common.

2. When a demonstrative pronoun refers to the situation in general or something else without a specific name, the neuter (genderless) forms **esto, eso,** and **aquello** are used.

¡**Esto** no me gusta! *I don't like this (situation in general)!*
¿Qué es **eso**? *What is that (unknown object)?*

Capítulo 4

4.1 Comparatives

Más de with numerals

In Spanish, when you want to express *more than* (or *less/fewer than*) followed by any number, use the construction **más de** (or **menos de**), followed by the number.

¡Elena tiene **más de** treinta primos! *Elena has more than thirty cousins!*
Todos aquí tenemos **menos de** 25 años. *All of us here are less than 25 years old.*

Comparatives of equality

1. To say that two people or things are the same with regard to some adjective, use **tan** + *adjective* + **como.**

José Luis es **tan alto como** Margarita. *José Luis is as tall as Margarita.*
Mis hermanas son **tan inteligentes como** tú. *My sisters are as smart as you.*

Notice that here the adjective agrees with the subject of the verb.

2. To do the same with regard to a noun, use **tanto** + *noun* + **como.**

Tengo **tantos primos como** tú. *I have as many cousins as you.*
¿Tienes **tanta hambre como** yo? *Are you as hungry as I am?*

Tanto agrees with the noun in number and gender, so it has four possible forms (**tanto/tanta/tantos/tantas**).

Superlatives

1. You have used **más** to compare one person or thing to another. When preceded by a definite article, **más** expresses the idea of *most*. To express the idea of *least*, use the definite article and **menos.**

María Elena es **la más alta** de todas mis hermanas.	*María Elena is the tallest of all my sisters.*
Jorge es **el más guapo** de la familia.	*Jorge is the best looking in the family.*
Rigoberto y Camila son **los menos atléticos** de todos mis primos.	*Rigoberto and Camila are the least athletic of all my cousins.*

This construction is known as the superlative (**el superlativo**). In English it is expressed with *most* or the ending *-est.*

2. When used with a noun, **más** + *adjective* usually follows the noun.

Carmen es **la abogada más famosa** de Panamá.	*Carmen is the most famous attorney in Panama.*
Marcos es **el estudiante más inteligente** de toda la universidad.	*Marcos is the most intelligent student in the whole university.*

When **mejor** and **peor** are used as superlatives, they usually precede the noun.

Mi primo es **el mejor médico** de la ciudad.	*My cousin is the best doctor in the city.*
Para mucha gente, el lunes es **el peor día** de la semana.	*For many people, Monday is the worst day of the week.*

Expressing things emphatically

1. It is very common in Spanish to attach the suffix **-ísimo** to adjectives to mean *extremely* or *very much.*

¡Elena tiene **muchísimos** primos!	*Elena really has a lot of cousins!*
Mi familia es **grandísima.**	*My family is extremely large.*

If the adjective ends in a consonant, **-ísimo** is simply added to the adjective.

facilísimo *extremely easy*   **dificilísimo** *extremely difficult*

If the adjective ends in a vowel, the vowel is dropped and **-ísimo** is added to the stem.

altísimo *extremely tall*   **delgadísimo** *extremely thin*   **feísimo** *extremely ugly*

When the stem ends in **c, g,** or **z,** the spelling is adjusted to preserve the pronunciation of this final consonant. The **c** changes to **qu** (**rico → riquísimo**), **g** changes to **gu** (**largo → larguísimo**), and **z** changes to **c** (**feliz → felicísimo**).

Adjectives with **-ísimo** always agree with the noun they modify in number and gender:

Elisa está **cansadísima.**
Tengo dos clases **larguísimas.**

2. In casual speech, there are many other ways to express the idea of *extremely.* One very common way is to use the prefix **super-.**

superfácil *extremely easy*   **superalto** *extremely tall*
supergrande *extremely big*

This prefix is common in the spoken language, but is not used in formal written Spanish. It is sometimes written as a separate word.

4.2   Stem-changing verbs: e → i

Additional e → i verbs

Here are some other common verbs in Spanish that belong to the **e → i** family.

conseguir	*to get, obtain*	¿Dónde **consigo** una foto de la familia real?
		Where can I get a picture of the royal family?
		Eva **consigue** los documentos del registro público.
		Eva obtains the documents from the public registry.
reír	*to laugh*	Mis papás **ríen** cuando ven la televisión.
		My parents laugh when they watch TV.
sonreír	*to smile*	Mi hermano **sonríe** mucho.
		My brother smiles a lot.

4.3   Stem-changing verbs: e → ie

Additional e → ie verbs

Here are some other common verbs in Spanish that belong to the **e → ie** family.

cerrar	*to close*	La profesora **cierra** la puerta a las ocho.
		The teacher closes the door at 8:00.
comenzar	*to begin*	El semestre **comienza** en enero.
		The semester begins in January.
entender	*to understand*	Mi mamá no **entiende** que ya no soy niña.
		My mom doesn't understand that I'm no longer a little girl.
perder	*to lose*	Cuando juego con mi hermano, siempre **pierdo.**
		When I play with my brother, I always lose.
preferir	*to prefer*	**Prefiero** caminar.
		I prefer to walk.

Capítulo 5

5.1   Verbs with irregular *yo* forms

More on *saber* and *conocer*

You saw that **saber** can mean *to know* (*a fact*), such as where someone lives or what they study. This can also include knowing an address or phone number, or knowing a poem or the words to a song.

¿**Sabes** el número de teléfono del hospital?   *Do you know the phone number of the hospital?*

Todos **sabemos** la letra de esa canción.   *We all know the words (lyrics) to that song.*

You saw that **conocer** means *to be familiar with* (*someone or something*). When used with reference to a song, for instance, the meaning is very different than **saber.**

¿**Conoces** esa canción?   *Do you know that song? (Are you familiar with it? / Have you heard it before?)*

More irregular verbs with *-zco*

You saw that the **yo** form of **conocer** is **conozco.** This is part of a larger pattern: verbs whose infinitive ends in **-cer** (or **-cir**) generally take **-zco** in the **yo** form, but are otherwise regular. Here are some other common verbs of this type.

agradecer	*to thank; to be grateful for*	**Agradezco** su presencia. *I am grateful for your presence (here).*
aparecer	*to appear*	No **aparezco** en la lista. *I don't appear on the list.*
conducir	*to drive*	**Conduzco** un auto muy viejo. *I drive a very old car.*
favorecer	*to favor; to be partial to*	**Favorezco** la idea de crear más parques. *I'm in favor of the idea of creating more parks.*
merecer	*to deserve*	¡**Merezco** una segunda oportunidad! *I deserve another chance!*
ofrecer	*to offer*	**Ofrezco** un apartamento en el centro. *I'm offering an apartment downtown.*
parecer	*to seem; to look*	**Parezco** tonto en esa foto. *I look stupid in that photo.*
pertenecer	*to belong*	**Pertenezco** a un grupo de estudiantes extranjeros. *I belong to a group of foreign students.*
reconocer	*to recognize*	No **reconozco** mi ciudad. *I don't recognize my city.*
traducir	*to translate*	No **traduzco** cuando leo en español. *I don't translate when I read in Spanish.*

5.2   Reflexive verbs

Additional reflexive verbs

Here are some other common reflexive verbs in Spanish. Note that the meanings of reflexive verbs do not necessarily express reflexive action.

alegrarse	*to be glad, happy*	**Me alegro** cuando veo a mis amigos. *I'm happy when I see my friends.*
atreverse (a)	*to dare (to do something)*	¿**Te atreves** a hablar con él? *Do you dare to speak with him?*
encontrarse	*to be found, located*	La librería **se encuentra** enfrente del museo. *The bookstore is located across from the museum.*
imaginarse	*to imagine*	**Me imagino** que la tienda del museo es muy grande. *I imagine that the museum store is very big.*
preguntarse	*to wonder, ask oneself*	**Me pregunto** si hay un cine en ese pueblo. *I wonder if there is a movie theater in that town.*
quedarse	*to stay*	¿**Te quedas** o te vas? *Are you staying or are you leaving?*
referirse (a)	*to refer (to)*	Cuando dicen «México», **se refieren** a la ciudad. *When they say "Mexico," they're referring to the city.*

The reciprocal meaning of reflexive verbs

Reflexive verbs with plural subjects can also have a *reciprocal* meaning, corresponding to the English expression *each other.*

Nos vemos los martes en la clase de química.	*We see each other on Tuesdays in chemistry class.*
Marta y Eduardo **se conocen** bien.	*Marta and Eduardo know each other well.*

The context generally makes it clear whether the intended meaning is reflexive or reciprocal. **Nos vemos,** for example, can have either a reflexive meaning (*we see ourselves*) or a reciprocal meaning (*we see each other*), but in the first example above, the reciprocal meaning is much more likely.

The infinitive after a preposition

Prepositional expressions like the following are a common way to show the relationship between two or more activities.

antes de	*before*	Antes de cenar, quiero bañarme.
		Before having dinner, I want to take a bath.
después de	*after*	Después de nadar, María va a estudiar.
		After swimming, María is going to study.
para	*for, in order to*	Para hablar con mis padres, tienes que hablar español.
		(In order) To speak with my parents, you have to speak Spanish.

In Spanish, the infinitive is used after prepositions. English sometimes uses *-ing* forms of the verb in these cases, but Spanish consistently uses the infinitive.

5.3   *Ser* and *estar* with adjectives

Ser and *estar* for location

1. To say where or when an event *occurs,* use the verb **ser.**

El concierto va a **ser** en el Teatro de la Ciudad.	*The concert will be at the City Theater.*
La fiesta **es** en la casa de Jaime.	*The party is at Jaime's house.*
El examen **es** mañana a las ocho.	*The exam is tomorrow at 8:00.*

2. Use **estar,** in contrast, to say where a person or thing is located.

La calle Torres **está** en el centro.	*Torres Street is downtown.*
Santiago **está** en Chile.	*Santiago is in Chile.*
Estamos en la casa de Jaime.	*We're at Jaime's house.*

In these cases with **estar,** the person or thing that is being described (a street, a city, or a group of people) is located at a particular place, but cannot be said to "occur" there.

Capítulo 6

6.1   The preterite: Regular verbs

Leer, creer, and *oír* in the preterite

The stem of the verbs **leer, creer,** and **oír** ends in a vowel (<u>lee</u>r, <u>cree</u>r, <u>oí</u>r). Verbs like these take the regular endings in the preterite with one small adjustment: the ending for the **él/ella, Ud.** form is **-yó** (instead of **-ió**) and the ending for the **ellos/ellas, Uds.** form is **-yeron** (instead of **-ieron**).

Marta **oyó** que hay un restaurante cubano en el centro.	*Marta heard that there is a Cuban restaurant downtown.*
¿Uds. **leyeron** el libro?	*Did you (pl.) read the book?*
Jaime **creyó** que Luis preparó la cena.	*Jaime thought that Luis prepared the dinner.*

Replacing the **i** with a **y** allows these verbs to avoid having three vowels in a row. For most verbs in Spanish, the stem ends in a consonant (for example, <u>trabaja</u>r, <u>aprende</u>r, and <u>escribi</u>r) and such an adjustment is not necessary.

Ver and *dar* in the preterite

1. For a few verbs in Spanish, the stem consists of a single consonant. The verb **ver** is of this type. Despite its very short stem, the preterite endings attach to **ver** in the usual way, and this verb is regular in the preterite.

Vi mucho pescado en el mercado.	*I saw a lot of fish in the market.*
¿**Viste** la carta?	*Did you see the menu?*
Jorge **vio** la torta.	*Jorge saw the cake.*
¿**Vieron** el restaurante salvadoreño?	*Did you (pl.) see the Salvadoran restaurant?*

Since **vi** and **vio** have only one syllable, a written accent mark is not used (in contrast to forms like **comí** and **comió**).

2. The verb **dar** also has a stem that consists of a single consonant, **d.** It too takes endings in the usual way, but in the preterite, it takes the endings of an **-er/-ir** verb.

Los cocineros **dieron** una clase sobre la comida japonesa.	*The cooks gave a class about Japanese food.*
Dimos una cena para los profesores.	*We gave a dinner for the teachers.*

As with **ver,** the one-syllable forms **di** and **dio** do not take an accent mark.

Capítulo 7

7.3   Pronouns after prepositions

Additional prepositions

1. The prepositions **entre, excepto,** and **según** are different from other prepositions because they are followed by **yo** and **tú** instead of by **mí** and **ti.**

Entre tú y yo, Juan es muy buena persona.	*Between you and me, Juan is a very good person.*
Según tú, vamos a tener un examen mañana.	*According to you, we are going to have an exam tomorrow.*

2. Expressions of location are also sometimes followed by pronouns. Some examples are **cerca de** (*close to*), **lejos de** (*far from*), **delante de** (*in front of*), **detrás de** (*behind*), and **enfrente de** (*across from*).

Vivo **cerca de** ti.	*I live close to you.*
¡Quiero estar muy **lejos de** él!	*I want to be very far from him!*
Robert estaba **delante de** mí.	*Robert was in front of me.*
Miriam estaba **detrás de** él.	*Miriam was behind him.*
Luz estaba **enfrente de** ellos.	*Luz was across from them.*

Stressed possessives

1. The preposition **de** may be used to express possession, as in **la casa de nosotros** (*our house*). Alternatively, a *stressed possessive* (**posesivo tónico**) may be used in place of the phrase with **de,** as in **la casa nuestra.** Here is the full set of stressed possessives.

STRESSED POSSESSIVES	
mío, mía, míos, mías	*my; mine*
tuyo, tuya, tuyos, tuyas	*your; yours* (inform.)
suyo, suya, suyos, suyas	*his, her, your; his, hers, yours* (form.)
nuestro, nuestra, nuestros, nuestras	*our; ours*
vuestro, vuestra, vuestros, vuestras	*your; yours* (inform., pl., Sp.)
suyo, suya, suyos, suyas	*their, your; theirs, yours* (pl.)

In form, stressed possessives are similar, but not identical, to unstressed possessive adjectives (see **Estructura 1.4**).

2. Stressed possessives are used *after* the noun or when the noun is somewhere else in the sentence (or not present at all). They agree in number and gender with the noun being referred to.

La casa de Uds. es verde, pero la casa **nuestra** es blanca.	*Your* (pl.) *house is green, but our house is white.*
Ese regalo es **mío.**	*That present is mine.*

3. When stressed possessives are used as pronouns, taking the place of the subject or object of the sentence, they have a definite article.

Aquí están mis libros. ¿Dónde están **los tuyos**?	*Here are my books. Where are yours?*
Tu coche es grande. **El mío** es chico.	*Your car is big. Mine is small.*
¿Te gustan tus tarjetas? A mí me gustan **las mías.**	*Do you like your cards? I like mine.*

However, when stressed possessives are used with the verb **ser** to describe the subject, they do not need the definite article.

Este regalo es de Ana. Es **suyo.**	*This gift is Ana's. It's hers.*
¿Esas computadoras son **tuyas**?	*Are those computers yours?*

In either case, all stressed possessives agree in both number and gender with the noun that they refer to.

Capítulo 8

8.1   More irregular preterite forms

Additional irregular preterite forms

The verb **conseguir** (*to obtain; to get*) has **seguir** as its root and is conjugated in the same way in the preterite. Likewise, **despedirse** (*to say good-bye; to take leave*) has **pedir** as its root and is conjugated in the same way.

Here are some other common verbs that change the stem vowel **e** to **i** in the preterite when conjugated in the **él/ella, Ud.** or **ellos/ellas, Uds.** forms.

divertirse (ie, i)	*to have fun*	Carmen **se divirtió** mucho en la fiesta.
		Carmen had a lot of fun at the party.
mentir (ie, i)	*to lie*	Carlos **mintió** cuando dijo que tenía 21 años.
		Carlos lied when he said he was 21.
preferir (ie, i)	*to prefer*	Marta **prefirió** comprar el vestido rojo.
		Marta preferred to buy the red dress.
reírse (í, i) (de)	*to laugh (at)*	Los niños **se rieron** de la corbata de su padre.
		The children laughed at their father's tie.
repetir (i, i)	*to repeat*	El profesor **repitió** la palabra tres veces.
		The teacher repeated the word three times.
sentirse (ie, i)	*to feel*	Catalina **se sintió** muy contenta cuando vio el anillo.
		Catalina felt very happy when she saw the ring.
sonreír (í, i)	*to smile*	El diseñador **sonrió** cuando mencionaron su ropa en la televisión.
		The designer smiled when they mentioned his clothes on television.
sugerir (ie, i)	*to suggest*	Ellas me **sugirieron** una falda más larga.
		They suggested a longer skirt for me.

8.2   The preterite and imperfect together

Comparison of meaning in preterite vs. imperfect

1. You have seen how the preterite can portray an action as having a clear end point. The preterite may also be used to show that an action has a clear beginning point.

María se probó el abrigo y le **gustó** mucho.	*María tried on the coat and liked it a lot.*
Cuando vio la foto, Juan **entendió** que la camisa le quedaba mal.	*When he saw the picture, Juan understood that the shirt fit him poorly.*

   Although the meanings of **gustar** and **entender** generally imply ongoing actions, in these sentences, there is a clear point when María begins to like the coat (when she tries it on) and when Juan's understanding begins (when he sees the picture).

2. The preterite forms of **conocer** and **saber** often refer in this way to the beginning point of knowing someone or something. With **conocer,** this is the point of meeting someone, and with **saber,** it is the point of finding something out. In the imperfect, in contrast, the simple state of knowing is referred to, without any specific beginning or ending point.

Pretérito	Imperfecto
Conocí a Francisco cuando éramos niños.	**Conocía** a Francisco cuando éramos niños.
I met Francisco when we were kids.	*I knew Francisco when we were kids.*
Elena **supo** que los zapatos eran caros.	Elena **sabía** que los zapatos eran caros.
Elena found out that the shoes were expensive.	*Elena knew that the shoes were expensive.*

In the preterite, **conocer** and **saber** are sometimes said to change their meaning, but in fact their meaning comes from what they mean normally, together with the regular meaning of the preterite tense.

3. The verbs **poder** and **querer** are similar. **Poder** in the preterite is often translated into English as *to manage to* and **querer** as *to try*. Both verbs in the preterite express an intention, but also communicate that an action took place: **pude** = *I was able to and actually did it*; **quise** = *I wanted to and actually tried*. Their preterite forms express the beginning or end point of being able and wanting, respectively, while the imperfect forms do not express any clear beginning or end points.

Pretérito	Imperfecto
Ayer **pude** comprar ese vestido negro.	Cuando yo trabajaba, **podía** comprar muchos vestidos.
I was able (I managed) to buy that black dress yesterday.	*When I worked, I could (I had the ability/means, though I may not have actually done it) buy a lot of dresses.*
Mario **quiso** hablar con Ana, pero ella no le hizo caso.	Mario **quería** hablar con Ana, pero ella nunca llegó.
Mario tried to speak with Ana, but she ignored him.	*Mario wanted (but didn't actually try) to speak with Ana, but she never arrived.*

When **poder** and **querer** are used in the negative preterite form, they are often translated as *to fail* (*to do something*) and *to refuse*, respectively.

No pude comprar ese vestido negro porque no traía dinero.	*I wasn't able to (failed to) buy that black dress because I didn't have money with me.*
Mario **no quiso** hablar con Ana porque estaba enojado todavía.	*Mario didn't want to (refused to) speak with Ana because he was still mad.*

8.3   Object pronoun placement with infinitives

Double object pronouns

1. Verbs often have both a direct and an indirect object, and both of these objects may be expressed as pronouns. In this case, the indirect object pronoun precedes the direct object pronoun.

Este sombrero es nuevo. **Me lo** dieron ayer.	*This hat is new. They gave it to me yesterday.*
¿Te gusta esta camisa? ¡**Te la** regalo!	*Do you like this shirt? I'll give it to you!*
Necesito esos anillos. ¿**Me los** pasas?	*I need those rings. Will you pass them to me?*

2. The indirect object pronouns **le** and **les** are not used together with direct object pronouns; the form **se** is used instead.

¿Te gustó la falda de María? Yo **se la regalé.**	*Did you like María's skirt? I gave it to her.*
¿La camisa de Jaime? **Se la** dieron por su cumpleaños.	*Jaime's shirt? They gave it to him for his birthday.*
A Ud., ¿qué le parece este abrigo? **Se lo** vendo barato.	*What do you* (form.) *think about this coat? I'll sell it to you cheap.*

3. When reflexive verbs are used with a direct object pronoun, the reflexive pronoun precedes the direct object pronoun.

¿Esa camisa? **Me la** probé pero no me quedó.	*That shirt? I tried it on, but it didn't fit.*
A mi hija le gusta mucho su suéter rojo. **Se lo** pone cada vez que sale.	*My daughter really likes her red sweater. She puts it on every time she goes out.*

You will see examples of reflexive verbs with indirect object pronouns in **Estructura 9.3.**

4. Just as with single object pronouns, double object pronouns may either both precede a conjugated verb or both follow and be attached to an infinitive. In the latter case, they are written as a single word with the infinitive, and an accent mark is written to preserve the stress.

¿Esa corbata? **Te la** quiero regalar. (Quiero regalár**tela.**)	*That tie? I want to give it to you.*
¿El suéter de Mario? **Se lo** voy a lavar. (Voy a lavár**selo.**)	*Mario's sweater? I'm going to wash it for him.*
¿El pelo? ¿**Te lo** vas a lavar hoy? (¿Vas a lavár**telo** hoy?)	*Your hair? Are you going to wash it today?*

The relative order of the two pronouns is always the same regardless of whether they precede or follow the verb.

Another use of *lo: Lo* + adjective

To express ideas like *the good thing* or *the bad part,* say **lo bueno** or **lo malo**. **Lo** may be combined in this way with the masculine singular form of any adjective.

Lo bueno de esos zapatos es que te quedan bien.	*The good thing about those shoes is that they fit you well.*
Lo malo de esa tienda es que es muy cara.	*The bad thing about that store is that it is very expensive.*
Lo difícil es encontrar un abrigo en mi talla.	*The hard part is finding a coat in my size.*

Capítulo 9

9.1   The prepositions *por* and *para*

Additional uses of *por* and *para*

1. The preposition **para** is often used to indicate the organization for which someone works.

Manuel empezó a trabajar **para los hoteles Hilton** el año pasado.	*Manuel began to work for Hilton hotels last year.*
Susana quiere trabajar **para la universidad** después de graduarse.	*Susana wants to work for the university after graduating.*

Para is also used to express a point of comparison.

Para un hotel tan barato, es muy bonito.	*For such an inexpensive hotel, it is very nice.*
Para un norteamericano, Jason sabe mucho de Latinoamérica.	*For an American, Jason knows a lot about Latin America.*

2. The preposition **por** may be used with units of measure to express a rate, like the English word *per*.

El hotel cuesta cien dólares **por noche.**   *The hotel costs $100 per night.*
El tren va a 120 kilómetros **por hora.**   *The train goes 120 kilometers per hour.*

Por may also be used with verbs of motion to show who or what you are going to pick up along the way.

Mañana paso **por ti** a las ocho.   *Tomorrow I'll come by for you at 8:00.*
Voy **por mi maleta.**   *I'm going for (to get) my suitcase.*

9.3   *Se* for unplanned events

Additional verbs with *se* for unplanned events

1. Some other reflexive verbs that are often used with indirect object pronouns are **irse** (*to go away*), **notarse** (*to be noticeable*), **quebrarse** (*to break*), and **quedarse** (*to stay behind*).

El tren **se me fue.**   *The train left without me.*
Elena dice que está muy nerviosa   *Elena says she is very nervous, but you*
  pero no **se le nota.**   *can't tell (it isn't noticeable on her).*
¿**Se te quebró** algo?   *Did you break something?*
Las llaves **se me quedaron** dentro   *I left the keys inside the car.*
  del coche.

In each of these cases, the reflexive verb describes an unintentional action, and the indirect object expresses who is affected by this action.

2. The reflexive verb **hacerse** (*to be/get done*) has the special meaning of *to seem* or *to think* when it is combined with an indirect object pronoun.

Se me hace que el avión va a   *It seems to me that the plane is*
  llegar tarde.   *going to arrive late.*
Dicen que Cancún es caro.   *They say Cancun is expensive.*
  ¿**Se te hace**?   *Do you think so?*

Capítulo 10

10.1   The relative pronoun *que*

Que and additional relative pronouns

1. Unlike English *that,* the Spanish relative pronoun **que** is never omitted.

La impresora **que** compré ayer ya   *The printer (that) I bought yesterday*
  está en mi oficina.   *is already in my office.*

2. **Que** is the most common relative pronoun and may refer either to people or to things. **Quien** (singular) or **quienes** (plural) should be used after a preposition when referring to people.

Ella es la ingeniera **con quien** hablé   *She is the engineer that I spoke with*
  por teléfono.   *on the phone.*
El señor **a quien** te presenté es   *The man that I introduced you to is*
  el gerente del banco.   *the bank manager.*
Los ejecutivos **de quienes** vimos una   *The executives that we saw a picture*
  foto en el libro van a venir   *of in the book are going to come*
  a la universidad.   *to the university.*

The preposition must always precede the relative pronoun in Spanish. Formal written English is the same (as in, *the engineer with whom I spoke*), but in spoken English, the preposition and the relative pronoun are often separated (as in, *the engineer that I spoke with*).

3. When used as relative pronouns, **que** and **quien/quienes** are not written with accent marks, but when used as question words, they are.

—¿**Qué** vas a leer?
—Voy a leer el libro **que** está
   en la mesa.

—¿**A quién** viste en el trabajo?
—Vi a la señora **con quien hablaste** ayer.

"What are you going to read?"
"I'm going to read the book (*that is*)
   on the table."

"Who did you see at work?"
"I saw the woman (*that*) you spoke
   with yesterday."

Lo que

Lo que is a very common expression in Spanish. **Lo** here is a pronoun, and **que** introduces the relative clause that follows. **Lo que quiero** thus literally means *that which I want,* but it is more naturally translated as *what I want.*

¡**Lo que** quiero es tener mucho
   dinero y no tener que trabajar!
Me gusta **lo que** dijiste en la clase.
Es interesante **lo que** hacen
   los arquitectos.

What I want is to have a lot of
   money and not have to work!
I like what you said in class.
What architects do is interesting.

Capítulo 11

11.1   The present perfect

Additional irregular past participles

Here are some other common verbs that have irregular past participles.

INFINITIVE	PAST PARTICIPLE		
abrir	abierto	Han **abierto** la puerta.	*They've opened the door.*
cubrir	cubierto	Hemos **cubierto** la mesa con un mantel.	*We've covered the table with a tablecloth.*
romper	roto	¿Has **roto** la lámpara?	*Have you broken the lamp?*
volver	vuelto	María se fue y no ha **vuelto.**	*María left and hasn't returned.*

Verbs whose root uses an irregular past participle will use that same irregular form.

des<u>cubr</u>ir (*to discover*) → descubierto
re<u>volv</u>er (*to stir*) → revuelto

Using the past participle as an adjective

Past participles may be used as adjectives, often with the verb **estar.** When they are used as adjectives, they agree in gender and number with the noun that they modify.

La lámpara **está rota.**
Los platos ya **están lavados.**
La cocina **está cerrada.**

The lamp is broken.
The dishes are already washed.
The kitchen is closed.

Using the past participle to form the passive

The past participle may also be used to indicate an action with the verb **ser,** creating a passive construction. The tense of the verb **ser** indicates whether the action is a past, present, or future event.

Las calles **son barridas** cada jueves.
Esta casa **fue construida** en 1982.
El lavaplatos **va a ser instalado**
   mañana.

The streets are swept every Thursday.
This house was built in 1982.
*The dishwasher is going to be
   installed tomorrow.*

The person or thing that is doing the action may be expressed with the preposition **por.**

Los coches fueron lavados **por expertos.**   *The cars were washed by experts.*

The past perfect

The present perfect uses the verb **haber** in the present tense, followed by the past participle. The past perfect (**el pluscuamperfecto**) is the same but uses **haber** in the imperfect tense. It expresses the idea that you *had* already done something by the time some other event occurred.

Cuando llegó Ana, yo ya **había limpiado** la cocina.

When Ana arrived, I had already cleaned the kitchen.

Cuando yo te vi, ¿ya **habías barrido** el pasillo?

When I saw you, had you already swept the hallway?

11.2   Commands with object pronouns

Nosotros/as commands

1. To say what you want to do with other people as a group, you may use a **nosotros/as** command, equivalent to English sentences with *let's*. The **nosotros/as** command has the same form as the formal **Ud.** command (see **Estructura 10.3**), but with a **-mos** ending.

Limpiemos la casa.

Let's clean the house.

¡**Pongamos** la comida en la mesa!

Let's put the food on the table!

¡**Cenemos**!

Let's have dinner!

As with formal commands, **nosotros/as** commands use the vowel **e** in the ending for **-ar** verbs and the vowel **a** for **-er** and **-ir** verbs.

2. As with all other command forms, object pronouns (indirect, direct) and reflexive pronouns used in **nosotros/as** commands are attached to the end of positive commands and appear as a separate word before negative commands. An accent mark is added to the stressed syllable of a positive command when one or more object pronouns are attached.

Limpi**é**mos**la**.

Let's clean it.

¡No **lo** pongamos allí!

Let's not put it there!

When the reflexive pronoun **nos** is attached to a positive **nosotros/as** command, the final **-s** of the verb is dropped.

No nos levantemos a las ocho. Levantémo**nos** a las seis.

Let's not get up at 8:00. Let's get up at 6:00.

No nos sentemos en el sótano; sentémo**nos** en la sala.

Let's not sit down in the basement; let's sit down in the living room.

3. Unlike other verbs, **ir** uses its present tense form (**vamos**) for the positive **nosotros/as** command. With the reflexive **irse,** the final **-s** is dropped when **nos** is attached.

¡Vámo**nos**!

Let's go/leave!

4. It is also common to use **vamos a** + *infinitive* to express the idea of *let's*.

Vamos a limpiar la casa.

Let's clean the house.

¡**Vamos a levantarnos** temprano!

Let's get up early!

11.3   The present progressive

The past progressive

In the present progressive, **estar** is in the present tense. However, progressives may also be created with other tenses. It is especially common for **estar** to be in the imperfect.

Estaba limpiando la casa ayer a las ocho.

I was cleaning the house yesterday at 8:00.

¿**Estabas comiendo** cuando te llamé?

Were you eating when I called you?

Just as the present progressive describes an action in progress in the present, the past progressive describes an action in progress in the past.

Capítulo 12

12.2 The present progressive with object pronouns

The present progressive with double object pronouns

As you saw in **Para saber más 8.3,** verbs sometimes have two objects that are both expressed as pronouns. When the verb is in the present progressive, these object pronouns may either precede **estar** or be attached to the **-ndo** form of the verb, just as with single object pronouns. When attaching either one or two object pronouns to the **-ndo** form, a written accent mark is placed over the vowel where the stress normally falls.

¿La pelota? **Se la** está dando el entrenador. (Está dándo**sela** el entrenador.)	The ball? The coach is giving it to him/her.
¿Te gusta esta raqueta? ¡Mariana **me la** está vendiendo a muy buen precio! (¡Mariana está vendiéndo**mela** a muy buen precio!)	Do you like this racket? Mariana is selling it to me at a really good price!

The two pronouns must be together, either both before **estar** or both attached to the **-ndo** form.

12.3 The subjunctive: Volition with regular verbs

Additional expressions of volition

Here are some other common verbs and expressions that convey a recommendation, a piece of advice, or a desire, and which are therefore followed by the subjunctive after **que.**

aconsejar *to advise*	**Te aconsejo** que **hables** con tu médico. *I advise you to speak to your doctor.*
exigir *to demand*	**Nos están exigiendo** que **leamos** el libro para el lunes. *They're demanding that we read the book by Monday.*
insistir en	**¡Insisto** en que **juegues** tenis conmigo! *I insist that you play tennis with me!*
mandar *to order*	**Voy a mandar** que **caminen** un kilómetro al día. *I'm going to order that they walk one kilometer a day.*
permitir	¿**Permiten** que **andemos** en patineta aquí? *Do they allow us to skateboard here?*
preferir	**Prefieren** que **levantemos** pesas por la mañana. *They prefer that we lift weights in the morning.*
prohibir (í)	Nuestro profesor **nos prohíbe** que **hablemos** inglés en la clase. *Our teacher prohibits (forbids) us from speaking English in class.*
ser importante	**Es importante** que **duermas** bien todas las noches. *It's important that you sleep well every night.*
ser mejor	**Es mejor** que no **andes** en bicicleta en este clima. *It's better that you don't ride bikes in this weather.*
sugerir	**Te sugiero** que **comas** más fruta. *I suggest that you eat more fruit.*

Capítulo 13

13.1   The subjunctive: Irregular verbs

Additional irregular verbs in the subjunctive

1. In general, verbs that have an irregular stem for **yo** in the present indicative use this same stem in the present subjunctive. The verbs **conocer** (**conozco/conozca**) and **oír** (**oigo/oiga**) are common examples.

Quiero que **conozcas** a mi tía.	I want you to meet my aunt.
Es muy importante que Uds. **oigan** la canción de este pájaro.	It is very important that you (pl.) listen to this bird's song.

The person/number endings are regular for all verbs in the subjunctive.

2. Some verbs use a special stem for the present subjunctive. **Haber** (**haya**) and **saber** (**sepa**) are common examples of this type of verb.

Es necesario que **haya** un área especial para los pingüinos.	It is necessary for there to be a special area for the penguins.
Quiero que **sepas** que cerramos el parque a las siete.	I want you to know that we close the park at 7:00.

3. Verbs that change their stem in the present indicative (such as **poder** [o → ue] and **querer** [e → ie]) do the same in the present subjunctive.

Es importante que las tortugas **puedan** llegar a la playa sin problemas.	It's important for the turtles to be able to get to the beach without problems.
¡Quiero que me **quieras**!	I want you to love me!

4. Verbs of the **e → i** family, such as **pedir,** undergo this stem-change in all forms of the subjunctive, including the **nosotros** and **vosotros** forms, which do not undergo the change in the indicative.

No es necesario que **pidamos** ayuda.	It is not necessary for us to ask for help.
Pedimos ayuda de vez en cuando.	We ask for help from time to time.

Similarly, **-ir** verbs that have an **e → i** or **o → u** change in the preterite, such as **sentirse** or **dormir,** show this same change in the **nosotros** and **vosotros** forms of the present subjunctive. Their regular **e → ie** or **o → ue** change occurs in the other forms.

Es muy importante que **se sientan / nos sintamos** bien en la clase.	It's very important that you (pl.) / we feel good in class.
Los médicos recomiendan que **duerman/ durmamos** ocho horas cada noche.	Doctors recommend that you (pl.) / we sleep eight hours every night.

Present perfect subjunctive

The present perfect subjunctive (**el presente perfecto de subjuntivo**) is formed with the present subjunctive of **haber** and the past participle. It is used in the same contexts as the present subjunctive, but it portrays the event as having happened in the past when the main clause verb is in the present. The English equivalents in these cases may or may not use *have/has*.

Espero que **hayas podido** leer el libro.	I hope that you have been (were) able to read the book.
Ojalá que Arturo **haya escuchado** mis consejos.	I hope that Arturo (has) listened to my advice.
Es necesario que Uds. **hayan estudiado** antes de hacer el examen.	It's necessary for you to have studied before taking the test.

13.2   The subjunctive: Disbelief and uncertainty

The subjunctive in adjective clauses (after nonexistent and indefinite antecedents)

1. You saw in **Estructura 10.1** that the relative pronoun **que** introduces a clause (called a *relative clause* or *adjective clause*) that gives further information about a noun.

Hay tortugas **que viven en el mar.**	*There are turtles that live in the ocean.*

When the noun being described does not exist or is not known to exist, the relative clause appears in the subjunctive.

No hay ninguna tortuga que **viva** en la nieve.	*There is no turtle that lives in the snow.*
¿Aquí hay un parque que **tenga** muchos pájaros?	*Is there a park here that has a lot of birds?*

2. It is especially common to use the subjunctive in relative clauses when the noun being described does not refer to anyone or anything specific.

Los biólogos buscan un animal que **vuele.**	*The biologists are looking for an animal that flies.* (They don't have any particular animal in mind and there may not even be any.)

If you want to say that the biologists are looking for a specific animal, use the indicative.

Los biólogos buscan un animal que **vuela.**	*The biologists are looking for an animal that flies.* (Such an animal exists and they have this animal in mind.)

3. The use of the subjunctive in relative clauses is in keeping with the core meaning of the subjunctive: to express ideas that may not be true. To describe a noun that may not even exist, you thus use the subjunctive. Since the indicative expresses ideas that are thought to be true, you use it to describe a noun that you think exists.

The subjunctive: Emotion

The subjunctive is used after many verbs and expressions that convey an emotional reaction.

alegrarse *to be happy*	**Me alegro** de que **seas** uno de los mejores estudiantes. *I'm happy that you are one of the best students.*
gustar	**Me gusta** que **estés** en la clase conmigo. *I like it that you're in the class with me.*
lamentar *to regret*	**Lamento** que el sapo dorado ya no **exista.** *I regret that the golden toad doesn't exist anymore.*
molestar *to bother*	¿**Te molesta** que **te digan** «Susie»? *Does it bother you that they call you "Susie"?*
sentir *to be sorry*	**Siento** mucho que **hayan cortado** el árbol. *I'm very sorry that they (have) cut down the tree.*
ser bueno/malo	**Es bueno** que **tengan** un parque tan grande en la ciudad. *It's good that they have such a big park in the city.*

(Continued)

| **ser una lástima** *to be a shame* | **Es una lástima** que el bosque **esté** en tan malas condiciones. *It's a shame that the forest is in such bad condition.* |
| **temer** | **Temo** que ya no **haya*** muchos pájaros en esta zona. *I'm afraid that there aren't many birds in this area anymore.* |

The dependent clause uses the subjunctive and describes the situation that the person is reacting to in each of these cases.

13.3   The subjunctive: Purpose and contingency

The subjunctive in time clauses

1. Time clauses are introduced by words such as **cuando.** When the time clause refers to an event that has not yet happened, it is in the subjunctive.

| Marta se va a poner muy contenta cuando **vea** un cóndor en las montañas. | *Marta will become very happy when she sees a condor in the mountains.* (This hasn't happened yet.) |

When the time clause refers to something that happens regularly or that has already happened, it is in the indicative.

| Marta se pone muy contenta cuando **ve** un cóndor en las montañas. | *Marta becomes very happy when she sees a condor in the mountains.* (This happens regularly.) |

2. **Cuando** is the most common word to introduce a time clause, but some other common expressions are **antes de que, después de que,** and **hasta que.** They all use the subjunctive when describing an event that hasn't happened yet.

Quiero visitar el parque **antes de que** lo **cierren.**	*I want to visit the park before they close it.*
Vamos a hablar **después de que** **regreses** de tu viaje.	*Let's talk after you return from your trip.*
Tenemos que seguir trabajando **hasta que** las playas **estén** limpias.	*We have to keep working until the beaches are clean.*

Because **antes de que** always refers to an event that hasn't yet happened, it is always followed by the subjunctive.

3. The choice of subjunctive or indicative in time clauses follows from the core meaning of each. The subjunctive is to express ideas that may not be true, so you use the subjunctive in time clauses that refer to a future event. Since the event has not happened yet, there is a chance that it may never happen, and this uncertainty makes the subjunctive appropriate. The indicative is used to express facts or ideas thought to be true, so you use it in time clauses about something that happens regularly or has already happened.

The subjunctive: Additional expressions of contingency

Some other common expressions followed by the subjunctive are **a menos que** (*unless*), **con tal de que** (*provided that*), and **sin que** (*without*).

Hay muchas hormigas cada año **a menos que haga** mucho frío.	*There are lots of ants every year unless it is very cold.*
Voy a pasar el día en las montañas **con tal de que me acompañes.**	*I'm going to spend the day in the mountains provided that you accompany me.*
¿Puedes observar a los osos **sin que te vean**?	*Can you observe the bears without them seeing you?*

In all of these cases, the clause with the subjunctive expresses an event that may not happen.

---

*Recall that when **haber** is used to express existence, it is always singular.

Capítulo 14

14.1 The past subjunctive

Additional irregular past subjunctive forms

1. The stem of the past subjunctive is always the same as the stem of the preterite, even if the preterite stem is irregular. You have already seen some verbs with irregular past subjunctive forms. Here are more common verbs with irregular stems.

decir (dij-)	Queríamos que la actriz **dijera** algo interesante en la entrevista. *We wanted the actress to say something interesting in the interview.*
hacer (hic-)	Era importante que **hicieran** una película sobre la vida del general. *It was important that they make a movie about the life of the general.*
traer (traj-)	Recomendaban que **trajéramos** un diccionario. *They recommended that we bring a dictionary.*

Note that **decir** and **traer,** whose stems end in **-j,** drop the **i** in the past subjunctive ending. In **Estructura 6.2,** you saw this same adjustment with the **-ieron** ending of the preterite, as in **dijeron** and **trajeron.** In both cases, this small adjustment makes pronunciation of the verb forms easier.

2. As you saw in **Estructura 8.1,** some verbs change the stem vowel in the preterite. This change occurs in the past subjunctive also. Here are some common verbs in which stem vowel **e** changes to **i.**

mentir (ie, i)	Yo no quería que me **mintieran.** *I didn't want them to lie to me.*
pedir (i, i)	No era necesario que los músicos **pidieran** ayuda. *It wasn't necessary for the musicians to ask for help.*
seguir (i, i)	Era muy importante que los niños me **siguieran** en el museo. *It was very important that the children follow me in the museum.*
servir (i, i)	Arreglaron esta parte del edificio para que **sirviera** de biblioteca. *They fixed this part of the building so that it would serve as a library.*

3. Here are some common verbs in which the stem vowel **o** changes to **u.**

dormir (ue, u)	Con tanto ruido, era imposible que yo **durmiera** tarde. *With so much noise, it was impossible for me to sleep late.*
morir (ue, u)	No queríamos que la cantante **muriera** en la ópera. *We didn't want the singer to die in the opera.*

The past perfect subjunctive

The *past perfect subjunctive* (**el pluscuamperfecto de subjuntivo**) is formed with the past subjunctive of **haber** (**hubiera, hubieras, . . .**) followed by the past participle. It has the same basic meaning as the past perfect indicative (for example, **habían salido** [*they had left*]), but it is used in contexts where the subjunctive is required.

Yo esperaba que ya **hubieran salido.**
Nadie creía que **hubieras tocado** la guitarra tan bien.
Era imposible que **hubiéramos leído** todo el libro para el martes.

I was hoping that they had already left.
Nobody believed that you had played the guitar so well.
It was impossible for us to have read the whole book by Tuesday.

14.2   The future

Irregular future forms

The future tense endings are always regular, but some verbs have irregular stems. In addition to those that you have already seen, here are some other common verbs with irregular stems in the future.

querer	querr-	¿**Querrás** venir con nosotros al cine?
		Might you want to come with us to the movies?
saber	sabr-	¿**Sabrá** tocar el violín Gustavo?
		Does Gustavo perhaps know how to play the violin?
valer	valdr-	Ese libro **valdrá** mucho más en el futuro.
		That book will be worth a lot more in the future.

The future perfect

1. The future perfect is formed with **haber** in the future tense followed by the past participle. It is a common way to make conjectures about something that might have happened in the past.

¿**Habrán filmado** esa película en Lima?

Might they have filmed that movie in Lima?

¿Borges **habrá entrado** a esta librería?

Could Borges have entered this bookstore?

2. You may also use the future perfect to say what will have happened by a certain time.

Para el 2 de julio, Marisela ya **habrá abierto** la galería.

By July 2, Marisela will have already opened the gallery.

Capítulo 15

15.1   The conditional

Irregular conditional forms

Here are some additional common verbs with an irregular stem in the conditional.

querer	querr-	Yo **querría** acompañarte.
		I would like to go with (accompany) you.
saber	sabr-	Un guatemalteco **sabría** cómo se llama ese pájaro.
		A Guatemalan would know what that bird is called.
valer	valdr-	Mi teléfono **valdría** mucho, pero está roto.
		My phone would be worth a lot, but it's broken.

For many speakers, the conditional form of **querer** (**querría**) is rarely used and the past subjunctive form (**quisiera**) is used instead.

The conditional perfect

The conditional perfect is formed with **haber** in the conditional followed by the past participle. You use it to say what *would have* happened in the past.

Yo **habría viajado** a Uruguay el año pasado, pero no tenía suficiente dinero.

I would have traveled to Uruguay last year, but I didn't have enough money.

Habría sido buenísimo hablar con los indígenas de la zona en su lengua.

It would have been great to speak with the indigenous people of the area in their language.

15.2 *Si* clauses

The past perfect subjunctive in *si* clauses

1. When a **si** clause refers to a contrary-to-fact event in the past, use the past perfect subjunctive form of the verb (see **Para saber más 14.1**).

Si yo **hubiera sabido** que no tenías dinero, te habría prestado.	If I had known that you didn't have money, I would have lent you some.
Si Cristóbal Colón no **hubiera llegado** a América, el mundo sería muy diferente.	If Christopher Columbus had not arrived in the Americas, the world would be very different.

2. Many speakers also use this past subjunctive perfect form in place of the conditional perfect.

Hubiera sido buenísimo hablar con los indígenas de la zona en su lengua.	It would have been great to speak with the indigenous people of that area in their language.

APPENDIX 1: Verb Charts

A. REGULAR VERBS: SIMPLE TENSES

Infinitive Present Participle Past Participle	INDICATIVE						SUBJUNCTIVE		IMPERATIVE
	Present	Imperfect	Preterite	Future	Conditional		Present	Past	
hablar	hablo	hablaba	hablé	hablaré	hablaría		hable	hablara	
hablando	hablas	hablabas	hablaste	hablarás	hablarías		hables	hablaras	habla / no hables
hablado	habla	hablaba	habló	hablará	hablaría		hable	hablara	hable
	hablamos	hablábamos	hablamos	hablaremos	hablaríamos		hablemos	habláramos	hablemos
	habláis	hablabais	hablasteis	hablaréis	hablaríais		habléis	hablarais	hablad / no habléis
	hablan	hablaban	hablaron	hablarán	hablarían		hablen	hablaran	hablen
comer	como	comía	comí	comeré	comería		coma	comiera	
comiendo	comes	comías	comiste	comerás	comerías		comas	comieras	come / no comas
comido	come	comía	comió	comerá	comería		coma	comiera	coma
	comemos	comíamos	comimos	comeremos	comeríamos		comamos	comiéramos	comamos
	coméis	comíais	comisteis	comeréis	comeríais		comáis	comierais	comed / no comáis
	comen	comían	comieron	comerán	comerían		coman	comieran	coman
vivir	vivo	vivía	viví	viviré	viviría		viva	viviera	
viviendo	vives	vivías	viviste	vivirás	vivirías		vivas	vivieras	vive / no vivas
vivido	vive	vivía	vivió	vivirá	viviría		viva	viviera	viva
	vivimos	vivíamos	vivimos	viviremos	viviríamos		vivamos	viviéramos	vivamos
	vivís	vivíais	vivisteis	viviréis	viviríais		viváis	vivierais	vivid / no viváis
	viven	vivían	vivieron	vivirán	vivirían		vivan	vivieran	vivan

B. REGULAR VERBS: PERFECT TENSES

INDICATIVE

Present Perfect	Pluperfect	Preterite Perfect	Future Perfect	Conditional Perfect
he	había	hube	habré	habría
has	habías	hubiste	habrás	habrías
ha	había	hubo	habrá	habría
hemos	habíamos	hubimos	habremos	habríamos
habéis	habíais	hubisteis	habréis	habríais
han	habían	hubieron	habrán	habrían

(each with hablado / comido / vivido)

SUBJUNCTIVE

Present Perfect	Pluperfect
haya	hubiera
hayas	hubieras
haya	hubiera
hayamos	hubiéramos
hayáis	hubierais
hayan	hubieran

(each with hablado / comido / vivido)

C. IRREGULAR VERBS

Infinitive / Present Participle / Past Participle	INDICATIVE					SUBJUNCTIVE		IMPERATIVE
	Present	Imperfect	Preterite	Future	Conditional	Present	Past	
andar	ando	andaba	anduve	andaré	andaría	ande	anduviera	
andando	andas	andabas	anduviste	andarás	andarías	andes	anduvieras	anda / no andes
andado	anda	andaba	anduvo	andará	andaría	ande	anduviera	ande
	andamos	andábamos	anduvimos	andaremos	andaríamos	andemos	anduviéramos	andemos
	andáis	andabais	anduvisteis	andaréis	andaríais	andéis	anduvierais	andad / no andéis
	andan	andaban	anduvieron	andarán	andarían	anden	anduvieran	anden
caber	quepo	cabía	cupe	cabré	cabría	quepa	cupiera	
cabiendo	cabes	cabías	cupiste	cabrás	cabrías	quepas	cupieras	cabe / no quepas
cabido	cabe	cabía	cupo	cabrá	cabría	quepa	cupiera	quepa
	cabemos	cabíamos	cupimos	cabremos	cabríamos	quepamos	cupiéramos	quepamos
	cabéis	cabíais	cupisteis	cabréis	cabríais	quepáis	cupierais	cabed / no quepáis
	caben	cabían	cupieron	cabrán	cabrían	quepan	cupieran	quepan
caer	caigo	caía	caí	caeré	caería	caiga	cayera	
cayendo	caes	caías	caíste	caerás	caerías	caigas	cayeras	cae / no caigas
caído	cae	caía	cayó	caerá	caería	caiga	cayera	caiga
	caemos	caíamos	caímos	caeremos	caeríamos	caigamos	cayéramos	caigamos
	caéis	caíais	caísteis	caeréis	caeríais	caigáis	cayerais	caed / no caigáis
	caen	caían	cayeron	caerán	caerían	caigan	cayeran	caigan

C. IRREGULAR VERBS (CONTINUED)

Infinitive / Present Participle / Past Participle	INDICATIVE Present	Imperfect	Preterite	Future	Conditional	SUBJUNCTIVE Present	Past	IMPERATIVE
dar	doy	daba	di	daré	daría	dé	diera	
dando	das	dabas	diste	darás	darías	des	dieras	da / no des
dado	da	daba	dio	dará	daría	dé	diera	dé
	damos	dábamos	dimos	daremos	daríamos	demos	diéramos	demos
	dais	dabais	disteis	daréis	daríais	deis	dierais	dad / no deis
	dan	daban	dieron	darán	darían	den	dieran	den
decir	digo	decía	dije	diré	diría	diga	dijera	
diciendo	dices	decías	dijiste	dirás	dirías	digas	dijeras	di / no digas
dicho	dice	decía	dijo	dirá	diría	diga	dijera	diga
	decimos	decíamos	dijimos	diremos	diríamos	digamos	dijéramos	digamos
	decís	decíais	dijisteis	diréis	diríais	digáis	dijerais	decid / no digáis
	dicen	decían	dijeron	dirán	dirían	digan	dijeran	digan
estar	estoy	estaba	estuve	estaré	estaría	esté	estuviera	
estando	estás	estabas	estuviste	estarás	estarías	estés	estuvieras	está / no estés
estado	está	estaba	estuvo	estará	estaría	esté	estuviera	esté
	estamos	estábamos	estuvimos	estaremos	estaríamos	estemos	estuviéramos	estemos
	estáis	estabais	estuvisteis	estaréis	estaríais	estéis	estuvierais	estad / no estéis
	están	estaban	estuvieron	estarán	estarían	estén	estuviera	estén
haber	he	había	hube	habré	habría	haya	hubiera	
habiendo	has	habías	hubiste	habrás	habrías	hayas	hubieras	
habido	ha	había	hubo	habrá	habría	haya	hubiera	
	hemos	habíamos	hubimos	habremos	habríamos	hayamos	hubiéramos	
	habéis	habíais	hubisteis	habréis	habríais	hayáis	hubierais	
	han	habían	hubieron	habrán	habrían	hayan	hubieran	
hacer	hago	hacía	hice	haré	haría	haga	hiciera	
haciendo	haces	hacías	hiciste	harás	harías	hagas	hicieras	haz / no hagas
hecho	hace	hacía	hizo	hará	haría	haga	hiciera	haga
	hacemos	hacíamos	hicimos	haremos	haríamos	hagamos	hiciéramos	hagamos
	hacéis	hacíais	hicisteis	haréis	haríais	hagáis	hicierais	haced / no hagáis
	hacen	hacían	hicieron	harán	harían	hagan	hicieran	hagan

C. IRREGULAR VERBS (CONTINUED)

Infinitive / Present Participle / Past Participle	INDICATIVE Present	Imperfect	Preterite	Future	Conditional	SUBJUNCTIVE Present	Past	IMPERATIVE
ir / yendo / ido	voy	iba	fui	iré	iría	vaya	fuera	
	vas	ibas	fuiste	irás	irías	vayas	fueras	ve / no vayas
	va	iba	fue	irá	iría	vaya	fuera	vaya
	vamos	íbamos	fuimos	iremos	iríamos	vayamos	fuéramos	vayamos
	vais	ibais	fuisteis	iréis	iríais	vayáis	fuerais	id / no vayáis
	van	iban	fueron	irán	irían	vayan	fueran	vayan
oír / oyendo / oído	oigo	oía	oí	oiré	oiría	oiga	oyera	
	oyes	oías	oíste	oirás	oirías	oigas	oyeras	oye / no oigas
	oye	oía	oyó	oirá	oiría	oiga	oyera	oiga
	oímos	oíamos	oímos	oiremos	oiríamos	oigamos	oyéramos	oigamos
	oís	oíais	oísteis	oiréis	oiríais	oigáis	oyerais	oíd / no oigáis
	oyen	oían	oyeron	oirán	oirían	oigan	oyeran	oigan
poder / pudiendo / podido	puedo	podía	pude	podré	podría	pueda	pudiera	
	puedes	podías	pudiste	podrás	podrías	puedas	pudieras	
	puede	podía	pudo	podrá	podría	pueda	pudiera	
	podemos	podíamos	pudimos	podremos	podríamos	podamos	pudiéramos	
	podéis	podíais	pudisteis	podréis	podríais	podáis	pudierais	
	pueden	podían	pudieron	podrán	podrían	puedan	pudieran	
poner / poniendo / puesto	pongo	ponía	puse	pondré	pondría	ponga	pusiera	
	pones	ponías	pusiste	pondrás	pondrías	pongas	pusieras	pon / no pongas
	pone	ponía	puso	pondrá	pondría	ponga	pusiera	ponga
	ponemos	poníamos	pusimos	pondremos	pondríamos	pongamos	pusiéramos	pongamos
	ponéis	poníais	pusisteis	pondréis	pondríais	pongáis	pusierais	poned / no pongáis
	ponen	ponían	pusieron	pondrán	pondrían	pongan	pusieran	pongan
querer / queriendo / querido	quiero	quería	quise	querré	querría	quiera	quisiera	
	quieres	querías	quisiste	querrás	querrías	quieras	quisieras	quiere / no quieras
	quiere	quería	quiso	querrá	querría	quiera	quisiera	quiera
	queremos	queríamos	quisimos	querremos	querríamos	queramos	quisiéramos	queramos
	queréis	queríais	quisisteis	querréis	querríais	queráis	quisierais	quered / no queráis
	quieren	querían	quisieron	querrán	querrían	quieran	quisieran	quieran

C. IRREGULAR VERBS (CONTINUED)

Infinitive / Present Participle / Past Participle	INDICATIVE					SUBJUNCTIVE		IMPERATIVE
	Present	Imperfect	Preterite	Future	Conditional	Present	Past	
saber / sabiendo / sabido	sé	sabía	supe	sabré	sabría	sepa	supiera	
	sabes	sabías	supiste	sabrás	sabrías	sepas	supieras	sabe / no sepas
	sabe	sabía	supo	sabrá	sabría	sepa	supiera	sepa
	sabemos	sabíamos	supimos	sabremos	sabríamos	sepamos	supiéramos	sepamos
	sabéis	sabíais	supisteis	sabréis	sabríais	sepáis	supierais	sabed / no sepáis
	saben	sabían	supieron	sabrán	sabrían	sepan	supieran	sepan
salir / saliendo / salido	salgo	salía	salí	saldré	saldría	salga	saliera	
	sales	salías	saliste	saldrás	saldrías	salgas	salieras	sal / no salgas
	sale	salía	salió	saldrá	saldría	salga	saliera	salga
	salimos	salíamos	salimos	saldremos	saldríamos	salgamos	saliéramos	salgamos
	salís	salíais	salisteis	saldréis	saldríais	salgáis	salierais	salid / no salgáis
	salen	salían	salieron	saldrán	saldrían	salgan	salieran	salgan
ser / siendo / sido	soy	era	fui	seré	sería	sea	fuera	
	eres	eras	fuiste	serás	serías	seas	fueras	sé / no seas
	es	era	fue	será	sería	sea	fuera	sea
	somos	éramos	fuimos	seremos	seríamos	seamos	fuéramos	seamos
	sois	erais	fuisteis	seréis	seríais	seáis	fuerais	sed / no seáis
	son	eran	fueron	serán	serían	sean	fueran	sean
tener / teniendo / tenido	tengo	tenía	tuve	tendré	tendría	tenga	tuviera	
	tienes	tenías	tuviste	tendrás	tendrías	tengas	tuvieras	ten / no tengas
	tiene	tenía	tuvo	tendrá	tendría	tenga	tuviera	tenga
	tenemos	teníamos	tuvimos	tendremos	tendríamos	tengamos	tuviéramos	tengamos
	tenéis	teníais	tuvisteis	tendréis	tendríais	tengáis	tuvierais	tened / no tengáis
	tienen	tenían	tuvieron	tendrán	tendrían	tengan	tuvieran	tengan
traer / trayendo / traído	traigo	traía	traje	traeré	traería	traiga	trajera	
	traes	traías	trajiste	traerás	traerías	traigas	trajeras	trae / no traigas
	trae	traía	trajo	traerá	traería	traiga	trajera	traiga
	traemos	traíamos	trajimos	traeremos	traeríamos	traigamos	trajéramos	traigamos
	traéis	traíais	trajisteis	traeréis	traeríais	traigáis	trajerais	traed / no traigáis
	traen	traían	trajeron	traerán	traerían	traigan	trajeran	traigan

C. IRREGULAR VERBS (CONTINUED)

Infinitive Present Participle Past Participle	INDICATIVE						SUBJUNCTIVE		IMPERATIVE
	Present	Imperfect	Preterite	Future	Conditional		Present	Past	
valer valiendo valido	valgo vales vale valemos valéis valen	valía valías valía valíamos valíais valían	valí valiste valió valimos valisteis valieron	valdré valdrás valdrá valdremos valdréis valdrán	valdría valdrías valdría valdríamos valdríais valdrían		valga valgas valga valgamos valgáis valgan	valiera valieras valiera valiéramos valierais valieran	vale / no valgas valga valgamos valed / no valgáis valgan
venir viniendo venido	vengo vienes viene venimos venís vienen	venía venías venía veníamos veníais venían	vine viniste vino vinimos vinisteis vinieron	vendré vendrás vendrá vendremos vendréis vendrán	vendría vendrías vendría vendríamos vendríais vendrían		venga vengas venga vengamos vengáis vengan	viniera vinieras viniera viniéramos vinierais vinieran	ven / no vengas venga vengamos venid / no vengáis vengan
ver viendo visto	veo ves ve vemos veis ven	veía veías veía veíamos veíais veían	vi viste vio vimos visteis vieron	veré verás verá veremos veréis verán	vería verías vería veríamos veríais verían		vea veas vea veamos veáis vean	viera vieras viera viéramos vierais vieran	ve / no veas vea veamos ved / no veáis vean

D. STEM-CHANGING AND SPELLING-CHANGE VERBS

Infinitive / Present Participle / Past Participle	INDICATIVE					SUBJUNCTIVE		IMPERATIVE
	Present	Imperfect	Preterite	Future	Conditional	Present	Past	
construir (y) / construyendo / construido	construyo	construía	construí	construiré	construiría	construya	construyera	
	construyes	construías	construiste	construirás	construirías	construyas	construyeras	construye / no construyas
	construye	construía	construyó	construirá	construiría	construya	construyera	construya
	construimos	construíamos	construimos	construiremos	construiríamos	construyamos	construyéramos	construyamos
	construís	construíais	construisteis	construiréis	construiríais	construyáis	construyerais	construid / no construyáis
	construyen	construían	construyeron	construirán	construirían	construyan	construyeran	construyan
creer (y [*3rd-pers. pret.*]) / creyendo / creído	creo	creía	creí	creeré	creería	crea	creyera	
	crees	creías	creíste	creerás	creerías	creas	creyeras	cree / no creas
	cree	creía	creyó	creerá	creería	crea	creyera	crea
	creemos	creíamos	creímos	creeremos	creeríamos	creamos	creyéramos	creamos
	creéis	creíais	creísteis	creeréis	creeríais	creáis	creyerais	creed / no creáis
	creen	creían	creyeron	creerán	creerían	crean	creyeran	crean
dormir (ue, u) / durmiendo / dormido	duermo	dormía	dormí	dormiré	dormiría	duerma	durmiera	
	duermes	dormías	dormiste	dormirás	dormirías	duermas	durmieras	duerme / no duermas
	duerme	dormía	durmió	dormirá	dormiría	duerma	durmiera	duerma
	dormimos	dormíamos	dormimos	dormiremos	dormiríamos	durmamos	durmiéramos	durmamos
	dormís	dormíais	dormisteis	dormiréis	dormiríais	durmáis	durmierais	dormid / no durmáis
	duermen	dormían	durmieron	dormirán	dormirían	duerman	durmieran	duerman
pedir (i, i) / pidiendo / pedido	pido	pedía	pedí	pediré	pediría	pida	pidiera	
	pides	pedías	pediste	pedirás	pedirías	pidas	pidieras	pide / no pidas
	pide	pedía	pidió	pedirá	pediría	pida	pidiera	pida
	pedimos	pedíamos	pedimos	pediremos	pediríamos	pidamos	pidiéramos	pidamos
	pedís	pedíais	pedisteis	pediréis	pediríais	pidáis	pidierais	pedid / no pidáis
	piden	pedían	pidieron	pedirán	pedirían	pidan	pidieran	pidan
pensar (ie) / pensando / pensado	pienso	pensaba	pensé	pensaré	pensaría	piense	pensara	
	piensas	pensabas	pensaste	pensarás	pensarías	pienses	pensaras	piensa / no pienses
	piensa	pensaba	pensó	pensará	pensaría	piense	pensara	piense
	pensamos	pensábamos	pensamos	pensaremos	pensaríamos	pensemos	pensáramos	pensemos
	pensáis	pensabais	pensasteis	pensaréis	pensaríais	penséis	pensarais	pensad / no penséis
	piensan	pensaban	pensaron	pensarán	pensarían	piensen	pensaran	piensen

D. STEM-CHANGING AND SPELLING-CHANGE VERBS (CONTINUED)

Infinitive / Present Participle / Past Participle	INDICATIVE					SUBJUNCTIVE		IMPERATIVE
	Present	Imperfect	Preterite	Future	Conditional	Present	Past	
producir (zc, j) produciendo producido	produzco produces produce producimos producís producen	producía producías producía producíamos producíais producían	produje produjiste produjo produjimos produjisteis produjeron	produciré producirás producirá produciremos produciréis producirán	produciría producirías produciría produciríamos produciríais producirían	produzca produzcas produzca produzcamos produzcáis produzcan	produjera produjeras produjera produjéramos produjerais produjeran	produce / no produzcas produzca produzcamos producid / no produzcáis produzcan
reír (i, i) riendo reído	río ríes ríe reímos reís ríen	reía reías reía reíamos reíais reían	reí reíste rio reímos reísteis rieron	reiré reirás reirá reiremos reiréis reirán	reiría reirías reiría reiríamos reiríais reirían	ría rías ría riamos riáis rían	riera rieras riera riéramos rierais rieran	ríe / no rías ría riamos reíd / no riáis rían
seguir (i, i) (g) siguiendo seguido	sigo sigues sigue seguimos seguís siguen	seguía seguías seguía seguíamos seguíais seguían	seguí seguiste siguió seguimos seguisteis siguieron	seguiré seguirás seguirá seguiremos seguiréis seguirán	seguiría seguirías seguiría seguiríamos seguiríais seguirían	siga sigas siga sigamos sigáis sigan	siguiera siguieras siguiera siguiéramos siguierais siguieran	sigue / no sigas siga sigamos seguid / no sigáis sigan
sentir (ie, i) sintiendo sentido	siento sientes siente sentimos sentís sienten	sentía sentías sentía sentíamos sentíais sentían	sentí sentiste sintió sentimos sentisteis sintieron	sentiré sentirás sentirá sentiremos sentiréis sentirán	sentiría sentirías sentiría sentiríamos sentiríais sentirían	sienta sientas sienta sintamos sintáis sientan	sintiera sintieras sintiera sintiéramos sintierais sintieran	siente / no sientas sienta sintamos sentid / no sintáis sientan
volver (ue) volviendo vuelto	vuelvo vuelves vuelve volvemos volvéis vuelven	volvía volvías volvía volvíamos volvíais volvían	volví volviste volvió volvimos volvisteis volvieron	volveré volverás volverá volveremos volveréis volverán	volvería volverías volvería volveríamos volveríais volverían	vuelva vuelvas vuelva volvamos volváis vuelvan	volviera volvieras volviera volviéramos volvierais volvieran	vuelve / no vuelvas vuelva volvamos volved / no volváis vuelvan

Answer key for *Reciclaje, Para empezar,* and *Actividades analíticas*

Capítulo 1

Estructura 1.1

Para empezar: un bolígrafo, una computadora, un diccionario, un libro
Actividades analíticas: 1. una, un, un, una   2. Sí

Estructura 1.2

Para empezar: 1. cinco   2. dos   3. dos   4. cuatro   5. tres   6. dos
Actividades analíticas: 1. **-s:** libro, mochila; **-es:** borrador, mujer   2. estudiantes, meses, universidades, bolígrafos   3. lápices, luces   4. el lápiz, las computadoras, los escritorios, la mochila; un gimnasio, unas sillas, una pizarra, unos bolígrafos

Estructura 1.3

Para empezar: 2. f   3. h   4. b   5. g   6. a   7. c   8. d
Actividades analíticas: 1. **él/ella, usted:** es, tiene; **ellos/ellas, ustedes:** son, tienen
3b. es, Tiene

Estructura 1.4

Para empezar: 1. d   2. b   3. a   4. c   5. e   **Actividades analíticas:**   1. *my:* mi(s); *your:* tu(s); *our:* nuestro(s)/nuestra(s)

Capítulo 2

Estructura 2.1

Para empezar: 1. g   2. b   3. c   4. e   5. d   6. f   7. a   8. h
Actividades analíticas: 1. altos, alta

Estructura 2.2

Para empezar: 1. b   2. f   3. c   4. a   5. e   6. b, d   7. a, b, c
Actividades analíticas: 1. **tú:** estás, vas; **nosotros:** estamos, vamos   2. está, Va

Estructura 2.3

Para empezar: 1. Javier   2. Agustina   3. Pedro   4. nobody   5. Esther
Actividades analíticas: 1. **me gusta (singular):** la música, la biología; **me gustan (plural):** los deportes, los libros   2. Te gustan, Te gusta   3. le gustan, le gusta

Estructura 2.4

Actividades analíticas: 1. **-ar:** estar, hablar; **-er:** hacer, tener; **-ir:** dormir, ir

Capítulo 3

Estructura 3.1

Reciclaje: 2. c   3. a   4. b   5. e; a. tiene b. vas c. es d. soy e. está
Para empezar: 1. Javier Bardem   2. Gael García Bernal   3. Gael García Bernal
4. Gael García Bernal, Javier Bardem   5. Gael García Bernal   6. Javier Bardem
7. Gael García Bernal, Javier Bardem   8. Gael García Bernal, Javier Bardem
Actividades analíticas: 1. **yo:** trabajo, leo, vivo; **tú:** trabajas, lees, vives
2. -o   3. -s

Estructura 3.2

Reciclaje: 1. son, falso   2. somos, cierto   3. van, falso   4. están, cierto *or* falso
5. tienen, cierto   6. vamos, falso

Para empezar: 1. 7   2. 2   3. 8   **Actividades analíticas:**   1. **cenar:** ceno, cenas, cenamos, cenan; **comer:** como, comes, comemos, comen; **vivir:** vivo, vives
2. -e, -á, -e   3. -mos, -is, -n   4. **bailar:** bailas, baila, bailamos, bailan; **correr:** corro, corre, corremos, corréis; **asistir:** asisto, asistes, asistimos, asistís

Estructura 3.3

Reciclaje: 1. ar   2. ar   3. er   4. ar   5. ir   6. er   7. ar   8. er   9. ar   10. ar   11. ar   12. ar   **Para empezar:** pueden tomar café; pueden estudiar medicina; pueden nadar; pueden leer en la biblioteca   **Actividades analíticas:** 1. podemos, pueden   2. nosotros/as: podemos; podéis   3. **yo:** almuerzo, duermo, sueño; **nosotros/as:** almorzamos, dormimos, soñamos

Estructura 3.4

Reciclaje: 1. el   2. la   3. el   4. el   5. el   6. la   7. la   8. el   9. el   10. la   11. la   12. la   *words related to time*: la noche, el día, el mes, la semana, la hora, la mañana   **Para empezar:** 1. Física   2. martes   3. Salud Pública   4. Química General, Química Orgánica I   5. Química General   6. lunes, jueves   **Actividades analíticas:** 2. *sing. m.* ese; *sing. fem.* esa; *pl. m.* esos; *pl. f.* esas   3. este, estas, estos, esta

Capítulo 4

Estructura 4.1

Reciclaje: (*any order*) famosas, jóvenes, ricas, trabajadoras   **Para empezar:** 1. el rey Felipe   2. la reina Letizia, la reina Sofía   3. el rey Juan Carlos   4. la reina Sofía   5. el rey Felipe, el rey Juan Carlos   6. la infanta Sofía, la princesa Leonor   **Actividades analíticas:** 1. más   2. menos rica, menos alta, menos altos

Estructura 4.2

Para empezar: 1. «hola»   2. «diga»   3. «bueno»   4. «hola»   5. «aló»   **Actividades analíticas:** 1. dices, decimos, dicen   3. **tú:** sirves; **nosotros/as:** servimos; **yo:** pido; **él/ella, Ud.:** pide; **ellos/ellas, Uds.:** piden

Estructura 4.3

Para empezar: 1. c   2. d   3. e   4. b   5. a   **Actividades analíticas:** 1. queremos, quieren   2. **tú:** empiezas; **nosotros/as:** empezamos; **yo:** pienso; **él/ella, Ud.:** piensa; **ellos/ellas, Uds.:** piensan

Estructura 4.4

Para empezar: 1. c   2. b, f   3. d, e   4. a   5. h   6. k   7. g   8. l   9. i, j   **Actividades analíticas:** 1. **ser:** es, son; **estar:** está, están   2. …están en diferentes países.   4. a. estar, location   b. estar, characteristic that could change   c. ser, origin   d. ser, identity

Capítulo 5

Estructura 5.1

Reciclaje: 1. Soy, ciudad   2. Voy, campo   3. Soy, campo   4. Estoy, ciudad   5. Tengo, campo   6. Estoy, ciudad   **Para empezar:** 1. f, h   2. a, i   3. d   4. c, e   5. g, b   6. d   **Actividades analíticas:** 1. hago, traigo, salgo   2. **yo:** tengo, digo; **tú:** vienes; **él/ella, Ud.** tiene, dice; **nosotros/as:** venimos; **ellos/ellas, Uds.:** tienen, dicen   3. oigo, oye

Estructura 5.2

Reciclaje: 1. te llamas   2. Me llamo   3. se llama   4. Se llama   5. te llamas   6. Me llamo   **Para empezar: BIBLIOTECA:** dormirse, sentarse; **GIMNASIO:** (*any four*) afeitarse, bañarse, ducharse, maquillarse, peinarse, vestirse; **HOTEL:** *any*   **Actividades analíticas:** 1. -se   2. **yo:** me baño, me peino; **tú:** te afeitas, te peinas; **él/ella, Ud.:** se baña; **nosotros/as:** nos bañamos, nos peinamos; **vosotros/as:** os peináis; **ellos/ellas, Uds.:** se afeitan

Estructura 5.3

Reciclaje: 1. d   2. a   3. e   4. c   5. b Es b. Está c. Son d. Somos e. Están   **Para empezar:** 1. cierto   2. falso   3. falso   4. cierto   5. falso   6. falso   7. cierto   8. cierto   9. cierto   10. cierto   **Actividades analíticas:** 1. ser, estar   4. a. location b. change c. identity d. intrinsic quality e. origin

Estructura 5.4

Reciclaje: 1. Estos edificios   2. Esta tienda   3. Este muchacho   4. Estas chicas   5. Esta catedral   **Para empezar:** 1. cierto   2. falso   3. cierto   4. cierto   5. cierto

6. falso 7. falso 8. cierto 9. cierto 10. falso **Actividades analíticas:** 1. *first row:* algo, algunos, algunas; *second row:* nada, ningún, ninguna 2. a. algunas b. algunos c. ningún d. ninguna

Capítulo 6

Estructura 6.1

Reciclaje: Un cocinero profesional: Cocina, Escribe, Trabaja, Aprende; **Yo:** (No) Cocino, (No) Escribo, (No) Trabajo, (No) Aprendo   **Para empezar, Paso 1:** 1. e 2. h 3. f 4. b 5. i 6. d 7. a 8. g 9. c   **Paso 2:** 1. b 2. d 3. f 4. a 5. c 6. e   **Actividades analíticas: yo:** trabajé, aprendí; **tú:** trabajaste, aprendiste; **él/ella, Ud.:** trabajó, aprendió, escribió 2. **yo:** -í; **tú:** -iste; **nosotros/as:** -amos; **vosotros/as:** -isteis; **ellos/ellas, Uds.:** -aron, -ieron

Estructura 6.2

Reciclaje: 1. Soy 2. hago 3. Digo 4. Voy 5. pongo **Para empezar:** 1. estuvo mal 2. estuvo mal 3. estuvo bien 4. estuvo mal 5. estuvo mal 6. estuvo mal 7. estuvo mal 8. estuvo bien 9. estuvo mal **Actividades analíticas:** 1. Primero fui a la casa equivocada. (1), Fui muy educado. (3) 2. **yo:** dije, hice, puse; **él/ella, Ud.:** estuvo; **tú:** -iste; **nosotros/as:** -imos

Estructura 6.3

Reciclaje: 1. el 2. la 3. la 4. el 5. la 6. el 7. las 8. los 9. la 10. la 11. el 12. el 13. las 14. los 15. la 16. las 17. el 18. los 19. la 20. el; **No se pueden comer:** la cuchara, el cuchillo, la servilleta, las tazas, el tenedor **Para empezar:** 1. P 2. C 3. V 4. C 5. T 6. C 7. P 8. T **Actividades analíticas:** 1. b. la papa c. a mi hermano d. a Marisela 2. b. café, Ana lo toma por la mañana. c. la fruta, Julián la compró ayer. 5. a. Lo invito a desayunar con nosotros. b. La llevamos a la fiesta.

Capítulo 7

Estructura 7.1

Reciclaje: REGULARMENTE: Hablo, Como, leo, Duermo, voy; **AYER:** Hablé, Comí, leí, Dormí, fui **Para empezar:** 1. cierto 2. cierto 3. cierto 4. falso 5. cierto 6. cierto 7. falso 8. falso **Actividades analíticas:** 2. **tú:** vivías; **nosotros/as:** comíamos, **ellos/ellas, Uds.:** hablaban, comían, vivían 3. **yo:** -ía; **tú:** -abas, -ías; **él/ella, Ud.:** -aba; **nosotros/as:** -ábamos; **vosotros/as:** -íais; **ellos/ellas, Uds.:** -aban, -ían

Estructura 7.2

Reciclaje: 1. la 2. lo 3. los 4. las 5. me **Actividades analíticas:** 1. *sing.:* me, le; *pl:* les 2. his parents, her friends

Estructura 7.3

Reciclaje: 1. los papás 2. la mamá, Ella 3. el hermano, Él 4. el papá, Él 5. el hermano y yo, Nosotros 6. las abuelas, Ellas **Actividades analíticas:** 1. mí

Capítulo 8

Estructura 8.1

Reciclaje, Paso 1: Pasé, regresé, terminé; Estuve; ayudé; Fui, pasamos, Hicimos, comimos, bailamos; Trabajé **Para empezar:** 1. B 2. H 3. H 4. B 5. H 6. H 7. B **Actividades analíticas:** 1. **yo:** serví, vestí; **tú:** seguiste, serviste; **él/ella, Ud.:** pidió, sirvió, vistió; **nosotros/as:** pedimos, seguimos, vestimos; **ellos/ellas, Uds.:** pidieron, sirvieron, vistieron 2. **e → i verb forms:** pidió, pidieron; siguió, siguieron; sirvió, sirvieron; vistió, vistieron 3. **yo:** morí; **tú:** dormiste; **él/ella, Ud.:** murió; **nosotros/as:** morimos; **vosotros/as:** dormisteis; **ellos/ellas, Uds.:** durmieron 4. **o → u verb forms:** durmió, durmieron; murió, murieron

Estructura 8.2

Reciclaje: 1. llevabas 2. tenías 3. escogía 4. gustaba 5. lavaba **Para empezar:** 1. cierto 2. falso 3. cierto 4. cierto 5. falso 6. cierto 7. cierto 8. falso 9. falso 10. cierto **Actividades analíticas:** 2. 1, 5, 6, 8, 10 4. 7, 9

Estructura 8.3

Reciclaje: 1. d 2. e 3. f 4. b 5. a 6. c; a. Lo, b. Los c. Lo
d. Lo e. Le f. La **Para empezar:** 1. e 2. b 3. a 4. d 5. c
Actividades analíticas: 3. a. Los voy a comprar. c. Lo/Las tengo que comprar.
d. La puedo comprar 4. a. Voy a comprarlos. b. Quiero tenerlos. c. Tengo que
comprarlo/las. d. Puedo comprarla.

Capítulo 9

Estructura 9.1

Reciclaje: 1. de México a Guadalajara 2. de México a Guatemala 4. de México
a Nueva York 5. de México a Santiago 6. de México a Madrid
Para empezar: 1. b 2. b 3. a 4. b 5. a 6. a 7. a 8. b
Actividades analíticas: 2. a. para Machu Picchu b. para las ocho c. para ir a
Machu Picchu, para evitar los grandes grupos de turistas d. para tus amigos, para
tu familia, para tu viaje 4. a. por el Valle Sagrado b. por la mañana c. por tren;
por la gran cantidad de turistas

Estructura 9.2

Para empezar: 1. E 2. M 3. A 4. M 5. E 6. A 7. E 8. E 9. M 10. A
11. M 12. A **Actividades analíticas:** 2. 4, 5, 9; The noun is plural.

Estructura 9.3

Para empezar: 7, 5, 2, 1, 9, 8, 6, 4, 3 **Actividades analíticas:** 1. un café, la tarjeta
de identificación, un café, el teléfono, el chaleco y los pantalones 2. Se me
rompió el lápiz. Se me perdió el pasaporte.

Capítulo 10

Estructura 10.1

Reciclaje: EDIFICIOS / INFRAESTRUCTURA: los arquitectos comerciales y residenciales,
los ingenieros civiles y estructurales, una agente de bienes raíces; **EDUCACIÓN:**
una profesora universitaria; **SALUD:** un médico especializado en cardiología, las
psicólogas clínicas; **SEGURIDAD:** un policía motorizado **Para empezar:** 1. C 2. S
3. S 4. S 5. C 6. X 7. C 8. S 9. X 10. S **Actividades analíticas:** 1. que
hizo muchos edificios muy famosos en Barcelona 2. sus hijos Carlos, Marco
Antonio y Patrick

Estructura 10.2

Reciclaje: 1. g 2. e 3. b 4. f 5. a 6. d 7. c 8. h; a. Escribes b. Haces
c. Tomas d. Cortas e. Aceptas, das f. Cuidas g. Apagas h. Llevas
Para empezar: 7. No te bañes el día de tu entrevista. ¡Eso te da buena
suerte! **Actividades analíticas:** 1. piensa, aprende, pide; **él/ella, Ud.** form (third
person singular of the present indicative) 2. no hables, no comas 4. haz, pon,
sal, ten, ven 7. vístete; no te bañes, no te quedes

Estructura 10.3

Reciclaje: 1. ¿Necesita ayuda? 2. Es el nuevo gerente de la tienda. 3. ¿Sabe
cómo hacer esto? 4. ¿Dónde pone los documentos? 5. ¿Me puede ayudar en
algo, por favor? 6. ¿En qué le puedo ayudar? 7. Le voy a dejar el documento en
su escritorio. 8. ¿Se va después de la reunión? **Para empezar:** 1. d 2. b 3. c
4. a 5. a 6. d 7. c 8. a **Actividades analíticas:** 1. (no) use, (no) oprima; **-ar:**
usar, conectar, indicar, comprar; **-er:** poner; **-ir:** oprimir 2. (no) usen, (no) coman,
(no) opriman 3. *pos. form.:* after and attached to the verb, cómprela; *neg. form.:*
before the verb, no lo use

Capítulo 11

Estructura 11.1

Actividades analíticas: 1. he, hemos 2. lavado, comido, salido; trabajado,
aprendido, vivido 3. hecho, He hecho la cama; visto, He visto una película.

Estructura 11.2

Reciclaje: 1. La, la 2. Los, los 3. Las, las 4. Lo, lo 5. La, la
Para empezar: 1. D 2. C 3. C 4. B, C 5. C 6. B 7. D 8. D 9. C, B
10. B, D 11. D 12. C **Actividades analíticas:** 1. Ponlos en tu dormitorio.; Ponte
el pijama verde; duérmete, sírvele, lávate, báñate, despiértate, levántate, mírate,
lávalos. 2. No le pongas más azúcar al café.; No te pongas el pijama
verde. 3. **tú:** límpialo; **Ud.:** no lo limpie; **Uds.:** límpienlo, no lo limpien

Estructura 11.3

Reciclaje: 1. Es 2. Es 3. está 4. está 5. Está 6. es 7. Es 8. Está 9. Es
10. es **Para empezar:** 1. c 2. j 3. g 4. e 5. d 6. a 7. h 8. b 9. f 10. i
Actividades analíticas: 1. *present participles:* cenando, estudiando, escribiendo;
INFINITIVO: cenar, estudiar, escribir; EL PARTICIPIO PRESENTE: comiendo, saliendo,
ayudando, viendo

Capítulo 12

Estructura 12.1

Reciclaje: 1. (no) he caminado 2. (no) he comido 3. (no) he meditado / practicado
yoga 4. (no) he dormido 5. (no) he hecho 6. (no) he tomado **Para empezar:**
1. f 2. c 3. b 4. h 5. d 6. g 7. a 8. e **Actividades analíticas:** 1. reflexive,
indirect object 2. I've had to do/make it., Have you been able to answer his/her
question (for him/her)?, We've wanted to buy it for a long time.

Estructura 12.2

Reciclaje: 1. Están corriendo. 2. Están caminando. 3. Está nadando. 4. Están
boxeando. 5. Está levantando pesas. 6. Está surfeando. 7. Está jugando
tenis. 8. Está esquiando. **Para empezar:** 1. e 2. b 3. a 4. g 5. h
6. d 7. f 8. c **Actividades analíticas:** 1. le está dando, se está
haciendo 2. está dándole, está haciéndose

Estructura 12.3

Reciclaje: 1. Tomen agua. 2. Practica yoga. 3. Levanten pesas. 4. Duerme
más. 5. Come menos y haz más ejercicio. 6. Corran. **Para empezar:** La
recomendación falsa: 7 **Actividades analíticas:** 1. *indicative:* comes, duermes,
tomas, vives; *subjunctive:* busques, comas, compres, des, duermas, tomes, vivas
2. **-ar** verbs: -e-; **-er/-ir** verbs: -a- 3. **tomar:** tomes, tomemos, tomen; **comer:** comas,
coma, comáis, coman; **vivir:** vivas, vivamos

Capítulo 13

Estructura 13.1

Reciclaje: 1. jaguar 2. Hago, pájaro 3. Tengo, tortuga 4. Soy,
tortuga 5. Salgo, jaguar 6. Traigo, pájaro 7. estoy, jaguar 8. Digo,
pájaro 9. Pongo, tortuga **Para empezar:** 1. cierto 2. cierto 3. cierto 4. falso
5. cierto 6. falso 7. cierto 8. falso 9. cierto **Actividades analíticas:** 1. **yo:**
ponga, salga, traiga; **tú:** hagas, salgas, tengas; **él/ella, Ud.:** haga, ponga, salga,
tenga, traiga; **nosotros/as:** pongamos, tengamos, traigamos; **vosotros/as:** hagáis,
salgáis; **ellos/ellas, Uds.:** hagan, pongan, tengan 3. **yo:** sea; **tú:** vayas;
él/ella, Ud.: vaya, sea; **nosotros/as:** seamos; **vosotros/as:** vayáis; **ellos/ellas, Uds.:**
vayan, sean

Estructura 13.2

Reciclaje: 1. d 2. a 3. f 4. b 5. c 6. e **Para empezar:** 1. cierto 2. cierto
3. cierto 4. cierto 5. cierto 6. cierto 7. cierto 8. falso 9. cierto 10. falso
Actividades analíticas: 1. esperar que..., no creer que..., es posible que..., no
pensar que... 2. They all express the idea that what follows may not be true.

Estructura 13.3

Reciclaje: 1. c 2. e 3. d 4. f 5. a 6. b; a. por b. para c. para d. para
e. por f. por **Para empezar:** 2. d 3. g 4. a 5. c 6. e 7. f **Actividades
analíticas:** 1. subjunctive

Capítulo 14

Estructura 14.1

Reciclaje: 1. hagan 2. a favor del arte, es 3. cierren 4. a favor del arte, tenga 5. a favor del arte, participen 6. tiene **Para empezar:** 1. cierto 2. cierto 3. falso 4. cierto 5. cierto 6. cierto 7. cierto 8. cierto 9. cierto 10. falso **Actividades analíticas:** 1. **yo:** viviera; **tú:** aprendieras; **él/ella, Ud.:** hablara; **nosotros/as:** viviéramos; **ellos/ellas, Uds.:** hablaran, aprendieran 2. **tú:** -aras; **él/ella, Ud.:** -iera; **nosotros/as:** -áramos; **ellos/ellas, Uds.:** -aran, -ieran

Estructura 14.2

Reciclaje: a. 3, ar b. 6, er, ar, ir c. er d. er e. 5, ar f. 4, ar g. 2, ar, ar **Para empezar:** 1. e 2. h 3. g 4. a 5. d 6. f 7. b 8. c **Actividades analíticas:** 2. **yo:** estaré; **tú:** serás; **él/ella, Ud.:** estará; **nosotros/as:** viviremos; **ellos/ellas, Uds.:** serán

Capítulo 15

Estructura 15.1

Reciclaje: 1. b, Erradicaremos 2. e, Haremos 3. f, Resolveremos 4. a, Acabaremos 5. d, Mejoraremos 6. c, Conseguiremos **Para empezar:** 1. g 2. a 3. h 4. e 5. c 6. i 7. d 8. f 9. b imposible: f, h **Actividades analíticas:** 2. **yo:** pasaría, iría; **tú:** serías; **él/ella, Ud.:** iría; **nosotros/as:** pasaríamos, seríamos; **vosotros/as:** iríais; **ellos/ellas, Uds.:** serían

Estructura 15.2

Reciclaje: *Querían que…:* los niños pudieran asistir a la escuela sin pagar; la esclavitud ya no existiera; las mujeres tuvieran el derecho a votar; los trabajadores descansaran dos días a la semana; toda la gente tuviera la libertad de practicar su religión; *No querían que…:* creciera la desigualdad económica; hubiera guerras; la corrupción estuviera presente en el sistema jurídico **Para empezar: Paso 1.** a. 4 b. 2 c. 6 d. 5 e. 1 f. 3 **Paso 2.** Cierto, Cierto **Actividades analíticas:** 1. b. fuera, importarían c. funcionara, tendrían d. pudieran, funcionaría e. usara, sería f. se importara, ganaría 2. **Si…:** past subjunctive / imperfecto (pasado) de subjuntivo; **Consecuencia:** conditional/condicional

Capítulo 16

Estructura 16.1

Reciclaje: caminar: camina, caminan; **correr:** corro, corres, corre, corremos; **sacudir:** sacudes, sacudimos, sacuden; **volver:** vuelves, vuelve, volvemos, volvéis, vuelven; **pedir:** pido, pide, pedimos, pedís, piden; **pensar:** pienso, piensa, pensamos, pensáis, piensan; **ser:** soy eres, somos, sois, son; **salir:** salgo, sale, salen; **casarse:** te casas, se casa, se casan

Estructura 16.2

Reciclaje: Paso 1. hablar: habló, hablaron; **aprender:** aprendí, aprendimos, aprendieron; **llegar:** llegué, llegaste, llegamos, llegasteis; **ir/ser:** fui, fue, fuimos, fueron; **decir:** dijiste, dijimos, dijeron; **hacer:** hice, hizo, hicimos, hicisteis, hicieron; **tener:** tuve, tuviste, tuvo, tuvimos, tuvisteis, tuvieron; **dormirse:** me dormí, te dormiste, se durmió, nos dormimos, se durmieron; **Paso 2. amar:** amaba, amaba, amaban; **comer:** comías, comía, comíamos, comían; **salir:** salía, salía, salíamos, salían; **irse:** me iba, te ibas, se iba, nos íbamos, se iban; **ser:** era, era, éramos, eran

Estructura 16.3

Reciclaje: 2. c 3. e 4. f 5. a 6. d; a. Le c. Te d. Los e. lo f. Lo

Estructura 16.4

Reciclaje: amar: ames, ame, améis, amen; **casarse:** te cases, se case, se casen; **volver:** vuelvas, vuelva, volvamos, volváis, vuelvan; **hacer:** haga, haga, hagan; **ser:** sea, seas, sea, seamos, seáis, sean; **tener:** tengas, tenga, tengamos, tengáis, tengan

The following abbreviations are used:

adj. adjective	*inf.* infinitive	*p.p.* past participle
adv. adverb	*inform.* informal	*P.R.* Puerto Rico
Arg. Argentina	*interj.* interjection	*prep.* preposition
C.A. Central America	*inv.* invariable form	*pres. p.* present participle
Carib. Caribbean	*i.o.* indirect object	*pron.* pronoun
conj. conjunction	*L.Am.* Latin America	*refl. pron.* reflexive pronoun
Col. Colombia	*m.* masculine	*s.* singular
def. art. definite article	*Mex.* Mexico	*S.A.* South America
d.o. direct object	*n.* noun	*sl.* slang
f. feminine	*obj. (of prep.)* object (of a	*Sp.* Spain
form. formal	preposition)	*sub. pron.* subject pronoun
gram. grammatical term	*pl.* plural	
ind. art. indefinite article	*poss.* possessive	

Spanish-English Vocabulary

A

a to (1); at (*with time*); **a base de** based on; **a continuación** following; below; **a escondidas** secretly; **a favor (de)** in favor (of); **a fondo** in depth; **a la plancha** grilled (6); **a la(s)...** at . . . (*time of day*); **a largo plazo** long-term, in the long-term; **a lo largo de** along, throughout; **a mano** by hand; **a mano derecha** on the right; **a mano izquierda** on the left; **a partir de** as of, since; **a pesar de** in spite of, despite; **a pie** on foot; **¿a qué hora...?** at what time . . . ? (3); **¿a qué hora abre...?** at what time does . . . open? (3); **¿a qué hora cierra...?** at what time does . . . close? (3); **¿a qué se dedica?** what do you (*form. s.*) do (*occupation*)? (4); **¿a qué te dedicas?** what do you (*inform. s.*) do (*occupation*)? (4); **a raíz de** as a result of; **a sus órdenes** at your service (10); **a ver** let's see; **al aire libre** outdoors; **al ajillo** sautéed with garlic (6); **al cabo de** at the end of; **al contrario** on the contrary; **al final** in the end; **al igual que** just like; **es a la/las...** it's at . . . (3); **está/queda a la derecha** it's on the right/left (5); **está/queda al lado de...** it's beside . . . (5); **voy a/al +** *place* I'm going to . . . (2)

abajo below; underneath

abandonar to abandon

abarrotería grocery store

abarrotes: tienda de abarrotes grocery store

abastecedor *m.* grocery store

abastos: tienda de abastos grocery store

abatible moveable

abierto/a (*p.p. of* **abrir**) open (16)

abogado/a lawyer (4)

abolir to abolish

abono fertilizer

abordar to board (9)

abrazo hug, embrace; **dar** (*irreg.*) **un abrazo** to hug

abrigado/a bundled up

abrigo coat (8)

abril *m.* April (1)

abrir (*p.p.* **abierto**) to open (3)

absoluto/a absolute

abuelo/a grandfather/grandmother (4); *pl.* grandparents (4)

abulón *m.* (*pl.* **abulones**) abalone

abundar to abound, be plentiful

aburrido/a (*with* **estar**) bored (2); (*with* **ser**) boring (2); **¡qué aburrido/a!** how boring! (8)

acá *adv.* here

acabado impermeable waterproof finish

acabar to finish; to run out of; **acabar de +** *inf.* to have just (*done something*) **acabarse** to end, run out (9); **acabar con** to put an end to (15)

academia academy

académico/a academic

acampar to camp

acaso: por si acaso just in case

accesible accessible

acceso access

accesorio accessory (8)

accidente *m.* accident

acción *f.* action; **Día** (*m.*) **de Acción de Gracias** Thanksgiving; **película de acción** action movie

aceite *m.* oil (6); **aceite de oliva** olive oil

acentuar (ú) to accentuate

aceptar to accept

acerca de *prep.* about, concerning, regarding

side dish (*food*)

acompañar to accompany; **te/le/les acompaño/acompañamos en el dolor** I'm/we're with you (*inform. s. / form. s. / form. pl.*) in your time of pain (16); **te/le/les acompaño/acompañamos en el sentimiento** you're (*inform. s. / form. s. / form. pl.*) in my/our thoughts (16)

aconsejable advisable

aconsejar to advise

acontecimiento event, happening

acordarse (ue) (de) to remember (5)

acorde (con) in agreement (with)

acostarse (ue) to go to bed (5)

acostumbrado/a (a) accustomed, used (to)

actitud *f.* attitude

actividad *f.* activity

activista *m., f.* activist (13)

activo/a active (2); **llevar una vida activa** to lead an active life

acto act

actor *m.* actor (14)

actriz *f.* (*pl.* **actrices**) actress (14)

actuación *f.* acting; performance

actual *adj.* current, present-day

actuar (actúo) to act (14)

acudir (a) to go (to)

acuerdo agreement; **(no) estar** (*irreg.*) **de acuerdo** to (dis)agree

adecuado/a appropriate

adelante forward; **¡adelante!** go for it! / let's go! / you can do it! (12)

además *adv.* moreover; **además de** *prep.* besides

adentro inside; **mar adentro** off-shore

adicional additional

adiós good-bye (1)

adivinanza riddle

adivinar to guess

adjetivo *gram.* adjective

adjuntar to attach (10)

adjunto attachment (10)

administración *f.* administration; **administración de empresas** business administration; **administración de negocios** business administration; **administración de restaurantes** restaurant management

administrar to manage

administrativo/a administrative; **asistente** (*m., f.*) **administrativo/a** administrative assistant (10)

admirar to admire

adolescencia adolescence

adolescente *m., f.* adolescent

¿adónde? where to? (2); **¿adónde va?** where are you (*form.*) going? (2); **¿adónde vas?** where are you (*inform.*) going? (2)

adopción *f.* adoption

adoptar to adopt

adquirir (ie) to acquire

adquisición *f.* acquisition

aduana customs (*at a border*); **agente** (*m., f.*) **de aduanas** customs agent

adulto/a *n., adj.* adult

aeróbico: hacer (*irreg.*) **ejercicio aeróbico** to do aerobics

aerolínea airline

aeropuerto airport (9)

afán *m.* desire, zeal

afectar to affect

afeitarse to shave (5)

aficionado/a fan (12); **ser** (*irreg.*) **aficionado/a (a)** to be a fan (of)

afirmación *f.* statement

afortunado/a lucky

africano/a *n., adj.* African

afrontar to face, confront

afro-uruguayo/a Afro-Uruguayan

afuera *adv.* outdoors

afueras *n. pl.* outskirts; suburbs (5)

agarrar to grab

agave *m.* agave

agavero: alambre (*m.*) **agavero** *dish which features an agave stock on a plate of rice with banana, chicken or beef, and melted cheese*

agencia agency; **agencia de prensa** press agency; **agencia de seguros** insurance agency; **agencia de talentos** talent agency; **agencia de viajes** travel agency

agente *m., f.* agent; **agente de aduanas** customs agent; **agente de bienes raíces** real estate agent (10); **agente de seguros** insurance agent (10); **agente de viajes** travel agent

agosto August (1)

agotador(a) exhausting

agotamiento exhaustion (13); depletion (13)

agotar to sell out; to exhaust; to deplete

agradable pleasant (9)

agradecer (zc) to thank; **te/le/les agradezco por** I appreciate that you, I thank you for (5)

agradecimiento thanks

agregar (gu) to add

agresivo/a aggressive

agrícola *adj. m., f.* agricultural

agricultor(a) farmer

agricultura agriculture

agroeconomista *m., f.* agroeconomist

agua *f.* (*but* **el agua**) water (6); **agua salada** salt water; **botella de agua** water bottle; **caída de agua** waterfall

aguacate *m.* avocado

aguacero rain shower; downpour

aguadulce *m. typical Costa Rican drink*

aguantar to withstand

ahí there

ahogar (gu) to drown

ahora now; **ahorita** right now

ahorrar to save (13); **ahorrar agua/ electricidad/dinero** to save water/ electricity/money (13)

aimara *m.* Aymara (*language*)

aire *m.* air (13); **al aire libre** outdoors; **contaminación** (*f.*) **del aire** air pollution

ají *m.* chili pepper

ajillo: al ajillo sautéed with garlic (6)

ala *f.* (*but* **el ala**) wing

alambre (*m.*) **agavero** *dish which features an agave stock on a plate of rice with banana, chicken or beef, and melted cheese*

alarmante alarming

alavés, alavesa *n., adj.* from Álava, Spain

albergar (gu) to shelter

albergue *m.* hotel

álbum *m.* album

alcance *m.* reach; **al alcance** within reach

alcanzar (c) to reach; to achieve

alcohólico/a alcoholic

alegrarse (de) to be happy (about)

alegre happy (2)

alegría happiness

alemán *m.* German (*language*)

alemán (*pl.* **alemanes**), **alemana** *n., adj.* German

Alemania Germany

alergia allergy (12); **tener** (*irreg.*) **alergia a** to be allergic to (12)

alérgico/a allergic

alfabetismo literacy

alfabetización *f.* literacy (15); teaching of literacy (15)

alfombra rug

algo something (5); anything

algodón *m.* cotton

alguien someone (5); anyone

algún (alguna/os/as) some (5); any; **algún día** someday; **alguna vez** once; ever; **de alguna manera** in some way; **en algún momento** at some point

aliada *m., f.* ally

alimentar(se) to feed

alimenticio/a food; **cadena alimenticia** food chain

alimento food, foodstuff

alineación *f.* alignment

alistarse to enlist

allá (way) over there

allí there (5)

alma *f.* (*but* **el alma**) soul

almacén *m.* (*pl.* **almacenes**); department store (5)

almacenamiento storage

almohada pillow

almorzar (ue) (c) to eat lunch (3)

almuerzo lunch; **preparar el almuerzo** to prepare lunch (4)

aló hello (*telephone greeting*)

alojamiento lodging

alojarse to lodge, stay (hotel)

alpinismo mountaineering; **hacer** (*irreg.*) **alpinismo** to do/go mountaineering/mountain climbing (12)

alpinista *m., f.* mountain climber

alpino/a Alpine

alquilar to rent

alquiler *m.* rent

alrededor (de) around

altar *m.* altar

alterado/a altered

alternativa *n.* alternative

alternativo/a *adj.* alternative (14)

altiplano high plateau

alto/a tall (2); **alta costura** haute couture; **en voz alta** out loud; **más alto que** taller than (4); **menos alto que** less tall than (4); **tacones** (*m. pl.*) **altos** high-heeled shoes

altura height (12)

alumno/a student

alzar (c) to raise, lift up

amable nice (2)

amanecer (zc) *m.* dawn

amante *m., f.* lover

amar to love (16)

amarillo yellow (2)

Amazonas *m. s.* Amazon (River)

ambicioso/a ambitious

ambiental environmental

ambiente *m.* atmosphere; environment; **medio ambiente** environment (13)

ambos/as both

amenazar (c) to threaten

americano/a American; **fútbol** (*m.*) **americano** football (12); **jugar (ue) (gu) fútbol americano** to play football (12)

amigo/a friend (1)

aminoácido amino acid

amistad *f.* friendship (16)

amo/a master/mistress; **amo/a de casa** homemaker

amor *m.* love (16); **canción** (*f.*) **de amor** love song; **Día** (*m.*) **del Amor** Valentine's Day

amplio/a broad

analfabetismo illiteracy (15)

analfabetización *f.* illiteracy

anaranjado/a orange (2)

ancho/a loose (8)

anciano/a elderly (2)

andar *irreg.* to walk; **¡ándale!** come on! *command inform. s.*; **¡ándele!** come on! *command form. s.*; **andar en patineta** to skateboard (12); **¿cómo anda?** how's it going (*inform. s.*)? (1)

andino/a Andean

anécdota anecdote

anexo attachment

anglohablante *m., f.* English speaker

anglosajón (*pl.* **anglosajones**), **anglosajona** Anglo Saxon

angustia distress; worry

anhelar to long, yearn for

anidar to nest

anillo ring (8)

animación *f.* animation

animado/a lively (2)

animal *m.* animal (13); **animal doméstico** pet

¡ánimo! keep your spirits high! / give it all you've got! / don't give up! (12)

aniversario anniversary

anoche last night

anotación *f.* score

anotar to note

ansioso/a anxious (2)

Antártida Antarctica

antepasado/a ancestor

anterior before

antes *adv.* before (1); **antes de** *prep.* before (1); **antes (de) que** *conj.* before

antes *prep.* before; in front of

antibiótico antibiotic

anticipar to anticipate

antigüedad antiquity

antiguo/a old (5)

antillano/a Antillean (from the Antilles or West Indies)

antioxidante *m.* antioxidant

antipático/a disagreeable (2)

antojarse + *inf.* to feel like (*doing something*) (9); + *n.* to have a craving for (*something*) (9); **se me/ te/le/nos/os/les antoja/antojó** + *inf.* I / you (*inform. s.*) / he, she, you (*form. s.*) / we / you (*inform. pl.*) / they, you (*form. pl.*) feel, feels / felt like + ([*doing*] something); **se me/te/ le/nos/os/les antoja/antojó** + *s. n.* I / you (*inform. s.*) / he, she, you (*form. s.*) / we / you (*inform. pl.*) / they, you (*form. pl.*) have, has / had a craving for (*something*); **se me/te/le/nos/os/les antojan/ antojaron** + *pl. n.* I / you (*inform. s.*) / he, she, you (*form. s.*) / we / you (*inform. pl.*) / they, you (*form. pl.*) have, has / had a craving for (*something*)

antojito appetizer (*Mex.*)

antónimo antonym

antro nightclub

anunciar to announce

anuncio ad; commercial

añadir to add

año year (1); **Año Nuevo** New Year's (7); **año pasado** last year; **cumplir... años** to turn . . . years old (7); **¿cuántos años tienes?** how old are you (*inform.*)? (2); **¿cuántos años tiene?** how old are you (*form.*)? (2); **este año** this year; **tener (irreg.)... años** to be . . . years old; **tengo** + *number* + **años** I'm + *number* + years old (2)

apagar (gu) to turn off

aparato appliance

aparcar (qu) to park

aparecer (zc) to appear

apartamento apartment (5)

aparte: aparte de in addition to; **hoja de papel aparte** separate sheet of paper

apellido last name; **mi apellido es** my last name is (1)

apenas barely

aperitivo appetizer

apetecer (zc) (*like* **gustar**) to appeal to

aplastar to flatten

aplicación *f.* application

aplicar (qu) to apply

apodo nickname

apoyar to support

apoyo support

apreciación *f.* appreciation

apreciar to appreciate

aprender (a) to learn (to) (3)

apretado/a tight (8)

apropiado/a appropriate

aprovechar to take advantage of

aproximadamente approximately

apuntar to write down; **apuntarse** to enroll; to add one's name to the list

apuntes *m. pl.* notes (*academic*)

apurarse to hurry

apuro hurry

aquel, aquella that ([way] over there)

aquello that ([way] over there)

aquellos/as those ([way] over there)

aquí here (5)

árabe *m.* Arabic (*language*); *n., adj. m., f.* Arab

árbol *m.* tree (5); **árbol de Navidad** Christmas tree; **copa de los árboles** top of the trees; **tala de árboles** tree cutting (13)

archivo document; file

arcilla clay

ardor *m.* ardor

área *f.* (*but* **el área**) area, region

arena sand

arepa *fried bread made of cornmeal*
argentino/a *n., adj.* Argentine (2)
argumentar to argue
argumento argument (*legal*); plot
arma *f.* (*but* **el arma**) weapon
armado/a armed
armario armoire, closet (11)
armonía harmony
aro hoop; ring
arqueológico/a archeological
arquitecto/a architect (10)
arquitectura architecture (1)
arrecife *m.* reef (13)
arreglar to arrange
arroba @ (at, *in an email address*) (1)
arroz *m.* rice (6); **arroz con leche**
   rice pudding; **arroz graneado**
   fried rice dish
arruinar to ruin
arte *m.* (*but* **las artes**) art (1, 14); **bellas**
   artes fine arts; **obra de arte** piece,
   work of art (14)
artesanal handcrafted; traditional
artesanía craft(s) (9)
artículo article
artificial artificial; **fuegos artificiales**
   fireworks (7)
artista *m., f.* artist (14)
artístico/a artistic
asado barbecue, cookout
asado/a roast(ed) (6)
asamblea assembly
ascender (ie) to climb
ascensor *m.* elevator (9)
ascetismo asceticism
asegurar to assure
asequible accessible
asfalto asphalt
así thus; so; **así como** as well as;
   así que therefore, consequently, so
asiático/a Asian
asistente *m., f.* **(administrativo/a)**
   (administrative) assistant (10)
asistir (a) to attend (3); to go to (*a*
   class, function)
asma *m.* asthma (12)
asociación *f.* association
aspecto aspect; **tener** (*irreg.*)
   buen aspecto to look good
aspiración *f.* goal
aspiradora vacuum cleaner (11);
   pasar la aspiradora to vacuum (11)
asqueroso/a disgusting
astronauta *m., f.* astronaut
astronómico/a astronomical
asumir to assume (*duties/office/role*)
asunto matter; subject (10)
asustar to frighten
atacar (qu) to attack
atar to tie

atención *f.* attention; **poner** (*irreg.*)
   atención to pay attention;
   prestar atención to pay attention
atender (ie) (a) to serve, wait on;
   to care for
atentamente sincerely (10)
atlántico/a Atlantic; **océano Atlántico**
   Atlantic Ocean
atleta *m., f.* athlete (12)
atlético/a athletic (2)
atletismo athleticism (12)
atmósfera atmosphere (13)
atracción *f.* attraction (9)
atractivo attraction
atractivo/a attractive
atraer (*like* **traer**) to draw, attract
atrás *adv.* back, backward; behind
atrevido/a daring
atrocidad *f.* atrocity
atún *m.* tuna (6)
audífonos *pl.* headphones
aula *f.* (*but* **el aula**) classroom (1)
aumentar to increase
aumento increase; gain; **aumento de**
   peso weight gain
aun *adv.* even
aún *adv.* still, yet
aunque although
austral southern
auto car (5)
autobús *m.* (*pl.* **autobuses**) bus (5)
autóctono/a indigenous
automático/a automatic
autónoma autonomous
autor(a) author; **violación** (*f.*) **de los**
   derechos del autor copyright
   violation
autoridad *f.* authority
autorización *f.* authorization
avanzar (c) to advance
avenida avenue (5)
aventura adventure; **turismo de**
   aventura adventure tourism
aventurero/a adventurous
averiguar to verify
avión *m.* (*pl.* **aviones**) airplane (9)
avisar to warn; to let someone know (15)
¡ay! *interj.* ah!; oh!; ouch!
ayer yesterday
ayuda help
ayudar to help (13)
azotea roof terrace
azteca *n., adj. m., f.* Aztec
azúcar *m.* sugar (6)
azul blue (2)

B

bacalao codfish, cod
bahía bay
bailar to dance (3)

bailarín (*pl.* **bailarines**), **bailarina**
   dancer (14)
baile *m.* dance (14)
bajar to lower; to download (10);
   to go down; to get off
   (*transportation*); **bajar de peso** to
   lose weight (12); **baje (por esta**
   calle) go down (this street)
   (*command form. s.*) (5)
bajo/a short (2); **Países** (*m. pl.*) **Bajos**
   Netherlands; **planta baja**
   ground floor (11)
balada ballad
balcón *m.* (*pl.* **balcones**) balcony (11)
ballena whale (13)
ballet *m.* ballet (14)
baloncesto basketball
balsa raft
banca bank
bancario/a banking
banco bank (5)
banda band (14)
bandeja tray, platter
bandera flag (2)
bañarse to bathe (oneself) (5);
   to take a bath
bañera bathtub (11)
baño bathroom (1); **cuarto de baño**
   bathroom (11); **traje** (*m.*) **de baño**
   bathing suit (8)
barato/a cheap (2)
bárbaro/a: ¡qué bárbaro!
   how cool! (8)
barca small boat
barranca ravine
barrer to sweep (11)
barrio neighborhood
basarse (en) to base one's ideas/
   opinions (on)
base *f.* base; **a base de** based on;
   base de datos data base
básico/a basic
básquetbol *m.* basketball; **jugar (ue)**
   básquetbol to play basketball (3)
bastante rather, sufficiently;
   enough (5)
bastar to be enough
bastón *m.* (*pl.* **bastones**) cane,
   walking stick
basura trash; **correo basura** junk mail;
   no tirar basura no littering
   (*lit. do not throw trash*) (9);
   sacar (qu) la basura
   to take out the trash (11)
basurero/a trash collector
bata robe
batalla battle
batata sweet potato
batidora mixer; blender
bautizar (c) to baptize

bautizo baptism (7)

baya berry

bebé *m., f.* baby

beber to drink; **no beber y conducir** don't drink and drive (9)

bebida beverage; drink (6)

béisbol *m.* baseball (12); **jugar (ue) (gu) béisbol** to play baseball (12)

beisbolista *m., f.* baseball player

belga *n., adj. m., f.* Belgian

Bélgica Belgium

belleza beauty

bello/a pretty (2)

bendecido/a blessed

bendición *f.* blessing

benefactor(a) benefactor

beneficiar to benefit

beneficio benefit

berro watercress

besar to kiss

biblioteca library (1)

bici bike; **andar** (*irreg.*) **en bici** to ride a bike (2)

bicicleta bicycle; **andar** (*irreg.*) **en bicicleta** to ride a bicycle (2); **bicicleta de montaña** mountain bike (9); **correr en bicicleta** to ride a bicycle

bien *adv.* well; **(muy) bien** (very) well (1); **lo/la pasé bien** I had a good time (7); **(no) encontrarse bien** to (not) feel well (12); **pasarlo bien** to have a good time (7); **¡qué bien!** how cool! (8); **que le(s) vaya bien** have a good one / I hope things go well for you (*form. s., pl.*) (12)

bienes raíces *m. pl.* real estate; **agente** (*m., f.*) **de bienes raíces** real estate agent

bienestar *m.* well-being

bienvenida *n.* welcome; **dar** (*irreg.*) **la bienvenida** to welcome (11); **¡le damos la bienvenida a Ud.!** we welcome you (*form. s.*)! (11)

¡bienvenido/a(s)! *adj.* welcome! (11); **ser** (*irreg.*) **bienvenido/a/os/as** to be welcome (11); **usted es (siempre) bienvenido/a** you (*form. s.*) are always welcome (11)

bife *m.* steak

bilingüe bilingual

biodiversidad *f.* biodiversity

biografía biography

biología biology (1)

biólogo/a biologist

birria goat meat

bisabuelo/a great-grandfather/great-grandmother (4)

bisturí *m.* scalpel

bitácora digital blog

blanco/a white (2); **espacio en blanco** blank space; **línea en blanco** blank; **vino blanco** white wine (6)

blog *m.* blog

bloguear to blog

bloguero/a blogger (10)

bloqueador (*m.*) **solar** sunscreen (9)

blusa blouse (8)

boca mouth (8)

bocado taste

boda wedding (7); **boda civil** civil ceremony (*wedding*)

bodega grocery store (*Carib.*)

bofetada slap; **dar** (*irreg.*) **una bofetada** to slap

bol *m.* bowl (6)

bola ball

boleto ticket (9)

boliche *m.* bowling

bolígrafo pen (1)

boliviano/a *n., adj.* Bolivian (2)

bolsa bag

bolsillo pocket

bolso purse (8)

bombero/a firefighter (10)

bonito/a pretty (2); **¡qué bonita familia!** what a beautiful family! (4)

bordado/a embroidered

borracho/a drunk

borrador *m.* eraser (1)

bosque *m.* forest (13); **bosque tropical** rainforest (9)

bosquejo outline

botas boots

bote *m.* boat

botella bottle; **botella de agua** water bottle

botica pharmacy

botón *m.* (*pl.* **botones**) button

boxear to box (12)

boxeo boxing

boyante prosperous

brazo arm (8)

Bretaña: Gran Bretaña Great Britain

breve *adj.* brief

brindis *m. s., pl.* toast (to a person) (7)

británico/a *n., adj.* British

brócoli *m.* broccoli (6)

bronce *m.* bronze

brutal: ¡qué brutal! cool, awesome (8)

bucear to scuba dive

budista *n., adj. m., f.* Buddhist

buen, bueno/a good (2); **buen día** good morning (1); **¡buen provecho!** enjoy your meal! (6); **¡buena suerte!** good luck! (12); best of luck! (12); **buenas noches** good evening/night (1); **buenas tardes** good afternoon (1); **buenos días** good morning (1); **dar** (*irreg.*) **buena suerte** to bring

good luck; **hace (muy) buen tiempo** the weather's (very) good (9); **pasar un buen rato** to have a good time; **¡qué buena idea!** what a good idea!; **¡que tenga(s) un buen día / fin de semana!** have (*form. s. / inform. s.*) a good day/weekend! (12); **¡que tenga(s) una buena tarde!** have (*form. s. / inform. s.*) a nice afternoon!; **sacar (qu) buenas notas** to get good grades; **tener** (*irreg.*) **buen aspecto** to look good; **tener** (*irreg.*) **buena/mala pinta** to have a good/bad appearance

bufanda scarf (8)

bus *m.* bus

buscador (*m.*) search engine (10)

buscar (qu) to look for (8)

búsqueda search

C

caballero gentleman

caballo horse; **montar a caballo** to ride a horse (3)

cabecera: médico/a de cabecera primary care physician

cabello hair (2)

cabeza head (8)

cable *m.* cable

cabo: al cabo de at the end of; **llevarse a cabo** to carry out

cada *inv.* each, every; **cada vez más** increasingly

cadena chain; **cadena alimenticia** food chain

cadera hip (8)

caer *irreg.* to fall; **caer en** to fall on (*day of the week*); **caerse** to fall down (9)

café *m.* coffee; café, coffee shop; *adj.* brown (2)

cafeína caffeine

caída de agua waterfall

caja box

cajero/a cashier (10); teller

calamares *m. pl.* squid (6)

calavera skull

calcetín *m.* sock (8); **calcetines** *m. pl.* socks (8)

calculadora calculator

calcular to calculate

cálculos figures

caldo broth, clear soup (6)

calendario calendar

calentamiento global global warming (13)

calidad *f.* quality

cálido/a warm, hot (9)

caliente hot

calificar (qu) (a) to qualify (for)

callado/a quiet

calle *f.* street (5); **baje/suba (por esta calle)** go down/up (this street) (*command form. s.*) (5)

calor *m.* heat; **hace calor** it's hot (9); **¡qué calor!** it's so hot! (4)

calvo/a bald

calzón *m.* underwear (8); **calzones** *pl.* underwear (8)

cama bed (11); **hacer** (*irreg.*) **la cama** to make the bed (11)

cámara camera

camarero/a waiter, waitress (6); server (6)

camarones *m. pl.* shrimp (6)

cambiar to change (12); **cambiar cheques** to cash checks

cambio change (12); **cambio climático** climate change

caminar to walk (3)

caminata *n.* walk, hike

camino road; path; **por el camino** on the way

camión *m.* bus

camisa shirt (8)

camiseta t-shirt (8)

campana: pantalones (*m. pl.*) **de campana** bell-bottom pants

campanada peal

campaña campaign

campeón (*pl.* **campeones**), **campeona** champion

campeonato championship

camping: hacer (*irreg.*) **camping** to go camping

campismo camping

campo field; countryside, rural area (5)

campus *m.* campus

Canadá *m.* Canada

canadiense *n., adj. m., f.* Canadian (2)

canal *m.* canal

canas: tener (*irreg.*) **canas** to have gray hair

cancelar to cancel

cáncer *m.* cancer

cancha (athletic) field, court

canción *f.* song (14); **canción de amor** love song

candidato/a candidate

candombé *m. Afro-Uruguayan music and dance*

canguro kangaroo

cano/a gray-haired

cansado/a tired (2)

cantante *m., f.* singer (14)

cantar to sing (3)

cantautor(a) singer-songwriter

cantidad *f.* quantity

canto singing

cañón *m.* (*pl.* **cañones**) canyon

caótico/a chaotic

capa layer

capacitado/a trained

capital *f.* capital city (5)

capitalismo capitalism

capitán (*pl.* **capitanes**), **capitana** captain

capítulo chapter

caqui: color caqui khaki

cara face (8); **lavarse la cara** to wash one's face (5); **¡qué cara!** what nerve!

característica characteristic

caracterizar (c) to characterize

caramelo candy

carbohidrato carbohydrate

carbón *m.* coal

carga cargo

cargador *m.* charger

cargar (gu) to charge; to load; **cargar con** to take on (responsibility)

cargo (political) office; **estar** (*irreg.*) **a cargo (de)** to be in charge (of)

Caribe *m.* Caribbean; **mar** (*m.*) **Caribe** Caribbean Sea

caribeño/a *n., adj.* Caribbean

cariño affection

cariñoso/a affectionate (2)

carismático/a charismatic (2)

Carnaval *m.* Carnival (*the festivities in the days preceding Lent*) (7)

carne *f.* (red) meat (6); **carne de puerco** pork (6); **carne de res** beef (6)

carnicería butcher shop (5)

carnitas *Mexican dish made of roasted pork that is sautéed till browned*

caro/a expensive (2)

carpa tent

carrera major (field of study); career; race (12); **carrera de fondo** long-distance race; **¿cuál es tu carrera?** what's your major? (1); **¿cuál es tu correo electrónico?** what is your email (address)? **¿cuál es tu (dirección de) email?** what is your email (address)? (1); **¿cuál es tu número de teléfono?** what is your phone number? (1)

carretera highway (5)

carril *m.* lane

carro car (5)

carta letter; menu (6)

casa house (2); **ama** (*f.,* but **el ama**) **de casa** housewife (4)

casado/a married (16)

casamiento marriage

casarse (con) to get married (to) (16)

cascada waterfall

cáscara shell; peel

cascarón shell

casco helmet (12)

casi *inv.* almost

caso case; **en caso de que** *conj.* in case

casona mansion

casquete *m.* **(polar)** (polar) ice cap

castaño/a brown (2)

catador(a) taster

catarata waterfall (9)

catedral *f.* cathedral (5)

categoría category

categorizar (c) to categorize

catire fair-skinned, fair-haired (*Carib.*)

católico/a Catholic

catorce fourteen (1)

causa cause (13)

causar to cause (13)

cauteloso/a cautious

caverna cavern

cazar (c) to hunt

cazatalentos *inv.* talent scout

cebolla onion (6)

celebración *f.* celebration

celebrar to celebrate (7)

celebridad *f.* celebrity

celeste heavenly; **color** (*m.*) **celeste** light blue

celos: tener (*irreg.*) **celos** to be jealous

celoso/a jealous (16)

celular: (teléfono) celular cell phone

cementerio cemetery

cena dinner; **preparar la cena** to prepare dinner (4)

cenar to eat dinner (3)

censura censorship

centenar *m.* hundred

centígrado/a *adj.* Celsius, centigrade

central central

centro center; downtown (5); **centro estudiantil** student center, student union

Centroamérica Central America

centroamericano/a *n., adj.* Central American

cepillarse los dientes to brush one's teeth (5)

cepillo de dientes toothbrush

cerca *adv.* near, nearby, close; **cerca de** close/near to (9)

cereal *m.* cereal

ceremonia ceremony

cerrar (ie) to close (3)

cerro hill

cerveza beer (6)

césped *m.* lawn, grass

ceviche *m. raw fish dish*

chacra small farm

chala husk

chamo kid

champán *m.* champagne (7)

champiñones *m. pl.* mushrooms (6)

chaqueta jacket (8)

charco puddle

charcutería delicatessen

charlar to chat

charrería horsemanship (*Mex.*)

chau (chao) good-bye (1); **chau chau (chao chao)** goodbye (1)

cheque *m.* check; **cambiar cheques** to cash checks; **cobrar un cheque** to cash a check

chévere cool; **¡qué chévere!** how cool! (8)

chicle *m.* gum

chico/a *n.* guy/girl; *adj.* small (2)

chido/a cool; **¡qué chido!** how cool! (*Mex.*) (8)

chilaquiles *m. pl. Mexican dish of fried tortilla pieces simmered in salsa or mole and served with cheese and sour cream*

chile *m.* chili pepper (6)

chileno/a *n., adj.* Chilean (2)

chillar to bawl

chimba: ¡qué chimba! cool, awesome (*Col.*) (8)

chimichurri *green sauce used for grilled meat* (*Arg.*)

chino/a *n.* Chinese person; *adj.* Chinese

chirimoya cherimoya fruit

chispa spark

chistoso/a funny

chivo goat

chocar (qu) con to run into; to bump against

chocolate *m.* chocolate

chofer *m., f.* driver (4)

chorizo sausage (6)

chulo/a cool (*Sp.*); **¡qué chulo!** how cool! (*Sp.*) (8)

chutar to shoot (*a soccer ball*) (*Sp.*)

ciclismo cycling; **hacer** (*irreg.*) **ciclismo de montaña** to go mountain biking (9)

ciclista *m., f.* cyclist

ciclón *m.* (*pl.* **ciclones**) hurricane

ciego/a *adj.* blind; **cita a ciegas** blind date (16)

cielo sky; heaven

cien one hundred (5)

ciencia science (1); **ciencias políticas** political science (1)

científico/a scientific

ciento one hundred (*used with* 101–199) (5); **por ciento** percent

cierto/a true

cigarrillo cigarette

cinco five (1); **cinco mil** five thousand (5)

cincuenta fifty (1); **son las ocho y cincuenta** it's 8:50 (3)

cine *m.* movies (2); movie theater (2); film (*in general*) (2)

cineasta *m., f.* filmmaker

cinematográfico/a *adj.* movie, film

cinta film, movie

cintura waist

cinturón *m.* (*pl.* **cinturones**) belt (8)

circuito circuit

circulación hallway

circular to circulate

círculo circle

circunstancia circumstance

ciruela plum

cirugía surgery

cirujano/a surgeon (10)

cita appointment; date (16); **cita a ciegas** blind date (16)

ciudad *f.* city (5)

ciudadano/a citizen

civil civil; **boda civil** civil ceremony (*wedding*); **estado civil** marital status (16); **guerra civil** civil war

civilización *f.* civilization

¡claro que sí! *interj.* of course! (6)

claro/a clear

clase *f.* class (*of students*) (1); class, course (*academic*) (1); **compañero/a de clase** classmate; **salón** (*m.*) **de clase** classroom (1)

clásico/a classic(al) (14)

clasificación *f.* classification

clave *n. f., adj.* key

clic: hacer clic to click

cliente *m., f.* customer

clima *m.* climate (13); weather

climático/a *adj.* climate; **cambio climático** climate change

climatización *f.* air conditioning

clínica clinic

clóset *m.* (*pl.* **closets**) closet

cobrar un cheque to cash a check

cobre *m.* copper

coche *m.* car (5)

cochi *Nahuatl word meaning to sleep*

cochinillo roast suckling pig (*dish*)

cocina kitchen (11); cuisine

cocinar to cook (3)

cocinero/a cook; chef

codiciado/a sought-after

codo elbow (8)

coger (j) to take (*transportation*) (*Sp.*); **coger a mano derecha/izquierda** to turn right/left (*Sp.*)

cognado *gram.* cognate

cohombro cucumber (*P.R.*)

coincidir to coincide

cola line (*of people*)

colaborar to collaborate

colar (ue) to strain (*liquid*)

colchón *m.* (*pl.* **colchones**) mattress

colección *f.* collection

coleccionar to collect

colectivo bus

colega *m., f.* co-worker, colleague

colegio high school

cólera cholera

colesterol cholesterol

colibrí *m.* (*pl.* **colibríes**) hummingbird

colina hill

collar *m.* necklace (8)

colmado small grocery store (*Carib.*)

colocar (qu) to place

colombiano *n., adj.* Colombian (2)

colonia colony; neighborhood (*Mex.*)

color *m.* color; **color caqui** khaki; **color celeste** light blue; **color verde oliva** olive green; **¿de qué color es?** what color is it? (2)

columna column

com: punto com dot com (*in an email address*) (1)

comadre *f.* godmother of one's child (4); *mother of one's godchild*

comandante *m., f.* commander

comarca region

combatir to fight

combinación *f.* combination

combinar to combine

combustibles (*m. pl.*) **fósiles** fossil fuels

comedia comedy; **comedia musical** musical (*play*)

comedor dining room (11); dining hall

comentar (sobre) to comment (on)

comentario comment

comentarista *m., f.* news anchor

comenzar (ie) (c) to begin; **comenzar a + inf.** to begin to + inf.

comer to eat (3); **come/coma más** have some more (*command inform. s. / form. s.*) (11); **comer comida mexicana** to eat Mexican food (3); **dar** (*irreg.*) **de comer** to feed; **no dar** (*irreg.*) **de comer** don't feed (*animals*) (9)

comercialización *f.* commercialization

comercializar (c) to commercialize

comestibles *m. pl.* groceries, food (6); **comestibles empaquetados/ enlatados** packaged/canned goods (6)

cometer to commit; **cometer un error** to make a mistake

cómico/a funny

comida food (3); (midday) meal (3); **comer comida mexicana** to eat Mexican food (3); **comida rápida** fast food

comienzo *n.* beginning

como like; as; **tal como** just as; **tan... como** as . . . as; **tanto como** as much as; **tanto/a/os/as... como** as much/many . . . as

¿cómo? how? (2); **¿cómo anda?** how's it going (*inform. s.*)? (1); **¿cómo está?** how are you (*form. s.*)? (1); **¿cómo estás?** how are you (*inform. s.*)? (1); **¿cómo se dice... ?** how do you say . . . ?; **¿cómo se escribe... ?** how do you spell . . . ? (1); **¿cómo se llama?** what is your name (*form. s.*)? (1); **¿cómo se llama él/ella?** what is his/her name? (1); **¿cómo te llamas?** what is your name (*inform. s.*)? (1)

¡cómo no! *interj.* sure, no problem, of course! (6)

comodidad *f.* comfort

cómodamente comfortably

cómodo/a comfortable

compacto: disco compacto (el CD) compact disc (CD)

compadre *m.* godfather of one's child (4); *father of one's godchild*

compañero/a companion; friend; classmate (1); **compañero/a de clase** classmate; **compañero/a de cuarto** roommate

compañía company

comparación *f.* comparison

comparar to compare

compartir to share

competencia competition (12)

competición *f.* competition

competidor(a) competitor

competir (i, i) to compete

competitivo/a competitive

complacer (zc) to please

complejo *n.* complex

complejo/a *adj.* complex

complemento accessory

completar to complete

completo/a complete

complicar (qu) to complicate

componer (*like* **poner**) (*p.p.* **compuesto**) to compose (14)

composición *f.* composition

compositor(a) composer

compostador *m.* composter

comprar to buy (3)

compras: de compras shopping; **ir** (*irreg.*) **de compras** to go shopping (2)

comprender to understand

comprensión *f.* understanding

comprensivo/a understanding (16)

comprobar (ue) to prove

comprometerse to get engaged (16); to commit (*oneself*) (16)

comprometido/a engaged (16); in a serious relationship (16)

compromiso engagement; commitment

compuesto/a (*p.p. of* **componer**) **(de)** composed (of)

computación *f.* computer science

computadora computer (1); **(computadora) laptop/portátil** laptop (computer) (10)

común common

comunicación *f.* communication; communications (*field of study*) (1)

comunicarse (qu) to communicate; **¿me puede comunicar con... ?** can you connect me with . . . ?

comunidad *f.* community

comunista *n., adj. m., f.* communist

comunitario/a community

con with (7); **con frecuencia** often; **¡con mucho gusto!** with pleasure! (6); (very) gladly; **con permiso** excuse me (8); **con tal de que** *conj.* provided that; **con vista a** with a view of; **¿me puede comunicar con... ?** can you connect me with . . . ?

concentrar(se) to concentrate

concepto concept

concha shell

conciencia conscience

concierto concert (14)

concluir (y) to conclude

conclusión *f.* conclusion

concordancia agreement

concreto: en concreto specifically; in particular

condición *f.* condition

condimento condiment (6)

cóndor *m.* condor

conducir *irreg.* to drive; **no beber y conducir** don't drink and drive (9)

conectar to connect; **conectarse** to get online (10)

conector *m.* connector

conejo rabbit

conexión (*f.*) **(inalámbrica)** (wireless) connection

conferencia conference

confesar (ie) to confess

confianza confidence; trust

conflicto conflict

confundir to confuse

congregarse (gu) to congregate

congreso conference

cónico/a conical

conjugar (gu) to conjugate

conjunto outfit (*clothes*)

conjuro spell

conmemorar to commemorate

conmigo with me (7)

Cono Sur Southern Cone

conocer (zc) to know, be familiar with (5); to meet; **conocerse** to meet (each other) (16)

conocimiento knowledge

conquista conquest

conquistador(a) conqueror

consciente conscious; aware

consecuencia consequence (13)

consecutivo/a consecutive

conseguir (*like* **seguir**) to get (10)

consejero/a advisor

consejo (piece of) advice

conservación conservation

conservar to preserve, conserve (13); to keep (13)

consideración *f.* consideration

considerar to consider

consistir (en) to consist (of)

consola console

constipado/a congested

constitucional constitutional

construcción *f.* construction

construir (y) to build

consultar to consult

consumir to consume

consumo consumption

contacto contact; **lentes** (*m. pl.*) **de contacto** contact lenses; **mantenerse** (*like* **tener**) **en contacto con** to stay in touch with; **ponerse los lentes de contacto** to put on contacts (5)

contador(a) accountant

contagiar to infect

contaminación *f.* pollution (5); **contaminación del aire** air pollution

contaminar to pollute (13)

contar (ue) to tell, narrate; to count

contener (*like* **tener**) to contain

contenido content

contento/a happy (2); **ponerse** (*irreg.*) **contento/a** to become happy (5)

conteo count

contestar to answer

contexto context

contigo with you (*inform. s.*) (7)

continente *m.* continent

continuación: a continuación following; below

continuar (continúo) to continue

contra against; **en contra de** against

contraceptivo contraceptive

contrario: al contrario on the contrary; **lo contrario** the opposite

contrastante contrasting
contrastar to contrast
contratar to hire (10)
contrayente *m., f.* party (*of a contract*)
control *m.* control
controlar to control
controversia controversy
controvertido/a controversial
conversación *f.* conversation
conversar to converse
convertir (ie, i) to convert; **convertirse en** to become
conyugal conjugal
cooperar to cooperate
copa drink (*alcoholic*); **copa de los árboles** canopy (*of trees*); **Copa Mundial** World Cup
copiar to copy
coqueto/a flirtatious
coraje *m.* anger, rage; **¡qué coraje!** how frustrating/annoying!
corazón *m.* heart
corbata tie (8)
cordillera mountain range
Corea Korea
coreano/a *n., adj.* Korean
coro choir
coronado/a crowned
corporación *f.* corporation
correcto/a correct
corredor(a) runner
correo mail; **correo basura** junk mail; **correo electrónico** email (10); **¿cuál es tu correo electrónico?** what is your email (address)?; **oficina de correos** post office
correr to run (3); **correr en bicicleta** to ride a bicycle; **correr en el parque** to run in the park (3)
corresponder to correspond
correspondiente corresponding
corrida de montaña mountain running
corrupción *f.* corruption (15)
corrupto/a corrupt
corsé *m.* corset
cortar to cut
Corte (*f.*) **Suprema** Supreme Court
cortés polite
corto/a short (*in length*) (2); **pantalones** (*m. pl.*) **cortos** shorts (8)
cosa thing (1)
cosecha harvest
cosido/a sewn
cosmetólogo/a cosmetologist (10)
costa coast
costal *m.* sack, bag
costar (ue) to cost
costarricense *n., adj. m., f.* Costa Rican (2)

costoso/a expensive
costumbre *f.* custom (7); habit (7)
costura sewing; **alta costura** haute couture
cotidiano/a daily
cráter *m.* crater
crear to create
creativo/a creative (2)
crecer (zc) to grow
creencia belief
creer (y) (*p.p.* creído) to think; to believe (12); **creo que...** I think . . . (15)
crimen *m.* serious crime (15); **lugar** (*m.*) **del crimen** scene of the crime
criminal *m., f.* criminal
criollo/a creole; **pabellón** (*m.*) **criollo** *Venezuelan rice and beans dish*
crisis *f.* crisis (15)
cristiano/a Christian
criterio criterion
crítica criticism
criticar (qu) to criticize
crítico/a *n.* critic; *adj.* critical
cruce *m.* crossroads
crucero cruise; cruise ship
crudo/a raw; harsh
cruzar (c) to cross
cuaderno notebook (1)
cuadra (city) block (5)
cuadro square; **de cuadros** plaid
¿cuál(es)? what?; which? (2); **¿cuál es la fecha de hoy?** what is today's date? (1); **¿cuál es tu carrera?** what's your major? (1); **¿cuál es tu (dirección de) email?** what is your email address (*inform. s.*)? (1); **¿cuál es tu número de teléfono?** what is your phone number (*inform. s.*)? (1); **¿cuál es tu/su profesión?** what is your profession (*inform. s. / form. s.*)? (4)
cualificado/a qualified
cualquier *adj.* any
cuando when; **de vez en cuando** once in a while
¿cuándo? when? (2)
cuanto: en cuanto as soon as; **en cuanto a** regarding
cuánto lo siento I'm very sorry (16)
¿cuánto/a(s)? how much? (1); **¿cuántos/as... (hay)?** how many (are there)? (1); **¿cuánto tiempo hace que +** *present tense***?** how long have you (*done / been doing something*)? (13); **¿cuánto tiempo lleva(s) + -ndo** *form***?** how long have you (*form. s. / inform. s.*) (*done / been doing something*)? (13); **¿cuántos años tienes?** how old are you (*inform. s.*)? (2)

cuarenta forty
cuarenta y dos forty two (1)
cuarentena quarantine (12)
Cuaresma Lent
cuarto room; one-fourth; quarter (*of an hour*); **compañero/a de cuarto** roommate; **cuarto de baño** bathroom (11); **son las dos y cuarto** it's 2:15 (3)
cuatro four (1); **cuatro mil** four thousand (5)
cuatrocientos/as four hundred (5)
cubano/a *n., adj.* Cuban (2)
cubierto place setting (6)
cubierto/a (*p.p. of* cubrir) covered
cubrir (*p.p.* cubierto) to cover
cuchara spoon (6)
cuchillo knife (6)
cuello neck (8)
cuenta account; **darse** (*irreg.*) **cuenta de** to realize (13)
cuento story
cuerda string
cuerdo/a sensible; rational; sane
cuero leather
cuerpo body
cuestión *f.* issue
cuidador(a) curator
cuidar to take care of (13)
culantro coriander
culinario/a culinary
culpa fault; blame; **echar la culpa** to blame
cultivar to grow, raise (crop)
culto/a cultured; learned
cultura culture
cumbia *Colombian folk dance now popular throughout Latin America*
cumbre *f.* summit, peak
cumpleaños *s., pl.* birthday (7)
cumplir to achieve; **cumplir... años** to turn . . . years old (7)
cuñado/a brother-in-law / sister-in-law (4)
curado/a drunk (*sl.*)
curioso/a curious (2)
curita adhesive bandage
currículum *m.* resume, curriculum vitae (CV) (10)
curso course
cursor *m.* cursor
cuyo/a whose

D

danés (*pl.* **daneses**), **danesa** *n.* Danish person; *adj.* Danish
danza dance (14)
daño damage (13)

dar *irreg.* to give; **dar a luz** to give birth; **dar buena suerte** to bring good luck; **dar de comer** to feed; **dar el pésame** to give one's condolences; **dar la bienvenida** to welcome (11); **dar un abrazo** to hug; **dar un paseo** to take a walk (9); **dar un paso** to take a step; **dar una bofetada** to slap; **dar una fiesta** to throw a party; **darle vuelta a** to think about (*something*); **darse cuenta de** to realize (13); **darse la mano** to shake hands; **darse prisa** to hurry; **¡le damos la bienvenida a Ud.!** we welcome you (*form. s.*)! (11); **no dar de comer** don't feed (*animals*) (9); **te/le/les doy/damos el pésame** my/our condolences (16)

dato piece of information (12); *pl.* data; **base** (*f.*) **de datos** database; **tomar los datos** to take down information (*medical intake*) (12)

de of (1); from (1); **de alguna manera** in some way; **de compras** shopping; **de cuadros** plaid; **de dentro a fuera** inside out; **¿de dónde eres?** where are you from? (*inform. s.*) (1); **¿de dónde es?** where are you from? (*form. s.*) (1); **de hecho** actually; **de la madrugada** in the early A.M. hours (3); **de la mañana** A.M.; in the morning (3); **de la misma manera** likewise; **de la noche** at night (3); **de la tarde** P.M.; in the afternoon/ evening (3); **de lujo** luxury; **de madera** made of wood; **de marca** brand name (8); **de nada** you're welcome (5); **de niño/a** as a child; **¿de parte de quién?** may I ask who's calling?; **¿de qué color es?** what color is it? (2); **¿de qué está hecho/a?** what is it made of?; **de repente** suddenly; **de verdad** really; **de vez en cuando** once in a while; **favor de** + *inf.* please + *inf.*

debajo de below (11)

debate *m.* debate

deber + *inf.* should, must, ought to (*do something*); **(no) debería** + *inf.* should (not) (*do something*) (13); **debo** + *inf.* I should (*do something*) (6)

debido a because of, due to; **debido a ello** due to this fact

débil weak (2)

década decade

decenas *pl.* tens

decente decent

decidir to decide

decir *irreg.* to say (4); to tell (4); **¿cómo se dice... ?** how do you say . . . ?

decisión *f.* decision; **tomar una decisión** to make a decision

declaración *f.* statement

declarar to state

decorar to decorate

dedicarse (qu) (a) to dedicate oneself (to); to work at (*job*); **¿a qué se dedica?** what do you (*form. s.*) do (*occupation*)? (4); **¿a qué te dedicas?** what do you (*inform. s.*) do (*occupation*)? (4)

dedo finger (8)

defecto de nacimiento birth defect

defender (ie) to defend

definitivamente definitely

deforestación *f.* deforestation (13)

deforestar to deforest

degustación *f.* tasting

degustar to taste (*sample different items for flavor*)

dejar to leave; **dejar de** + *inf.* to stop (*doing something*); **dejar a la vista** to leave within view

del of the; from the

delante de in front of

delfín *m.* (*pl.* **delfines**) dolphin (13)

delgado/a thin (2)

delicado/a delicate

delincuencia crime

demanda demand (15)

demás the rest; **los/las demás** others; **todo lo demás** everything else

demasiado *adv.* too; too much

demasiado/a *adj.* too; *pl.* too many

democracia democracy (15)

democrático/a democratic

demostrar (ue) to show

demostrativo/a *gram.* demonstrative

denominación *f.* designation

denominado/a called

dentista *m., f.* dentist (10)

dentro inside; **de dentro a fuera** inside out; **dentro de** inside; within, in

departamento apartment

dependencia dependency

depender (de) to depend (on)

dependiente *m., f.* clerk

deporte sport (2); **hacer** (*irreg.*) **deportes** to play sports; **practicar (qu) un deporte** to play a sport (3)

deportista *m., f.* athlete

deportivo/a *adj.* sporting, sports

depositar to deposit

depresión *f.* depression (12)

derecha *n.* right side; **a la derecha (de)** to the right (of); **coger (j) a mano derecha** to turn right (*Sp.*); **doble/**

gire a la derecha turn right (*command form. s.*) (5); **quedar a la derecha** to be on the right

derecho right (*prerogative*); law (*field of study*); *adv.* straight ahead; **derecho humano** human right (15); **siga derecho** go / keep going / continue straight (*command form. s.*) (5); **violación** (*f.*) **de los derechos del autor** copyright violation; **violar los derechos humanos** to violate human rights

derivarse (de) to derive (from)

dermatológico/a dermatological

derramar to spill

derretimiento melting

derrocar (qu) to overthrow

desaparecer (zc) to disappear

desarrollar to develop (15)

desarrollo development (15)

desastre (*m.*) **natural** natural disaster (15)

desayunar to eat breakfast (3)

desayuno breakfast; **preparar el desayuno** to make/prepare breakfast (4)

descalzo/a barefoot

descansar to rest (11)

descarga download

descargar (gu) to download

descender (ie) (de) to descend (from)

describir to describe

descripción *f.* description

descubrir (*p.p.* **descubierto**) to discover

descuento discount (8)

descuido carelessness

desde *prep.* from; since; **desde hace** + *period of time* for + period of time

desear to wish; to want; **te/le(s) deseo mucha suerte** I wish you (*inform. s. / form. s., pl.*) luck (12)

desechable disposable

desecho (orgánico) (organic) waste

desempleo unemployment (15)

desencadenar to trigger; to unleash

deseo wish

desequilibrio imbalance

desesperación *f.* desperation

desfile *m.* parade (7); **desfile de moda** fashion show (8)

desgarrador(a) heartbreaking

desgraciadamente unfortunately

deshacer (*like* **hacer**) (*p.p.* **deshecho**) to dissolve; to undo

desierto desert

desigualdad *f.* inequality (15)

deslizar (c) to slide

desmayarse to faint
desordenado/a disorganized; messy
despacho office (1)
despedida farewell, good-bye (7); closing (*in a letter/email*) (10)
despejado/a clear (*weather*); **está despejado** it's clear (*sky*) (9)
despejarse to clear up (*weather*)
despensa pantry (11)
despertarse (ie) to wake up (5)
después *adv.* afterwards; **después (de)** after (1); **después (de) que** *conj.* after
destacado/a renowned
destilería distillery
destinatario/a recipiente
destino destination
destreza skill
destrozado/a destroyed
destrucción *f.* destruction (13)
destruir (y) to destroy (13)
desventaja disadvantage
desviarse (me desvío) to change course
detallado/a detailed
detalle *m.* detail
detallista *m., f.* detail-oriented
detective *m., f.* detective
deteriorar to deteriorate
deterioro deterioration
determinar to determine
detrás de behind; **está/queda detrás de...** it's behind . . . (5)
deuda debt; **deuda externa** foreign debt (15)
devolver (*like* **volver**) (*p.p.* **devuelto**) to return
día *m.* day (1); **algún día** someday; **buen día** good morning (1); **buenos días** good morning (1); **Día de Acción de Gracias** Thanksgiving; **día de entre semana** weekday (3); **Día de la Independencia** Independence Day (7); **Día de las Madres** Mother's Day; **Día de Muertos** Day of the Dead (7); **Día de los Padres** Father's Day; **Día de los Reyes Magos** Three Kings' Day; Epiphany (Adoration of the Magi) (7); **Día de Todos los Santos** All Saints' Day; **Día del Amor** Valentine's Day; **día festivo** holiday; **días entre semana** weekdays (3); **hoy en día** today; these days; **¡que tenga(s) un buen día!** have a nice day (*form. s. / inform. s.*)!; **son las doce del día** it's noon (3); **todo el día** all day (3); **todos los días** every day (3)
diagnóstico diagnosis
diálogo dialogue

diamante *m.* diamond
diario newspaper
diario/a daily; **rutina diaria** daily routine
dibujar to draw
dibujo drawing
diccionario dictionary (1)
dicho/a aforesaid
diciembre December (1)
dictadura dictatorship (15)
diecinueve nineteen (1)
dieciocho eighteen (1)
dieciséis sixteen (1)
diecisiete seventeen (1)
diente *m.* tooth; *pl.* teeth (8); **cepillarse los dientes** to brush one's teeth (5); **cepillo de dientes** toothbrush; **lavarse los dientes** to brush one's teeth
dieta diet; **estar** (*irreg.*) **a dieta** to be on a diet
dietética dietics
diez ten (1); **son diez para las nueve** it's 8:50 (3); **son las nueve menos diez** it's 8:50 (3)
diferencia difference
diferente different (1)
difícil difficult (2); hard
dificultad *f.* difficulty
difunto/a *n., adj.* deceased
digestión *f.* digestion
digestivo/a digestive
digitalizado/a digitalized
dinero money; **ganar dinero** to make money; **sacar (qu) dinero** to withdraw money
dios *m. s.* god; **Dios** God
diplomático/a diplomatic
dirección *f.* address; *pl.* instructions; **¿cuál es tu (dirección de) email?** what is your email (address)? (1); **¿cuál es tu/su profesión?** what is your (*inform. s. / form. s.*) profession? (4)
directo/a direct (2)
director(a) de marketing director of marketing (10)
dirigir (j) to direct (14)
discapacitado/a disabled
disciplina discipline
disco record; **disco compacto** compact disc; **disco duro** hard drive
discriminación *f.* discrimination (15)
disculpar to excuse, pardon; **disculpa/disculpe** excuse me (*command inform. s. / form. s.*) (3); **disculpen** excuse me (*command form. pl.*) (3)
discurso speech
diseñador(a) designer (8); **diseñador(a) gráfico/a** graphic designer (10)

diseñar to design
diseño design (1)
disfraz *m.* (*pl.* **disfraces**) costume (7)
disfrazado/a disguised
disfrutar to enjoy (7); **disfruté** I enjoyed (7); **disfrutar de** + *n.* to enjoy (*something*) (9)
dislocarse (qu) to dislocate
disminución *f.* decrease (13); reduction
disminuir (y) to diminish
disponer (*like* **poner**) (*p.p.* **dispuesto**) **de** to have available
disponible available
dispositivo device
dispuesto/a ready, prepared; willing; **estar** (*irreg.*) **dispuesto** to be ready/willing (10)
distancia distance
distinguir (distingo) to distinguish
distribuidor(a) distributor
distrito district
diversidad *f.* diversity
diversión *f.* fun
diverso/a diverse
divertido/a fun, funny (2)
divertirse (ie, i) to have fun (7); **¡diviértete!/¡diviérta(n)se!** have fun! (*command inform. s. / form. s., pl.*) (11); **me divertí mucho** I had a lot of fun (7)
dividir to divide
división *f.* division
divorciado/a divorced (16)
divorcio divorce (16)
doblar to turn; **doble a la derecha/izquierda** turn (to the) right/left (*command form. s.*) (5); **no doblar** do not turn (9)
doble *m.* double; **doble ve, doble ve, doble ve** www (*in an email address*) (1); **triple doble ve** www (*in an email address*) (1)
doce twelve (1); **son las doce del día** it's noon (3); **son las doce de la noche** it's midnight (3)
doctor(a) doctor (4)
doctorado doctorate
documento document
dólar *m.* dollar
doler (ue) (*like* **gustar**) to hurt (12); to ache (12)
dolor *m.* pain (12); **te/le/les acompaño/acompañamos en el dolor** I'm/we're with you (*inform. s. / form. s. / form. pl.*) in your time of pain (16)
doméstico/a domestic; **animal** (*m.*) **doméstico** pet
dominante dominant
dominar to dominate

domingo Sunday (3); **Domingo de Pascua** Easter Sunday; **Domingo de Ramos** Palm Sunday

dominicano/a *n., adj.* Dominican (2); **República Dominicana** Dominican Republic

donar to donate

donde where

¿dónde? where? (2); **¿de dónde eres?** where are you (*inform. s.*) from? (1); **¿de dónde es usted?** where are you (*form. s.*) from? (1); **¿dónde está/ queda... ?** where is . . . ? (5); **¿dónde vive(s)?** where do you (*form. s. / inform. s.*) live? (1)

dormir (ue, u) to sleep (2); **dormirse** to fall asleep (5)

dormitorio bedroom (11)

dorso: nadar de dorso to do the backstroke

dos two (1); **dos mil** two thousand (5); **dos veces** twice (3); **son las dos y cuarto/quince** it's 2:15 (3)

doscientos/as two hundred (5)

drama *m.* drama

dramático/a dramatic

drástico/a drastic

droga drug

ducha shower (11)

ducharse to take a shower (5)

duda doubt; **poner** (*irreg.*) **en duda** to call into question; **sin duda** without (any) doubt (14)

dueño/a owner (10)

dulce *adj.* sweet (6)

dulces *m. pl.* sweets; candy

duquesa duchess

duración *f.* length

durante during

durar to last

durazno peach

duro/a hard; **disco duro** hard drive

DVD *m.* DVD

E

e and (*used instead of* **y** *before words beginning with* **i** *or* **hi**) (1)

echar to throw; to add; **echar de menos** to miss; **echar la culpa** to blame

ecología ecology (13)

ecológico/a ecological (13)

ecologismo environmentalism (13)

ecologista *m., f.* ecologist

economía economy; economics (1)

económico/a economic (15); economical (15)

ecoturismo ecotourism (9)

ecuatoriano/a *n., adj.* Ecuadorian (2)

edad *f.* age

edificio building (5)

editar to edit; to publish

editor(a) editor

editorial *m.* editorial

edu: punto edu dot edu (*in an email address*) (1)

educación *f.* education

educado/a polite

educar (qu) to teach, educate

educativo/a educational

efecto effect

Egipto Egypt

egoísta *m., f.* selfish

egresado/a (de) graduate (of)

ejecutivo/a executive (10)

ejemplo example; **por ejemplo** for example

ejercer (z) to exercise

ejercicio exercise; **hacer** (*irreg.*) **ejercicio** to work out (2)

el *def. art. m. s.* the (1)

él *sub. pron.* he; *obj. of prep.* him

elaboración *f.* production

elaborar to manufacture, produce

elección *f.* election (15)

electricidad *f.* electricity

eléctrico/a electrical

electrodoméstico appliance (11)

electrónico/a electronic (14); **correo electrónico** email; **¿cuál es tu correo electrónico?** what is your email (address)?

elefante *m.* elephant

elegante elegant

elegir (i, i) (j) to choose; to elect

elemento element

eliminar to eliminate

élite *f.* elite

ella *sub. pron.* she; *obj. of prep.* her

ello: debido a ello due to this fact

ellos/as *sub. pron.* they; *obj. of prep.* them

elogiado/a praised

elogio praise

email *m.* email (10); **¿cuál es tu (dirección de) email?** what is your email (address)? (1); **escribir un email** to write an email (3)

emancipación *f.* emancipation

emancipar(se) to become free/ independent (16)

embarazo pregnancy

embarcar (qu) to embark

embargo: sin embargo nevertheless

emblemático/a emblematic

emigrante *m., f.* emigrant

emoción *f.* emotion; **¡qué emoción!** how exciting!

emocional emotional

emocionante exciting

empacar (qu) to pack

empaquetado/a packaged; **comestibles** (*m. pl.*) **empaquetados** packaged goods (6)

emparejar to match

empate *m.* tie (*score*)

empezar (ie) (c) to begin (4); to start; **empezar a** + *inf.* to begin to (*do something*) (4)

empleado/a employee (10)

empleo job; employment; **solicitar un empleo** to apply for a job (10)

emprender to undertake, start

empresa corporation; business; **administración** (*f.*) **de empresas** business administration

empresarial *adj.* business

empresario/a business person (10)

empujar to push; push (9)

en in (1); on (1); at (*a place*) (1); **caer** (*irreg.*) **en** to fall on (*day of the week*); **en algún momento** at some point; **en caso de que** (*conj.*) in case; **en concreto** specifically; in particular; **en contra de** against; **en el punto de mira** in the crosshairs; **en general** in general; **en medio de** in the middle of (11); **en mi opinión...** in my opinion . . . (15); **en negrita** boldface; **en particular** in particular; **¿en qué puedo servirle(s)?** how may I help you (*form. s., pl.*)? (10); **en total** in all; **en una relación** together (16); in a relationship (16); **en voz alta** out loud; **está/queda en la esquina de... y...** it's on the corner of . . . and . . . (5)

enagua petticoat

enamorado/a (de) in love (with) (16)

enamorarse (de) to fall in love (with) (16)

encandilar to dazzle

encantado/a nice to meet you, enchanted (10)

encantar (*like* **gustar**) to like very much, love; to delight (7)

encender (ie) to turn on (*appliance*); to light

encerrar (ie) to enclose; to circle

encima de on top of (11)

enclavado/a nestled

encontrar (ue) to find; **(no) encontrarse bien** to (not) feel well (12)

encuentro encounter

encuesta survey

energía energy; **energía eólica** wind energy

enero January (1)

énfasis *m.* emphasis; **poner** (*irreg.*) **énfasis** to emphasize

enfermarse to get sick (12)

enfermedad *f.* illness (12)

enfermero/a nurse (10)

enfermo/a sick (2)

enfocado/a focused

enfocarse (qu) (en) to focus (on)

enfrentarse (a) to confront

enfrente de *prep.* in front of / facing; **está/queda enfrente de...** it's facing / in front of . . . (5)

engañar to deceive

engordar to gain weight

¡enhorabuena! congratulations! (7)

enlace *m.* (web) link

enlatado/a canned; **comestibles** (*m. pl.*) **enlatados** canned goods (6)

enojado/a angry (2)

enorme enormous

ensalada salad (6); **ensalada mixta** tossed salad

ensayar to rehearse

ensayo rehearsal

enseñanza teaching

enseñar to teach (7); **enseñar a** + *inf.* to teach to (*do something*)

ensuciar to dirty

entablar to initiate

entender (ie) to understand

entonces so; then, next

entrada entrance

entrar to enter; **no entrar** do not enter (9)

entre *prep.* between; among; **entre semana** during the week; **días de entre semana** weekdays

entregar (gu) to turn in; to deliver

entrenador(a) coach (12); trainer (12)

entrenamiento training

entrenar to train

entretenimiento entertainment

entrevista interview (10)

entrevistar to interview (10)

entusiasmo enthusiasm

enviar (envío) to send (10)

eólico/a: energía eólica wind energy

episodio episode

época era

equilibrado/a balanced

equilibrio balance

equinoccio equinox

equipaje *m.* baggage (9) **recogida de equipaje** baggage claim (9)

equipo team (12); equipment (12)

equis *f.* × (*letter*)

equivocación: por equivocación by mistake

equivocado/a mistaken; wrong

erradicar (qu) to eradicate (15)

error *m.* mistake; **cometer un error** to make a mistake; **error ortográfico** spelling mistake

escala scale; layover; stop (9); **hacer** (*irreg.*) **escala** to have a layover; to make a stop (9)

escalada rock/mountain climbing

escalar to go rock climbing (9); to climb (9)

escalera stairs (11)

escalofríos chills

escándalo scandal

escandinavo/a Scandinavian

escanear to scan

escáner *m.* scanner (10)

escapar to escape

escasez *f.* shortage

escena scene

escenario setting; stage

escenografía set (*film*); scenery (*theater*)

escéptico/a skeptical

esclavitud (*f.*) (**infantil**) (child) slavery (15)

esclavo/a slave

escoger (j) to choose (7)

escolar *adj.* school

escondido/a hidden; **a escondidas** in secret

escribir (*p.p.* **escrito/a**) to write (3); **¿cómo se escribe... ?** how do you spell . . . ? (1)

escrito/a (*p.p. of* **escribir**) written

escritor(a) writer (10)

escritorio desk (1)

escritura writing

escuchar to listen (3)

escuela school (3); **escuela militar** military school; **escuela primaria** elementary school; **escuela privada** private school; **escuela secundaria** high school; **escuela tele-secundaria** distance high school

esculpir to sculpt

escultura sculpture (14)

ese/a *adj.* that (3)

esencial essential

esfuerzo force

eso that (*neuter*)

esos/as *adj.* those (3)

espacio space; **espacio en blanco** blank space

espalda back

España Spain

español *m.* Spanish (*language*)

español (*pl.* **españoles**), **española** *n.* Spaniard (2); *adj.* Spanish

espárragos *pl.* asparagus

especia spice

especial special

especialidad *f.* specialty

especialista *m., f.* specialist

especializarse (c) (en) to specialize (in); to major (in)

especie *f.* species (13); kind (13); **especie en peligro de extinción** endangered species

específico/a specific

espectacular spectacular

espectáculo show

espectador(a) spectator

espejo mirror (11)

esperanza hope

esperar to hope (for) (12); to wait (for) (9)

espíritu *m.* spirit

espiritual spiritual

esposo/a husband/wife (4)

espontáneo spontaneous (2)

espuma foam

esquí *m.* skiing (12)

esquiador(a) skier

esquiar (í) to ski (12)

esquina corner; **está/queda en la esquina de... y...** it's on the corner of . . . and . . . (5); **siga hasta llegar a** go / keep going until you (*command form. s.*) get to . . . (5)

establecer (zc) to establish

establecimiento establishment

establo barn; stable

estación *f.* station; season (1)

estacionar to park; **no estacionar** no parking (9)

estadio stadium (12)

estado state; **estado civil** marital status (16); **Estados Unidos** United States; **golpe** (*m.*) **de estado** coup d'état

estadounidense *n.* U.S. citizen, American; *adj.* of/from the United States of America (2)

estallar to erupt

estampilla stamp

estancia stay; living room

estante bookshelf (11)

estar *irreg.* to be (2); **¿cómo está(s)?** how are you (*form. s. / inform. s.*)? (1); **¿de qué está hecho/a?** what is it made of?; **¿dónde está... ?** where is . . . ? (5); **está a la derecha/izquierda** it's on the right/left (5); **está al lado de / detrás de / enfrente de / en la esquina de... y ...** it's next to / behind / facing, in front of / on the corner of . . . and . . . (5); **está despejado** it's clear (*sky*) (9); **está lloviendo** it's raining (9); **está nevando** it's snowing (9); **está nublado** it's cloudy (9); **estar a cargo de** to be in charge of; **estar a dieta** to be on a diet; **estar dispuesto/a** to be ready/willing (10); **estar (pasado/a) de moda** to be (un)fashionable (8); **(no) estar de acuerdo** to (dis)agree

este/a *adj.* this (3); **baje/suba por esta calle** go down/up this street (*command form. s.*) (5)
estereotipo stereotype
estética aesthetics
estilo style
estimado/a dear (10)
estirarse to stretch
esto this (*neuter*)
estos/as these (3)
estómago stomach
estornudar to sneeze
estrategia strategy
estrecho/a narrow
estrella star (14)
estrés *m.* stress
estribillo chorus, refrain
estricto/a strict
estrofa verse
estructura structure
estudiante *m., f.* student (1)
estudiantil *adj.* student; **centro estudiantil** student center, student union; **residencia (estudiantil)** dormitory (1)
estudiar to study (2); **¿qué estudias?** what do you study?; what's your major? (1)
estudio study
estufa stove (11)
estupendo/a stupendous (2); **¡qué estupendo!** how cool! (8)
étnico/a ethnic
Europa Europe
europeo/a European
evaluar to evaluate
evento event
evidencia evidence
evitar to avoid (6)
exacto/a exact
exagerado/a exaggerated
examen *m.* exam (1)
excelente excellent (2)
excesivo/a excessive
exclamación *f.* exclamation
excluir (y) to exclude
exclusivo/a exclusive
excremento excrement
excursión *f.* excursion; tour
excusa excuse
exigencia demand
exiliado/a exiled
exilio exile
existencia existence
existente existing
existir to exist
éxito success; **tener** (*irreg.*) **éxito** to be successful (12)
exitoso/a successful
exorcista *m., f.* exorcist

exótico/a exotic
expandir(se) to expand
expansión *f.* expansion
experiencia experience
experimentar to experience
experto/a expert
explicación *f.* explanation
explicar (qu) to explain
exploración *f.* exploration
explorar to explore
explotar to exploit; to develop (13)
exponer (*like* **poner**) to bring to light
exportador(a) exporter
exportar to export
exposición *f.* exposition
expresar to express
expresión *f.* expression
exquisito/a exquisite
extendido/a widespread
extensión *f.* extension
externo/a external; **deuda externa** foreign debt (15)
extinción *f.* extinction (13); **especie** (*f.*) **en peligro de extinción** endangered species
extinto/a extinct
extraer (*like* **traer**) to extract
extranjero: al extranjero abroad (9)
extraño/a strange
extremadamente extremely
extremo/a extreme
extrovertido/a extroverted

F

fábrica factory
fabricación *f.* production
fabuloso/a fabulous
fácil easy (2)
facilitar to facilitate
factor *m.* factor
factura bill
facultad *f.* school (*of a university*)
falda skirt (8)
fallar to fail
fallecer (zc) to die, pass away
fallo error, mistake
falso/a false
falta lack
faltar to be lacking
fama fame; reputation; **tener** (*irreg.*) **fama de** to be known for
familia family; **¡qué bonita familia!** what a beautiful family! (4)
familiar *n.* relative (4); *adj.* family; **nido familiar** parents' home (16); **planificación** (*f.*) **familiar** family planning
famoso/a famous
fantasía fantasy
fantástico/a fantastic

farmacia pharmacy
faro lighthouse
fascinado/a fascinated
fascinante fascinating
fascinar (*like* **gustar**) to fascinate (7)
fauna fauna (13)
fauno faun
favor *m.* favor; **a favor (de)** in favor (of); **favor de no fumar** please don't smoke (9); **por favor** please
favorito/a favorite
fax *m.* fax
febrero February (1)
fecha date; **¿cuál es la fecha de hoy?** what is today's date? (1)
felicidad *f.* happiness; **¡felicidades!** congratulations! (7)
felicitación *f.* greeting; wish; **¡felicitaciones!** congratulations! (7)
felicitar to congratulate (7); **te felicito/ felicitamos** I/we congratulate you (7)
feliz (*pl.* **felices**) happy (2)
femenino/a feminine
fenomenal phenomenal; awesome; **¡qué fenomenal!** how cool! (8)
fenómeno phenomenon
feo/a ugly (2); **¡qué feo/a!** how ugly! (4)
feria fair
ferrocarril *m.* railroad
festival *m.* festival
festivo/a festive, celebratory; **día** (*m.*) **festivo** holiday
ficción *f.* fiction
fiebre *f.* fever (12); **tener** (*irreg.*) **fiebre** to have a temperature
fiesta party (2); **dar** (*irreg.*) **una fiesta** to throw a party; **fiesta de quinceañera** Quinceañera party (7) **hacer** (*irreg.*) **una fiesta** to throw a party; **irse** (*irreg.*) **de fiesta** to party
fiestero/a party-loving
figura figure
figurar to figure
fijarse to pay attention to
fijo/a fixed, set
fila row
filarmónico/a philharmonic
film *m.* movie
filmar to film
filmografía filmography
filosofía philosophy (1)
filtro filter
fin *m.* end; **fin de semana** weekend (3); **organización** (*f.*) **sin fines de lucro** nonprofit organization (15); **por fin** finally; **¡que tenga(s) un buen fin de semana!** have (*form. s. / inform. s.*) a nice weekend!
final *m.* end; **al final** in the end
finalmente finally

financiamiento financing
financiero/a financial
firma signature
firmar to sign
física physics (1)
flaco/a thin (2)
flamenco *music of Andalusia and southern Spain*
flan *m.* (baked) custard (6)
flecharse to fall in love
flexibilidad *f.* flexibility
flor *f.* flower (7)
flora flora (13)
Florida: Pascua Florida Easter (7)
fluorescente fluorescent
fogata bonfire
folclor *m.* folklore
folclórico/a folk (14)
folleto brochure
fomentar to encourage, promote
fondo background; bottom; fund; **a fondo** in depth; **carrera de fondo** long-distance race; **recaudar fondos** to raise funds
forma form; shape; **mantenerse** *(irreg.)* **en forma** to stay in shape (12); **ponerse** *(irreg.)* **en forma** to get in shape (12)
formación *f.* formation; (academic) training; education
formar to form
formato format
fórmula formula
formular to formulate
formulario form
fortalecer (zc) to strengthen
forzar (ue) (c) to force
fósil *m.* fossil; **combustibles** *(m. pl.)* **fósiles** fossil fuels
foto *f.* photo; **sacar (qu) fotos** to take photos
fotocopia photocopy
fotografía photograph
fotógrafo/a photographer (10)
fractura fracture
fracturarse to fracture
fragancia fragrance
francés *m.* French *(language)* (1)
francés *(pl.* **franceses), francesa** *n.* French person; *adj.* French
Francia France
franquear to go through
frase *f.* phrase; sentence
frecuencia frequency; **con frecuencia** often
frecuente often
fregadero kitchen sink (11)
frente *m.* front; forehead; *adv.* **frente a** facing
fresa strawberry (6)

frijoles *m. pl.* beans (6)
frío cold(ness); *adj.* cold; **hace frío** it's cold (9); **¡qué frío!** it's so cold! (4); **tener** *(irreg.)* **(mucho) frío** to be (very) cold
frito/a fried (6); **papas fritas** french fries
frontera border (15)
fronterizo/a *adj.* border
fruta fruit (6)
frutería fruit store (5)
frutilla strawberry *(Arg.)*
fuego fire; **fuegos artificiales** fireworks (7)
fuente *f.* fountain; source
fuera *adv.* outside; **de dentro a fuera** inside out
fuerte strong (2); heavy *(food)*
fuerza force; strength; **fuerzas militares** military forces
fumar to smoke; **favor de no fumar** please don't smoke (9); **no fumar** no smoking (9)
función *f.* function
funcionamiento functioning
funcionar to function, work
fundación *f.* foundation
fundar to found
funeral *m.* funeral
fútbol *m.* soccer (3); **fútbol americano** football (12); **jugar (ue) (gu) fútbol americano** to play football (12); **practicar fútbol** to practice/do/play soccer (3)
futbolista *m., f.* soccer player
futuro *n.* future
futuro/a *adj.* future

G

gabinete *m.* cabinet
gafas *pl.* *(eye)* glasses
galán *m.* *(pl.* **galanes)** leading man
galería gallery
gallina hen
gallo rooster; **gallo pinto** *rice and beans dish of Nicaragua and Costa Rica;* **pico de gallo** *uncooked salsa made of chopped tomato, onion, and jalapeños*
galón *m.* *(pl.* **galones)** gallon
ganadería ranching
ganador(a) winner
ganar to win (12); **ganar dinero** to earn *(income),* to make money
ganas: tener *(irreg.)* **ganas de** + *inf.* to feel like *(doing something);* **¿tiene(s) ganas de** + *n./inf.*? do you *(form. s. / inform. s.)* feel like . . . ? (6)
garaje *m.* garage (11)
garantía guarantee

garantizar (c) to guarantee
gasolina gasoline
gastar to spend (9)
gastronomía gastronomy
gastronómico/a gastronomic
gato/a cat (4)
gazpacho *cold tomato soup of southern Spain*
gel *m.* gel
generación *f.* generation; **generación de relevo** upcoming generation
generar to generate
género gender; genre, type (14)
generoso/a generous (11)
genético/a genetic
gente *f.* people
geoglifo geoglyph
geografía geography
geográfico/a geographic
geométrico/a geometric
gerente *m., f.* manager (10)
gigante *adj. m., f.* gigantic
gimnasia gynamastics
gimnasio gym(nasium) (1); **ir** *(irreg.)* **al gimnasio** to go to the gym (3)
gira tour
girar to turn; **gire a la derecha/ izquierda** turn (to the) right/left *(command form. s.)* (5); **no girar** do not turn (9)
giratorio/a revolving
glaciar *m.* glaciar
glamoroso/a glamorous
global global; **calentamiento global** global warming (13); **Sistema** *(m.)* **de Posicionamiento Global (SPG)** Global Positioning System (GPS)
globalización *f.* globalization
gobernador(a) governor
gobernante *m., f.* leader, ruler
gobernar (ie) to govern
gobierno government
gol *m.* goal; **marcar (qu) un gol** to score a goal; **meter un gol** to score a goal
golazo: ¡qué golazo! what a goal!
golf *m.* golf
golfista *m., f.* golfer
golpe *(m.)* **de estado** coup d'état
gordo/a fat (2)
gorra (baseball) cap (8)
gorro knitted hat (8)
gracias thank you (1); **gracias por** + *n./ inf.* thank you for (5); **Día** *(m.)* **de Acción de Gracias** Thanksgiving; **muchas/muchísimas gracias** thank you very much (5); **no, gracias** no, thank you (6); **sí, gracias** yes, please (5)

gracioso/a funny (2)
grado degree (*temperature*)
graduación *f.* graduation (1)
graduarse (me gradúo) (de) to graduate (from)
gráfico/a graphic; **diseñador(a) gráfico/a** graphic designer (10)
gramática grammar
gran, grande large, big (2); great; **Gran Bretaña** Great Britain
graneado: arroz (*m.*) **graneado** *fried rice dish*
granizo hail
granja farm
grano grain
grappamiel *f. alcoholic beverage of Uruguay*
grasa fat
grasiento/a greasy
gratis *inv.* free (*of charge*)
grave serious (15)
gripe *f.* flu
gris gray (2)
gritar to shout
grupo group; band
guacamayo macaw
guagua bus (*Carib.*)
guanábana soursop
guantes *m. pl.* gloves (8)
guapo/a handsome; good-looking (2); **¡qué guapo/a!** how handsome/ beautiful! (4)
guaraní *m. indigenous language of S.A.*
guardar to keep; to save (8)
guatemalteco/a *n., adj.* Guatemalan (2)
guay: ¡qué guay! how cool! (8)
guayabera *lightweight shirt worn in tropical climates*
guerra war (15); **guerra civil** civil war
guía *m., f.* guide (9); **guía naturalista** nature guide (4)
guion script
guisado stew
guita dinero *sl.*
guitarra guitar; **tocar (qu) la guitarra** to play the guitar (2)
guitarrista guitarist
gustar to be pleasing; **¿le gusta(n) +** *noun(s)*? do you (*form.*) like + *noun(s)*? (2); **¿le gustaría +** *inf.*? would you (*form. s.*) like (*to do something*)? (9); **me gusta(n) +** *noun(s)* I like + *noun(s)* (2); **me gustaría +** *inf.* I would like (*to do something*) (9); **no me gusta(n) +** *noun(s)* I don't like + *noun(s)* **¿te gusta +** *activity*? do you (*inform. s.*) like + *inf.*? (2); **¿te gusta(n) +** *noun(s)*? do you (*inform.*) like +

noun(s)? **¿te/le gustaría +** **inf.?** Would you (*inform./form. s.*) like (*to do something*)? (9)
gusto like, preference; *pl.* likes; **¡con mucho gusto!** with pleasure! (6); **mucho gusto** nice to meet you (1)

H

haber *irreg.* (*inf. of* **hay**) there is, there are (1) **¿cuántos/as... (hay)?** how many... (are there)? (1); **no hay de qué** you're welcome (5); **(no) hay que +** *inf.* you (don't) have to / it's (not) necessary to (*do something*) (12)
hábil skillful
habilidad *f.* ability
habitación *f.* bedroom (11)
habitante *m., f.* inhabitant
hábitat *m.* habitat
hábito habit
hablar to speak; to talk (2); **hablar por teléfono** to talk on the phone (2)
hacer *irreg.* (*p.p.* **hecho**) to do (2); to make (5); **¿cuánto tiempo hace que +** *present tense*? how long have you (*done / been doing something*)? (13); **desde hace +** *period of time* for + *period of time*; **hace +** *time expression* **+ que +** *present tense* I've been (*doing something*) for + *time* (13); **hace +** *time expression* **+ que no +** *present tense* it's been + *time* + since I've (*done something*) (13); **hace (muy) buen tiempo** the weather's (very) good (9); **hace (mucho) calor** it's (very) hot (*weather*) (9); **hace (mucho) frío** it's (very) cold (*weather*) (9); **hace (muy) mal tiempo** the weather's (very) bad (9); **hace (mucho) sol** it's (very) sunny (9); **hace +** *time expression* **+ que +** *present tense* to have been (*doing something*) for (*time*); **hace +** *time expression* **+ que +** *preterite* to have (done *something*) (*time*) ago; **hace (mucho) viento** it's (very) windy (9); **hacer alpinismo** to do/go mountaineering/mountain climbing (12); **hacer camping** to go camping; **hacer ciclismo de montaña** to go mountain biking (9); **hacer clic** to click; **hacer deporte** to play sports (2); **hacer ejercicio aeróbico** to do aerobics; **hacer ejercicio** to work out (2); **hacer escala** to have a layover; to make a stop (9); **hacer escalada** to go rock climbing (9); **hacer kayak** to go kayaking; **hacer la cama** to make

the bed (11); **hacer la maleta** to pack a suitcase (9); **hacer ruido** to be noisy; **hacer senderismo** to go hiking; **hacer snorkel** to go snorkeling (9); **hacer un recorrido** to take a trip / go on a tour (9); **hacer una fiesta** to throw a party; **hacerle saber** to let someone know (15); **hacerse de voluntario** to volunteer; **¿qué tiempo hace?** what's the weather like? (9)
hacia toward
hambre *f.* (*but* **el hambre**) hunger (15); **tener** (*irreg.*) **hambre** to be hungry
hamburguesa hamburger
harina flour (6)
hasta *adv.* until; even; *prep.* until; **hasta luego** see you later (1); **hasta mañana** see you tomorrow (1); **hasta pronto** see you soon (1); **hasta que** (*conj.*) until; **siga hasta llegar a...** go / keep going (*command form. s.*) until you get to . . . (5)
hechizo spell
hecho *n.* fact, event; **de hecho** actually
hecho/a (*p.p. of* **hacer**) made; **¿de qué está hecho/a?** what is it made of?
helado ice cream (6)
helicóptero helicopter
hembra female
hemisferio hemisphere
heredar to inherit
heredero/a heir
herencia inheritance
herida wound; injury
hermanastro/a stepbrother/stepsister (4)
hermano/a brother/sister (4); *pl.* siblings
hermoso/a pretty; beautiful (2)
héroe *m.* hero
herramienta tool
hervor *m.* boil (*liquid*)
heteroparental *family made up of opposite-sex parents and their children*
hielo ice; **patinar sobre el hielo** to ice skate; **patinaje** (*m.*) **sobre el hielo** ice skating
hijastro/a stepson/stepdaughter (4)
hijo/a son/daughter (4); *pl.* children; **hijo/a único/a** only child (4)
hinchazón *f.* (pl. **hinchazones**) swelling
hipermercado large supermarket (6)
hipocondríaco/a hypochondriac
hipoteca mortgage
hipotético/a hypothetical
hispano/a Hispanic

hispanohablante *n. m., f.* Spanish-speaker; *adj. m., f.* Spanish-speaking
historia history (1)
histórico/a historical
hogar home (16); **sin hogar** homeless
hoja de papel sheet of paper (1)
hola hi; hello (1)
Holanda Holland
Hollywoodense *n., adj.* of or pertaining to Hollywood
hombre *m.* man (1)
hombro shoulder (8)
homenaje *m.* tribute
homoparental *family made up of same-sex parents and their children*
honesto/a honest (2)
hondureño/a *n., adj.* Honduran (2)
hongos *m. pl. mushrooms* (6)
honor *m.* honor
hora hour; time; **¿a qué hora... ?** at what time? (3); **¿qué hora es?** what time is it? (3)
horario schedule (3)
hormiga ant
hormiguero anthill
horno oven (11)
horrible horrible (2)
hospital *m.* hospital (5)
hotel *m.* hotel (9)
hoy today; **¿cuál es la fecha de hoy?** what is today's date? (1); **hoy en día** today; these days; **hoy es...** today is . . . (1)
huarache *m.* sandal
hueso bone
huevo egg (6); **huevos motuleños** *Yucatan dish of fried eggs over black beans and a fried tortilla*
huitlacoche *m.* corn smut
humanidad *f.* humanity; *pl.* humanities (1)
humanitarismo humanitarianism (13)
humano/a human; **derecho humano** human right (15); **violar los derechos humanos** to violate human rights
humedad *f.* humidity
húmedo/a humid
humillar to humiliate
humorístico/a humorous
huracán *m.* (*pl.* **huracanes**) hurricane (13)

I

iceberg *m.* iceberg
idea idea (1); **¡qué buena idea!** what a good idea!
identidad *f.* identity
identificar(se) (qu) to identify (oneself)
idioma *m.* language

idiosincrasia idiosyncrasy
idiota *m.* idiot
iglesia church (5)
ignorar to ignore
igual same; igual; **al igual que** just like; **igual de** just as; **igual que** just like; **sin igual** unequaled
igualdad *f.* equality (15)
igualmente likewise (1)
ilegal illegal
ilegítimo/a illegitimate
ilógico/a illogical
iluminación lighting
ilusión *f.* dream; hope
imagen *f.* (*pl.* **imágenes**) image
imaginación *f.* imagination
imaginar to imagine
imaginario/a imaginary
imitar to imitate
impacto impact
impensado/a unexpected
imperfecto *gram.* imperfect
imperialismo imperialism
imperio empire
impermeable: acabado impermeable waterproof finish
imponer (*like* **poner**) (*p.p.* **impuesto**) to impose
importación *f.* importation
importancia importance
importante important
importar (*like* **gustar**) to matter (7); to be important to (7); **sin importar** regardless of
imposible impossible
impresión *f.* impression
impresionante impressive
impreso/a (*p.p. of* **imprimir**) printed
impresora printer (10)
imprimir (*p.p.* **impreso**) to print
impulsar to motivate
impureza impurity
inalámbrico/a wireless; **conexión** (*f.*) **inalámbrica** wireless connection
inauguración *f.* inauguration
inaugurado/a inaugurated
inca *n. m., f.* Inca; *adj. m., f.* Incan
incapacitado/a disabled
incidente *m.* incident
incienso incense
inclinarse (por) to lean (toward)
incluir (y) to include
incluso/a including
incorporar to incorporate
incrementar(se) to increase
indefinido/a indefinite
independencia independence; **Día** (*m.*) **de la Independencia** Independence Day (7)
independiente independent

independizarse (c) to become independent (16)
indicación *f.* indication; instruction
indicar (qu) to indicate
índice *m.* index; rate
indiferente indifferent
indígena *n. m., f.* native (indigenous) person (15); *adj. m., f.* indigenous
indigente indigent
indio/a *n., adj.* Indian
individuo individual
industrializarse (c) to industrialize
ineficaz ineffective
inesperado/a unexpected
infantil *adj.* child, children's; **esclavitud** (*f.*) **infantil** child slavery (15)
infección *f.* infection (12)
inferior inferior; lower
infierno hell
infinitivo *gram.* infinitive
inflable inflatable
inflar to inflate
influencia influence
influir (y) to influence
influyente influential
información *f.* information
informar to inform
informática computer science
informe *m.* report
infraestructura infrastructure (15)
ingeniería engineering (1)
ingeniero/a engineer (4)
Inglaterra England
inglés *m.* English (*language*) (1)
inglés (*pl.* **ingleses**), **inglesa** *n.* English person; *adj.* English
ingrediente *m.* ingredient
ingresos *pl.* income
iniciar to begin
inicio beginning
injusticia injustice
inmaduro/a immature
inmediatamente immediately
inmigración *f.* immigration
inmigrante *m., f.* immigrant (15)
inmigrar to immigrate
innovación *f.* innovation
innovador(a) innovative
inodoro toilet (11)
inseguridad *f.* insecurity
inseguro/a insecure
insistir (en) to insist (on)
insomnio insomnia (12)
inspeccionar to inspect
inspiración *f.* inspiration
inspirar to inspire
instalar to install
institucional institutional
instrucción *f.* instruction
instructor(a) instructor

instrumento instrument; **tocar (qu) un instrumento** to play an instrument
insultar to insult
integrar to integrate
inteligente intelligent (2)
intenso/a intense
intentar to try (to)
interacción *f.* interaction
intercambio exchange
interés *m.* (*pl.* **intereses**) interest
interesante interesting (2)
interesar (*like* **gustar**) to interest (7)
interior interior; **ropa interior** underwear (8)
internacional international; **relaciones** (*f. pl.*) **internacionales** international relations (1)
Internet *m.* Internet; **buscador** (*m.*) **de Internet** search engine; **conectarse al Internet** to connect to the Internet
interno/a internal
interpretar to interpret; **interpretar un papel** to play a role/part (14)
intérprete *m., f.* interpreter
interrumpir to interrupt
intersección *f.* intersection
íntimo/a intimate
intrínsico/a intrinsic
introducción *f.* introduction
introvertido/a introverted (2)
inundación *f.* flood (13)
inundar(se) to flood
inventar to invent
inversión *f.* investment
inversionista *m., f.* investor
investigación *f.* research
invierno winter (1); **Juegos Olímpicos de invierno** Winter Olympics
invitación *f.* invitation
invitado/a guest
invitar to invite (7); **invitar** + **a** + *inf.* to invite (*to do something*)
iPad *m.* iPad
ir *irreg.* to go (2); **ir a** + *inf.* to be going to (*do something*) (2); **ir al gimnasio** to go to the gym (3); **ir de compras** to go shopping (8); **ir de viaje** to go on a trip (9); **irse** to leave, to go away (5); **irse de fiesta** to party; **¿adónde va(s)?** where are you (*form. s. / inform. s.*) going? (2); **que le(s) vaya bien** have a good one / I hope things go well for you (*form. s., pl.*) (12); **voy al / a la** + *place* I'm going to . . . (2)
irlandés (*pl.* **irlandeses**), **irlandesa** *n.* Irish person; *adj.* Irish
isla island
Italia Italy

italiano/a *n., adj.* Italian
itinerario itinerary
izquierda left; **a la izquierda** on the left; **a mano izquierda** on the left; **coger (j) a mano izquierda** to turn left (*Sp.*); **doble/gire a la izquierda** turn (to the) right/left (*command form. s.*) (5); **quedar a la izquierda** to be on the left

J

jaguar *m.* jaguar
jalar to pull; pull (9)
jalisciense *adj.* of or pertaining to Jalisco, Mex.
jamaicano/a *n., adj.* Jamaican
jamón *m.* ham (6)
Jánuca *m.* Hanukah (7)
japonés *m.* Japanese (*language*)
japonés (pl. **japoneses**), **japonesa** *n.* Japanese person; *adj.* Japanese
jarabe (*m.*) **para la tos** cough syrup
jardín *m.* (*pl.* **jardines**) garden (5); yard (11)
jeans *m. pl.* jeans (8)
jefe/a boss (10)
jerarquía hierarchy
Jerusalén Jerusalem
jirafa giraffe
jitomate *m.* tomato (*Mex.*)
joven *n. m., f.* (*pl.* **jóvenes**) young person (1); *adj.* young (2)
joyería jewelry; jewelry store
joyero/a jeweler
jubilación *f.* retirement
judío/a *n.* Jewish person, Jew; *adj.* Jewish
juego game; **Juegos Olímpicos (de invierno/verano)** (Winter/Summer) Olympics (12)
jueves *m.* Thursday (3)
juez(a) *n.* judge (10)
jugador(a) player (12)
jugar (ue) (gu) to play (*a game, sport*) (3); **jugar básquetbol** to play basketball (3); **jugar béisbol** to play baseball (12); **jugar fútbol** to play soccer; **jugar fútbol americano** to play football (12); **jugar tenis** to play tennis (12); **jugar los videojuegos** to play video games (3); **jugar voleibol** to play volleyball (12)
jugo juice (6)
juicio trial
julio July (1)
junio June (1)
juntarse (con) to hang out (with); to get together (with)
junto a along with
juntos/as together

jurídico/a judicial
justicia justice; **sala de justicia** courtroom (10)
justificar (qu) to justify
justo/a fair (15)
juvenil young; youthful
juventud *f.* youth
juzgar (gu) to judge

K

kayak *m.* kayak; **hacer** (*irreg.*) **kayak** to go kayaking
kilo(gramo) kilo(gram) (1)
kilómetro kilometer
kiosko kiosk
koala *m.* koala
kuna *n. m., f.* member of the Kuna group; *adj. m., f.* of or pertaining to the Kuna indigenous group of Panama

L

la *def. art. f. s.* the (1); *d.o. pron. f. s.* you (*form.*), her, it (6); **la pasé bien/ mal** I had a good/bad time (7)
laberinto labyrinth
labio lip (8)
laboral *adj.* work-related
lácteo/a *adj.* dairy; **productos lácteos** dairy products (6)
lado side; **al lado** beside; **al otro lado de** on the other side of; **de un lado al otro** from one side to the other; **dejar a un lado** to leave aside; **por otro lado** on the other hand; **por un lado** on one hand
ladrón (*pl.* **ladrones**), **ladrona** thief
lago lake
lágrima tear
lamentablemente sadly, unfortunately
lamentar to regret
lamento lament; moan, cry
lámpara lamp (11)
lanzador(a) pitcher (*baseball*)
lanzar (c) to launch; to throw, pitch
lápiz *m.* (*pl.* **lápices**) pencil (1)
laptop: (computadora) laptop laptop (computer) (10)
largo/a long (2); **a largo plazo** long-term, in the long-term; **a lo largo de** along, throughout
largometraje *m.* feature film
las *def. art. f. pl.* the (1); *d.o. pron. f. pl.* they, you (*form.*) (6); **a la(s)...** at . . . (*time of day*)
lastimar(se) to injure (oneself)
Latinoamérica Latin America
latinoamericano/a *n., adj.* Latin American
lavabo bathroom sink (11)

lavadora washing machine (11)

lavandería laundromat

lavaplatos *m. s., pl.* dishwasher (11)

lavar to wash (4); **lavar el suelo** to wash the floor (11); **lavar la ropa** to wash clothes; **lavar los platos** to wash dishes (4); **lavarse la cara** to wash one's face (5); **lavarse las manos** to wash one's hands (5); **lavarse los dientes** to brush one's teeth

le *i.o. pron.* him, her, you (*form. s.*) (7); **¿en qué puedo servirle?** how may I help you? (10); **le acompaño/ acompañamos en el dolor** I'm/we're with you in your time of pain (16); **le acompaño/acompañamos en el sentimiento** you're in my/our thoughts (16); **le agradezco por** I appreciate that you, I thank you for (5); **¡le damos la bienvenida a Ud.!** we welcome you! (11); **le deseo mucha suerte** I wish you luck (12); **le doy/damos el pésame** my/our condolences (16); **¿le gusta(n) + noun(s)?** do you (*form.*) like + noun(s)? (2); **¿le gustaría + inf.?** would you like (*to do something*)? (9); **que le vaya bien** have a good one / I hope things go well for you (12); **quiero presentarle a...** I'd like you to meet . . . (10); **se le antoja/ antojó + inf. / s. n.** they, you feel/ felt like ([*doing*] *something*) (9); **se le antojan/antojaron + inf. s. n.** they, you feel/felt like + *pl. n.* (9)

leche *f.* milk (6); **arroz** (*m.*) **con leche** rice pudding

lechuga lettuce (6)

lector(a) reader

lectura reading

leer (y) (*p.p.* **leído**) to read (3); **leer el periódico** to read the newspaper (3)

legalizar (c) to legalize

lejano/a distant

lejos (de) far (from) (9)

lema *m.* slogan

lengua tongue; language

lenguado sole (*fish*)

lenguaje *m.* language

lenteja lentil

lentes *m. pl.* (eye)glasses (8); **lentes de contacto** contact lenses; **ponerse** (*irreg.*) **los lentes / los lentes de contacto** to put on glasses/contacts (5)

lentillas contact lenses

lento/a slow (2)

león (*pl.* **leones**), **leonesa** lion; **león marino** sea lion (13)

leprosario leper colony

les *i.o. pron.* them, you (*form. pl.*) (7); **¿en qué puedo servirles?** how may I help you? (10); **les acompaño/ acompañamos en el dolor** I'm/we're with you in your time of pain (16); **les acompaño/acompañamos en el sentimiento** you're in my/our thoughts (16); **les agradezco por** I appreciate that you, I thank you for (5); **les deseo mucha suerte** I wish you luck (12); **les doy/damos el pésame** my/our condolences (16); **que les vaya bien** have a good one / I hope things go well for you (12); **quiero presentarles a...** I'd like you to meet . . . (10); **se les antoja/ antojó + inf. / s. n.** they/you feel/felt like ([*doing*] *something*) (9); **se les antojan/antojaron + inf. pl. n.** they/ you feel/felt like + *pl. n.* (9)

letra letter (*of the alphabet*); lyrics

levantador(a) de pesas weightlifter

levantar to raise, lift; **levantar pesas** to lift weights (12); **levantarse** to get up (5); to stand up (5)

leve *adj.* light

ley *f.* law; **violar la ley** to break the law

libanés (*pl.* **libaneses**), **libanesa** *n.*, Lebanese person; *adj.* Lebanese

Líbano Lebanon

libertad *f.* freedom (15)

libre free; **al aire libre** outdoors; **tiempo libre** free time

librería bookstore (1)

libro book (1); **libro de texto** textbook

licenciado/a graduate; attorney

licenciatura degree (Bachelor's)

licopeno lycopene

licor *m.* liquor

licorería liquor store

líder *m., f.* leader

liga league

ligado/a tied, bound

ligero/a light

lima lime

limitar to limit

límite *m.* limit

limón *m.* (*pl.* **limones**) lemon (6); lime (6)

limpiar to clean (4)

limpio/a clean (2)

lince *m.* lynx

lindo/a pretty (2); **¡qué lindo/a!** how cute/pretty! (4)

línea line; **línea en blanco** blank (line)

lino linen

lío trouble, mess: **¡qué lío!** what a mess! (4)

líquido liquid

Lisboa Lisbon

lisina lysine

lista list

listo/a ready

literatura literature (1)

llamada (phone) call

llamar to call; **llamarse** to be called (1); **¿cómo se llama?** what is your name (*form. s.*)? (1); **¿cómo se llama él/ ella?** what is his/her name? (1); **¿cómo te llamas?** what is your name (*inform. s.*)? (1); **me llamo** my name is (1); **se llama** his/her name is (1)

llanero/a plainsman, plainswoman

llanto sobbing, weeping

llanura plain

llave *f.* key (1)

llavero keychain

llegar (gu) to arrive (5); **siga hasta llegar a...** go / keep going (*command form. s.*) until you get to . . . (5)

llenar to fill

lleno/a full

llevar to wear (8); to bring (8); to carry (8); to take; **¿cuánto tiempo lleva(s) + -ndo form?** how long have you (*form. s. / inform. s.*) (*done / been doing something*)? (13); **llevar una vida activa** to lead an active life; **llevarse a cabo** to carry out; **llevo + time expression + -ndo form** I've been (*doing something*) for + *time* (13); **llevo + time expression + sin + inf.** I haven't (*done something*) for + *time* (13)

llover (ue) to rain; **está lloviendo** it's raining (9); **llueve** it's raining (9)

lluvia rain

lluvioso/a rainy

lo *d.o. pron. m. s.* you (*form.*) (6); him; it (6); **cuánto lo siento** I'm very sorry (16); **lo contrario** the opposite; **lo pasé bien/mal** I had a good/bad time (7); **lo siento** I'm sorry (7); condolences (7); **lo siento mucho** I'm very sorry (16)

lobo wolf

localidad *f.* locality

localizar (c) to locate

loco/a crazy

lógico/a logical

Londres London

loro parrot (13)

los *def. art. m. pl.* the (1); *d.o. pron. m.* they (6); *d.o. pron. m. pl.* you (*form. pl.*) (6)

lotería lottery; **sacar (qu) la lotería** to win the lottery

luchar to fight

lucir (zc) to wear, to dress up; to shine

lucrativo/a lucrative

lucro: organización (*f.*) **sin fines de lucro** nonprofit organization (15)

lúcuma lucuma (*fruit*)

luego then, afterward, next; **hasta luego** see you later (1)

lugar *m.* place (5); **lugar del crimen** scene of the crime

lujo: de lujo luxury

luna moon

lunes *m.* Monday (3)

luz *f.* (*pl.* **luces**) light; **dar** (*irreg.*) **a luz** to give birth

M

macerar to tenderize

macho male

madera wood; **de madera** made of wood

madrastra stepmother (4)

madre *f.* mother (4); **Día** (*m.*) **de las Madres** Mother's Day

madrina godmother

madrugada early morning; dawn; **de la madrugada** in the early morning hours (3)

madurez *f.* maturity

maestría Master's degree; **sacar (qu) una maestría** to get a Master's (degree)

maestro/a teacher (10)

mágico/a magic

mago: Día (*m.*) **de los Reyes Magos** Three Kings Day; Epiphany (Adoration of the Magi) (7)

maillot *m.* (sports) jersey

maíz *m.* corn (6)

mal *adv.* poorly; **la/lo pasé mal** I had a bad time (7); **(muy) mal** (very) bad (1); **pasarlo mal** to have a bad time (7)

mal, malo/a *adj.* bad (2); **hace (muy) mal tiempo** the weather's (very) bad (9); **¡qué malo!** that's terrible! (8); **sacar (qu) malas notas** to get bad grades; **tener** (*irreg.*) **mala pinta** to have a bad appearance; **verse** (*irreg.*) **mal** to look bad

maldición *f.* curse

maleta suitcase (9); **hacer** (*irreg.*) **la maleta** to pack a suitcase (9)

malgastar to waste (13)

mamá mother (4)

manchar to stain; **mancharse** to get dirty (9)

mandar to order; to send (10)

mandato command

manejar to drive

manera way; **de la misma manera** likewise

manga sleeve

mango mango (6)

manifestación *f.* protest

manifiesto manifest

mano *f.* hand (8); **a mano** by hand; **a mano derecha/izquierda** on the right/left; **coger (j) a mano derecha/izquierda** to turn right/left (*Sp.*); **darse** (*irreg.*) **la mano** to shake hands; **lavarse las manos** to wash one's hands

mantener (*like* **tener**) to maintain; **mantenerse en contacto (con)** to stay in touch (with); **mantenerse en forma** to stay in shape (12); **mantenerse sano** to stay healthy (12)

mantequilla butter (6)

manzana apple (6); city block (*Sp., S.A.*)

mañana tomorrow; morning; **de la mañana** in the morning, A.M. (3); **hasta mañana** see you tomorrow (1); **por la mañana** in the morning (3)

mapa *m.* map

mapuche *n.* indigenous person of south-central Chile and southwestern Argentina

mapuey *m.* tropical tuber

maquillarse to put on makeup (5)

máquina machine

mar *m.* sea (9); **mar adentro** off-shore

maracuyá passion fruit

maratón *m.* (*pl.* **maratones**) marathon

maravilloso/a marvelous (2)

marca brand (8); **de marca** brand name (8)

marcar (qu) to mark; to score; **marcar un gol** to score a goal

margen *m.* (*pl.* **márgenes**) margin

marido husband (4)

marino/a *adj.* marine, sea (13); **león** (*m.*) **marino** sea lion (13)

mariposa butterfly

mariscos *m. pl.* seafood (6)

marítimo/a *adj.* maritime

marketing *m.* marketing

marrón brown (2)

Marruecos Morocco

martes *m.* Tuesday (3)

marzo March (1)

más more; **cada vez más** increasingly; **come/coma más** have some more (*command inform. s.* / *form. s.*) (11); **más alto que** taller than (4); **más de** + *number* more than + *number*; **más** + *adj.* **que** more (-er) + *adj.*

than (4); **mi/nuestro más sentido pésame** my/our deepest condolences (16)

masa dough

máscara mask

mascarilla face mask (12)

mascota pet (4)

masculino/a masculine

masivo/a mass

máster *m.* Master's (program, degree)

masticar (qu) to chew

matar to kill

mate *m. strong tea of South America*

matemáticas *pl.* math (1)

materia subject (1)

material *m.* material

materno/a maternal

matrícula tuition

matricularse to enroll

matrimonio marriage (16)

máximo/a maximum

maya *n., adj. m., f.* Mayan

mayo May (1); **el primero de mayo** the first of May (1)

mayor older (4); oldest; greater; greatest; elderly (2)

mayoría majority

mayormente principally

mayúscula capital (letter), uppercase

mazcora ear of corn; cob

me *d.o. pron.* me (6); *i.o. pron.* to/for me (7); *refl. pron.* myself; **me gusta(n)** + *noun(s)* I like + *noun(s)* (2); **me gustaría** + *inf.* I would like (*to do something*) (9); **¿me puede comunicar con... ?** can you connect me with . . . ?; **no me gusta(n)** + *noun(s)* I don't like + *noun(s)* (2); **se me antoja/antojó** + *inf.* / *s. n.* I feel/felt like + ([*doing*] *something*) (9); **se me antojan/antojaron** + *pl. n.* I feel/felt like + *pl. n.* (9)

mearse *sl.* to wet/pee oneself

mecánico/a *n., adj.* mechanic

medialuna croissant

medianoche *f.* midnight; **es medianoche** it's midnight (3)

mediante through

medias *pl.* stockings

medicado/a medicated

medicina medicine

médico/a doctor (4); **médico/a de cabecera** general practitioner

medida measurement (12)

medio *n.* medium; means; *pl.* mass media; **medio ambiente** environment (13); **medio de transporte** means of transportation

medio/a *adj.* half; middle; average; **en medio de** in the middle of (11); **es la una y media** it's 1:30 (3); **media naranja** better half; **y media** half past (*the hour*)

medioambiental environmental (13)

mediocampo mid-field

mediocre mediocre

mediodía *m.* noon; **es mediodía** it's noon (3);

medir (i, i) to measure (12)

meditar to meditate

Mediterráneo Mediterranean

medusa jellyfish

megaestrella superstar

mejillón *m.* mussel

mejor better (4); best

mejorar to improve (15); **mejorarse** to get better (12)

mellizo/a fraternal twin

melocotón *m.* peach

melodramático/a melodramatic

memoria memory; **tarjeta de memoria** memory card

memorizar (c) to memorize

mencionar to mention

menor younger (4); youngest; less; least

menos less; least; minus; **menos + *adj.* + que** less + *adj.* than (4); **menos alto que** less tall than (4)

mensaje *m.* message (10); **mensaje recordatorio** reminder

mensual monthly

mente *f.* mind

mentir (ie, i) to lie

menú *m.* menu

mercado (outdoor) market (5)

merendar (ie) to have a snack (6)

merienda snack (6)

merluza hake

mes *m.* month (1)

mesa table (1); **poner (*irreg.*) la mesa** to set the table (6)

mesero/a waiter, server (6)

mesita de noche nightstand (11)

mesoamericano/a *n., adj.* Meso-American

mestizo/a of mixed race (European and native American)

meta goal

metabólico/a metabolic

metal *m.* metal

meter to put, place; **meter un gol** to score a goal

metro subway (5); meter; **metro cuadrado** square meter

metrópoli *f.* metropolis

metropolitano/a metropolitan

mexicano/a *n., adj.* Mexican (2); **comer comida mexicana** to eat Mexican food (3)

mezcla mix

mezclar(se) to mix, blend

mí *obj. of prep.* me; **para mí** for me (7); for me (personally) (15)

mi(s) *poss. adj.* my (1); **en mi opinión...** in my opinion . . . (15); **mi más sentido pésame** my deepest condolences (16); **mi nombre/apellido es** my name/last name is (1)

micro bus (*C.A. and S.A.*)

microempresa micro-business

microfinanza micro-finance

micrófono microphone

microondas *m. s., pl.* microwave (11)

microproducto micro-product

miedo fear; **tener (*irreg.*) miedo** to be afraid

miedoso/a easily frightened

miel *f.* honey

miembro member

mientras while

miércoles *m.* Wednesday (3)

mil (one) thousand (5); **dos mil** two thousand (5); **tres mil** three thousand (5); **cuatro mil** four thousand (5); **cinco mil** five thousand (5); **seis mil** six thousand (5); **siete mil** seven thousand (5); **ocho mil** eight thousand (5); **nueve mil** nine thousand (5)

militar *n. m., f.* soldier; **escuela militar** military school; **fuerzas militares** military forces

milla mile

millón *m.* million

minería mining

minibús *m.* small bus

minifalda miniskirt

minimizar (c) to minimize

mínimo minimum

miniserie *f.* miniseries

minuto minute

mío/a(s) *poss. adj.* my; *poss. pron.* (of) mine

mira: en el punto de mira in the crosshairs

mirar to look at; to watch (3); **mirar la televisión** to watch television (3)

misa mass

misión *f.* mission

mismo/a same; **de la misma manera** likewise

misquito *indigenous group of Central America*

misterio mystery

misterioso/a mysterious

místico/a *n., adj.* mystic

mitad *f.* half

mixteco/a *n., adj.* Mixtec (*an indigenous group of Mex.*)

mixto/a mixed; **ensalada mixta** tossed salad

mochila backpack (1)

moda fashion; style; **desfile** (*m.*) **de moda** fashion show (8); **estar (*irreg.*) (pasado/a) de moda** to be (un) fashionable (8); **la última moda** the latest fashion

modalidades *f. pl.* manners

modelo model

módem *m.* (*pl.* **módems**) modem

moderado/a moderate

moderno/a modern (5)

modificar (qu) to modify

modistería dressmaker's shop

modo way; manner; means; **modo de transporte** means of transportation

mojar to wet

mola *embroidered panel used in the typical clothing of Kuna women in Panama*

molestar (*like* **gustar**) to bother (7)

molestia bother; **si no es molestia** if it's not a bother (6)

momento moment; **en algún momento** at some point

monarquía monarchy

monitor *m.* monitor

mono monkey (13)

montaña mountain (9); **hacer ciclismo de montaña** to go mountain biking (9)

montar to ride; **montar a caballo** to ride a horse (3); **montar en bicicleta** to ride a bicycle

montón: un montón a lot

monumento monument

morado/a purple (2)

morder (ue) to bite

moreno/a *n.* brunet(te); *adj.* dark brown (*hair, eyes*) (2)

moretón *m.* (*pl.* **moretones**) bruise

morir(se) (ue, u) (*p.p.* **muerto**) to die (8)

mosaico mosaic

mostrar (ue) to show

motivado/a motivated (2)

moto(cicleta) motorcycle

motuleño: huevos motuleños *Yucatan dish of fried eggs over black beans and a fried tortilla*

mover(se) (ue) to move (*motion*)

móvil *m.* cell phone

movimiento movement

muchacho/a boy, girl

mucho *adj.* much; a lot; *adv.* a lot; **me divertí mucho** I had a lot of fun (7)

mucho/a a lot (of); *pl.* many; **¡con mucho gusto!** with pleasure! (6); **le(s) deseo mucha suerte** I wish you (*form. s., pl.*) luck (12); **lo siento mucho** I'm very sorry (16); **¡mucha suerte!** good luck! (12); best of luck! (12); **muchas/muchísimas gracias** thank you very much (5); **mucho gusto** nice to meet you (1); **mucho tiempo** a long time (13)

mudarse to move (*residence*) (16)

mueble *m.* piece of furniture

muerte *f.* death

muerto/a (*p.p. of* **morir**) to die; **Día** (*m.*) **de Muertos** Day of the Dead (7)

mujer *f.* woman (1); wife (4); **mujer bombero** female firefighter (10); **mujer policía** policewoman

mulato/a mulatto

múltiples *pl.* multiple

multitud *f.* multitude

mundial *adj.* world; **Copa Mundial** World Cup

mundo world

municipalidad *f.* municipality

municipio municipality

muñeca wrist; doll

muñeco doll

mural *m.* mural

murga *typical song of Carnival celebrations in Uruguay and Arg.*

músculo muscle

museo museum (5)

música music (2); **música en vivo** live music (14)

músico *m., f.* musician

musulmán (*pl.* **musulmanes**), **musulmana** *n., adj.* Muslim

mutable changeable

mutuo/a mutual

muy very (5); **muy bien** very well (1); **muy mal** very bad (1)

N

nacer (zc) to be born (6)

nacimiento birth (7); **defecto de nacimiento** birth defect

nación *f.* nation; **Naciones Unidas** United Nations

nacional national

nacionalidad *f.* nationality

nacionalista *m., f.* nationalist

nacionalizado/a nationalized

nada nothing (5); not anything; **de nada** you're welcome (5); **para nada** not at all (14)

nadar to swim (3); **nadar de dorso** to do the backstroke

nadie no one (5); nobody, not anybody

náhuatl *m.* Nahuatl (*language of the Aztecs*)

naranja orange (6); **media naranja** better half

narcotráfico drug trafficking (15)

nariz *f.* (*pl.* **narices**) nose (8)

narración *f.* narration

narrar to narrate

natación *f.* swimming (12)

nativo/a native

natural natural; **desastre** (*m.*) **natural** natural disaster (15); **recurso natural** natural resource (13)

naturaleza nature (9)

naturalista *adj.* nature; **guía** (*m., f.*) **naturalista** nature guide (4)

náuseas *pl.* nausea (12); **tener** (*irreg.*) **náuseas** to feel nauseous

náutico/a nautical

navegable navigable

navegador *m.* browser; **navegador web** web browser

navegante *m., f.* sailor

navegar (gu) to navigate

Navidad *f.* Christmas (7); **árbol** (*m.*) **de Navidad** Christmas tree

navideño/a *adj.* Christmas

necesario/a necessary

necesidad *f.* necessity

necesitar to need

negativo/a negative

negociar to negotiate

negocio business; **administración** (*f.*) **de negocios** business administration

negrita: en negrita boldface

negro/a black (2)

nervioso/a nervous (2)

nevar (ie) to snow; **está nevando** it's snowing (9); **nieva** it's snowing (9)

ni neither; nor; **ni... ni** neither . . . nor

nicaragüense *n., adj. m., f.* Nicaraguan (2)

nido nest; **nido familiar** parent's home (16)

nieto/a grandson, granddaughter (4)

ningún/ninguna none, no (not one, not any) (5)

niñez *f.* childhood

niño/a small child; boy/girl (2); **de niño/a** as a child

nivel *m.* level (15)

no no (1); **¡cómo no!** *interj.* of course! (6); **favor de no fumar** no smoking, please (9); **no beber y conducir** don't drink and drive (9); **no doblar** do not turn (9); **no encontrarse bien** to not feel well (12); **no entrar** do not enter (9); **no estacionar** no parking (9); **no dar de comer** do not feed (the animals) (9); **no fumar** no smoking (9); **no girar** do not turn (9); **no, gracias** no, thank you (6); **no hay de qué** you're welcome (5); **no hay que** + *inf.* you don't have to / it's not necessary to (*do something*) (12); **no pasar** do not enter (9); **no pisar (el césped)** stay off / do not walk on (the grass) (9); **no puedo** I can't (6); **no tirar basura** don't litter (9); **no vale la pena** it's not worth it; **si no es molestia** if it's not a bother (6)

noble *m.* noble, aristocrat; *adj.* noble

noche *f.* night; **buenas noches** good evening/night (1); **de la noche** at night (3); **por la noche** at night (3); **son las doce de la noche** it's midnight (3); **toda la noche** all night (3); **todas las noches** every night (3)

Nochebuena Christmas Eve (7)

Nochevieja New Year's Eve (7)

nombrar to name

nombre *m.* name; **mi nombre es** my name is (1)

nominación *f.* nomination

nominar to nominate

nopalitos *pl.* dish made with the leaves of prickly pears

noreste *m.* northeast

normal normal

noroeste *m.* northwest

norte *m.* north

norteamericano/a *n., adj.* North American (2)

Noruega Norway

noruego/a *n., adj.* Norwegian

nos *d.o. pron.* us (6); *i.o. pron.* to/for us (7); *refl. pron.* ourselves; **se nos antoja/antojó** + *inf. / s. n.* we feel/felt like + ([*doing*] *something*) (9); **se me/te/le/nos/os/les antojan/antojaron** + *pl. n.* we feel/felt like + *pl. n.* (9)

nosotros/as *sub. pron.* we; *obj. of prep.* us

nota grade (*academic*); note; **nota de agradecimiento** thank-you note; **sacar (qu) buenas/malas notas** to get good/back grades

notar to note

noticia piece of news; **noticias** news (15)

novecientos/as nine hundred (5)

novela novel

noveno/a ninth

noventa ninety (1)

noviazgo relationship (4); engagement (16)

noviembre *m.* November (1); **el cinco de noviembre** November fifth (1)

novio/a boyfriend/girlfriend (4); fiancé(e) (16); groom/bride (16)

nublado/a cloudy; **está nublado** it's cloudy (9)

núcleo nucleus

nuera daughter-in-law (4)

nuestro/a(s) *poss. adj.* our (1); *poss. pron.* our, of ours; **nuestro más sentido pésame** my/our deepest condolences (16)

nueve nine (1); **nueve mil** nine thousand (5); **son diez para las nueve** it's 8:50 (3); **son las nueve menos diez** it's 8:50 (3)

nuevo/a new (2); **Año Nuevo** New Year's (7); **Nueva York** New York

nuez *f.* (*pl.* **nueces**) nut; walnut

número number; shoe size (8); **¿cuál es tu número de teléfono?** what is your phone number? (1); **un número a la vez, por favor** one number at a time, please (1)

nunca never (3)

nutrición *f.* nutrition

nutriente *m.* nutrient

nutritivo/a nutritious

O

o or (**u** *before words beginning with* **o** *or* **ho**) (1)

objetivo/a objective

objeto object

obligación *f.* obligation (13)

obligar (gu) to force

obligatorio/a obligatory

obra work; **obra de arte** piece, work of art (14); **obra de teatro** play (14)

obrero/a worker, laborer

observación *f.* observation

observador(a) observer

observar to observe

obtener (*like* **tener**) to obtain

océano ocean; **océano Atlántico** Atlantic Ocean; **océano Pacífico** Pacific Ocean

ochenta eighty (1)

ocho eight (1); **ocho mil** eight thousand (5); **son las ocho y cincuenta** it's 8:50 (3)

ochocientos/as eight hundred (5)

octavo/a eighth

octubre *m.* October (1)

ocupación *f.* occupation

ocupado/a busy

ocupar to occupy

ocurrir to occur

odiar to hate

oeste *m.* west

ofensivo/a offensive; **volante** (*m., f.*) **ofensivo/a** offensive midfielder

oferta supply (15); offer (15)

oficial official

oficina office (1); **oficina de correos** post office

oficio trade (*profession*)

ofrecer (zc) to offer

oír *irreg.* to hear (5); to listen to (*music, the radio*) (5); **oye...** listen . . . (*command inform. s.*); **oiga...** listen . . . (*command form. s.*); **oigan...** listen . . . (*command form. pl.*) (3)

ojalá (que) I hope (that) (12)

ojo eye (8)

oleoducto oil pipeline

oler *irreg.* to smell

Olímpicos: Juegos (*pl.*) **Olímpicos (de Invierno/Verano)** (Winter/Summer) Olympics (12)

oliva olive; **aceite** (*m.*) **de oliva** olive oil; **color** (*m.*) **verde oliva** olive green

olla pot, pan

olor *m.* scent, odor

olvidar(se) to forget (9)

once eleven (1)

onda wave

opción *f.* option

ópera opera (14)

operación *f.* operation

operático/a pertaining to opera

opinar to think; to have/express an opinion

opinión *f.* opinion; **en mi opinión...** in my opinion . . . (15)

oportunidad *f.* opportunity

oportuno/a opportune

optar (por) to opt (for)

optimista *m., f.* optimist; *adj.* optimistic (2)

opuesto/a opposite

oración *f.* sentence

orden *m.* order; *f.* order (*command, legal*); **a sus órdenes** at your (*form. s., pl.*) service

oreja ear (8)

orgánico/a organic; **desecho orgánico** organic waste

organismo organism; body

organización *f.* organization; **organización sin fines de lucro** nonprofit organization (15)

organizado/a organized (2)

organizar (c) to organize

orgullo pride

orgulloso/a proud

oriental Oriental; Eastern

oriente *m.* east

origen *m.* origin

originario/a native

originarse to begin

orilla shore

oro gold

orquesta orchestra (14)

orquídea orchid

ortografía spelling

ortográfico/a *adj.* spelling; **error** (*m.*) **ortográfico** spelling mistake

os *d.o. pron.* (*Sp.*) you (*inform. pl.*) (6); *i.o. pron.* (*Sp.*) to/for you (*inform. pl.*) (7); *refl. pron.* (*Sp.*) yourselves (*inform. pl.*); **se os antoja/antojó** + *inf.* / *s. n.* you (*inform. pl.*) feel/felt like + ([*doing*] *something*) (9); **se os antojan/antojaron** + *pl. n.* you (*inform. pl.*) feel/felt like + *pl. n.* (9)

oscuro/a dark

oso (polar) (polar) bear (13)

ostra oyster

otoño autumn, fall (1)

otro/a other, another; **otra vez** again

ozono ozone

P

pabellón (*m.*) **criollo** *Venezuelan rice and beans dish*

paciencia patience

paciente *m., f.* patient

pacífico/a *adj.* Pacific; **océano Pacífico** Pacific Ocean

padecer (zc) to suffer

pádel *m.* paddle tennis

padrastro stepfather (4)

padre *m.* father (4); *pl.* parents (4); **Día** (*m.*) **de los Padres** Father's Day; **¡qué padre!** how cool! (8)

padrino godfather

pagar (gu) to pay

página (web) (web) page (1)

país *m.* country (2); **Países Bajos** Netherlands; **País Vasco** Basque Country

paisaje *m.* scenery, landscape (9)

pájaro bird (13)

palabra word

palacio palace

palestino/a *n., adj.* Palestinian

paleta palette

pan *m.* bread (6); **pan tostado** toast

panadería bakery (6)

panameño/a *n., adj.* Panamanian (2)

panamericano/a Pan-American

panel (*m.*) **(solar)** (solar) panel

pandemia pandemic (12)

panorámico/a panoramic

pantalla screen (10)

pantalón *m.* pants; *pl.* pants (8); **pantalones cortos** shorts (8); **pantalones de campana** bell-bottoms

panteón *m.* mausoleum

papa potato (6); **papas fritas** french fries

papá *m.* father (4); *pl.* parents (4)

papel *m.* paper; role, part (*in a movie or play*) (14); **hoja de papel** sheet of paper (1); **interpretar un papel** to play a role/part (14)

paquete *m.* package

Paquistán *m.* Pakistan

paquistaní *n., adj. m., f.* Pakistani

par *m.* pair (*objects*)

para (intended) for (7); **para + inf.** in order to (*to do something*); **para mí** for me (7); for me (personally) (15); **para que** so that; **para servirle** at your (*form. s.*) service (10); **para ti** for you (*inform. s.*) (7); **para nada** not at all (14); **servir (i, i) para** to be good at/for (*doing something*) (4); **son diez para las nueve** it's 8:50 (3)

paradisíaco/a idyllic

paradójico/a paradoxical

paraguas *m. s., pl.* umbrella (8)

paraguayo/a *n., adj.* Paraguayan (2)

parapente *m.* paragliding

parar to stop

parásito parasite

parecer (zc) (*like* **gustar**) to seem (7); **parecerse (a)** to resemble; **¿qué te/ le parece(n) + n./inf.?** how about (*inform. s. / form. s.*) . . . ? (6)

parecido/a (a) similar (to)

pared *f.* wall (11)

pareja pair; partner, spouse (4); couple (16)

pariente *m., f.* relative (4)

París Paris

parlamentario/a parliamentary

parlante *m., f.* loudspeaker

parlar to chatter

parque *m.* park (5); **correr en el parque** to run in the park (3)

párrafo paragraph

parrilla grill

parte *f.* part; **de parte de** from; on behalf of; **¿de parte de quién?** may I ask who's calling?

participante *m., f.* participant

participar to participate (13)

particular: en particular in particular

partido game (12); match (12)

partir: a partir de as of, since

pasado past; **estar** (*irreg.*) **pasado/a de moda** to be unfashionable (8)

pasado/a last; **año pasado** last year; **semana pasada** last week

pasaporte *m.* passport (9)

pasar to spend (*time*); to happen; **la/lo pasé bien/mal** I had a good/bad time (7); **no pasar** do not enter (9); **pasa/pase(n)** come in / go ahead (*command inform. s. / form. s., pl.*) (8); **pasar la aspiradora** to vacuum (11); **pasar por** to go through (9); **pasar un buen rato** to have a good time; **pasarlo bien/mal** to have a good/bad time (7); **¿puedo pasar?** excuse me / may I pass by/enter? (8); **¿qué te/le pasa?** what's happening with you? (*inform. s. / form. s.*) (1); what's the matter? (1)

pasatiempo pastime

Pascua Easter (7); **Domingo de Pascua** Easter Sunday; **Pascua de Resurrección** Easter (7); **Pascua Florida** Easter (7)

pasear to take a walk, stroll; **sacar (qu) a pasear** to walk (*dog*)

paseo walk, trip (9); **dar** (*irreg.*) **un paseo** to take a walk (9)

pasillo hallway (11)

paso step; **dar** (*irreg.*) **un paso** to take a step

pasta pasta (6)

pastel *m.* pastry; cake (6)

pastilla pill

patada kick

patata potato (*Sp.*)

paterno/a paternal

patinador(a) skater

patinaje *m.* skating (12); **patinaje sobre el hielo** ice skating

patinar to skate; **patinar sobre el hielo** to ice skate (12)

patines *m. pl.* skates (12)

patineta skateboard (12); **andar** (*irreg.*) **en patineta** to skateboard (12)

patología disease

patrocinador(a) sponsor

patrocinar to sponsor

paz *f.* peace (15)

pecho chest (8)

pechuga breast

pedacito small piece

pedir (i, i) to ask for (4); to order (*food*) (6)

pedo *n.* fart

pedorrear to fart

peer (y) to fart

pegar (gu) to paste; **pegarse** to bump

peinarse to brush/comb one's hair (5)

película movie; film (2); **película de acción** action movie; **película de terror** horror film

peligro danger (13); **especie** (*f.*) **en peligro de extinción** endangered species

peligroso/a dangerous (15)

pelirrojo/a *n.* redhead (2); *adj.* redheaded (2)

pelo hair (2)

pelota ball (12)

pelotero/a baseball player

peluquería (hair) salon

pena embarrassment; shame; **(no) vale la pena** it's (not) worth it

peña *venue for musical and other artistic performances (S.A.)*

pendiente *m.* earring (8); *adj.* pending

pensamiento thought

pensar (ie) to think, to plan (4); **pensar (en)** to think (about) (12); **pensar + inf.** to intend, plan to (*do something*)

peor worse (4)

pepino cucumber (6)

pequeño/a small (2)

pera pear

percusionista *m., f.* percussionist

perdedor(a) loser

perder (ie) to lose; to miss; **perderse** to get lost (9)

perdón sorry; excuse me; pardon me (8)

perdonar to forgive; **perdona/ perdone(n)** sorry; excuse me; pardon me (*command inform. s. / form. s., pl.*) (8)

perejil *m.* parsley (6)

perezoso/a *adj.* lazy (2); *n.* **perezoso** sloth (13)

perfeccionar to perfect

perfecto/a perfect

perfil *m.* profile

perfume *m.* perfume

perico parakeet

perímetro perimeter

periódico newspaper; **leer (y) el periódico** to read the newspaper (3)

periodista *m., f.* journalist (4)

periodo period (*of time*)

permiso permission; **con permiso** excuse me (8)

permitir to permit

pernoctar to spend the night

pero *conj.* but

perro dog (4)

perseguir (*like* **seguir**) to chase; to pursue

persona person; *pl.* people

personaje *m.* character (*in a movie, play or novel*) (14); celebrity, well-known person (14)

personalidad *f.* personality

perspectiva perspective

pertenecer (zc) (a) to belong (to)

pertenencias *pl.* belongings

peruano/a *n., adj.* Peruvian (2)

pesado/a boring; difficult; heavy; **¡qué pesado!** how annoying! (8)

pésame: dar (*irreg.*) **el pésame** to give one's condolences; **mi/nuestro más sentido pésame** my/our deepest condolences (16); **te/le/les doy/ damos el pésame** my/our condolences (16)

pesar to weigh; **a pesar de** in spite of, despite

pesas weights (12); **levantar pesas** to lift weights (12)

pesca fishing

pescadería fish market (6)

pescado fish (*food*) (6)

pesero bus (*Mex.*)

pesimismo pessimism

pesimista *m., f.* pessimist; *adj.* pessimistic (2)

pésimo/a awful; **¡qué pésimo!** that's awful! (8)

peso weight (12); **aumento de peso** weight gain; **bajar de peso** to lose weight (12) **subir de peso** to gain weight (12)

petróleo petroleum, oil

petrolero/a *adj.* oil; petroleum

pez *m.* (*pl.* **peces**) fish (*animal*) (4)

pianista *m., f.* pianist

picadura bite; sting

picante spicy (6)

picar (qu) to bite; to chop, mince

pico peak; beak; **pico de gallo** *uncooked salsa made of chopped tomato, onion, and jalapeños*

pie *m.* foot (8); **a pie** on foot

piel *f.* skin (2)

pierna leg (8)

pijama *m.* pijama (8)

pimienta pepper (*spice*) (6)

pimiento pepper

pinchar to click (*computer, Sp.*)

pingüino penguin (13)

pinta appearance; **tener** (*irreg.*) **buena/ mala pinta** to have a good/bad appearance

pintar to paint

pinto: gallo pinto *rice and beans dish of Nicaragua and Costa Rica*

pintor(a) painter (4)

pintura paint; painting (14)

piña pineapple (6)

pirámide *f.* pyramid

piraña piranha

pisar to step on; **no pisar (el césped)** stay off / do not walk on (the grass) (9)

piscina swimming pool (11)

piso floor, story (11); apartment (*Sp.*) (11); **primer/segundo/tercer piso** second/ third/fourth floor (11)

pista clue

pitisalé *m. salted meat of Dominican Republic and Haiti*

pizarra chalkboard (1); whiteboard (1)

placer *m.* pleasure; **es un placer** nice to meet you (10); it's a pleasure (10)

plagio plagiarism

plan *m.* plan

plancha: a la plancha grilled (6)

planeación *f.* planning

planear to plan

planeta (*m.*) (**Tierra**) planet (Earth) (13)

planificación *f.* planning; **planificación familiar** family planning

planta plant; floor (11); **planta baja** ground floor (11); **primera/segunda/ tercera planta** second/third/fourth floor (11)

plástico plastic

plata silver

plataforma platform

plátano banana (*Mex.*) (6); plantain

platillo dish

plato plate; dish; course (6); **lavar los platos** to wash dishes (4); **primer plato** first course (6); **segundo plato / plato principal** main course (6)

playa beach (2)

plaza plaza (5)

plazo: a largo plazo in the long run

pliegue *m.* pleat

pluma pen (1)

población *f.* population

pobre poor (2)

pobreza poverty (15)

poco/a few; (a) little; **un poco (de)** a little bit (of)

poder *n. m.* power

poder *irreg.* to be able, can (3); **¿en qué puedo servirle(s)?** how may I help you (*form. s., pl.*)? (10); **¿me puede comunicar con... ?** can you connect me with . . . ?; **no puedo** I can't (6); **¿puedo pasar?** excuse me; may I pass by/enter? (8); **sí, se puede** yes, we can; it can be done (12)

poema *m.* poem

poesía poetry (14)

polar polar; **casquete** (*m.*) **polar** polar cap; **oso polar** polar bear

polémico/a controversial

policía *m., f.* police officer (4); *f.* police (*force*)

polinesio/a Polynesian

política politics; policy

político/a *n.* politician (15); *adj.* political; **ciencias** (*pl.*) **políticas** political science; **proceso político** political process (15)

pollo chicken (6)

polvo dust (11); **quitar/sacar el polvo** to dust (11)

pólvora powder

pomelo grapefruit (*Sp., Arg.*)

poner *irreg.* (*p.p.* **puesto**) to put (5); to place; **poner atención** to pay attention; **poner en duda** to call into question; **poner énfasis** to emphasize; **poner la mesa** to set the table (6); **ponerse** to put on (*an article of clothing*) (5); **ponerse +** *adj.* to become/get + *adj.* (5); **ponerse contento/a** to become happy (5); **ponerse en forma** to get in shape (12); **ponerse los lentes / los lentes de contacto** to put on glasses/contacts (5)

pop *adj.* pop (*music, culture*) (14)

popular popular (2)

popularizar (c) to make popular

por about; because of; through; for; by; **baje/suba por esta calle** go down/ up this street (*command form. s.*) (5); **gracias por +** *n./inf.* thank you for (5); **por ejemplo** for example; **por equivocación** by mistake; **por favor** please; **por fin** finally; **por la mañana** in the morning (3); **por la noche** at night (3); **por la tarde** in the afternoon/evening (3); **por primera vez** the first time; **¿por qué?** why? (2); **por si acaso** just in case; **¡por supuesto!** of course! (6)

porcentaje *m.* percentage

porción *f.* portion; serving

porque because

portarse to behave

portátil: (computadora) portátil laptop (computer)

portero/a building manager; doorman

portuario/a *adj.* port

portugués *m.* Portuguese (*language*)

portugués (*pl.* **portugueses**), **portuguesa** *n., adj.* Portuguese

porvenir *m.* future

posada inn

posgrado graduate (study)

posibilidad *f.* possibility

posible possible

posición *f.* position

posicionamiento: Sistema (*m.*) **de Posicionamiento Global (SPG)** Global Positioning System (GPS)

positivo/a positive
posponer (*like* **poner**) (*p.p.* **pospuesto**) to postpone
posgrado (*or* **postgrado**) graduate (study)
postre *m.* dessert (6)
potencial potential
práctica practice
practicar (qu) to practice (3); **practicar yoga** to do yoga (3); **practicar un deporte** to play a sport (3); **practicar el fútbol** to play soccer (3)
práctico/a practical
precariedad *f.* uncertainty
precaución *f.* precaution
precio price
precioso/a pretty (2)
preciso/a precise
precolombino/a Pre-Columbian
predador *m.* predator
predicción *f.* prediction
predisposición *f.* predisposition
preferencia preference
preferido/a preferred; favorite
preferir (ie, i) to prefer
pregunta question
preguntar to ask (7)
prehispánico/a pre-Hispanic
premio prize
prenda (de ropa) item (of clothing) (8)
prender to turn on (*appliance*)
prensa: agencia de prensa press agency
preocupado/a worried
preocupar(se) to worry
preparación *f.* preparation; training
preparar (el desayuno / el almuerzo / la cena) to prepare (breakfast/lunch/dinner) (4); **prepararse** to get ready, prepare oneself; **preparar un currículum** to prepare a resume/CV (10)
preparativos *pl.* preparations
preposición *f. gram.* preposition
presentación *f.* presentation
presentador(a) presenter
presentar to present; to introduce; **quiero presentarle(s) a...** I'd like you (*form. s., pl.*) to meet . . . (10); **quiero presentarte a...** I'd like you (*inform. s.*) to meet . . . (10)
preservar to preserve
presidencia presidency
presidente, presidenta president
presión *f.* (blood) pressure (12)
prestar to lend; **prestar atención** to pay attention; **prestarse a** to lend oneself to

prestigioso/a prestigious
presupuesto budget
pretérito *gram.* preterite
prevención *f.* prevention
prevenir (*like* **venir**) to warn
previo/a previous, prior
prieto/a dark
primaria: escuela primaria elementary school
primavera spring (*season*) (1)
primer, primero/a first; **por primera vez** the first time; **primer piso / primera planta** second floor (11); **primer plato** first course (6); **primero de mayo** first of May (1)
primo/a cousin (4)
princesa princess
principal main; **plato principal** main course (*of a meal*) (6)
príncipe *m.* prince
principio *n.* beginning
prisa: darse (*irreg.*) **prisa** to hurry; **tener** (*irreg.*) **prisa** to be in a hurry
privado/a private; **escuela privada** private school
privatización *f.* privatization
privatizar (c) to privatize
privilegiado/a privileged
probador(a) tester
probar (ue) to try (6); to taste (6); **probarse** to try on (8)
problema *m.* problem; **problema social** social problem (15)
problemático/a problematic
proceloso/a stormy
procesar to process
procesión *f.* procession
proceso process; **proceso político** political process (15)
producción *f.* production
producir (*like* **conducir**) to produce
producto product; **productos lácteos** dairy products (6)
profesión *f.* profession (4); **¿cuál es tu/su profesión?** what is your (*inform. s. / form. s.*) profession? (4)
profesional profession
profesor(a) professor (1)
profundidad *f.* depth
profundo/a deep
progenitor(a) parent
programa *m.* program; area
programador(a) programmer (10)
progresar to progress
progresivo/a progressive
progreso progress
prohibir (prohíbo) to prohibit (13)
promedio average
prometedor(a) promising

prometer to promise
promoción *f.* promotion
promover (ue) to promote
pronombre *m. gram.* pronoun
pronóstico del tiempo weather forecast
pronto soon; **hasta pronto** see you soon (1)
propiedad *f.* property
propio/a own, one's own
proponer (*like* **poner**) (*p.p.* **propuesto**) to propose
propósito purpose
prosperidad *f.* prosperity
protagonista *m., f.* protagonist (14)
protección *f.* protection (13)
protector(a) protective
proteger (j) to protect (13)
proteína protein
protestar to protest
provecho: ¡buen provecho! enjoy your meal! (6)
proveer (y) (*p.p.* **proveído**) to provide
provincia province
provisión *f.* provision; *pl.* supplies
provocar (qu) to provoke
próximo/a next; upcoming (9)
proyecto project
proyector *m.* projector (1)
prueba quiz
psicología psychology (1)
psicólogo/a psychologist (4)
psiquiatra *m., f.* psychiatrist
pub *m.* pub, bar
publicar (qu) to publish
publicidad *f.* publicity
público/a public; audience (14); **transporte** (*m.*) **público** public transportation (5)
pueblo town (5)
puente *m.* bridge (5)
puerco pig; pork (6); **carne de puerco** *f.* pork (6)
puerta door (1)
puertorriqueño/a *n., adj.* Puerto Rican (2)
pues *conj.* well; since
puesto job (10); position (10); stand (5); **conseguir** (*like* **seguir**) **un puesto** to get a job/position (10)
pulmón *m.* lung
pulpa pulp
pulpería small grocery store
pulsera bracelet (8)
punto point; **en el punto de mira** in the crosshairs; **punto com** dot com (*in an email address*) (1) **punto edu** dot edu (*in an email address*) (1)

puñado handful
purificador(a) purifying
purificar(se) (qu) to purify (oneself)
puro/a pure; **¡pura vida!** cool!, awesome (8)

Q

que that, which; who; **hasta que** *conj.* until; **que le(s) vaya bien** have a good one / I hope things go well for you (*form. s., pl.*) (12); **¡que tenga(s) un buen día!** have (*form. s. / inform. s.*) a good day! (12); **¡que tenga(s) un buen fin de semana!** have (*form. s. / inform. s.*) a nice weekend!; **¡que tenga(s) una buena tarde!** have (*form. s. / inform. s.*) a nice afternoon!; **que yo sepa** as far as I know; **ya que** since
¿qué? what? (2); which?; **¿a qué hora...?** at what time . . .? (3); **¿a qué se dedica?** what do you (*form. s.*) do (*occupation*)? (4); **¿a qué te dedicas?** what do you (*inform. s.*) do (*occupation*)? (4); **¿en qué puedo servirle(s)?** how may I help you (*form. s., pl.*)? (10); **¿qué estudias?** what do you study?; what's your major? (1); **¿qué hora es?** what time is it? (3); **¿qué sé yo? / ¿yo qué sé?** what do I know? / beats me! (15); **¿qué tal?** how are you? (1); **¿qué te/ le parece(n)** + *n./inf.*? how about (*inform. s. / form. s.*) . . . ? (6); **¿qué te pasa?** what's happening with you (*inform. s.*)?; what's the matter? (1); **¿qué tiempo hace?** what's the weather like? (9)
¡qué... ! what . . . !; **¡qué** + *adj.*! how + *adj.*! (4); **¡qué** + *adj.* + *n.*! what + *adj.* + *n.*! (4); **¡qué** + *n.*! how/what + *n.*! (4); **¡qué aburrido!** how boring! (8); **¡qué bárbaro!** how cool! (8), awesome!; **¡qué bien!** how cool! (8); **¡qué bonita familia!** what a beautiful family! (4); **¡qué brutal!** how cool (8); **¡qué buena idea!** what a good idea!; **¡qué calor!** it's so hot! (4); **¡qué cara!** what nerve!; **¡qué chévere!** how cool! (8); **¡qué chido!** how cool! (8); **¡qué chimba!** how cool! (8); **¡qué chulo!** how cool! (8); **¡qué coraje!** how frustrating/annoying!; **¡qué emoción!** how exciting!; **¡qué estupendo!** how cool! (8); **¡qué fenomenal!** how cool! (8); **¡qué feo/a!** how ugly! (4); **¡qué frío!** it's so cold! (4); **¡qué golazo!** what a goal!; **¡qué guapo/a!** how handsome/ beautiful! (4); **¡qué guay!** how cool!

(8); **¡qué lindo/a!** how cute/pretty! (4); **¡qué lío!** what a mess! (4); **¡qué malo/a!** that's terrible! (8); **¡qué padre!** how cool! (8); **¡qué pesado!** how annoying! (8); **¡qué pésimo!** that's awful! (8); **¡qué poca vergüenza!** what nerve!; **¡qué rabia!** how frustrating/annoying!; **¡qué rico/a!** how delicious!; **¡qué vergüenza!** how embarrassing!
quechua *m.* Quechua (*language*)
quedar to remain, to be left; to be located; **¿dónde queda... ?** where is . . . ? (5); **queda a la derecha/izquierda** it's on the right/ left (5); **queda al lado de / detrás de / enfrente de / en la esquina de... y ...** it's next to / behind / facing, in front of / on the corner of . . . and . . . (5); **quedarle** to fit (8); **quedarse** to stay (5)
quehacer *m.* chore (11); **quehaceres domésticos** household chores (11)
queja complaint (12)
quejarse (de) to complain (about) (12)
quemadura *n.* burn; **quemadura de sol** sunburn (9)
quemar to burn
querer *irreg.* to want (4); **querer** + *inf.* to want (*to do something*) (4); to love (16); **¿quiere(s)** + *n./inf.*? Do you (*form. s. /inform. s.*) want . . . ? (6); **quiero presentarle(s) a...** I'd like you (*form. s., pl.*) to meet . . . (10); **quisiera** + *inf.* I would like (*to do something*) (10)
querido/a dear; **ser** (*m.*) **querido** loved one
queso cheese (6)
quetzal *m.* quetzal bird
quiché *adj. m., f.* of or pertaining to the Quiche Mayan group of Guatemala
quichua *n. m., f.* Quechua
¿quién(es)? who? (2); whom?; **¿de parte de quién?** may I ask who's calling?
quieto/a calm, still
química chemistry (1)
quince fifteen (1); quarter (*of an hour*) (3); **el quince de octubre** October fifteenth (1); **son las dos y quince** it's 2:15 (3)
quinceañera *15th birthday celebration* (7); *young woman celebrating her fifteenth birthday*
quinientos/as five hundred (5)

quinta farm; country house
quinto/a fifth
quitar(se) to remove, take off; **quitar el polvo** to dust (11)
quizá(s) *adv.* perhaps, maybe (14)

R

rabia anger; fury; **¡qué rabia!** how frustrating/annoying!
racismo racism (15)
radio *f.* radio (*medium*)
raíz *f.* (*pl.* **raíces**) root; **a raíz de** as a result of; **bienes** (*m. pl.*) **raíces** real estate; **agente** (*m., f.*) **de bienes raíces** real estate agent
rama branch
ramo: Domingo de Ramos Palm Sunday
rana frog
rancho ranch
rango rank
rap *m.* rap music
rapanui *m.* language of the Rapa Nui people of Easter Island
rapero/a rapper
rapidez *f.* (*pl.* **rapideces**) speed
rápido *adv.* quickly (2)
rápido/a fast (2); **comida rápida** fast food
raqueta racket (12)
rarámuri *m., f.* of or pertaining to the Tarahumara people of northwestern Mexico
raro/a strange
rascacielos *m. s., pl.* skyscraper (5)
rastafari *adj. m., f.* Rastafarian
ratificar (qu) to ratify
rato while, short time; **pasar un buen rato** to have a good time
ratón *m.* mouse
raza race
razón *f.* reason; **no tener** (*irreg.*) **razón** to be wrong; **tener** (*irreg.*) **razón** to be right
razonable reasonable
reacción *f.* reaction
reaccionar to react
real royal; real
realidad *f.* reality
realismo realism
realizar (c) to achieve, attain
rebaja sale (8); **estar** (*irreg.*) **de rebajas** on sale, at a reduced price
rebelde *m., f.* rebel
rebeldía rebellion
recalar en to end up at
recaudar fondos to raise funds
recepción *f.* reception (9)
receta recipe

rechazar (c) to reject
rechazo rejection
recibir to receive
reciclaje *m.* recycling (13)
reciclar to recycle (13)
recién *adj.* recent
recinto (universitario) campus
reclutar to recruit
recoger (j) to pick up (9)
recogida de equipaje baggage claim (9)
recolectar to gather; to harvest
recomendable recommendable
recomendación *f.* recommendation
recomendar (ie) to recommend (12)
reconocer (zc) to recognize
reconocido/a famous
reconocimiento recognition
reconstrucción *f.* reconstruction
récord *adj. m., f.* record
recordar (ue) to remember
recordatorio/a: mensaje (*m.*) **recordatorio** reminder
recorrer to traverse
recorrido tour; **hacer** (*irreg.*) **un recorrido** to take a trip / go on a tour (9)
recreación *f.* recreation
recrear to recreate
recto/a straight; **siga recto** go straight (*command form. s.*) (5)
recuerdo memory; souvenir (9)
recuperar to recuperate
recurrir to turn to; to resort to
recurso resource; **recurso natural** natural resource (13)
red *f.* network; Internet; **red social** social network
reducir (*like* **conducir**) to reduce
reelección *f.* reelection
reelegir (i, i) (j) to reelect
reescribir (*p.p.* **reescrito**) to rewrite
referencia reference
referéndum *m.* referendum
referirse (ie, i) (a) to refer (to)
reflejar to reflect
reforma reform
refrán *m.* saying, proverb
refresco soda (6)
refrigerador refrigerator (11)
refugio refuge
regalar to give (*a present*) (7)
regalo gift (7)
regañar to scold
reggae *m.* reggae
reggaetón *m.* reggaeton
región *f.* region
registrarse to check in (9)
regla rule (9)

regresar to return
regreso return
rehusar (rehúso) to refuse
reina queen
reintroducir (*like* **conducir**) to reintroduce
reírse (me río, i) (de) to laugh (about)
relación *f.* relationship (16); **en una relación** together (16); in a relationship (16); **relaciones internacionales** international relations (1)
relacionado/a (con) related (to)
relajante relaxing
relajar(se) to relax
relativamente relatively
relevo: generación (*f.*) **de relevo** upcoming generation
religión *f.* religion
religioso/a religious
relleno/a stuffed (*culin.*)
reloj *m.* clock (1); watch (1)
remoto/a remote
remover (ue) to stir
remunerado/a remunerated
renegar (ie) (gu) de to reject
renombre *m.* renown
renovación *f.* renovation
renovar (ue) to renovate
renta rent
rentar to rent
renunciar (a) to resign
repartir to deliver; to distribute
repelente *m.* repellent
repente: de repente suddenly
repetir (i, i) to repeat (4)
repleto/a full
reportaje *m.* report
reportar to report
representante *m., f.* representative; *adj.* representative
representar to represent
represión *f.* repression
reprochar to reproach
reproducción *f.* reproduction
reproducir (*like* **conducir**) to reproduce
reptil *m.* reptile
república republic; **República Dominicana** Dominican Republic
requerir (ie, i) to require
requisito requirement
res: carne de res *f.* beef (6)
resentido/a resentful; bitter
reserva reserve; reservation
reservado/a reserved (2)
resfriado *n.* cold (*illness*)
residencia residence; **residencia (estudiantil)** dormitory (1)

residente *m., f.* resident; *adj.* resident
residir to reside
residuo waste
resistencia resistance
resistir to resist
resolver (ue) (*p.p.* **resuelto**) to resolve; to achieve (15)
respecto: al respecto on this/that matter
respetar to respect
respeto respect
respetuoso/a respectful
responder to respond
responsabilidad *f.* responsibility (13)
responsabilizarse (c) to take responsibility (16)
responsable responsible
respuesta answer
restar (*like* **gustar**) to remain, to be left
restaurante *m.* restaurant (5); **administración** (*f.*) **de restaurantes** restaurant management
resto rest
resultado result
resumen *m.* (*pl.* **resúmenes**) summary
resumir to summarize
resurrección *f.* resurrection; **Pascua de Resurrección** Easter (7)
retirarse to go away; to go to bed
reto challenge
retocado/a retouched
retrasar to delay
retraso delay
retrato portrait
reunión *f.* meeting
reunirse (me reúno) (con) to meet (with); to get together (with)
revelar to reveal
revisar to review
revisión *f.* revision
revista magazine
revolución *f.* revolution
rey *m.* king; **Día** (*m.*) **de los Reyes Magos** Three Kings Day; Epiphany (Adoration of the Magi) (7)
rico/a rich (2); delicious; **¡qué rico/a!** how delicious!
ridículo/a ridiculous
riesgo risk
río river
riqueza richness
risa laughter
ritmo rhythm
rito rite; ritual
ritual *m.* ritual
rival *m.* rival
robar to rob
rock rock (*music*) (14)

rocoso/a rocky
rodaje *m.* filming, shooting (*movie*)
rodar to film, shoot (*movie*)
rodeado/a (de) surrounded (by)
rodilla knee (8)
rodillera knee pad/guard
rojo/a red (2)
rol *m.* role
romance *m.* romance
romántico/a romantic
romper(se) (*p.p.* **roto**) to break (9); **romper con** to break up with (16)
ropa clothes, clothing (8); **ropa interior** underwear (8); **lavar la ropa** to wash clothes (4)
rosado/a pink (2)
rostro face
roto/a (*p.p. of* **romper**) broken
rubio/a blond (2)
rudo/a rough
ruido noise (5)
ruinas *pl.* ruins
rural rural (5)
ruso/a *n., adj.* Russian
ruta route
rutina (diaria) (daily) routine

S

sábado Saturday (3)
sabana savannah
sabelotodo know-it-all (15)
saber *irreg.* to know (5); **saber** + *inf.* to know how to (*do something*); **que yo sepa** as far as I know **¿qué sé yo?** / **¿yo qué sé?** what do I know? beats me! (15); **¿quién sabe?** who knows? (15); **sin saber** without knowing (15); **hacerle saber** (15); **ve/ vete tú / vaya Ud. a saber** your (*inform./form. s.*) guess is as good as mine (15)
sabroso/a tasty
sacar (qu) to take out, withdraw; **sacar a pasear** to walk (*dog*); **sacar buenas/malas notas** to get good/ bad grades; **sacar dinero** to withdraw money; **sacar fotos** to take photos; **sacar la basura** to take out the trash (11); **sacar la lotería** to win the lottery; **sacar una maestría / un doctorado** to get a master's/ doctorate (degree); **sacar el polvo** to dust (11)
saco suit jacket
sacudir to dust (11)
safari: ir (*irreg.*) **de safari** to go on a safari
sagrado/a sacred
sal *f.* salt (6)

sala living room; **sala de clase** classroom; **sala de justicia** courtroom (10)
salado/a *adj.* salt, salty; **agua** (*f., but* **el agua**) **salada** salt water
salar *m.* salt flat
salario salary
salir *irreg.* to leave (*a place*) (5); to go out (5); **salir con** to date
salmón *m.* salmon
salón *m.* living room (11); **salón de clase** classroom (1)
salsa salsa; sauce (6)
saltar to jump
salto waterfall
salud *f.* health
saludable healthy (6)
saludar to greet
saludo greeting (10)
salvadoreño/a *n., adj.* Salvadoran (2)
salvaje wild (13)
salvar to save, rescue (13)
san, santo/a *n.* saint; **Día** (*m.*) **de Todos los Santos** All Saints' Day; **Semana Santa** Holy Week (7)
sandalias sandals (8)
sándwich *m.* sandwich (6)
saneamiento sanitation
sangre *f.* blood (12)
sano/a healthy; **mantenerse** (*irreg.*) **sano** to stay healthy (12)
sapo toad (13)
satisfactorio/a satisfactory
se *refl. pron.* yourself (*form.*); himself/ herself; itself; yourselves (*form. Sp.; inform./form. elsewhere*); themselves
secar(se) (qu) to dry (oneself)
sección *f.* section
seco/a dry
secretario/a secretary (10)
sector *m.* sector
secuela effect, consequence
secundario/a secondary; **escuela secundaria** high school
sed *f.* thirst; **tener** (*irreg.*) **sed** to be thirsty
sedentario/a sedentary
segmento segment
seguido/a one after the other
seguir (i, i) (g) to follow (4); to continue; to keep on going; **siga derecho/recto** go / keep going straight (*command form. s.*) (5); **siga hasta llegar a...** go / keep going (*command form. s.*) until you get to . . . (5)
según according to
segundo *n.* second

segundo/a second; **segundo piso / segunda planta** third floor (11); **segundo plato** main course (6)
seguridad *f.* safety (9); security (9)
seguro *n.* insurance; **agencia de seguros** insurance agency; **agente** (*m., f.*) **de seguros** insurance agent
seguro/a sure
seis six (1); **seis mil** six thousand (5)
seiscientos/as six hundred (5)
selección *f.* selection; team
seleccionar to select, choose
selva jungle (13)
semana week; **día** (*m.*) **de entre semana** weekday; **fin** (*m.*) **de semana** weekend (3); **¡que tenga(s) un buen fin de semana!** have (*form. s. / inform. s.*) a nice weekend!; **semana pasada** last week; **Semana Santa** Holy Week (7); **una vez a la semana** once a week
sembrar (ie) to sow, plant
semejante similar
semejanza similarity
semifinal *f.* semifinal
senado senate
sencillez *f.* simplicity
sencillo/a simple
senderismo: hacer (*irreg.*) **senderismo** to go hiking
sendero path
sentarse (ie) to sit down (5); **¡siéntate/ siénte(n)se!** sit down / have a seat (*command inform. s. / form. s., pl.*)! (11)
sentido *n.* sense
sentido/a *adj.* heartfelt; **mi/nuestro más sentido pésame** my/our deepest condolences (16)
sentimental emotional
sentimiento emotion, feeling; **te/le/les acompaño/acompañamos en el sentimiento** you're (*inform. s. / form. s. / form. pl.*) in my/our thoughts (16)
sentir (ie, i) to regret; to feel sorry; **cuánto lo siento** I'm very sorry (16); **lo siento** I'm sorry (7); my condolences (7); **sentirse** to feel (*an emotion*)
señal *f.* sign
señalar to mark; to point at
señor (Sr.) *m.* man; Mr.; sir
señora (Sra.) woman; Mrs.; ma'am
señorita (Srta.) young woman; Miss; Ms.
separado/a separated (16)
separar to separate
septiembre *m.* September (1)
sequía drought (13)

ser *m.* being; **ser querido** loved one

ser *irreg.* to be (1); **¿cuál es la fecha de hoy?** what is today's date? (1); **¿de dónde eres/es?** where are you (*inform. s. / form. s.*) from? (1); **¿de qué color es?** what color is it? (2); **eres** you are (*inform. s.*) (1); **es** he/she is / you (*inform. s.*) are (1); **es a la(s)...** it's at . . . (3); **es la una** it's 1:00 (3); **es la una y media/treinta** it's 1:30 (3); **es medianoche** it's midnight (3); **es mediodía** it's noon (3); **es un placer** it's a pleasure (10); **hoy es...** today is . . . (1); **mi nombre/apellido es** my name/last name is (1); **¿qué hora es?** what time is it? (3); **ser aficionado/a (a)** to be a fan (of); **ser bienvenido/a/os/as** to be welcome (11); **si no es molestia** if it's not a bother (6); **somos** we are (1); **son** you (*form. pl.*) / they are; **son diez para las nueve** it's 8:50 (3); **son las doce del día/mediodía** it's noon (3); **son las doce de la noche/medianoche** it's midnight (3); **son las dos y cuarto/quince** it's 2:15 (3); **son las ocho y cincuenta** it's 8:50 (3); **son las nueve menos diez** it's 8:50 (3); **soy** I am (1); **soy de...** I'm from . . . (1); **Ud. es (siempre) bienvenido/a** you (*form. s.*) are always welcome (11)

serie *f.* series

serio/a serious (2)

servicio service (9)

servilleta napkin (6)

servir (i, i) to serve (4); to be useful (4); to work (4); **¿en qué puedo servirle(s)?** how may I help you (*form. s., pl.*)? (10); **para servirle** at your (*form. s.*) service (10); **servir para** to be good at/for (*doing something*) (4); **¡sírvete/sírva(n)se!** help yourself (*command inform. s. / form. s., pl.*)! (11)

sesenta sixty (1)

setecientos/as seven hundred (5)

setenta seventy (1)

sexo sex

shorts *m. pl.* shorts

si if; **si no es molestia** if it's not a bother (6)

sí yes (1); **¡claro que sí!** *interj.* sure, no problem, of course! (6); **sí, gracias** yes, please (5); **sí, se puede** yes, we can / yes, it can be done (12)

siempre always (3); **Ud. es (siempre) bienvenido/a** you (*form. s.*) are always welcome (11)

sierra mountain

siete seven (1); **siete mil** seven thousand (5)

siglo century

significado meaning

significar (qu) to mean; to signify

siguiente following

silla chair (1)

sillón *m.* armchair (11)

simbólico/a symbolic

símbolo symbol

simpático/a nice (2)

simular to simulate

simultáneo/a simultaneous

sin without (7); **organización** (*f.*) **sin fines de lucro** nonprofit organization (15); **sin duda (alguna)** without (any) doubt (14); **sin hogar** homeless; **sin igual** unequaled; **sin importar** regardless of; **sin saber** without knowing (16)

sincero/a sincere (2)

sinfónica symphony

singular *m. gram.* singular

sino (but) rather; **sino que** *conj.* but (rather)

sinónimo synonym

síntoma *m.* symptom (12)

sistema *m.* system (13); **Sistema de Posicionamiento Global (SPG)** Global Positioning System (GPS)

sitio site; place; **sitio web** website

situación *f.* situation (13)

situado/a located

SMS *m.* text messaging (*abbrev. for Short Message Service*)

snorkel *m.* snorkeling (9); **hacer** (*irreg.*) **snorkel** to go snorkeling (9)

snowboard *m.* snowboard

sobre *prep.* about (7); on, above (7); on top of; over

sobremesa after-dinner conversation

sobresaliente outstanding

sobresalir (*like* **salir**) to stand out

sobrevivir to survive

sobrino/a nephew/niece (4)

social social; **problema** (*m.*) **social** social problem (15); **red** (*f.*) **social** social network; **trabajador(a) social** social worker (10)

sociedad *f.* society

socio/a member; partner

socioeconómico/a socioeconomic

sociología sociology

sociólogo/a sociologist (4)

sofá *m.* sofa (11)

sofisticado/a sophisticated

sol *m.* sun; **hace (mucho) sol** it's (very) sunny (9); **tomar el sol** to sunbathe (9); **quemadura de sol** sunburn (9)

solar solar; **bloqueador** (*m.*) **solar** sunscreen (9); **panel** (*m.*) **solar** solar panel

soldado soldier

soleado/a sunny

soledad *f.* solitude; loneliness

solemnidad *f.* solemnity

soler (ue) to tend (*to do something*)

solicitar (empleo / trabajo) to apply for (a job) (10)

sólido/a solid

solista *m., f.* soloist

solo *adv.* only

solo/a *adj.* alone (2)

soltar (ue) to let loose

soltero/a single (*not married*) (16)

solución *f.* solution

solucionar to solve, resolve

sombrero hat (8)

sombrilla parasol

someter to submit

sondeo poll

sonido sound

sonoro/a sonorous

sonreír(se) (*like* **reír**) to smile

sonrisa smile

soñar (ue) (con) to dream (about) (3)

sopa soup (6)

soportar to stand

sorprender to surprise

sorprendido/a surprised

sospecha suspicion

sospechoso/a suspect, suspicious

sostenible sustainable (13)

sótano basement (11)

su(s) *poss. adj.* his, her, its, your (*form. sing., pl.*), their (1)

suave soft

subir (a) to go up; to get on (*a vehicle*); to raise; to upload (10); **suba (por esta calle)** go up (this street) (*command form. s.*) (5); **subir de peso** to gain weight (12)

subjuntivo *gram.* subjunctive

subrayar to underline

subyacer (zc) to underlie

suceder to happen; to occur

sucesión *f.* succession

sucio/a dirty (2)

Sudáfrica South Africa

sudafricano/a *n., adj.* South African

Sudamérica South America

sudamericano/a *n., adj.* South American

sueco/a *n.* Swede; *adj.* Swedish

suegro/a father-in-law / mother-in-law (4)

sueldo salary

suelo floor; **lavar el suelo** to wash the floor (11)

sueño dream; **tener** (*irreg.*) **sueño** to be sleepy

suerte *f.* luck; **¡buena suerte!** good luck! (12); best of luck! (12); **dar** (*irreg.*) **buena suerte** to bring good luck; **te/le(s) deseo mucha suerte** I wish you (*sing./pl.*) well., I wish you (*sing./pl.*) lots of luck. (12); **¡mucha suerte!** good luck! (12); best of luck! (12); **¡suerte (con todo)!** good luck (with everything)! (12)

suéter *m.* sweater (8)

suficiente enough

sufrimiento suffering

sufrir (de) to suffer (from) (12)

sugerencia suggestion

sugerir (ie, i) to suggest

sujetador *m.* bra (8)

sujeto *gram.* subject

sumar to add

sumergir (j) to immerse, submerge

suministrar to supply, provide

suministro supply

suntuoso/a sumptuous, luxurious

súper *m.* supermarket (2)

superficie *f.* surface

supermercado supermarket (2)

superstición *f.* superstition

supervisar to supervise

suponer(se) (*like* **poner**) (*p.p.* **supuesto**) to suppose

supremo/a supreme; **Corte** (*f.*) **Suprema** Supreme Court

suprimir to delete, erase

supuesto: ¡por supuesto! sure, no problem, of course! (6)

sur *m.* south

sureño/a southern

surfear to surf (12)

surfista *m., f.* surfer

surrealista *adj. m., f.* surreal

suscripción *f.* subscription

suspender to suspend

suspenso suspense

sustantivo *gram.* noun

suyo/a(s) *poss. adj.* your (*form.*); his, her, its, their; *poss. pron.* (of) your, his, her, it, their; (of) yours (*form.*), hers, its, theirs

T

tabla table, chart

tableta tablet (10)

tachar to cross out

tacones (*m. pl.*) **(altos)** high-heeled shoes (8)

tailandés (pl. **tailandeses**), **tailandesa** *n., adj.* Thai

tal such, such a; **con tal de que** *conj.* provided that; **¿qué tal?** how are you? (1); **tal como** just as; **tal vez** maybe, perhaps (14)

tala de árboles tree cutting (13)

talar to cut down

talento talent; **agencia de talentos** talent agency

talentoso/a talented

talla size (*clothing*) (8)

taller *m.* workshop

tamal *m.* tamale

tamaño size

también also (1)

tampoco neither, not either

tan *adv.* so; as; **tan... como** as . . . as; **tan pronto como** as soon as

tanto/a *adj.* as much, so much; such a; *pl.* so many; as many; **tanto/a(s)... como** as much/many . . . as; **tanto como** as much as

tapar to cover

tapir *m.* tapir (*large mammal of C.A. and S.A.*)

taquillero/a: una película taquillera box-office success (*film*)

tarahumara *n., adj. m., f.* Tarahumara (see **rarámuri**)

tardar to delay; to be late

tarde *f.* afternoon; *adv.* late; **buenas tardes** good afternoon (1); **de la tarde** in the afternoon/evening (3); **por la tarde** in the afternoon/ evening (3); **¡que tenga(s) una buena tarde!** have (*form. s. / inform. s.*) a nice afternoon!

tarea homework (1)

tarjeta card (7); **tarjeta de memoria** memory card

tasa rate; **tasa de natalidad** birthrate

taxi *m.* taxi (5)

taxonómico/a taxonomical

taza coffee cup (6); measuring cup (6)

te *d.o. pron.* you (*inform. s.*) (6); *i.o. pron.* to/for you (*inform. s.*) (7); *refl. pron.* yourself (*inform. s.*); **¿Cómo te llamas?** What's your name? (1); **quiero presentarte a...** I'd like you (*inform. s.*) to meet . . . (10); **te acompaño/acompañamos en el dolor** I'm/we're with you in your time of pain (16); **te acompaño/ acompañamos en el sentimiento** you're in my/our thoughts (16); **¿te gusta(n) + noun(s)?** do you (*inform.*) like + *noun(s)*? (2); **te/le(s) deseo mucha suerte** I wish you (*sing./pl.*) well., I wish you (*sing./pl.*) lots of luck. (12); **te agradezco por** I appreciate that you / I thank you for

(5); **te doy/damos el pésame** my/our condolences (16); **te felicito/ felicitamos** I/we congratulate you (7); **¿te gustaría + inf.?** would you like (*to do something*)? (9)

té *m.* tea

teatro theater (5); **obra de teatro** play (14)

techo roof (11)

teclado keyboard (10)

técnico/a *n.* technician; *adj.* technical

tecnología technology

tecnológico/a technological

tejo *Colombian sport played by throwing a metal plate or disk at a target to try to hit paper triangles filled with gunpowder*

tela cloth, fabric

telecomunicaciones *f. pl.* telecommunication

telefónico/a *adj.* telephone

teléfono (móvil) (cellular) telephone **¿cuál es tu número de teléfono?** what is your phone number? (1); **hablar por teléfono** to talk on the phone (3)

telenovela soap opera

tele-secundaria: escuela tele-secundaria distance high school

televisión *f.* television (*medium*); **mirar la televisión** to watch television (3)

televisor *m.* television set (11)

temático/a themed

temer to fear

temperatura temperature (12)

templado/a temperate

temporada season

temprano *adv.* early

tendedero clothesline (11)

tendencia tendency; trend

tenedor *m.* fork (6)

tener *irreg.* to have (1); **¿cuántos años tiene(s)?** how old are you (*form. s. / inform. s.*)? (2); **no tener razón** to be wrong; **¡que tenga(s) un buen día** have (*form. s. / inform. s.*) a nice day!; **¡que tenga(s) un buen fin de semana!** have (*form. s. / inform. s.*) a nice weekend!; **¡que tenga(s) una buena tarde!** have (*form. s. / inform. s.*) a nice afternoon!; **tenemos** we have (1); **tenéis** you have (*inform. pl.*) (Sp.) (1); **tener alergia a** to be allergic to; **tener buen aspecto** to look good; **tener buena/mala pinta** to have a good/bad appearance; **tener calor** to be hot (2); **tener celos** to be jealous; **tener éxito** to be successful (12); **tener fama de** to be known for; **tener fiebre** to have a temperature/fever; **tener ganas de + inf.** to feel like (*doing something*) (6); **tener hambre** to be hungry (2); **tener miedo** to be afraid; **tener (mucho) frío** to be (very) cold (2); **tener náuseas** to feel nauseous; **tener prisa** to be in a hurry; **tener que + inf.** to have (*to do something*) (4); **tener razón** to be right; **tener sed** to be thirsty (2); **tener sueño** to be sleepy; **tener tos** to have a cough; **tener voz y voto** to have a say; **tengo** I have (1); **tengo + number + años** I'm + *number* + years old (2); **tiene** he/she has; you (*form s.*) have (1); **tienen** they/you (*form. pl.*) have (1); **tienes** you (*inform. s.*) have (1); **¿tiene(s) ganas de + n./inf.?** do you (*form. s. / inform. s.*) feel like . . . ? (6)

tenis *m.* tennis (12); *pl.* tennis shoes (8); **jugar (ue) (gu) tenis** to play tennis (12)

tenista *m., f.* tennis player

tequila *m.* tequila

tequilero/a *adj.* tequila

tercer(o/a) third; **tercera planta / tercer piso** fourth floor (11)

terminación *f. gram.* ending

terminar to finish

término term

termita termite

terraza terrace (11)

terreno land

territorio territory

terror *m.* terror; **película de terror** horror movie

terrorismo terrorism

testamento will

testigo *m., f.* witness

textear to text

textil *m.* textile

texto text; text message; **libro de texto** textbook

textura texture

tez *f.* complexion (2)

ti *obj. of prep.* you (*inform. s.*); **para ti** for you (*inform. s.*) (7)

tibio/a lukewarm

tico/a *n., adj.* Costa Rican (*sl.*)

tiempo time; weather; **¿cuánto tiempo hace que + present tense?** how long have you (*done / been doing something*)? (13); **¿cuánto tiempo lleva(s) + -ndo form?** how long have you (*form. s. / inform. s.*) (*done / been doing something*)? (13); **hace (muy) buen/mal tiempo** the weather's (very) good/bad (9); **mucho tiempo** a long time (13);

¿qué tiempo hace? what's the weather like? (9); **tiempo libre** free time

tienda store (5); **tienda de abarrotes** grocery store; **tienda de abastos** grocery store

tierra earth (13); soil (13); **planeta** (*m.*) **Tierra** planet Earth (13)

tímido/a shy (2)

tinta ink

tinto: vino tinto red wine (6)

tío/a uncle/aunt (4); *pl.* uncles and aunts

típico/a typical

tipo type, kind

tirado/a stranded

tiranía tyranny (15)

tirar to throw (away) (8); **no tirar basura** no littering (*lit. do not throw trash*) (9)

tirolina zip line

titulado/a graduate

titular *m.* headline

título title

tobillo ankle; **torcerse (ue) (z, c) el tobillo** to sprain one's ankle

tocar (qu) to touch; **tocar un instrumento** to play an instrument

todavía still; yet

todo *n.* everything; everyone (3); **todos/ as** all of us/them/you (3); **todo lo demás** everything else

todo/a *adj.* all (3); every; **Día** (*m.*) **de Todos los Santos** All Saints' Day; **toda la noche** all night (3); **toda la vida** all my/your/his/her life; all our/ your/their lives (13); **todo el día** all day (3); **todos los días** every day (3); **todas las noches** every night (3)

tolerancia tolerance

tolerante tolerant (16)

tomar to take (3); to drink (3); **tomar el sol** to sunbathe (9); **tomar los datos** to take down information (*medical intake*) (12); **tomar una decisión** to make a decision

tomate *m.* tomato (6)

tonto/a silly, foolish

toparse con to run into

topografía topography

torcerse (ue) (z) (el tobillo) to sprain (one's ankle)

torero/a bullfighter

tormenta storm (13)

toronja grapefruit (*L.Am.*)

torpe clumsy

torre *f.* tower (5)

torso torso (8)

torta cake (6); sandwich (*Mex.*)

tortilla potato omelet (*Sp.*); *thin unleavened cornmeal or flour pancake* (*Mex.*)

tortuga turtle (13)

tortuguero/a *adj.* turtle

tos *f.* cough (12); **jarabe** (*m.*) **para la tos** cough syrup; **tener** (*irreg.*) **tos** to have a cough

tostado/a toasted; **pan** (*m.*) **tostado** toast

tostar (ue) to toast

total total; **en total** in all

tour tour (9)

tóxico/a toxic

trabajador(a) *n.* worker; **trabajador(a) social** social worker (10); *adj.* hard-working (2)

trabajar to work (3)

trabajo work (2); job; **conseguir** (*like* **seguir**) **un trabajo** to get a job/ position (10); **solicitar un trabajo** to apply for a job (10)

tradición *f.* tradition

tradicional traditional

traducción *f.* translation

traducir (*like* **conducir**) to translate

traer *irreg.* to bring (5); to carry (5)

tráfico traffic (5)

tragedia tragedy

traje *m.* suit (8); formal gown (8); **traje de cóctel** cocktail dress; **traje de baño** bathing suit (8)

trámite *m.* step; procedure

tranquilidad *f.* tranquility, peace, calm (5)

tranquilo/a tranquil (2), peaceful, calm

transbordador *m.* ferry

transecuatoriano/a trans-equatorial

transformar(se) to transform, change into

transición *f.* transition

tránsito traffic

transmitir to transmit

transnacional transnational

transparencia transparency

transportar to transport

transporte *m.* transportation (5); **medio/ modo de transporte** means of transportation; **transporte público** public transportation (5)

tras *prep.* after

trasfondo background

trasladarse to move

traslado transfer

tratamiento treatment

tratar de + inf. to try to (*do something*)

trato agreement; contract

traumático/a traumatic

través: a través de across; through; throughout

trece thirteen (1)

treinta thirty (1); **es la una y treinta** it's 1:30 (3); **y treinta** half past (*the hour*); **treinta y uno** thirty one (1)

tremendo/a tremendous

tren *m.* train (9)

tres (1) three; **tres mil** three thousand (5)

trescientos/as three hundred (5)

tribunal *m.* court (10)

tributo tribute

trigo wheat

trigueño/a light brown (2)

trilingüe trilingual

triple doble ve www (*in an email address*) (1)

triplicarse (qu) to triple

triste sad (2)

tristeza sadness

triunfo triumph

tropical tropical; **bosque** (*m.*) **tropical** rainforest (9)

trozo piece

tú *sub. pron.* you (*inform. s.*); **¿y tú?** and you (*inform. s.*)? (1)

tu(s) *poss. adj.* your (*inform. s.*) (1)

tumba tomb

turbulento/a turbulent

turismo tourism; **turismo de aventura** adventure tourism (9)

turista *m., f.* tourist

turístico/a *adj.* tourist

turnarse to take turns

turquesa turquoise

tuyo/a(s) *poss. adj.* your (*inform. s.*); *poss. pron.* of yours (*inform. s.*)

tzotzil *m. Mayan language spoken by the Tzotzil people*

U

u or (*used instead of* **o** *before words beginning with* **o** *or* **ho**) (1)

ubicación *f.* placement; location

último/a last, final; **la última moda** the latest fashion; **la última vez** the last time

ultramaratón *m.* ultra marathon

ultramaratonista *m., f.* ultra marathon runner

umbral *m.* threshold, beginning

un, uno/a one; *ind. art.* a, an (1); *pl.* some (1); **es la una** it's 1:00 (3); **es la una y media/treinta** it's 1:30 (3); **una vez** once (3); **una vez a la semana** once a week

único/a only; unique; **hijo/a único/a** only child

unidad *f.* unit

unido/a united; **Estados** (*pl.*) **Unidos** United States; **Naciones** (*f. pl.*) **Unidas** United Nations

unión *f.* union

unirse (a) to join

universidad *f.* university (1)

universitario/a *adj.* (of the) university; **recinto universitario** campus

urbanismo urban/city planning (1)

urbano/a urban (5)

urgente urgent

uruguayo/a *n., adj.* Uruguayan (2)

usar to use (3); to wear (8); **usar la computadora** to use the computer (3)

USB: memoria USB memory card/stick (10)

uso use

usted (Ud.) *sub. pron.* you (*form. s.*); *obj.* (*of prep.*) you (*form. s.*); **¡le damos la bienvenida a Ud.!** we welcome you (*form. s.*)! (11); **Ud. es (siempre) bienvenido/a** you are always welcome (11); **¿y usted?** and you? (1)

ustedes (Uds.) *sub. pron.* you (*form. pl.*); *obj.* (*of prep.*) you (*form. pl.*)

usuario/a user

útil useful

utilidad *f.* usefulness, utility

utilizar (c) to use

uva grape

V

vacaciones *f. pl.* vacation

vacante *m.* opening

vainilla vanilla

valer *irreg.* to be worth; **(no) vale la pena** it's (not) worth it; **vale** OK (*Sp.*)

válido/a valid

valor *m.* value, worth

valorar to value, appreciate

vals *m.* waltz

vampírico/a *adj.* vampire

variación *f.* variation

variar (varío) to vary

variedad *f.* variety

varios/as several

varón *m.* son; boy; male

vasco/a *n., adj.* Basque; **País** (*m.*) **Vasco** Basque Country

vaso (drinking) glass (6)

ve: doble ve, doble ve, doble ve www (*in an email address*) (1); **triple doble ve www** (*in an email address*) (1)

vecindario neighborhood

vecino/a neighbor

vegetación *f.* vegetation

vegetariano/a vegetarian

vehículo vehicle

veinte twenty (1)

veinticinco twenty-five (1)

veinticuatro twenty-four (1)

veintidós twenty-two (1)

veintinueve twenty-nine (1)

veintiocho twenty-eight (1)

veintiséis twenty-six (1)

veintisiete twenty-seven (1)

veintitrés twenty-three (1)

veintiún, veintiuno/a twenty-one (1)

vela candle

velocidad *f.* speed

vencer (z) to defeat; to overcome

vendedor(a) vendor

vender to sell

veneno poison

venezolano/a *n., adj.* Venezuelan (2)

venir *irreg.* to come (5)

venta sale

ventaja advantage

ventana window (1)

ver *irreg.* (*p.p.* **visto**) to see (3); **a ver** let's see; **verse mal** to look bad; **ver la televisión** to watch television (3)

verano summer (1); **Juegos Olímpicos de Verano** Summer Olympics

verdad *f.* truth; **de verdad** really

verdadero/a true

verde green (2); **color** (*m.*) **verde oliva** olive green

verdulería greengrocer; vegetable market (6)

verdura vegetable (6)

vergüenza shame; embarrassment; **¡qué poca vergüenza!** what nerve!; **¡qué vergüenza!** how embarrassing!

vestido dress (8)

vestir (i, i) to dress (8); **vestirse** to get dressed (5)

vez *f.* (*pl.* **veces**) time (3); **a veces** sometimes, at times (3); **alguna vez** once; ever; **cada vez más** increasingly; **de vez en cuando** once in a while; **dos veces** twice (3); **la última vez** the last time; **otra vez** again; **por primera vez** the first time; **tal vez** maybe, perhaps (14); **una vez** once (3); **una vez a la semana** once a week

viajar to travel (3)

viaje *m.* trip (9); **agencia de viajes** travel agency; **agente** (*m., f.*) **de viajes** travel agent; **ir de viaje** to go on a trip (9)

vicepresidente/a vice president

vida life; **llevar una vida activa** to lead an active life; **¡pura vida!** cool! (8); **toda la vida** all my/your/his/her life; all our/your/their lives (13)

videojuego videogame; **jugar (ue) (gu) los videojuegos** to play videogames (2)

videollamada video call

viejo/a old (2)

viento wind; **hace (mucho) viento** it's (very) windy (9)

viernes *m.* Friday (3)

vinagre *m.* vinegar (6)

vínculo tie, link

vino (blanco, tinto) (white, red) wine (6)

violación *f.* violation; **violación de los derechos del autor** copyright violation

violar to violate; **violar la ley** to break the law; **violar los derechos humanos** to violate human rights

violencia violence (15)

violento/a violent

virgen *m., f.* virgin

virus virus (12)

visión *f.* vision

visita visit (9)

visitante *m., f.* visitor

visitar to visit (9)

vista view (9); **con vista a** with a view of; **dejar a la vista** to leave within view

visto/a (*p.p. of* **ver**) seen

vitamina vitamin

viudo/a widowed (16); widower/widow (16)

vivienda housing

vivir to live (3); **¿dónde vive(s)?** where do you (*form. s. / inform. s.*) live? (1); **vivo en** + *place* I live in + *place* (1)

vocabulario vocabulary

vocalista *m., f.* vocalist

volante (*m., f.*) **ofensivo/a** offensive midfielder

volar (ue) to fly

volcán *m.* volcano

voleibol *m.* volleyball (12); **jugar (ue) (gu) voleibol** to play volleyball (12)

voluminoso/a voluminous

voluntariado volunteerism

voluntario volunteer; **hacerse** (*irreg.*) **de voluntario** to volunteer

volver (ue) (*p.p.* **vuelto**) to return (3)

vomitar to vomit (12)

vómito *n.* vomit

vomitona *adj.* vomiting

vorazmente voraciously

vos *sub. pron.* you (*inform. s. C.A., S.A.*)

vosotros/as *sub. pron.* you (*inform. pl. Sp.*); *obj. of prep.* you (*inform. pl. Sp.*)

votar to vote (15)

voto vote; **tener** (*irreg.*) **voz y voto** to have a say

voz *f.* (*pl.* **voces**) voice; **en voz alta** out loud; **tener** (*irreg.*) **voz y voto** to have a say

vuelo flight (9)

vuelta return; **darle** (*irreg.*) **vuelta a** to think about (*something*)

vuelto/a (*p.p. of* **volver**) returned

vuestro/a(s) *poss. adj.* your (*inform. pl. Sp.*) (1); *poss. pron.* your, of yours (*inform. pl. Sp.*)

W

web *m.* web; **navegador web** web browser; **página web** web page (1); **sitio web** website

WIFI *m.* WiFi

Y

y and (**e** *before words beginning with* **i-** *or* **hi-**) (1); **¿y tú?** and you (*inform. s.*)? (1); **¿y usted?** and you (*form. s.*)? (1)

ya already; **ya no** no longer; **ya que** *conj.* since

yate *m.* yacht

yerno son-in-law (4)

yo *sub. pron.* I; **que yo sepa** as far as I know

yoga *m.* yoga; **practicar (qu) el yoga** to do yoga (3)

yogur *m.* yogurt (6)

York: Nueva York New York

yuca cassava, manioc

Z

zanahoria carrot

zapatería shoe store

zapatilla tennis shoe

zapato shoe (8)

zapoteca Zapotec

zona area; zone

zumo juice (*Sp.*)

INDEX

Note: There are two parts to this index. The Grammar Topics include a vocabulary list. The Cultural Topics index includes references to Spanish speaking nations as well as cultural features.

GRAMMAR TOPICS

a
   to clarify who is affected by unplanned events, 277
   emphasizing **gustar** and similar verbs, 215
   with indirect objects, 211
abbreviated words, 40
abrir, past participle, 496
adjective clauses, 500
   subjunctive in, 500
adjectives. *See also* descriptive adjectives
   agreement in gender and number, 49–50
   cognates, 44
   colors, 44
   demonstrative, 90, 484–485
   with **estar** or **ser**, 53–54
   hair color, eye color, and complexion, 45, 47
   opposite, 44
   placement, 482–483
      changes in meaning, 483
   possessive, 27–28
   ser and **estar** with, 149–150, 489
   synonyms for frequently used, 44
-ado and **-ido** endings, 332
advice
   literal translations versus fixed expressions, 6
   using subjunctive to convey, 498
afeitarse, 144–145
age, 38
ago, 178
al, 40
algo, 155
alguien, 155
alguno/a/os/as, 155
alphabet, Spanish, 10, 10n
   i latina and **y griega**, 10
   ll and **rr**, 10n
   w, 10
andar, uses, 342
años, expressing age, 38
antojarse, 276
aprender
   past participle, 332
   past subjunctive, 419

preterite tense, 177
   tú commands, 305
aquel/aquella/aquellos/aquellas, 484–485
aquí / allí, 131
articles
   definite, 18
   gender, 482
   indefinite, 18
asistir, present tense, 82
asking questions. *See also* speaking strategies
   covering details in narration, 222
   inviting someone to do something, 167
   offering invitations, 96
   question words, 54, 496
   what time events occur, 69
   where someone is going, 40
auxiliary verbs. *See also* **haber**
   estar in present progressive, 151, 341–342, 368
   haber, 331
ayudar, present participle, 341

bailar, present tense, 82
bañarse, 144–145
to become, 152
bienvenidos(as), 321
body, parts of, 231
bueno, 109
   placement, 482
buscar, present subjunctive, 371

caerse, 276
calendars, 76
capitalization
   months, 14
   months and days of the week, 76
cenar
   present progressive, 341
   present tense, 81, 82
-ción/-sión noun endings, 482
cognates
   adjectives, 44
   o → ue cognate pairs, 88
   true and false, 11
colors, 44
comer
   imperfect, 206
   past participle, 331

present progressive, 341
present subjunctive, 371
present tense, 81, 82
tú commands, 305
Ud./Uds. commands, 309
command forms, 305. *See also* **tú**
    commands; **Ud./Uds.** commands
    expressing rules and
        regulations, 261
    formal and informal
        compared, 310
    formal commands, 309–310
    making polite invitations, 323
    nosotros/as commands, 497
    with object pronouns,
        337–338, 497
    "opposite" vowel in, 305, 306,
        307, 308
    "opposite" vowel in formal
        commands, 310
    subjunctive compared, 373
    when they are used, 305
¡Cómo no! / como no, 166
comparatives, 109
    of equality, 485
    más de with numerals, 485
comprar, present subjunctive, 371
conditional perfect tense, 503
conditional tense, 443–444
    irregular forms, 503
congratulations, 200
conjecture, future, to express, 424
conocer
    irregular **yo** form, 141, 487
        subjunctive forms, 499
    preterite and imperfect forms,
        492–493
    uses, 141, 487
contigo / conmigo, 215
contingency, expressions of, 501
contractions, **al**, 40
contrary-to-fact situations,
        446–447
    regional variations, 447
correr, present tense, 82
creer, preterite, 490
cuando, in time clauses, 501
¿Cuántos/as?, 15
cubrir, past participle, 496

daily routines, 72–74
dar
    indirect object pronouns
        with, 211
    la bienvenida a, 321
    past subjunctive, 419
    present subjunctive, 371
    preterite, 490
    verb ending, 120
dates, 16
days of the week, 76

deber, declining politely with, 167
debería + *infinitive*, 385
decir
    conditional tense, 443
    future, 425
    past participle, 332
    present subjunctive, 393
    present tense, 112–113, 140
    preterite tense, 181
    tú commands, 306
decir que
    present subjunctive with, 372
    present tense, 372
definite articles, 18
    plural, 21
    with superlatives, 486
demonstrative adjectives, 90,
        484–485
    aquel/aquella/aquellos/aquellas,
        484–485
demonstrative pronouns, 485
descriptive adjectives, 43–44
    colors, 44
    placement, 482–483
    synonyms for frequently
        used, 44
de to express possession, 491
directions, asking for and
        giving, 131
direct object pronouns,
        184–185
    commands with, 337–338
    double object pronouns,
        493–494
    forms, 185
    placement with commands, 310
    placement with infinitives, 246
    present perfect, 364
    present progressive, 368
direct objects, 184–185
doler, 359
dormir
    present subjunctive, 371
    preterite tense, 236
double object pronouns,
        493–494
    present progressive with, 498

e → ei changes, 116–117
e → i changes, 112–113, 117
    common verbs listed, 487
e → ie changes, 117
    common verbs listed, 487
él, written accent mark, 28
él/ella. *See* subject pronouns
el, la, los, las. *See* definite articles
empezar (a), present tense, 117
empezar, preterite tense, 178
en, 215
    for transportation, 267
en caso de que, 400

entre, 490
esa, ese, esto, 485
escribir
    past participle, 332
    present progressive, 341
    preterite tense, 177
    tú commands, 305
ese/esa/esos/esas, 90
español, meanings of, 47
esperar, present subjunctive
        with, 372
estar
    with adjectives, 149–150
    compared to **ser**, 54, 120, 149–150
    formation, 53, 120
    forms, 53
    future tense, 424
    for greetings, 7
    for location, 120, 149, 150
        of person or thing, 489
    past subjunctive, 419
    present progressive, 151
    in present progressive, 341–342, 368
    preterite tense, 181
    uses, 54, 120, 149–150
    with verbs ending in **-ndo**, 151
    in weather expressions, 263
    weather expressions with, 263
este/esta/estos/estas, 90
esto, as neuter form, 485
estudiar, present progressive, 341
excepto, 490
extremely, 486

false cognates, 11
feminine and masculine (gender),
        18–19
first, second, etc. *See* ordinal numbers
food and meals, 73–74, 94
    ordering in a restaurant, 173
    setting the table, 173
    tortillas, 186
    vocabulary, 168–171, 173
formal speech, 5
    addressing those whose names you do
        not know, 322
    asking for directions, 131
    formal and informal registers, 323
    introductions, 4
    object pronouns used, 185
    subject pronouns, 24
    Ud./Uds. commands, 309–310
    use of **Ud./Uds.**, 309n
    verb forms, 53
frequency expressions, present tense, 98
future, **ir** + **a** expressing, 59
future perfect tense, 503
future tense, 424–425
    forms, 424
    irregular verb forms, 503
    uses, 424

gender, 18–19
    adjectives, 49–50
    indefinite articles, 18
    noun endings, 482
good-byes, 9
    wishing someone well, 352
good luck, wishing someone, 352
gran(de), 483
greetings, 2–3
    asking people how they are, 7
gustar, 42
    emphasis with **a**, 215
    indirect object pronouns with, 211
    infinitives with, 58–59
    object pronouns with, 57
    preterite, uses, 492
    singular and plural, 56–57
    uses, 483–484
    verbs similar to, 215, 359
te/le gustaría + infinitive, 257

haber
    in conditional perfect tense, 503
    conditional tense,
        443, 444
    future, 425
    imperfect, 206
    past perfect subjunctive, 502
    in past perfect tense, 497
    present perfect auxiliary
        forms, 331
    present perfect subjunctive, 499
    present subjunctive, 499
    special stem for subjunctive, 499
hablar
    imperfect, 206
    past subjunctive, 419
    tú commands, 305
hace + time expression, 178, 386
    ¿Cuánto tiempo hace que...?, 386
hacer
    conditional tense, 443
    future, 425
    past participle, 332
    present tense, 140
    preterite tense, 181
    subjunctive, 393
    tú commands, 306
    weather expressions with, 263
hacerse, 495
hay, 15
    conditional, 444
    imperfect, 206
    present perfect, 332
    sí clauses, 446
hay que + *infinitive*, 353
no hay que + *infinitive*, 353
health and medical care,
        359, 361
his, hers, 491
hubiera with **sí** clauses, 447

identity, 120
imperfect, past progressive, 497
imperfect tense, 205–207
    preterite versus, 207, 239–241
    uses, 240, 241
impersonal expressions, expressing doubt
        and uncertainty, 395–396
impersonal **se**, 271
indefinite and negative expressions, 155
indefinite articles, 18
    plural, 21
indirect object pronouns, 210–211
    commands with, 337–338
    double object pronouns, 493–494
    forms, 210
    placement with commands, 310
    placement with infinitives, 246
    se for unplanned events, 276–277
indirect objects, 211
infinitive
    after a preposition, 489
    defined, 58
    expressing rules and regulations, 258
informal speech, 5
    formal and informal registers, 323
    informal (**tú**) commands,
        305–307
    introductions, 4
    object pronouns used, 185
    subject pronouns, 24
    verb forms, 53
-ing, 151
    compared to **-ndo** ending, 341
introductions, 4
    introducing people to each other, 293
    introducing yourself, 101
invitations, 96
    making polite invitations, 323
    offering and responding to, 166, 167
    tú and **Ud.** forms, 167
ir + **a**
    infinitives with, 59
    future use, 424
ir
    asking where someone is going, 40
    conditional tense, 443
    forms, 53
    imperfect tense, 206
    negative **tú** commands, 307
    past subjunctive, 419
    present subjunctive, 393
    present tense, 53
    preterite tense, 181
    tú commands, 306
irregular verbs
    negative formal commands, 310
    negative **tú** commands, 307
    positive **tú** commands, 306
    preterite, 181–182
    subjunctive, 393, 499
    tú commands, 306

irregular **yo** verbs, 120, 139–141
-ísimo/a, 486

jugar, 484
    preterite tense, 178
to know. See also **conocer**; **saber**
    expressing what you do and don't know,
        437–438

la, las. *See* definite articles
lavar, past participle, 331
leavetakings, 9
leer
    present progressive, 341
    present tense, 78
    preterite, 490
le, les, 494
let's, 497
likes and dislikes, expressing, 42
    with **gustar**, 56–57, 483–484
    with **quisiera**, 413
limpiar, commands and object pronouns
        with, 338
llamarse, 5
llegar, preterite tense, 178
llevar
    with time expressions, 386
    uses, 230
lo + *adjective*, 494
location, 120
    directions, asking for and
        giving, 131
    of events (**ser**), 489
    expressions followed by pronouns, 491
    of person or thing (**estar**), 489
    prepositions of, 329
lo, la, 185. *See also* direct object pronouns
lo que, uses, 496
los. *See* definite articles
los, las, 185. *See also* direct object
        pronouns

malo, 109
    placement, 482
-ma noun endings, 482
mantenerse, 354
masculine and feminine (gender),
        18–19
más de (or **menos de**), 485
más / menos, 109
mayor, menor, 109
me, in double object pronouns, 494
medir, 358
mejor and **peor** as superlatives, 486
me, la, les, as indirect object pronouns,
        210–211
me, te, se
    as direct object pronouns, 185
    as reflexive pronouns, 145
mí, 214
mi(s). *See* possessive adjectives

mío, mía, míos, mías, 491
months, 14
morir
    past participle, 332
    preterite tense, 236
most or *least*, 486
mucho(s)/a(s), 483

nada, 155
nadie, 155
-ndo ending, 341–342. *See also* present
        progressive
    with double object pronouns, 498
    with **estar** for present progressive, 151
    written accents with object
        pronouns, 498
negative commands
    informal, 305, 306–307
    object pronouns with, 338
negative expressions, 155
neuter forms of demonstrative
    pronouns, 485
ningún/ninguno/a/os/as, 155
nos, os, se
    as direct object pronouns, 185
    as reflexive pronouns, 145
nosotros/as commands, 497
nosotros/nosotras. *See* subject pronouns
nouns
    gender, 18–19, 482
    plural, 21, 28
    singular, 21, 482
nuestro, nuestra, nuestros, nuestras, 491.
        See also possessive adjectives
numbers, 15
    0-99, 15
    100 to 9.999, 138
    identifying the number of specific
        things, 15
    ordinal, 325, 482
    telephone numbers, 17
    years, 138
nunca, 155

object pronouns
    placement with commands, 307, 310
    placement with infinitives, 246, 493–494
    with present perfect, 364
    present progressive with, 368
oír
    present progressive, 341
    present tense, 140–141
    preterite, 490
ojalá (que), subjunctive with, 372
opinions and beliefs, 436
oprimir, Ud./Uds. commands, 309
ordinal numbers, 325
    placement, 482
origins, 8, 120
o → ue changes, 87, 117
    common verbs with, 484

para, 214–215
    uses, 494
para que, 399
para versus **por**, 266–267
pasar, conditional tense, 443
passive constructions with **ser**, 496
past participles, 332
    additional irregular, 496
    as adjectives, 496
    using to form passive, 496
past perfect subjunctive, 502
    in **sí** clauses, 504
past perfect tense, 497
    formation, 497
past progressive tense, 497
past subjunctive, 419–420
    additional irregular verbs, 502
    present subjunctive versus, 420
    sí clauses with, 446–447
    stem changes in, 502
    uses, 420, 446
past tense, imperfect, 205–206. *See also*
        preterite tense
pedir
    present subjunctive with, 372
    present tense, 113
    preterite tense, 235–236
    tú commands, 305
peinarse, 145
pensar
    present tense, 117
    tú commands, 305
phone numbers, 17
plural
    definite articles, 21
    indefinite articles, 21
    nouns, 21, 28
    two endings, 49–50
pluscuamperfecto (past perfect), 497
pobre, 483
poder
    conditional tense, 443
    formation, 87
    future, 425
    past subjunctive, 419
    present tense, 87
    preterite and imperfect
        forms, 493
polite expressions
    declining politely, 167
    excusing yourself, 226
    making polite invitations, 323
    in professional contexts, 289
poner
    commands and object pronouns
        with, 338
    conditional tense, 443
    future, 425
    past participle, 332
    past subjunctive, 419
    present tense, 140

preterite tense, 181
subjunctive, 393
tú commands, 306
ponerse, expressing *to become*, 152
por
uses, 495
versus **para**, 266–267
porque, verbs used with, 400
possessive adjectives, 27–28
stressed, 491
possessive pronouns,
stressed, 491
practicar, preterite tense, 178
preferences, expressing, 413
prepositions
additional, 490–491
en and **por**, 267
infinitive after, 489
of location, 329
por and **para**, 266–267,
494–495
pronouns after, 214–215,
490–491
present indicative
invitations, 96
irregular **yo** forms, 120, 139–141
plural forms, 81–82
regular verbs, 78
sí clauses, 446–447
singular forms, 78
stem-changing verbs, 87
subjunctive versus, 372, 400
present participles, 341–342
present perfect subjunctive, 499
present perfect tense, 331–333
additional irregular past participles, 496
followed by infinitive, 364
with object pronouns, 364
preterite versus, 333
uses, 333
present progressive, 341–342
with double object pronouns, 498
estar in, 151
object pronouns with, 368
past progressive, 497
present subjunctive, 371–372. *See also*
subjunctive
past subjunctive versus, 420
uses, 420
preterite tense
imperfect versus, 207, 239–241
used together, 492–493
irregular verbs, 181–182
additional forms, 492
-ir verb patterns, 235–236
present perfect versus, 333
regular verbs, 177–178, 490
special stressed endings,
181–182
uses, 240, 241, 492
ver and **dar**, 490

probarse, 232
professions and careers, 101, 295
pronoun preference or omission, 24
pronouns
after prepositions, 214–215
demonstrative, 485
direct object, 184–185
double object, 493–494
indirect object, 210–211
subject, 24
uses and definition, 184
pronunciation
c and **g**, 10n
g, 393
with **-ísimo**, 486
plural endings, 49
stressed vowels, 87, 120
technology words, 298
punctuation, decimals with numbers, 138

¡**Que…!** + adjective or noun, 101, 102
que
never omitted, 495
as relative pronoun, 301
uses, 495
quedar, 232
querer
present subjunctive with, 372
present tense, 116, 117
preterite and imperfect forms, 493
quisiera + *infinitive*, 288
querer que, 372, 399
question words, 54
qué and **quién/quiénes**, 496
quien/quienes, 496
quisiera + *infinitive*, 289
uses, 413
quizá/quizás, 412

reactions, with ¡**Que!**, 102
reciprocal meaning of reflexive verbs, 489
recommendations, present subjunctive
when recommending, 372, 498
reflexive pronouns, 144–146
nos with positive **nosotros/as**
command, 497
placement, 145, 146
tú commands with, 337–338
reflexive verbs, 144–146
additional, 488
additional verbs listed, 488
common, 146
with direct object pronouns, 495
forms, 145
with indirect object pronouns, 495
reciprocal meaning, 489
relative clauses, 499
relative pronouns, **que**, 301
repetir, present tense, 113
romper, past participle, 496
rules and regulations, expressing, 258

saber
  irregular **yo** form, 141, 487
  preterite and imperfect forms, 492–493
  special stem for subjunctive, 499
  uses, 141, 487
salir
  conditional tense, 443
  future, 425
  present perfect, 331
  present progressive, 341
  present tense, 140
  subjunctive, 393
  tú commands, 306
se
  as "catch-all" pronoun, 272
  impersonal, 271
  impersonal actions with, 272
  with indirect object pronouns, 494
  as reflexive pronoun, 145
  reflexive verbs with, 272, 276
  for unplanned events, 276–277
    additional verbs, 495
seasons, 14
seguir
  present tense, 113
  preterite tense, 235–236
  uses, 342
según, 490
ser
  with adjectives, 149–150
  asking where someone is from (origins), 8,
    149, 150
  + **bienvenido/a/os/as**, 321
  compared to **estar**, 54, 120, 149–150
  conditional tense, 443
  formation, 120
  future tense, 424
  imperfect tense, 206
  negative **tú** commands, 307
  in passive constructions, 496
  past subjunctive, 419
  present subjunctive, 393
  present tense, 24
  preterite tense, 181
  with **suyo**, 491
  tú commands, 306, 307
  two meanings in preterite, 181
  uses, 120, 149–150
    location of events, 489
ser necesario, 372
servir
  present tense, 113
  preterite tense, 235–236
shortened forms, 40
sí clauses, 446–447
  past perfect subjunctive, 504
siempre, 155
sin, 215
sin duda (alguna), 412
sobre, 215
some, 21

speaking strategies. *See also* asking
    questions; strategies
  addressing those you do not
    know, 322
  giving advice on healthy living, 353
  answering the phone, 112
  asking about family members, 106
  asking about work, 101
  asking at what time events occur, 69
  asking for repetition, 33
  asking people how they are, 7
  asking someone if they would like to do
    something, 257
  asking where someone is from
    (origins), 8
  asking where someone is going, 40
  being sure of something, 412
  commenting on things and complimenting
    people, 101
  condolences, expressing, 200, 461
  congratulating someone, 200
  contrary-to-fact situations, 447
  conversational "fillers," 100
  declining politely, 167
  expressing opinions, 436
  expressing sympathy and regret, 461
  expressing uncertainty, 412
  expressing what you do/don't know,
    437–438
  getting contact information
    accurately, 12
  getting someone's attention, 67
  good-byes, 9, 352
  how long you've been doing
    something, 386
  introductions, 101, 293
  inviting someone to do
    something, 167
  knowing people's names, 5
  getting used to object pronouns, 246
  talking about the past, 239
  polite expressions, 226, 289
  polite invitations, 323
  describing relationship status, 460
  responding to requests, 166–167
  saying how great something is, 224
  saying what you think someone should
    (not) do, 385
  saying you had a good time, 198
  using slang, 224
  super- in casual speech, 486
  telephone interactions, 291
  terms of endearment, 464
  thanking someone, 129, 291
  Ud. versus **tú**, 4
  welcoming people, 321
  wishing someone good luck, 352
spelling, asking for repetition, 33
spelling-change verbs
  in present participle, 341
  tú commands, 305, 310

stem, definition, 78
stem-changing verbs
    adding **g** in **yo** form, 140, 141
    as "almost regular," 116
    e → ei, 116–117
    e → i, 112–113, 117, 487
        in subjunctive, 499
    e → ie, 116–117, 487
    -ir verb patterns, 235–236
    o → u, in subjunctive, 499
    o → ue, 117
    o → ue type, 87, 484
    past subjunctive, 419
        common verbs, 502
    poder, 87
    in present subjunctive, 499
    present tense, 87, 112–113
    in preterite, 181–182
    reflexive, 145
    stressed and unstressed, 87
    tú commands, 305, 306, 310
    verbs with short stems, 490
strategies. *See also* speaking strategies
    background description and
        details, 252
    brainstorming, 125
    brainstorming with a partner, 347
    cause and effect, 284
    checking your work, 125
    comparing and contrasting, 479
    dealing with irregular verbs, 140
    drawing to organize ideas, 160
    flow in writing, 456
    gathering vocabulary, 192
    listening closely for details, 105
    listening for the main idea, 75
    matching definitions and words, 104
    not translating fixed expressions
        literally, 6
    online audiences, 62
    online profiles, 62
    outlining, 406
    using the past subjunctive, 420
    persuasive paragraphs, 379
    question-asking for richer
        narration, 220
    regional differences in speech, 159
    using a Spanish-English dictionary, 431
    supporting details, 316
    timelines, 95
stressed possessives, 491
su(s). *See* possessive adjectives
subject pronouns, 24
    use of written accent marks, 28
    use or omission of, 24, 53
subjects, omission or inclusion, 53
subjunctive
    commands compared, 373
    expressing disbelief and uncertainty,
        395–396
    in adjective clauses, 500

expressing emotion, 500–501
expressing purpose and contingency,
        399–400
    additional expressions, 501
    in time clauses, 501
expressing volition, 371–372
    additional expressions, 498
irregular verbs, 393
    additional verbs, 499
past perfect subjunctive, 502
past subjunctive, 502
    versus present subjunctive, 420
present indicative versus,
        372, 400
present perfect subjunctive, 499
regular verbs, 371
uses, 401, 446
super- in casual speech, 486
superlatives, 486
    definite articles with, 486
    -ísimo/a, 486
    super- in casual speech, 486
suyo, suya, suyos, suyas, 491

-tad/-dad noun endings, 482
tal vez, 412
tan + *adjective* + **como**, 485
tanto + *noun* + **como**, 485
te, as reflexive pronoun, 145
telephone
    making and answering
        calls, 291
    phone numbers, 17
telling time, 67–68
tener
    conditional tense, 443
    describing hair color, eye color, and
        complexion, 45
    expressing age, 38
    expressions with, 38, 483
    future, 425
    past subjunctive, 419
    present tense, 24, 117, 140
    subjunctive, 393
    tú commands, 306
    uses, 54
tener que + *infinitive*, 117
thanking someone, 129
there is, there are, 15
tí, 214
time
    asking at what time events
        occur, 69
    military or 24-hour clock,
        68, 71
    telling time, 67–68
time expressions
    expressing *how long*, 386
    past, 178, 239
    time clauses, 501
    time of day, 68, 69, 75

tomar, present subjunctive, 371
trabajar
    past participle, 332
    present tense, 78, 82
    preterite tense, 177
traer
    present progressive, 341
    present tense, 140
    subjunctive, 393
tu(s). *See* possessive adjectives
tú. *See also* informal speech
    uses, 24
    written accent mark, 28
tú commands, 305–307
    making polite invitations, 323
    object pronouns with, 337–338
to turn, 131
tuyo, tuya, tuyos, tuyas, 491

Ud./Uds. *See* formal speech; subject
    pronouns
Ud./Uds. commands, 307,
    309–310
    making polite invitations, 323
    object pronouns with, 338
un(o), una. *See* indefinite articles
usar, 230
    Ud./Uds. commands, 309
usted(es), uses, 24

vamos a command forms, *infinitive*, 497
venir
    conditional tense, 443
    future, 425
    present tense, 140
    tú commands, 306
ver
    imperfect, 206
    negative **tú** commands, 307
    past participle, 332
    present progressive, 341
    preterite, 490
verbs. *See also individual tenses;*
    individual verbs
    -ado and **-ido** endings, 332
    followed by infinitive, 87, 117
    irregular **yo** forms, 120, 139–141
        saber and **conocer**, 487
vestir, preterite tense, 235–236
viejo/a, 483
vivir
    future, 424
    imperfect, 206
    past participle, 332
    past subjunctive, 419
    present subjunctive, 371
    present tense, 78, 81, 82
vocabulary
    academic majors, 30, 31
    academic subjects, 13
    apologies, 226

arts and artists, 415
autobús, 261
block, 131
campus, 10–11
carrera, 302
celebrations, 201–202
cities, 135–136
clothing, 228, 232
cognates, 11, 13
cost of living, 346
daily routines, 72–74
days of week, 76
descriptive adjectives, 43–44
differences among Spanish-speaking
    countries, 11
directions, 131
e-mail addresses, 12
español, meanings of, 47
family members, 103–104, 107
family planning, 111
food and meals, 168–171, 173, 187
furniture and appliances, 326
getting someone's attention, 67
greetings, 2–3
grocery stores, 170
health and fitness, 361, 381–382
health and medical care, 359
home and furnishings, 325
housework, 327
long weekends, 201
meal times, 73–74, 94
movies, theater, and museums, 412, 413–415
musical instruments, 417
Nahuatl names of foods, 190
nationalities, 48
nature and the environment, 388–389
parking and *to pull*, 258
parts of the body, 231
personal relationships, 462
pets, 103
professions and careers, 101, 295, 296
religious affiliation, 202
setting the table, 173, 187
slang terms for nightclubs, 198
social, economic, and political problems,
    439–440
sports, 73, 355, 356, 380, 381–382
technology, 298, 318–319
telling time, 68
terms of endearment, 464
time of day, 76
travel, 259–261
welcoming people, 321
work related, 101, 296, 298, 313–314,
    318–319
volver, past participle, 496
vos, 24
    command forms, 306
    plural regular verbs, 81, 82
    regional uses, 24
    singular regular verbs, 78

vosotros/as, commands, 307, 338
vosotros/vosotras. *See* subject pronouns
vowels, in regular verb forms, 78
vuestro, vuestra, vuestros, vuestras, 491

weather
    Fahrenheit and Celsius temperature
        conversions, 263
    hacer and **estar** in weather
        expressions, 263
weight and height, 360
would, 443–444
written accents
    demonstrative pronouns, 485
    double object pronouns, 494
    with **-ndo** forms, 498
    with object or reflexive pronouns, 337
    object pronouns at end of positive
        commands, 307
    object pronouns attached to present
        participle, 368
    in the plural, 50
    preterite endings, 183
    qué and **quién/quiénes**, 496
    question words, 54
    subject pronouns, 28

years, 138
yo. *See* subject pronouns

-zco
    irregular **yo** verbs, 488
        subjunctive forms, 499

CULTURAL TOPICS

addressing those whose names you do not
    know, 322
Argentina, 25, 112, 119, 120, 124, 133, 136,
    168, 202, 218, 224, 271, 272, 279,
    426–427, 434, 469
art and artists, 413, 421, 422, 423
Asunción, Paraguay, 153

Bachelet, Michelle, 92–93
Balenciaga, Cristóbal, 235
Bardem, Javier, 77, 238–239
bares in Spain, 143
Bernal, Egan, 366
Bolivia, 260, 398, 459
Bullock, Sandra, 248

Calatrava, Santiago, 300
Carnaval in Uruguay, 209
Casa PACO, 344–345
Casas para el siglo XXI, 344–345
celebrations, 202, 204, 208, 209,
    217–218
Central America, 224
Chávez, Hugo, 237
Chile, 66, 92–93, 188, 198, 218, 224, 394
choosing a major, 89

climate change, 449–450
clothing sizes and fit, 232
coffee in Nicaragua and
    El Salvador, 85
Colombia, 80, 110, 149, 182, 196, 218, 224,
    357, 366, 423
connectivity, 299
conversational "fillers," 100
Costa Rica, 172, 191, 202, 224, 259, 274,
    334, 395, 399
countries, 48
Cruz, Penélope, 238–239, 243
Cuba, 122, 245, 410, 422, 475
cultural knowledge
    24-hour clock, 71
    daily routines, 94

De la Renta, Oscar, 245
Día de los Muertos, 208
dinnertime, 180
domestic help at home, 115, 330
Dominican Republic, 121, 122, 136, 224, 225,
    245, 259, 279, 387
Dudamel, Gustavo, 421

ecotourism, 274
Ecuador, 121, 218, 279, 393, 398
El Salvador, 85, 121, 218
emigration in Honduras, 449
employment in Peru, 303
encouragement, offering, 352
environmental struggles in Ecuador and
    Bolivia, 398

first day of the week, 76
flags, 48

García Bernal, Gael, 77
Gaudí, Antoni, 327
godparents, 107
González, Mayra, 301
greetings, 3
grocery stores, 170
Guatemala, 111, 164, 205, 279, 392

Hayek, Selma, 124
healthy living advice, 353
Herrera, Carolina, 235
Honduras, 1, 150, 154, 218, 449–450
housing for university students, 118

Ibargüen Mena, Caterine, 357
immigration, 31, 449
Inca marriage traditions, 468
Índice (*Index*) de Desarrollo Humano, 447
indigenous peoples, 442
instruments, 417

Jornet Burgada, Kilian, 357
Los jóvenes retrasan su emancipación
    (Spain), 476–477
Juanes, 80

kilograms and meters, 360
knife and fork use, 187
Kuna Yala peoples, 250

last names, 6, 119
Latin America, 24
Levy, William, 475
Longoria, Eva, 248
long weekends, 201
Luna, Diego, 22

«Malas y buenas noticias» (Millán), 452
Malinche and Cortés, 475
maps, flights, 270
Martel, Lucrecia, 426, 427
Mayan peoples, 205, 206, 392, 449
meal times, 81, 94
menus, 174
Messi, Lionel, 25
Mexico, 22, 30, 37, 77, 81, 94, 99, 108, 112,
    122, 124, 137, 147, 167, 168, 172, 186,
    187, 189–190, 198, 202, 204, 206,
    207, 218, 223, 224, 265, 271, 272,
    280–281, 300, 301, 336, 376, 395,
    397, 421, 461, 472, 475
movies
    Argentina, 426–427
    dubbing and subtitles, 412
music, 432
    Calle 13 (Puerto Rico), 156
    Fito Paéz, 119
    salsa, 432
    Julieta Venegas, 108
muxes in Oaxaca, 472

Nadal, Rafael, 368
names, last names (**apellidos**), 6, 119
nationalities, 48
Nicaragua, 85, 112, 192, 272

Ortega, Amancio, 244

«¿Padre, hijo o caballo?», 157
Paéz, Fito, 119
Panama, 51, 52, 136, 218, 250
Pani, Mario, 336
Paraguay, 153, 218, 272
Paz, Bernie, 413
Perón, Eva and Juan, 469
Peru, 176, 191, 202, 218, 265–266, 303, 320,
    334, 403–404
physical characteristics, 47
polite expressions, 226, 289
politely declining, 167
«La princesa azul» (Sánchez), 428–429
professional contexts
    body language, 3
    connectivity and educational
        opportunities, 299
    controlling social media content, 261
    cross-cultural misunderstanding, 292

culinary adventurousness, 175
cultural knowledge, 71
family and personal information, 106
formal and informal registers, 323
getting accurate contact information, 12
green public relations, 402
international travel, 283, 480
internships, 457
job opportunities, 295, 348, 361, 427
knowing people's names, 5
mealtime customs, 180
medical Spanish, 361
networking skills, 42, 93, 106, 199
practicing numbers, 386
oral presentations, 61
polite expressions, 289
public speaking, 253
resumes, 106, 304
social media identity, 261
Spanish use in the U.S., 348
study abroad, 161
thank-you notes, 130
websites and blogs, 221
Puerto Rico, 26, 27, 156, 224

quinceañera, 202

religious affiliation, 202
restaurants, 173, 174
Rivera, Diego, 421
Rodríguez, James, 80
Rojas, Yulimar, 363
Roth, Cecilia, 119
royal family in Spain, 108
Ruta del Tequila, 280–281

Saldana, Zoe, 23, 428–429
same-sex marriage, 470
Sánchez, Yngel, 248–249
Santa Monica, California, 159
santería, 334
Sardiña, Adolfo, 245
saying something is great, 224
Shakira, 80, 149
siesta lunch hour, 71
using slang, 198, 224
Slim Helú, Carlos, 300
soccer announcers, 378
southern hemisphere and seasons, 14
Spain, 77, 108, 112, 121, 136, 172, 186, 191,
    202, 218, 224, 235, 238, 243, 244,
    256, 259, 269, 271, 272, 300, 325,
    327, 357, 397, 420, 470, 476–477
    present perfect use, 333
    subject pronouns in, 24
    vosotros, vosotras usage, 24
Spanish directors, 420
Spanish used as an adjective, 47
sports, 37, 122, 355–357, 363, 364, 366,
    368, 376, 378
sports, health, and fitness,
    354–355, 361

status of Puerto Rico, 26
student life, 86
study abroad, 31, 161
suburbs, concept of, 135

Tarahumara runners, 376
technology cognates, 298
Tegucigalpa, 150, 154
telenovelas, 473
temperature, Fahrenheit and Celsius, 263
tortillas, 186

United States, 23, 26, 152, 159, 168, 190,
    202, 395, 428, 430, 461, 473, 475
Uruguay, 128, 209, 272
use of knife and fork, 187
Usuahia, Argentina, 133, 134

Venegas, Julieta, 108
Venezuela, 89, 112, 172, 182, 192, 202, 218,
    235, 237, 248, 288, 363, 366, 394,
    418, 421
Vergara, Sofía, 80, 110

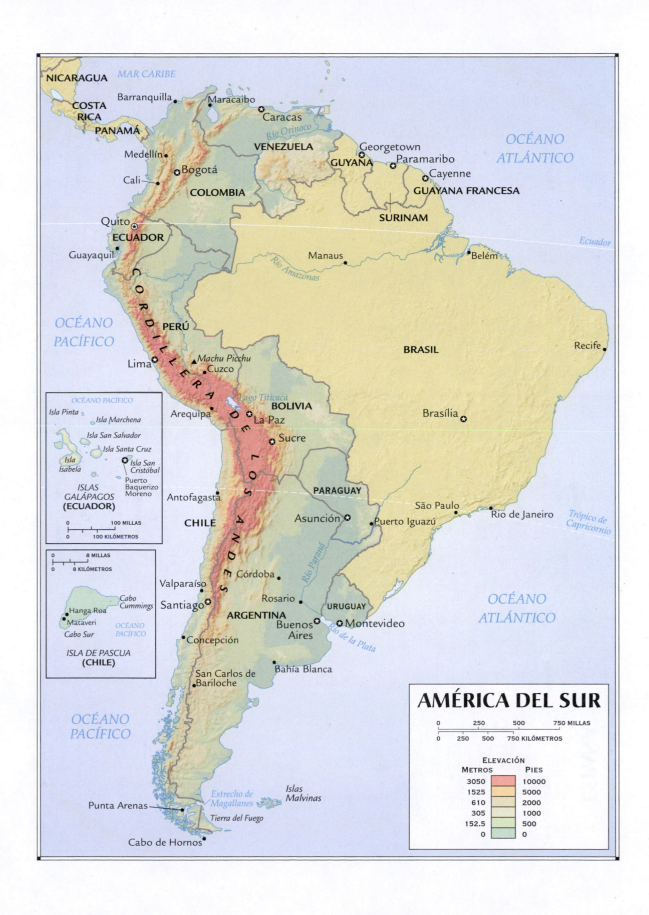

NICARAGUA

MAR CARIBE

Barranquilla
Maracaibo
Caracas
Río Orinoco

COSTA
RICA
PANAMÁ

Medellín
Bogotá
Cali
COLOMBIA

VENEZUELA

GUYANA
Georgetown
Paramaribo
Cayenne
GUAYANA FRANCESA

SURINAM

OCÉANO
ATLÁNTICO

Quito
ECUADOR

Guayaquil

Río Amazonas

Manaus
Belém

Ecuador

OCÉANO
PACÍFICO

PERÚ

Lima
Machu Picchu
Cuzco

BRASIL

Recife

C O R D I L L E R A   D E   L O S   A N D E S

Lago Titicaca
BOLIVIA
Arequipa
La Paz
Sucre

Brasília

OCÉANO PACÍFICO
Isla Pinta
Isla Marchena
Isla San Salvador
Isla Santa Cruz
Isla
Isabela
Isla San
Cristóbal
Puerto
Baquerizo
Moreno

ISLAS
GALÁPAGOS
(ECUADOR)

0   100 MILLAS
0   100 KILÓMETROS

Antofagasta

CHILE

PARAGUAY

Asunción

São Paulo

Puerto Iguazú

Rio de Janeiro

*Trópico de
Capricornio*

Río Paraná

OCÉANO
ATLÁNTICO

0   8 MILLAS
0   8 KILÓMETROS

Cabo
Cummings
Hanga Roa
Mataveri
Cabo Sur

OCÉANO
PACÍFICO

ISLA DE PASCUA
(CHILE)

Valparaíso
Santiago
ARGENTINA

Córdoba

Rosario

URUGUAY
Montevideo

Buenos
Aires

Río de la Plata

Concepción

San Carlos de
Bariloche

Bahía Blanca

OCÉANO
PACÍFICO

Punta Arenas

*Estrecho de
Magallanes*

Islas
Malvinas

Tierra del Fuego

Cabo de Hornos

AMÉRICA DEL SUR

0   250   500   750 MILLAS
0   250   500   750 KILÓMETROS

ELEVACIÓN
METROS   PIES

METROS		PIES
3050		10000
1525		5000
610		2000
305		1000
152.5		500
0		0

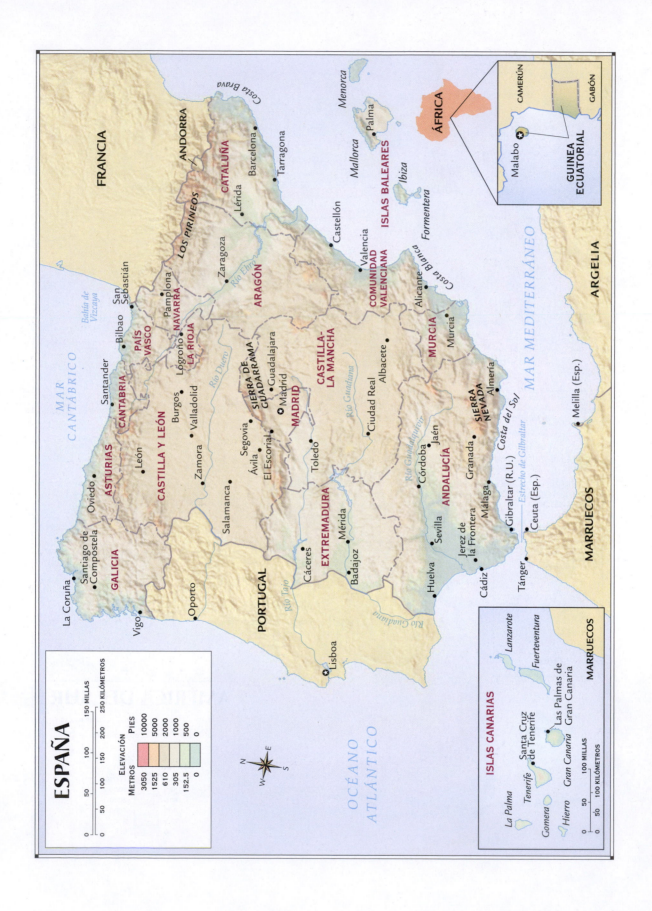

ESPAÑA

ELEVACIÓN

METROS	PIES
3050	10000
1525	5000
610	2000
305	1000
152.5	500
0	0

FRANCIA

ANDORRA

Costa Brava

CATALUÑA

Menorca

Palma

Mallorca

ISLAS BALEARES

Ibiza

Formentera

ÁFRICA

CAMERÚN

GABÓN

Malabo

GUINEA ECUATORIAL

ARGELIA

MAR MEDITERRÁNEO

Barcelona

Tarragona

Lérida

LOS PIRINEOS

San Sebastián

Pamplona

NAVARRA

Zaragoza

ARAGÓN

Castellón

Valencia

COMUNIDAD VALENCIANA

Bilbao

PAÍS VASCO

Logroño

LA RIOJA

Río Ebro

Alicante

Costa Blanca

Santander

Bahía de Vizcaya

MAR CANTÁBRICO

CANTABRIA

Burgos

Río Duero

Guadalajara

SIERRA DE GUADARRAMA

MADRID

Madrid

CASTILLA-LA MANCHA

Albacete

MURCIA

Murcia

Almería

Oviedo

ASTURIAS

León

CASTILLA Y LEÓN

Valladolid

Zamora

Segovia

Ávila

El Escorial

Toledo

Ciudad Real

Río Guadiana

SIERRA NEVADA

Costa del Sol

Melilla (Esp.)

Santiago de Compostela

La Coruña

GALICIA

Salamanca

ANDALUCÍA

Córdoba

Jaén

Granada

Río Guadalquivir

Málaga

Vigo

Oporto

EXTREMADURA

Cáceres

Mérida

Badajoz

Sevilla

Huelva

Jerez de la Frontera

Cádiz

Gibraltar (R.U.)

Estrecho de Gibraltar

Ceuta (Esp.)

Tánger

MARRUECOS

PORTUGAL

Río Tajo

Lisboa

OCÉANO ATLÁNTICO

ISLAS CANARIAS

Lanzarote

Fuerteventura

La Palma

Tenerife

Santa Cruz de Tenerife

Gomera

Hierro

Gran Canaria

Las Palmas de Gran Canaria

MARRUECOS

150 MILLAS

250 KILÓMETROS

100 MILLAS

100 KILÓMETROS